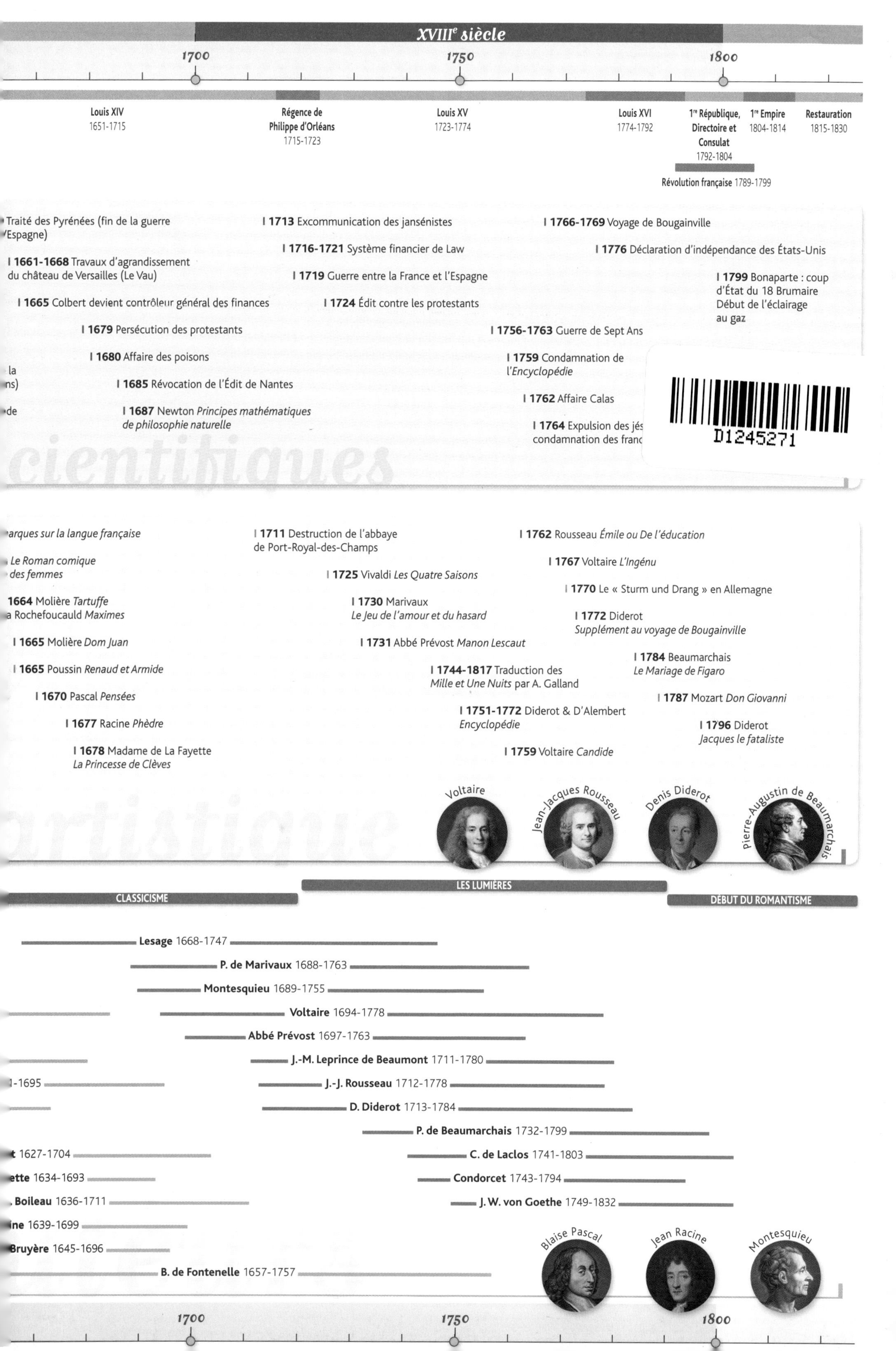

XVIIIe siècle
1700
1750
1800
Louis XIV 1651-1715
Régence de Philippe d'Orléans 1715-1723
Louis XV 1723-1774
Louis XVI 1774-1792
1re République, Directoire et Consulat 1792-1804
1er Empire 1804-1814
Restauration 1815-1830
Révolution française 1789-1799
Traité des Pyrénées (fin de la guerre
'Espagne)
1661-1668 Travaux d'agrandissement du château de Versailles (Le Vau)
1665 Colbert devient contrôleur général des finances
1679 Persécution des protestants
1680 Affaire des poisons
1685 Révocation de l'Édit de Nantes
1687 Newton Principes mathématiques de philosophie naturelle
1713 Excommunication des jansénistes
1716-1721 Système financier de Law
1719 Guerre entre la France et l'Espagne
1724 Édit contre les protestants
1766-1769 Voyage de Bougainville
1776 Déclaration d'indépendance des États-Unis
1799 Bonaparte : coup d'État du 18 Brumaire
Début de l'éclairage au gaz
1756-1763 Guerre de Sept Ans
1759 Condamnation de l'Encyclopédie
1762 Affaire Calas
1764 Expulsion des jés
condamnation des franc
D1245271
cientifiques
arques sur la langue française
Le Roman comique
des femmes
1664 Molière Tartuffe
a Rochefoucauld Maximes
1665 Molière Dom Juan
1665 Poussin Renaud et Armide
1670 Pascal Pensées
1677 Racine Phèdre
1678 Madame de La Fayette La Princesse de Clèves
1711 Destruction de l'abbaye de Port-Royal-des-Champs
1725 Vivaldi Les Quatre Saisons
1730 Marivaux Le Jeu de l'amour et du hasard
1731 Abbé Prévost Manon Lescaut
1744-1817 Traduction des Mille et Une Nuits par A. Galland
1751-1772 Diderot & D'Alembert Encyclopédie
1759 Voltaire Candide
1762 Rousseau Émile ou De l'éducation
1767 Voltaire L'Ingénu
1770 Le « Sturm und Drang » en Allemagne
1772 Diderot Supplément au voyage de Bougainville
1784 Beaumarchais Le Mariage de Figaro
1787 Mozart Don Giovanni
1796 Diderot Jacques le fataliste
Voltaire
Jean-Jacques Rousseau
Denis Diderot
Pierre-Augustin de Beaumarchais
artistique
LES LUMIÈRES
CLASSICISME
DÉBUT DU ROMANTISME
Lesage 1668-1747
P. de Marivaux 1688-1763
Montesquieu 1689-1755
Voltaire 1694-1778
Abbé Prévost 1697-1763
J.-M. Leprince de Beaumont 1711-1780
-1695
J.-J. Rousseau 1712-1778
D. Diderot 1713-1784
P. de Beaumarchais 1732-1799
t 1627-1704
C. de Laclos 1741-1803
ette 1634-1693
Condorcet 1743-1794
Boileau 1636-1711
J. W. von Goethe 1749-1832
ine 1639-1699
Bruyère 1645-1696
B. de Fontenelle 1657-1757
Blaise Pascal
Jean Racine
Montesquieu
1700
1750
1800

Partie TEXTES sous la direction de
Valérie Presselin
Professeur agrégé de Lettres modernes
Lycée Jules Ferry, Versailles

Partie MÉTHODES sous la direction de
François Mouttapa
Inspecteur pédagogique régional de Lettres
Académie de Nantes

Relecture pédagogique
Betty Witkowski Vanuxem
Professeur certifié de Lettres modernes
Lycée Baudimont-Saint Charles, Arras

Pauline Bruley
Maître de conférences à l'université d'Angers

Simon Daireaux
Professeur certifié de Lettres modernes
Lycée Jean-Monnet, La Queue-lez-Yvelines

Miguel Degoulet
Professeur agrégé de Lettres modernes
Lycée Le Mans-Sud, Le Mans

Karine Foucher
Professeur PLP lettres-anglais
et coordonnatrice CLEMI Amiens
Lycée professionnel Rimbaud, Ribécourt

Stéphane Jacob
Professeur agrégé de Lettres modernes
Lycée Jean Dautet, La Rochelle

Claude Mouren
Professeur agrégé de Lettres modernes
Lycée Jules Ferry, Versailles

Sylvie Neel
Professeur agrégé de Lettres modernes
Lycée Camille Guérin, Poitiers

Amélie Pacaud
Professeur agrégé de Lettres modernes
Lycée Duplessis-Mornay, Saumur

Estelle Plaisant-Soler
Professeur agrégé de Lettres modernes
Lycée Arago, Perpignan

Claudine Poulet
Professeur agrégé de Lettres classiques
Lycée Jean Bodin, Les-Ponts-de-Cé

Daniel Salles
Professeur certifié de Lettres classiques
Formateur image et médias
Collège de l'Europe, Bourg-de-Péage

Patricia Vasseur
Professeur agrégé de Lettres classiques
Lycée Jean-Baptiste Corot, Savigny-sur-Orge

Francesco Viriat
Professeur agrégé de Lettres modernes
Lycée Marguerite Yourcenar, Le Mans

L'éditeur et les auteurs remercient les enseignants qui ont participé aux tests de ce manuel, ainsi que les enseignants relecteurs du manuscrit, Fabian Bouleau, Delphine Chary, Carole de Jodar, Véronique Lercher-Raulot, Laurent Perronnet et Anne Poncet, pour leurs conseils avisés.

Cet ouvrage est imprimé sur du papier composé de fibres naturelles, renouvelables, recyclables, et fabriqué à partir de bois issu de forêts gérées de façon durable conformément à l'article 206 de la loi n° 2010-788 du 12 juillet 2010.

Couverture et gardes : Nicolas Piroux
Maquette intérieure : Véronique Lefebvre, Jérôme Lecomte, Jérôme de Swetschin
Mise en page : Nadine Aymard
Édition de la partie Méthodes : Corinne Meyniel
Iconographie : Veronica Brown, Nadine Gudimard, Brigitte Hammond, Caroline Pfrimmer
Correction : Chantal Maury
Photogravure : Nord Compo

ISBN 978-2-01-135542-3
www.hachette-education.com

SOMMAIRE

PARTIE 1 : Textes

Chapitre 1
Le personnage de roman, du XVIIe siècle à nos jours

Chapitre 2
Le texte théâtral et sa représentation, du XVIIe siècle à nos jours

Chapitre 3
Écriture poétique et quête du sens, du Moyen Âge à nos jours

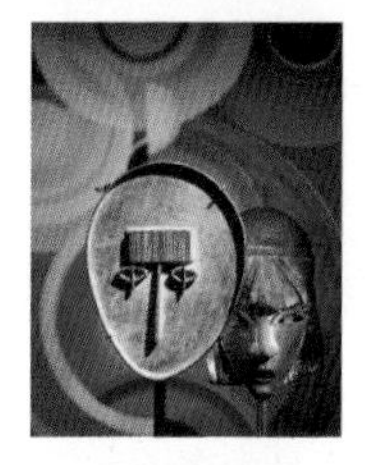

Chapitre 4
La question de l'Homme dans les genres de l'argumentation, du XVIe siècle à nos jours

Chapitre 5 SÉRIE L
Vers un espace culturel européen : Renaissance et humanisme

Chapitre 6 SÉRIE L
Les réécritures, du XVIIe siècle à nos jours

PARTIE 2 : Méthodes

1 Éducation aux médias
2 Travailler en autonomie
3 Le personnage de roman
4 Le texte théâtral et sa représentation
5 Écriture poétique et quête du sens
6 La question de l'Homme
7 Objets d'étude de la filière littéraire
8 Lire et analyser
9 Préparer le baccalauréat
10 Étude de la langue

Chapitre 1 Le personnage de roman, du XVIIe siècle à nos jours

Séquence 1

Le personnage, reflet du monde ? 21

Histoire des arts 22
PEINTURE G. de La Tour, *La Madeleine pénitente*, dite *aux deux flammes*, XVIIe siècle

Corpus 1 • Le personnage et le spectacle du monde
1. **P. Scarron,** *Le Roman comique,* 1651 24
2. **Marivaux,** *Le Paysan parvenu,* 1734-1735 26
3. **H. de Balzac,** *Le Cabinet des Antiques,* 1839 28
4. **G. Flaubert,** *Madame Bovary,* 1857 30
5. **M. Proust,** *Du côté de chez Swann,* 1913 32
6. **G. Perec,** *Les Choses,* 1965 34
7. **M. Houellebecq,** *Extension du domaine de la lutte,* 1994 35

Corpus 2 • Le personnage insaisissable
8. **D. Diderot,** *Jacques le fataliste,* 1796 36
9. **G. Flaubert,** *Bouvard et Pécuchet,* 1881 38
10. **J.-P. Sartre,** *La Nausée,* 1938 40
11. **M. Butor,** *La Modification,* 1957 42
12. **A. Robbe-Grillet,** *Pour un nouveau roman,* 1963 43
13. **S. Germain,** *Magnus,* 2005 44
14. **S. Germain,** *Les Personnages,* 2004 45
15. **O. Adam,** *À l'abri de rien,* 2007 46

POUR ARGUMENTER • Les personnages de roman peuvent-ils nous aider à mieux comprendre le monde ? 47
F. Mauriac, *Le Romancier et ses personnages,* 1933

Histoire littéraire
La fabrique du roman et du personnage 48

Séquence 2

Parcours de lecteur • Œuvre intégrale
Abbé Prévost, *Manon Lescaut*, 1731 51
Entrée dans l'œuvre : frivole Manon ! 52
L'œuvre et son contexte
Extrait 1 • La rencontre 53
Extrait 2 • Une profession de foi libertine ? 54
Extrait 3 • Une libertine ingénue 55
Les sources de l'œuvre 56
La réception de l'œuvre
Fiche de lecture 1 : Un roman à la croisée des genres 57
Fiche de lecture 2 : Du libertinage à la tragédie 58

Séquence 3

Histoire des arts Voyages au bout de la nuit

Histoire des arts Voyages au bout de la nuit 59

1. Peindre la guerre 60
H. Barbusse, *Le Feu,* 1916
PEINTURES **G. Grosz, O. Dix**

2. Images de guerre 62
L.-F. Céline, *Voyage au bout de la nuit,* 1932
Entretien avec Tardi, *Le Petit Célinien,* février 2010
ILLUSTRATION **J. Tardi** – PHOTOGRAPHIES **R. Capa, J. Rosenthal**

3. La Shoah dans l'art et dans la littérature 64
E. Wiesel, *La Nuit,* 1958
INSTALLATION **C. Boltanski** – FILM **C. Lanzmann**

Atelier d'écriture
Écrire le récit d'une scène de guerre en adoptant un style célinien 66

Séquence 4

Personnage et société

Personnage et société 67

Histoire des arts 68
PEINTURE O. Dix, *La Rue de Prague,* 1920

Corpus 1 • Le personnage dans un monde oppressant
1. **Montesquieu,** *Les Lettres persanes,* 1721 70
2. **G. de Staël,** *Delphine,* 1802 72
3. **F. R. de Chateaubriand,** *René,* 1802 74
4. **V. Hugo,** *Les Misérables,* 1862 76
5. **J. Giono,** *Un roi sans divertissement,* 1948 78

Corpus 2 • Le personnage face à son destin
6. **Madame de La Fayette,** *La Princesse de Clèves,* 1678 80
7. **P. Choderlos de Laclos,** *Les Liaisons dangereuses,* 1782 82
8. **Stendhal,** *Le Rouge et le Noir,* 1830 84
9. **R. Radiguet,** *Le Bal du comte d'Orgel,* 1924 86
10. **A. Camus,** *L'Étranger,* 1942 88
11. **J.-M. G. Le Clézio,** *Désert,* 1980 90

POUR ARGUMENTER • Qu'est-ce qu'un personnage « réussi » ? 92
M. Kundera, *Le Rideau,* 2005

Histoire littéraire
Le personnage de roman et ses visions du monde 93

Séquence 5

Parcours de lecteur • Œuvre intégrale Laurent Gaudé, *La Mort du roi Tsongor,* 2002

Parcours de lecteur • Œuvre intégrale Laurent Gaudé, *La Mort du roi Tsongor,* 2002 95

Entrée dans l'œuvre : l'épopée au cœur du roman 96
L'œuvre et son contexte
Extrait 1 • Une Antiquité imaginaire 97
Extrait 2 • La mort d'un roi 98
Extrait 3 • Le souffle épique 99
Les sources de l'œuvre 100
La réception de l'œuvre

Fiche de lecture 1 : Un récit des origines 101
Fiche de lecture 2 : Des destins tragiques 102

Vers le bac | « Le récit poétique »
1. **V. Hugo,** *Les Travailleurs de la mer,* 1866 ... 103
2. **M. Tournier,** *Vendredi ou les limbes du Pacifique,* 1967 ... 104
3. **J. Gracq,** *La Presqu'île,* 1970 ... 105
DESSIN **V. Hugo,** *Ma Destinée,* 1857 ... 106

Vers le bac | « Le personnage de roman au cœur de l'Histoire »
1. **A. de Vigny,** « Réflexions sur la vérité dans l'art », préface à *Cinq-Mars,* 1826 ... 107
2. **Stendhal,** *La Chartreuse de Parme,* 1839 ... 108
3. **V. Hugo,** *Les Misérables,* 1862 ... 109
PEINTURE **C.-A. Andrieux,** *La Bataille de Waterloo,* 1852 ... 110

Pistes de lecture - Lire l'*incipit* : **L. Aragon,** *Aurélien,* 1944 ... 111

Chapitre 2 Le texte théâtral et sa représentation, du XVIIe siècle à nos jours

Séquence 6 **Mettre en scène la variété du comique** ... 113

Histoire des arts ... 114
MISE EN SCÈNE *La Cantatrice chauve* d'E. Ionesco (1950), par J.-L. Lagarce, 1991

Corpus 1 • Masques, mensonges et jeux de rôles
1. **Plaute,** *Amphitryon,* vers 200 av. J.-C. ... 116
2. **Molière,** *Amphitryon,* I, 2, 1668 ... 117
3. **Molière,** *Dom Juan,* V, 1, 2, 1665 ... 119
4. **Lesage,** *Turcaret,* I, 2, 1709 ... 122
5. **Marivaux,** *Le Jeu de l'amour et du hasard,* I, 7, 1730 ... 123
6. **A. de Musset,** *On ne badine pas avec l'amour,* III, 3, 1834 ... 125
7. **G. Feydeau,** *Le Dindon,* II, 16, 17, 1896 ... 126

Corpus 2 • Le théâtre, lieu de la satire sociale et politique
8. **Aristophane,** *Les Cavaliers,* 424 av. J.-C. ... 129
9. **Beaumarchais,** *Le Mariage de Figaro,* III, 5, 1778 ... 130
10. **A. Jarry,** *Ubu Roi,* III, 2, 1896 ... 132
11. **F. Dürrenmatt,** *La Visite de la vieille dame,* I, 1956 ... 134
12. **Y. Reza,** *Art,* 1994 ... 136
13. **J.-M. Ribes,** *Théâtre sans animaux,* « Musée », 2001 ... 138

POUR ARGUMENTER • Le texte de théâtre existe-t-il sans la scène ? ... 139
A. Artaud, *Le Théâtre et son double,* 1931

Histoire littéraire
Histoire du théâtre et de sa représentation ... 140

Séquence 7 **Parcours de lecteur • Œuvre intégrale Alfred de Musset, *Lorenzaccio,* 1834** ... 143

Entrée dans l'œuvre : Florence, la ville du carnaval ... 144
L'œuvre et son contexte
Extrait 1 • Le Duc et son bouffon, I, 4 ... 145
Extrait 2 • Les désillusions d'un héros romantique, III, 3 ... 146
Extrait 3 • Répétition fébrile du meurtre, IV, 9 ... 147
La réception de l'œuvre ... 148
Fiche de lecture 1 : La tyrannie du masque ... 149
Fiche de lecture 2 : Un drame historique et politique ... 150

Séquence 8

L'évolution du tragique : des héros aux personnages ordinaires 151

Histoire des arts 152
MISE EN SCÈNE *Mère Courage et ses enfants* de B. Brecht (1940), par Gisèle Sallin, 2007

Corpus 1 • Le spectacle de la mort des héros
1. **Eschyle,** *Agamemnon,* 458 av. J.-C. 154
2. **Sophocle,** *Antigone,* 4e épisode, 442 av. J.-C. 156
3. **J. Anouilh,** *Antigone,* 1944 158
4. **Racine,** *Phèdre,* V, 7, 1677 159
5. **V. Hugo,** *Ruy Blas,* V, 4, 1838 162
6. **J.-P. Sartre,** *Les Mouches,* II, 7, 1943 164

Corpus 2 • Mettre en scène la fin des héros
7. **A. Camus,** *Caligula,* I, 8, 1945 165
8. **S. Beckett,** *En attendant Godot,* I, 1952 166
9. **E. Ionesco,** *Le Roi se meurt,* 1962 168
10. **B.-M. Koltès,** *Combat de nègre et de chiens,* IV, 1983 170
11. **J.-L. Lagarce,** *Juste la fin du monde,* II, 2, 1990 173
12. **D. Keene,** *Cinq hommes,* 5, 2003 176

POUR ARGUMENTER • Le comique peut-il être tragique ? 177
E. Ionesco, *Notes et contrenotes,* 1962

Histoire littéraire
L'évolution du tragique : des héros mythiques aux figures ordinaires 178

Séquence 9

Histoire des arts De l'espace sacré antique à la scène moderne 181

1. Les metteurs en scène face au théâtre antique 182
A. Vitez à propos du décor de Y. Kokkos
DESSIN Théâtre de Dionysos – PHOTOGRAPHIE Théâtre Hérode Atticus
MISES EN SCÈNE **V. Rossi, Y. Kokkos**

2. De l'espace mythique à l'espace symbolique 184
Sophocle, *Œdipe à Colone,* Ve siècle av. J.-C.
Eschyle, *Les Euménides,* Ve siècle av. J.-C.
O. Py, à propos de la scénographie de l'*Orestie,* 2008
MISES EN SCÈNE **J.-P. Vincent, P. Adrien, O. Py**

3. Quel espace pour le chœur ? 186
J. Feral, « Le chœur d'A. Mnouchkine », *Trajectoires du Soleil,* 1998
A. Vitez, notes de mise en scène, *L'Art du théâtre,* 1986
MISES EN SCÈNE **A. Mnouchkine, A. Vitez** – BAS-RELIEF *Chœur de jeunes filles*

Atelier d'écriture
Imaginer la mise en scène du départ d'Antigone vers la mort 188

Histoire littéraire
Le théâtre antique 189

Vers le bac
« Monologue et solitude dans le théâtre contemporain »
1. **S. Beckett,** *Oh les beaux jours,* 1963 191
2. **B.-M. Koltès,** *Sallinger,* 1987 192
3. **M. N'Diaye,** *Papa doit manger,* 2003 193
MISE EN SCÈNE **J.-L. Barrault,** *Oh les beaux jours* de S. Beckett, 1963 194

Vers le bac
« La lettre, accessoire de jeu »
1. **Marivaux,** *Les Fausses Confidences,* II, 13, 1737 195
2. **Beaumarchais,** *Le Barbier de Séville,* II, 15, 1775 196
3. **V. Hugo,** *Ruy Blas,* II, 2, 1838 197
MISE EN SCÈNE **D. Bezace,** *Les Fausses Confidences* de Marivaux, 2010 198

Pistes de lecture – Lire l'*incipit* : **J.-C. Grumberg,** *L'Atelier,* 1985 199

Chapitre 3 Écriture poétique et quête du sens, du Moyen Âge à nos jours

Séquence 10

Les jeux de l'amour 201

Histoire des arts 202
PEINTURE N. Poussin, *Renaud et Armide*, vers 1665

Corpus 1 • Chanter l'amour en jouant avec la forme fixe
1. **C. de Pisan,** « Je ne sais comment je dure », *Rondeaux,* 1390-1400 204
2. **C. Marot,** « D'Anne qui lui jeta de la neige », *Épigrammes,* 1538 205
3. **L. Labé,** « Ô beaux yeux bruns », « Je vis, je meurs... », *Œuvres,* 1555 206
4. **P. de Ronsard,** « Si c'est aimer, Madame », *Sonnets pour Hélène,* 1578 208
5. **Pétrarque,** *Canzoniere,* XIVe siècle / **C. Monteverdi,** *Madrigaux guerriers et amoureux,* 1638 208
6. **P. de Marbeuf,** « Et la mer et l'amour », *Recueil de vers,* 1628 210
7. **V. Voiture,** « Ma foi, c'est fait de moi », *Poésies,* 1649 211
8. **P. Éluard,** « La courbe de tes yeux », « Celle de toujours toute », *Capitale de la douleur,* 1926 212

Corpus 2 • Jouer avec l'absence
9. **P. de Ronsard,** « Marie, qui voudrait votre beau nom tourner », « Sur la mort de Marie », *Second Livre des Amours,* 1578 214
10. **P. Verlaine,** « Mon rêve familier », *Poèmes saturniens,* 1866 216
11. **P. Verlaine,** « À la manière de Paul Verlaine », *Parallèlement,* 1889 217
12. **C. Baudelaire,** « À une passante », *Les Fleurs du mal,* 1861 218
13. **C. Baudelaire,** « Le désir de peindre », *Petits Poèmes en prose,* 1863 219
14. **G. Apollinaire,** « Si je mourais là-bas », « Reconnais-toi », *Poèmes à Lou,* 1955 220
15. **R. Char,** « Sur le franc-bord », *Lettera amorosa,* 1953 221

POUR ARGUMENTER • Amour de la femme ou amour des mots ?........ 222
P. de Ronsard, Préface de *La Franciade,* 1572
J. du Bellay, *Divers Jeux rustiques,* 1558

Histoire littéraire
Le lyrisme de la poésie et de la musique........ 223

Séquence 11

Histoire des arts Dame Nature en son jardin 225

1. Le jardin des délices au Moyen Âge........ 226
C. d'Orléans, *Rondel,* XVe siècle
C. de Pisan, *Ballade,* 1399-1402
TAPISSERIE *La Dame à la Licorne : le Goût* – ILLUSTRATION *Le Verger du Déduit*

2. Le jardin baroque, théâtre des métamorphoses........ 228
J. de La Fontaine, *Le Songe de Vaux,* 1671
P. Le Moyne, « Le Palais de la Fortune », *Lettres morales et poétiques,* 1665
SCULPTURES **Le Bernin, J.-B. Tuby**

3. Le jardin public, rencontre avec la modernité........ 230
G. de Nerval, « Une allée du Luxembourg », *Odelettes,* 1834
J. Prévert, « Le Jardin », *Paroles,* 1946
PEINTURE **É. Manet** – PHOTOGRAPHIE **A. Kertész**

Atelier d'écriture
Réaliser une anthologie poétique 232

Séquence 12

Le poète, arpenteur du monde 233

Histoire des arts 234
PEINTURE A. Tàpies, *A.T.*, 1985

Corpus 1 • Dire et déchiffrer le monde
1. **V. Hugo,** « Ce que dit la bouche d'ombre », *Les Contemplations,* 1855 236
2. **J. Supervielle,** « Le matin du monde », *Gravitations,* 1925 238
3. **E. Guillevic,** « Art poétique », *Gagner,* 1949 240
4. **E. Guillevic,** « Douceur », *Terre à bonheur,* 1952 241
5. **J. Prévert,** « Grand Bal du Printemps », *Grand Bal du Printemps,* 1951 242

Corpus 2 • Rompre les amarres
6. **C. Baudelaire,** « L'invitation au voyage », *Les Fleurs du mal,* 1857 244
7. **C. Baudelaire,** « L'invitation au voyage », *Petits Poèmes en prose,* 1869 245
8. **A. Rimbaud,** « Le Bateau ivre », *Poésies,* 1871 246
9. **V. Segalen,** « Conseils au bon voyageur », *Stèles,* 1912 248
10. **O. Paz,** « La Jarre cassée », *Liberté sur parole,* 1958 249
11. **F. Ponge,** « La valise », *Pièces,* 1961 250
12. **G. Ortlieb,** « 3 h 56 », *Poste restante,* 1997 251

POUR ARGUMENTER • Comment la poésie transporte-t-elle hors des lieux communs ? 252
T. Bekri, « Le poème ouvert », article paru dans *Le Français aujourd'hui,* n° 1997

Histoire littéraire
La poésie moderne et contemporaine 253

Séquence 13

APOLLINAIRE

Alcools

nrf

Poésie/Gallimard

Parcours de lecteur • Œuvre intégrale Guillaume Apollinaire, *Alcools,* 1913 255

Entrée dans l'œuvre : l'influence des peintres cubistes 256
L'œuvre et son contexte : Apollinaire, d'un siècle à l'autre
Présentation du recueil : éclats de vie, éclats de verre
Extrait 1 • Le lyrisme de la modernité : « Zone » 258
Extrait 2 • Le manteau d'Arlequin : « Crépuscule » 259
Extrait 3 • Puiser aux sources de la légende : « Nuit rhénane », « La Loreley » 260
Les sources et la réception de l'œuvre 262
Fiche de lecture 1 : En quête d'identité 263
Fiche de lecture 2 : Entre tradition et modernité 264

Vers le bac

« Chanter la révolte »
1. **V. Hugo,** *Les Misérables,* 1862 265
2. **J.-B. Clément,** « Le temps des cerises », 1866-1868 266
3. **L. Aragon,** « C », *Les Yeux d'Elsa,* 1942 267
4. **J. Cassou,** « La plaie que, depuis le temps des cerises... », 1944 267

PEINTURE **R. Magritte,** *La Mémoire,* 1948 268

Pistes de lecture – Lire un poème : **F. Villon,** « La Ballade des pendus », 1462 269

Chapitre 4 La question de l'Homme dans les genres de l'argumentation, du XVIe siècle à nos jours

Séquence 14

Les visages de l'Homme ... 271

Histoire des arts ... 272
FILM J. Cocteau, *La Belle et la Bête*, 1946

Corpus 1 • Aux frontières de l'humanité
1. **A. Paré,** *Des monstres et prodiges,* 1573 ... 274
2. **M. de Montaigne,** « Au sujet d'un enfant monstrueux », *Les Essais,* 1595 ... 275
3. **J.-M. Leprince de Beaumont,** *La Belle et la Bête,* 1757 ... 276
4. **V. Hugo,** *L'Homme qui rit,* 1869 ... 277
5. **Ovide,** *Les Métamorphoses,* Ier siècle av. J.-C. ... 278
6. **E. Ionesco,** *Rhinocéros,* 1960 ... 280

Corpus 2 • La valeur de l'homme
7. **N. de Condorcet,** *Réflexions sur l'esclavage des nègres,* 1781 ... 282
8. **P. Chamoiseau,** *L'Esclave vieil homme et le molosse,* 1997 ... 283
9. **J.-P. Sartre,** *Les Mains sales,* V, 3, 1948 ... 284
10. **A. Camus,** *Les Justes,* II, 1949 ... 286
11. **A. Césaire,** *Discours sur la Négritude,* 1987 ... 288
12. **S. Germain,** *Tobie des marais,* 1998 ... 290

Corpus 3 • Résistances à la déshumanisation
13. **P. Levi,** *Si c'est un homme,* 1947 ... 292
14. **R. Antelme,** *L'Espèce humaine,* 1947 ... 294
15. **J. Semprun,** *L'Écriture ou la vie,* 1994 ... 296
16. **C. Baudelaire,** « Le Voyage », *Les Fleurs du mal,* 1857 ... 297

POUR ARGUMENTER • Peut-on perdre son humanité ? ... 298
R. Antelme, *L'Espèce humaine,* 1947

Histoire littéraire
La réflexion sur l'Homme du XVIe siècle à nos jours ... 299

Séquence 15

Parcours de lecteur • Œuvre intégrale Albert Camus, *La Peste*, 1947 ... 301

Entrée dans l'œuvre : une allégorie de la peste ... 302
L'œuvre et son contexte
Extrait 1 • La force de suggestion des images ... 303
Extrait 2 • Des raisons d'agir contre la peste ... 304
Extrait 3 • La mort de l'innocent et la question du mal ... 305
Les sources littéraires : le mystère du mal ... 306
La réception de l'œuvre : une proposition morale et ses limites
Fiche de lecture 1 : Les sens de *La Peste* ... 307
Fiche de lecture 2 : Le problème de l'absurde et la solution de la révolte ... 308

Séquence 16

Les découvertes des voyageurs

Les découvertes des voyageurs 309

Histoire des arts 310
PEINTURE P. Gauguin, *D'où venons-nous ? Que sommes-nous ? Où allons-nous ?*, 1897

Corpus 1 • La rencontre du Sauvage
1. **M. de Montaigne,** « Sur les Cannibales », *Les Essais,* 1595 312
2. **J. de Léry,** *Histoire d'un voyage fait en la terre du Brésil,* 1578 314
3. **L. A. de Bougainville,** *Voyage autour du monde,* 1771 316
4. **D. Diderot,** *Supplément au voyage de Bougainville,* 1772 317
5. **Voltaire,** *L'Ingénu,* 1767 319
6. **M. Tournier,** *Vendredi ou les limbes du Pacifique,* 1967 320

Corpus 2 • La marche vers les hommes
7. **J.-J. Rousseau,** *Émile,* 1762 322
8. **P. Nizan,** *Aden Arabie,* 1931 324
9. **M. Leiris,** *L'Afrique fantôme,* 1934 324
10. **B. Cendrars,** « Passagers », *Feuilles de route,* 1924 325
11. **A. de Saint-Exupéry,** *Terre des hommes,* 1939 326
12. **C. Lévi-Strauss,** *Tristes tropiques,* 1955 328
13. **C. Lévi-Strauss,** *Race et histoire,* 1952 330

POUR ARGUMENTER • Les voyages instruisent-ils l'homme ? 331
Alain, *Propos sur le bonheur,* 1928

Histoire littéraire
Les discours des voyageurs du XVIe au XXe siècle 332

Séquence 17

Histoire des arts La photographie humaniste

Histoire des arts La photographie humaniste 335

1. Une vision optimiste de l'Homme 336
J. Prévert, « Embrasse-moi », *Histoires,* 1946
P. Valéry *et alii*, *Jours de gloire. Histoire de la libération de Paris,* 1945
PHOTOGRAPHIES **Brassaï, Izis**

2. Un regard engagé 338
W. Ronis, *Derrière l'objectif de Willy Ronis, photos et propos,* 2001
A. Camus, « La condition ouvrière », *L'Express,* 1955
PHOTOGRAPHIES **W. Ronis**

3. Plaidoyer pour l'humanité 340
R. Barthes, « Bichon chez les Nègres », *Mythologies,* 1957
PHOTOGRAPHIES **É. Boubat**

4. Dénoncer la souffrance humaine 342
W. Mohammadi, *De Kaboul à Calais,* 2009
PHOTOGRAPHIE **Steve McCurry**

Atelier d'écriture
Je me souviens de... mon enfance 344

Vers le bac

« La condition féminine »
1. **L.-S. Mercier,** *Tableau de Paris,* 1781-1788 345
2. **G. Sand,** *Histoire de ma vie,* 1855 346
3. **S. de Beauvoir,** *Le Deuxième Sexe,* 1949 347
PHOTOGRAPHIE **B. Kruger,** *You Are Not Yourself,* 1982 348

Vers le bac | **« Seul ou au milieu des autres ? »**
1. **Pascal,** « Divertissement », *Pensées,* VII, 1670 349
2. **Diderot et D'Alembert,** article « Société », *Encyclopédie,* 1765-1772 350
3. **C. Baudelaire,** « La Solitude », *Petits Poèmes en prose,* 1869 351
PHOTOGRAPHIE **A. Titarenko,** *City of Shadows,* 1992-1994 352

Pistes de lecture – Lire l'*incipit* : **Voltaire,** *Micromégas,* 1752 353

Chapitre 5 Vers un espace culturel européen : Renaissance et humanisme — SÉRIE L

Séquence 18

L'idéal humaniste à travers l'Europe 355

Histoire des arts 356
PEINTURE H. Holbein, *Les Ambassadeurs,* 1533

Corpus 1 • L'éducation d'un homme nouveau
1. **Boccace,** *Le Décaméron,* 1353 358
2. **T. More,** *L'Utopie,* 1516 359
3. **F. Rabelais,** *Gargantua,* 1534 360
4. **F. Rabelais,** *Pantagruel,* 1532 362
5. **J. du Bellay,** « Je me ferai savant en la philosophie », *Les Regrets,* 1558 364
6. **M. de Montaigne,** « Sur l'éducation des enfants », *Les Essais,* 1595 365

Corpus 2 • Espoirs et combats humanistes
7. **Érasme,** Préface à la traduction du *Nouveau Testament,* 1516 366
8. **J. du Bellay,** *Défense et illustration de la langue française,* 1549 367
9. **P. de Ronsard,** *Discours des misères de ce temps,* 1562 368
10. **A. d'Aubigné,** « Je veux peindre la France », *Les Tragiques,* 1616 369

POUR ARGUMENTER • Comment l'affaire Galilée reflète-t-elle les débats de l'époque humaniste ? 371
B. Brecht, *La Vie de Galilée,* 1938

Histoire littéraire
L'humanisme 372

Séquence 19

Histoire des arts
L'inspiration humaniste au cœur de l'art de la Renaissance 375

1. L'exaltation du cœur humain 376
M. de Montaigne, « Sur la présomption », *Les Essais,* 1595
PEINTURES **L. de Vinci, Cimabue** – DESSIN **L. de Vinci**

2. Un homme pétri de culture antique 378
Dante Alighieri, *La Divine Comédie,* 1321
PEINTURES **A. Mantegna, S. Botticelli**

3. La perspective : peindre le monde comme l'homme le voit 380
L. de Vinci, *Éloge de l'œil,* XVe siècle
PEINTURES **C.-P. Véronèse, Giotto, P. della Francesca**

Atelier d'écriture
Écrire un sonnet à la manière de Du Bellay 382

Séquence 20 Parcours de lecteur • Œuvre intégrale M. de Montaigne, « Sur le démenti », *Les Essais*, 1595 383

Entrée dans l'œuvre : l'autoportrait 384
L'œuvre et son contexte

Essai intégral : M. de Montaigne, « Sur le démenti », *Les Essais*, 1595 385

Le cheminement de l'écriture 390
La réception de l'œuvre

Fiche de lecture 1 : Je et les autres 391
Fiche de lecture 2 : Une écriture sans fin 392

Vers le bac **« Éloge et blâme du souverain »**
1. **N. Machiavel,** *Le Prince,* 1516 393
2. **F. Rabelais,** *Gargantua,* 1534 394
3. **P. de Ronsard,** *Institution pour l'adolescence de Charles IX,* 1561 395
PEINTURE **Maître des heures de Henri II,** *Portrait mythologique de François Ier,* 1545 396

Pistes de lecture – Lire l'*incipit* : **M. de Montaigne,** prologue des *Essais,* 1595 397

Chapitre 6 Les réécritures, du XVIIe siècle à nos jours SÉRIE L

Séquence 21 Réécrire pour faire œuvre nouvelle 399

Histoire des arts 400
PEINTURES L. de Vinci, *La Joconde,* 1503-1506 – F. Léger, *La Joconde aux clés,* 1930 – J.-M. Basquiat, *Mona Lisa,* 1983

Corpus 1 • La filiation et l'hommage
1. **F. Pétrarque,** « Sonnet 57 », *Canzoniere,* XIVe siècle 402
2. **J. du Bellay,** « Les cheveux d'or », *L'Olive,* 1549 403
3. **P. de Ronsard,** « J'espère et crains », *Les Amours,* 1553 404
4. **C. Baudelaire,** « Chant d'automne », *Les Fleurs du mal,* 1857 405
5. **P. Verlaine,** « Chanson d'automne », *Poèmes saturniens,* 1866 407
6. **S. Gainsbourg,** « Je suis venu te dire que je m'en vais », *Vu de l'extérieur,* 1973 408

Corpus 2 • L'imitation
7. **Homère,** *Iliade,* VIIIe siècle av. J.-C. 410
8. **A. Baricco,** *Homère, Iliade,* 2006 411

Corpus 3 • Se réécrire, en quête du mot juste
9. **A. Cohen,** *Le Livre de ma mère,* 1954 412
10. **A. Cohen,** *Carnets 1978,* 1979 413

Corpus 4 • Transposer, d'un genre à l'autre
11. **G. Flaubert,** *Madame Bovary,* 1857 414
12. **P. Simmonds,** *Gemma Bovery,* 2000 415

Corpus 5 • La variation et la transposition, autour de Salomé
13. *La Bible, Nouveau Testament,* « Évangile selon Marc », VI 416
14. **G. Flaubert,** « Hérodias », *Trois Contes,* 1877 417
15. **J.-K. Huysmans,** *À rebours,* 1884 418
16. **J. Laforgue,** *Moralités légendaires,* 1887 420

POUR ARGUMENTER • Réécriture ou plagiat ? 421
M. Darrieussecq, *Rapport de police,* 2010

Histoire littéraire
Les réécritures 422

Séquence 22

Histoire des arts
Les Vampires 423

1. Visages d'un mythe 424
B. Stoker, *Dracula,* 1897
M. Lewis, *Le Moine,* 1793
FILMS **F.-W. Murnau, T. Browning** – DESSIN **V. Hugo**

2. La sensualité du vampire 426
A. Rice, *Entretien avec un vampire,* 1976
T. Gautier, *La Morte amoureuse,* 1836
FILM **F. Ford Coppola** – PEINTURE **E. Munch**

3. Un monstre infiltré parmi les humains 428
R. Matheson, *Je suis une légende,* 1954
C. Baudelaire, « Métamorphoses du vampire », *Les Épaves,* 1866
FILMS **F. Ford Coppola, N. Jordan** – PEINTURE **A. Pénot**

4. La fin d'un mythe ? 430
J. Marigny, *La Fascination des vampires,* 2009
M. Séry, article du 1er mars 2010, *Le Monde,*
FILMS **F. Ford Coppola, M. Brooks, R. Polanski, C. Hardwicke**

Atelier d'écriture
Écrire une « note d'intention » en vue d'une adaptation de *Dracula* 432

Vers le bac

« L'anecdote de la Jeune Veuve »
1. **Pétrone,** « La matrone d'Éphèse », *Satyricon,* Ier siècle ap. J.-C. 433
2. **J. de La Fontaine,** « La Jeune Veuve », *Les Fables,* 1668 434
3. **Voltaire,** « Le nez », *Zadig,* 1774 435
4. ILLUSTRATION **G. Doré,** illustration pour « La Jeune Veuve » de La Fontaine, 1868 436

Pistes de lecture – Lire l'*incipit* : **P. Fioretto,** *Et si c'était niais ?, pastiches contemporains,* 2009 437

SOMMAIRE

PARTIE 2 : Méthodes

Chapitre 1 Éducation aux médias

Le forcené d'Étouvie écope de huit ans de prison

Courrier picard

Cinéma

Le Pen : on n'a pas fini d'en entendre sonder

Le cycliste se mesure au cheval

PORTES OUVERTES

FICHE 1 Le dessin de presse ... 440
Exercices

FICHE 2 Le billet d'humeur ... 442
Exercices : É. Fottorino, R. Solé

FICHE 3 L'information par l'image ... 444
Exercices

FICHE 4 Le JT nous informe-t-il vraiment ? ... 446
Exercices

FICHE 5 De la Une papier à la page d'accueil ... 448
Exercices

FICHE 6 La recherche d'informations sur Internet ... 450
Exercices

FICHE 7 La publicité ... 452
Exercices : **A. de Saint-Exupéry, M. Duras**

Chapitre 2 Travailler en autonomie

FICHE 8 Utiliser ses notes de cours pour préparer le bac ... 454
Exercices

FICHE 9 Les outils de l'autonomie ... 456
Exercices

FICHE 10 Préparer un exposé ... 458
Exercices

FICHE 11 Améliorer son expression ... 460
Exercices

Chapitre 3 Le personnage de roman, du XVIIe siècle à nos jours

FICHE 12 Les genres du roman ... 462
Exercices : **G. de Maupassant, V. Hugo, A. Malraux, Marivaux, Abbé Prévost, É. Pivert de Senancour, A. Robbe-Grillet, C. Laurens**

FICHE 13 Auteur, narrateur ... 466
Exercices : **Choderlos de Laclos, D. Diderot, Stendhal, H. de Balzac, L.-F. Céline**

FICHE 14 Le personnage de roman ... 468
Exercices : **Saint-Réal, É. Zola, G. de Maupassant, G. de Guilleragues, L. Aragon, L.-F. Céline, E. Bove, A. Robbe-Grillet, F. Mauriac**

FICHE 15 Le point de vue ... 472
Exercices : **Madame de La Fayette, V. Hugo, Stendhal, P. Lapeyre, Choderlos de Laclos**

FICHE 16 La construction du récit ... 474
Exercices : **G. de Maupassant, S. Germain, Abbé Prévost, D. Diderot, V. Hugo, M. Duras, Madame de La Fayette, R. Belletto, O. Rosenthal, S. Beckett**

FICHE 17 La parole du personnage ... 478
Exercices : **Abbé Prévost, G. Flaubert, A. Gide, Madame de La Fayette, A. Camus, Stendhal**

FICHE 18 La description ... 480
Exercices : **J.-J. Rousseau, É. Zola, H. de Balzac, L.-F. de Céline, J. Gracq**

Chapitre 4 Le texte théâtral et sa représentation, du XVIIe siècle à nos jours

FICHE 19 Les genres du théâtre ... 482
Exercices : **Molière, G. Courteline, A. de Vigny, A. Camus**

FICHE 20 L'action ... 484
Exercices : **Marivaux, E. Ionesco, M. Duras, V. Hugo, S. Beckett, A. Dumas**

FICHE 21 La parole ... 486
Exercices : **Marivaux, V. Hugo, P. Corneille, A. de Musset, A. Camus**

FICHE 22 Le personnage et son évolution ... 488
Exercices : **Molière, A. Dumas, Beaumarchais, S. Beckett, N. Sarraute, J.-P. Sartre, A. Camus**

FICHE 23 Texte et représentation ... 491
Exercices : **V. Hugo, Molière, S. Beckett, E. Ionesco, G. Feydeau, C. Régy, J. Genet, D. Podalydès**

Chapitre 5 Écriture poétique et quête du sens, du Moyen Âge à nos jours

FICHE 24 La versification du XVIe siècle à nos jours ... 494
Exercices : **J. du Bellay, V. Hugo, P. de Ronsard, Saint-Amant, J. Follain, C. Marot**

FICHE 25 Les formes poétiques du XVIe siècle à nos jours ... 496
Exercices : **C. Baudelaire, C. Marot, I. de Benserade, A. de Musset, G. Sand, P. Verlaine, C. d'Orléans, F. R. de Chateaubriand, G. Apollinaire, R. Queneau**

FICHE 26 Poèmes en prose et prose poétique ... 500
Exercices : **A. Bertrand, F. Ponge, P. Claudel, Saint-John Perse, Fénelon, V. Hugo, M. Proust**

FICHE 27 Le langage poétique Rythmes et images, effets sonores ... 503
Exercices : **J. Dupin, J. du Bellay, Malherbe, J. de La Fontaine, P. de Ronsard, P. Claudel, F. Ponge, R. Desnos, M. Cholodenko, M. Proust, A. Rimbaud, P. Verlaine, A. Bertrand**

Chapitre 6 La question de l'Homme dans les genres de l'argumentation, du XVIe siècle à nos jours

FICHE 28 Stratégies argumentatives et modes de raisonnement ... 508
Exercices : **J.-J. Rousseau, G. de Maupassant, Chevalier de Jaucourt, A. de Musset, Condorcet, J. Racine**

FICHE 29 L'essai ... 512
Exercices : **M. de Montaigne, A. Camus, S. de Beauvoir**

FICHE 30 La littérature morale ... 514
Exercices : **F. de la Rochefoucauld, B. Pascal, Fénelon, J.-J. Rousseau**

FICHE 31 L'apologue La fiction au service de l'argumentation ... 516
Exercices : **J. de La Fontaine, Voltaire, L.-S. Mercier, I. Calvino**

FICHE 32 La variété des registres dans l'argumentation ... 518
Exercices : **V. Hugo, Molière, D. Diderot, N. Boileau**

Chapitre 7 Objets d'étude de la filière littéraire

RENAISSANCE ET HUMANISME

FICHE 33 Un espace culturel européen (1)
Contexte historique, esthétique et culturel 520
Exercices : F. Rabelais, J. de Léry, F. Rabelais, A. Rinieri, J. du Bellay, J. Calvin

FICHE 34 Un espace culturel européen (2)
Contexte littéraire 522
Exercices : Horace, P. de Ronsard, F. Rabelais, B. de Las Casas, M. de Montaigne, T. More

LES RÉÉCRITURES

FICHE 35 L'intertextualité 524
Exercices : Horace, P. de Ronsard, G. Flaubert, C. Pozzi, L. Labé, J. Barbey d'Aurevilly

FICHE 36 L'art du détournement Variantes et transpositions 526
Exercices : C. Baudelaire, J. de La Fontaine, G. de Maupassant, P. Lafargue

Chapitre 8 Lire et analyser

FICHE 37 Lecture cursive Préparer sa lecture, lire, rendre compte de sa lecture 528
Exercices : A. Camus

FICHE 38 Lecture analytique (1) Formuler des hypothèses à la première lecture .. 530
Exercices : A. Rimbaud, A. Jacquard, V. Hugo, J. Gracq

FICHE 39 Lecture analytique (2) Repérer, interpréter et analyser 532
Exercices : J. du Bellay, A. Camus, J. de La Bruyère, S. Beckett, P. Éluard, V. Hugo, J. Giraudoux, G. Apollinaire

FICHE 40 Les registres 536
Exercices : J. de La Fontaine, A. de Vigny, J.-J. Rousseau, A. de Musset, V. Hugo, É. Zola, Abbé Prévost, É. N. Damilaville, G. Feydeau, J. du Bellay

FICHE 41 Les figures de style 542
Exercices : G. de Maupassant, L. Calaferte, L. Labé, M. de Saint-Gelais, Molière, V. Hugo

FICHE 42 Lecture de l'image fixe La peinture, le dessin et la photographie 546

FICHE 43 Lecture de l'image mobile 550

FICHE 44 Lecture de corpus : textes et images 552
Exercices : F. Rabelais, C. Chappuys, T. Gautier, G. Flaubert, É. Zola

Chapitre 9 Préparer le baccalauréat

FICHE 45 Les épreuves du baccalauréat 556

FICHE 46 Répondre à une question sur un corpus 557
Exercices : J. Anouilh, Stendhal, M. Proust

VERS L'ÉCRITURE D'INVENTION

FICHE 47 Comprendre un sujet d'écriture d'invention 562
Exercices : M. Aymé, F. Ponge

FICHE 48 Rédiger un écrit d'invention 566
Exercices : J. Giraudoux, G. Flaubert

VERS LE COMMENTAIRE
FICHE 49 Comprendre un sujet de commentaire 570
Exercices : **P. de Ronsard, C. Baudelaire, J. Giono, H. de Montherlant**
FICHE 50 Construire le plan détaillé d'un commentaire 574
Exercices : **M. de Montaigne**
FICHE 51 Rédiger un commentaire 576
Exercices : **C. Baudelaire, Fénelon, R. Queneau, A. de Musset, Saint-John Perse**
FICHE 52 Rédiger un commentaire comparé 582
Exercices : **J. de La Fontaine, J. Anouilh, T. Gautier, C. Baudelaire**

VERS LA DISSERTATION
FICHE 53 Comprendre un sujet de dissertation 584
Exercices : **V. Hugo, É. Zola**
FICHE 54 Construire le plan détaillé d'une dissertation 588
Exercices
FICHE 55 Rédiger une dissertation 590
Exercices : **H. de Balzac, Molière, G. Feydeau**

VERS L'ORAL
FICHE 56 Réussir l'épreuve orale du baccalauréat 596
Exercices : **A. de Musset, J. Tardieu, J. du Bellay, A. Camus**

Chapitre 10 Étude de la langue

FICHE 57 La communication : enjeux et interactions 600
Exercices : **L.-F. Céline, A. de Musset, Madame de Sévigné, Molière, P. Verlaine, V. Hugo**
FICHE 58 L'implicite du discours 602
Exercices : **J. de La Bruyère, J. Ferry, J. Racine, Molière, D. Diderot**
FICHE 59 L'énonciation 604
Exercices : **J.-J. Rousseau, J. Cocteau, J. de La Fontaine, D. Diderot, É. Zola, G. de Maupassant**
FICHE 60 La modalisation 608
Exercices : **L.-F. Céline, Molière, P. Verlaine, J.-F. de La Harpe, Voltaire**
FICHE 61 La syntaxe de la phrase 610
Exercices : **É. Zola, M. Yourcenar, M. Proust, Montesquieu**
FICHE 62 Organisation et cohérence textuelles 612
Exercices : **D'Alembert, Voltaire, V. Hugo, H. de Balzac**

Repères historiques
Le Moyen Âge et le XVIe siècle 614
Le XVIIe siècle 616
Le XVIIIe siècle 618
Le XIXe siècle 620
Le XXe et le XXIe siècle 622

Biographies 624

Glossaire 632

Index 636

Textes

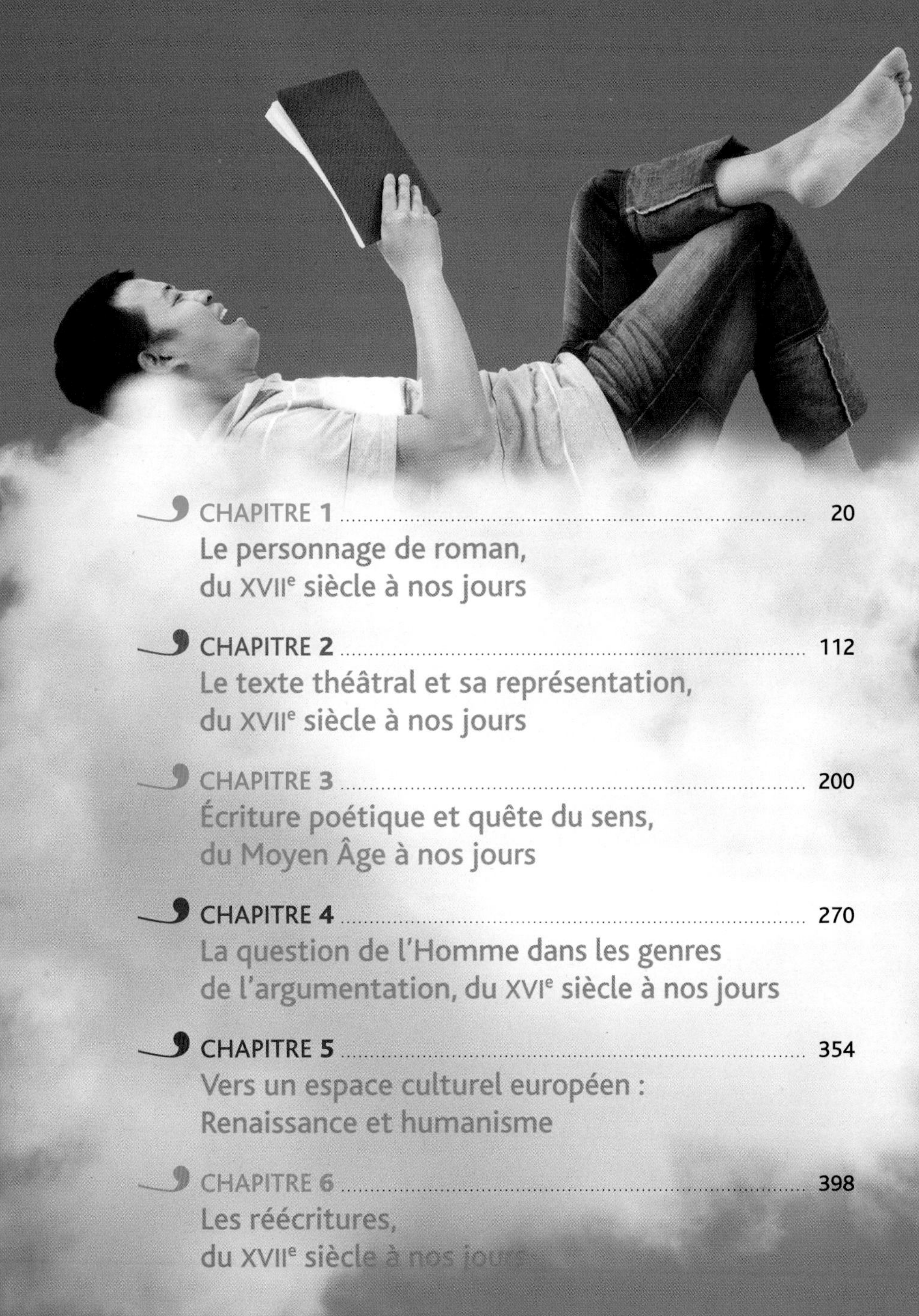

CHAPITRE 1 20
Le personnage de roman, du XVIIe siècle à nos jours

CHAPITRE 2 112
Le texte théâtral et sa représentation, du XVIIe siècle à nos jours

CHAPITRE 3 200
Écriture poétique et quête du sens, du Moyen Âge à nos jours

CHAPITRE 4 270
La question de l'Homme dans les genres de l'argumentation, du XVIe siècle à nos jours

CHAPITRE 5 354
Vers un espace culturel européen : Renaissance et humanisme

CHAPITRE 6 398
Les réécritures, du XVIIe siècle à nos jours

Chapitre

1 Le personnage de roman,

du XVIIe siècle à nos jours

SÉQUENCE 1
Le personnage, reflet du monde ?

SÉQUENCE 2
PARCOURS DE LECTEUR
ŒUVRE INTÉGRALE :
Abbé Prévost, Manon Lescaut

SÉQUENCE 3
HISTOIRE DES ARTS :
Voyage au bout de la nuit

SÉQUENCE 4
Personnage et société

SÉQUENCE 5
PARCOURS DE LECTEUR
ŒUVRE INTÉGRALE :
Laurent Gaudé, La Mort du roi Tsongor

VERS LE BAC
Le récit poétique

VERS LE BAC
Le personnage de roman au cœur de l'Histoire

PISTES DE LECTURE

August MACKE (1887-1914), *Vitrine*, 1913, détrempe et aquarelle, 29 x 22,5 cm (collection Firmengruppe Ahlers).

Séquence

1 Le personnage, reflet du monde ?

Un personnage de roman est un être de papier et d'encre, situé entre illusion et réalité : pour lui donner vie, le romancier le fond dans la représentation du monde et du réel. Le personnage restitue des moments de la vie et de la société.

Problématique : Un personnage de roman peut-il être le reflet du monde ?

Objectifs

- Identifier les moyens et les enjeux romanesques pour représenter un personnage
- Connaître l'histoire du roman et l'évolution du personnage

Histoire des arts : G. DE LA TOUR, *La Madeleine pénitente*, XVIIe siècle 22

CORPUS 1 : Le personnage et le spectacle du monde

1 P. SCARRON, *Le Roman comique*, 1651 24
2 MARIVAUX, *Le Paysan parvenu*, 1734-1735 26
3 H. DE BALZAC, *Le Cabinet des Antiques*, 1839 28
4 G. FLAUBERT, *Madame Bovary*, 1857 30
5 M. PROUST, *Du côté de chez Swann*, 1913 32
6 G. PEREC, *Les Choses*, 1965 34
7 M. HOUELLEBECQ, *Extension du domaine de la lutte*, 1994 35

CORPUS 2 : Le personnage insaisissable

8 D. DIDEROT, *Jacques le fataliste*, 1796 36
9 G. FLAUBERT, *Bouvard et Pécuchet*, 1881 38
10 J.-P. SARTRE, *La Nausée*, 1938 40
11 M. BUTOR, *La Modification*, 1957 42
12 A. ROBBE-GRILLET, *Pour un nouveau roman*, 1963 43
13 S. GERMAIN, *Magnus*, 2005 44
14 S. GERMAIN, *Les Personnages*, 2004 TEXTE ÉCHO 45
15 O. ADAM, *À l'abri de rien*, 2007 46

Pour argumenter : Les personnages de roman peuvent-ils nous aider à mieux comprendre le monde ?

F. MAURIAC, *Le Romancier et ses personnages*, 1933 47

Histoire littéraire : La fabrique du roman et du personnage 48

MÉTHODES ▶ p. 439

Le personnage de roman ▶ Fiches 12, 13, 14, 15, 16, 17, 18

Lire et analyser ▶ Fiches 40, 41, 42

Préparer le baccalauréat ▶ Fiches 46, 47, 48, 49, 51, 53, 56

Étude de la langue ▶ Fiches 59, 61, 62

Georges de La Tour, La Madeleine pénitente, XVIIe siècle

Biographie
p. 627

Dans La Madeleine pénitente, dite aux deux flammes, Georges de La Tour traite d'un sujet religieux en vogue au XVIIe siècle : celui de la pécheresse repentie, Marie-Madeleine. Les thèmes de la culpabilité et de la rédemption permettent de créer ce personnage à partir de trois figures des Évangiles : une pécheresse anonyme recueillie par Jésus ; une disciple très présente dans l'entourage de ce dernier, Marie de Béthanie ; la première femme à rencontrer le Christ ressuscité.

Georges DE LA TOUR (1593-1652), *La Madeleine pénitente, dite aux deux flammes*, entre 1613 et 1652, huile sur toile, 102 x 133 cm (Metropolitan Museum of Art, New York).

Contexte artistique et historique

LE PERSONNAGE EN REPRÉSENTATION : LE PORTRAIT

À partir du XVe siècle, le **portrait** devient un genre majeur, occupant une grande place dans la production artistique. Piero della Francesca **idéalise** toujours ses modèles aristocratiques, peints de profil. Les peintres flamands, comme Jan Van Eyck, les placent de trois-quarts, cadrent le buste plus bas et reproduisent des défauts, ce qui contribue à donner **un effet réaliste**.

Au XVIe siècle, le genre du portrait se diversifie. La représentation d'un **personnage officiel** en costume d'apparat (François Ier par les Clouet vers 1525) s'oppose à des images **plus intimes** qui restituent la psychologie du personnage par une représentation fine des traits et des expressions.

Le portrait devient un **genre usuel** au XIXe siècle. De la peinture, il glisse à la photographie qui permet de rendre compte de la vie d'un individu dans les circonstances les plus symboliques ou anecdotiques. Les recherches picturales modernes explorent **la face obscure de l'être**. Les autoportraits de Francis Bacon (1909-1992), par **les déformations** et **le brouillage** imposés au visage, laissent le spectateur sur une interrogation. Les tableaux cubistes anticipaient sur ces **jeux de destructuration du personnage**. La série de portraits que Pablo Picasso livre de sa compagne Dora Maar *(Femme qui pleure,* 1935-1937) montre un visage féminin déconstruit par la douleur de la jalousie amoureuse.

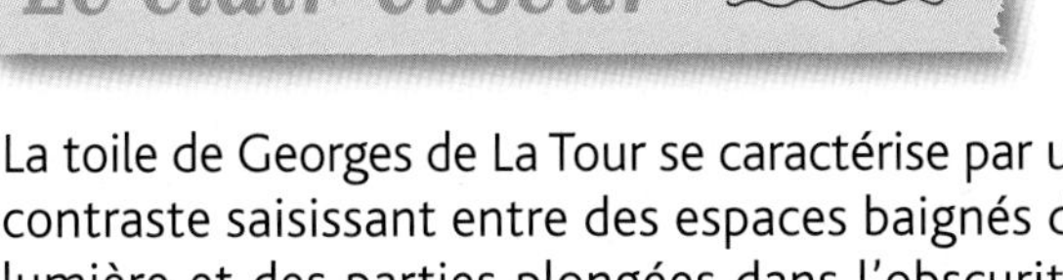

Le clair-obscur

La toile de Georges de La Tour se caractérise par un contraste saisissant entre des espaces baignés de lumière et des parties plongées dans l'obscurité. Cette technique du **clair-obscur** a été élaborée par Le Caravage (1573-1610) et immédiatement reprise par des peintres des écoles du Nord (Rembrandt). Elle fonde une peinture de l'expressivité où le personnage est pris dans une tension dramatique entre la noirceur du monde terrestre et la lumière éclatante du monde divin.

« *Vanitas vanitatum, et omnias vanitatum* »[1]

LECTURE DE L'IMAGE

La présence intense du personnage

1. Comment le peintre donne-t-il à ce portrait religieux une allure concrète et quotidienne ?
2. Comment le corps s'inscrit-il dans l'espace de la toile ? Caractérisez le traitement pictural des vêtements et de leur matière.
3. Quelles qualités morales et spirituelles l'extrême simplicité de La Madeleine exprime-t-elle ?

Fiche 42 **Lecture de l'image fixe**

L'effacement de Marie-Madeleine

4. (@ RECHERCHE) Cherchez les significations du mot « vanité » dans le langage moral et le domaine de la peinture. (voir p. 357 de ce manuel)
5. Comment le tableau est-il rythmé visuellement par l'alternance d'ombre et de lumière ?
6. Comment interprétez-vous le choix symbolique des objets ici ?
7. Pourquoi le peintre n'a-t-il pas inscrit le reflet de la Madeleine dans la surface du miroir ?
8. (SYNTHÈSE) En tenant compte de vos interprétations précédentes, que peut symboliser la direction particulière du regard de Madeleine ?

VERS LE BAC

Invention

Dans un discours bref à ses commanditaires religieux, le peintre Georges de La Tour explique l'intérêt de choisir un modèle dans le peuple pour incarner le personnage sacré de Madeleine.

Fiche 47 **Comprendre un sujet d'écriture d'invention**

Dissertation

Selon vous, comment un peintre ou un romancier peut-il donner toute sa force à un personnage, à partir de son mystère ? Vous argumenterez en prenant pour exemples ce tableau et d'autres œuvres vues ou lues.

Fiche 53 **Comprendre un sujet de dissertation**

1. « Vanité des vanités, tout est vanité », l'*Ecclésiaste,* XII, 8.

1

Paul Scarron, Le Roman comique, 1651

Biographie p. 630

Histoire littéraire p. 48, 93

Repères historiques p. 616

Le Roman comique *conte les aventures d'une troupe de comédiens (d'où l'emploi du mot « comique »). Cette fiction mêle passages satiriques, nouvelles galantes, scènes burlesques, dans une langue vive et alerte. La page qui suit est l'incipit du roman.*

Chapitre premier
UNE TROUPE DE COMÉDIENS ARRIVE DANS LA VILLE DU MANS

Le soleil avait achevé plus de la moitié de sa course et son char, ayant attrapé le penchant du monde[1], roulait plus vite qu'il ne voulait. Si ses chevaux eussent voulu profiter de la pente du chemin, ils eussent achevé ce qui restait du jour en moins d'un demi-quart d'heure ; mais, au lieu de tirer (5) de toute leur force ils ne s'amusaient qu'à faire des courbettes, respirant un air marin qui les faisait hennir et les avertissait que la mer était proche, où l'on dit que leur maître se couche toutes les nuits. Pour parler plus humainement et plus intelligiblement, il était entre cinq et six quand une charrette entra dans les halles du Mans. Cette charrette était attelée de quatre bœufs fort (10) maigres, conduits par une jument poulinière dont le poulain allait et venait à l'entour de la charrette comme un petit fou qu'il était. La charrette était pleine de coffres, de malles et de gros paquets de toiles peintes qui faisaient comme une pyramide au haut de laquelle paraissait une demoiselle habillée moitié ville, moitié campagne. Un jeune homme, aussi pauvre d'habits que (15) riche de mine, marchait à côté de la charrette. Il avait un grand emplâtre sur le visage[2], qui lui couvrait un œil et la moitié de la joue, et portait un grand fusil sur son épaule, dont il avait assassiné plusieurs pies, geais et corneilles, qui lui faisaient comme une bandoulière au bas de laquelle pendaient par les pieds une poule et un oison qui avaient bien la mine d'avoir été pris à la (20) petite guerre[3]. Au lieu de chapeau, il n'avait qu'un bonnet de nuit entortillé de jarretières de différentes couleurs, et cet habillement de tête était une manière de turban qui n'était encore qu'ébauché et auquel on n'avait pas encore donné la dernière main. Son pourpoint[4] était une casaque de grisette[5] ceinte avec une courroie, laquelle lui servait aussi à soutenir une épée qui (25) était aussi longue qu'on ne s'en pouvait aider adroitement sans fourchette[6]. Il portait des chausses troussées à bas d'attaches, comme celles des comédiens quand ils représentent un héros de l'Antiquité, et il avait, au lieu de souliers, des brodequins à l'antique[7] que les boues avaient gâtés jusqu'à la cheville du pied. Un vieillard vêtu plus régulièrement, quoique très mal, marchait à côté (30) de lui. Il portait sur ses épaules une basse de viole[8] et, parce qu'il se courbait un peu en marchant, on l'eût pris de loin pour une grosse tortue qui marchait sur les jambes de derrière. Quelque critique murmurera de la comparaison, à cause du peu de proportion qu'il y a d'une tortue à un homme ; mais j'entends parler des grandes tortues qui se trouvent dans les Indes et, de plus, je m'en (35) sers de ma seule autorité. Retournons à notre caravane. Elle passa devant le tripot[9] de la Biche, à la porte duquel étaient assemblés quantité des plus gros bourgeois de la ville. La nouveauté de l'attirail et le bruit de la canaille qui s'était assemblée autour de la charrette furent cause que tous ces honorables bourgmestres[10] jetèrent les yeux sur nos inconnus. Un lieutenant de prévôt[11],

1. Image précieuse pour signifier que le soleil se couche.
2. Pansement qui sert ici à masquer une partie du visage.
3. Chapardés, volés.
4. Partie de l'habillement qui recouvre le buste.
5. Étoffe commune de teinte grise.
6. Bâton ferré terminé par une fourche, sur laquelle on pose normalement le canon d'une arme à feu.
7. Chaussure couvrant le pied dans le costume des personnages de comédie.
8. Instrument de musique.
9. Maison de jeu, lieu où l'on s'amuse.
10. Bourgeois qui assure les fonctions de maire.
11. Officier de justice.

entre autres, nommé La Rappinière, les vint accoster et leur demanda avec une autorité de magistrat quelles gens ils étaient. Le jeune homme dont je viens de parler prit la parole et, sans mettre les mains au turban, parce que de l'une il tenait son fusil et de l'autre la garde de son épée, de peur qu'elle ne lui battît les jambes, lui dit qu'ils étaient français de naissance, comédiens de profession ; que son nom de théâtre était Le Destin, celui de son vieux camarade, La Rancune, et celui de la demoiselle qui était juchée comme une poule au haut de leur bagage, La Caverne. Ce nom bizarre fit rire quelques-uns de la compagnie [...].

Paul SCARRON, *Le Roman comique*, 1651.

Gerrit VAN HONTHORST (1590-1656), *Le Joyeux Violoniste*, 1623, huile sur toile, 89 x 108 cm (Rikjsmuseum, Amsterdam).

« Le monde est un théâtre »

LECTURE DU TEXTE

Le monde des comédiens

1. Comment l'arrivée des comédiens au Mans s'apparente-t-elle à une entrée théâtrale ? Délimitez les différentes étapes de l'extrait et indiquez-en la progression.

Fiche 16 **La construction du récit**

2. Analysez la figure de style dans la formule « Le soleil avait achevé plus de la moitié de sa course... ». Quels sont les deux registres de langue que le conteur emploie pour présenter le moment de l'action ?

Fiche 41 **Les figures de style**

3. Quels éléments rendent la description pittoresque ?

Fiche 18 **La description**

4. Pourquoi le personnage du comédien permet-il au romancier de représenter la réalité ?

5. @RECHERCHE Renseignez-vous sur les origines antiques du roman et particulièrement sur les caractéristiques du *Satiricon* de Pétrone.

6. En quoi Scarron partage-t-il la conception que Pétrone a du monde : « Le monde est un théâtre » ?

Fiche 35 **L'intertextualité**

Le théâtre du monde

7. Repérez les différentes conditions sociales et montrez que le roman s'annonce comme celui des groupes sociaux.

12 **Les genres du roman**

8. Repérez et délimitez les interventions du conteur. Quelles en sont les fonctions ? Sur quel ton sont-elles faites ?

Fiche 13 **Auteur, narrateur** Fiche 40 **Les registres**

9. Comment le public qui assiste à la scène devient-il objet de la représentation ?

10. SYNTHÈSE Commentez le nom des personnages comédiens. Comment Scarron maintient-il une dimension romanesque dans ce texte réaliste ?

Fiche 14 **Le personnage de roman**

HISTOIRE DES ARTS

Comment le peintre a-t-il réussi à mettre en scène la vitalité du personnage ?

Fiche 42 Lecture de l'image fixe

VERS LE BAC

Question sur un corpus

Comparez cet *incipit* avec celui de *Jacques le fataliste* (p. 36) : comment le burlesque capte-t-il l'attention du lecteur ?

Fiche 46 Répondre à une question sur un corpus

Commentaire

Rédigez un commentaire qui mettra en valeur la dimension théâtrale de la scène puis la présence joyeuse du conteur.

Fiche 51 Rédiger un commentaire

Dissertation

Selon vous, quel intérêt un roman gagne-t-il à représenter des personnages singuliers et originaux plutôt que conformistes ? Vous argumenterez en prenant pour exemples cet extrait et d'autres œuvres.

Fiche 53 Comprendre un sujet de dissertation

2

Marivaux, Le Paysan parvenu, 1734-1735

Biographie p. 628
Du même auteur p. 123, 195
Histoire littéraire p. 48, 93
Repères historiques p. 618

Pierre CHARDIN (1699-1779), *Raisins et grenades*, 1763, huile sur toile, 47 x 57 cm (Musée du Louvre, Paris).

Un jeune paysan, Jacob, monte à Paris. Picaro[1] *d'un nouveau genre, il porte un regard critique sur les mœurs, avant d'endosser lui-même l'habit d'honnête homme. Au hasard des rencontres, Jacob est accueilli et hébergé, notamment par deux dévotes, les sœurs Habert et leur servante Catherine.*

1 Revenons à Catherine, à l'occasion de qui j'ai dit tout cela.

Catherine donc avait un trousseau de clefs à sa ceinture, comme une tourière de couvent[2]. Apportez des œufs frais à ma sœur, qui est à jeun à l'heure qu'il est, lui dit Mlle Habert, sœur aînée de celle avec qui j'étais venu ; et 5 menez ce garçon dans votre cuisine pour lui faire boire un coup. Un coup ? répondit Catherine d'un ton brusque et pourtant de bonne humeur, il en boira bien deux à cause de sa taille. Et tous les deux à votre santé, madame Catherine, lui dis-je. Bon, reprit-elle, tant que je me porterai bien, ils ne me feront pas de mal. Allons, venez, vous m'aiderez à faire cuire mes œufs.

10 Eh ! non, Catherine, ce n'est pas la peine, dit Mlle Habert la cadette ; donnez-moi le pot de confiture, ce sera assez. Mais, ma sœur, cela ne nourrit point, dit l'aînée. Les œufs me gonfleraient, dit la cadette ; et puis ma sœur par-ci, ma sœur par-là. Catherine, d'un geste sans appel, décida pour les œufs en s'en allant ; à cause, dit-elle, qu'un déjeuner n'était pas un dessert.

15 Pour moi, je la suivis dans sa cuisine, où elle me mit aux mains avec un reste de ragoût de la veille et des volailles froides, une bouteille de vin presque pleine, et du pain à discrétion.

Ah ! le bon pain ! Je n'en ai jamais mangé de meilleur, de plus blanc, de plus ragoûtant ; il faut bien des attentions pour faire un pain comme celui-là ; 20 il n'y avait qu'une main dévote qui pût l'avoir pétri ; aussi était-il de la façon de Catherine. Oh ! l'excellent repas que je fis ! La vue seule de la cuisine donnait appétit de manger ; tout y faisait entrer en goût.

1. Personnage d'aventurier marginal et cynique des romans espagnols du XVIIe siècle, repris en France au XVIIIe siècle.
2. Religieuse chargée de parler avec les gens extérieurs au couvent, à une ouverture percée dans un mur qu'on appelle « tour ».

Mangez, me dit Catherine, en se mettant après ses œufs frais, Dieu veut qu'on vive. Voilà de quoi faire sa volonté, lui dis-je, et par-dessus le marché j'ai grande faim. Tant mieux, reprit-elle ; mais dites-moi, êtes-vous retenu ? Restez-vous avec nous ? Je l'espère ainsi, répondis-je, et je serais bien fâché que cela ne fût pas ; car je m'imagine qu'il fait bon sous votre direction, madame Catherine ; vous avez l'air si avenant[3], si raisonnable ! [...] Je suis bien aise que nos demoiselles vous prennent, car vous me paraissez de bonne amitié. Hélas ! tenez, vous ressemblez comme deux gouttes d'eau à défunt Baptiste, que j'ai pensé épouser, qui était bien le meilleur enfant, et beau garçon comme vous ; mais ce n'est pas là ce que j'y regardais, quoique cela fasse toujours plaisir. Dieu nous l'a ôté, il est le maître, il n'y a point à le contrôler ; mais vous avez toute son apparence ; vous parlez tout comme lui : mon Dieu, qu'il m'aimait ! Je suis bien changée depuis, sans ce que je changerai encore ; je m'appelle toujours Catherine, mais ce n'est plus de même.

Ma foi ! lui dis-je, si Baptiste n'était pas mort, il vous aimerait encore ; car moi qui lui ressemble, je n'en ferais pas à deux fois[4]. Bon ! bon ! me dit-elle en riant, je suis encore un bel objet ; mangez, mon fils, mangez ; vous direz mieux quand vous m'aurez regardée de plus près ; je ne vaux plus rien qu'à faire mon salut, et c'est bien de la besogne : Dieu veuille que je l'achève !

En disant ces mots, elle tira[5] ses œufs, que je voulus porter en haut : Non, non, me dit-elle ; déjeunez en repos, afin que cela vous profite ; je vais voir un peu ce qu'on pense de vous là-haut ; je crois que vous êtes notre fait[6], et j'en dirai mon avis : nos demoiselles ordinairement sont dix ans à savoir ce qu'elles veulent, et c'est moi qui ai la peine de vouloir pour elles. Mais ne vous embarrassez pas, j'aurai soin de tout ; je me plais à servir mon prochain, et c'est ce qu'on nous recommande au prône[7].

Pierre CARLET DE CHAMBLAIN DE MARIVAUX, *Le Paysan parvenu*, 1734-1735.

3. Qui plaît par son bon air, agréable.
4. Je n'hésiterais pas.
5. Retira.
6. L'objet du débat entre les deux sœurs qui doivent décider si elles emploient Jacob.
7. Discours moralisateur tenu par le prêtre lors d'une messe.

La comédie des appétits

LECTURE DU TEXTE

1. Comment la scène de repas révèle-t-elle l'identité et la vraie nature des personnages ?
Fiche 12 **Les genres du roman** Fiche 40 **Les registres**

2. Étudiez la part du discours et de la conversation dans ce passage romanesque. Que constatez-vous ?
Fiche 17 **La parole du personnage**
Fiche 59 **L'énonciation**

3. Comment comprenez-vous les références à la religion dans le discours de Jacob et de Catherine ? Gardent-elles une dimension sérieuse ?
4. Quel est le registre employé ?
5. Expliquez les raisons pour lesquelles Jacob prend si facilement la place du mort, Baptiste.

HISTOIRE DES ARTS

À quel genre pictural le tableau de Chardin appartient-il ? Comment traduit-il la gourmandise de ce peintre du XVIIIe siècle pour le monde réel ?
Fiche 42 Lecture de l'image fixe

VERS LE BAC

Invention

Vous adaptez ce passage au théâtre. Rédigez le dialogue comportant des didascalies (attitudes et intentions des personnages). Puis justifiez vos choix devant la classe.
Fiche 47 Comprendre un sujet d'écriture d'invention

Dissertation

Selon vous, les objets décrits dans un roman n'ont-ils pour fonction que de représenter le réel ? Vous argumenterez en prenant pour exemples cet extrait et d'autres œuvres.
Fiche 53 Comprendre un sujet de dissertation

Oral (analyse)

Comment le romancier construit-il un récit subjectif ?
Fiche 56 Réussir l'épreuve orale du baccalauréat

3

Honoré de Balzac, Le Cabinet des Antiques, 1839

Le Cabinet des Antiques *fait partie des* Scènes de la vie de Province. *Le romancier y décrit le monde de l'aristocratie sous la Restauration, tel qu'il s'est reconstitué à Alençon après la Révolution et l'Empire. L'un des personnages, Émile Blondet, devenu un journaliste ambitieux à Paris, raconte comment, dans son enfance, l'hôtel d'Esgrignon a pu le fasciner.*

Biographie p. 624

Histoire littéraire p. 48, 93

Repères historiques p. 620

Quant à moi, disait Émile Blondet, si je veux rassembler mes souvenirs d'enfance, j'avouerai que le mot Cabinet des Antiques[1] me faisait toujours rire, malgré mon respect, dois-je dire mon amour pour mademoiselle Armande. L'hôtel d'Esgrignon donnait sur deux rues à l'angle desquelles elle était située, en sorte que le salon avait deux fenêtres sur l'une et deux fenêtres sur l'autre de ces rues, les plus passantes de la ville. La Place du Marché se trouvait à cinq cents pas de l'hôtel. Ce salon était alors comme une cage de verre, et personne n'allait ou venait dans la ville sans y jeter un coup d'œil. Cette pièce me sembla toujours, à moi, bambin de douze ans, être une de ces curiosités rares qui se trouvent plus tard, quand on y songe, sur les limites du réel et du fantastique, sans qu'on puisse savoir si elles sont plus d'un côté que de l'autre. [...] Sous ces vieux lambris, oripeaux[2] d'un temps qui n'était plus, s'agitaient en première ligne huit ou dix douairières[3], les unes au chef branlant, les autres desséchées et noires comme des momies ; celles-ci roides, celles-là inclinées, toutes encaparaçonnées[4] d'habits plus ou moins fantasques en opposition avec la mode ; des têtes poudrées à cheveux bouclés, des bonnets à coques, des dentelles rousses. Les peintures les plus bouffonnes ou les plus sérieuses n'ont jamais atteint à la poésie divagante de ces femmes, qui reviennent dans mes rêves et grimacent dans mes souvenirs aussitôt que je rencontre une vieille femme dont la figure ou la toilette me rappellent quelques-uns de leurs traits. Mais, soit que le malheur m'ait initié aux secrets des infortunes, soit que j'aie compris tous les sentiments humains, surtout les regrets et le vieil âge, je n'ai jamais pu retrouver nulle part, ni chez les mourants, ni chez les vivants, la pâleur de certains yeux gris, l'effrayante vivacité de quelques yeux noirs. Enfin ni Maturin ni Hoffman[5], les deux plus sinistres imaginations de ce temps, ne m'ont causé l'épouvante que me causèrent les mouvements automatiques de ces corps busqués[6]. Le rouge des acteurs[7] ne m'a point surpris, j'avais vu là du rouge invétéré[8], du rouge de naissance, disait un de mes camarades au moins aussi espiègle que je pouvais l'être. Il s'agitait là des figures aplaties, mais creusées par des rides qui ressemblaient aux têtes de casse-noisettes[9] sculptées en Allemagne. Je voyais à travers les carreaux des corps bossués, des membres mal attachés dont je n'ai jamais tenté d'expliquer l'économie ni la contexture[10] ; des mâchoires carrées et très apparentes, des os exorbitants, des hanches luxuriantes. Quand ces femmes allaient et venaient, elles ne me semblaient pas moins extraordinaires que quand elles gardaient leur immobilité mortuaire, alors qu'elles jouaient aux cartes. Les hommes de ce salon offraient les couleurs grises et fanées des vieilles tapisseries, leur vie était frappée d'indécision ; mais leur costume se rapprochait beaucoup des costumes alors en usage, seulement leurs cheveux blancs, leurs visages flétris, leur teint de cire, leurs fronts ruinés, la pâleur des yeux leur donnaient à tous une ressemblance avec les femmes qui détruisait la réalité de leur costume. La certitude de trouver ces

1. Lieu où l'on expose des objets rares, notamment des bustes antiques.
2. Ornements usés.
3. Femme de la haute société, veuve, qui bénéficie des biens de son mari.
4. Néologisme balzacien, dérivé de *caparaçonner*, « recouvrir un cheval d'un manteau décoré ».
5. Deux auteurs célèbres de littérature fantastique au début du XIXe siècle.
6. Fortement courbés.
7. Fard rouge auquel les acteurs recourent pour se maquiller.
8. Enraciné chez quelqu'un avec le temps.
9. Figures dont le menton et le nez sont rapprochés comme les branches d'un casse-noisettes.
10. Composition.

personnages invariablement attablés ou assis aux mêmes heures achevait de leur prêter à mes yeux je
45 ne sais quoi de théâtral, de pompeux, de surnaturel. Jamais je ne suis entré depuis dans ces garde-meubles célèbres, à Paris, à Londres, à Vienne, à Munich, où de vieux gardiens vous montrent les splendeurs des temps passés, sans que je les peuplasse des figures du
50 Cabinet des Antiques. Nous nous proposions souvent entre nous, écoliers de huit à dix ans, comme une partie de plaisir d'aller voir ces raretés sous leur cage de verre. Mais aussitôt que je voyais la suave mademoiselle Armande, je tressaillais, puis j'ad-
55 mirais avec un sentiment de jalousie ce délicieux enfant, Victurnien, chez lequel nous pressentions tous une nature supérieure à la nôtre. Cette jeune et fraîche créature, au milieu de ce cimetière réveillé avant le temps, nous frappait par je ne sais quoi
60 d'étrange. Sans nous rendre un compte exact de nos idées, nous nous sentions bourgeois et petits devant cette cour orgueilleuse.

Honoré DE BALZAC,
Le Cabinet des Antiques, 1839.

Francisco DE GOYA (1756-1828), *Le Temps ou Les Vieilles*, vers 1808-1812, huile sur toile, 1,8 x 1,25 m (Palais des Beaux-Arts de Lille).

Une vision grotesque

LECTURE DU TEXTE

1. « Ce salon était alors comme une cage de verre » : expliquez la comparaison et sa force. À partir d'indices précis, étudiez la mise en scène du regard réaliste.
2. @ RECHERCHE Que signifie le mot « grotesque » ? Quel sens et quelle importance prend-il chez les auteurs romantiques ?
3. Relevez les indices qui transforment ces personnages en des silhouettes grotesques. Quelles figures de style dominent ?

Fiche 40 **Les registres**
Fiche 41 **Les figures de style**

4. Pourquoi l'emploi du terme « garde-meubles » (l. 46) forme-t-il la chute de ce passage ?
5. SYNTHÈSE Mettez en relation la déformation monstrueuse des corps et le milieu social auquel ces personnages appartiennent. Que tend à suggérer cet extrait sur le plan politique et historique ?

HISTOIRE DES ARTS

Que représentent selon vous les trois personnages dans la vision grotesque et hallucinée de Goya ?

VERS LE BAC

Invention

Dans une lettre à son éditeur, Honoré de Balzac justifie son choix de vouloir illustrer son roman par le tableau de Goya. Il y explique l'intérêt que le lecteur pourra y trouver. Rédigez les arguments qu'il développe.

Fiche 47 **Comprendre un sujet d'écriture d'invention**

Dissertation

« Cette pièce me sembla toujours, à moi, bambin de douze ans, être une de ces curiosités rares qui se trouvent plus tard, quand on y songe, sur les limites du réel et du fantastique, sans qu'on puisse savoir si elles sont plus d'un côté que de l'autre. » Quel intérêt le romancier peut-il trouver à représenter ses personnages « sur les limites du réel et du fantastique » ? Vous argumenterez en prenant pour exemples cet extrait et d'autres œuvres.

Fiche 53 **Comprendre un sujet de dissertation**

4

Gustave Flaubert, Madame Bovary, 1857

Madame Bovary, *publié en 1857, provoque le scandale et l'incompréhension à tel point que le livre fait l'objet d'un procès public. Le roman peint le désenchantement qu'éprouve une jeune femme, Emma, mariée à un médecin de la campagne rouennaise un peu fruste.*

Biographie
p. 626

Du même auteur
p. 38, 414, 417

Histoire littéraire
p. 48, 93

Repères historiques
p. 620

Elle[1] songeait quelquefois que c'étaient là pourtant les plus beaux jours de sa vie, la lune de miel[2] comme on disait. Pour en goûter la douceur, il eût fallu, sans doute, s'en aller vers ces pays à noms sonores où les lendemains de mariage ont de plus suaves paresses ! Dans des chaises de poste, sous des stores de soie bleue, on monte au pas des routes escarpées, écoutant la chanson du postillon, qui se répète dans la montagne avec les clochettes des chèvres et le bruit sourd de la cascade. Quand le soleil se couche, on respire au bord des golfes le parfum des citronniers ; puis, le soir, sur la terrasse des villas, seuls et les doigts confondus, on regarde les étoiles en faisant des projets. Il lui semblait que certains lieux sur la terre devaient produire du bonheur, comme une plante particulière au sol et qui pousse mal tout autre part.

Que ne pouvait-elle s'accouder sur le balcon des chalets suisses ou enfermer sa tristesse dans un cottage écossais, avec un mari vêtu d'un habit de velours noir à longues basques, et qui porte des bottes molles, un chapeau pointu et des manchettes !

Peut-être aurait-elle souhaité faire à quelqu'un la confidence de toutes ces choses. Mais comment dire un insaisissable malaise, qui change d'aspect comme les nuées, qui tourbillonne comme le vent ? Les mots lui manquaient donc, l'occasion, la hardiesse.

Si Charles l'avait voulu cependant, s'il s'en fût douté, si son regard, une seule fois, fût venu à la rencontre de sa pensée, il lui semblait qu'une abondance subite se serait détachée de son cœur, comme tombe la récolte d'un espalier[3] quand on y porte la main. Mais, à mesure que se serrait davantage l'intimité de leur vie, un détachement intérieur se faisait qui la déliait de lui.

La conversation de Charles était plate comme un trottoir de rue, et les idées de tout le monde y défilaient dans leur costume ordinaire, sans exciter d'émotion, de rire ou de rêverie. Il n'avait jamais été curieux, disait-il, pendant qu'il habitait Rouen, d'aller voir au théâtre les acteurs de Paris. Il ne savait ni nager, ni faire des armes, ni tirer le pistolet, et il ne put, un

1. Il s'agit d'Emma Bovary.
2. Période qui suit le mariage.
3. Arbre fruitier taillé et fixé contre un mur.

Affiche de l'adaptation filmique du roman par Claude CHABROL (1991) avec Isabelle Huppert dans le rôle-titre.

jour, lui expliquer un terme d'équitation qu'elle avait rencontré dans un roman.

Un homme, au contraire, ne devait-il pas, tout connaître, exceller en des activités multiples, vous initier aux énergies de la passion, aux raffinements de la vie, à tous les mystères ? Mais il n'enseignait rien, celui-là, ne savait rien, ne souhaitait rien. Il la croyait heureuse ; et elle lui en voulait de ce calme si bien assis, de cette pesanteur sereine, du bonheur même qu'elle lui donnait.

Elle dessinait quelquefois ; et c'était pour Charles un grand amusement que de rester là, tout debout, à la regarder penchée sur son carton, clignant des yeux afin de mieux voir son ouvrage, ou arrondissant, sur son pouce, des boulettes de mie de pain. Quant au piano, plus les doigts y couraient vite, plus il s'émerveillait. Elle frappait sur les touches avec aplomb, et parcourait du haut en bas tout le clavier sans s'interrompre. Ainsi secoué par elle, le vieil instrument, dont les cordes fusaient, s'entendait jusqu'au bout du village si la fenêtre était ouverte, et souvent le clerc de l'huissier[4] qui passait sur la grande route, nu-tête et en chaussons, s'arrêtait à l'écouter, sa feuille de papier à la main.

[...] Charles finissait par s'estimer davantage de ce qu'il possédait une pareille femme. Il montrait avec orgueil, dans la salle[5], deux petits croquis d'elle, à la mine de plomb, qu'il avait fait encadrer de cadres très larges et suspendus contre le papier de la muraille à de longs cordons verts.

Gustave FLAUBERT, *Madame Bovary*, 1857.

4. Employé de l'huissier, chargé de mettre à exécution certaines décisions de justice.

5. Salle à manger.

Roman intérieur

LECTURE DU TEXTE

Une femme exaltée

1. Étudiez la structure du texte dans son alternance entre rêve et réalité. Délimitez les passages avec précision et donnez-leur un titre.

2. Par quels moyens le narrateur restitue-t-il les pensées d'Emma Bovary ?

Fiche 15 **Le point de vue** Fiche 59 **L'énonciation**

3. Comment Emma Bovary se représente-t-elle la lune de miel ? Dans quel type de roman pourrait-on retrouver une telle scène ?

Fiche 36 **L'art du détournement**

4. Lisez de façon expressive le premier paragraphe : quel est le registre dominant ? Quels en sont les excès ?

Fiche 40 **Les registres**

La platitude du réel

5. Relevez dans l'ensemble de l'extrait les formules qui contrastent avec la représentation de la lune de miel. Quel est l'effet produit ?

6. LANGUE Faites l'étude de la négation et de ses formes dans le portrait de Charles. Qu'en concluez-vous ?

7. Quel rapport le romancier adopte-t-il à l'égard de ses personnages ?

8. SYNTHÈSE En quoi ce texte est-il représentatif de ce qu'on appelle le « bovarysme » ?

HISTOIRE DES ARTS

Comment l'affiche du film de Chabrol représente-t-elle l'état d'exaltation du personnage ? Le cinéaste fait-il preuve, comme le romancier, d'ironie ?

Fiche 42 Lecture de l'image fixe

VERS LE BAC

Commentaire

Rédigez un commentaire montrant le caractère factice de la représentation qu'Emma se fait de l'amour ainsi que l'ironie du narrateur.

Fiche 49 Comprendre un sujet de commentaire

Oral (analyse)

Quelle représentation du couple Flaubert propose-t-il dans ce passage ?

Fiche 56 Réussir l'épreuve orale du baccalauréat

5 Marcel Proust, Du côté de chez Swann, 1913

Le narrateur Marcel vit la résurgence involontaire du souvenir en dégustant une madeleine. Proust s'inspire du lieu où lui et sa famille ont passé de nombreuses vacances : Illiers, qui se situe aux portes de Chartres, renommé officiellement en 1971 « Illiers-Combray » en hommage à Proust.

Biographie p. 630
Histoire littéraire p. 48
Repères historiques p. 622

1 Il y avait déjà bien des années que, de Combray, tout ce qui n'était pas le théâtre et le drame de mon coucher, n'existait plus pour moi, quand un jour d'hiver, comme je rentrais à la maison, ma mère, voyant que j'avais froid, me proposa de me faire prendre, contre mon habitude, un peu de thé.
5 Je refusai d'abord et, je ne sais pourquoi, me ravisai. Elle envoya chercher un de ces gâteaux courts et dodus appelés Petites Madeleines qui semblent avoir été moulés dans la valve rainurée d'une coquille de Saint-Jacques. Et bientôt, machinalement, accablé par la morne journée et la perspective d'un triste lendemain, je portai à mes lèvres une cuillerée du thé où j'avais laissé
10 s'amollir un morceau de madeleine. Mais à l'instant même où la gorgée mêlée des miettes du gâteau toucha mon palais, je tressaillis, attentif à ce qui se passait d'extraordinaire en moi.

[...]

Et tout d'un coup le souvenir m'est apparu. Ce goût, c'était celui du
15 petit morceau de madeleine que le dimanche matin à Combray (parce que ce jour-là je ne sortais pas avant l'heure de la messe), quand j'allais lui dire bonjour dans sa chambre, ma tante Léonie m'offrait après l'avoir trempé dans son infusion de thé ou de tilleul. La vue de la petite madeleine ne m'avait rien rappelé avant que je n'y eusse goûté ; peut-être parce que, en
20 ayant souvent aperçu depuis, sans en manger, sur les tablettes des pâtissiers, leur image avait quitté ces jours de Combray pour se lier à d'autres plus récents ; peut-être parce que, de ces souvenirs abandonnés si longtemps hors de la mémoire, rien ne survivait, tout s'était désagrégé ; les formes – et celle aussi du petit coquillage de pâtisserie, si grassement sensuel sous son plissage
25 sévère et dévot – s'étaient abolies, ou, ensommeillées, avaient perdu la force d'expansion qui leur eût permis de rejoindre la conscience. Mais, quand d'un passé ancien rien ne subsiste, après la mort des êtres, après la destruction des

Édouard VUILLARD (1868-1940), *Les nourrices, La conversation et L'ombrelle rouge*, 1894, triptyque destiné à la décoration de l'hôtel particulier d'Alexandre Natanson, détrempe sur toile (Musée d'Orsay, Paris).

choses, seules, plus frêles mais plus vivaces, plus immatérielles, plus persistantes, plus fidèles, l'odeur et la saveur restent encore longtemps, comme
30 des âmes, à se rappeler, à attendre, à espérer, sur la ruine de tout le reste, à porter sans fléchir, sur leur gouttelette presque impalpable, l'édifice immense du souvenir.

Et dès que j'eus reconnu le goût du morceau de madeleine trempé dans le tilleul que me donnait ma tante (quoique je ne susse pas encore et dusse
35 remettre à bien plus tard de découvrir pourquoi ce souvenir me rendait si heureux), aussitôt la vieille maison grise sur la rue, où était sa chambre, vint comme un décor de théâtre s'appliquer au petit pavillon, donnant sur le jardin, qu'on avait construit pour mes parents sur ses derrières (ce pan tronqué que seul j'avais revu jusque-là) ; et avec la maison, la ville, depuis le matin
40 jusqu'au soir et par tous les temps, la Place où on m'envoyait avant déjeuner, les rues où j'allais faire des courses, les chemins qu'on prenait si le temps était beau. Et comme dans ce jeu où les Japonais s'amusent à tremper dans un bol de porcelaine rempli d'eau, de petits morceaux de papier jusque-là indistincts qui, à peine y sont-ils plongés s'étirent, se contournent, se colo-
45 rent, se différencient, deviennent des fleurs, des maisons, des personnages consistants et reconnaissables, de même maintenant toutes les fleurs de notre jardin et celles du parc de M. Swann, et les nymphéas de la Vivonne, et les bonnes gens du village et leurs petits logis et l'église et tout Combray et ses environs, tout cela qui prend forme et solidité, est sorti, ville et jardins, de
50 ma tasse de thé.

Marcel PROUST, *Du côté de chez Swann*, 1913.

Résurrection du monde de l'enfance

LECTURE DU TEXTE

Retrouver le décor de Combray

1. Relevez les indices qui mettent en scène le surgissement inattendu de l'événement. Quel rôle joue la perception sensorielle ?
2. Analysez la description minutieuse de la madeleine. Quel indice montre que ce gâteau acquiert une dimension sacrée ?

Le déploiement de l'espace

3. Comment la reconstitution du monde de Combray traduit-elle le pouvoir de la mémoire ? Quelle est la progression de la description ?

▶ Fiche 18 **La description**

4. Repérez les références au monde théâtral. Expliquez ces images et leur importance.
5. LANGUE « Et dès que j'eus reconnu le goût... » : délimitez les phrases et lisez-les à haute voix. En quoi leur longueur s'accorde-t-elle au phénomène décrit ?

▶ Fiche 61 **La syntaxe de la phrase**

6. Identifiez les souvenirs qui accompagnent l'apparition de Combray. Comment l'épisode reprend-il le mythe de l'accès au monde des morts ?
7. SYNTHÈSE Comment Proust exprime-t-il la capacité du souvenir à rendre présent un monde passé ?

HISTOIRE DES ARTS

Qu'apporte la structure en triptyque à l'univers représenté par le peintre ?

VERS LE BAC

Invention

À la manière de Proust, mettez en scène l'irruption soudaine d'un souvenir, une réminiscence. Vous veillerez à bien exposer la nature de l'événement déclencheur, à construire correctement la progression du texte ainsi qu'à enrichir la description au fur et à mesure de l'évocation.

▶ Fiche 47 **Comprendre un sujet d'écriture d'invention**
▶ Fiche 62 **Organisation et cohérence textuelles**

Dissertation

Quels personnages de roman préférez-vous : ceux qui proposent un voyage intérieur ou ceux qui s'accomplissent dans le monde extérieur ? Vous argumenterez en prenant pour exemples cet extrait et d'autres œuvres.

▶ Fiche 53 **Comprendre un sujet de dissertation**

6 Georges Perec, *Les Choses*, 1965

Les Choses décrit la société de consommation des années 1960 avec une précision sociologique. Un couple de jeunes Parisiens, Jérôme et Sylvie, rêve de confort matériel. Leur goût pour les objets et la consommation devient quasiment obsessionnel.

Biographie p. 629

Histoire littéraire p. 48

Repères historiques p. 622

Ils ne méprisaient pas l'argent. Peut-être, au contraire, l'aimaient-ils trop : ils auraient aimé la solidité, la certitude, la voie limpide vers le futur. Ils étaient attentifs à tous les signes de la permanence : ils voulaient être riches. Et s'ils refusaient encore à s'enrichir, c'est qu'ils n'avaient pas besoin de salaire : leur imagination, leur culture ne les autorisaient qu'à penser en millions.

Ils se promenaient souvent le soir, humaient le vent, léchaient les vitrines. Ils laissaient derrière eux le Treizième[1] tout proche, dont ils ne connaissaient guère que la rue des Gobelins, à cause de ses quatre cinémas, évitaient la sinistre rue Cuvier, qui ne les eût conduits qu'aux abords plus sinistres encore de la gare d'Austerlitz, et empruntaient, presque invariablement, la rue Monge, puis la rue des Écoles, gagnaient Saint-Michel, Saint-Germain, et, de là, selon les jours ou les saisons, le Palais-Royal, l'Opéra, ou la gare Montparnasse, Vavin, la rue d'Assas, Saint-Sulpice, le Luxembourg. Ils marchaient lentement. Ils s'arrêtaient devant chaque antiquaire, collaient leurs yeux aux devantures obscures, distinguaient, à travers les grilles, les reflets rougeâtres d'un canapé cuir, le décor de feuillage d'une assiette ou d'un plat en faïence, la luisance d'un verre taillé ou d'un bougeoir de cuivre, la finesse galbée d'une chaise cannée[2].

De station en station, antiquaires, libraires, marchands de disques, cartes des restaurants, agences de voyages, chemisiers, tailleurs, fromagers, chausseurs, confiseurs, charcuteries de luxe, papetiers, leurs itinéraires composaient leur véritable univers : là reposaient leurs ambitions, leurs espoirs.

Georges PEREC, *Les Choses*, © Éditions Julliard, 1965.

1. Treizième arrondissement. – 2. Élégante.

Andy WARHOL (1928-1987), *Four Colored Campbell's Soup Can*, I, 1965, acrylique sur toile, 92 x 61 cm (New York).

Avoir

LECTURE DU TEXTE

1. Que représente l'argent pour ce jeune couple ?
2. Étudiez le rôle de l'énumération et des séries de mots dans le texte.
3. Analysez la caractérisation des objets, des lieux et des commerces.

Fiche 18 **La description**

4. Comment l'ironie du narrateur s'exprime-t-elle ? Que dénonce-t-elle ?

Fiche 40 **Les registres**

HISTOIRE DES ARTS

Comment et pourquoi Andy Warhol a-t-il transformé les boîtes de conserve en icônes modernes ?

Fiche 42 Lecture de l'image fixe

VERS LE BAC

Question sur un corpus

Analysez l'idéal d'Emma Bovary (p. 30) et celui du couple mis en scène dans cet extrait : en quoi les rêves de ces personnages sont-ils révélateurs d'eux-mêmes et de l'époque à laquelle ils appartiennent ?

Invention

En reprenant la contrainte que Georges Perec se donne (l'énumération de lieux ou d'objets), composez un texte qui dénonce la place et l'exhibition des objets de marque dans notre société.

Fiche 47 Comprendre un sujet d'écriture d'invention

7 Michel Houellebecq, *Extension du domaine de la lutte*, 1994

Biographie p. 627
Histoire littéraire p. 48, 93
Repères historiques p. 622

En déplacement à Rouen, le narrateur se rend sur la place du Vieux-Marché. Il se pose en spectateur d'une comédie sociale à laquelle il est étranger.

Je m'installe sur une des dalles de béton, bien décidé à tirer les choses au clair. Il apparaît sans doute possible que cette place est le cœur, le noyau central de la ville. Quel jeu se joue ici exactement ?

J'observe d'abord que les gens se déplacent généralement par bandes, ou par groupes de deux à six individus. Pas un groupe ne m'apparaît exactement semblable à l'autre. Évidemment ils se ressemblent, ils se ressemblent énormément, mais cette ressemblance ne saurait s'appeler identité. Comme s'ils avaient choisi de concrétiser l'antagonisme[1] qui accompagne nécessairement toute espèce d'individualisation en adoptant des tenues, des modes de déplacement, des formes de regroupement légèrement différentes.

J'observe ensuite que tous ces gens semblent satisfaits d'eux-mêmes et de l'univers ; c'est étonnant, voire un peu effrayant. Ils déambulent sobrement, arborant qui un sourire narquois, qui un air abruti. Certains parmi les plus jeunes sont vêtus de blousons aux motifs empruntés au hard-rock le plus sauvage ; on peut lire des phrases telles que « *Kill them all !* », ou « *Fuck and destroy !* » ; mais tous communient dans la certitude de passer un agréable après-midi, essentiellement dévolu à la consommation, et par là même de contribuer au raffermissement de leur être.

J'observe enfin que je me sens différent d'eux, sans pour autant pouvoir préciser la nature de cette différence.

Je finis par me lasser de cette observation sans issue, et je me réfugie dans un café. Nouvelle erreur. Entre les tables circule un dogue allemand énorme, encore plus monstrueux que la plupart de ceux de sa race. Devant chaque client il s'arrête, comme pour se demander s'il peut ou non se permettre de le mordre.

Michel HOUELLEBECQ, *Extension du domaine de la lutte*,
Éditions Maurice Nadeau, 1994.

1. Opposition.

Regard froid sur l'humanité

LECTURE DU TEXTE

Les caractéristiques de la société moderne

1. **Caractérisez** la société observée par le narrateur. Justifiez par des relevés précis.
Fiche 13 **Auteur, narrateur**
Fiche 15 **Le point de vue**

2. Analysez la construction du texte : la posture du narrateur est-elle celle d'un romancier ou d'un « moraliste », notion que vous définirez ?

Un narrateur désabusé

3. Quel regard le narrateur porte-t-il sur la société ?

VERS LE BAC

Invention

Cherchez une photographie qui représente un groupe puis décrivez et caractérisez celui-ci à la manière de Michel Houellebecq.
Fiche 18 **La description**
Fiche 47 **Comprendre un sujet d'écriture d'invention**

Oral (entretien)

Selon vous, quels sont les intérêts et les limites que présente un personnage romanesque en complète rupture avec la société ?
Fiche 56 **Réussir l'épreuve orale du baccalauréat**

8 Denis Diderot, Jacques le fataliste et son maître, 1796

S'inspirant du romancier anglais Sterne, Diderot invente un roman qui renouvelle en profondeur les codes du genre. Aux longueurs de l'analyse psychologique, l'auteur préfère le dialogue et l'action. Dès l'incipit, le lecteur vit une expérience de lecture surprenante.

Biographie p. 625
Du même auteur p. 317, 350
Histoire littéraire p. 48
Repères historiques p. 618

1 Comment s'étaient-ils rencontrés ? Par hasard, comme tout le monde. Comment s'appelaient-ils ? Que vous importe ? D'où venaient-ils ? Du lieu le plus prochain. Où allaient-ils ? Est-ce que l'on sait où l'on va ? Que disaient-ils ? Le maître ne disait rien ; et Jacques disait que son capitaine 5 disait que tout ce qui nous arrive de bien et de mal ici-bas était écrit là-haut.

LE MAÎTRE. – C'est un grand mot que cela.

JACQUES. – Mon capitaine ajoutait que chaque balle qui partait d'un fusil avait son billet[1].

LE MAÎTRE. – Et il avait raison…

10 Après une courte pause, Jacques s'écria : Que le diable emporte le cabaretier et son cabaret !

LE MAÎTRE. – Pourquoi donner au diable son prochain ? Cela n'est pas chrétien.

JACQUES. – C'est que, tandis que je m'enivre de son mauvais vin, j'oublie 15 de mener nos chevaux à l'abreuvoir. Mon père s'en aperçoit ; il se fâche. Je hoche de la tête ; il prend un bâton et m'en frotte un peu durement les épaules. Un régiment passait pour aller au camp devant Fontenoy[2] ; de dépit je m'enrôle. Nous arrivons ; la bataille se donne.

LE MAÎTRE. – Et tu reçois la balle à ton adresse.

20 JACQUES. – Vous l'avez deviné ; un coup de feu au genou ; et Dieu sait les bonnes et mauvaises aventures amenées par ce coup de feu. Elles se tiennent ni plus ni moins que les chaînons d'une gourmette[3]. Sans ce coup de feu, par exemple, je crois que je n'aurais été amoureux de ma vie, ni boiteux.

25 LE MAÎTRE. – Tu as donc été amoureux ?

JACQUES. – Si je l'ai été !

LE MAÎTRE. – Et cela par un coup de feu ?

JACQUES. – Par un coup de feu.

LE MAÎTRE. – Tu ne m'en as jamais dit un mot.

30 JACQUES. – Je le crois bien.

LE MAÎTRE. – Et pourquoi cela ?

JACQUES. – C'est que cela ne pouvait être dit ni plus tôt ni plus tard.

LE MAÎTRE. – Et le moment d'apprendre ces amours est-il venu ?

JACQUES. – Qui le sait ?

35 LE MAÎTRE. – À tout hasard, commence toujours…

Jacques commença l'histoire de ses amours. C'était l'après-dîner : il faisait un temps lourd ; son maître s'endormit. La nuit les surprit au milieu des

1. Son destinataire.
2. La bataille de Fontenoy (aujourd'hui en Belgique) mit un terme à la Succession d'Espagne. Elle opposa le Maréchal de Saxe pour Louis XV à la coalition réunissant l'Angleterre, la Hollande et l'Autriche.
3. Chaînette qui fixe le mors dans la bouche du cheval.

À gauche, le Maître (Yves Pignot) et Jacques (Nicolas Briançon), dans la pièce de Milan KUNDERA, *Jacques et son maître*, mise en scène de Nicolas BRIANÇON (Théâtre 14, 1998).

champs ; les voilà fourvoyés[4]. Voilà le maître dans une colère terrible et tombant à grands coups de fouet sur son valet, et le pauvre diable disant à chaque
40 coup : « Celui-là était apparemment encore écrit là-haut... »

Vous voyez, lecteur, que je suis en beau chemin, et qu'il ne tiendrait qu'à moi de vous faire attendre un an, deux ans, trois ans, le récit des amours de Jacques, en le séparant de son maître et en leur faisant courir à chacun tous les hasards qu'il me plairait. Qu'est-ce qui m'empêcherait de marier le
45 maître et de le faire cocu ? d'embarquer Jacques pour les îles ? d'y conduire son maître ? de les ramener tous les deux en France sur le même vaisseau ? Qu'il est facile de faire des contes !

Denis DIDEROT, *Jacques le fataliste et son maître*, 1796.

4. Perdus.

« Comment s'étaient-ils rencontrés ? »

LECTURE DU TEXTE

Un incipit déroutant

1. Analysez l'énonciation du premier paragraphe : quelle originalité relevez-vous ? Quel autre passage du texte renforce cette originalité ?

Fiche 59 **L'énonciation**

2. Observez la mise en page des dialogues : de quel genre pourriez-vous la rapprocher ? Quel effet de lecture cela produit-il ?

Fiche 17 **La parole du personnage**

3. Qu'apportent au dialogue les ruptures et les digressions ?

4. Dans quelle mesure cet *incipit* remplit-il ses fonctions ?

Un valet et son maître

5. À la lumière de ce qu'il raconte à son maître, retracez le passé de Jacques. En quoi ce parcours est-il original et romanesque ?

6. @ RECHERCHE Qu'est-ce que le déterminisme ? Comment Jacques reprend-il cette doctrine philosophique ?

7. Pourquoi ce dialogue change-t-il les relations traditionnelles entre maître et valet ?

8. SYNTHÈSE Pourquoi peut-on dire que le texte rompt l'« illusion romanesque » ? Quel pacte de lecture cet *incipit* propose-t-il ?

HISTOIRE DES ARTS

Comment la mise en scène de *Jacques et son maître*, adaptation de *Jacques le fataliste* au théâtre par Milan Kundera, traduit-elle la relation entre les personnages ?

Fiche 42 **Lecture de l'image fixe**

VERS LE BAC

Commentaire

Rédigez un commentaire de cet extrait en étudiant le jeu avec les codes de l'*incipit* romanesque, puis la mise en place d'un débat sur la liberté de l'individu.

Fiche 49 **Comprendre un sujet de commentaire**

Oral (analyse)

Pourquoi ce début de roman peut-il déstabiliser le lecteur ?

Fiche 56 **Réussir l'épreuve orale du baccalauréat**

9 Gustave Flaubert, Bouvard et Pécuchet, 1881

Biographie
p. 626

Du même auteur
p. 30, 414, 417

Histoire littéraire
p. 48, 93

Repères historiques
p. 620

Lorsqu'il prépare son projet en 1872, Flaubert définit ainsi le roman qu'il imagine déjà : « Je vomirai sur mes contemporains le dégoût qu'ils m'inspirent. Cette chose est Bouvard et Pécuchet, *sorte de roman philosophique d'un comique grinçant. » Pour cela, il lui faut des héros : ce seront Bouvard et Pécuchet, deux médiocres copistes.*

Deux hommes parurent.

L'un venait de la Bastille, l'autre du Jardin des Plantes[1]. Le plus grand, vêtu de toile, marchait le chapeau en arrière, le gilet déboutonné et sa cravate à la main. Le plus petit, dont le corps disparaissait dans une redingote marron, baissait la tête sous une casquette à visière pointue.

Honoré DAUMIER (1808-1879), *Antoine Maurice Apollinaire, baron d'Argout (1782-1858), ministre et pair de France* (ensemble des Célébrités du Juste Milieu), 1832, terre crue, polychromie, 13 x 16 x 9 cm (Musée d'Orsay, Paris).

Quand ils furent arrivés au milieu du boulevard, ils s'assirent à la même minute, sur le même banc.

Pour s'essuyer le front, ils retirèrent leurs coiffures, que chacun posa près de soi — et le petit homme aperçut écrit dans le chapeau de son voisin : « Bouvard » ; pendant que celui-ci distinguait aisément dans la casquette du particulier en redingote le mot : « Pécuchet ».

– « Tiens », dit-il, « nous avons eu la même idée, celle d'inscrire notre nom dans nos couvre-chefs. »

– « Mon Dieu, oui ! on pourrait prendre le mien à mon bureau ! »

– « C'est comme moi, je suis employé. »

Alors ils se considérèrent[2].

L'aspect aimable de Bouvard charma de suite Pécuchet.

Ses yeux bleuâtres, toujours entreclos, souriaient dans son visage coloré. Un pantalon à grand-pont[3], qui godait[4] par le bas sur des souliers de castor, moulait son ventre, faisait bouffer sa chemise à la ceinture ; — et ses cheveux blonds, frisés d'eux-mêmes en boucles légères, lui donnaient quelque chose d'enfantin.

Il poussait du bout des lèvres une espèce de sifflement continu.

L'air sérieux de Pécuchet frappa Bouvard.

On aurait dit qu'il portait une perruque, tant les mèches garnissant son crâne élevé étaient plates et noires. Sa figure semblait tout en profil, à cause du nez qui descendait très bas. Ses jambes prises dans des tuyaux de lasting[5] manquaient de proportion avec la longueur du buste ; et il avait une voix forte, caverneuse.

Cette exclamation lui échappa : – « Comme on serait bien à la campagne ! »

Mais la banlieue, selon Bouvard, était assommante par le tapage des guinguettes. Pécuchet pensait de même. Il commençait néanmoins à se sentir fatigué de la capitale, Bouvard aussi.

1. L'action commence à Paris.
2. Ils se regardèrent.
3. Pantalon assorti d'une pièce qui se rabat sur le ventre.
4. Faisait des plis.
5. Étoffe de laine rase, satinée, unie ou à rayures, et utilisée notamment pour la confection de vêtements masculins.

Et leurs yeux erraient sur des tas de pierres à bâtir, sur l'eau hideuse où
45 une botte de paille flottait, sur la cheminée d'une usine se dressant à l'horizon ; des miasmes[6] d'égout s'exhalaient. Ils se tournèrent de l'autre côté. Alors ils eurent devant eux les murs du Grenier d'abondance[7].

Décidément (et Pécuchet en était surpris) on avait encore plus chaud dans les rues que chez soi !

50 Bouvard l'engagea à mettre bas sa redingote. Lui, il se moquait du qu'en dira-t-on !

Tout à coup un ivrogne traversa en zigzag le trottoir ; — et à propos des ouvriers, ils entamèrent une conversation politique. Leurs opinions étaient les mêmes, bien que Bouvard fût peut-être plus libéral.

55 Un bruit de ferrailles sonna sur le pavé, dans un tourbillon de poussière. C'étaient trois calèches de remise[8] qui s'en allaient vers Bercy, promenant une mariée avec son bouquet, des bourgeois en cravate blanche, des dames enfouies jusqu'aux aisselles dans leur jupon, deux ou trois petites filles, un collégien. La vue de cette noce amena Bouvard et Pécuchet à parler des
60 femmes, — qu'ils déclarèrent frivoles, acariâtres, têtues. Malgré cela, elles étaient souvent meilleures que les hommes ; d'autres fois elles étaient pires. Bref, il valait mieux vivre sans elles ; aussi Pécuchet était resté célibataire.

– « Moi je suis veuf », dit Bouvard, « et sans enfants ! »

– « C'est peut-être un bonheur pour vous ? » Mais la solitude à la longue
65 était bien triste.

Gustave FLAUBERT, *Bouvard et Pécuchet*, 1881.

6. Odeur fétide.
7. Anciens greniers destinés à conserver des réserves alimentaires en cas de disette.
8. Voitures à quatre places qui se louent.

Et leurs yeux se rencontrèrent

LECTURE DU TEXTE

Un couple contrasté

1. Observez le cadre spatial : comment Flaubert construit-il un récit réaliste ?
▶ Fiche 16 **La construction du récit**

2. Analysez la description de chacun des personnages : en quoi sont-ils identiques ? En quoi diffèrent-ils ?
▶ Fiche 18 **La description**

3. Analysez le jeu des regards : que se passe-t-il entre les deux personnages ? Pourquoi peut-on parler d'une parodie de rencontre amoureuse ?

L'ironie de Flaubert

4. Pourquoi peut-on dire que Flaubert utilise la parodie dans cette scène de rencontre ?
▶ Fiche 18 **La description**
▶ Fiche 35 **L'intertextualité**

5. Quels comportements sociaux sont révélés dans ce passage ? Quels caractères se dessinent pour les deux personnages ?
▶ Fiche 14 **Le personnage de roman**

6. Pourquoi peut-on qualifier les deux personnages d'antihéros ?

7. SYNTHÈSE Montrez que Flaubert met en scène deux personnages ridicules.

HISTOIRE DES ARTS

Comment le buste d'Honoré Daumier reflète-t-il un goût pour le personnage grotesque ?

VERS LE BAC

Question sur un corpus

Comparez le texte de Flaubert et l'*incipit* de *Jacques le fataliste* (p. 36) : pourquoi peut-on définir le genre romanesque comme celui de la subversion des codes littéraires ?
▶ Fiche 46 **Répondre à une question sur un corpus**

Commentaire

Rédigez un commentaire de cet extrait de *Bouvard et Pécuchet* en étudiant d'abord le réalisme de la scène, puis en montrant que les deux personnages sont deux antihéros.
▶ Fiche 49 **Comprendre un sujet de commentaire**

Oral (analyse)

En quoi cette scène de rencontre joue-t-elle avec les attentes du lecteur ?
▶ Fiche 56 **Réussir l'épreuve orale du baccalauréat**

10 Jean-Paul Sartre, La Nausée, 1938

XIXe XXe XXIe

Le personnage de La Nausée, Antoine Roquentin, est un intellectuel qui rédige un mémoire historique. Il fait progressivement l'expérience de l'absurde. La mesquinerie de la province l'amène à rompre avec la comédie sociale. En prenant conscience que le monde existe hors de lui, il fait l'expérience de sa propre étrangeté, jusqu'à ne plus se reconnaître lui-même.

Biographie p. 630

Du même auteur p. 164, 284

Histoire littéraire p. 48, 93

Repères historiques p. 622

J'existe. C'est doux, si doux, si lent. Et léger : on dirait que ça tient en l'air tout seul. Ça remue. Ce sont des effleurements partout qui fondent et s'évanouissent. Tout doux, tout doux. Il y a de l'eau mousseuse dans ma bouche. Je l'avale, elle glisse dans ma gorge, elle me caresse – et la voilà qui renaît dans ma bouche, j'ai dans la bouche à perpétuité une petite mare d'eau blanchâtre – discrète – qui frôle ma langue. Et cette mare, c'est encore moi. Et la langue. Et la gorge, c'est moi.

Je vois ma main, qui s'épanouit sur la table. Elle vit – c'est moi. Elle s'ouvre, les doigts se déploient et pointent. Elle est sur le dos. Elle me montre son ventre gras. Elle a l'air d'une bête à la renverse. Les doigts, ce sont les pattes. Je m'amuse à les faire remuer, très vite, comme les pattes d'un crabe qui est tombé sur le dos. Le crabe est mort : les pattes se recroquevillent, se ramènent sur le ventre de ma main. Je vois les ongles – la seule chose de moi qui ne vit pas. Et encore. Ma main se retourne, s'étale à plat ventre, elle m'offre à présent son dos. Un dos argenté, un peu brillant – on dirait un poisson, s'il n'y avait pas les poils roux à la naissance des phalanges. Je sens ma main. C'est moi, ces deux bêtes qui s'agitent au bout de mes bras. Ma main gratte une de ses pattes, avec l'ongle d'une autre patte ; je sens son poids sur la table qui n'est pas moi. C'est long, long, cette impression de poids, ça ne passe pas. Il n'y a pas de raison pour que ça passe. À la longue, c'est intolérable... Je retire ma main, je la mets dans ma poche. Mais je sens tout de suite, à travers l'étoffe, la chaleur de ma cuisse. Aussitôt, je fais sauter ma main de ma poche ; je la laisse pendre contre le dossier de la chaise. Maintenant, je sens son poids au bout de mon bras. Elle tire un peu, à peine, mollement, moelleusement, elle existe. Je n'insiste pas : où que je la mette, elle continuera d'exister et je continuerai de sentir qu'elle existe ; je ne peux pas la supprimer, ni supprimer le reste de mon corps, la chaleur humide qui salit ma chemise, ni toute cette graisse chaude qui tourne paresseusement, comme si on la remuait à la cuiller, ni toutes les sensations qui se promènent là-dedans, qui vont et viennent, remontent de mon flanc à mon aisselle ou bien qui végètent doucement, du matin jusqu'au soir, dans leur coin habituel.

Je me lève en sursaut : si seulement je pouvais m'arrêter de penser, ça irait déjà mieux. Les pensées, c'est ce qu'il y a de plus fade. Plus fade encore que de la chair. Ça s'étire à n'en plus finir et ça laisse un drôle de goût. Et puis il y a les mots, au-dedans des pensées, les mots inachevés, les ébauches de phrases qui reviennent tout le temps : « Il faut que je fini... J'ex... Mort... M. de Roll est mort... Je ne suis pas... J'ex... » Ça va, ça va... et ça ne finit jamais. C'est pis que le reste parce que je me sens responsable et complice. Par exemple, cette espèce de rumination douloureuse : *j'existe*, c'est moi qui l'entretiens. Moi. Le corps, ça vit tout seul, une fois que ça a commencé. Mais la pensée, c'est *moi* qui la continue, qui la déroule. J'existe. Je pense que j'existe.

Jean-Paul SARTRE, *La Nausée*, © Éditions Gallimard, 1938.

Francis BACON (1909-1992), *Autoportrait assis*, 1973, huile sur toile, 1,98 x 1,47 m. (collection privée).

Étranger à soi-même

LECTURE DU TEXTE

1. Quel rapport le personnage entretient-il avec lui-même à travers l'écriture ?
2. Identifiez les différentes étapes que franchit le personnage dans son sentiment d'étrangeté à lui-même. Indiquez la progression du texte et de sa démonstration.

Fiche 12 **Les genres du roman**
Fiche 13 **Auteur, narrateur**

3. Relevez l'ensemble des dénominations qui représentent la main comme un organe détaché du corps et ayant son autonomie.

Fiche 18 **La description**
Fiche 62 **Organisation et cohérence textuelles**

4. LANGUE Relevez les termes qui désignent la première personne du singulier. Pourquoi l'expression de soi est-elle difficile ?
5. Relevez les indices qui montrent que l'existence perd toute signification pour le narrateur.

HISTOIRE DES ARTS

Comment la déformation dans cet autoportrait de Francis Bacon révèle-t-elle la difficulté d'être soi-même ?

Fiche 42 **Lecture de l'image fixe**

VERS LE BAC

Invention

Rédigez une nouvelle page du journal d'Antoine Roquentin. Le héros y raconte et y décrit l'étrangeté qu'il ressent à observer la vie sociale. Vous choisirez une scène type de la vie en société et veillerez à bien mettre en place le point de vue du personnage sur ce qu'il observe.

Fiche 48 **Rédiger un écrit d'invention**

Dissertation

Comment le roman peut-il parvenir à mettre à distance le monde et les personnages ? Vous argumenterez en prenant pour exemples cet extrait et d'autres œuvres.

Fiche 53 **Comprendre un sujet de dissertation**

11 Michel Butor, *La Modification*, 1957

Dans La Modification, *Léon Delmont prend un train pour rejoindre sa maîtresse alors même qu'il n'est pas sûr de ses sentiments. Le voyage qui le mène de Paris à Rome est l'occasion pour lui d'une longue interrogation sur soi que Butor rend singulière et déroutante pour le lecteur par l'emploi inhabituel de la deuxième personne du pluriel.*

Biographie p. 625
Histoire littéraire p. 48, 93
Repères historiques p. 622

Ce voyage devrait être une véritable libération, un rajeunissement, un grand nettoyage de votre corps et de votre tête ; ne devriez-vous pas en ressentir déjà les bienfaits et l'exaltation ? Quelle est cette lassitude qui vous tient, vous diriez presque ce malaise ? Est-ce la fatigue accumulée depuis des mois et des années, contenue par une tension qui ne se relâchait point, qui maintenant se venge, vous envahit, profitant de cette vacance que vous vous êtes accordée, comme profite la grande marée de la moindre fissure dans la digue pour submerger de son amertume stérilisante les terres que jusqu'alors ce rempart avait protégées.

Mais n'est-ce pas justement pour parer à ce risque dont vous n'aviez que trop conscience que vous avez entrepris cette aventure, n'est-ce pas vers la guérison de toutes ces premières craquelures avant-coureuses du vieillissement que vous achemine cette machine, vers Rome où vous attendent quel repos et quelle réparation ?

Alors pourquoi cette crispation de vos nerfs, cette inquiétude qui gêne la circulation de votre sang ? Pourquoi n'êtes-vous pas déjà mieux délassé ? Est-ce vraiment le simple changement de l'horaire qui provoque en vous ce bouleversement, ce dépaysement, cette appréhension, le fait de partir à huit heures du matin, non le soir comme à l'habitude ? Seriez-vous déjà si routinier, si esclave ? Ah, c'est alors que cette rupture était nécessaire et urgente, car attendre quelques semaines encore, c'était tout perdre, c'était le fade enfer qui se refermait, et jamais plus vous n'auriez retrouvé le courage. Enfin la délivrance approche et de merveilleuses années.

Michel BUTOR, *La Modification*, © Les Éditions de Minuit, 1957.

Un personnage inattendu

LECTURE DU TEXTE

1. Analysez les choix énonciatifs et leurs effets sur le lecteur. En quoi cette énonciation particulière brouille-t-elle la notion même de personnage ?

▶ Fiche 15 **Le point de vue**
▶ Fiche 59 **L'énonciation**

2. @RECHERCHE Recherchez d'autres textes écrits à la deuxième personne (chez Perec et Calvino, par exemple). Percevez-vous les mêmes effets à la lecture ?

3. Quel est l'état d'esprit du personnage ? Comment le narrateur l'exprime-t-il ?

4. SYNTHÈSE Pourquoi ce texte remet-il en question les codes traditionnels du roman ?

▶ Fiche 12 **Les genres du roman**

VERS LE BAC

Invention

Employez la deuxième personne du pluriel pour mettre en scène un personnage qui tente de se libérer de la routine du quotidien. Vous veillerez à mettre en place un contexte précis.

▶ **Fiche 47 Comprendre un sujet d'écriture d'invention**

Oral (analyse)

Justifiez le titre du roman *La Modification* par une analyse précise du texte : quelles « modifications » sont à l'œuvre dans cette page ?

▶ **Fiche 56 Réussir l'épreuve orale du baccalauréat**

12 Alain Robbe-Grillet, *Pour un nouveau roman*, 1963

Dans son essai Pour un nouveau roman, *Alain Robbe-Grillet réfléchit à une nouvelle conception du roman et du personnage. Son texte devient le manifeste d'une esthétique et d'une école littéraire nouvelles.*

Biographie p. 630
Histoire littéraire p. 48, 93
Repères historiques p. 622

Nous en a-t-on assez parlé, du « personnage » ! Et ça ne semble, hélas, pas près de finir. Cinquante années de maladie, le constat de son décès enregistré à maintes reprises par les plus sérieux essayistes, rien n'a encore réussi à le faire tomber du piédestal où l'avait placé le XIXe siècle. C'est une momie à présent, mais qui trône toujours avec la même majesté — quoique postiche — au milieu des valeurs que révère la critique traditionnelle. C'est même là qu'elle reconnaît le « vrai » romancier : « il crée des personnages »…

Pour justifier le bien-fondé de ce point de vue, on utilise le raisonnement habituel : Balzac nous a laissé *Le Père Goriot*, Dostoïesvski a donné le jour aux *Karamazov*, écrire des romans ne peut plus donc être que cela : ajouter quelques figures modernes à la galerie de portraits que constitue notre histoire littéraire.

Un personnage, tout le monde sait ce que le mot signifie. Ce n'est pas un *il* quelconque, anonyme et translucide, simple sujet de l'action exprimée par le verbe. Un personnage doit avoir un nom propre, double si possible : nom de famille et prénom. Il doit avoir des parents, une hérédité. Il doit avoir une profession. S'il a des biens, cela n'en vaudra que mieux. Enfin il doit posséder un « caractère », un visage qui le reflète, un passé qui a modelé celui-ci et celui-là. Son caractère dicte ses actions, le fait réagir de façon déterminée à chaque événement. Son caractère permet au lecteur de le juger, de l'aimer, de le haïr. C'est grâce à ce caractère qu'il léguera un jour son nom à un type humain, qui attendait, dirait-on, la consécration de ce baptême.

Alain ROBBE-GRILLET, *Pour un nouveau roman*, © Les Éditions de Minuit, 1963.

« Nous en a-t-on assez parlé, du " personnage " ! »

LECTURE DU TEXTE

1. Quel est le point de vue d'Alain Robbe-Grillet sur le personnage ? À quoi s'oppose-t-il ?
2. Quel est le registre utilisé ? Justifiez votre réponse par un relevé précis de formules ou d'expressions.

Fiche 40 **Les registres**
Fiche 28 **Stratégies argumentatives et modes de raisonnement**

3. @RECHERCHE Documentez-vous sur les projets romanesques de Balzac et Dostoïevski. Pourquoi A. Robbe-Grillet se réfère-t-il à ces auteurs ?
4. Dans le dernier paragraphe, quelles dimensions du personnage Robbe-Grillet aborde-t-il ? Quelle valeur l'énumération prend-elle ?

Fiche 14 **Le personnage de roman**
Fiche 18 **La description**

VERS LE BAC

Invention

Vous répondez à Alain Robbe-Grillet pour défendre le personnage de roman traditionnel. Rédigez un article qui pourrait paraître dans un magazine littéraire, à la rubrique « Nos lecteurs ont la parole ». Vous prendrez appui sur des exemples précis de personnages.

Fiche 47 Comprendre un sujet d'écriture d'invention

Dissertation

Selon vous, le « vrai romancier » est-il celui qui remet en question la notion de personnage ? Vous argumenterez en prenant pour exemples cet extrait et d'autres œuvres.

Fiche 53 Comprendre un sujet de dissertation

13

Sylvie Germain, *Magnus*, 2005

Biographie p. 626

Du même auteur p. 290

Histoire littéraire p. 48

Repères historiques p. 622

Magnus est l'ours en peluche d'un héros de roman au parcours singulier, Franz-Georg, né avant la guerre en Allemagne. Individu perturbé par ses origines, le personnage doit, après la guerre, supporter et comprendre son passé. Au début du roman, la narratrice précise son projet littéraire et évoque son travail d'écriture.

D'un éclat de météorite, on peut extraire quelques menus secrets concernant l'état originel de l'univers. D'un fragment d'os, on peut déduire la structure et l'aspect d'un animal préhistorique, d'un fossile végétal, l'ancienne présence d'une flore luxuriante dans une région à présent déser- 5 tique. L'immémorial est pailleté de traces, infimes et têtues.

D'un lambeau de papyrus ou d'un morceau de poterie, on peut remonter vers une civilisation disparue depuis des millénaires. À partir de la racine d'un mot, on peut rayonner à travers une constellation de vocables et de sens. Les restes, les noyaux gardent toujours un infrangible[1] grain de vigueur.

10 Dans tous les cas, l'imagination et l'intuition sont requises pour aider à dénouer les énigmes.

D'un homme à la mémoire lacunaire, longtemps plombée de mensonges puis gauchie par le temps, hantée d'incertitudes, et un jour soudainement portée à incandescence, quelle histoire peut-on écrire ?

15 Une esquisse de portrait, un récit en désordre, ponctué de blancs, de trous, scandé d'échos, et à la fin s'effrangeant[2].

Tant pis pour le désordre, la chronologie d'une vie humaine n'est jamais aussi linéaire qu'on le croit. Quant aux blancs, aux creux, aux échos et aux franges, cela fait partie intégrante de toute écriture, car de toute mémoire.
20 Les mots d'un livre ne forment pas davantage un bloc que les jours d'une vie humaine, aussi abondants soient ces mots et ces jours, ils dessinent juste un archipel de phrases, de suggestions, de possibilités inépuisées sur un vaste fond de silence. Et ce silence n'est ni pur ni paisible, une rumeur y chuchote tout 25 bas, continûment. Une rumeur montée des confins du passé pour se mêler à celle affluant de toutes parts du présent. Un vent de voix, une polyphonie de souffles.

En chacun la voix d'un souffleur murmure en 30 sourdine, incognito — voix apocryphe[3] qui peut apporter des nouvelles insoupçonnées du monde, des autres et de soi-même, pour peu qu'on tende l'oreille.

Écrire, c'est descendre dans la fosse du souffleur 35 pour apprendre à écouter la langue respirer là où elle se tait, entre les mots, autour des mots, parfois au cœur des mots.

Sylvie GERMAIN, *Magnus*, Éditions Albin Michel, 2005.

1. Qui ne peut être détruit.
2. Se déchiquetant.
3. Qui n'est pas authentique.

Pablo PICASSO (1881-1973), *Portrait de Daniel-Henry Kahnweiler*, 1910, huile sur toile, 1,01 x 0,73 m (The Art Institute of Chicago, États-Unis).

14 Sylvie Germain, *Les Personnages*, 2004

TEXTE ÉCHO

Dans un texte qui se présente sous forme de tableaux et de deux nouvelles, Sylvie Germain tente de cerner la genèse des personnages, la mystérieuse relation qui se noue entre l'auteur et eux. Elle les appelle les « suppliants muets ».

Un jour, ils sont là. Un jour, sans aucun souci de l'heure.
On ne sait pas d'où ils viennent, ni pourquoi ni comment ils sont entrés. Ils entrent toujours ainsi, à l'improviste et par effraction. Et cela sans faire de bruit, sans dégâts apparents. Ils ont une stupéfiante discrétion de passe-muraille.

Ils : les personnages.

On ignore tout d'eux, mais d'emblée on sent qu'ils vont durablement imposer leur présence. Et on aura beau feindre n'avoir rien remarqué, tenter de les décourager en les négligeant, voire en se moquant d'eux, ils resteront là.

Là, en nous, derrière l'os du front, ainsi qu'une peinture rupestre au fond d'une grotte, nimbée d'obscurité. Une peinture en grisaille, mais bientôt obsédante.

Là, à la frontière entre le rêve et la veille, au seuil de la conscience. Et ils brouillent cette mince frontière, la traversent continuellement avec l'agilité d'un contrebandier, la déplaçant, la distordant.

Là, plantés sur ce seuil mouvant avec la violence immobile et mutique d'un mendiant qui a jeté sur vous son dévolu et qui ne partira pas avant d'avoir obtenu ce qu'il veut.

Sylvie GERMAIN, *Les Personnages*, © Éditions Gallimard, 2004.

Personnage en fragments

LECTURE DU TEXTE 13

1. Quelles méthodes pour accéder au passé le texte propose-t-il ?
2. Pourquoi peut-on comparer la mémoire et l'écriture, d'après le narrateur ?
3. Expliquez la phrase nominale « Un vent de voix, une polyphonie de souffles ». Quelle conception du livre définit-elle ?
4. Quelle figure de style peut-on relever dans le dernier paragraphe ? Quelle conception de l'écriture ressort de cette phrase ?

Fiche 41 Les figures de style

5. Quel pacte de lecture cet *incipit* propose-t-il au lecteur ?
6. SYNTHÈSE Comment les deux textes de Sylvie Germain rendent-ils compte d'une même vision sur la naissance d'un roman ?

Fiche 46 Répondre à une question sur un corpus

HISTOIRE DES ARTS

Pourquoi ce tableau cubiste illustre-t-il bien les textes de Sylvie Germain ?

Fiche 42 Lecture de l'image fixe

VERS LE BAC

Question sur un corpus

Comparez l'*incipit* de *Magnus* avec celui de *Jacques le fataliste* (p. 36) : en quoi bousculent-ils les formes traditionnelles du roman ?

Invention

À la manière de Sylvie Germain, imaginez le portrait du personnage principal Franz-Georg. Le texte présentera un personnage énigmatique, portant physiquement les traces d'un passé douloureux.

Fiche 47 Comprendre un sujet d'écriture d'invention

15 Olivier Adam, À l'abri de rien, 2007

Femme au foyer délaissée par son époux, Marie se sent de plus en plus abandonnée. Au bord du gouffre, elle s'attache à des migrants qui, dans le nord de la France, attendent pour passer en Angleterre. Un soir, sur la route avec son fils, elle en croise quelques-uns alors que les éléments naturels se déchaînent à l'extérieur.

Biographie p. 624

Histoire littéraire p. 48

Repères historiques p. 622

Il pleuvait de plus en plus fort, il grêlait même, des poignées de cailloux lancés du ciel. J'ai redémarré et à nouveau on a fendu des terres noyées, au fond on ne faisait que rouler sous la pluie mais dans ma tête à ce moment-là c'était autre chose. Un sentiment de perdition. D'engloutissement. De fin du monde. Je crois qu'une partie de moi était persuadée qu'on allait mourir d'un instant à l'autre, comme ça sans raison, que tout allait s'arrêter, interruption des programmes indépendante de notre volonté. De temps en temps, les phares éclairaient une ombre, un type qui marchait face au vent, dans la pluie diagonale, couchée presque. Ils étaient tellement épuisés, tellement démunis ces types, tellement habitués à marcher tête nue et sans manteau qu'ils ne prenaient même plus la peine de se protéger. J'ai pensé qu'au point où ils en étaient ils ne devaient plus rien sentir, ni le froid ni les grêlons, ni la faim ni la fatigue, mais c'était peut-être pour me rassurer, en vérité ils devaient crever de tout ça mais qu'est-ce qu'ils pouvaient bien y faire ? Chaque fois qu'on en croisait un je ralentissais, je ne pouvais pas m'en empêcher, je pensais au chalet aux flics aux bergers allemands, aux torches aux bruits aux hurlements, à la violence à la douleur, à leurs visages à leur terreur. Lucas me parlait mais les mots m'arrivaient en désordre et sans vraie cohérence : l'entraînement était super et son revers s'améliorait, le prof lui avait parlé de l'intégrer à l'équipe. Régulièrement je hochais la tête, comme ces chiens en plastique sur la plage arrière des voitures, désarticulée, mécanique et vide. Au bout d'un moment j'ai fini par lâcher « c'est bien ». Mais ça faisait longtemps déjà que Lucas ne parlait plus, que sa voix s'était éteinte. Devant nous la route s'évanouissait dans le noir et je me suis dit qu'on allait s'y dissoudre nous aussi.

Olivier ADAM, À *l'abri de rien*, © Éditions de l'Olivier, 2007, *Points*, 2008.

Femme à la dérive

LECTURE DU TEXTE

1. Quel est l'état d'esprit de la narratrice dans ce passage ? Pourquoi est-il en accord avec la nature ?
2. Quel portrait des migrants la narratrice fait-elle ?
3. Commentez la formule finale « je me suis dit qu'on allait s'y dissoudre nous aussi. ». Quel **registre** semble se dessiner pour le récit ?

Fiche 40 **Les registres**

4. SYNTHÈSE Montrez que le **monologue intérieur** est écrit comme un flot de pensées ininterrompues. Quel est l'effet produit par ce choix d'écriture emprunté au roman moderne anglais (voir p. 49 du manuel) ?

Fiche 17 **La parole du personnage**

VERS LE BAC

Invention

Imaginez la suite du texte : Lucas fait remarquer à sa mère qu'elle ne l'écoute pas. Celle-ci expose sa compassion pour le sort des migrants.

Fiche 47 Comprendre un sujet d'écriture d'invention

Oral (entretien)

Le roman vous semble-t-il le genre le plus à même de présenter le malaise et la fragilité de la condition humaine ?

Fiche 56 Réussir l'épreuve orale du baccalauréat

POUR ARGUMENTER LES PERSONNAGES DE ROMAN PEUVENT-ILS NOUS AIDER À MIEUX COMPRENDRE LE MONDE ?

René MAGRITTE (1898-1967), ***La Clairvoyance*, 1936, huile sur toile (collection privée).**

F. Mauriac, *Le Romancier et ses personnages*, 1933

Dans son essai Le Romancier et ses personnages *(1933), Mauriac interroge la notion même de personnage. Il souligne son artificialité et, ainsi, met au jour la différence entre la littérature et le réel.*

Acceptons humblement que les personnages romanesques forment une humanité qui n'est pas une humanité de chair et d'os, mais qui en est une image transposée et stylisée. Acceptons de n'y atteindre le vrai que par réfraction. Il faut se résigner aux convention et aux mensonges de notre art.

On ne pense pas assez que le roman qui serre la réalité du plus près possible est déjà tout de même menteur par cela seulement que les héros s'expliquent et se racontent. Car, dans les vies les plus tourmentées, les paroles comptent peu. Le drame d'un être vivant se poursuit presque toujours et se dénoue dans le silence.

L'essentiel, dans la vie, n'est jamais exprimé.

Dans la vie, Tristan et Yseult parlent du temps qu'il fait, de la dame qu'ils ont rencontrée le matin, et Yseult s'inquiète de savoir si Tristan trouve le café assez fort. Un roman tout à fait pareil à la vie ne serait finalement composé que de points de suspension. Car, de toutes les passions, l'amour, qui est le fond de presque tous nos livres, nous paraît être celle qui s'exprime le moins. Le monde des héros de roman vit, si j'ose dire, dans une autre étoile, l'étoile où les êtres humains s'expliquent, se confient, s'analysent la plume à la main, recherchent les scènes au lieu de les éviter, cernent leurs sentiments confus et indistincts d'un trait appuyé, les isolent de l'immense contexte vivant et les observent au microscope.

François MAURIAC, *Le Romancier et ses personnages*, 1933,

TRISTAN ET YSEULT

Tristan et Yseult est une légende issue de la tradition orale, transcrite par écrit au XIIe siècle par Béroul. Le couple symbolise l'amour impossible et pourtant irrépressible. Ils n'auraient jamais dû s'aimer : Yseult est mariée à l'oncle de Tristan. Mais, le philtre d'amour qu'ils ont bu les a unis indéfectiblement. Ils vont vivre leur passion jusqu'à la mort.

LECTURE DU TEXTE

1. Pourquoi, selon Mauriac, les personnages de roman sont-ils artificiels ?

Fiche 14 **Le personnage de roman**

2. Dans quelle mesure peut-on dire que le roman réaliste diffère de la vie réelle ?

3. @RECHERCHE Recherchez qui sont Tristan et Yseult, et commentez l'intérêt de cette référence dans la démonstration de Mauriac.

HISTOIRE DES ARTS

Quelle image de la création picturale Magritte donne-t-il sur ce tableau ? En quoi la toile rejoint-elle l'essai de Mauriac ?

Fiche 42 **Lecture de l'image fixe**

ÉCRITURE

Argumentation

Pensez-vous que les personnages de roman puissent vous aider à mieux comprendre le monde ?

Fiche 14 **Le personnage de roman**

Histoire littéraire

La fabrique du roman et du personnage

Les origines du roman

Un nouvel usage de la langue

Au Moyen Âge, le mot « roman » désigne d'abord toute œuvre littéraire écrite **en langue « romane »**, c'est-à-dire en langue populaire et non en latin, d'un usage plus savant. C'est au XIIe siècle que le « roman » désigne plus spécifiquement **un récit en vers écrit en français** (en « roman »). Il s'agit, la plupart du temps, de récits inspirés par les mythologies latine, celtique ou germanique. Jusqu'au XVIIe siècle, le terme générique de « roman » désigne ainsi un **poème en français**, narrant une histoire de chevalerie. Ainsi, dans le prologue du *Chevalier à la charrette* (1176-1181), Chrétien de Troyes dit « entreprendre un roman » : son œuvre est une épopée en vers.

Il existe des textes antiques qui préfigurent nettement le genre, mais ***Don Quichotte*** de Cervantès (1605-1615) est considéré comme le **premier roman moderne**. Se distinguant du théâtre, où les personnages jouent et parlent directement sur la scène, ces récits sont contés par un **narrateur**. Ils s'ouvrent volontiers à la **vie quotidienne**, aux personnages de **condition modeste**, alors que le théâtre tragique convoque des personnages de rois, de reines ou encore de dieux pour embrasser les grandes questions métaphysiques et politiques.

Ex. : *Le* Satiricon *de Pétrone (Ier siècle ap. J.-C.) comporte déjà tous les ingrédients du genre romanesque, et, plus précisément, picaresque. Deux marginaux errant dans le sud de l'Italie traversent toutes les catégories sociales et ouvrent ainsi la littérature au peuple. Le texte mêle différents genres, ce qui est aussi une marque de fabrique du roman.*

Ainsi, les **personnages** qu'on y croise, même s'ils peuvent connaître des aventures extraordinaires, sont avant tout très **ordinaires**. Le roman est donc par tradition le genre de l'**antihéros**, ou encore du **héros déceptif**. Il est aussi le genre du quotidien, du banal, voire de l'échec. Il donne à voir le monde tel qu'il est, par opposition à la poésie lyrique ou au théâtre tragique, autres genres qui l'idéalisent pour le mettre en scène tel qu'il devrait être.

Ex. : *Scarron, dans* Le Roman comique, *décrit le quotidien d'une troupe de comédiens du Mans, dans la Sarthe du XVIIe siècle* (>p. 24). *Marivaux romance les ambitions d'un « paysan » de 1734* (>p. 26). *De la même façon, le vrai héros de* Jacques le fataliste *de Diderot* (>p. 36)

Jean-Baptiste COULOM, *Arrivée des Comédiens au Mans*, 1712-1716 (Musée de Tessée, Le Mans).

est un modeste valet, tandis que Flaubert, avec Bouvard et Pécuchet, *crée la rencontre improbable de deux copistes médiocres qui se mettent en tête d'embrasser tout le savoir du monde* (>p. 38).

Pour ces raisons, le roman a longtemps été **déclassé** dans la **hiérarchie des genres littéraires**, par opposition à l'épopée ou à la tragédie, par exemple.

Émergence du roman

Parce qu'il regarde **le monde réel tel qu'il est**, sans concession, le roman peut l'interroger et le critiquer.

Ex. : *Le roman de Cervantès,* Don Quichotte *(1605-1615), montre que les valeurs chevaleresques sont devenues grotesques dans un monde qui ne reconnaît plus pour seule valeur que l'argent.*

Ainsi, la naissance du roman peut être mise en correspondance avec l'**émergence de l'individu**, d'une part, et celle d'un **regard critique et satirique** sur la société et ses travers. C'est pourquoi héros et personnages de roman sont volontiers **en quête** ou **en errance**, alors même que le héros épique dirigeait la communauté et savait où il allait.

Le roman porte aussi en lui la **critique des autres genres,** estimés trop éloignés du monde. En effet, par réaction aux romans précieux, composés d'interminables récits galants, le roman satirique porte dès le XVIIe siècle un **regard corrosif sur la société**.

Ex. : *Dans* Le Roman comique, *Scarron, en 1651, dénonce la comédie sociale et critique la société de son temps.*

Le roman est aussi capable d'**assurer sa propre critique**. *Jacques le fataliste*, publié à titre posthume en

Gustave DORÉ (1833-1883), illustration pour *Don Quichotte* de Cervantès, 1863 (Bibliothèque de l'INHA, Paris).

1796, ouvre la voie à un roman qui **brise l'illusion romanesque** et donc introduit une distanciation. En mettant en scène un duo de personnages accompagné d'un narrateur facétieux, Diderot affirme la toute-puissance de l'écrivain sur ses personnages. Ce faisant, il montre quelles recettes de la **création romanesque** amènent le lecteur à ne plus distinguer le vrai du romanesque. Après Diderot et avec ses héritiers, le lecteur ne peut plus ignorer que le roman nous raconte une histoire, mais aussi qu'il se met en scène en nous la racontant.

Ex. : *L'incipit de* Jacques le fataliste *est un texte fondateur* (>p. 36). *Dès les premières lignes, le narrateur s'adresse au lecteur pour lui rappeler que c'est bien lui qui tient les ficelles du récit. Partant, c'est toute l'illusion réaliste qui s'écroule. Mais le lecteur y gagne en connivence avec le narrateur et l'auteur.*

Ce rapport distancié à l'illusion réaliste se prolonge au XXe siècle avec le **Nouveau Roman**. Si au XIXe siècle, on ne prend pas encore en compte le regard critique de Diderot, les Nouveaux Romanciers, jetant le doute sur l'histoire et le personnage, se concentrent essentiellement sur **l'écriture**. Pour reprendre une phrase célèbre d'un des théoriciens du mouvement, Jean Ricardou, « le roman n'est plus l'écriture d'une aventure, mais l'aventure d'une écriture ».

Ex. : *Le Nouveau Roman peut revendiquer quelques œuvres remarquables. Ainsi, en 1957, Michel Butor écrit* La Modification, *un roman totalement à la deuxième personne du pluriel* (>p. 42). *Les membres de l'OULIPO (OUvroir de LIttérature POtentielle) ont tenté des expériences très riches dans les années 1960. Georges Perec, par exemple, a écrit tout un roman sans utiliser un seul mot avec la lettre* **e** *(*La Disparition, *1969), absence qui renvoie à la disparition du personnage.*

Le personnage au cœur du roman

Individualisation du personnage

C'est au XVIe siècle que le roman adopte les caractéristiques que nous connaissons encore aujourd'hui : une œuvre en **prose** assez **longue** qui met en scène des personnages ancrés dans le **réel** et dont le lecteur suit le **parcours**. Mais le genre évolue encore jusqu'au XIXe siècle. En effet, le roman du XVIIe siècle est toujours enclin à mettre en scène des personnages idéalisés et éloignés du réel, sous l'influence des romans du Moyen Âge.

Ex. : *Les romans précieux, dont ceux de Mme de Scudéry (*Clélie, *1654-1660).*

Au XVIIe siècle, le genre connaît une **évolution** capitale qui ouvre la voie aux fondements du roman moderne. Dans *La Princesse de Clèves* en 1678, Madame de La Fayette met au point la technique du **monologue intérieur** (>p. 80). La narration retrace les mouvements de conscience du personnage au plus intime : c'est un « je » qui exprime ses pensées dans le roman sans pour autant prendre la parole. *La Princesse de Clèves* ouvre la voie à un genre plus riche et, surtout, singulier. Alors que le théâtre doit mettre en place des stratégies artificielles pour que le personnage ouvre son cœur (recours aux confidents, aux apartés ou au monologue), le roman invente une technique, plus naturelle, amenant le lecteur à adhérer massivement à l'histoire qu'on lui raconte et à s'identifier au personnage.

Ex. : *Flaubert utilise le point de vue interne, centré sur le personnage d'Emma Bovary* (>p. 30), *pour rendre compte des tourments de la jeune épouse déçue. Le narrateur de* À la Recherche du temps perdu (>p. 32) *plonge dans ses sensations pour comprendre le souvenir. Des auteurs anglo-saxons comme James Joyce, Virginia Woolf ou Katherine Mansfield amplifient le monologue intérieur jusqu'au* « Stream of consciousness » *(flot ininterrompu de pensées). Nathalie Sarraute va plus loin dans le jeu sur les points de vue et le monologue intérieur : elle révèle les « sous-conversations » antérieures aux paroles des personnages.*

D'autres stratégies peuvent donner accès aux pensées du personnage. C'est le cas notamment du **roman épistolaire**. L'échange des lettres permet de donner libre cours à l'expression des sentiments.

Ex. : Les Liaisons dangereuses *(1782) de Laclos sont basées sur un échange de lettres entre deux libertins qui se jouent de jeunes personnes crédules* (>p. 82).

Le personnage et la société

Il faut attendre le XIXe siècle pour que le roman acquière véritablement ses lettres de noblesse. S'inspirant de la démarche des scientifiques qui observent le réel et l'expérimentent, toute une génération d'auteurs va construire des œuvres **rendant compte du réel** et mettant en scène les **mutations de leur temps**.

Ex. : *Les deux grandes fresques romanesques du XIXe siècle sont* La Comédie humaine *de Balzac* (>p. 28), *cent trente-sept ouvrages dont une partie inachevée, publiés de 1830 à 1856, et* Les Rougon-Macquart. Histoire naturelle et sociale d'une famille sous le Second Empire, *vingt romans publiés par Émile Zola de 1871 à 1893. Toutes deux créent des systèmes de personnages qui reproduisent la société entière.*

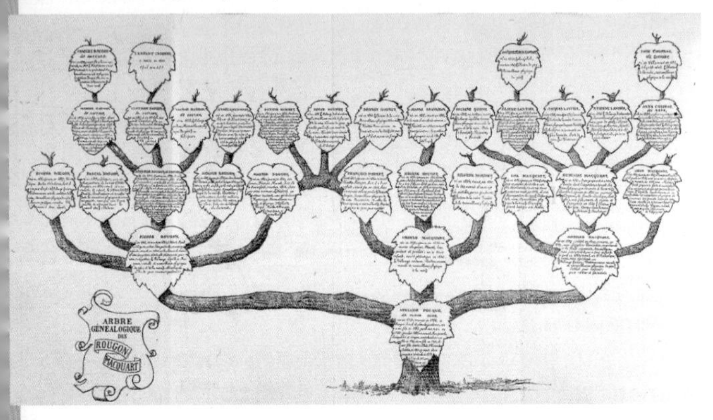

Émile ZOLA, arbre généalogique des Rougon-Macquart, *Le Docteur Pascal*, 1893.

Aux XVIIIe et XIXe siècles, les romanciers créent des **types romanesques** dans lesquels les lecteurs peuvent se retrouver. L'histoire racontée dans le roman pourrait être la leur. Il faut tout d'abord y voir le **refus de l'idéalisation**, le rejet des recueils pour jeunes filles (« *keepsakes* ») dont se délecte Emma Bovary, de ces histoires sentimentales que Stendhal appelle les « romans de femme de chambre ». Les romanciers réalistes préfèrent les personnages de **jeunes hommes ambitieux** qui témoignent des nouvelles réalités sociales, ou encore les **romans dits « de formation »**.

Ex. : *Maupassant, dans* Bel-Ami *(1885), crée un personnage d'ambitieux qui utilise les femmes pour devenir riche et célèbre.*

Ces personnages, héritiers des *picaros*, sont le plus souvent **des antihéros**. Ils utilisent tous les moyens pour parvenir en usant d'un **cynisme** qui peut choquer.

Personnages symboliques

Même si les personnages de romans réalistes semblent croqués sur le vif, ils demeurent « des êtres de papier ». En effet, ils ne peuvent prétendre à la complexité du réel. Ainsi, ils sont souvent des **types incarnant une idée**.

Ex. : *Dans* Les Misérables (> p. 76) *de Victor Hugo, Cosette incarne l'innocence, tandis que les Thénardier représentent le Mal. Ancien bagnard repenti, Jean Valjean, après une descente aux enfers, est la preuve que l'Homme peut devenir bon.*

L'allégorie peut aussi être plus large et des groupes peuvent incarner des pôles importants du comportement humain ou de la vie sociale.

Ex. : *Dans* Le Ventre de Paris *(1773), Zola oppose les « gras et les maigres », les exploiteurs et les exploités, pour dénoncer un fonctionnement social injuste.*

Les personnages de Florent et de Quenu.
Illustrations d'André GILL pour *Le Ventre de Paris*, d'Émile ZOLA, Édition Fasquelle, 1906.

La crise de la représentation

Le XXe siècle **remet en question** la place centrale du **personnage** dans le roman. Alors que le genre est presque exclusivement fondé sur le modèle biographique (l'histoire suit l'évolution personnelle d'un héros), le Nouveau Roman, à la suite des Surréalistes et d'auteurs comme James Joyce et Virginia Woolf, va jeter le personnage dans l' « ère du soupçon », expression que Nathalie Sarraute utilise pour remettre en cause le roman traditionnel.

Cette École, liée aux Éditions de Minuit, **exhibe les conventions du récit** pour les dénoncer et briser définitivement l'illusion romanesque, constamment remise en cause depuis les origines du genre. L'**abondance du discours** et la **réduction de l'identité des personnages** en sont les traits principaux.

Ex. : *Michel Butor rédige* La Modification *à la deuxième personne du pluriel* (>p. 42).

Les romanciers dits « post-modernes » (Jean-Philippe Toussaint, Éric Chevillard, etc.) portent souvent un **regard distancié** et **ironique** sur le monde et sur leurs personnages. Des auteurs comme Sylvie Germain poursuivent à leur façon l'aventure du roman. L'écriture de *Magnus* par fragments fait revivre un personnage en empruntant le même chemin tortueux que celui de la mémoire (>p. 44).

2

PARCOURS DE LECTEUR • ŒUVRE INTÉGRALE

Abbé Prévost
Manon Lescaut
1731

Objectifs

- Découvrir des personnages en rupture avec l'ordre social et religieux de leur temps
- Comprendre les mutations du genre romanesque au XVIIIe siècle

Alors que son origine noble le destine à une carrière prestigieuse, le Chevalier Des Grieux tombe amoureux de Manon Lescaut, de condition modeste. Les deux amants échappent au pouvoir de leurs parents et décident de vivre ensemble. Leur amour, guidé par la recherche du bonheur, libre de toute contrainte sociale et religieuse, s'achèvera de façon tragique.

Chronologie

1697	Naissance de Prévost. Il est destiné à une carrière religieuse.
1720	Il se brouille avec son père à cause d'une maîtresse.
1729	Précepteur à Londres, il tente d'épouser secrètement la fille de son employeur.
1734	Il publie *Manon Lescaut* en France. Le roman est aussitôt interdit.
1736	Il s'exile à Bruxelles pour échapper à ses dettes.
1740	Il revient en France. Il mène une vie calme consacrée à l'écriture.
1763	Il meurt d'une apoplexie.

TEXTES ÉCHOS

MME DE LA FAYETTE, *La Princesse de Clèves* > p. 80
C. DE LACLOS, *Les Liaisons dangereuses* > p. 82
STENDHAL, *Le Rouge et le Noir* > p. 84

Histoire littéraire p. 93

Entrée dans l'œuvre : frivole Manon !

Jean-Honoré FRAGONARD (1732-1806), *L'Escarpolette*, XVIIIe siècle, huile sur toile, 56 x 46 cm (Musée Lambinet, Versailles).

1. En quoi l'attitude et l'expression de la jeune fille sur « l'escarpolette » sont-elles frivoles ?
2. Quels aspects du personnage de Manon le tableau de Fragonard pourrait-il illustrer ? Justifiez.
3. À partir de la couverture du roman, p. 51 du manuel, dites quels peuvent être les thèmes abordés dans *Manon Lescaut*.
4. @ RECHERCHE Cherchez des reproductions de Watteau, Boucher et Fragonard qui pourraient servir de couverture au roman. Laquelle retiendriez-vous si vous étiez éditeur ? Justifiez votre choix.

L'œuvre et son contexte

Manon Lescaut est le septième tome des *Mémoires d'un homme de qualité*. En présentant son œuvre comme un témoignage authentique, Prévost s'inscrit dans une volonté de légitimation du roman, considéré comme un genre peu sérieux au début du XVIIIe siècle.
L'action du roman se déroule entre 1712 et 1717. La jeune fille présentée des pages 15 à 17 (éd. Classiques Hachette) doit embarquer pour l'Amérique avec « une douzaine de filles de joie ».
Le récit enchâssé commence page 26 du roman – c'est en fait le récit principal – et se développe alors que son dénouement tragique a déjà été suggéré. L'essentiel du roman sera donc un retour en arrière par rapport au récit-cadre du mémorialiste. Dès le début de l'ouvrage, le lecteur est ainsi plongé au cœur de l'intrigue : il s'agit d'une ouverture *in medias res*.

1. @ RECHERCHE Pourquoi certaines femmes étaient-elles déportées vers les colonies françaises aux XVIIe et XVIIIe siècles ? Vous décrirez en particulier qui étaient les « filles du roy ». Vous devrez utiliser au moins trois sources fiables pour cette recherche et les mentionner dans votre travail.
2. En ce début de roman, que sait-on déjà sur la jeune fille et Des Grieux ? Quel intérêt cette connaissance préalable du sort des personnages peut-elle avoir pour le lecteur ?

EXTRAIT 1 La rencontre

TEXTES ÉCHOS 

> **Mme de La Fayette,** *La Princesse de Clèves* **p. 80**
> **Stendhal,** *Le Rouge et le Noir* **p. 84**

Le Chevalier Des Grieux vient de terminer ses études de philosophie à Amiens. Il s'apprête à occuper une fonction ecclésiastique très honorable, lorsqu'une rencontre va bouleverser le cours d'une vie déjà toute tracée par sa famille et par les conventions sociales.

J'avais marqué le temps de mon départ d'Amiens. Hélas ! que ne le marquais-je un jour plus tôt ! j'aurais porté chez mon père toute mon innocence. La veille même de celui que je devais quitter cette ville, étant à me promener avec mon ami, qui s'appelait Tiberge, nous vîmes arriver le coche[1] d'Arras [...]. Il en sortit quelques femmes, qui se retirèrent aussitôt. Mais il en resta une, fort jeune, qui s'arrêta seule dans la cour, pendant qu'un homme d'un âge avancé, qui paraissait lui servir de conducteur, s'empressait pour faire tirer son équipage des paniers. Elle me parut si charmante que moi, qui n'avais jamais pensé à la différence des sexes, ni regardé une fille avec un peu d'attention, moi, dis-je, dont tout le monde admirait la sagesse et la retenue, je me trouvai enflammé tout d'un coup jusqu'au transport. J'avais le défaut d'être excessivement timide et facile à déconcerter ; mais loin d'être arrêté alors par cette faiblesse, je m'avançai vers la maîtresse de mon cœur. Quoiqu'elle fût encore moins âgée que moi, elle reçut mes politesses sans paraître embarrassée. Je lui demandai ce qui l'amenait à Amiens, et si elle y avait quelques personnes de connaissance. Elle me répondit ingénument[2], qu'elle y était envoyée par ses parents, pour être religieuse. L'amour me rendait déjà si éclairé, depuis un moment qu'il était dans mon cœur, que je regardai ce dessein comme un coup mortel pour mes désirs. Je lui parlai d'une manière qui lui fit comprendre mes sentiments, car elle était bien plus expérimentée que moi : c'était malgré elle qu'on l'envoyait au couvent, pour arrêter sans doute son penchant au plaisir, qui s'était déjà déclaré, et qui a causé dans la suite tous ses malheurs et les miens. Je combattis la cruelle intention de ses parents, par toutes les raisons que mon amour naissant et mon éloquence scolastique[3] purent me suggérer. Elle n'affecta ni rigueur ni dédain. Elle me dit, après un moment de silence, qu'elle ne prévoyait que trop qu'elle allait être malheureuse, mais que c'était apparemment la volonté du Ciel puisqu'il ne lui laissait nul moyen de l'éviter. La douceur de ses regards, un air charmant de tristesse en prononçant ces paroles, ou plutôt l'ascendant[4] de ma destinée, qui m'entraînait à ma perte, ne me permirent pas de balancer un moment sur ma réponse. Je l'assurai que si elle voulait faire quelque fond sur mon honneur, et sur la tendresse infinie qu'elle m'inspirait déjà, j'emploierais ma vie pour la délivrer de la tyrannie de ses parents, et pour la rendre heureuse.

Abbé PRÉVOST, *Manon Lescaut*, 1731,
Les Classiques Hachette, 2008, p. 27.

1. Voiture tirée par des chevaux.
2. Innocemment.
3. Issue des études religieuses.
4. Le pouvoir.

Edmond CLÉMENT, ténor français, dans le rôle de Des Grieux, dans l'opéra *Manon* de Jules MASSENET (1905).

- Quel registre domine cette scène de rencontre ?
- Que laisse présager ce choix pour la suite du roman ?
- Lisez les textes échos. Pourquoi l'éducation et le pouvoir parental constituent-ils souvent un enjeu romanesque ?

EXTRAIT 2 Une profession de foi libertine ?

TEXTES ÉCHOS 

> **Mme de La Fayette,** *La Princesse de Clèves* **p. 80**
> **C. de Laclos,** *Les Liaisons dangereuses* **p. 82**

La visite que Tiberge vient rendre à Des Grieux en prison est l'occasion d'une joute verbale entre les deux amis. Par une audacieuse inversion des valeurs, Des Grieux développe l'idée d'un bonheur fondé sur la recherche du plaisir, qui bouscule l'austérité et la rigueur morale incarnées par Tiberge.

Tiberge, repris-je, qu'il vous est aisé de vaincre, lorsqu'on n'oppose rien à vos armes ! Laissez-moi raisonner à mon tour. Pouvez-vous prétendre que ce que vous appelez le bonheur de la vertu soit exempt[1] de peines, de traverses[2] et d'inquiétudes ? Quel nom donnerez-vous à la prison, aux croix, aux supplices et aux tortures des tyrans ? Direz-vous, comme font les mystiques, que ce qui tourmente le corps est un bonheur pour l'âme ? Vous n'oseriez le dire ; c'est un paradoxe insoutenable. Ce bonheur que vous relevez tant, est donc mêlé de mille peines ; ou pour parler plus juste, ce n'est qu'un tissu de malheurs, au travers desquels on tend à la félicité. Or, si la force de l'imagination fait trouver du plaisir dans ces maux mêmes, parce qu'ils peuvent conduire à un terme heureux qu'on espère, pourquoi traitez-vous de contradictoire et d'insensée, dans ma conduite, une disposition toute semblable ? J'aime Manon ; je tends au travers de mille douleurs à vivre heureux et tranquille auprès d'elle. La voie par où je marche est malheureuse ; mais l'espérance d'arriver à mon terme y répand toujours de la douceur ; et je me croirai trop bien payé, par un moment passé avec elle, de tous les chagrins que j'essuie pour l'obtenir. Toutes choses me paraissent donc égales de votre côté et du mien ; ou s'il y a quelque différence, elle est encore à mon avantage, car le bonheur que j'espère est proche, et l'autre est éloigné [...]

Tiberge parut effrayé de ce raisonnement ; il recula de deux pas, en me disant, de l'air le plus sérieux, que non seulement ce que je venais de dire blessait le bon sens, mais que c'était un malheureux sophisme[3] d'impiété[4] et d'irréligion : car cette comparaison, ajouta-t-il, du terme de vos peines avec celui qui est proposé par la religion, est une idée des plus libertines et des plus monstrueuses. [...]

Ne vous alarmez pas, ajoutai-je en voyant son zèle prêt à se chagriner. L'unique chose que je veux conclure ici, c'est qu'il n'y a point de plus mauvaise méthode pour dégoûter un cœur de l'amour, que de lui en décrier les douceurs et de lui promettre plus de bonheur dans l'exercice de la vertu. De la manière dont nous sommes faits, il est certain que notre félicité consiste dans le plaisir ; je défie qu'on s'en forme une autre idée ; or le cœur n'a pas besoin de se consulter longtemps pour sentir que, de tous les plaisirs, les plus doux sont ceux de l'amour.

Abbé PRÉVOST, *Manon Lescaut*, 1731, Les Classiques Hachette, 2008, p. 106.

1. Privé.
2. D'obstacles.
3. Raisonnement faux, qui n'a que l'apparence de la logique.
4. Mépris de ce qui touche à la religion.

- En quoi Des Grieux défend-il ici une morale libertine ? Son raisonnement vous paraît-il efficace ? Pourquoi ?
- Lisez les textes échos. Montrez d'abord comment chacun de ces textes érige un système moral et une vision du monde à travers le regard d'un personnage. Expliquez ensuite en quoi ces systèmes s'opposent.

EXTRAIT 3 Une libertine ingénue

TEXTE ÉCHO
> **C. de Laclos,** *Les Liaisons dangereuses* **p. 82**

Peu avant la chute et l'exil, Des Grieux retrouve Manon qui justifie son libertinage au nom même de son amour pour lui. Face à ce curieux mélange d'audace, de vénalité, de dépravation et de sentiments sincères, Des Grieux semble désarmé.

Elle m'apprit alors tout ce qui lui était arrivé, depuis qu'elle avait trouvé G... M..., qui l'attendait dans le lieu où nous étions. Il l'avait reçue effectivement comme la première Princesse du monde. Il lui avait montré tous les appartements, qui étaient d'un goût et d'une propreté admirables. Il lui avait compté dix mille livres dans son cabinet, et il y avait ajouté quelques bijoux, parmi lesquels étaient le collier et les bracelets de perles qu'elle avait déjà eus de son père. Il l'avait menée de là dans un salon qu'elle n'avait pas encore vu, où elle avait trouvé une collation exquise. Il l'avait fait servir par les nouveaux domestiques qu'il avait pris pour elle, en leur ordonnant de la regarder désormais comme leur maîtresse [...] Je vous avoue, continua-t-elle, que j'ai été frappée de cette magnificence. J'ai fait réflexion que ce serait dommage de nous priver tout d'un coup de tant de biens, en me contentant d'emporter les dix mille francs et les bijoux ; que c'était une fortune toute faite pour vous et pour moi, et que nous pourrions vivre agréablement aux dépens de G... M...[...]

J'écoutai ce discours avec beaucoup de patience. J'y trouvais assurément quantité de traits cruels et mortifiants[1] pour moi, car le dessein[2] de son infidélité était si clair qu'elle n'avait pas même eu le soin de me le déguiser. Elle ne pouvait espérer que G... M... la laissât, toute la nuit, comme une vestale[3]. C'était donc avec lui qu'elle comptait de la passer. Quel aveu pour un amant ! Cependant je considérai que j'étais cause en partie de sa faute, par la connaissance que je lui avais donnée d'abord des sentiments que G... M... avait pour elle, et par la complaisance que j'avais eue d'entrer aveuglément dans le plan téméraire de son aventure. D'ailleurs, par un tour naturel de génie qui m'est particulier, je fus touché de l'ingénuité de son récit, et de cette manière bonne et ouverte avec laquelle elle me racontait jusqu'aux circonstances dont j'étais le plus offensé. Elle pèche sans malice, disais-je en moi-même. Elle est légère et imprudente ; mais elle est droite et sincère. Ajoutez que l'amour suffisait seul pour me fermer les yeux sur toutes ses fautes. J'étais trop satisfait de l'espérance de l'enlever le soir même à mon rival. Je lui dis néanmoins : Et la nuit, avec qui l'auriez-vous passée ? Cette question, que je lui fis tristement, l'embarrassa. Elle ne me répondit que par des mais et des si interrompus. J'eus pitié de sa peine ; et rompant ce discours, je lui déclarai naturellement que j'attendais d'elle qu'elle me suivît à l'heure même.

Abbé PRÉVOST, *Manon Lescaut*, 1731, Les Classiques Hachette, 2008, p. 164.

1. Blessants.
2. Projet.
3. Femme parfaitement chaste.

La soprano russe Anna NETREBKO incarne Manon Lescaut dans l'opéra *Manon* de Jules MASSENET (Staatsoper Berlin, 2007).

« Elle est légère et imprudente ; mais elle est droite et sincère » : montrez en quoi ce paradoxe caractérise le personnage de Manon, dans cet extrait et dans l'ensemble de l'œuvre.

Lisez le texte écho. Quelles caractéristiques de l'attitude de Manon la rapprochent de la marquise de Merteuil ? En quoi cependant leur conception du libertinage est-elle différente ?

Les sources de l'œuvre

1. Le roman d'analyse psychologique

Le roman de Madame de La Fayette, *La Princesse de Clèves* (1678), a marqué la fin du XVIIe siècle par sa finesse d'analyse des sentiments et des mœurs. Ce raffinement appliqué à l'évocation du sentiment amoureux est également présent dans l'œuvre de Prévost.

2. Le roman picaresque

En 1715 paraissent les premiers volumes de l'*Histoire de Gil Blas de Santillane* de Lesage, roman qui a pu inspirer Prévost.

3. Robert Challe, Les Illustres Françaises (1713)

Ce recueil de sept récits constitue l'une des sources principales de *Manon Lescaut*. Intégrée au récit-cadre principal, *L'Histoire de M. des Prez et de Mlle de l'Épine* présente un certain nombre de points communs avec le roman de Lescaut : coup de foudre originel, conflit entre l'autorité parentale et l'amour passionné des deux personnages principaux, place accordée à la description des sentiments, mort tragique de l'héroïne.

La réception de l'œuvre

Voici deux jugements sur l'œuvre de Prévost.

Texte 1

Ce livre est écrit avec tant d'art, et d'une façon si intéressante, que l'on voit les honnêtes gens même s'attendrir en faveur d'un escroc et d'une catin. Le même auteur, qui est un bénédictin réfugié en Hollande, fait un petit ouvrage intitulé *Le Pour et le contre*, dont la première brochure se débite actuellement.

Journal de la Cour et de la Ville, 21 juin 1733

Texte 2

J'ai lu, ce 6 avril 1734, *Manon Lescaut*, roman composé par le Père Prévost. Je ne suis pas étonné que ce roman, dont le héros est un fripon, et l'héroïne une catin qui est menée à la Salpêtrière, plaise ; parce que toutes les mauvaises actions du héros, le chevalier des Grieux, ont pour motif l'amour, qui est toujours un motif noble, quoique la conduite soit basse. Manon aime aussi ; ce qui lui fait pardonner le reste de son caractère.

MONTESQUIEU, *Pensées et fragments inédits*, Tome II, 1901.

1. Montrez que la condition sociale de Manon, les tromperies des personnages, le thème du voyage, ainsi que les multiples péripéties de *Manon Lescaut* correspondent à l'esprit du roman picaresque. (voir p. 93 du manuel)
2. Relevez dans le texte 1 la volonté polémique du critique. Montrez que cette critique traduit cependant une position ambiguë.
3. Quel est le point commun des deux jugements sur *Manon Lescaut* ? Votre lecture personnelle de l'œuvre les confirme-t-elle ? Argumentez.

ÉCRITURE

4. *Vers la dissertation*

« Ce qu'il y a de fort dans *Manon Lescaut*, c'est le souffle sentimental, la naïveté de la passion qui rend les deux héros si vrais, si sympathiques, si honorables, quoiqu'ils soient des fripons. »

G. FLAUBERT, *Correspondance*, 1861.

Pensez-vous comme Flaubert que des personnages romanesques puissent captiver le lecteur tout en ayant une attitude immorale ?

VERS LE BAC

5. *Invention*

Vous écrirez une lettre à l'Abbé Prévost pour lui faire part de vos sentiments sur les personnages de son roman. Votre critique devra être argumentée et illustrée d'exemples choisis dans son œuvre.

ÉDUCATION AUX MÉDIAS

« Quoique [Manon et Des Grieux] soient très libertins, on les plaint, parce que l'on voit que leurs dérèglements viennent de leurs faiblesses et de l'ardeur de leurs passions [...] De cette manière, l'auteur, en représentant le vice, ne l'enseigne point. »

Abbé PRÉVOST[1], *Pour et Contre*, 1734.

1. On ne sait avec certitude si Prévost est l'auteur de ce texte.

6. Ce texte est un article du journal le *Pour et Contre*, fondé par Prévost. La critique littéraire a-t-elle sa place dans un journal ? Pourquoi ?
7. Cherchez dans votre C.D.I. une critique littéraire dans un quotidien national. Observez la place de cette critique dans la hiérarchie du journal. Expliquez cette hiérarchisation.

FICHE DE LECTURE 1

Un roman à la croisée des genres

De l'Abbé Prévost au chevalier Des Grieux

1. Lisez la chronologie, p. 51 du manuel. Quels liens pouvez-vous établir entre la vie de l'Abbé Prévost et l'*Histoire du Chevalier Des Grieux* ? Par quel titre Des Grieux est-il désigné (p. 52, éd. Classiques Hachette) ? Pourquoi peut-on dire que le roman de Prévost est autobiographique ?

Une visée réaliste

2. Ce tableau de Fragonard pourrait-il illustrer *Manon Lescaut* ? Montrez que le peintre a le souci du détail et cherche à rendre le décor et les personnages de manière réaliste. Cherchez dans le roman une description réaliste d'un lieu ou d'un personnage.

Jean-Honoré FRAGONARD (1732-1806), *Le Baiser à la dérobée*, 1788, huile sur toile, 45 x 55 cm (Musée de l'Ermitage, Saint Petersbourg).

3. **« Faire vrai »** : Lisez « L'œuvre et son contexte », p. 52 du manuel. Cherchez la définition du genre « mémoires » puis observez la page reproduite ci-contre afin d'expliquer comment le titre de l'ouvrage crée une illusion d'authenticité.

MEMOIRES
ET
AVANTURES
D'UN HOMME
DE QUALITE,
Qui s'est retiré du monde.
TOME SEPTIÈME.

A AMSTERDAM.
Aux dépens de la COMPAGNIE.
MDCCXXXI.

Page de titre de l'édition des *Mémoires et avantures d'un homme de qualité*, 1731.

Un roman d'aventures : péripéties et rebondissements

4. Synthétisez sous forme de frise chronologique les moments clés de *Manon Lescaut*.

5. Parmi ces événements, lesquels peuvent être considérés comme des coups de théâtre ?

6. Pourquoi un auteur de roman peut-il choisir de multiplier péripéties et retournements de situation ?

7. **Accélérations et ralentissements** : Observez la place que la traversée vers l'Amérique occupe dans le texte (p. 210, éd. Classiques Hachette). Comparez-la à celle que prend le récit de la rencontre entre le chevalier et Manon au parloir de Saint-Sulpice, p. 54 à 59 du roman. Combien de temps cet entretien dure-t-il à votre avis ? Pourquoi le romancier alterne-t-il ellipses et pauses narratives ?

Une mise en scène narrative

8. Relevez, p. 149 et 171 (éd. Classiques Hachette), une prolepse. Quel en est l'effet sur le lecteur ?

9. En quoi l'ouverture du récit *in medias res* (voir p. 52 du manuel) suivie immédiatement d'une analepse est-elle intéressante pour la construction de l'intrigue ?

Des personnages paradoxaux

10. Comment comprenez-vous l'expression « cette étrange fille » (p. 161, éd. Classiques Hachette) ? Lisez le paragraphe commençant par « Manon était occupée... » pour répondre.

11. Maupassant écrit : « Voici Manon Lescaut, plus vraiment femme que toutes les autres, naïvement rouée, perfide, aimante, troublante, spirituelle, redoutable et charmante. » En quoi les antithèses utilisées ici peuvent-elles rendre compte du personnage ?

12. Quels sentiments contradictoires agitent Des Grieux, p. 85 du roman ? Par quels moyens cette peinture des sentiments est-elle particulièrement vivante ?

13. Dans *L'avis de l'auteur* (p. 10, éd. Classiques Hachette), Des Grieux est décrit comme « un caractère ambigu, un mélange de vertus et de vices, un contraste perpétuel de bons sentiments et d'actions mauvaises ». Trouvez au moins trois exemples dans le roman où ce jugement se vérifie.

Autobiographie et vision de l'homme

14. Pour quelles raisons la lecture de récits autobiographiques peut-elle nourrir une réflexion plus universelle sur la condition humaine ?

FICHE DE LECTURE 2

Du libertinage à la tragédie

HISTOIRE DES ARTS

Vignette de Pasquier illustrant l'édition de *Manon Lescaut* de 1753. L'épigraphe pourrait se traduire ainsi :
« Ah ! Dans quel gouffre es-tu tombé pauvre jeune homme !
Tu méritais meilleure flamme. »

1. Cherchez l'étymologie du verbe « illustrer » dans un dictionnaire : quelles peuvent être les fonctions de l'illustration d'un texte littéraire ?

Un roman d'édification ?

2. Comment interpréter la présence et les gestes des *putti*[1] autour de Des Grieux ?

3. Que peut représenter le vieil homme sur la droite ? À quel personnage pourrait-il être associé dans le roman, abstraction faite de son âge ?

4. En quoi cette vignette reflète-t-elle l'ambiguïté de Prévost par rapport aux intentions de son roman ? Justifiez votre réponse au moyen de « L'Avis de l'auteur », p.10-12 (éd. Classiques Hachette).

La recherche du bonheur

5. En lisant l'intégralité de l'échange entre Tiberge et Des Grieux, p. 106-108 (éd. Classiques Hachette), dites sur quoi, à ce stade du roman, le chevalier fait reposer son bonheur.

6. Comment la conception du bonheur des deux amants évolue-t-elle à la fin du roman ? Vous pourrez vous référer à la p. 214 (éd. Classiques Hachette) pour répondre.

1. Anges symbolisant l'amour.

Le libertinage

7. Cherchez dans le *Trésor de la langue française informatisé* la définition de « libertin » qui vous semble correspondre aux personnages de *Manon Lescaut*. Lien : http://www.cnrtl.fr/definition/libertin. Le libertin est étymologiquement un « affranchi ». Ce sens vous semble-t-il pertinent pour comprendre l'attitude des personnages face aux règles sociales ? Pourquoi ?

8. Lisez la p. 75 du roman (éd. Classiques Hachette), de « Mais c'était une chose si nécessaire… » à « …que de la constance et de la fidélité à lui offrir ». Quelle est la cause principale du libertinage de Manon ? Pourquoi parler ici d'une fatalité du libertinage ?

Un roman tragique : une peinture subtile de la passion

9. Dans le conte en vers *Namouna*, Musset évoque le personnage de Manon :

« Comme je crois en toi ! que je t'aime et te hais !
Quelle perversité ! quelle ardeur inouïe »

Pourquoi pouvez-vous dire, à partir de cette citation et de votre lecture de l'œuvre, que *Manon Lescaut* fait appel aux codes de la tragédie classique ?

10. Montrez comment se manifeste l'amour absolu de Des Grieux, p. 189 (éd. Classiques Hachette). Dites en quoi l'amour qui l'unit à Manon est proche de la passion tragique.

11. Dans une lettre de 1753, Voltaire écrit à propos de Prévost :

« Si j'ai ajouté quelque chose sur ce que j'ai lu de lui, c'est apparemment que j'ai souhaité qu'il eût fait des tragédies, car il me paraît que le langage des passions est sa langue naturelle. »

VOLTAIRE, *Œuvres complètes*, vol. 6, 1785.

Partagez-vous ce point de vue ? Le roman *Manon Lescaut* pourrait-il être adapté en tragédie au théâtre ? Sous quelles conditions ? Justifiez votre réponse en vous appuyant sur votre connaissance de la tragédie classique.

12. Lisez ou écoutez cette scène de *Phèdre* de Racine, acte I scène 3. Lien : http://www.ac-grenoble.fr/lettres/podcast/sequences/PHEDRERACINE/PHEDRERACINE/Aveu_a_Oenone.html
En vous appuyant sur l'emploi du registre tragique et des figures d'amplification, vous direz ce qui peut rapprocher cette scène de théâtre de *Manon Lescaut* (p. 53, éd. Classiques Hachette).

Histoire des arts
Arts et littérature

3 « Voyages au bout de la nuit »
L'art et la guerre au XXe siècle

Jacques TARDI, illustration pour *Voyage au bout de la nuit*, de Louis-Ferdinand CÉLINE, © Éditions Gallimard/Fonds Futuropolis, 1988.

Objectifs

- Étudier les moyens esthétiques pour rendre compte de l'enfer de la guerre
- Aborder des œuvres qui posent la question des limites de la représentation

Le XXe siècle a ouvert l'une des pages les plus sombres de l'histoire de l'homme avec l'extension au monde de la guerre et l'apparition de la destruction de masse. L'art constitue un moyen privilégié pour représenter et interroger ce « voyage au bout de la nuit » que la raison peine à comprendre.

MÉTHODES p. 439

Éducation aux médias Fiche 3
Le personnage de roman Fiche 14
Lire et analyser Fiches 41, 42, 44
Préparer le baccalauréat Fiche 55

Histoire littéraire p. 93

1 Peindre la guerre

1. Explosion, de George Grosz

Alors qu'il était engagé dans l'armée allemande, George Grosz a été réformé en raison de troubles nerveux. Ce tableau, peint peu de temps après sa démobilisation, rend compte de son expérience cauchemardesque de la guerre.

George GROSZ (1893-1959), *Explosion*, 1917, huile sur panneau, 47,8 x 68,2 cm (Museum of Modern Art, New York).

Repères esthétiques

Vers l'abstraction

Au début du XXe siècle, les artistes de l'avant-garde affirment progressivement l'indépendance du geste artistique par rapport à l'objet représenté. Il s'agit moins de reproduire le monde tel qu'il est que de faire émerger la sensibilité et la spiritualité de l'artiste. Il n'est plus nécessaire de chercher à imiter le réel par la *figuration*. Le peintre Paul Klee (1879-1940) donne une définition devenue célèbre de l'art : « L'art ne reproduit pas le visible. Il rend visible. ». La première œuvre abstraite, sans titre, est attribuée à Kandinsky et date de 1910. Le développement de l'abstraction deviendra une tendance majeure de l'art tout au long du XXe siècle.

Étude d'une œuvre abstraite

1. Quelles couleurs dominent dans ce tableau ? Que symbolisent-elles ?
2. Peut-on parler d'une représentation réaliste d'un bombardement ? Pourquoi ?
3. Ce tableau est-il figuratif ou abstrait ? Expliquez.
4. Comment interprétez-vous le traitement des lignes et de la perspective ?

Fiche 42 **Lecture de l'image fixe**

2. « Cette nuit épouvantable »

Henri Barbusse (1873-1935), blessé sur le front en 1916, écrit Le Feu *pendant sa convalescence.*

C'est maintenant un surnaturel champ de repos. Le terrain est partout taché d'êtres qui dorment, ou qui, s'agitant doucement, levant un bras, levant la tête, se mettent à revivre, ou sont en train de mourir. [...]

De tout près, on remarque que des amas de terre alignés sur les têtes des remparts de ce gouffre étranglé sont des êtres. Sont-ils morts ? dorment-ils ? On ne sait pas. En tout cas, ils reposent.

Sont-ils Allemands ou Français ? On ne sait pas. [...]

On ne peut déterminer l'identité de ces créatures : ni à leur vêtement, couvert d'une épaisseur de fange[1] ; ni à la coiffure : ils sont nu-tête ou emmaillotés de laine sous leur cagoule fluide et fétide[2] ; ni aux armes : ils n'ont pas leur fusil [...]

Tous ces hommes à face cadavérique, qui sont devant nous et derrière nous, au bout de leurs forces, vides de paroles comme de volonté, tous ces hommes chargés de terre, et qui portent, pourrait-on dire, leur ensevelissement, se ressemblent comme s'ils étaient nus. De cette nuit épouvantable il sort d'un côté ou d'un autre quelques revenants revêtus exactement du même uniforme de misère et d'ordure.

C'est la fin de tout. C'est, pendant un moment, l'arrêt immense, la cessation épique[3] de la guerre.

H. BARBUSSE, *Le Feu*, Flammarion, 1916.

1. Boue liquide. – 2. Dont l'odeur est insupportable. – 3. Caractéristique d'un récit évoquant les exploit de héros.

3. Les Flandres, d'Otto Dix

Otto DIX (1891-1969), *Les Flandres*, d'après *Le Feu* d'H. Barbusse, 1934-36, huile sur toile, 200 x 250 cm (Staatliche Museen Preubischer Kulturbesitz, Berlin).

Repères esthétiques

La Nouvelle Objectivité

Apparu au début des années 1920, dans une Allemagne ravagée par la défaite militaire, ce mouvement artistique est une évolution de **l'expressionnisme** d'avant-guerre (voir « L'expressionnisme au début du XXe siècle », p. 69). Les artistes portent un regard sans illusion sur un monde où la mort a atteint une dimension industrielle. Ils représentent le cauchemar des tranchées, mais également la cruauté de la vie après la guerre. Les soldats devenus infirmes sont réduits au rang de rebuts de l'humanité, ignorés par la société.

DE L'IMAGE AU TEXTE

Illustration ou réinterprétation ?

1. Quels éléments précis de la description de Barbusse retrouvez-vous dans le tableau de Dix ?
2. À quel type de tableau s'attend-on en découvrant le titre *Les Flandres* ? Pourquoi la vision du tableau surprend-elle ?
3. Comment le peintre évoque-t-il l'entremêlement de la terre et des hommes ?
4. Expliquez l'emploi de la locution « d'après », dans le titre du tableau. L'artiste cherche-t-il à illustrer une scène du roman ou à la réinterpréter ?
5. « De tout près, on remarque que des amas de terre [...] sont des êtres. » Quelle figure de style désigne les hommes dans un premier temps ? Interprétez la position du mot « êtres » dans la phrase. Comparez l'expérience du lecteur de cette phrase avec celle du spectateur découvrant le tableau pour la première fois.

Fiche 41 **Les figures de style**

ÉCRITURE

Vers la dissertation

« Mon art devait être à la fois un fusil et un sabre ; mes plumes à dessin n'étaient que des brins de paille vides et inutiles dès lors qu'elles n'étaient pas mises au service du combat pour la liberté. » Pensez-vous, comme George Grosz, que l'artiste doit se mettre au service du « combat pour la liberté » ?

2 Images de guerre

1. De la fiction à l'image : le travail de l'illustrateur

Jacques TARDI, illustration pour *Voyage au bout de la nuit*, de Louis-Ferdinand CÉLINE, © Éditions Gallimard/ Fonds Futuropolis, 1988.

DE L'IMAGE AU TEXTE

La difficulté de l'illustration

1. En vous appuyant sur le texte de Céline, expliquez ce que Tardi a voulu illustrer par son dessin. Ce qu'il cherche à montrer est-il représentable de façon réaliste ? Pourquoi ?

2. À partir de l'entretien, expliquez la frustration de l'illustrateur confronté au « foisonnement » du texte de Céline. Comment Tardi parvient-il à le transcrire esthétiquement ? Répondez en étudiant la composition de l'image.

Une métamorphose du texte

3. En quoi peut-on dire que l'illustrateur se livre, au moyen de l'image, à une interprétation du texte ? Justifiez.

4. RECHERCHE Cherchez au C.D.I. ou en bibliothèque une œuvre littéraire célèbre qui a été illustrée ou adaptée en bande dessinée. Quel est l'intérêt de ce genre d'adaptation ? Justifiez.

5. Montrez en quoi le dialogue entre les arts peut être fructueux.

Fiche 44 **Lecture de corpus : textes et images**

2. Voyage au bout de la nuit, roman de Céline

Ferdinand Bardamu, le héros du Voyage au bout de la nuit *de Céline, dit ici sa haine du patriotisme, à l'origine d'une guerre monstrueuse et absurde.*

Tenez, je la vois d'ici, ma famille, les choses de la guerre passées... Comme tout passe... Joyeusement alors gambadante ma famille sur les gazons de l'été revenu, je la vois d'ici par les beaux dimanches... Cependant qu'à trois pieds dessous, moi papa, ruisselant d'asticots et bien plus infect qu'un kilo d'étrons de 14 juillet pourrira fantastiquement de toute sa viande déçue... [...] Je vous le dis, petits bonshommes, couillons de la vie, battus, rançonnés, transpirants de toujours, je vous préviens, quand les grands de ce monde se mettent à vous aimer, c'est qu'ils vont vous tourner en saucissons de bataille... C'est le signe... Il est infaillible. [...] Les hommes qui ne veulent ni découdre, ni assassiner personne, les Pacifiques puants, qu'on s'en empare et qu'on les écartèle ! Et les trucide aussi de treize façons et bien fadées[1] ! Qu'on leur arrache pour leur apprendre à vivre les tripes du corps d'abord, les yeux des orbites, et les années de leur sale vie baveuse ! Qu'on les fasse par légions et légions encore, crever, tourner en mirlitons[2], saigner, fumer dans les acides, et tout ça pour que la Patrie en devienne plus aimée, plus joyeuse et plus douce !

Louis-Ferdinand CÉLINE, *Voyage au bout de la nuit*, © Éditions Gallimard, 1932.

1. Fadé (argot) : réussi dans son genre.
2. Serpentins qui se déroulent en émettant un son.

3. Entretien avec Tardi

Dans un entretien avec David Alliot en 2010, le dessinateur Tardi revient sur son travail d'illustration du Voyage au bout de la nuit.

L'œuvre de Céline est très dense. [...] Une page de *Voyage au bout de la nuit* est si riche qu'elle offre au moins quinze possibilités d'illustrations différentes. Il faut faire un tri, il faut faire un choix. J'ai fait beaucoup de dessins pour tenter d'attraper toutes les chances qui m'étaient offertes, et je ne voulais pas en rater une... Malgré tout, je suis certainement passé à côté de différentes possibilités pour montrer les choses.

Le Petit Célinien, n° 38, février 2010.

4. La photographie de guerre

Robert Capa (1913-1954), ***La mort d'un républicain espagnol,*** **février 1936, Cordoba.**

Cette photographie très célèbre a été prise pendant la guerre d'Espagne (1936-1939) par Robert Capa, co-fondateur de l'agence Magnum. Elle est devenue un symbole du combat des républicains espagnols contre les franquistes, mais sa puissance tragique évoque également l'absurdité de toute guerre. Un soupçon a cependant pesé très vite, et pèse encore, sur son authenticité.

Joe Rosenthal (1911-2006), ***Iwo Jima,*** **23 février 1945, Iwo Jima, Japon.**

Cette photographie a été prise au cours de la bataille d'Iwo Jima qui s'est achevée par la victoire symbolique de l'armée américaine sur l'armée japonaise pendant la seconde guerre mondiale. L'image, devenue symbole de cette victoire, a été utilisée à des fins de propagande par l'armée et le gouvernement américains. Comme pour la photographie de Capa, ce cliché est lui aussi soupçonné d'être une mise en scène.

Repères esthétiques

Le photojournalisme

Jusqu'aux années 1930, la photographie se contentait d'illustrer le texte dans les journaux. Avec l'apparition d'appareils plus légers, au temps de pose de plus en plus court, il devient possible dans les années 1930 de saisir des sujets sur le vif. La photographie peut désormais se suffire à elle-même, et devenir un moyen à part entière de dire l'actualité ou l'événement historique.
C'est la naissance d'une profession : le photojournalisme. Le reporter est très mobile, se mêle parfois aux combattants comme Capa ou Rosenthal, conférant aux images une impression d'immersion. C'est de cette proximité avec le sujet que naît la puissance de certaines images de guerre.
Cette capacité de montrer l'événement de façon très directe et très réaliste ne met cependant pas la photographie à l'abri de la manipulation. Elle peut en effet devenir un formidable outil de propagande que les États, quels qu'ils soient, ne manqueront jamais d'exploiter.

ÉDUCATION AUX MÉDIAS

Étude de photographies de guerre

1. Décrivez la composition de la photo de Capa (cadrage, lignes, mouvement, instant choisi) et expliquez en quoi elle rend l'image si saisissante.
2. La photo de Capa est-elle pour vous une image documentaire ou une image artistique ? Pourquoi ?
3. Comment expliquez-vous que la photographie de J. Rosenthal ait pu être utilisée à des fins de propagande ? Justifiez votre réponse.
4. Quelle fonction doit avoir une photographie de presse ? Les deux clichés proposés remplissent-ils cette fonction d'après vous ?

Fiche 3 **L'information par l'image**
Fiche 42 **Lecture de l'image fixe**

3 La Shoah dans l'art et dans la littérature

1. Personnes, de Christian Boltanski

Christian BOLTANSKI (1944-), *Personnes*, Monumenta 2010, Grand Palais, Paris.

Repères esthétiques

Les installations dans l'art contemporain

L'installation est une forme d'expression artistique qui apparaît dans les années 1960. Elle fait tomber les frontières entre photographie, peinture, sculpture et architecture dans la mesure où elle peut faire appel à tous ces arts en même temps. Une installation n'est pas figée, elle tient compte du lieu d'exposition, et peut évoluer en fonction de ce lieu.

L'installation cherche à dépasser la frontière qui sépare le spectateur de l'œuvre. Le visiteur est immergé au cœur de l'œuvre et entre en relation avec elle. Dans *Personnes* (2010), Christian Boltanski a ainsi investi l'immense espace du Grand Palais à Paris, permettant aux visiteurs de « parcourir » une installation mettant en scène de gigantesques tas de vêtements.

Étude d'une installation

1. Décrivez rapidement le travail de Boltanski. Ce que vous voyez sur la photographie correspond-il à l'idée que vous vous faites d'une œuvre d'art ? Pourquoi ?
2. Quel est le lien entre l'accumulation de vêtements et la Shoah ?
3. Cette œuvre est-elle destinée à être conservée ? Pourquoi ? Qu'en déduisez-vous sur le statut de l'œuvre d'art contemporaine ?
4. Le titre vous semble-t-il correspondre à l'œuvre ? Expliquez.

2. La Nuit

Dans cet extrait de La Nuit*, Élie Wiesel relate son trajet en train avec d'autres prisonniers juifs vers le camp de concentration de Buchenwald, en Allemagne, en 1943.*

Un jour que nous étions arrêtés, un ouvrier sortit de sa besace un bout de pain et le jeta dans un wagon. Ce fut une ruée. Des dizaines d'affamés s'entretuèrent pour quelques miettes. [...]

J'aperçus non loin de moi un vieillard qui se traînait à quatre pattes. [...] Ses yeux s'illuminèrent ; un sourire, pareil à une grimace, éclaira son visage mort. Et s'éteignit aussitôt. Une ombre venait de s'allonger près de lui. Et cette ombre se jeta sur lui. Assommé, ivre de coups, le vieillard criait :

— Méir, mon petit, Méir ! Tu ne me reconnais pas ? Je suis ton père... Tu me fais mal... Tu assassines ton père... J'ai du pain... pour toi aussi... pour toi aussi...

Il s'écroula. Il tenait encore son poing refermé sur un petit morceau. Il voulut le porter à sa bouche. Mais l'autre se jeta sur lui et le lui retira. Le vieillard murmura encore quelque chose, poussa un râle et mourut, dans l'indifférence générale. Son fils le fouilla, prit le morceau et commença à le dévorer. Il ne put aller bien loin. Deux hommes l'avaient vu et se précipitèrent sur lui. D'autres se joignirent à eux. Lorsqu'ils se retirèrent, il y avait près de moi deux morts côte à côte, le père et le fils. J'avais quinze ans.

Élie WIESEL, *La Nuit*, © Les Éditions de Minuit, 1958.

3. Shoah

Affiche du film *Shoah* de Claude LANZMANN (1985).

DE L'IMAGE AU TEXTE

La déshumanisation

1. Que révèle l'attitude des prisonniers dans le texte d'Élie Wiesel ? Comment l'expliquez-vous ?

2. En quoi l'installation de Boltanski exprime-t-elle la perte de l'identité ?

Représentation directe ou symbolique ?

3. En quoi les démarches de Wiesel et de Boltanski pour évoquer la Shoah diffèrent-elles ? Ces deux manières d'aborder un tel sujet vous semblent-elles complémentaires ? Pourquoi ?

4. Sur quels éléments le réalisme du texte de Wiesel repose-t-il ? Comment comprenez-vous la dernière phrase ?

La fonction de l'art

5. Boltanski n'a pas vécu l'expérience des camps. Quelle peut être sa motivation pour évoquer la Shoah ? Quel rôle l'art joue-t-il dans la commémoration de cet événement ?

ÉCRITURE

Vers la dissertation

« Écrire un poème après Auschwitz est barbare. » Pensez-vous, comme Adorno, que la poésie, la littérature, et d'une manière générale, les arts, ne peuvent pas vraiment évoquer un événement aussi inhumain que la Shoah ?

Fiche 55 **Rédiger une dissertation**

Atelier d'écriture

Écrire le récit d'une scène de guerre en adoptant un style célinien

Image 1

Image 2

Jacques TARDI, illustrations pour *Voyage au bout de la nuit*, de Louis-Ferdinand CÉLINE, © Éditions Gallimard/Fonds Futuropolis, 1988.

1. Construire les personnages à partir d'une illustration

- Observez l'image 1 et établissez pour chacun des trois personnages une fiche d'identité (nom, âge, etc.).
- Le narrateur se trouve au centre du dessin. Que fait-il à ce moment-là, à cet endroit-là ? À quoi pense-t-il ?
- Procédez de même pour le soldat qui salue et pour l'officier sur la droite.

2. Concevoir le plan du récit

- Rédigez une dizaine de phrases courtes résumant les différentes étapes du récit.
- Votre récit s'appuiera sur l'image 1 (situation initiale), l'image 2 et l'illustration de la page 59.

3. Insérer un dialogue dans un récit en variant les discours rapportés

- Écrivez le dialogue entre le soldat à gauche et l'officier. Alternez **discours direct** et **discours indirect libre**.

4. Imiter le style célinien

- **Le monologue intérieur** :

Rédigez un monologue intérieur décrivant l'état psychologique du narrateur sur l'image n°1.
Vous ferez apparaître une **accumulation,** une phrase longue, des groupes syntaxiques courts, des **anaphores** et une ponctuation expressive (points d'exclamation, de suspension, d'interrogation).

- **« Le langage parlé à travers l'écrit »**

Observez dans le texte p. 62 les niveaux de langue, la présence de l'argot et des tournures orales.

- Rédigez un passage de votre récit intégrant ces deux caractéristiques. Vous pouvez, par exemple, décrire l'état psychologique du narrateur sur l'image 2.

5. Rédiger votre récit complet à la première personne

- Votre récit, qui n'excédera pas deux pages :
  - fera appel aux temps suivants : imparfait, passé simple, plus-que-parfait, présent de vérité générale ;
  - intégrera le dialogue écrit à l'étape 3 et fera apparaître au moins un monologue intérieur ;
  - inclura les éléments stylistiques évoqués à l'étape 4.

➤ Fiche 14 **Le personnage de roman**
➤ Fiche 36 **L'art du détournement**

Séquence

4 Personnage et société

Les personnages de roman sont indissociables d'un contexte social et d'une époque. Pour autant, la peinture du cadre historique n'est pas seulement intéressante en soi : à travers sa façon de vivre les événements, le personnage de roman donne à comprendre le sens d'une existence et d'un destin, le dépassement des bouleversements sociaux et politiques par la recherche de nouveaux modèles.

Problématique : Comment le personnage de roman reflète-t-il les enjeux d'une société et d'une époque ?

Objectifs

- Établir et analyser les liens entre personnage et contexte historique
- Comprendre le personnage comme un miroir des enjeux d'une société

Histoire des arts : O. DIX, *La Rue de Prague,* 1920 — 68

CORPUS 1 : Le personnage dans un monde oppressant

1 MONTESQUIEU, *Les Lettres persanes,* 1721 — 70
2 G. DE STAËL, *Delphine,* 1802 — 72
3 F. R. DE CHATEAUBRIAND, *René,* 1802 — 74
4 V. HUGO, *Les Misérables,* 1862 — 76
5 J. GIONO, *Un roi sans divertissement,* 1948 — 78

CORPUS 2 : Le personnage face à son destin

6 Mme DE LA FAYETTE, *La Princesse de Clèves,* 1678 — 80
7 P. CHODERLOS DE LACLOS, *Les Liaisons dangereuses,* 1782 — 82
8 STENDHAL, *Le Rouge et le Noir,* 1830 — 84
9 R. RADIGUET, *Le Bal du comte d'Orgel,* 1924 — 86
10 A. CAMUS, *L'Étranger,* 1942 — 88
11 J.-M. G. LE CLÉZIO, *Désert,* 1980 — 90

Pour argumenter : Qu'est-ce qu'un personnage « réussi » ?
M. KUNDERA, *Le Rideau,* 2005 — 92

Histoire littéraire : Le personnage de roman et ses visions du monde — 93

MÉTHODES p. 439

Le personnage de roman Fiches 14, 15, 16, 17, 18
Lire et analyser Fiches 40, 41, 42, 43
Préparer le baccalauréat Fiches 46, 47, 49, 53, 56
Étude de la langue Fiches 59, 61, 62

Histoire des arts

Otto Dix, *La Rue de Prague*, 1920

Otto DIX (1891-1969), *La Rue de Prague à Dresde*, 1920, huile et collage sur toile (Staatsgalerie, Stuttgart).

La peinture expressionniste

Né pendant la première guerre mondiale en Allemagne, l'expressionnisme est un courant artistique exprimant, par le paroxysme de l'émotion et une expressivité extrême, les oppositions, les conflits et les ruptures d'un monde en crise. L'artiste, par l'éclatement des formes et le violent contraste des couleurs, traduit avec violence et ironie la perte fondamentale de l'harmonie. Le cadrage des tableaux est souvent décentré. La saturation de l'image par des personnages vise à faire perdre l'unité de son organisation.

Biographie
p. 625

Contexte artistique et historique

L'EXPRESSIONNISME AU DÉBUT DU XXe SIÈCLE

Les peintres Otto Dix (1891-1969), Ludwig Meidner, Alfons Walde ou Emil Nolde livrent un tableau sans concession de la société allemande des années 1920. Les crises sociale, économique, historique et politique (première guerre mondiale) ont ravagé les consciences et les identités. Otto Dix peint des **individus désarticulés, grotesques**. Sa peinture foisonnante où il représente des scènes de la vie des rues propose une **caricature excessive** et esquisse des scènes inquiétantes.

Les tableaux d'Otto Dix expriment **une révolte**. Ils dévoilent la décadence d'une société, la décomposition d'une collectivité. Ils renvoient l'humanité à sa propre laideur : femmes immondes et difformes, visages désespérés, personnages qui errent dans le monde de la misère. Les productions de Dix sont **une condamnation du monde** qu'il représente à travers des visions apocalyptiques.

Le peintre propose une vision subjective du monde, proche de l'hallucination et du délire. Ainsi, il prend une grande liberté avec le réel et ne s'interdit aucun excès dans la **déformation**. La représentation expressionniste traduit la perception d'une **anarchie** insurmontable, souvent cauchemardesque, proche d'un onirisme, d'une rêverie sauvage. L'imagerie expressionniste dévoile **les bas-fonds et les univers en marge** de la société. Elle met à nu le désir et son obscénité qui bouscule la morale. L'image est envahie par la présence de la mort et de la maladie.

Aussi peut-on voir dans l'expressionnisme un constat amer de la défaite de l'Allemagne, du déclin des valeurs humanistes chères à l'Europe ainsi que la préfiguration de la **montée des nationalismes**.

Précédant l'expressionnisme, le mouvement Dada manifeste une insurrection contre les valeurs bourgeoises et une représentation positive des progrès de l'Histoire. Les poètes Tristan Tzara, Hugo Ball ainsi que des peintres et des artistes comme Hannah Höch, Marcel Duchamp **débrident les formes et les règles de la création** par des collages délirants ou le choix d'objets absurdes ou provocateurs.

Un monde en morceaux

LECTURE DE L'IMAGE

Parade cruelle

1. (@ RECHERCHE) À quel événement historique Otto Dix renvoie-t-il ? Que symbolisent les deux culs-de-jatte ?
2. Repérez les mutilations, greffes, cicatrices et prothèses rendant les corps grotesques : comment la mise en scène d'un corps en morceaux suggère-t-elle le malaise social ?
3. Commentez le contenu varié des vitrines à l'arrière-plan : que symbolise-t-il ?
4. Comment et pourquoi le peintre remet-il en question la conception traditionnelle de l'espace ?

Fiche 42 **Lecture de l'image fixe**

La mort des valeurs

5. Autour des deux mutilés figurent de nombreux personnages humains et animaux : que représentent-ils, les uns et les autres ?
6. (@ RECHERCHE) Que signifie l'affichette de propagande « *Juden raus !* » ? De quoi ce tableau semble-t-il être la préfiguration sinistre ?
7. (SYNTHÈSE) Quelle vision du monde l'artiste propose-t-il ici ? Quelle place l'individu y occupe-t-il ?

VERS LE BAC

Invention / Éducation aux médias

En 1920, un critique d'art rend compte du choc qu'il a ressenti à la découverte d'Otto Dix, *La Rue de Prague*. Il rédige un article de presse d'environ une page.

Fiche 47 Comprendre un sujet d'écriture d'invention

Dissertation

Pourquoi un artiste peut-il vouloir proposer une vision déformée du monde ?
Vous argumenterez en prenant pour exemples ce tableau et d'autres œuvres vues ou lues.

Fiche 53 Comprendre un sujet de dissertation

1 Montesquieu, Les Lettres persanes, 1721

Roman épistolaire, Les Lettres persanes *narrent l'itinéraire d'Usbek, sultan en fuite voyageant en Europe. La fiction exotique met en scène un regard étranger sur les mœurs occidentales : Usbek fait l'éloge de la liberté européenne, mais continue à contrôler son sérail à distance. Pourtant, une de ses femmes lui résiste, jusqu'à la mort.*

Biographie
p. 628

Histoire littéraire
p. 93

Repères historiques
p. 618

Lettre LXV

Usbek à ses femmes, au sérail[1] d'Ispahan.

J'apprends que le sérail est dans le désordre, et qu'il est rempli de querelles et de divisions intestines[2]. Que vous recommandai-je en partant, que la paix et la bonne intelligence ? Vous me le promîtes. Était-ce pour me tromper ?

C'est vous qui seriez trompées si je voulais suivre les conseils que me donne le grand eunuque[3], si je voulais employer mon autorité pour vous faire vivre comme mes exhortations[4] le demandaient de vous.

Je ne sais me servir de ces moyens violents que lorsque j'ai tenté tous les autres. Faites donc en votre considération ce que vous n'avez pas voulu faire à la mienne.

Le premier eunuque a grand sujet de se plaindre : il dit que vous n'avez aucun égard pour lui. Comment pouvez-vous accorder cette conduite avec la modestie de votre état ? N'est-ce pas à lui que, pendant mon absence, votre vertu est confiée ? C'est un trésor sacré, dont il est le dépositaire. Mais ces mépris que vous lui témoignez font voir que ceux qui sont chargés de vous faire vivre dans les lois de l'honneur vous sont à charge[5].

Changez donc de conduite, je vous prie, et faites en sorte que je puisse, une autre fois, rejeter les propositions que l'on me fait contre votre liberté et votre repos.

Car je voudrais vous faire oublier que je suis votre maître, pour me souvenir seulement que je suis votre époux.

De Paris, le 5 de la lune de Chahban 1714.

MONTESQUIEU, *Les Lettres persanes*, 1721.

1. Partie du palais du Sultan où vivent les femmes.
2. À l'intérieur même du sérail.
3. Homme châtré, chargé de la garde des femmes dans les harems.
4. Demandes insistantes.
5. Vous gênent, vous pèsent.

Eugène DELACROIX (1798-1863), *La Mort de Sardanapale*, 1827, huile sur toile, 3,92 x 4,96 m (Musée du Louvre, Paris).

Lettre CLXI

Roxane à Usbek, à Paris.

1 Oui, je t'ai trompé ; j'ai séduit tes eunuques ; je me suis jouée de ta jalousie ; et j'ai su, de ton affreux sérail, faire un lieu de délices et de plaisirs.

Je vais mourir ; le poison va couler dans mes veines.

5 Car que ferais-je ici, puisque le seul homme qui me retenait à la vie n'est plus ? Je meurs ; mais mon ombre s'envole bien accompagnée : je viens d'envoyer devant moi ces gardiens sacrilèges qui ont répandu le plus beau sang du monde.

Comment as-tu pensé que je fusse assez crédule[6] pour m'imaginer que je 10 ne fusse dans le monde que pour adorer tes caprices ? que, pendant que tu te permets tout, tu eusses le droit d'affliger tous mes désirs ?

Non : j'ai pu vivre dans la servitude, mais j'ai toujours été libre : j'ai réformé tes lois sur celles de la nature, et mon esprit s'est toujours tenu dans l'indépendance.

15 Tu devrais me rendre grâces encore du sacrifice que je t'ai fait ; de ce que je me suis abaissée jusqu'à te paraître fidèle ; de ce que j'ai lâchement gardé dans mon cœur ce que j'aurais dû faire paraître à toute la terre ; enfin, de ce que j'ai profané[7] la vertu, en souffrant qu'on appelât de ce nom ma soumission à tes fantaisies.

20 Tu étais étonné de ne point trouver en moi les transports de l'amour. Si tu m'avais bien connue, tu y aurais trouvé toute la violence de la haine.

Mais tu as eu longtemps l'avantage de croire qu'un cœur comme le mien t'était soumis. Nous étions tous deux heureux : tu me croyais trompée, et je te trompais.

25 Ce langage, sans doute, te paraît nouveau. Serait-il possible qu'après t'avoir accablé de douleurs, je te forçasse encore d'admirer mon courage ? Mais c'en est fait : le poison me consume ; ma force m'abandonne ; la plume me tombe des mains ; je sens affaiblir jusqu'à ma haine ; je me meurs.

Du sérail d'Ispahan, le 8 de la lune de Rébiab 1, 1720.

MONTESQUIEU, *Les Lettres persanes*, 1721.

6. Naïve.
7. Porté atteinte à.

Un cri de révolte

LECTURE DU TEXTE

Résister par les mots

1. Dans la lettre LXV, comment Usbek tente-t-il d'imposer son autorité ?
2. Comment la lettre CLXI implique-t-elle le lecteur dans le drame du sérail ? Quels registres sont utilisés ?

➤ Fiche 40 **Les registres**

3. Dans la lettre CLXI, quels arguments opposent Roxane à Usbek, prétendument ouvert aux idées progressistes ?

➤ Fiche 28 **Stratégies argumentatives et modes de raisonnement**

Une mort subversive

4. En quoi Roxane annonce-t-elle la subversion des philosophes des Lumières ?
5. Comment Roxane fait-elle du mensonge et du suicide une arme pour conquérir dignité et liberté ? Vous étudierez la théâtralité de ses ultimes paroles.

HISTOIRE DES ARTS

Comparez la représentation du despote dans son sérail dans le tableau de Delacroix et dans le texte.

➤ **Fiche 42 Lecture de l'image fixe**

VERS LE BAC

Commentaire comparé

Rédigez un commentaire des deux lettres : vous montrerez comment s'expriment et s'opposent ici deux caractères, puis vous analyserez l'aspect polémique de ces deux textes.

➤ **Fiche 49 Comprendre un sujet de commentaire**

2

Germaine de Staël, Delphine, 1802

L'héroïne, Delphine, évolue dans la société parisienne de l'Ancien Régime. Elle s'éprend de Léonce. Victime de malveillances, la jeune fille perd l'amour de celui-ci. Convaincu de l'infidélité de son amie, il épouse Mathilde. Delphine se retire du monde dans un couvent. Léonce, qui découvre enfin la méprise, ne se résout pas au divorce et choisit de mourir à la guerre.

Biographie p. 631

Histoire littéraire p. 93

Repères historiques p. 620

La longueur et la fatigue de la route faisaient disparaître la pâleur de Delphine, ses yeux avaient une expression dont rien ne peut donner l'idée, les sentiments les plus passionnés et les plus sombres s'y peignaient à la fois ; et malgré les douleurs cruelles qu'elle commençait à sentir, et qu'elle tâchait de surmonter, sa figure était encore si ravissante, que les soldats eux-mêmes, frappés de tant d'éclat, s'écriaient : *Qu'elle est belle !* et baissaient sans y songer leurs armes vers la terre en la regardant. Léonce entendit ce concert de louanges, et lui-même enivré d'amour, il prononça ces mots à voix basse : « Ah Dieu ! que vous ai-je fait pour m'ôter la vie, la vie, le plus grand des biens avec elle ? » Delphine l'entendit. « Mon ami, reprit-elle, ne nous trompons pas sur le prix que nous attacherions maintenant à l'existence ; nous ne voyons plus que des biens dans ce que nous perdons, et nous oublions, hélas ! combien nous avons souffert ! Léonce, je t'aimais avec idolâtrie, et cependant du jour où l'ingratitude de l'amitié me fut révélée, je reçus une blessure qui ne s'est point fermée. Léonce, des êtres tels que nous auraient toujours été malheureux dans le monde, notre nature sensible et fière ne s'accorde point avec la destinée ; depuis que la fatalité empêcha notre mariage, depuis que nous avons été privés du bonheur de la vertu, je n'ai pas passé un jour sans éprouver au cœur, je ne sais quelle gêne, je ne sais quelle douleur qui m'oppressait sans cesse.

[...] Vois, dans quel temps nous étions appelés à vivre, au milieu d'une révolution sanglante, qui va flétrir pour longtemps la vertu, la liberté, la patrie ! mon ami, c'est un bienfait du ciel qui marque à ce moment le terme

William HAMILTON, *Marie-Antoinette conduite à son exécution, le 16 octobre 1793*, 1794, huile sur toile, 1,52 x 1,97 m (Musée de la Révolution Française, Vizille).

de notre vie. Un obstacle nous séparait, tu n'y songes plus maintenant, il
25 renaîtrait si nous étions sauvés ; tu ne sais pas de combien de manières le bonheur est impossible. Ah ! n'accusons pas la Providence[1], nous ignorons ses secrets ; mais ils ne sont pas les plus malheureux de ses enfants, ceux qui s'endorment ensemble sans avoir rien fait de criminel, et vers cette époque de la vie où le cœur encore pur, encore sensible, est un hommage digne du
30 ciel. »

Ces douces paroles avaient attendri Léonce, et pendant quelques moments il parut plongé dans une religieuse méditation. Tout à coup en approchant de la plaine, la musique se fit entendre, et joua une marche, hélas ! bien connue de Léonce et de Delphine. Léonce frémit en la recon-
35 naissant : « Oh ! mon amie ! dit-il, cet air, c'est le même qui fut exécuté le jour où j'entrai dans l'église pour me marier avec Mathilde. Ce jour ressemblait à celui-ci. Je suis bien aise que cet air annonce ma mort. Mon âme a ressenti dans ces deux situations presque les mêmes peines ; néanmoins je te le jure, je souffre moins aujourd'hui. » Comme il achevait ces mots, la
40 voiture s'arrêta devant la place où il devait être fusillé. Il ne voulut plus alors s'abandonner à des sentiments qui pouvaient affaiblir son cœur. Il descendit rapidement du char, et s'avança en faisant signe à M. de Serbellane[2] de veiller sur Delphine. Se retournant alors vers la troupe dont il était entouré, il dit, avec ce regard qui avait toujours commandé le respect : « Soldats,
45 vous ne banderez pas les yeux à un brave homme, indiquez-moi seulement à quelle distance de vous il faut que je me place, et visez-moi au cœur ; il est innocent et fier ce cœur, et ses battements ne seront point hâtés par l'effroi de la mort. Allons. » Avant de s'avancer à la place marquée, il se retourna encore une fois vers Delphine, elle était tombée dans les bras de
50 M. de Serbellane, il se précipita vers elle, et entendit M. de Serbellane qui s'écriait : « Malheureuse ! elle a pris le poison qu'elle m'avait demandé pour Léonce ; c'en est fait, elle va mourir ! »

Germaine DE STAËL, *Delphine*, 1802.

1. Dieu, le Ciel.
2. M. de Serbellane incarne le type de l'ami généreux et compatissant. C'est lui qui a aidé Delphine à rejoindre Léonce.

Accepter son destin

LECTURE DU TEXTE

1. Comment ce passage romanesque présente-t-il les héros comme deux victimes de l'Histoire ?
2. Quelles attitudes et quelles valeurs les deux personnages opposent-ils à la mort ? Peut-on les qualifier de victimes ? de héros ? Expliquez.
3. Quels arguments l'héroïne développe-t-elle dans son discours ? Quelle fonction ce passage remplit-il dans la narration ?
4. Définissez le rôle de Delphine dans cet extrait. Quelle importance le personnage féminin prend-il ?
5. Comment le drame atteint-il à la grandeur d'une tragédie ? Quel rapport au destin s'y trouve proposé ?

Fiche 40 **Les registres**

6. @RECHERCHE Trouvez les noms de héros et d'héroïnes romantiques qui meurent tragiquement. Pourquoi peut-on parler d'un *topos* romantique ?
7. Comment et pourquoi les personnages, victimes de la Révolution, deviennent-ils de grands héros romantiques ?

HISTOIRE DES ARTS

Comment cette toile représentant l'exécution de Marie-Antoinette réinterprète-t-elle l'événement ?

Fiche 42 **Lecture de l'image fixe**

VERS LE BAC

Invention

Rédigez le discours dans lequel un témoin de la scène rend compte de l'attitude exemplaire des deux héros et s'interroge sur la conduite à adopter face aux violences de l'Histoire. Ce témoin s'adresse aux proches et aux amis de Delphine.

Fiche 47 **Comprendre un sujet d'écriture d'invention**

Oral (analyse)

Quelle utilité les personnages exemplaires de roman peuvent-ils avoir pour le lecteur ?

Fiche 56 **Réussir l'épreuve orale du baccalauréat**

Eugène DELACROIX (1798-1863), *Autoportrait*, vers 1816, huile sur toile, 60,5 x 50,5 cm (Musée des Beaux-Arts, Rouen). Ce tableau est aussi attribué à Théodore Géricault (1791-1824), sous le titre *Portrait de Delacroix*.

3 F. R. de Chateaubriand, *René*, 1802

Initiateur du mouvement romantique, le personnage de René exprime un malaise, « le vague des passions », dans lequel toute une génération s'est reconnue. Il est marqué par la perte de ses parents et cherche dans le voyage un soulagement aux maux qui le rongent. En vain. Pendant son séjour en Amérique, il raconte ses tourments à un prêtre.

Biographie p. 625

Histoire littéraire p. 93

Repères historiques p. 620

1 [René], calmé par ces paroles, reprit ainsi l'histoire de son cœur :

« Hélas ! mon père, je ne pourrai t'entretenir de ce grand siècle[1] dont je n'ai vu que la fin dans mon enfance, et qui n'était plus lorsque je rentrai dans ma patrie. Jamais un changement plus étonnant et plus soudain ne s'est
5 opéré chez un peuple. De la hauteur du génie, du respect pour la religion, de la gravité des mœurs, tout était subitement descendu à la souplesse de l'esprit, à l'impiété, à la corruption.

« C'était donc bien vainement que j'avais espéré retrouver dans mon pays de quoi calmer cette inquiétude, cette ardeur de désir qui me suit par-
10 tout. L'étude du monde ne m'avait rien appris, et pourtant je n'avais plus la douceur de l'ignorance.

[...]

« Je me trouvai bientôt plus isolé dans ma patrie, que je l'avais été sur une terre étrangère. Je voulus me jeter pendant quelque temps dans un monde
15 qui ne me disait rien et qui ne m'entendait pas. Mon âme, qu'aucune passion n'avait encore usée, cherchait un objet qui pût l'attacher ; mais je m'aperçus que je donnais plus que je ne recevais. Ce n'était ni un langage élevé, ni un sentiment profond qu'on demandait de moi. Je n'étais occupé qu'à rapetisser ma vie, pour la mettre au niveau de la société. Traité partout d'esprit roma-
20 nesque, honteux du rôle que je jouais, dégoûté de plus en plus des choses

1. L'action de *René* se situe à la fin du règne de Louis XIV et au début de la Régence (1715-1723).

et des hommes, je pris le parti de me retirer dans un faubourg[2] pour y vivre totalement ignoré.

« Je trouvai d'abord assez de plaisir dans cette vie obscure et indépendante. Inconnu, je me mêlais à la foule : vaste désert d'hommes !

25 « Souvent assis dans une église peu fréquentée, je passais des heures entières en méditation. Je voyais de pauvres femmes venir se prosterner devant le Très-Haut, ou des pécheurs s'agenouiller au tribunal de la pénitence[3]. Nul ne sortait de ces lieux sans un visage plus serein, et les sourdes clameurs qu'on entendait au-dehors semblaient être les flots des passions et 30 les orages du monde qui venaient expirer au pied du temple du Seigneur. Grand Dieu, qui vit en secret couler mes larmes dans ces retraites sacrées, tu sais combien de fois je me jetai à tes pieds, pour te supplier de me décharger du poids de l'existence, ou changer en moi le vieil homme ! Ah ! qui n'a senti quelquefois le besoin de se régénérer, de se rajeunir aux eaux du torrent, 35 de retremper son âme à la fontaine de la vie ? Qui ne se trouve quelquefois accablé du fardeau de sa propre corruption, et incapable de rien faire de grand, de noble, de juste ?

« Quand le soir était venu, reprenant le chemin de ma retraite, je m'arrêtais sur les ponts, pour voir se coucher le soleil. L'astre, enflammant les 40 vapeurs de la cité, semblait osciller lentement dans un fluide d'or, comme le pendule de l'horloge des siècles. Je me retirais ensuite avec la nuit, à travers un labyrinthe de rues solitaires. En regardant les lumières qui brillaient dans les demeures des hommes, je me transportais par la pensée au milieu des scènes de douleur et de joie qu'elles éclairaient ; et je songeais que sous tant de toits 45 habités, je n'avais pas un ami. Au milieu de mes réflexions, l'heure venait frapper à coups mesurés dans la tour de la cathédrale gothique ; elle allait se répétant sur tous les tons et à toutes les distances d'église en église. Hélas ! chaque heure dans la société ouvre un tombeau, et fait couler des larmes.

François René DE CHATEAUBRIAND, *René*, 1802.

2. Quartier populaire construit à l'extérieur de l'enceinte de la ville.

3. Lieu où le prêtre reçoit la confession (le confessionnal).

« *Le vague des passions* »

LECTURE DU TEXTE

1. @RECHERCHE Que signifie la formule « le vague des passions » au XIXe siècle ? Dans quelle œuvre apparaît-elle ?

2. De quoi le personnage souffre-t-il ? Quel regard porte-t-il sur la société de son temps ? Comment la société le perçoit-elle en retour ?

3. Observez les repères spatiaux : quelles sont les étapes qui marquent la progression de René dans la solitude et le malaise ?

Fiche 16 **La construction du récit**

4. Après avoir expliqué l'expression « vaste désert des hommes », analysez la dimension lyrique du texte : comment traduit-elle la complexité de ce que ressent René ?

Fiche 40 **Les registres**

5. SYNTHÈSE Pourquoi peut-on dire du personnage de René qu'il est emblématique du mouvement romantique ? Justifiez en caractérisant sa personnalité.

HISTOIRE DES ARTS

Analysez l'autoportrait de Delacroix : comment le peintre traduit-il sa propre mélancolie ?

Fiche 42 Lecture de l'image fixe

VERS LE BAC

Invention

Dans une lettre à sa sœur, René fait part de sa déception face à la société et du malaise qu'il éprouve. Rédigez également la réponse d'Amélie, qui le met en garde contre les dangers de la mélancolie.

Fiche 47 Comprendre un sujet d'écriture d'invention

Commentaire

Rédigez le commentaire du dernier paragraphe, de « Quand le soir était venu » à « fait couler des larmes ». Vous analyserez le rôle de la description dans l'expression du malaise.

Fiche 49 Comprendre un sujet de commentaire

4

Victor Hugo, Les Misérables, 1862

Biographie
p. 627

Du même auteur
p. 103, 109, 162, 197, 236, 265, 277

Histoire littéraire
p. 48, 93

Repères historiques
p. 620

Les Misérables, vaste fresque romanesque commencée en 1845 et publiée en 1862, forme un tableau poignant de la misère à Paris au XIXe siècle. La petite Cosette, recueillie par les Thénardier, un couple d'aubergistes tyranniques, doit se rendre en pleine nuit seule dans la forêt pour aller chercher de l'eau.

1 L'enfant regardait d'un œil égaré cette grosse étoile qu'elle ne connaissait pas et qui lui faisait peur. La planète, en effet, était en ce moment très près de l'horizon et traversait une épaisse couche de brume qui lui donnait une rougeur horrible. La brume, lugubrement[1] empourprée,
5 élargissait l'astre. On eût dit une plaie lumineuse.

Un vent froid soufflait de la plaine. Le bois était ténébreux, sans aucun froissement de feuilles, sans aucune de ces vagues et fraîches lueurs de l'été. De grands branchages s'y dressaient affreusement. Des buissons chétifs et difformes sifflaient dans les clairières. Les hautes herbes fourmillaient sous
10 la bise comme des anguilles. Les ronces se tordaient comme de longs bras armés de griffes cherchant à prendre des proies. Quelques bruyères sèches, chassées par le vent, passaient rapidement et avaient l'air de s'enfuir avec épouvante devant quelque chose qui arrivait. De tous les côtés il y avait des étendues lugubres.

15 L'obscurité est vertigineuse. Il faut à l'homme de la clarté. Quiconque s'enfonce dans le contraire du jour se sent le cœur serré. Quand l'œil voit noir, l'esprit voit trouble. Dans l'éclipse, dans la nuit, dans l'opacité fuligineuse[2], il y a de l'anxiété, même pour les plus forts. Nul ne marche seul la nuit dans la forêt sans tremblement. Ombres et arbres, deux épaisseurs
20 redoutables. Une réalité chimérique[3] apparaît dans la profondeur indistincte. L'inconcevable s'ébauche à quelques pas de vous avec une netteté spectrale. On voit flotter, dans l'espace ou dans son propre cerveau, on ne sait quoi de vague et d'insaisissable comme les rêves des fleurs endormies. Il y a des attitudes farouches sur l'horizon. On aspire les effluves[4] du grand vide
25 noir. On a peur et envie de regarder derrière soi. Les cavités de la nuit, les choses devenues hagardes[5], des profils taciturnes[6] qui se dissipent quand on avance, des échevellements obscurs, des touffes irritées, des flaques livides, le lugubre reflété dans le funèbre, l'immensité sépulcrale[7] du silence, les êtres inconnus possibles, des penchements de branches mystérieux, d'effrayants
30 torses d'arbres, de longues poignées d'herbes frémissantes, on est sans défense contre tout cela. Pas de hardiesse qui ne tressaille et qui ne sente le voisinage de l'angoisse. On éprouve quelque chose de hideux comme si l'âme s'amalgamait à l'ombre. Cette pénétration des ténèbres est inexprimablement sinistre dans un enfant.

35 Les forêts sont des apocalypses[8] ; et le battement d'ailes d'une petite âme fait un bruit d'agonie sous leur voûte monstrueuse.

Sans se rendre compte de ce qu'elle éprouvait, Cosette se sentait saisir par cette énormité noire de la nature. Ce n'était plus seulement de la terreur qui la gagnait, c'était quelque chose de plus terrible même que la terreur.
40 Elle frissonnait. Les expressions manquent pour dire ce qu'avait d'étrange ce frisson qui la glaçait jusqu'au fond du cœur. Son œil était devenu farouche. Elle croyait sentir qu'elle ne pourrait peut-être pas s'empêcher de revenir là à la même heure le lendemain.

1. Relatif à la mort, aux funérailles.
2. Noirâtre comme la suie.
3. Imaginaire.
4. Émanations qui se dégagent d'un corps organique.
5. Dans un état d'égarement, de désarroi.
6. Qui gardent le silence, qui n'expriment rien.
7. Qui évoque le tombeau, la mort.
8. Renvoi au dernier livre du *Nouveau Testament* qui fait le récit de la fin du monde.

Photographie du film *Les Misérables*, de Raymond BERNARD, 1933.

Alors, par une sorte d'instinct, pour sortir de cet état singulier qu'elle ne
45 comprenait pas, mais qui l'effrayait, elle se mit à compter à haute voix un, deux, trois, quatre, jusqu'à dix, et, quand elle eut fini, elle recommença. Cela lui rendit la perception vraie des choses qui l'entouraient. Elle sentit le froid à ses mains qu'elle avait mouillées en puisant de l'eau. Elle se leva. La peur lui était revenue, une peur naturelle et insurmontable. Elle n'eut plus qu'une
50 pensée, s'enfuir ; s'enfuir à toutes jambes, à travers bois, à travers champs, jusqu'aux maisons, jusqu'aux fenêtres, jusqu'aux chandelles allumées.

Victor HUGO, *Les Misérables*, 1862.

L'enfant en enfer

LECTURE DU TEXTE

1. Étudiez la construction de cet extrait afin d'en délimiter les principaux mouvements. Titrez-les.
2. Analysez les choix narratifs : quel est le point de vue adopté dans ce passage ? Quel intérêt ce choix présente-t-il ? Appuyez-vous sur des exemples précis.

Fiche 15 **Le point de vue**

3. Comment l'auteur joue-t-il avec les couleurs ? Comment installe-t-il progressivement une nuit angoissante ?
4. En quoi le passage relève-t-il du fantastique ? Vous pourrez notamment vous appuyer sur la figure de style du paragraphe 3, caractéristique de ce registre.

Fiche 41 **Les figures de style**

5. Comparez le paragraphe 1 et le paragraphe 3 : en quoi peut-on parler d'élargissement de la vision ?

Fiche 59 **L'énonciation**

6. Relevez le champ lexical de la nuit. Quel est le double sens de la « nuit » dans le texte ?
7. SYNTHÈSE Pourquoi peut-on dire de ce passage qu'il peint une enfant en enfer ?

HISTOIRE DES ARTS

Comment le cinéaste rend-il l'atmosphère fantastique du texte de Victor Hugo ?

Fiche 42 **Lecture de l'image fixe**

VERS LE BAC

Commentaire

Rédigez un commentaire où vous analyserez les procédés d'écriture propres au fantastique, avant de réfléchir aux enjeux de cette page romanesque.

Fiche 49 **Comprendre un sujet de commentaire**

Dissertation

Hugo, dans la préface des *Misérables*, écrit : « tant qu'il existera, par le fait des lois et des mœurs une damnation sociale créant artificiellement, en pleine civilisation, des enfers [...] des livres de la nature de celui-ci pourront ne pas être inutiles ». Pensez-vous que l'écriture romanesque permette de lutter contre l'injustice sociale ? Vous argumenterez en prenant pour exemples cet extrait et d'autres œuvres du manuel.

Fiche 53 **Comprendre un sujet de dissertation**

5 Jean Giono, *Un roi sans divertissement*, 1948

Biographie
p. 626
Histoire littéraire
p. 93
Repères historiques
p. 622

Après avoir élucidé une série de meurtres dans un village des Alpes, le capitaine de gendarmerie Langlois s'y installe et s'y marie. Comme l'assassin qu'il a abattu, il semble fasciné par la présence de sang sur la neige. À la fin du roman, la vieille paysanne Anselmie est interrogée par les autres villageois à propos du curieux échange qu'elle a eu avec Langlois.

1 – Bien, qu'est-ce que vous voulez que je vous dise, dit Anselmie, il[1] était en colère, quoi !

– Langlois ?

– Oui, c'était une voix en colère.

5 – Bon. Alors, tu es venue et, est-ce qu'il était en colère ?

– Oh ! pas du tout.

– Comment était-il ?

– Comme d'habitude ?

– Pas plus ?

10 – Pas plus quoi ? Non, comme d'habitude.

– Il n'avait pas l'air fou ?

– Lui ? Ah ! bien alors, vous autre ! Fou ? Vous n'y êtes plus ! Pas du tout, il était comme d'habitude.

– Il n'avait pas l'air méchant ?

15 – Mais non. Puisque je vous dis qu'il était comme d'habitude. Vous savez qu'il n'était pas très rigolo ; bien, il continuait à n'être pas très rigolo, mais tout juste. Bien gentil, quoi !

– Bon. Alors, qu'est-ce qu'il t'a dit ?

– Il m'a dit : « Est-ce que tu as des oies ? » J'y ai dit : « Oui, j'ai des oies ;

20 ça dépend. » – « Va m'en chercher une. » J'y dis : « Sont pas très grasses », mais il a insisté, alors j'y ai dit : « Eh bien, venez. » On a fait le tour du hangar et j'y ai attrapé une oie.

Comme elle s'arrête, on lui dit un peu rudement :

– Eh bien, parle.

25 – Bien, voilà, dit Anselmie… c'est tout.

– Comment, c'est tout ?

– Bien oui, c'est tout. Il me dit : « Coupe-lui la tête ». J'ai pris le couperet[2],

30 j'ai coupé la tête à l'oie.

– Où ?

– Où quoi, dit-elle, sur le billot[3], parbleu.

– Où qu'il était ce billot ?

35 – Sous le hangar, pardi.

– Et Langlois, qu'est-ce qu'il faisait ?

– Se tenait à l'écart.

– Où ?

– Dehors le hangar.

40 – Dans la neige ?

– Oh ! il y en avait si peu.

– Mais parle. Et on la bouscule.

1. Langlois.
2. Gros couteau à lame large et courte, utilisé pour la viande.
3. Gros tronçon de bois dur utilisé pour couper la viande. Désigne aussi le bloc de bois utilisé pour couper la tête des condamnés à mort.

Photogramme du film *Un roi sans divertissement*, de François Leterrier, 1963.

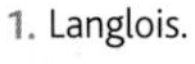

LE DIVERTISSEMENT CHEZ PASCAL

Le philosophe du XVIIe siècle Blaise Pascal, dans son œuvre *Pensées*, écrit : « Qu'on laisse un roi tout seul sans aucune satisfaction des sens, sans aucun soin de l'esprit, sans compagnies et sans divertissements, penser à lui tout à loisir, et l'on verra qu'un roi sans divertissement est un homme plein de misères. » Chez Pascal, le divertissement renvoie à tout ce qui permet à l'homme de se détourner de l'ennui et de la mort.

– Vous m'ennuyez à la fin, dit-elle, je vous dis que c'est tout. Si je vous dis que c'est tout c'est que c'est tout, nom de nom. Il m'a dit : « Donne. » J'y
45 ai donné l'oie. Il l'a tenue par les pattes. Eh bien, il l'a regardée saigner dans la neige[4]. Quand elle a eu saigné un moment, il me l'a rendue. Il m'a dit : « Tiens, la voilà. Et va-t'en. » Et je suis rentrée avec l'oie. Et je me suis dit : « Il veut sans doute que tu la plumes. » Alors, je me suis mise à la plumer. Quand elle a été plumée, j'ai regardé. Il était toujours au même endroit.
50 Planté. Il regardait à ses pieds le sang de l'oie. J'y ai dit : « L'est plumée, monsieur Langlois. » Il ne m'a pas répondu et n'a pas bougé. Je me suis dit : « Il n'est pas sourd, il t'a entendue. Quand il la voudra, il viendra la chercher. » Et j'ai fait ma soupe. Est venu cinq heures. La nuit tombait. Je sors prendre du bois. Il était toujours là au même endroit. J'y ai de nouveau dit : « L'est
55 plumée, monsieur Langlois, vous pouvez la prendre. » Il n'a pas bougé. Alors je suis rentrée chercher l'oie pour la lui porter, mais, quand je suis sortie, il était parti.

Eh bien, voilà ce qu'il dut faire. Il remonta chez lui et il tint le coup jusqu'après la soupe. Il attendit que Saucisse[5] ait pris son tricot d'attente et
60 que Delphine[6] ait posé ses mains sur ses genoux. Il ouvrit, comme d'habitude, la boîte de cigares, et il sortit pour fumer.

Seulement, ce soir-là, il ne fumait pas un cigare : il fumait une cartouche de dynamite. Ce que Delphine et Saucisse regardèrent comme d'habitude, la petite braise, le petit fanal[7] de voiture, c'était le grésillement de la mèche.

65 Et il y eut, au fond du jardin, l'énorme éclaboussement d'or qui éclaira la nuit pendant une seconde. C'était la tête de Langlois qui prenait, enfin, les dimensions de l'univers.

Qui a dit : « *Un roi sans divertissement est un homme plein de misères* »[8] ?

Jean GIONO, *Un roi sans divertissement*, © Éditions Gallimard, 1948.

4. Reprise du motif médiéval des trois gouttes de sang dans la neige qui fascinent Perceval, héros du *Conte du Graal*.
5. Aubergiste, amie de Langlois.
6. Épouse de Langlois.
7. Signal lumineux.
8. Voir l'encadré « Le divertissement chez Pascal ».

« La fascination du mal »

LECTURE DU TEXTE

1. Étudiez le langage d'Anselmie (lexique, syntaxe) : pourquoi son discours contraste-t-il avec le reste du texte ?

Fiche 61 **La syntaxe de la phrase**

2. Quels éléments de la psychologie de Langlois perçoit-on à travers le récit d'Anselmie ? Pourquoi ce personnage ne peut-il laisser un lecteur indifférent ?

Fiche 14 **Le personnage de roman**

3. Peut-on dire que le texte éclaire les motivations de Langlois ?
4. Pour quelle raison contempler le blanc de la neige peut-il être angoissant ? Que peut-il symboliser ?
5. Comment l'auteur met-il en scène la curiosité de Langlois ?
6. Lignes 65 à 67, de quelle façon la mort de Langlois est-elle décrite ? Comment peut-on interpréter cette scène de suicide ?
7. Comment comprendre le silence du héros ? Quelle force et quelle valeur insuffle-t-il à cette fin de roman ?

HISTOIRE DES ARTS

Comment le réalisateur François Leterrier met-il en scène la fascination de Langlois pour le sang ?

VERS LE BAC

Commentaire

Rédigez un commentaire montrant comment trivialité et cruauté sont liées dans cet extrait.

Fiche 49 **Comprendre un sujet de commentaire**

Dissertation

Le roman permet-il de mettre en scène un monde en crise ? Vous argumenterez en prenant pour exemples cet extrait et d'autres œuvres du manuel ou que vous avez lues.

Fiche 53 **Comprendre un sujet de dissertation**

Oral (analyse)

Cette fin de roman peut-elle satisfaire le lecteur ? Pour quelles raisons ?

Fiche 56 **Réussir l'épreuve orale du baccalauréat**

6 Madame de La Fayette, *La Princesse de Clèves*, 1678

Biographie p. 627
Histoire littéraire p. 93
Repères historiques p. 616

Jacob MARREL (1614-1681), *Vanité*, 1660.

Madame de La Fayette conte une histoire d'amour au temps d'Henri II, au XVIe siècle, entre deux belles personnes, la princesse de Clèves alors mariée et le duc de Nemours. Le récit montre le questionnement de l'héroïne sur la Cour, l'amour et ses cruautés, avant son retrait au couvent.

Il parut alors une beauté à la Cour, qui attira les yeux de tout le monde, et l'on doit croire que c'était une beauté parfaite, puisqu'elle donna de l'admiration dans un lieu où l'on était si accoutumé à voir de belles personnes. Elle était de la même maison que le Vidame[1] de Chartres et une des plus grandes héritières de France. Son père était mort jeune, et l'avait laissée sous la conduite de Madame de Chartres, sa femme, dont le bien, la vertu et le mérite étaient extraordinaires. Après avoir perdu son mari, elle avait passé plusieurs années sans revenir à la Cour. Pendant cette absence, elle avait

1. Degré de noblesse, tel que « baron » ou « vicomte ».

donné ses soins à l'éducation de sa fille ; mais elle ne travailla pas seulement
10 à cultiver son esprit et sa beauté, elle songea aussi à lui donner de la vertu et à la lui rendre aimable. La plupart des mères s'imaginent qu'il suffit de ne parler jamais de galanterie devant les jeunes personnes pour les en éloigner. Madame de Chartres avait une opinion opposée ; elle faisait souvent à sa fille des peintures de l'amour ; elle lui montrait ce qu'il a d'agréable pour la
15 persuader plus aisément sur ce qu'elle lui en apprenait de dangereux ; elle lui contait le peu de sincérité des hommes, leurs tromperies et leur infidélité, les malheurs domestiques où plongent les engagements ; et elle lui faisait voir, d'un autre côté, quelle tranquillité suivait la vie d'une honnête femme, et combien la vertu donnait d'éclat et d'élévation à une personne qui avait de
20 la beauté et de la naissance ; mais elle lui faisait voir aussi combien il était difficile de conserver cette vertu, que par une extrême défiance de soi-même et par un grand soin de s'attacher à ce qui seul peut faire le bonheur d'une femme, qui est d'aimer son mari et d'en être aimée.

Cette héritière était alors un des grands partis[2] qu'il y eût en France, et
25 quoiqu'elle fût dans une extrême jeunesse, l'on avait déjà proposé plusieurs mariages. Madame de Chartres, qui était extrêmement glorieuse, ne trouvait presque rien digne de sa fille ; la voyant dans sa seizième année, elle voulut la mener à la Cour. Lorsqu'elle arriva, le Vidame alla au-devant d'elle ; il fut surpris de la grande beauté de Mademoiselle de Chartres, et il en fut surpris
30 avec raison. La blancheur de son teint et ses cheveux blonds lui donnaient un éclat que l'on n'a jamais vu qu'à elle ; tous ses traits étaient réguliers, et son visage et sa personne étaient pleins de grâce et de charmes.

Madame DE LA FAYETTE, *La Princesse de Clèves*, 1678.

2. Une personne à marier ; un grand parti ou un bon parti a une situation sociale et financière confortable.

Une jeune femme à la Cour

LECTURE DU TEXTE

1. Quelle figure de style domine ce passage ? Quelles caractéristiques du monde et de la Cour sont ainsi mises en relief ?

Fiche 41 **Les figures de style**

2. Analysez le rôle du portrait dans cet extrait. Qu'est-ce qui le caractérise ?

Fiche 14 **Le personnage de roman**

3. Le tableau que Mme de Chartres fait de la Cour correspond-il à celui exposé en début d'extrait ? Pourquoi ?
4. Dans l'éducation qu'elle dispense à sa fille, comment Mme de Chartres présente-t-elle la vertu ? Quel destin futur de la princesse un lecteur peut-il deviner à travers cette leçon ?
5. @ RECHERCHE Recherchez ce qu'est le jansénisme au XVIIe siècle et son influence à la Cour. En quoi ces informations historiques éclairent-elles le point de vue de Mme de Chartres sur la Cour ?
6. Comment le silence de la princesse peut-il être interprété ? Expliquez.

HISTOIRE DES ARTS

@ RECHERCHE Recherchez les caractéristiques du genre pictural de la vanité (voir p. 357 du manuel). Comparez le texte et le tableau : quels tentations et divertissements (p. 79) le tableau met-il en scène ?

Fiche 42 **Lecture de l'image fixe**

VERS LE BAC

Invention

Écrivez le dialogue romanesque dans lequel Mme de Chartres et l'une de ses amies débattent sur la nécessité ou non de prévenir leurs enfants contre les dangers du monde.

Fiche 47 **Comprendre un sujet d'écriture d'invention**

Dissertation

Selon vous, un roman peut-il délivrer une leçon sur le monde ? Vous argumenterez en prenant pour exemples cet extrait, d'autres textes du manuel et des œuvres que vous avez lues.

Fiche 53 **Comprendre un sujet de dissertation**

La Marquise de Merteuil (Glenn Close) dans l'adaptation des *Liaisons dangereuses* par Stephen FREARS, 1988.

7 Pierre Choderlos de Laclos, Les Liaisons dangereuses, 1782

Biographie p. 627

Histoire littéraire p. 48, 93

Repères historiques p. 618

Les Liaisons dangereuses *mettent en scène la correspondance entre deux libertins, la Marquise de Merteuil et le Vicomte de Valmont. Leurs intrigues pour corrompre des innocents dévoilent les faux-semblants de la société ainsi que l'ambiguïté des sentiments et des valeurs. Dans la lettre LXXXI, la Marquise retrace avec théâtralité son parcours et sa « carrière » de libertine.*

Lettre LXXXI

La Marquise de Merteuil au Vicomte de Valmont

1 Entrée dans le monde dans le temps où, fille encore, j'étais vouée par état au silence et à l'inaction, j'ai su en profiter pour observer et réfléchir. Tandis qu'on me croyait étourdie ou distraite, écoutant peu à la vérité les discours qu'on s'empressait à me tenir, je recueillais avec soin ceux 5 qu'on cherchait à me cacher.

Cette utile curiosité, en servant à m'instruire, m'apprit encore à dissimuler ; forcée souvent de cacher les objets de mon attention aux yeux qui m'entouraient, j'essayai de guider les miens à mon gré ; j'obtins dès lors de prendre à volonté ce regard distrait que depuis vous avez loué si souvent. 10 Encouragée par ce premier succès, je tâchai de régler de même les divers mouvements de ma figure. Ressentais-je quelque chagrin, je m'étudiais à prendre l'air de la sérénité, même celui de la joie ; j'ai porté le zèle jusqu'à me causer des douleurs volontaires, pour chercher pendant ce temps l'expression du plaisir. Je me suis travaillée avec le même soin et plus de peine, pour 15 réprimer les symptômes d'une joie inattendue. C'est ainsi que j'ai su prendre sur ma physionomie cette puissance dont je vous ai vu quelquefois si étonné.

J'étais bien jeune encore, et presque sans intérêt : mais je n'avais à moi que ma pensée, et je m'indignais qu'on pût me la ravir ou me la surprendre contre ma volonté. Munie de ces premières armes, j'en essayai l'usage : non 20 contente de ne plus me laisser pénétrer, je m'amusais à me montrer sous des formes différentes ; sûre de mes gestes, j'observais mes discours ; je réglais les uns et les autres, suivant les circonstances, ou même seulement suivant mes fantaisies : dès ce moment, ma façon de penser fut pour moi seule, et je ne montrai plus que celle qu'il m'était utile de laisser voir.

25 Ce travail sur moi-même avait fixé mon attention sur l'expression des figures et le caractère des physionomies ; et j'y gagnai ce coup d'œil pénétrant, auquel l'expérience m'a pourtant appris à ne pas me fier entièrement ; mais qui, en tout, m'a rarement trompée.

Je n'avais pas quinze ans, je possédais déjà les talents auxquels la plus 30 grande partie de nos politiques doivent leur réputation, et je ne me trouvais encore qu'aux premiers éléments de la science que je voulais acquérir.

[...]

Cependant, je l'avouerai, je me laissai d'abord entraîner par le tourbillon du monde, et me livrai toute entière à ses distractions futiles. Mais au bout de 35 quelques mois, M. de Merteuil m'ayant menée à sa triste campagne, la crainte de l'ennui fit revenir le goût de l'étude ; et ne m'y trouvant entourée que de gens dont la distance avec moi me mettait à l'abri du soupçon, j'en profitai pour donner un champ plus vaste à mes expériences. Ce fut là, surtout, que je m'assurai que l'amour que l'on nous vante comme la cause de nos plaisirs, 40 n'en est au plus que le prétexte.

La maladie de M. de Merteuil vint interrompre de si douces occupations ; il fallut le suivre à la ville où il revenait chercher des secours. Il mourut, comme vous savez, peu de temps après ; et quoique à tout prendre, je n'eusse pas à me plaindre de lui, je n'en sentis pas moins vivement le prix de la 45 liberté qu'allait me donner mon veuvage, et je me promis bien d'en profiter.

Ma mère comptait que j'entrerais au couvent, ou reviendrais vivre avec elle. Je refusai l'un et l'autre parti ; et tout ce que j'accordai à la décence fut de retourner dans cette même campagne où il me restait bien encore quelques observations à faire.

Pierre CHODERLOS DE LACLOS, *Les Liaisons dangereuses*, 1782.

« La revanche d'une libertine »

LECTURE DU TEXTE

Sur la grande scène du monde

1. Analysez la progression du discours dans cette lettre. Comment l'analepse éclaire-t-elle sur la femme qu'est devenue la marquise ?
2. Montrez que Mme de Merteuil est une remarquable actrice. Quel pouvoir de cet art lui confère-t-il ?
3. Comment le discours traduit-il l'orgueil du personnage ? Pourquoi peut-on dire qu'il s'agit d'une revanche ?

L'envers des Lumières

4. Pour atteindre à la maîtrise de soi, à quels domaines du savoir le personnage recourt-il ?
5. Comment le goût de l'étude se manifeste-t-il chez cette femme ? Pourquoi ? Précisez les différentes significations d'« observer ».
6. Par quels aspects la marquise apparaît-elle comme une femme des Lumières qui en pervertit les idéaux ?

HISTOIRE DES ARTS

Dans quelle mesure cette photographie du film de Frears traduit-elle la dualité de la marquise de Merteuil, entre être et paraître ?

➜ **Fiche 43 Lecture de l'image mobile**

VERS LE BAC

Question sur un corpus

Comment les deux lettres chez Montesquieu (p. 70) et celle de Laclos permettent-elles de révéler des personnalités féminines puissantes et subversives ?

➜ **Fiche 46 Répondre à une question sur un corpus**

Commentaire

Vous montrerez comment cette page inverse la représentation traditionnelle du libertin qui s'adonne à la futilité et au plaisir. Vous analyserez comment Laclos construit un personnage complexe.

➜ **Fiche 49 Comprendre un sujet de commentaire**

Dissertation

En quoi des personnages sans morale permettent-ils de nouer des intrigues de roman passionnantes ? Vous argumenterez en prenant pour exemples cet extrait et d'autres œuvres du manuel.

➜ **Fiche 53 Comprendre un sujet de dissertation**

8

Stendhal, Le Rouge et le Noir, 1830

Le Rouge et le Noir, *roman de l'ambition et de l'énergie, retrace le parcours de Julien Sorel, héros en rupture avec son milieu modeste. Le titre annonce son ascension et sa chute : la formation au séminaire (habit noir), la carrière militaire (habit rouge) et la mort violente sur l'échafaud. Le lecteur le découvre dans la scierie paternelle.*

Biographie p. 631
Du même auteur p. 108
Histoire littéraire p. 48, 93
Repères historiques p. 620

En approchant de son usine, le père Sorel appela Julien de sa voix de stentor[1] ; personne ne répondit. Il ne vit que ses fils aînés, espèces de géants qui, armés de lourdes haches, équarrissaient[2] les troncs de sapin, qu'ils allaient porter à la scie. Tout occupés à suivre exactement la marque noire tracée sur la pièce de bois, chaque coup de leur hache en séparait des copeaux énormes. Ils n'entendirent pas la voix de leur père. Celui-ci se dirigea vers le hangar ; en y entrant, il chercha vainement Julien à la place qu'il aurait dû occuper, à côté de la scie. Il l'aperçut à cinq ou six pieds de haut, à cheval sur l'une des pièces de la toiture. Au lieu de surveiller attentivement l'action de tout le mécanisme, Julien lisait. Rien n'était plus antipathique au vieux Sorel ; il eût peut-être pardonné à Julien sa taille mince, peu propre aux travaux de force, et si différente de celle de ses aînés ; mais cette manie de lecture lui était odieuse, il ne savait pas lire lui-même.

Ce fut en vain qu'il appela Julien deux ou trois fois. L'attention que le jeune homme donnait à son livre, bien plus que le bruit de la scie, l'empêcha d'entendre la terrible voix de son père. Enfin, malgré son âge, celui-ci sauta lestement sur l'arbre soumis à l'action de la scie, et de là sur la poutre transversale qui soutenait le toit. Un coup violent fit voler dans le ruisseau le livre que tenait Julien ; un second coup aussi violent, donné sur la tête, en forme de calotte, lui fit perdre l'équilibre. Il allait tomber à douze ou quinze pieds plus bas, au milieu des leviers de la machine en action, qui l'eussent brisé, mais son père le retint de la main gauche, comme il tombait.

– Eh bien, paresseux ! tu liras donc toujours tes maudits livres, pendant que tu es de garde à la scie ? Lis-les le soir, quand tu vas perdre ton temps chez le curé, à la bonne heure.

Julien, quoique étourdi par la force du coup, et tout sanglant, se rapprocha de son poste officiel, à côté de la scie. Il avait les larmes aux yeux, moins à cause de la douleur physique, que pour la perte de son livre qu'il adorait.

1. Voix forte et puissante.
2. Tailler le bois à angles droits.

Jacques-Louis David (1748-1825), *Bonaparte, Premier Consul, franchissant les Alpes au Mont Saint-Bernard le 20 mai 1800*, **1803, huile sur toile, 2,59 x 2,21 m (Musée national du château de Malmaison).**

LA LÉGENDE NAPOLÉONIENNE

Le *Mémorial de Sainte-Hélène* est un ouvrage publié en 1822-1823 par Emmanuel de Las Cases et rédigé à la suite d'entretiens avec l'empereur. Il contribue à la légende d'un Napoléon conquérant, apportant l'esprit des Lumières à toute l'Europe. Il devient le livre de chevet de la jeune génération qui a cru en la révolution de 1830 et que déçoit Louis-Philippe, rappelant aux affaires des conservateurs âgés, refusant de céder la place à la génération montante et aux idées nouvelles.

– Descends, animal, que je te parle. »

Le bruit de la machine empêcha encore Julien d'entendre cet ordre. Son père qui était descendu, ne voulant pas se donner la peine de remonter sur le mécanisme, alla chercher une longue perche pour abattre des noix, et l'en frappa sur l'épaule. À peine Julien fut-il à terre, que le vieux Sorel, le chassant rudement devant lui, le poussa vers la maison. Dieu sait ce qu'il va me faire ! se disait le jeune homme. En passant, il regarda tristement le ruisseau où était tombé son livre ; c'était celui de tous qu'il affectionnait le plus, le *Mémorial de Sainte-Hélène*[3].

Il avait les joues pourpres et les yeux baissés. C'était un petit jeune homme de dix-huit à dix-neuf ans, faible en apparence, avec des traits irréguliers, mais délicats, et un nez aquilin[4]. De grands yeux noirs, qui, dans les moments tranquilles, annonçaient de la réflexion et du feu, étaient animés en cet instant de l'expression de la haine la plus féroce. Des cheveux châtain foncé, plantés fort bas, lui donnaient un petit front, et, dans les moments de colère, un air méchant. Parmi les innombrables variétés de la physionomie humaine, il n'en est peut-être point qui se soit distinguée par une spécialité plus saisissante. Une taille svelte et bien prise annonçait plus de légèreté que de vigueur. Dès sa première jeunesse, son air extrêmement pensif et sa grande pâleur avaient donné l'idée à son père qu'il ne vivrait pas, ou qu'il vivrait pour être une charge à sa famille. Objet des mépris de tous à la maison, il haïssait ses frères et son père ; dans les jeux du dimanche, sur la place publique, il était toujours battu.

STENDHAL, *Le Rouge et le Noir*, 1830.

3. Voir l'encadré « La légende napoléonienne ».

4. Nez fin et busqué en forme de bec d'aigle.

Un personnage en conflit

LECTURE DU TEXTE

1. Caractérisez le milieu social auquel appartient le héros. Quelles valeurs dominent et s'imposent ? Pourquoi Julien apparaît-il comme un étranger ?

Fiche 14 **Le personnage de roman**

2. Dans quelle mesure le réalisme de l'extrait révèle-t-il la personnalité du jeune héros ? Expliquez.

3. Pourquoi la singularité du personnage annonce-t-elle un parcours hors norme ?

4. Quelles contradictions, dans la description, construisent la singularité de ce personnage ? Exprimez votre première impression de lecteur découvrant ce héros hors norme.

Fiche 17 **La parole du personnage**
Fiche 18 **La description**

5. Pourquoi le livre et la lecture cristallisent-ils la haine du père et du fils ? Analysez la brutalité de la réaction paternelle et la violence des sentiments filiaux.

6. En vous aidant de la note 3, expliquez pourquoi la relation entre le père et le fils est symbolique d'un conflit entre jeune et ancienne génération.

7. *Le Rouge et le Noir* se présente dans le sous-titre comme des « Chroniques de 1830 ». À travers le portrait de Julien, expliquez à quoi les jeunes gens de sa génération sont condamnés.

HISTOIRE DES ARTS

Comment David donne-t-il une dimension mythique à Napoléon ? Essayez en particulier de commenter les gravures sur la roche représentée dans le coin inférieur gauche.

Fiche 42 **Lecture de l'image fixe**

VERS LE BAC

Invention

Vous rédigerez une partie de la préface qu'aurait pu écrire Stendhal pour justifier le choix de son jeune héros. Vous relierez le personnage à la révolte de la génération romantique contre la génération précédente.

Fiche 47 **Comprendre un sujet d'écriture d'invention**

Commentaire

Rédigez un commentaire montrant le décalage entre le personnage et son milieu d'origine et les enjeux d'une telle présentation dans l'*incipit* du roman.

Fiche 49 **Comprendre un sujet de commentaire**

9 Raymond Radiguet, *Le Bal du comte d'Orgel*, 1924

François retrouve son ami Paul d'Orgel marié à Mahaut. En fréquentant ce couple, il participe à une vie mondaine brillante. Raymond Radiguet réécrit La Princesse de Clèves *: entre les trois personnages vont se tisser progressivement et insensiblement des relations complexes où l'amour révèle ses ambiguïtés et ses dangers. L'intrigue se déroule dans le climat festif des années folles.*

Biographie p. 630

Histoire littéraire p. 93

Repères historiques p. 622

L'année qui suivit l'armistice[1], la mode fut de danser en banlieue. Toute mode est délicieuse qui répond à une nécessité, non à une bizarrerie. La sévérité de la police réduisait à cette extrémité ceux qui ne savent se coucher tôt. Les parties de campagne se faisaient la nuit. On soupait sur l'herbe ou presque.

C'était vraiment avec un bandeau sur les yeux que François faisait ce voyage. Il eût été bien embarrassé de dire quel chemin ils prenaient. La voiture s'arrêtant :

– Sommes-nous arrivés ? demanda-t-il.

Or, on n'était qu'à la porte d'Orléans. Un cortège d'automobiles attendait de repartir ; la foule lui faisait une haie d'honneur. Depuis qu'on dansait à Robinson[2], les rôdeurs de barrières et les braves gens de Montrouge venaient à cette porte admirer le beau monde.

Les badauds qui composaient cette haie effrontée collaient leur nez contre les vitres des véhicules, pour mieux en voir les propriétaires. Les femmes feignaient de trouver ce supplice charmant. La lenteur de l'employé d'octroi[3] le prolongeait trop. D'être ainsi inspectées, convoitées, comme derrière une vitrine, des peureuses retrouvaient la petite syncope du Grand Guignol[4]. Cette populace, c'était la révolution inoffensive. Une parvenue sent son collier à son cou ; mais il fallait ces regards pour que les élégantes sentissent leurs perles auxquelles un poids nouveau ajoutait de la valeur. À côté d'imprudentes, des timides remontaient frileusement leurs cols de zibeline[5].

D'ailleurs, on pensait plus à la révolution dans les voitures que dehors. Le peuple était trop friand d'un spectacle gratuit, donné chaque soir. Et ce soir-là il y avait foule. Le public des cinémas de Montrouge, après le programme du samedi, s'était offert un supplément facultatif. Il lui semblait que les films luxueux continuassent.

Il y avait dans la foule bien peu de haine contre ces heureux du jour. Paul se retournait inquiet, souriant, vers ses amis.

Marcel GROMAIRE (1892-1971), *Place blanche*, 1928, huile sur toile, 0,96 x 1,30 m (Musée Carnavalet, Paris).

Comme au bout de quelques minutes les voitures ne repartaient pas, Anne d'Orgel se pencha.

45 – Hortense ! dit-il à Mahaut, nous ne pouvons laisser Hortense ainsi ! C'est sa voiture qui est en panne.

Sous le bec de gaz, en robe du soir, un diadème sur la tête, la princesse d'Austerlitz dirigeait les travaux de son mécanicien, riait, apostrophait la foule. […]

50 Gérard, ancien croupier[6], était un des deux ou trois hommes qui pendant la guerre organisèrent les divertissements des Parisiens. Il fut un des premiers à installer les dancings clandestins. Traqué par la police, et la redoutant davantage pour des affaires antérieures que pour son insoumission présente aux ordonnances, il changeait de local tous les quinze jours.

55 Une fois fait le tour de Paris, ce fut lui enfin qui remplaça le dancing en chambre par la petite maison de banlieue. La plus célèbre fut celle de Neuilly. Pendant plusieurs mois, les couples élégants polirent le carrelage de cette maison de crimes, se reposant entre deux danses sur des chaises de fer.

Gérard, grisé par le succès, voulut alors étendre son entreprise. Il loua, un 60 prix absurde, l'immense château de Robinson, construit vers la fin du siècle dernier sur les ordres d'une folle, la fille du célèbre parfumeur Duc, celui-là même dont les prospectus, les étiquettes, jouant sur les mots, s'ornent d'une couronne ducale.

Cette couronne apparaissait aussi à la grille et au fronton du manoir où 65 Mlle Duc consacra sa vie à l'attente d'un Tzigane infidèle.

À quelques kilomètres de la porte d'Orléans, des hommes munis de lampes de poche indiquaient le chemin du château aux automobilistes.

Raymond RADIGUET, *Le Bal du comte d'Orgel*, 1924.

1. L'armistice de 1918.
2. Lieu de divertissement et guinguettes des faubourgs populaires à l'époque.
3. Employé chargé de percevoir les taxes communales.
4. Le Grand Guignol est un théâtre privilégiant les pièces sanglantes, l'horreur et le crime : ses spectatrices en avaient souvent de « petite(s) syncope(s) ».
5. Fourrure.
6. Employé de casino.

La fuite dans la fête

LECTURE DU TEXTE

1. Comment le texte traduit-il la fascination qu'éprouvent les gens riches pour les classes populaires, et réciproquement ?
2. Comment le texte installe-t-il les personnages dans un climat d'irréalité ? Observez les éléments qui renvoient à la fête.
3. Commentez la manière dont Radiguet désigne les personnages : quel regard le romancier porte-t-il sur eux ? Quelle fonction semble-t-il leur attribuer ?
4. Étudiez comment s'enchaînent les phrases de cette description, et expliquez l'effet produit.

Fiche 62 **Organisation et cohérence textuelles**

5. À travers la représentation du peuple, quelle critique de la société se trouve exprimée ?

HISTOIRE DES ARTS

Comment le tableau de Marcel Gromaire donne-t-il une image ambivalente de la fête ?

Fiche 42 **Lecture de l'image fixe**

VERS LE BAC

Question sur un corpus

Établissez un rapprochement entre le texte de Mme de La Fayette (p. 80) et celui de Radiguet : à travers la description de l'univers mondain, comment les signes de la beauté et du luxe sont-ils mis en valeur ? Pourquoi ?

Fiche 46 **Répondre à une question sur un corpus**

Invention

Un témoin qui assiste à la scène critique ces badauds pour lesquels le spectacle des riches semble continuer « les films luxueux ». Vous imaginerez le discours qu'il tient à François.

Fiche 47 **Comprendre un sujet d'écriture d'invention**

Dissertation

Un romancier a-t-il besoin d'imaginer un monde pour faire naître un sentiment d'évasion chez le lecteur ? Vous argumenterez en prenant pour exemples cet extrait et d'autres œuvres du manuel.

Fiche 53 **Comprendre un sujet de dissertation**

10 Albert Camus, L'Étranger, 1942

La deuxième partie du roman L'Étranger *est consacrée au procès du narrateur personnage, Meursault, qui a tué un homme sur une plage. Le meurtre repose sur une querelle absurde liée au soleil, mais c'est toute l'attitude du narrateur depuis la mort de sa mère au début du roman, qui est jugée.*

Biographie p. 625
Du même auteur p. 165, 286, 301, 529
Histoire littéraire p. 93
Repères historiques p. 622

Même sur un banc d'accusé, il est toujours intéressant d'entendre parler de soi. Pendant les plaidoiries du procureur et de mon avocat, je peux dire qu'on a beaucoup parlé de moi et peut-être plus de moi que de mon crime. Étaient-elles si différentes, d'ailleurs, ces plaidoiries ? L'avocat levait les bras et plaidait coupable, mais avec excuses. Le procureur tendait ses mains et dénonçait la culpabilité, mais sans excuses. Une chose pourtant me gênait vaguement. Malgré mes préoccupations, j'étais parfois tenté d'intervenir et mon avocat me disait alors : « Taisez-vous, cela vaut mieux pour votre affaire. » En quelque sorte, on avait l'air de traiter cette affaire en dehors de moi. Tout se déroulait sans mon intervention. Mon sort se réglait sans qu'on prenne mon avis. De temps en temps, j'avais envie d'interrompre tout le monde et de dire : « Mais tout de même, qui est l'accusé ? C'est important d'être l'accusé. Et j'ai quelque chose à dire. » Mais réflexion faite, je n'avais rien à dire. D'ailleurs, je dois reconnaître que l'intérêt qu'on trouve à occuper les gens ne dure pas longtemps. Par exemple, la plaidoirie du procureur m'a très vite lassé. Ce sont seulement des fragments, des gestes ou des tirades entières, mais détachées de l'ensemble, qui m'ont frappé ou ont éveillé mon intérêt.

Le fond de sa pensée, si j'ai bien compris, c'est que j'avais prémédité mon crime. Du moins, il a essayé de le démontrer. Comme il le disait lui-même : « J'en ferai la preuve, messieurs, et je la ferai doublement. Sous l'aveuglante clarté des faits d'abord et ensuite dans l'éclairage sombre que me fournira la psychologie de cette âme criminelle. » Il a résumé les faits à partir de la mort de maman. Il a rappelé mon insensibilité, l'ignorance où j'étais de l'âge de maman, mon bain du lendemain, avec une femme, le cinéma, Fernandel et enfin la rentrée avec Marie. J'ai mis du temps à le comprendre, à ce moment, parce qu'il disait « sa maîtresse » et pour moi, elle était Marie. Ensuite, il en est venu à l'histoire de Raymond[1]. J'ai trouvé que sa façon de voir les événements ne manquait pas de clarté. Ce qu'il disait était plausible. J'avais écrit la lettre d'accord avec Raymond pour attirer sa maîtresse et la livrer aux mauvais traitements d'un homme « de moralité douteuse ». J'avais provoqué sur la plage les adversaires de Raymond. Celui-ci avait été blessé. Je lui avais demandé son revolver. J'étais revenu seul pour m'en servir. J'avais abattu l'Arabe comme je le projetais. J'avais attendu. Et « pour être sûr que la besogne était bien faite », j'avais tiré encore quatre balles, posément, à coup sûr, d'une façon réfléchie en quelque sorte.

« Et voilà, messieurs, a dit l'avocat général. J'ai retracé devant vous le fil d'événements qui a conduit cet homme à tuer en pleine connaissance de cause. J'insiste là-dessus, a-t-il dit. Car il ne s'agit pas d'un assassinat ordinaire, d'un acte irréfléchi que vous pourriez estimer atténué par les circonstances. Cet homme, messieurs, cet homme est intelligent. Vous l'avez entendu, n'est-ce pas ? Il sait répondre. Il connaît la valeur des mots. Et l'on ne peut pas dire qu'il a agi sans se rendre compte de ce qu'il faisait. »

1. Personnage dont le narrateur a fait la connaissance peu de temps avant le meurtre.

Meursault (Marcello Mastroianni) dans l'adaptation de *L'Étranger* par Luchino VISCONTI (1967).

Moi j'écoutais et j'entendais qu'on me jugeait intelligent. Mais je ne
45 comprenais pas bien comment les qualités d'un homme ordinaire pouvaient
devenir des charges écrasantes contre un coupable.

Albert CAMUS, *L'Étranger*, © Éditions Gallimard, 1942.

Un monstre moral

LECTURE DU TEXTE

1. Suivant quel point de vue, propre à exprimer l'isolement de l'accusé, l'histoire est-elle racontée ?

Fiche 15 **Le point de vue**

2. Commentez et interprétez l'emploi du mot « clarté », lignes 22 et 29.
3. Quels reproches fait-on à Meursault ?
4. Pourquoi peut-on dire qu'il s'agit du procès d'un homme en rupture avec la morale conventionnelle ? Appuyez-vous sur des exemples concrets.

Fiche 14 **Le personnage de roman**

5. Comment comprenez-vous la remarque finale de Meursault sur le discours du juge ?

HISTOIRE DES ARTS

L'image extraite du film de Luchino Visconti vous semble-t-elle rendre fidèlement la mise en accusation du personnage imaginé par Camus ? Pourquoi ?

Fiche 43 **Lecture de l'image mobile**

VERS LE BAC

Question sur un corpus

Lisez l'extrait du *Mythe de Sisyphe*, p. 308. Pourquoi peut-on dire que la situation de Meursault est caractéristique de ce sentiment ?

Fiche 46 **Répondre à une question sur un corpus**

Commentaire

Rédigez un commentaire qui analysera l'attitude de Meursault comme un problème posé à la société.

Fiche 49 **Comprendre un sujet de commentaire**

Dissertation

Pour quelles raisons les personnages de roman ayant un caractère étrange ou déroutant sont-ils particulièrement intéressants ? Vous argumenterez en prenant pour exemples cet extrait, d'autres œuvres du manuel ou que vous avez lues.

Fiche 53 **Comprendre un sujet de dissertation**

11 J.-M. G. Le Clézio, *Désert*, 1980

Biographie p. 628
Histoire littéraire p. 93
Repères historiques p. 622

Désert est un roman construit en deux temps. La première partie se passe en Afrique au début du XXe siècle, la seconde à Marseille de nos jours. Dans les premières pages du roman, Le Clézio peint un monde africain, celui des Touaregs, aux valeurs éloignées de celles du monde occidental.

Le ciel était sans limites, d'un bleu si dur qu'il brûlait la face. Plus loin encore, les hommes marchaient dans le réseau des dunes, dans un monde étranger.

Mais c'était leur vrai monde. Ce sable, ces pierres, ce ciel, ce soleil, ce silence, cette douleur, et non pas les villes de métal et de ciment, où l'on entendait le bruit des fontaines et des voix humaines. C'était ici, l'ordre vide du désert, où tout était possible, où l'on marchait sans ombre au bord de sa propre mort. Les hommes bleus avançaient sur la piste invisible, vers Smara, libres comme nul être au monde ne pouvait l'être. Autour d'eux, à perte de vue, c'étaient les crêtes mouvantes des dunes, les vagues de l'espace qu'on ne pouvait pas connaître. Les pieds nus des femmes et des enfants se posaient sur le sable, laissant une trace légère que le vent effaçait aussitôt. Au loin, les mirages flottaient entre terre et ciel, villes blanches, foires, caravanes de chameaux et d'ânes chargés de vivres, rêves affairés. Et les hommes étaient eux-mêmes semblables à des mirages, que la faim, la soif et la fatigue avaient fait naître sur la terre déserte.

Les routes étaient circulaires, elles conduisaient toujours au point de départ, traçant des cercles de plus en plus étroits autour de la Saguiet el Hamra[1]. Mais c'était une route qui n'avait pas de fin, car elle était plus longue que la vie humaine.

Les hommes venaient de l'est, au-delà des montagnes de l'Aadme Rieh, au-delà du Yetti, de Tabelbala. D'autres venaient du sud, de l'oasis d'el Haricha, du puits d'Abd el Malek. Ils avaient marché vers l'ouest, vers le nord, jusqu'aux rivages de la mer, ou bien à travers les grandes mines de sel de Teghaza. Ils étaient revenus, chargés de vivres et de munitions, jusqu'à la terre sainte, la grande vallée de la Saguiet el Hamra, sans savoir vers où ils allaient repartir. Ils avaient voyagé en regardant les chemins des étoiles, fuyant les vents de sable quand le ciel devient rouge et que les dunes commencent à bouger.

Les hommes, les femmes vivaient ainsi, en marchant, sans trouver de repos. Ils mouraient un jour, surpris par la lumière du soleil, frappés par une balle ennemie, ou bien rongés par la fièvre. Les femmes mettaient les enfants au monde, simplement accroupies dans l'ombre de la tente, soutenues par deux femmes, le ventre serré par la grande ceinture de toile. Dès la première minute de leur vie, les hommes appartenaient à l'étendue sans limites, au sable, aux chardons, aux serpents, aux rats, au vent surtout, car c'était leur véritable famille. Les petites filles aux cheveux cuivrés grandissaient, apprenaient les gestes sans fin de la vie. Elles n'avaient pas d'autre miroir que l'étendue fascinante des plaines de gypse[2], sous le ciel uni. Les garçons apprenaient à marcher, à parler, à chasser et à combattre, simplement pour apprendre à mourir sur le sable.

Jean-Marie Gustave LE CLÉZIO, *Désert*, © Éditions Gallimard, 1980.

1. Partie nord du Sahara occidental.
2. Minéral blanc.

Eugène Alexis GIRARDET (1853-1907), *Caravanes dans les dunes de Bou-Saada*, 1895, huile sur toile, 0,66 x 1,08 m (Musée des Beaux-Arts, Nantes).

Un homme différent

LECTURE DU TEXTE

1. Comment le texte dépayse-t-il le lecteur : analysez la description d'un espace sans limite.
2. Montrez, par des relevés lexicaux, que les Touaregs arpentent le monde et qu'ils en éprouvent la rudesse.
3. Comment la dimension lyrique du texte contribue-t-elle à construire une image fascinante de l'ailleurs ?

Fiche 40 **Les registres**

4. Montrez que le voyage des Touaregs est une métaphore de la vie humaine.
5. Pourquoi peut-on dire cependant que la mort domine ici ?
6. SYNTHÈSE Quelle vision du monde et des hommes le texte donne-t-il ?

HISTOIRE DES ARTS

Le tableau de Girardet vous semble-t-il rendre l'atmosphère de paix et de communion avec le désert créée par le texte ? Expliquez.

Fiche 42 Lecture de l'image fixe

VERS LE BAC

Dissertation

L'écrivain et critique Jean-Michel Maulpoix écrit : « Le désert des Touaregs devient par contraste avec celui de la ville un lieu vital, exemplaire, car la liberté humaine y est aussi vaste que l'espace, aussi simple que le sable. » Pensez-vous que le roman ait pour fonction d'opposer aux valeurs du lecteur d'autres mondes ?

Fiche 53 Comprendre un sujet de dissertation

Oral (analyse)

Peut-on dire que le texte de Le Clézio remet en cause notre vision du monde ? Nuancez votre propos.

Fiche 56 Réussir l'épreuve orale du baccalauréat

Oral (entretien)

Le roman peut-il satisfaire le goût d'évasion chez le lecteur et surtout lui donner sens ?

Fiche 56 Réussir l'épreuve orale du baccalauréat

POUR ARGUMENTER QU'EST-CE QU'UN PERSONNAGE « RÉUSSI » ?

Milan Kundera, Le Rideau, 2005

Dans son essai intitulé Le Rideau, *Kundera construit une réflexion sur le roman. En analysant les romans de Franz Kafka (1883-1924), dont l'influence a été majeure sur la littérature du XXe siècle, il s'interroge sur la construction du personnage.*

Franz KAFKA (1883-1924)

Cet écrivain tchèque choisit d'écrire en allemand. Ses personnages se sentent coupables et réduits à rien sans savoir pourquoi. Le plus célèbre d'entre eux, K. dans *La Métamorphose* (1915), se réveille transformé en vermine. Les héros de Kafka sont marqués par la crise et par un univers dont le sens leur échappe.

Les trois romans de Franz Kafka sont trois variantes de la même situation : l'homme entre en conflit non pas avec un autre homme, mais avec un monde transformé en une immense administration. Dans le premier roman (écrit en 1912)[1], l'homme s'appelle Karl Rossmann et le monde est l'Amérique. Dans le deuxième (1917)[2], l'homme s'appelle Joseph K. et le monde est un énorme tribunal qui l'accuse. Dans le troisième (1922)[3], l'homme s'appelle K. et le monde est un village dominé par un château.

Si Kafka se détourne de la psychologie pour se concentrer sur l'examen d'une situation, cela ne veut pas dire que ses personnages ne sont pas psychologiquement convaincants, mais la *problématique* psychologique est passée au second plan : que K. ait eu une enfance heureuse ou triste, qu'il ait été le chouchou de sa maman ou élevé dans un orphelinat, qu'il ait derrière lui un grand amour ou non, cela ne changera rien ni à son destin ni à son comportement. C'est par ce renversement de la problématique, par cette autre façon d'interroger la vie humaine, par cette façon de concevoir l'identité d'un individu que Kafka se distingue non seulement de la littérature passée, mais aussi de ses grands contemporains Proust et Joyce.

[...] Pour qu'un personnage soit « vivant », « fort », artistiquement « réussi », il n'est pas nécessaire de fournir sur lui toutes les informations possibles ; il est inutile de faire croire qu'il est aussi réel que vous et moi ; pour qu'il soit fort et inoubliable, il suffit qu'il emplisse tout l'espace de la situation que le romancier a créée pour lui. (Dans ce nouveau climat esthétique, le romancier se plaît même à rappeler de temps en temps que rien de ce qu'il raconte n'est réel, que tout est son invention – comme Fellini qui, à la fin de *E la nave va*[4], nous fait voir toutes les coulisses et tous les mécanismes de son théâtre des illusions).

Milan KUNDERA, *Le Rideau*, © Éditions Gallimard, 2005.

1. *L'Amérique*, publication posthume en 1927.
2. *Le Procès*, publication posthume en 1925.
3. *Le Château*, publication posthume en 1926.
4. Cinéaste italien qui a choisi de tourner son film *E la nave va* dans des décors de studio mettant en valeur le rêve et l'illusion.

LECTURE DU TEXTE

1. Selon Kundera, comment Kafka envisage-t-il la place de la psychologie des personnages dans l'univers romanesque ?
2. Quel rapport Kafka entretient-il avec le réalisme ?
3. Confrontez ce texte à celui d'Alain Robbe-Grillet, p. 43. Les deux auteurs développent-ils les mêmes arguments ? Aboutissent-ils à la même définition du personnage ?

ÉCRITURE

Argumentation

Comme Kundera, pensez-vous que le lecteur doit tout savoir du personnage pour le comprendre ?

VERS LE BAC

Dissertation

Pour vous, qu'est-ce qu'un personnage de roman « réussi » ? Vous argumenterez en vous appuyant sur des textes du manuel et sur vos lectures.

Histoire littéraire

Le personnage de roman et ses visions du monde

Illustration de Tony JOHANNOT pour *Les Souffrances du jeune Werther* de GOETHE (1749-1832), 1845.

Naissance d'un genre critique

Du Moyen Âge à la Renaissance, les textes de fiction offrent **une représentation idéalisée du monde**. Ainsi, les héros des romans de chevalerie de Chrétien de Troyes servent d'**exemples** pour l'amour, la vie en société et la guerre. Au XVIIe siècle, le roman pastoral (*L'Astrée*, d'Honoré d'Urfé) transfère les **valeurs aristocratiques** au pays de bergers discutant sur l'art d'aimer.

Mais avec *Don Quichotte*, Cervantès invente le **roman moderne** : il refuse l'idéalisation et confronte les fausses représentations (du lecteur ou du héros) à la réalité.

Ex. : *L'idéal chevaleresque de Don Quichotte devient ridicule dans une société qui délaisse la vertu guerrière pour le sens des affaires.*

L'écart avec l'idéal, créant la **dimension critique** du roman, est une constante du genre.

Ex. : *En 1857,* Madame Bovary *de Flaubert* (> p. 30) *reprend ce schéma : les rêves de l'héroïne contrastent avec sa vie réelle de femme mariée à un médecin sans culture.*

Le lecteur découvre alors des individus mis à nu dans leurs conditions, leurs mensonges. Le **roman picaresque**, en premier, montre le monde à travers le regard du *picaro*, type du marginal voyageant à l'aventure. Son point de vue contredit discours officiels et vérités établies. Ainsi naît le **réalisme satirique**, dénonçant les défauts et ridicules de la société. Ce regard « démystifiant » est à l'œuvre chez Lesage (*Histoire de Gil Blas de Santillane*, 1715-1735), Marivaux (*La Vie de Marianne*, 1731-1742, *Le Paysan parvenu*, 1734-1735, > p. 26) ou Montesquieu (*Les Lettres Persanes*, 1721, > p. 70).

Le roman au XVIIIe siècle

Les lecteurs du XVIIIe siècle se passionnent pour des **personnages à la sensibilité tourmentée**, dont le naturel se heurte à l'artifice social.

Ex. : *Les personnages de l'abbé Prévost adoptent un ton pathétique pour décrire les chocs affectifs d'une sensibilité extraordinaire.* La Nouvelle Héloïse *(1761), de Rousseau, racontant un amour socialement impossible entre Saint-Preux et Julie, expose avec lyrisme le tragique de l'existence.*

Les **excès du pathos** menacent d'envahir le roman : malédiction, déluge de larmes, attitudes excessives. Le roman épistolaire, en croisant plusieurs points de vue, permet de ne pas s'enfermer dans la vision d'un seul personnage.

Ex. : *Dans* Les Liaisons dangereuses *(1782), Laclos oppose libertinage cynique et sensibilité trop naïve* (> p. 82).

Affrontements et révoltes romantiques

René (Chateaubriand, 1802, > p. 74), Octave (Musset, *La Confession d'un enfant du siècle*, 1836), Delphine (Mme de Staël, 1802, > p. 72) donnent une grandeur à la **sensibilité douloureuse** : ils vivent dans l'insatisfaction de leurs rêves et la déception que la vie réelle leur inflige. Le ton employé va **du pathétique au lyrisme tragique**. Il caractérise une vision du monde qui devient un rapport au destin.

La seconde génération romantique (Balzac, Hugo) propose des **personnages héroïques** tranchant avec la médiocrité bourgeoise. Ils choisissent de vivre à travers les **mythes de la démesure** : Napoléon, Faust...

Ex. : *Stendhal donne à Julien Sorel la force de la révolte* (> p. 84).

Dans *La Comédie humaine,* les héros recherchent, par la philosophie, l'art voire l'alchimie, le pouvoir de **dominer le monde**.

Ex. : *Raphaël de Valentin accède à la richesse grâce à un talisman, la peau de chagrin. Rastignac (*Le Père Goriot, *1835) part à la conquête de Paris, comme Napoléon.*

Le **roman social** adopte le point de vue des milieux marginaux.

Ex. : *Dans* Les Misérables *(1862,* > p. 76*), la misère de Jean Valjean ou de Cosette est une traversée de la nuit, une descente aux Enfers suivies d'une rédemption.*

Cette vision singulière du monde, en rupture avec l'idéologie bourgeoise dominante, veut être partagée. Dans *Germinal* (1885), Zola transforme la colère des mineurs en révolte des opprimés.

La fête du roman

Les horreurs de la première guerre mondiale ont mis à mal les valeurs traditionnelles. Les romanciers des années 1920-1930 **libèrent leurs personnages** des préjugés sociaux, moraux et artistiques. Le personnage de l'adolescent, s'opposant au monde des adultes, entre en scène grâce à Radiguet (*Le Diable au corps*, 1923, *Le Bal du comte d'Orgel*, 1924, > p. 86), Colette (*Le Blé en herbe*, 1923) et Aragon (*Les Beaux Quartiers*, 1936). Gide prolonge cette faille : *Les Faux Monnayeurs* (1925) dénoncent les **fausses valeurs** de la société et font découvrir la **libre détermination** de la pensée, du corps et de la sexualité.

- En s'opposant à la morale bourgeoise, certains romans **réenchantent la vision du monde** : du roman surréaliste (Aragon) jusqu'aux récits de Boris Vian (*L'Écume des jours*, 1947), la **fantaisie** et le **goût de la fête** l'emportent sur les conventions sociales.

Ex. : Le Diable au corps *(1923) présente la guerre des adultes comme « quatre ans de grandes vacances » pour les plus jeunes.*

- Une **vision poétique du monde** s'affirme aussi. Le personnage se confond avec une poésie de la ville, désolée chez Céline, ou merveilleuse chez Aragon. Le héros surréaliste accède à un monde tissé **de rêve, d'insolite, de bizarre**. Aussi, le roman autobiographique *Nadja* (1928) suit-il le délire poétique de son personnage principal.

Affiche du film *Fantomas*, 1913.

Le **roman populaire**, comme *Fantômas* (1909), exploite cette poésie de l'espace urbain, traversé par la lutte fantastique entre l'homme aux mille masques et les représentants du pouvoir.

De l'absurde à l'engagement

- La **crise des valeurs sociales et politiques** de 1914 aux années 1930 favorise cette interrogation.

Ex. : *Le texte le plus emblématique de l'absurdité existentielle est* L'Étranger *de Camus (1942,* > p. 88*). Le point de vue de Meursault, antihéros hors des codes et valeurs de la société, questionne le lecteur. La crise existentielle du personnage donne naissance à des visions du monde contrastées : traversée du dégoût chez Céline (*Voyage au bout de la nuit, *1932* > p. 59*), tragique chez Malraux (*La Condition humaine, *1933), univers absurdes chez Sartre et Camus.*

Ex. : *La* Métamorphose *(1915) de Kafka, traduite par A. Vialatte, révèle l'univers absurde d'un personnage dont on devine sans en avoir la certitude qu'il est un cafard.*

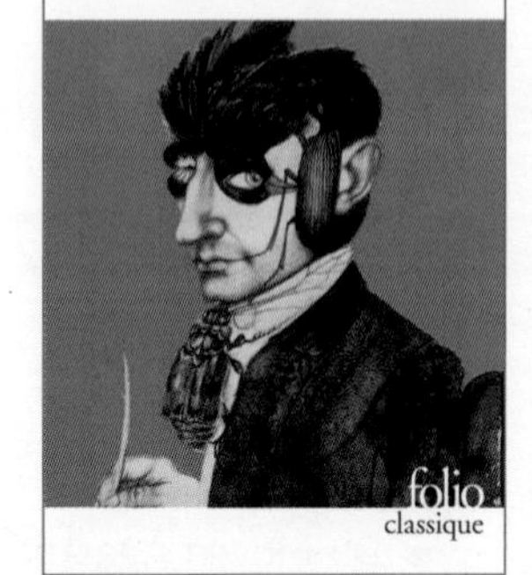

Couverture pour l'édition de *La Métamorphose* de Franz KAFKA, 1915, © Éditions Gallimard, 2008.

- Les auteurs emblématiques de l'après-guerre (Malraux, Sartre, Camus) font évoluer leur personnage : conscient de l'**absurdité du monde**, il choisit néanmoins de **se révolter** et de **s'engager**. Sa vie retrouve alors un sens. Les héros de Malraux (*La Condition humaine*, *L'espoir*, 1937) trouvent ainsi les chemins de la **fraternité**.

Ex. : *Dans* La Peste (>p. 301), *Albert Camus délivre un message humaniste par l'intermédiaire de son héros confronté à l'absurdité de la mort massive causée par l'épidémie de peste.*

La nature constitue aussi une voie d'accomplissement. Les romans de Giono substituent au monde urbain une nature puissante, parfois inquiétante. Albert Camus soulage son inquiétude en peignant avec **sensualité** le monde méditerranéen.

Nouveaux horizons

- Le personnage du **Nouveau Roman** (années 1950) n'est qu'un regard enregistrant les faits de façon neutre, en se focalisant sur certains objets (*La Jalousie* d'Alain Robbe-Grillet, en 1957, est une « fenêtre »). **Dépouillé de toute psychologie**, l'univers est révélé dans son insignifiance.
Le roman approfondit la **rupture** avec les valeurs traditionnelles.

Ex. : *Contre l'idéologie du progrès, Michel Tournier fait régresser son Robinson jusqu'à l'enfance (*Vendredi ou les limbes du Pacifique, *1967,* > p. 104, 320*). Aux valeurs occidentales, J.-M. G. Le Clézio oppose un ailleurs, celui des civilisations sud-américaines et africaines (*Désert, *1980,* > p. 90*).*

- À partir des années 1980, la chute de l'Union soviétique et la dureté du modèle capitaliste distillent le **doute sur les grandes idéologies**, motivant une vision du monde moins dogmatique, plus distanciée. On parle de « littérature post-moderne ». Le récit devient souvent celui d'une **conscience ironique** (Jean Echenoz).
L'essor des nouvelles technologies et de l'individualisme appelle à interroger l'envahissement de l'économie dans la vie quotidienne. C'est ce que fait Michel Houellebecq dans *Les Particules élémentaires* (1998) ou *La Carte et le territoire* (2010).

Laurent Gaudé
La Mort du roi Tsongor 2002

Objectifs

- Étudier les figures du héros
- Analyser les registres épique et tragique dans le roman

À Massaba, dans une Antiquité imaginaire, le vieux roi Tsongor a promis d'offrir sa vie au guerrier Katabolonga, dont il a massacré le peuple, quand celui-ci le demanderait. L'heure est venue. Le roi espère secrètement que sa mort entraînera une période de deuil propice à l'apaisement de tensions qui s'exacerbent : deux rivaux, Kouame, le prince des terres de sel, et Sango Kerim, le garçon adopté par la famille royale, veulent en effet s'affronter pour obtenir la main de Samilia, la princesse. Cet ultime sacrifice permettra-t-il d'éviter la guerre ?

Chronologie

1972	Naissance de Laurent Gaudé.
1997	Première pièce de théâtre, *Onysos le Furieux*, monologue épique, créée au Théâtre National de Strasbourg (2000).
1999	Première publication : *Combats de possédés* (théâtre).
2000	Premier roman, *Cris*.
2002	*La Mort du roi Tsongor* (roman), Prix Goncourt des lycéens.
2004	*Les Sacrifiés* (théâtre) et Le *Soleil des Scorta* (roman), Prix Goncourt et Prix des Libraires.
2006	*Eldorado* (roman).
2007	*Dans la nuit Mozambique* (nouvelles).
2010	*Ouragan* (roman).

TEXTES ÉCHOS

J. GIONO, *Un roi sans divertissement* > p. 78
J.-M. G. LE CLÉZIO, *Désert* > p. 90
ESCHYLE, *Agamemnon* > p. 154
HOMÈRE, *Iliade* > p. 410

Histoire littéraire p. 93

Entrée dans l'œuvre : l'épopée au cœur du roman

Photogramme du film italien *Scipion l'Africain* de Carmine GALLONE (1937).

Analysez la construction de l'image extraite du film de Carmine Gallone. Comment met-elle en scène la grandeur héroïque de l'Antiquité dont rêve Laurent Gaudé dans son roman ?

Interrogé sur son écriture à l'occasion de la sortie de son roman *La Porte des Enfers* en 2008, Laurent Gaudé revendique une inspiration marquée par « l'énergie de l'épopée ou de la tragédie ». Les deux genres remontent à l'Antiquité. L'épopée est avant tout le récit d'**exploits guerriers** et exalte les valeurs d'un peuple à travers ses héros tout-puissants. Elle est composée en vers bien scandés, traversée d'images et de rythmes obsédants pour mieux être retenue et devenir ainsi la mémoire d'un peuple.

La tragédie est la mise en scène d'une parole singulière qui déploie la **violence des passions** humaines pour provoquer chez le spectateur la « terreur et la pitié », selon Aristote (IVe siècle av. J.-C.).

1. @ RECHERCHE Cherchez dans votre manuel un extrait d'une épopée, puis d'une tragédie. Quelles sont leurs caractéristiques essentielles ?
2. Aux origines, les épopées étaient récitées, psalmodiées avec énergie pour que les exploits héroïques marquent les mémoires. Comment L. Gaudé travaille-t-il ses monologues pour leur donner cette même force ? Vous vous appuierez, par exemple, sur les monologues du roi Tsongor (p. 20, 38 et 48, éd. Actes Sud).
3. SYNTHÈSE Pourquoi *La Mort du roi Tsongor* peut-il provoquer la « terreur et la pitié » chez le lecteur ?

VERS LE BAC

Dissertation

Selon vous, pour quelles raisons le thème de la vengeance est-il romanesque ? Vous appuierez votre réponse sur la lecture de *La Mort du roi Tsongor*, ainsi que sur d'autres œuvres que vous avez lues.

EXTRAIT 1 — Une Antiquité imaginaire

TEXTE ÉCHO
> **J.-M. G. Le Clézio,** *Désert* **p. 90**

- Analysez les procédés propres à la description : pourquoi le jour qui s'annonce est-il extraordinaire ?
- Comment le texte exprime-t-il la liesse qui touche Massaba ?
- Comment cet *incipit* met-il en place un décor antique, digne de *Salammbô*, adapté par Druillet ?
- Lisez le texte écho : les deux extraits présentent-ils des univers communs ? Argumentez.

Le roman s'ouvre sur une journée de liesse : les préparatifs s'accélèrent dans la ville de Massaba pour préparer le mariage de la fille du roi Tsongor.

D'ordinaire, Katabolonga était le premier à se lever dans le palais. Il arpentait les couloirs vides tandis qu'au-dehors la nuit pesait encore de tout son poids sur les collines. Pas un bruit n'accompagnait sa marche. Il avançait sans croiser personne, de sa chambre à la salle du tabouret d'or[1]. Sa silhouette était celle d'un être vaporeux qui glissait le long des murs. C'était ainsi. Il s'acquittait de sa tâche, en silence, avant que le jour ne se lève.

Mais ce matin-là, il n'était pas seul. Ce matin-là, une agitation fiévreuse régnait dans les couloirs. Des dizaines et des dizaines d'ouvriers et de porteurs allaient et venaient avec précaution, parlant à voix basse pour ne réveiller personne. C'était comme un grand navire de contrebandiers qui déchargeait sa cargaison dans le secret de la nuit. Tout le monde s'affairait en silence. Au palais de Massaba, il n'y avait pas eu de nuit. Le travail n'avait pas cessé.

Depuis plusieurs semaines, Massaba était devenue le cœur anxieux d'une activité de fourmis. Le roi Tsongor allait marier sa fille avec le prince des terres du sel. Des caravanes entières venaient des contrées les plus éloignées pour apporter épices, bétail et tissus. Des architectes avaient été diligentés[2] pour élargir la grande place qui s'étendait devant la porte du palais. Chaque fontaine avait été décorée. De longues colonnes marchandes venaient apporter des sacs innombrables de fleurs. Massaba vivait à un rythme qu'elle n'avait jamais connu. Au fil des jours, sa population avait grossi. Des milliers de tentes, maintenant, se tenaient serrées le long des remparts, dessinant d'immenses faubourgs de tissu multicolores où se mêlaient le cri des enfants qui jouaient dans le sable et les braiments du bétail. Des nomades étaient venus de loin pour être présents en ce jour. Il en arrivait de partout. Ils venaient voir Massaba. Ils venaient assister aux noces de Samilia, la fille du roi Tsongor.

Laurent GAUDÉ, *La Mort du roi Tsongor*, Chapitre I, © Actes Sud, 2002, p. 11-12.

1. Katabolonga est le plus proche serviteur du roi. Dernier des guerriers à l'avoir affronté, Tsongor lui a accordé sa confiance en lui confiant la charge du tabouret d'or, trône du roi.
2. Missionnés.

Illustration de Philippe DRUILLET pour *Salammbô : L'intégrale*, de Gustave FLAUBERT, Éd. Glénat, 2010.

EXTRAIT 2 La mort d'un roi

TEXTES ÉCHOS

> **Eschyle,** *Agamemnon* **p. 154**
> **J. Giono,** *Un roi sans divertissement* **p. 78**

- Comment l'auteur donne-t-il à voir la violence de la scène ?
- Analysez les réactions de Katabolonga. Pourquoi est-il victime d'un dilemme ?
- Pourquoi peut-on qualifier ce passage de tragique ? Justifiez.
- Lisez les textes échos : pourquoi la mort des personnages est-elle troublante pour le lecteur ?

Le roi Tsongor et Katabolonga sont liés par un serment ancien : le fidèle serviteur, dernier guerrier à avoir affronté le roi alors jeune et conquérant, pourra disposer de sa vie quand il le voudra. Désespéré par l'affrontement qui se prépare entre Kouame, à qui il a promis sa fille, et Sango Kerim, à qui celle-ci a promis fidélité dans l'enfance, Tsongor demande à son ami de le tuer. Celui-ci n'y parvient pas.

[Katabolonga] laissa tomber le poignard à ses pieds. Il se tenait là, les bras ballants, incapable de rien faire. Le roi Tsongor aurait voulu étreindre son vieil ami, mais il ne le fit pas. Il se baissa, rapidement, prit le couteau et, sans que Katabolonga ait le temps de comprendre, il s'entailla les veines de deux gestes coupants. Des poignets du roi coulait un sang sombre qui se mêlait à la nuit. La voix du roi Tsongor retentit à nouveau. Calme et douce.

« Voilà. Je meurs. Tu vois. Cela mettra un peu de temps. Le sang s'écoulera hors de moi. Je resterai ici jusqu'à la fin. Je meurs. Tu n'as rien fait. Maintenant, je te demande un service. » Tandis qu'il parlait, son sang continuait à se répandre. Une flaque, déjà, coulait à ses pieds. « Le jour va se lever. Regarde. Il ne tardera pas. La lumière paraîtra sur la cime des collines avant que je sois mort. Car il faut du temps pour que mon sang coule hors de moi. Des gens accourront. On se précipitera sur moi. J'entendrai, dans mon agonie, les cris de mes proches et le vacarme lointain des armées impatientes. Je ne veux pas cela. La nuit va finir. Et je ne veux pas aller au-delà. Mais le sang coule lentement. Tu es le seul, Katabolonga. Le seul à pouvoir faire cela. Il ne s'agit plus de me tuer. Je l'ai fait pour toi. Il s'agit de m'épargner ce nouveau jour qui se lève et dont je ne veux pas. Aide-moi. »

Katabolonga pleurait toujours. Il ne comprenait pas. Il n'avait plus le temps de penser. Tout se bousculait en lui. Il sentait le sang du roi lui baigner les pieds. Il entendait sa voix douce couler en lui. Il entendait un homme qu'il aimait le supplier de l'aider. Il prit délicatement le poignard des mains du roi. La lune brillait de ses dernières lueurs. D'un geste brusque, il planta le poignard dans le ventre du vieillard. Il retira son arme. Et porta un nouveau coup. Le roi Tsongor eut un hoquet et s'affaissa. Le sang, maintenant, s'échappait de son ventre. Il était couché dans une flaque noire qui inondait la terrasse. Katabolonga s'agenouilla, prit la tête du roi sur ses genoux. Dans un dernier moment de lucidité, le roi Tsongor contempla le visage de son ami. Mais il n'eut pas le temps de dire merci. La mort, d'un coup, lui fit chavirer les yeux. Il se figea dans une dernière contraction des muscles et resta ainsi, la tête renversée, comme s'il voulait boire l'immensité. Le roi Tsongor était mort. Katabolonga entendit, dans le trouble de son esprit, des voix lointaines rire en lui. C'étaient les voix vengeresses de la vie d'autrefois. Elles lui murmuraient dans sa langue maternelle qu'il avait vengé ses morts et qu'il pouvait être fier de cela. Le corps du roi était sur ses genoux. Raidi dans la mort. Alors, dans les dernières minutes de cette grande nuit de Massaba, Katabolonga hurla.

Laurent GAUDÉ, *La Mort du roi Tsongor*, Chapitre I, © Actes Sud, 2002, p. 48-49.

EXTRAIT 3

Le souffle épique

TEXTE ÉCHO 

> Homère, *Iliade* p. 410

Après la mort du roi, ses fils jumeaux se déchirent. L'aîné, Sako, décide de rallier Kouame avec un autre de ses frères, Liboko. Le second jumeau, Danga, rejoint Sango Kerim avec sa sœur Samilia. Dès lors, les deux camps se livrent une guerre sans merci.

La bataille s'engagea et à nouveau, ce furent les cris d'hommes blessés, les hurlements poussés pour se donner du courage, les appels à l'aide, les insultes et le cliquetis des armes. À nouveau la sueur perla sur les fronts. L'huile ruissela sur les corps. Des cadavres cloqués gisaient au pied des murailles.

Les cendrés[1] se ruèrent sur la porte de la Chouette[2] comme des ogres. Ils étaient une cinquantaine mais rien ne semblait pouvoir leur résister. Ils éventrèrent les tenants de la porte cloutée et écrasèrent les gardes surpris de se trouver face à de tels géants. Pour la seconde fois, les nomades pénétrèrent dans Massaba, et pour la seconde fois la panique gagna les rues de la ville. La nouvelle courut de maison en maison. Que les cendrés avançaient. Qu'ils tuaient tout sur leur passage. Lorsqu'elle parvint jusqu'à lui, le jeune Liboko se précipita au-devant des ennemis. Une poignée d'hommes de la garde spéciale de Tsongor le suivit. La rage illuminait son visage. Ils tombèrent sur la troupe des cendrés au moment où ces derniers envahissaient la place de la Lune – une petite place où se réunissaient autrefois les diseurs de bonne aventure et où bruissait, les nuits d'été, le doux murmure des fontaines. Liboko, comme un démon, se rua sur l'ennemi. Il perça des ventres, sectionna des membres. Il transperça des torses et défigura des hommes. Liboko se battait sur son sol, pour défendre sa ville et l'ardeur qui l'animait semblait ne jamais devoir le quitter. Il frappait sans cesse. Éventrant les lignes ennemies de toute sa fureur. Les ennemis tombaient à la renverse sous la force de ses charges. Soudain, il suspendit son bras. Un homme était à ses pieds. Là. À sa merci. Il pouvait lui fendre le crâne mais ne le faisait pas. Il resta ainsi. Le bras suspendu. Un temps infini. Il avait reconnu son ennemi. C'était Sango Kerim. Leurs yeux se croisèrent. Liboko regardait le visage de cet homme qui, pendant si longtemps, avait été son ami. Il ne pouvait se résoudre à frapper. Il sourit doucement. C'est alors qu'Orios s'élança. Il avait vu toute la scène. Il voyait que Sango Kerim pouvait mourir à tout moment. Il n'hésita pas et de tout le poids de sa masse, écrasa le visage de Liboko. Son corps s'affaissa. La vie, déjà, l'avait quitté. Un puissant grognement de satisfaction sortit de la poitrine d'Orios. Sango Kerim, abattu, s'effondra à genoux. Il lâcha ses armes, enleva son casque et prit dans ses bras le corps de celui qui n'avait pas voulu le tuer. Son visage était un cratère de chair. Et c'est en vain que Sango Kerim y cherchait le regard qu'il avait croisé quelques secondes auparavant. Il pleurait sur Liboko tandis que la bataille faisait rage autour de lui. La garde spéciale avait assisté à la scène et une fureur profonde souleva les hommes. Ils poussèrent de toutes leurs forces les cendrés. Ils voulaient récupérer le corps de leur chef. Ne pas l'abandonner à l'ennemi. Ils voulaient l'enterrer avec ses armes auprès de son père.

Laurent GAUDÉ, *La Mort du roi Tsongor*, Chapitre IV, © Actes Sud, 2002, p. 126-128.

- Analysez les procédés propres au registre épique dans ce passage. Quelle valeur symbolique la porte prend-elle (lignes 6 à 10) ?
- En quoi le personnage de Liboko est-il un héros tragique ? Argumentez.
- Lisez le texte écho : pourquoi peut-on dire que Laurent Gaudé s'est inspiré de l'épopée antique ? Justifiez.

1. Troupe d'hommes issus d'un peuple sauvage. Ils sont dévoués à Sango Kerim.
2. Une des portes de la ville.

Les sources littéraires de l'œuvre

*L'*Iliade *relate un épisode de la guerre qui oppose la cité de Troie aux Achéens. Hector est le chef des Troyens, tandis qu'Achille est le héros des Achéens. Ils s'affrontent dans un combat sans merci.*

[Hector] tira le glaive acéré qui, grand et fort, s'allongeait sous son flancs ; puis, se ramassant sur lui-même, il l'élança comme l'aigle qui, volant du haut des airs, fond dans la plaine à travers les nuées ténébreuses pour se saisir d'une tendre agnelle ou d'un lièvre blotti. De la même façon s'élança Hector, en brandissant son glaise acéré. [...] Tel l'astre qui s'avance au milieu d'autres astres au plus fort de la nuit : Vesper[1], le plus bel astre qui ait sa place au ciel ; tel luisait la lance bien aiguisée qu'Achille brandissait de sa droite, en méditant la perte du divin Hector, et en cherchant sur sa belle chair l'endroit où elle serait le plus pénétrable. Or les belles armes de bronze dont il avait, après l'avoir tué, dépouillé par violence le vigoureux Patrocle[2], garantissaient sa chair de toutes parts ; elle n'apparaissait qu'au seul point où les clavicules séparent le col des épaules, au creux de la gorge, où se perd le plus rapidement le souffle de la vie. Ce fut donc là que le divin Achille poussa sa pique contre l'ardent Hector. Son cou délicat fut de part en part traversé par la pointe [...].

HOMÈRE, *Iliade*, chant XXII, vers 850-750 av. J.-C., traduction de Mario Meunier, Albin Michel,1956.

1. La planète Vénus, lorsqu'elle apparaît le soir.
2. Achéen, ami d'Achille.

1. Étudiez le registre épique de ce passage.
2. Lisez l'extrait 3, p. 99. Montrez que l'on retrouve le même souffle épique dans le combat à mort des deux ennemis.

La réception de l'œuvre

La Mort du roi Tsongor *a donné lieu à une adaptation théâtrale sous la direction de Charlie Brozzoni, qui a régulièrement mis en scène des pièces de Laurent Gaudé. Dans sa « note d'intention », il explique ses motivations.*

L'histoire est simple et belle, elle m'a bouleversé par la force de sa narration et la clarté de sa langue, par la puissance suggestive des mots et leur souffle inaltéré, par ses personnages partagés entre l'ivresse de la guerre et les remords de la sagesse.

C'est un drame antique qui se déroule au cœur d'un continent non localisé, dans des paysages gigantesques, des plaines poussiéreuses, des montagnes vertigineuses, des cimetières marins, des palais somptueux, des catacombes obscures, à dos d'éléphant, de chameau, de cheval, à dos d'âne aussi. Voyage initiatique qui réconcilie les forces opposées qui font notre humanité. Des hommes s'entretuent au nom d'une femme, disent-ils. Mais peu à peu, les masques tombent et les cadavres dessinent le chemin douloureux qui mène à la vérité, et donc à la libération.

Charlie BROZZONI, Note d'intention pour l'adaptation de *La Mort du roi Tsongor*, 2008. Source : www.theatre-contemporain.net

1. Qu'est-ce qui a motivé chez Charlie Brozzoni la volonté d'adapter le roman au théâtre ?
2. *La Mort du roi Tsongor* donne-t-elle à lire un parcours initiatique ? Vous répondrez en vous fondant notamment sur le personnage de Souba.

VERS LE BAC

Invention

Cinéaste, vous souhaitez adapter *La Mort du roi Tsongor*. Vous rédigerez une lettre que vous adresserez à Laurent Gaudé. Analyse du roman à l'appui, vous chercherez à le convaincre que le grand écran rendra le souffle épique et tragique de son écriture.

Récit des origines

Une Antiquité recréée

1. Sur son site Internet, Laurent Gaudé présente ainsi l'Antiquité imaginaire qu'il construit dans ses romans :

« Mon Antiquité n'existe pas. Il n'y a aucune terre que je puisse fouiller avec un désir d'archéologue et qui me dévoilerait les vestiges que je cherche. C'est un espace imaginaire où la vieille Hécube côtoie les conteurs bambara, où le trésor de Priam a la couleur du sable de Palmyre, où le taureau noir aux longues cornes du Musée d'Athènes est un bijou de Nabuchodonosor, roi de Babylone. Je suis lié à cette terre, parce que j'y crois. »

Source : www.laurent-gaude.com

Comment la mémoire et l'imagination ont-elles permis à L. Gaudé de créer son propre univers ?

2. Observez la représentation de l'Orient par le peintre écossais David Roberts. Quelle image nous donne-t-il de « son » Antiquité ?

Conflit des origines

3. @RECHERCHE Cherchez les causes de la guerre de Troie et le nom de ses principaux acteurs dans l'*Iliade* d'Homère. Pourquoi peut-on dire que le conflit de *La Mort du roi Tsongor* s'en inspire ? De quels personnages pourrait-on rapprocher Kouame, Sango Kerim et Samilia ? Expliquez.

4. @RECHERCHE Dans la mythologie grecque, quel est le destin d'Antigone, Polynice et Étéocle, enfants du roi légendaire Œdipe ? Pourquoi de nombreux récits des origines mettent-ils en scène le combat à mort de frères jumeaux ? Proposez trois hypothèses.

La guerre et ses raisons

5. Pour quelles raisons Kouame et Sango Kerim réclament-ils tous deux de se marier avec Samilia ? Pourquoi chacun des deux est-il dans son bon droit ?

6. Dans le roman, pour quelles raisons et comment Tsongor a-t-il conquis autant de territoires ?

7. La guerre qui s'abat sur les enfants du roi Tsongor était-elle évitable ? Pourquoi est-elle un châtiment hérité de leur père ?

8. Lisez cet extrait de *La Guerre de Troie n'aura pas lieu*, de Jean Giraudoux. Quelle conception de l'homme se dégage de la réplique de Priam ?

Dans la scène 6 de l'acte I, Andromaque, la femme d'Hector, proteste contre la guerre qui s'annonce. Le roi Priam la justifie.

PRIAM – Je ne le veux pas, ma petite chérie. Mais savez-vous pourquoi vous êtes là, toutes si belles et si vaillantes ? C'est parce que vos maris et vos pères et vos aïeux furent des guerriers. S'ils avaient été paresseux aux armes, s'ils n'avaient pas su que cette occupation terne et stupide qu'est la vie se justifie soudain et s'illumine par le mépris que les hommes ont d'elle, c'est vous qui seriez lâches et réclameriez la guerre. Il n'y a pas deux façons de se rendre immortel ici-bas, c'est d'oublier qu'on est mortel.

Jean GIRAUDOUX, *La Guerre de Troie n'aura pas lieu*, Acte I, scène 6, 1935 © Éditions Grasset.

9. En quoi le roman de Laurent Gaudé pourrait-il faire écho à cette affirmation de Priam ? Argumentez.

David ROBERTS (1796-1864), *L'Exode des israélites d'Égypte*, 1830.

FICHE DE LECTURE 2

Des destins tragiques

Les « sept visages du roi Tsongor »

1. Pour quelles raisons le roi Tsongor choisit-il de mourir au début du roman ? (voir l'extrait 2, p. 98 du manuel)

2. Pourquoi le jeune Souba doit-il construire sept tombeaux en l'honneur de son père ? De quoi chacun de ces sept monuments est-il symbolique ?

3. Relisez le dénouement du roman : en quoi la quête des sept tombeaux lance-t-elle Souba dans un voyage initiatique ? Dans quelle mesure ce parcours permet-il à Tsongor de se racheter de ses crimes antérieurs ?

4. Pourquoi le personnage de Katabolonga représente-t-il la mauvaise conscience de Tsongor ? (voir l'extrait 2, p. 98 du manuel)

La force du destin

Dans le chapitre « L'Oubliée », le narrateur nous donne accès aux pensées de Samilia, la fille du roi Tsongor :

« Je n'ai pas su choisir, pensa-t-elle. Ou je me suis trompée. J'ai choisi le passé et l'obéissance. J'ai fait taire le désir que j'avais en moi. Et j'ai rejoint Sango Kerim, par fidélité. Mais la vie exigeait Kouame. Non. Ce n'est pas cela. Si j'avais choisi Kouame, je serais en train de pleurer sur Sango Kerim. Ce n'est pas cela. Il n'y a pas de choix possible. J'appartiens à deux hommes. Oui. Je suis aux deux. C'est mon châtiment. Il n'y a pas de bonheur pour moi. Je suis aux deux. Dans la fièvre et le déchirement. C'est cela. Je ne suis rien que cela. Une femme de guerre. Malgré moi. Qui ne fait naître que la haine et le combat »

Laurent GAUDÉ, *La Mort du roi Tsongor*,
Chapitre V, © Actes Sud, 2002, p. 145.

5. Montrez sur quelles oppositions les sentiments de Samilia reposent. Comment le personnage résout-il le dilemme qui l'étreint dans cet extrait ?

6. @RECHERCHE Cherchez qui est le personnage de Phèdre chez Racine. Quels sont ses traits communs avec Samilia ?

7. SYNTHÈSE Pourquoi peut-on dire que Samilia est à la fois victime et coupable du drame qui se joue ? Argumentez.

L'humaine condition

8. Les personnages de *La Mort du roi Tsongor* sont-ils ou non responsables de leurs propres malheurs ? Nuancez votre propos.

9. Étudiez le personnage de Katabolonga : pourquoi est-il à la fois épique et tragique ?

10. En quoi le conflit opposant les deux jumeaux Sako et Danga est-il représentatif de la petitesse de l'homme ?

11. En vous appuyant sur l'exemple de Tsongor, montrez que le roman met au jour les ambiguïtés de l'homme, à la fois grand, mais aussi méprisable (voir l'extrait 3, p. 99 du manuel). Argumentez.

Masque de la société Manjong (Bamenda, Cameroun), 31,5 x 21 x 12,5 cm (Musée du Quai Branly, Paris).

VERS LE BAC

Invention

12. En vous inspirant du masque africain, rédigez le portrait du roi Tsongor. En une quarantaine de lignes, celui-ci évoquera un physique adapté au combat, en accord avec la puissance intérieure du personnage.

Oral (entretien)

13. Pourquoi l'écriture épique est-elle particulièrement bien adaptée au roman ? Vous vous appuierez sur votre lecture de *La Mort du roi Tsongor*.

Corpus : « Le récit poétique »

1 **Victor HUGO,** *Les Travailleurs de la mer,* 1866
2 **Michel TOURNIER,** *Vendredi ou les limbes du Pacifique,* 1967
3 **Julien GRACQ,** *La Presqu'île,* 1970
4 **Victor HUGO,** *Ma Destinée,* 1857

1 Victor HUGO, *Les Travailleurs de la mer,* 1866

Le héros Gilliatt va rechercher un navire « la Durande » qui s'est brisé sur un écueil appelé les Douvres. L'action se passe dans les îles anglo-normandes, près de Guernesey.

1 Gilliatt se déchaussa, sauta pieds nus sur le goémon[1], et amarra la panse à une pointe de rocher.

Puis il s'avança le plus loin qu'il put sur l'étroite corniche de granit, parvint sous la Durande, leva les yeux et la considéra.

5 La Durande était saisie, suspendue et comme ajustée entre les deux roches à vingt pieds environ au-dessus du flot. Il avait fallu pour la jeter là une furieuse violence de la mer.

[...]

Le navire, arraché aux vagues, avait été en quelque sorte déraciné de 10 l'eau par l'ouragan. Le tourbillon de vent l'avait tordu, le tourbillon de mer l'avait retenu, et le bâtiment, ainsi pris en sens inverse par les deux mains de la tempête, s'était cassé comme une latte. L'arrière, avec la machine et les roues, enlevé hors de l'écume et chassé par toute la furie du cyclone dans le défilé des Douvres, y était entré jusqu'au maître-bau[2], et était demeuré là. 15 Le coup de vent avait été bien assené ; pour enfoncer ce coin entre ces deux rochers, l'ouragan s'était fait massue. L'avant, emporté et roulé par la rafale, s'était disloqué sur les brisants.

La cale défoncée avait vidé dans la mer les bœufs noyés.

Un large morceau de la muraille de l'avant tenait encore à l'arrière et 20 pendait aux porques[3] du tambour de gauche par quelques attaches délabrées, faciles à briser d'un coup de hache.

On voyait çà et là dans les anfractuosités[4] lointaines de l'écueil des poutres, des planches, des haillons de voiles, des tronçons de chaînes, toutes sortes de débris, tranquilles sur les rochers.

25 Gilliatt regardait avec attention la Durande. La quille faisait plafond au-dessus de sa tête.

L'horizon, où l'eau illimitée remuait à peine, était serein. Le soleil sortait superbement de cette vaste rondeur bleue.

De temps en temps une goutte d'eau se détachait de l'épave et tombait 30 dans la mer.

Victor HUGO, *Les Travailleurs de la mer,* 1866.

1. Mélange d'algues.
2. Pièce de bois placée à la plus grande largeur du navire.
3. Pièce courbe qui renforce la structure du navire.
4. Creux, enfoncements irréguliers et sinueux.

2 Michel TOURNIER, *Vendredi ou les limbes du Pacifique,* 1967

Comme dans le roman de Daniel Defoe, Robinson Crusoé échoue sur une île qu'il baptise Speranza *(Espérance). L'expérience de la solitude absolue est d'abord celle de la survie, puis elle permet au héros de retrouver un état primitif, antérieur à toute forme de civilisation.*

Il[1] s'endormit. Quand il rouvrit les yeux et se laissa rouler sur le dos, le soleil déclinait. Le vent passa dans les herbes avec une rumeur miséricordieuse. Trois pins nouaient et dénouaient fraternellement leurs branches dans de grands gestes apaisants. Robinson sentit son âme légère s'envoler vers une lourde nef de nuages qui croisait dans le ciel avec une majestueuse lenteur. Un fleuve de douceur coulait en lui. C'est alors qu'il eut la certitude d'un changement, dans le poids de l'atmosphère peut-être, ou dans la respiration des choses. Il était dans l'*autre île*, celle qu'il avait entrevue une fois et qui ne s'était plus montrée depuis. Il sentait, comme jamais encore, qu'il était couché sur l'île, comme sur quelqu'un, qu'il avait le corps de l'île sous lui. C'était un sentiment qu'il n'avait jamais éprouvé avec cette intensité, même en marchant pieds nus sur la grève, si vivante pourtant. La présence presque charnelle de l'île contre lui le réchauffait, l'émouvait. Elle était nue, cette terre qui l'enveloppait. Il se mit nu lui-même. Les bras en croix, le ventre en émoi, il embrassait de toutes ses forces ce grand corps tellurique[2], brûlé toute la journée par le soleil et qui libérait une sueur musquée dans l'air plus frais du soir. Son visage fermé fouillait l'herbe jusqu'aux racines, et il souffla de la bouche une haleine chaude en plein humus. Et la terre répondit, elle lui renvoya au visage une bouffée surchargée d'odeurs qui mariait l'âme des plantes trépassées et le remugle[3] poisseux des semences, des bourgeons en gestation. Comme la vie et la mort étaient étroitement mêlées, sagement confondues à ce niveau élémentaire !

Michel TOURNIER, *Vendredi ou les limbes du Pacifique*, 1967,

1. Robinson.
2. Qui provient de la terre.
3. Odeur désagréable due au renfermé.

3 Julien GRACQ, *La Presqu'île*, 1970

Cette nouvelle met en scène un personnage, Simon, qui parcourt la presqu'île de Guérande (renommée Coatligen). Le lecteur y retrouve quelques grands thèmes chers à Julien Gracq : l'errance à la lisière du monde, la dimension mystérieuse du paysage, le désir et l'attente d'une femme rêvée.

Le paysage avait changé depuis la grand'route, par petites touches rapides et peu appuyées, mais c'étaient des modifications à peine sensibles qui n'évoquaient ni de près ni de loin quelque chose d'aussi théâtral et d'aussi tranché qu'un *changement de décor*. Plutôt, songeait Simon, c'était une reprise des paysages étouffés et sans vues qu'il avait traversés depuis le matin ; haies et boqueteaux[1], champs de choux, solitude sans échappée et toujours cernée de près du Bocage, mais une reprise un peu assombrie, comme si la couleur eût été transposée dans le mode mineur, communiquant à toute la campagne que traversait la route quelque chose de souffreteux, de veuf et de morose. Des champs pauvres de trèfle et de blé noir, parfois un clos planté de pommiers s'avançaient jusqu'au bord de l'accotement. La vue à faible distance était fermée par des boqueteaux aux franges indécises : maigres peuplements de chênes, semés de taches d'encre par les pins isolés. Ces boqueteaux n'avaient nulle part les angles nets et la consistance solide des parcelles reboisées, on eût dit plutôt une ancienne forêt essartée[2] et longtemps tenue en respect, qui cherche à regagner son terrain en s'agrippant aux franges les moins surveillées, se massant dans les friches, se couvrant du revers des talus, patrouillant dans les coins de lande, levant la tête peu à peu derrière les fourrés de fougères et d'ajoncs. Quand un mamelon un moment relevait le profil de la route, l'image qui surgissait de la campagne ensauvagée était celle d'un ciel qui caille, et que commencent à envahir en désordre les filaments emmêlés des nuages. Une tension sourde devenait peu à peu la note obsédante du paysage ; on devinait qu'au large de la route, au-delà des premiers plans sur lesquels retombait le rideau encore sans épaisseur, les bois devaient se souder déjà par caillots plus denses et plus serrés. Le ciel s'était peu à peu couvert ; il avait secrété partout à la fois sans qu'on s'en aperçût une pellicule mate et encore translucide, que le premier coup de vent allait froncer et ombrer comme une jatte de lait — à l'horizon du sud-ouest, devant la voiture, un imperceptible reflet argenté qui devait déjà monter de la mer éclairait d'en bas ce voile laiteux. L'ennui de la grand'route sous le soleil tombant d'aplomb s'était dissipé ; Simon n'était plus qu'un guetteur aux yeux tendus, essayant de déchiffrer dans ce paysage qui muait les signes qui allaient dénoncer l'approche de la côte. Il fixait devant lui cette frange de jour qui semblait brûler plus blanche au-dessus de l'horizon des bois maigres. L'esprit ensommeillé par le ronflement de la voiture, il ne pensait plus rien, sinon qu'il roulait vers la mer, sur une route vide. Vers la mer — sans savoir pourquoi.

Julien GRACQ, *La Presqu'île*, Éd. José Corti, 1970.

1. Petits bois, bouquets d'arbres.
2. Dont les arbres ont été arrachés.

4 Victor HUGO, *Ma Destinée*, 1857

Victor HUGO (1802-1885), *Ma Destinée*, 1857, lavis de gouache, lavis d'encre, plume, 17 x 26 cm (Musée Victor Hugo, Paris).

Questions sur un corpus

1. Dans les trois textes, par quels moyens poétiques certains éléments naturels se trouvent-ils animés d'une vie propre ? Quel effet ce procédé produit-il sur le lecteur ? Comment cet effet se retrouve-t-il sur le tableau de Hugo ?

2. Comment chacune des trois descriptions nous donne-t-elle des indications sur la relation du personnage au monde ?

Fiche 46 **Répondre à une question sur un corpus**

Travaux d'écriture

Commentaire

Commentez l'extrait des *Travailleurs de la mer* de Victor Hugo. Vous pourrez, par exemple, analyser d'abord comment le personnage découvre le désastre, puis montrer la dimension grandiose du paysage.

Fiches 49 à 51 **Vers le commentaire**

Dissertation

Selon vous, peut-on attendre d'un personnage de roman qu'il nous donne une vision poétique du monde ? Vous appuierez votre réflexion sur les textes du corpus, les œuvres lues ou étudiées dans l'année ainsi que sur des références plus personnelles.

Fiches 53 à 55 **Vers la dissertation**

Écriture d'invention

Rédigez un dialogue entre deux lecteurs de roman. Le premier soutient l'intérêt des descriptions poétiques dans une fiction. Le second revendique l'absolue nécessité de l'action. Vous préciserez rapidement les circonstances de leur rencontre avant le dialogue, qui comportera au moins quatre répliques développées et argumentées.

Fiches 47 et 48 **Vers l'écriture d'invention**

Vers le bac

Corpus : « Le personnage de roman au cœur de l'Histoire »

1 **Alfred DE VIGNY**, « Réflexions sur la vérité dans l'art », 1826
2 **STENDHAL**, *La Chartreuse de Parme*, 1839
3 **Victor HUGO**, *Les Misérables*, 1862
4 **Clément-Auguste ANDRIEUX**, *La Bataille de Waterloo*, 1852

1 Alfred DE VIGNY, « Réflexions sur la vérité dans l'art », 1826

Cinq-Mars *est un roman inspiré d'un complot réel, fomenté sous Louis XIII pour destituer Richelieu. La préface est l'occasion, pour Vigny, de s'interroger sur les relations entre Histoire et Roman.*

1 Dans ces dernières années (et c'est peut-être une suite de nos mouvements politiques), l'Art s'est empreint d'histoire plus fortement que jamais. Nous avons tous les yeux attachés sur nos Chroniques[1], comme si, parvenus à la virilité en marchant vers de plus grandes choses, nous nous
5 arrêtions un moment pour nous rendre compte de notre jeunesse et de ses erreurs. Il a donc fallu doubler l'INTÉRÊT en y ajoutant le SOUVENIR.

Comme la France allait plus loin que les autres nations dans cet amour des faits et que j'avais choisi une époque récente et connue, je crus aussi ne pas devoir imiter les étrangers, qui, dans leurs tableaux, montrent à peine à
10 l'horizon les hommes dominants de leur histoire ; je plaçai les nôtres sur le devant de la scène, je les fis principaux acteurs de cette tragédie dans laquelle j'avais dessein[2] de peindre les trois sortes d'ambition qui nous peuvent remuer et, à côté d'elles, la beauté du sacrifice de soi-même à une généreuse pensée. Un traité sur la chute de la féodalité, sur la position extérieure et intérieure
15 de la France au XVIIe siècle, sur la question des alliances avec les armes étrangères, sur la justice aux mains des parlements ou des commissions secrètes et sur les accusations de sorcellerie, n'eût pas été lu peut-être ; le roman le fut.

[...]

De même que l'on descend dans sa conscience pour juger des actions qui
20 sont douteuses pour l'esprit, ne pourrions-nous pas aussi chercher en nous-mêmes le sentiment primitif qui donne naissance aux formes de la pensée, toujours indécises et flottantes ? Nous trouverions dans notre cœur plein de trouble, où rien n'est d'accord, deux besoins qui semblent opposés, mais qui se confondent, à mon sens, dans une source commune : l'un est l'amour
25 du VRAI, l'autre l'amour du FABULEUX. Le jour où l'homme a raconté sa vie à l'Homme, l'Histoire est née. Mais à quoi bon la mémoire des faits véritables, si ce n'est à servir d'exemple de bien ou de mal ? Or les exemples que présente la succession lente des événements sont épars et incomplets ; il leur manque toujours un enchaînement palpable et visible, qui puisse amener
30 sans divergence à une conclusion morale ; les actes de la famille humaine sur le théâtre du monde ont sans doute un ensemble, mais le sens de cette vaste tragédie qu'elle y joue ne sera visible qu'à l'œil de Dieu, jusqu'au dénouement qui le révélera peut-être au dernier homme. Toutes les philosophies se sont en vain épuisées à l'expliquer, roulant sans cesse leur rocher, qui n'arrive
35 jamais et retombe sur elles, chacune élevant son frêle édifice sur la ruine

1. Genre littéraire qui consiste à rapporter dans l'ordre chronologique des faits historiques.
2. Intention, projet.

des autres et le voyant crouler à son tour. Il me semble donc que l'homme, après avoir satisfait à cette première curiosité des faits, désira quelque chose de plus complet, quelque groupe, quelque réduction à sa portée et à son usage des anneaux de cette vaste chaîne d'événements que sa vue ne pouvait 40 embrasser ; car il voulait aussi trouver, dans les récits, des exemples qui pussent servir aux vérités morales dont il avait la conscience ; peu de destinées particulières suffisaient à ce désir, n'étant que les parties incomplètes du TOUT insaisissable de l'histoire du monde ; l'une était pour ainsi dire un quart, l'autre une moitié de preuve ; l'imagination fit le reste et les compléta. 45 De là, sans doute, sortit la fable. — L'homme la créa vraie, parce qu'il ne lui est pas donné de voir autre chose que lui-même et la nature qui l'entoure ; mais il la créa VRAIE d'une VÉRITÉ toute particulière.

Alfred DE VIGNY, « Réflexions sur la vérité dans l'art », préface à *Cinq-Mars*, 1826.

2 STENDHAL, *La Chartreuse de Parme,* 1839

Plusieurs événements lient le héros Fabrice del Dongo, à l'épopée napoléonienne : sa ville natale, Milan, où les troupes de Bonaparte entrent triomphalement en 1796, l'idylle de sa mère avec un lieutenant français dont il est probablement le fils illégitime, une tante enthousiaste de Napoléon. Tout contribue à jeter le héros sur la route de Waterloo.

1 Tout à coup on partit au grand galop. Quelques instants après, Fabrice vit, à vingt pas en avant, une terre labourée qui était remuée d'une façon singulière. Le fond des sillons était plein d'eau, et la terre fort humide, qui formait la crête de ces sillons, volait en petits fragments noirs lancés à 5 trois ou quatre pieds de haut. Fabrice remarqua en passant cet effet singulier ; puis sa pensée se remit à songer à la gloire du maréchal. Il entendit un cri sec auprès de lui : c'étaient deux hussards qui tombaient atteints par des boulets ; et, lorsqu'il les regarda, ils étaient déjà à vingt pas de l'escorte. Ce qui lui sembla horrible, ce fut un cheval tout sanglant qui se débattait sur la 10 terre labourée, en engageant ses pieds dans ses propres entrailles ; il voulait suivre les autres : le sang coulait dans la boue.

Ah ! m'y voilà donc enfin au feu ! se dit-il. J'ai vu le feu ! se répétait-il avec satisfaction. Me voici un vrai militaire. À ce moment, l'escorte allait ventre à terre, et notre héros comprit que c'étaient des boulets qui faisaient voler la 15 terre de toutes parts. Il avait beau regarder du côté d'où venaient les boulets, il voyait la fumée blanche de la batterie à une distance énorme, et, au milieu du ronflement égal et continu produit par les coups de canon, il lui semblait entendre des décharges beaucoup plus voisines ; il n'y comprenait rien du tout.

À ce moment, les généraux et l'escorte descendirent dans un petit che-20 min plein d'eau, qui était à cinq pieds en contre-bas.

Le maréchal s'arrêta, et regarda de nouveau avec sa lorgnette[1]. Fabrice, cette fois, put le voir tout à son aise ; il le trouva très blond, avec une grosse tête rouge. Nous n'avons point des figures comme celle-là en Italie, se dit-il. Jamais, moi qui suis si pâle et qui ai des cheveux châtains, je ne serai comme ça, ajoutait-il avec 25 tristesse. Pour lui ces paroles voulaient dire : Jamais je ne serai un héros.

STENDHAL, *La Chartreuse de Parme*, 1839.

1. Petite lunette grossissante.

3 Victor HUGO, *Les Misérables,* 1862

Dans Les Misérables, *le romancier mêle le destin de ses personnages à la grande Histoire, notamment à la bataille de Waterloo. Il consacre un livre entier à la narration de cet événement majeur qui signe la défaite de Napoléon face à la coalition européenne.*

Ils étaient trois mille cinq cents. Ils faisaient un front d'un quart de lieue. C'étaient des hommes géants sur des chevaux colosses. Ils étaient vingt-six escadrons ; et ils avaient derrière eux, pour les appuyer, la division de Lefebvre-Desnouettes, les cent six gendarmes d'élite, les chasseurs de la garde, onze cent quatre-vingt-dix-sept hommes, et les lanciers de la garde, huit cent quatre-vingts lances. Ils portaient le casque sans crins et la cuirasse de fer battu, avec les pistolets d'arçon[1] dans les fontes et le long sabre-épée. Le matin toute l'armée les avait admirés, quand, à neuf heures, les clairons sonnant, toutes les musiques chantant *veillons au salut de l'empire*, ils étaient venus, colonne épaisse, une de leurs batteries à leur flanc, l'autre à leur centre, se déployer sur deux rangs entre la chaussée de Genappe et Frischemont, et prendre leur place de bataille dans cette puissante deuxième ligne, si savamment composée par Napoléon, laquelle, ayant à son extrémité de gauche les cuirassiers de Kellermann et à son extrémité de droite les cuirassiers de Milhaud, avait, pour ainsi dire, deux ailes de fer.

L'aide de camp Bernard leur porta l'ordre de l'empereur. Ney tira son épée et prit la tête. Les escadrons énormes s'ébranlèrent.

Alors on vit un spectacle formidable.

Toute cette cavalerie, sabres levés, étendards et trompettes au vent, formée en colonne par division, descendit d'un même mouvement et comme un seul homme, avec la précision d'un bélier de bronze qui ouvre une brèche, la colline de la Belle-Alliance, s'enfonça dans le fond redoutable où tant d'hommes déjà étaient tombés, y disparut dans la fumée, puis, sortant de cette ombre, reparut de l'autre côté du vallon, toujours compacte et serrée, montant au grand trot, à travers un nuage de mitraille crevant sur elle, l'épouvantable pente de boue du plateau de Mont-Saint-Jean. Ils montaient, graves, menaçants, imperturbables ; dans les intervalles de la mousqueterie et de l'artillerie, on entendait ce piétinement colossal. Étant deux divisions, ils étaient deux colonnes ; la division Wathier avait la droite, la division Delors avait la gauche. On croyait voir de loin s'allonger vers la crête du plateau deux immenses couleuvres d'acier. Cela traversa la bataille comme un prodige.

Rien de semblable ne s'était vu depuis la prise de la grande redoute de la Moskowa[2] par la grosse cavalerie ; Murat y manquait, mais Ney s'y retrouvait. Il semblait que cette masse était devenue monstre et n'eût qu'une âme. Chaque escadron ondulait et se gonflait comme un anneau du polype[3]. On les apercevait à travers une vaste fumée déchirée çà et là. Pêle-mêle de casques, de cris, de sabres, bondissement orageux des croupes des chevaux dans le canon et la fanfare, tumulte discipliné et terrible ; là-dessus les cuirasses, comme les écailles sur l'hydre[4].

Victor HUGO, *Les Misérables*, 1862.

1. Arme alors récente, destinée à la cavalerie légère.
2. Référence à la bataille de la Moskowa, conduite par Napoléon en 1812 près de Moscou. La redoute est un fort construit à la hâte hors du fort principal et est destinée à recevoir l'artillerie. Elle permet de protéger les soldats de la ligne principale.
3. Synonyme ancien de « poulpe ».
4. Dans la mythologie, serpent monstrueux à sept têtes qui repoussaient, à raison de deux pour une, à mesure qu'on les tranchait. L'image est récurrente chez Hugo.

4 Clément-Auguste ANDRIEUX, *La Bataille de Waterloo,* 1852

Clément-Auguste ANDRIEUX (1829-1880), *La Bataille de Waterloo le 18 juin 1815*, 1852, huile sur toile, 1,10 x 1,93 m (Musée national du château de Versailles).

Questions sur un corpus

1. Quel est le point de vue adopté dans les textes de Stendhal et de Hugo, ainsi que pour le tableau d'Andrieux ? Quels sont les effets produits par ces choix ?

2. Quelle vision du roman Vigny propose-t-il ? En quoi les deux textes de Stendhal et de Hugo illustrent-ils cette vision ?

Fiche 46 **Répondre à une question sur un corpus**

Travaux d'écriture

Commentaire

Commentez l'extrait de *La Chartreuse de Parme* de Stendhal. Vous pourrez, par exemple, analyser d'abord la représentation que l'extrait donne de la guerre, puis étudier le portrait du personnage de Fabrice.

Fiches 49 à 51 **Vers le commentaire**

Dissertation

Selon vous, dans quelle mesure le roman et l'Histoire peuvent-ils se mêler ? Vous répondrez à cette question en prenant appui sur les textes du corpus, les lectures faites en classe et vos connaissances personnelles.

Fiches 53 à 55 **Vers la dissertation**

Écriture d'invention

Rédigez un dialogue entre deux personnages qui participent à la bataille de Waterloo. L'un en exalte le caractère admirable, l'autre en dénonce l'horreur.

Fiches 47 et 48 **Vers l'écriture d'invention**

Pistes de lecture Le personnage de roman, du XVIIe siècle à nos jours

À lire

1. H. DE BALZAC, *Le Père Goriot*, 183
Rastignac est un jeune provincial ambitieux. Arrivé à Paris, il prend pension à la maison Vauquer, où il fera la connaissance du père Goriot. Ce dernier, follement épris de ses deux filles, n'hésite pas à se ruiner pour leur permettre de mener grand train dans le monde.

2. Albert CAMUS, *L'Étranger*, 1942
Le récit commence au moment où le narrateur apprend la mort de sa mère, qui ne provoque aucune émotion particulière chez lui. Impassible, il fait d'autres rencontres jusqu'à un incident tragique : il tue un homme sur la plage. Son procès analysera méthodiquement son rapport particulier au monde.

3. Philippe CLAUDEL, *Le Rapport de Brodeck*, 2008
Rescapé d'un camp d'extermination, Brodeck tente de réapprendre à vivre jusqu'au jour où, parce qu'il sait écrire, les autres habitants lui demandent de rédiger un « rapport ». Il doit expliquer la mort d'un étranger, venu perturber la vie du village.

Lire l'*incipit*

4. Louis ARAGON, *Aurélien*, 1944
Publié en 1944, *Aurélien* raconte les amours tumultueuses d'Aurélien et Bérénice pendant l'entre-deux-guerres. L'*incipit* du roman relate de façon originale leur première rencontre.

1 La première fois qu'Aurélien vit Bérénice, il la trouva franchement laide. Elle lui déplut, enfin. Il n'aima pas comment elle était habillée. Une étoffe qu'il n'aurait pas choisie. Il avait des idées sur les étoffes. Une étoffe qu'il avait vue sur plusieurs femmes. Cela lui fit mal augurer de celle-ci qui portait
5 un nom de princesse d'Orient sans avoir l'air de se considérer dans l'obligation d'avoir du goût. Ses cheveux étaient ternes ce jour-là, mal tenus. Les cheveux coupés, ça demande des soins constants. Aurélien n'aurait pas pu dire si elle était blonde ou brune. Il l'avait mal regardée. Il lui en demeurait une impression vague, générale, d'ennui et d'irritation. Il se demanda même
10 pourquoi. C'était disproportionné. Plutôt petite, pâle, je crois… Qu'elle se fût appelée Jeanne ou Marie, il n'y aurait pas repensé, après coup. Mais Bérénice. Drôle de superstition. Voilà bien ce qui l'irritait.

Louis ARAGON, *Aurélien*, © Éditions Gallimard, 1944.

À voir

***Les Liaisons dangereuses*, film de Stephen Frears, 1988**
Le film met en scène deux aristocrates libertins, la marquise de Merteuil et le vicomte de Valmont. Au fil de leurs aventures, le spectateur découvrira deux personnages qui se livrent à une guerre des sexes sans merci.

***Adolphe*, film de Benoît Jacquot, 2002**
Adolphe, jeune homme froid et lucide, séduit Ellénore, issue de la noblesse polonaise, puis tente de prendre ses distances avec elle jusqu'à provoquer sa mort. Le film, adapté d'un des grands textes du romantisme, exalte les passions et en analyse froidement les ambiguïtés.

***La Belle Personne*, film de Christophe Honoré, 2008**
Adaptation du roman de Marie-Madeleine de La Fayette, *La Princesse de Clèves* (1678). Junie, seize ans, change de lycée en cours d'année. Elle devient la fiancée d'Otto. Mais bientôt, elle conçoit une passion forte et irrépressible pour Nemours, son professeur d'italien.

Chapitre

2 Le texte théâtral et sa représentation,
du XVIIe siècle à nos jours

SÉQUENCE 6
Mettre en scène la variété du comique

SÉQUENCE 7
PARCOURS DE LECTEUR
ŒUVRE INTÉGRALE :
Alfred de Musset, Lorenzaccio

SÉQUENCE 8
L'évolution du tragique : des héros aux personnages ordinaires

SÉQUENCE 9
HISTOIRE DES ARTS :
De l'espace sacré antique à la scène moderne

VERS LE BAC
Monologue et solitude dans le théâtre contemporain

VERS LE BAC
La lettre, accessoire de jeu

PISTES DE LECTURE

Willy Protagoras enfermé dans les toilettes, de Wajdi MOUAWAD (2004), mise en scène de Magali LERIS (Théâtre de l'Ouest Parisien, Boulogne-Billancourt, 2007).

Séquence

6 Mettre en scène la variété du comique

Depuis l'Antiquité et jusqu'à nos jours, le théâtre révèle souvent de manière comique ses artifices et ses mensonges à travers des jeux de rôles. Mais c'est pour mieux souligner, dénoncer les travers et les excès des hommes et de la société.

Problématique : Que révèlent de la société les artifices du théâtre comique ?

Objectifs

- Étudier l'évolution de la comédie
- Analyser les différents procédés comiques et leur mise en scène

Histoire des arts : E. IONESCO, *La Cantatrice chauve* (1950), mise en scène de Jean-Luc LAGARCE, 1992 — 114

CORPUS 1 : Masques, mensonges et jeux de rôles

1 PLAUTE, *Amphitryon*, vers 200 av. J.-C. — 116
2 MOLIÈRE, *Amphitryon*, I, 2, 1668 — 117
3 MOLIÈRE, *Dom Juan*, V, 1, 2, 1665 — 119
4 LESAGE, *Turcaret*, I, 2, 1709 — 122
5 MARIVAUX, *Le Jeu de l'amour et du hasard*, I, 7, 1730 — 123
6 A. DE MUSSET, *On ne badine pas avec l'amour*, III, 3, 1834 — 125
7 G. FEYDEAU, *Le Dindon*, II, 16, 17, 1896 — 126

CORPUS 2 : Le théâtre, lieu de la satire sociale et politique

8 ARISTOPHANE, *Les Cavaliers*, 424 av. J.-C. — 129
9 BEAUMARCHAIS, *Le Mariage de Figaro*, III, 5, 1778 — 130
10 A. JARRY, *Ubu Roi*, III, 2, 1896 — 132
11 F. DÜRRENMATT, *La Visite de la vieille dame*, I, 1956 — 134
12 Y. REZA, *Art*, 1994 — 136
13 J.-M. RIBES, *Théâtre sans animaux*, « Musée », 2001 — 138

Pour argumenter : Le texte de théâtre existe-t-il sans la scène ?

A. ARTAUD, *Le Théâtre et son double*, 1931 — 139

Histoire littéraire : Histoire du théâtre et de sa représentation — 140

MÉTHODES p. 439

Le texte théâtral et sa représentation Fiches 19, 20, 21, 22, 23

Lire et analyser Fiches 39, 40, 41

Préparer le baccalauréat Fiches 46, 47, 48, 49, 50, 51, 53, 54, 55

Étude de la langue Fiches 59, 60

E. Ionesco, La Cantatrice chauve, 1950

Mise en scène de Jean-Luc Lagarce, 1992

L'espace théâtral

L'espace théâtral est à la fois un lieu physique, comprenant les acteurs et les spectateurs, et un lieu de fiction : le **décor** avec ses formes, objets, lumières, couleurs et sons. Le **scénographe**, en accord avec le metteur en scène, organise et agence cet espace, décide de la place des spectateurs par rapport à la scène et construit le décor. Le résultat de ce travail s'appelle la scénographie.

L'espace théâtral a une triple fonction :

– il est un **espace de jeu** : c'est le lieu où le corps des comédiens agit, se déplace, joue ;

– il donne une représentation bien imitée d'un **espace concret** reconnaissable : on y trouve des murs, des portes, des meubles, des objets existant dans la vie réelle, ou des copies (un poulet en carton) ;

– il peut également avoir une **fonction symbolique** en proposant une vision abstraite de l'œuvre représentée (univers loufoque ou oppressant, par exemple).

Mme et M. Smith (à gauche) reçoivent M. et Mme Martin (à droite).
Mise en scène de J.-L. LAGARCE (Théâtre de la Roulotte, 1992).

Le kitsch

Ce terme désigne des objets issus de la production de masse, inauthentiques, lourds, criards, démodés et de mauvais goût. Ainsi, le nain de jardin est l'objet kitsch par excellence. Il exprime aussi un certain refus de la réalité au profit d'un monde enfantin, fait de rêves colorés et de clichés pris au second degré.

Mettre en scène un univers absurde

LECTURE DE L'IMAGE

1. Décrivez la scénographie en vous aidant de la rubrique « L'espace théâtral ». Quelles en sont les caractéristiques ? Dans quel univers le metteur en scène nous emmène-t-il ?

Fiche 20 L'action

2. Ionesco, dans la didascalie initiale de *La Cantatrice chauve*, mentionne : « Intérieur bourgeois anglais avec des fauteuils anglais. Soirée anglaise. » J.-L. Lagarce a-t-il respecté cette didascalie ?
3. Après avoir observé les acteurs et leurs costumes, précisez ce qui rend l'ensemble parfaitement kitsch.
4. La communication semble-t-elle possible ? Expliquez.

ÉDUCATION AUX MÉDIAS

@ RECHERCHE Sur le site www.lagarce.net, consultez le dossier consacré à cette mise en scène de *La Cantatrice chauve*, en particulier les interviews de J.-L. Lagarce. Puis écrivez un article de critique théâtrale où vous ferez un compte-rendu du spectacle et donnerez votre avis.

ÉCRITURE

Vers l'écriture d'invention

Imaginez un dialogue entre les Smith et les Martin qui dériverait peu à peu des banalités mondaines vers une conversation absurde. Variez les types de comique et insérez des didascalies soulignant le caractère loufoque de la situation. Puis, à quatre, mettez en voix votre dialogue en variant les intonations burlesques.

Fiche 21 La parole

VERS LE BAC

Oral (entretien)

Comment la mise en scène de J.-L. Lagarce rend-elle cette réception comique ?

Fiche 56 Réussir l'épreuve orale du baccalauréat

1

Plaute, Amphitryon, *vers 200 av. J.-C.*

Biographie p. 629
Histoire littéraire p. 140, 189

Pour séduire Alcmène, une mortelle, Jupiter a pris l'apparence de son mari Amphitryon, parti à la guerre. Le dieu Mercure l'accompagne sous les traits de Sosie, serviteur d'Amphitryon. Le vrai Sosie revient à la maison et se trouve face à son double qui le frappe chaque fois qu'il tente de dire qui il est.

Sosie (Thierry Hancisse) et Mercure (Jérôme Pouly) dans la mise en scène de l'*Amphitryon* de MOLIÈRE par Anatoly VASSILIEV (Comédie-Française, 2002).

SOSIE. – Et toi, morbleu, tu ne m'empêcheras pas d'être moi-même, et d'appartenir à notre maître. Il n'y a chez nous d'autre esclave, d'autre Sosie que moi, moi qui ai quitté cette maison pour suivre Amphitryon à l'armée.

MERCURE. – Il est fou.

SOSIE. – C'est toi qui l'es. Quoi, morbleu, ne suis-je pas Sosie, esclave d'Amphitryon ? Notre vaisseau ne m'a-t-il pas conduit ici, cette nuit, depuis le port Persique ? Mon maître ne m'a-t-il pas envoyé ici ? Ne suis-je pas ici debout devant notre maison ? N'ai-je pas une lanterne à la main ? Ne suis-je pas éveillé ? Cet autre ne m'a-t-il pas tout à l'heure labouré de coups de poing ? Je ne l'ai pas rêvé, morbleu : ma pauvre mâchoire en est encore toute endolorie. Qu'ai-je donc à douter ? Entrons chez nous.

MERCURE. – Hein, chez vous ?

SOSIE. – Oui, chez nous.

MERCURE. – Autant de paroles, autant de mensonges. C'est moi, entends-tu, qui suis Sosie, esclave d'Amphitryon. Notre vaisseau a cette nuit levé l'ancre du port Persique et nous avons pris d'assaut la ville où régna le roi Ptérélas ; et nous avons par la force de nos armes capturé les légions téléboennes[1], et de sa propre main Amphitryon a tué le roi Ptérélas dans la bataille.

SOSIE (*à part*). – À l'entendre, j'arrive à douter de moi-même. Il n'y a pas à dire : tout ce qui s'est passé là-bas, il le rapporte exactement.

PLAUTE, *Amphitryon*, vers 200 av. J.-C., traduction Alfred Ernout, collection Budé, Les Belles Lettres, 1976.

1. Ptérélas est le roi des Téléboens, peuple mythique.

2

Molière, Amphitryon, 1668

Biographie p. 628
Du même auteur p. 119
Histoire littéraire p. 140
Repères historiques p. 616

Acte I, scène 2

1 SOSIE. – N'importe, je ne puis m'anéantir pour toi,
Et souffrir un discours si loin de l'apparence.
Être ce que je suis, est-il en ta puissance ?
Et puis-je cesser d'être moi ?
5 S'avisa-t-on jamais d'une chose pareille !
Et peut-on démentir cent indices pressants ?
Rêvé-je ? est-ce que je sommeille ?
Ai-je l'esprit troublé par des transports puissants[1] ?
Ne sens-je pas bien que je veille ?
10 Ne suis-je pas dans mon bon sens ?
Mon maître Amphitryon ne m'a-t-il pas commis
À venir en ces lieux, vers Alcmène sa femme ?
Ne lui dois-je pas faire, en lui vantant sa flamme,
Un récit de ses faits contre nos ennemis ?
15 Ne suis-je pas du port arrivé tout à l'heure ?
Ne tiens-je pas une lanterne en main ?
Ne te trouvé-je pas devant notre demeure ?
Ne t'y parlé-je pas d'un esprit tout humain ?
Ne te tiens-tu pas fort[2] de ma poltronnerie
20 Pour m'empêcher d'entrer chez nous ?
N'as-tu pas sur mon dos exercé ta furie ?
Ne m'as-tu pas roué de coups ?
Ah ! tout cela n'est que trop véritable,
Et plût au Ciel le fût-il moins[3] !
25 Cesse donc d'insulter au sort d'un misérable,
Et laisse à mon devoir s'acquitter de ses soins.

1. Émotions violentes.
2. Ne profites-tu pas.
3. Si cela pouvait être moins vrai !

Mercure (Laurent Charpentier) et Sosie (Gaëtan Vassart), mise en scène de l'*Amphitryon* de HEINRICH VON KLEIST (1807) par B. SOBEL (MC93 Bobigny, 2010).

MERCURE. – Arrête ; ou sur ton dos le moindre pas attire
Un assommant éclat de mon juste courroux.
Tout ce que tu viens de dire
30 Est à moi, hormis les coups.
C'est moi qu'Amphitryon députe vers Alcmène,
Et qui du port Persique arrive de ce pas ;
Moi qui viens annoncer la valeur de son bras
Qui nous fait remporter une victoire pleine,
35 Et de nos ennemis a mis le chef à bas ;
C'est moi qui suis Sosie enfin, de certitude,
Fils de Dave, honnête berger ;
Frère d'Arpage, mort en pays étranger ;
Mari de Cléanthis la prude,
40 Dont l'humeur me fait enrager ;
Qui dans Thèbes ai reçu mille coups d'étrivière[4],
Sans en avoir jamais dit rien,
Et jadis en public fut marqué par derrière[5],
Pour être trop homme de bien[6].
45 SOSIE, *bas, à part.* – Il a raison. À moins d'être Sosie,
On ne peut pas savoir tout ce qu'il dit ;
Et dans l'étonnement dont mon âme est saisie,
Je commence, à mon tour, à le croire un petit.
En effet, maintenant que je le considère,
50 Je vois qu'il a de moi taille, mine, action.

MOLIÈRE, *Amphitryon*, Acte I, scène 2, 1668.

4. Courroie de cuir.
5. À l'époque de Molière, des condamnés étaient marqués au fer rouge sur l'épaule.
6. Ironique, pour dire : « pour avoir commis des fautes ».

Un dédoublement troublant

LECTURE DES TEXTES

1. Comment les deux auteurs jouent-ils sur la **double énonciation** théâtrale ? Quels procédés comiques identiques utilisent-ils ?

Fiche 59 **L'énonciation**

2. À quels éléments concrets Sosie se raccroche-t-il dans les deux textes ? Repérez la progression de ses sentiments chez Molière, v. 1 à 26. Justifiez avec les types de phrases et les **procédés poétiques**.

Fiche 41 **Les figures de style**

3. Comment Mercure, dans les deux textes, prouve-t-il « son » identité ? Comment Molière transforme-t-il cette partie ? Analysez le contenu des v. 27 à 44 et les procédés syntaxiques et poétiques.

4. En quoi Sosie est-il à la fois acteur et spectateur de la scène ?

5. RECHERCHE Cherchez ce qui caractérise le théâtre baroque et expliquez pourquoi la scène de Molière appartient à ce mouvement artistique.

HISTOIRE DES ARTS

COMPARER DES MISES EN SCÈNE Dans quelle mise en scène la ressemblance troublante entre les deux personnages est-elle le mieux suggérée ? Justifiez. Comment le trouble de Sosie et l'assurance de Mercure sont-ils traduits dans les positions des acteurs, leurs mimiques ? Mercure joue sur la double énonciation : comment ?

ÉCRITURE

Vers la dissertation

De quelles ressources spécifiques le théâtre dispose-t-il pour représenter les conflits existant dans les rapports humains ? Vous répondrez en deux paragraphes argumentés illustrés d'exemples précis.

Fiches 53 à 55 **Vers la dissertation**

VERS LE BAC

Oral (entretien)

En quoi Molière imite-t-il et renouvelle-t-il le texte de Plaute ?

Fiche 35 **L'intertextualité**

Commentaire

Rédigez le commentaire du texte de Molière en montrant que la situation comique permet une réflexion sur le fonctionnement du théâtre.

Fiches 49 à 51 **Vers le commentaire**

3

Molière, Dom Juan, 1665

Dom Juan, noble libertin, se moque de la morale et de la religion devant son valet Sganarelle. Son père Dom Louis l'a sermonné, en vain : il continue à séduire les femmes et à narguer ses victimes. Ainsi, après avoir tué le Commandeur, il en défie la statue ornant le tombeau. À la fin de l'acte IV, la statue du Commandeur s'anime et invite Dom Juan à souper. Juste après cette scène, Dom Louis revient.

Biographie p. 628
Du même auteur p. 117
Histoire littéraire p. 140
Repères historiques p. 616

Acte V, scène 1

DOM LOUIS, DOM JUAN, SGANARELLE

DOM LOUIS. – Quoi, mon fils, serait-il possible que la bonté du Ciel eût exaucé mes vœux ? Ce que vous me dites est-il bien vrai ? Ne m'abusez-vous point d'un faux espoir, et puis-je prendre quelque assurance sur la nouveauté surprenante d'une telle conversion ?

DOM JUAN, *faisant l'hypocrite*. – Oui, vous me voyez revenu de toutes mes erreurs, je ne suis plus le même d'hier au soir[1], et le Ciel tout d'un coup a fait en moi un changement qui va surprendre tout le monde. Il a touché mon âme, et dessillé mes yeux, et je regarde avec horreur le long aveuglement où j'ai été, et les désordres criminels de la vie que j'ai menée. J'en repasse dans mon esprit toutes les abominations, et m'étonne comme le Ciel les a pu souffrir si longtemps, et n'a pas vingt fois sur ma tête laissé tomber les coups de sa justice redoutable. Je vois les grâces que sa bonté m'a faites en ne punissant point mes crimes, et je prétends en profiter comme je dois, faire éclater aux yeux du monde un soudain changement de vie, réparer par là le scandale de mes actions passées, et m'efforcer d'en obtenir du Ciel une pleine rémission ; c'est à quoi je vais travailler, et je vous prie, Monsieur, de vouloir bien contribuer à ce dessein, et de m'aider vous-même à faire choix d'une personne qui me serve de guide, et sous la conduite de qui je puisse marcher sûrement dans le chemin où je m'en vais entrer.

DOM LOUIS. – Ah, mon fils, que la tendresse d'un père est aisément rappelée, et que les offenses d'un fils s'évanouissent vite au moindre mot de repentir ! Je ne me souviens plus déjà de tous les déplaisirs que vous m'avez donnés, et tout est effacé par les paroles que vous venez de me faire entendre. Je ne me sens pas, je l'avoue, je jette des larmes de joie, tous mes vœux sont satisfaits, et je n'ai plus rien désormais à demander au Ciel. Embrassez-moi, mon fils, et persistez, je vous conjure, dans cette louable pensée. Pour moi, j'en vais tout de ce pas porter l'heureuse nouvelle à votre mère, partager avec elle les doux transports du ravissement où je suis, et rendre grâce au Ciel des saintes résolutions qu'il a daigné vous inspirer.

1. Le même qu'hier au soir (tournure propre au XVIIe siècle).

Dom Juan (Rod Goodall) et Sganarelle (Paddy Hayter), mise en scène du Footsbarn Travelling Theater (Théâtre de l'Athénée, 1999).

Scène 2

DOM JUAN, SGANARELLE

SGANARELLE. – Ah, Monsieur ! que j'ai de joie de vous voir converti ! Il y
40 a longtemps que j'attendais cela, et voilà, grâce au Ciel, tous mes souhaits accomplis.

DOM JUAN. – La peste, le benêt !

SGANARELLE. – Comment, le benêt ?

DOM JUAN. – Quoi ? tu prends pour de bon argent ce que je viens de dire, et
45 tu crois que ma bouche était d'accord avec mon cœur ?

SGANARELLE. – Quoi, ce n'est pas... vous ne... votre... Oh quel homme ! quel homme ! quel homme !

DOM JUAN. – Non, non, je ne suis point changé, et mes sentiments sont toujours les mêmes.

50 SGANARELLE. – Vous ne vous rendez pas à la surprenante merveille de cette statue mouvante et parlante ?

DOM JUAN. – Il y a bien quelque chose là-dedans que je ne comprends pas ; mais quoi que ce puisse être, cela n'est pas capable, ni de convaincre mon esprit, ni d'ébranler mon âme, et si j'ai dit que je voulais corriger ma
55 conduite, et me jeter dans un train de vie exemplaire, c'est un dessein que j'ai formé par pure politique, un stratagème utile, une grimace nécessaire, où je veux me contraindre pour ménager un père dont j'ai besoin, et me mettre à couvert du côté des hommes de cent fâcheuses aventures qui pourraient m'arriver. Je veux bien, Sganarelle, t'en faire confidence, et je suis
60 bien aise d'avoir un témoin du fond de mon âme et des véritables motifs qui m'obligent à faire les choses.

Sganarelle (C. Hecq) et Dom Juan (D. Mesguich), mise en scène de Daniel MESGUICH (2004).

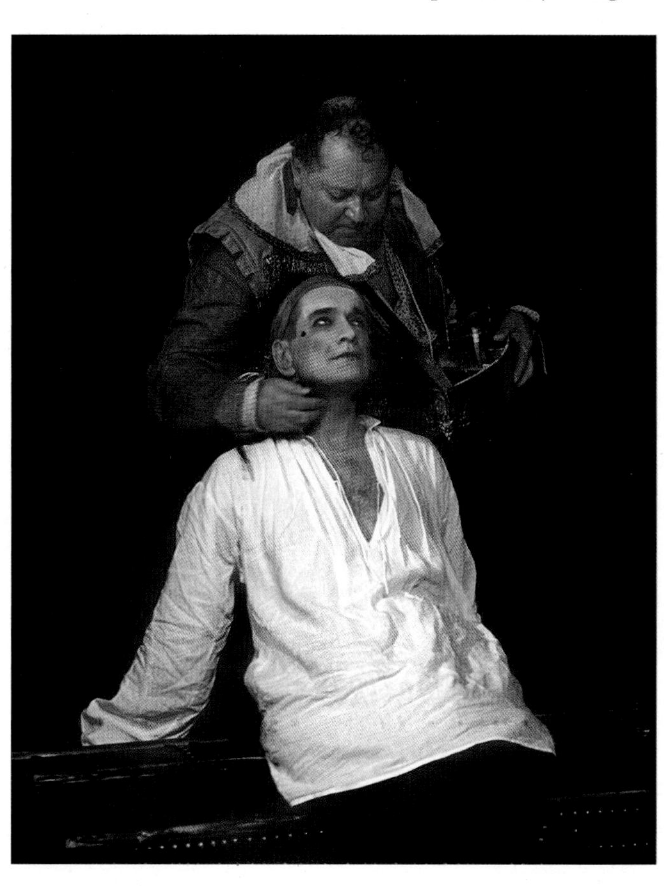

SGANARELLE. – Quoi, vous ne croyez rien du tout, et vous voulez cependant vous ériger en homme de bien ?

65 DOM JUAN. – Eh pourquoi non ? Il y en a tant d'autres comme moi qui se mêlent de ce métier, et qui se servent du même masque pour abuser le monde !

70 SGANARELLE. – Ah ! quel homme ! quel homme !

MOLIÈRE, *Dom Juan*, Acte V, scènes 1 et 2, 1665.

Sganarelle (Roland Bertin) et Dom Juan (Andrezj Seweryn), mise en scène de Jacques LASSALLE (Comédie-Française, 1993).

Le masque du fils repenti

LECTURE DU TEXTE

1. (@ RECHERCHE) Sur le site http://agora.qc.ca/mot.nsf/Dossiers/Don_Juan, cherchez les titres d'autres œuvres théâtrales avec Dom Juan pour héros. Quel est l'intérêt de mettre un personnage de libertin sur scène ?

2. Quels éléments attestent de l'efficacité du « jeu » de Dom Juan dans la scène 1 ? Analysez **la modalisation** présente dans les répliques des deux autres personnages.

Fiche 60 La modalisation

3. Le changement de Dom Juan vous semble-t-il sincère ? Argumentez.

4. (MISE EN VOIX) Comment l'acteur peut-il interpréter la **didascalie** de la l. 5 ? À deux ou trois, mettez les l. 5 à 21 en voix en variant les intonations pour faire entendre la sincérité ou l'hypocrisie.

Fiche 23 Texte et représentation

5. Par quels arguments Dom Juan justifie-t-il son attitude ? Relevez, l. 52-61, le lexique du jeu et montrez que le personnage est complexe.

6. Quel rôle Sganarelle joue-t-il dans la scène 2 ? Quel registre apporte-t-il à la scène ? Par quels procédés ?

Fiche 22 Le personnage et son évolution

HISTOIRE DES ARTS

(COMPARER DES MISES EN SCÈNE) Que suggère chaque metteur en scène de la relation entre Sganarelle et Dom Juan ? Analysez les regards, la distance physique et la posture de Sganarelle. Le couple maître/valet est-il comique ? Argumentez.

ÉCRITURE

Vers la dissertation

La mise en scène d'une œuvre théâtrale constitue-t-elle une interprétation ou une recréation ? Rédigez un paragraphe argumentatif en vous appuyant sur la comparaison des images, pages 119 à 121.

Fiches 53 à 55 Vers la dissertation

VERS LE BAC

Oral (analyse)

Le duo se conforme-t-il au traditionnel couple maître-valet de la comédie dans la scène 2 ?

Fiche 56 Réussir l'épreuve orale du baccalauréat

Commentaire

Rédigez le commentaire de la scène 2 avec le parcours suivant :

a) Une relation comique maître/valet
b) Le portrait d'un hypocrite

4

Lesage, *Turcaret*, 1709

Biographie p. 628
Histoire littéraire p. 140
Repères historiques p. 618

Un chevalier pauvre courtise une Baronne, jeune veuve entretenue par le financier Turcaret. Son valet Frontin veut faire croire que le chevalier est prêt à se suicider à cause d'une dette de jeu. Marine, servante de la Baronne, tente de retenir sa naïve maîtresse.

Acte I, scène 2

LA BARONNE. – Tu lui diras, Frontin, qu'il peut toujours faire fonds sur moi[1], et que n'étant point en argent comptant…

Elle veut retirer son diamant.

MARINE, *la retenant.* – Hé, Madame, y songez-vous ?

LA BARONNE, *remettant son diamant.* – Tu lui diras que je suis touchée de son malheur.

MARINE. – Et que je suis de mon côté très fâchée de son infortune.

FRONTIN. – Ah ! qu'il sera fâché lui… (*bas*) Maugrebleu de la soubrette[2].

LA BARONNE. – Dis-lui bien, Frontin, que je suis sensible à ses peines.

MARINE. – Que je sens vivement son affliction, Frontin.

FRONTIN. – C'en est donc fait, Madame, vous ne verrez plus Monsieur le Chevalier : la honte de ne pouvoir payer ses dettes va l'écarter de vous pour jamais ; car rien n'est plus sensible pour un enfant de famille[3]. Nous allons tout à l'heure prendre la poste[4].

LA BARONNE. – Prendre la poste, Marine !

MARINE. – Ils n'ont pas de quoi la payer.

FRONTIN. – Adieu, Madame.

LA BARONNE, *tirant son diamant.* – Attends, Frontin.

MARINE. – Non, non, va-t'en vite lui faire réponse.

LA BARONNE, *donnant le diamant à Frontin.* – Oh je ne puis me résoudre à l'abandonner. Tiens, voilà un diamant de cinq cents pistoles que Monsieur Turcaret m'a donné ; va le mettre en gage[5], et tire ton maître de l'affreuse situation où il se trouve.

FRONTIN. – Je vais le rappeler à la vie. Je lui rendrai compte, Marine, de l'excès de ton affliction.

Il sort.

MARINE. – Ah ! que vous êtes tous deux bien ensemble, messieurs les fripons !

LESAGE, *Turcaret*, Acte I, scène 2, 1709.

1. Me prendre pour caution. – 2. Servante. – 3. De famille noble. – 4. La poste : moyen de transport des voyageurs. – 5. Déposer un objet chez un prêteur pour obtenir de l'argent.

Jeu de dupes autour d'un diamant

LECTURE DU TEXTE

1. Repérez les étapes du texte : comment la tension entre les trois personnages s'exprime-t-elle ?

Fiche 21 La parole
Fiche 23 Texte et représentation

2. Quels sont les différents procédés comiques utilisés dans cet extrait ? Ont-ils pour seule fonction de divertir le spectateur ?
3. Que montre Lesage des rapports entre les personnages ? Quelle vision de l'aristocratie la Baronne et le Chevalier donnent-ils ?

VERS LE BAC

Oral (entretien)

Pourquoi le comique de situation permet-il une critique efficace des relations sociales ?

Fiche 56 Réussir l'épreuve orale du baccalauréat

Question sur un corpus

Comparez cet extrait avec celui de *La Visite de la vieille dame* (p. 134). Par quels moyens textuels et scéniques le théâtre fait-il de l'argent un ressort à la fois comique et critique ?

Fiche 46 Répondre à une question sur un corpus

5

Marivaux, *Le Jeu de l'amour et du hasard*, 1730

Un mariage de convenance est prévu entre Dorante et Silvia. L'un et l'autre décident d'échanger leur rôle avec leurs domestiques pour découvrir incognito *leur fiancé(e) : Dorante se fait passer pour Bourguignon et Silvia pour Lisette. Après les présentations, les jeunes gens se retrouvent seuls.*

Biographie
p. 628

Du même auteur
p. 26, 195

Histoire littéraire
p. 140

Repères historiques
p. 618

Acte I, scène 7

DORANTE, SILVIA

1 SILVIA, *à part*. – Ils se donnent la comédie[1] ; n'importe, mettons tout à profit, ce garçon-ci n'est pas sot, et je ne plains pas la soubrette qui l'aura. Il va m'en conter, laissons-le dire, pourvu qu'il m'instruise.

DORANTE, *à part*. – Cette fille-ci m'étonne ! Il n'y a point de femme au 5 monde à qui sa physionomie ne fît honneur : lions connaissance avec elle. (*Haut*) Puisque nous sommes dans le style amical et que nous avons abjuré les façons, dis-moi, Lisette, ta maîtresse te vaut-elle ? Elle est bien hardie d'oser avoir une femme de chambre comme toi !

SILVIA. – Bourguignon, cette question-là m'annonce que, suivant la cou- 10 tume, tu arrives avec l'intention de me dire des douceurs : n'est-il pas vrai ?

DORANTE. – Ma foi, je n'étais pas venu dans ce dessein-là, je te l'avoue. Tout valet que je suis, je n'ai jamais eu de grandes liaisons avec les soubrettes ; je n'aime pas l'esprit domestique ; mais à ton égard, c'est une autre affaire. Comment donc ! tu me soumets ; je suis presque timide ; ma familiarité 15 n'oserait s'apprivoiser avec toi ; j'ai toujours envie d'ôter mon chapeau de dessus ma tête, et quand je te tutoie, il me semble que je jure ! enfin, j'ai un penchant à te traiter avec des respects qui te feraient rire. Quelle espèce de suivante es-tu donc avec ton air de princesse ?

SILVIA. – Tiens, tout ce que tu dis avoir senti en me voyant, est précisément 20 l'histoire de tous les valets qui m'ont vue.

1. Silvia parle ici de son frère et de son père au courant de toute l'intrigue et qui se sont amusés du quiproquo.

Silvia (Marilu Marini) et Dorante (Facundo Bo), mise en scène d'Alfredo ARIAS (Théâtre de la Commune, 1987).

Dorante (J. Mompart) et Silvia (A. Tiedermann), mise en scène de Jean LIERMIER (2009).

DORANTE. – Ma foi, je ne serais pas surpris quand ce serait aussi l'histoire de tous les maîtres.

SILVIA. – Le trait[2] est joli assurément ; mais, je te le répète encore, je ne suis point faite aux cajoleries de ceux dont la 25 garde-robe ressemble à la tienne.

DORANTE. – C'est-à-dire que ma parure ne te plaît pas ?

SILVIA. – Non, Bourguignon ; laissons là l'amour, et soyons bons amis.

DORANTE. – Rien que cela ? Ton petit traité n'est composé 30 que de deux clauses[3] impossibles.

SILVIA, *à part*. – Quel homme pour un valet ! (*Haut*) Il faut pourtant qu'il[4] s'exécute ; on m'a prédit que je n'épouserais jamais qu'un homme de condition[5], et j'ai juré depuis de n'en écouter jamais d'autres.

35 DORANTE. – Parbleu ! cela est plaisant ; ce que tu as juré pour homme, je l'ai juré pour femme, moi ; j'ai fait serment de n'aimer sérieusement qu'une fille de condition.

SILVIA. – Ne t'écarte pas de ton projet.

DORANTE. – Je ne m'en écarte peut-être pas tant que nous le 40 croyons ; tu as l'air bien distingué, et l'on est quelquefois fille de condition sans le savoir.

SILVIA. – Ah ! ah ! ah ! je te remercierais de ton éloge, si ma mère n'en faisait pas les frais.

DORANTE. – Eh bien, venge-t'en sur la mienne, si tu me 45 trouves assez bonne mine[6] pour cela.

MARIVAUX, *Le Jeu de l'amour et du hasard*, Acte I, scène 7, 1730.

2. Mot d'esprit.
3. Dispositions particulières dans un acte juridique.
4. Que le traité s'exécute.
5. Appartenant à la noblesse.
6. Une bonne mine serait une apparence physique montrant qu'on appartient à la noblesse.

Jeu de rôles révélateur

LECTURE DU TEXTE

1. @RECHERCHE Définissez les termes « marivaudage » et « badinage ». En quoi cette scène en est-elle un exemple ? Justifiez par l'analyse de **l'énonciation** et du champ lexical dominant.

Fiche 59 L'énonciation
Fiche 39 Lecture analytique (2)

2. Pourquoi cette scène 7 peut-elle se lire comme un piège se refermant sur les personnages ?

3. Que signifie le mot « condition » ? Pourquoi cette scène est-elle la critique d'une société où changer de condition est pratiquement impossible ?

HISTOIRE DES ARTS

COMPARER DES MISES EN SCÈNE Décrivez les décors, costumes et **jeux** des comédiens dans les deux mises en scène et expliquez les partis pris de chacune.

Fiche 23 Texte et représentation

ÉCRITURE

Vers le commentaire

Rédigez deux paragraphes de commentaire sur le comique de cette scène. Vous vous appuierez sur le rôle des apartés, le comique de situation et de caractère.

VERS LE BAC

Oral (entretien)

Comment Marivaux critique-t-il la société de son temps dans ce texte ?

Fiche 56 Réussir l'épreuve orale du baccalauréat

Invention

Imaginez un dialogue argumentatif entre Alfredo Arias et Jean Liermier à propos de la mise en scène de cette pièce. Chacun justifiera son choix de décor, de costumes et d'interprétation des personnages.

Fiches 47 et 48 Vers l'écriture d'invention

6 A. de Musset, *On ne badine pas avec l'amour*, 1834

Biographie p. 629
Du même auteur p. 143
Histoire littéraire p. 140
Repères historiques p. 620

Perdican et Camille sont promis l'un à l'autre, mais la jeune fille, par crainte d'une déception amoureuse, veut entrer au couvent. Pour la rendre jalouse, Perdican lui a donné rendez-vous près d'une fontaine et y vient avec une jeune paysanne, Rosette, qu'il s'est amusé à séduire. Camille s'est cachée derrière un arbre pour les observer.

Acte III, scène 3

ROSETTE. – Vous me donnez votre chaîne d'or ?

PERDICAN. – Regarde à présent cette bague. Lève-toi, et approchons-nous de cette fontaine. Nous vois-tu tous les deux, dans la source, appuyés l'un sur l'autre ? Vois-tu tes beaux yeux près des miens, ta main dans la mienne ? Regarde tout cela s'effacer. (*Il jette sa bague dans l'eau.*) Regarde comme notre image a disparu ; la voilà qui revient peu à peu ; l'eau qui s'était troublée reprend son équilibre ; elle tremble encore ; de grands cercles noirs courent à sa surface ; patience, nous reparaissons ; déjà je distingue de nouveau tes bras enlacés dans les miens ; encore une minute, et il n'y aura plus une ride sur ton joli visage ; regarde ! c'était une bague que m'avait donnée Camille.

Camille (C. Charreyre), Perdican (M. Voisin) et Rosette (A. Comte), mise en scène de Philippe FAURE (Théâtre de la Croix-Rousse 2008).

CAMILLE, *à part*. – Il a jeté ma bague dans l'eau.

PERDICAN. – Sais-tu ce que c'est que l'amour, Rosette ? Écoute ! le vent se tait ; la pluie du matin roule en perles sur les feuilles séchées que le soleil ranime. Par la lumière du ciel, par le soleil que voilà, je t'aime ! Tu veux bien de moi, n'est-ce pas ? On n'a pas flétri ta jeunesse ? on n'a pas infiltré dans ton sang vermeil les restes d'un sang affadi ? Tu ne veux pas te faire religieuse ; te voilà jeune et belle dans les bras d'un jeune homme ; ô Rosette, Rosette, sais-tu ce que c'est que l'amour ?

ROSETTE. – Hélas ! monsieur le docteur, je vous aimerai comme je pourrai.

Alfred DE MUSSET, *On ne badine pas avec l'amour*,
Acte III, scène 3, 1834.

Double jeu amoureux

LECTURE DU TEXTE

1. Pourquoi peut-on parler ici de triple énonciation ?

2. Comment la scène illustre-t-elle le proverbe servant de titre à la pièce ? Quel en est le registre ?

➤ **Fiche 40 Les registres**

3. MISE EN VOIX À trois, mettez en voix deux interprétations différentes des personnages : Perdican sincère ou non, Camille désespérée ou dépitée, Rosette troublée ou inquiète... Proposez pour chacune une mise en espace différente.

HISTOIRE DES ARTS

MISE EN SCÈNE Le décor et les costumes choisis par P. Faure correspondent-ils à la situation ? Argumentez.

ÉCRITURE

Invention

Rédigez en une page le monologue de Camille qui suit cette scène. Donnez-lui une fonction à la fois lyrique et délibérative.

➤ **Fiche 47 Comprendre un sujet d'écriture d'invention**

7 Georges Feydeau, Le Dindon, 1896

Biographie p. 626
Histoire littéraire p. 140
Repères historiques p. 620

Vatelin a donné rendez-vous à sa maîtresse, Maggy Soldignac, à l'hôtel. Un de ses amis, Pontagnac, amoureux de Lucienne, la femme de Vatelin, veut faire prendre l'infidèle en flagrant délit. Mais Victor, le garçon d'étage, a, par erreur, attribué la même chambre au couple Pinchard. Vatelin se retrouve couché, sans le savoir, avec Mme Pinchard, qui est sourde.

Acte II, scène 16

1 VATELIN, *entrant.* – Suis-je bête ! je tournais à l'envers. Au lieu d'ouvrir, je fermais à double tour. (*Il ferme la porte.*) Ah ! là ! là ! quelle ventouse que ce Soldignac ! J'ai cru que je ne m'en dépêtrerais pas !... Allons délivrer Maggy. (*Ronflement dans le lit.*) Hein ! on a ronflé là-dedans ! (*Écartant le rideau.*)
5 Comment, elle s'est couchée ? Ah ! non, elle est étonnante ! Rien ne la trouble !... (*Prenant son sac derrière le canapé, il le pose sur la table et en sort une paire de pantoufles qu'il jette devant le lit, puis il place une chaise sur laquelle il déposera ses vêtements près du lit, du côté de la table de nuit.*) Ah ! c'est beau, la nature britannique[1] ! ... Ma foi, elle dort, ne la réveillons pas. C'est autant
10 de gagné[2]. Je vais me coucher bien doucement... en ayant bien soin de ne pas la tirer de son reposant sommeil... (*Commençant à se déshabiller.*) ... reposant pour moi ! (*En descendant, il trébuche sur les souliers laissés par Pinchard, les ramassant.*) Non, croyez-vous qu'elles ont des pieds, ces Anglaises ! (*Il a retiré ses bottines et va les déposer dehors avec celles de Pinchard.*) Pristi ! que j'ai
15 soif ! (*Voyant le verre[3] laissé sur la table par Pinchard.*) Il tombe bien, celui-là ! Madame Soldignac, je connaîtrai votre pensée[4]. (*Il boit.*) Ah ! ça fait du bien... (*Il achève de se déshabiller.*) J'ai les yeux lourds... Je crois que je ne tarderai pas à m'endormir... Allez, couchons-nous, et doucement, pour ne pas éveiller ma maîtresse. (*Il se glisse dans le lit.*) Sapristi ! elle en prend de
20 la place... Je n'ose pas la pousser, ça l'éveillerait. Tiens, j'avais oublié mon chapeau ! (*Il le jette au pied du lit.*) Il me tiendra chaud aux pieds. Un tuyau de poêle[5]... Cristi ! que j'ai sommeil... Je ne sais pas, il me semble que ça a encore augmenté depuis que j'ai bu ce verre... Qu'est-ce qu'elle a pu fourrer là-dedans ?... De la strychnine[6], comme tout à l'heure ! de la strychnine...

25 *Il s'endort.*

Scène 17

LES MÊMES, PINCHARD, VICTOR, puis LUCIENNE, PONTAGNAC

La porte s'ouvre et Victor introduit Pinchard portant son cataplasme.

PINCHARD, *à Victor qui pose le flambeau sur la cheminée.* – Merci ! (*Victor s'en va ; Pinchard, soufflant sur le cataplasme qu'il arrose de laudanum[7], à sa femme en se dirigeant vers le lit.*) Tu y es, Coco, attention ! c'est chaud !...

30 *Il découvre Vatelin de la main droite et de sa main gauche lui applique le cataplasme sur l'estomac.*

VATELIN, *poussant un hurlement.* – Oh !

PINCHARD. – Qu'est-ce que c'est que ça ?

VATELIN. – Qui va là ? Au voleur !

1. Maggy Soldignac est anglaise.
2. Vatelin veut rompre avec Maggy.
3. Pinchard a apporté un verre avec un somnifère à sa femme.
4. Un dicton populaire dit qu'on lit dans les pensées de quelqu'un si l'on boit dans son verre.
5. Nom donné aux chapeaux hauts de forme.
6. Du poison avec lequel Maggy a fait mine de se suicider.
7. Le laudanum est un calmant.

Georges FEYDEAU, *Le Dindon*, 1896, mise en scène de Lukas HEMLEB (Comédie-Française, 2002).

35 PINCHARD. – Un homme dans le lit de ma femme !

MME PINCHARD, *s'éveillant*. – Qui est là ?... Ah ! mon Dieu, un homme dans mon lit !...

VATELIN. – Qu'est-ce que c'est que cette femme ?

PINCHARD, *lui sautant à la gorge*. – Gredin ! Qu'est-ce que tu fais là ?

40 VATELIN, *sortant du lit*. – Voulez-vous me lâcher !

TOUS LES TROIS. – Au secours ! à l'aide !

PINCHARD, *hurlant*. – Il y a un homme dans le lit de ma femme.

VATELIN. – Voulez-vous me lâcher !

LUCIENNE, *faisant irruption suivie de Pontagnac*. – C'est toi, misérable !

45 VATELIN. – Ciel ! ma femme !

Il envoie une poussée à Pinchard, ramasse ses vêtements au vol et se sauve ; il emporte la chaise.

PINCHARD, *à Lucienne*. – Vous êtes témoin, il était dans le lit de Coco, madame !

50 LUCIENNE. – Je l'ai bien vu, monsieur !

PINCHARD, *s'élançant à sa poursuite*. – Rattrapez-le ! Il était dans le lit de Coco !... ma femme !

MME PINCHARD, *qui, pendant ce qui précède, s'est levée et a pris son jupon et ses pantoufles*. – Mon mari ! Pinchard ! Où vas-tu ?

55 *Elle s'élance à leur poursuite.*

PONTAGNAC, *à Lucienne*. – Eh bien ! hein ! êtes-vous convaincue ?

LUCIENNE. – Oh ! oui, le traître !

PONTAGNAC. – Ai-je eu raison de vous dire de rester, vous qui vouliez déjà vous en aller ?

60 LUCIENNE. – Ah ! oui ! vous avez eu raison ! Grâce à Dieu ! je suis fixée, maintenant.

PONTAGNAC. – J'espère bien que vous saurez vous venger !

LUCIENNE. – Ah ! oui, je vous le jure !

PONTAGNAC. – Vous savez ce que vous m'avez promis. « Si j'ai jamais
65 la preuve de l'infidélité de mon mari, je lui rends immédiatement la pareille ! »

LUCIENNE. – Et je ne m'en dédis pas ! Ah ! je vous ferai voir que je n'ai qu'une parole !

PONTAGNAC. – Bravo !

70 LUCIENNE. – J'ai dit que je prendrai un amant, eh bien ! je le prends, cet amant !

PONTAGNAC. – Ah ! je suis le plus heureux des hommes !

LUCIENNE. – Et si mon mari vous demande quel est mon amant, vous pourrez le lui dire !

75 PONTAGNAC. – Oh ! ce n'est pas la peine.

LUCIENNE. – C'est son meilleur ami !... Ernest Rédillon !

PONTAGNAC, *suffoqué*. – Hein ! Réd !...

LUCIENNE. – Adieu, je vais me venger !

Elle sort vivement par la gauche.

80 PONTAGNAC, *courant après elle*. – Lucienne ! au nom du ciel ! Lucienne ! (*Il se précipite sur la porte qu'il trouve fermée.*) Fermée !...

Georges FEYDEAU, *Le Dindon*, Acte II, scènes 16 et 17, 1896.

De mensonges en portes qui claquent

LECTURE DU TEXTE

1. Résumez les différents quiproquos des deux scènes. Quelle en est l'origine ? Lesquels ne sont pas résolus ?
2. Quelle fonction les costumes et les objets jouent-ils, scènes 16 et 17 ?
3. RECHERCHE Cherchez le sens figuré de « dindon ». En quoi ce terme s'applique-t-il à Pontagnac ?

HISTOIRE DES ARTS

MISE EN SCÈNE Dans la mise en scène de L. Hemleb, identifiez les différents personnages grâce à leur position dans l'espace. L'ambiance de la scène 17 est-elle bien rendue ? Argumentez.

Fiche 20 L'action

VERS LE BAC

Invention

Le Dindon n'est entré à la Comédie-Française qu'en 1951 car le vaudeville a longtemps été considéré comme un divertissement trop facile et populaire. Écrivez le dialogue entre deux spectateurs de la Comédie-Française à la sortie de la représentation du *Dindon*. Tous les deux sortent enchantés mais pour des raisons différentes.

Fiche 48 Rédiger un écrit d'invention

Commentaire

Rédigez le commentaire de la scène 17. Vous montrerez l'efficacité comique du vaudeville.

Fiches 49 à 51 Vers le commentaire

Dissertation

Ionesco, dramaturge contemporain, affirme qu'au théâtre « il est non seulement permis, mais recommandé de faire jouer les accessoires, faire vivre les objets, animer les décors » (*Notes et contre-notes*). Dans un développement argumenté et illustré d'exemples précis, vous expliquerez ce qu'apportent ces éléments concrets au dialogue de théâtre, et comment la mise en scène peut les mettre en valeur.

Fiches 53 à 55 Vers la dissertation

8 Aristophane, Les Cavaliers, 424 av. J.-C.

Biographie p. 624

Histoire littéraire p. 140, 189

Lepeuple, vieillard personnifiant Athènes, a pris comme intendant un Paphlagonien, habitant d'un pays imaginaire. Ses deux fidèles serviteurs se plaignent, auprès du public et du chœur, du pouvoir qu'il a pris dans la maison. Le chœur est constitué des Cavaliers, jeunes aristocrates athéniens, élite de l'armée.

PREMIER SERVITEUR

Le patron que nous avons est un rustre d'humeur, croqueur de fèves[1], quinteux[2]. C'est Lepeuple, de Pnyx, un petit vieux acariâtre et dur d'oreille. À la dernière foire, le voilà qui achète un esclave, un tanneur paphlagonien, fieffée[3] canaille, fieffé menteur. Le temps pour notre homme (5) d'avoir débrouillé les ressorts du vieux, et le voilà à plat ventre devant le patron, et je te chatouille, et je te cajole, et je te paphlagorne[4], et je te berne à force de rognures de bouif[5] ! Il lui dit : « Lepeuple, tu as jugé une seule affaire, c'est suffisant : va d'abord prendre ton bain, et puis empiffre-toi, bouffe, bâfre : voilà ton allocation. Veux-tu que je te serve à dîner ? » (10) Alors il rafle quelque chose que l'un de nous a préparé, et ça y est, c'est au Paphlagonien que le patron doit cette gentillesse. L'autre jour, à Pylos, j'avais préparé des œufs de Sparte pour une omelette : comme une fieffée canaille qu'il est, il rôde autour, les chipe – et c'est lui qui les a servis ! C'est pourtant moi qui les avais battus ! Il nous tient à distance du patron, ne le laisse (15) soigner par personne d'autre, et pendant ses repas, un chasse-mouche à neuf queues en main, il balaie... les orateurs. Il lui chante des oracles, le vieux en devient... sibyllique[6].

ARISTOPHANE, *Les Cavaliers*, 424 av. J.-C.,
traduit du grec par V.-H. Debidour, © Éditions Gallimard, 1965.

1. On votait à l'aide de fèves jetées dans un vase.
2. Qui tousse.
3. Sacrée.
4. Jeu de mots avec le verbe « flagorner » qui signifie « flatter ».
5. En argot, vieux restes de semelle.
6. Prophétique. La sibylle est une prophétesse.

LA DÉMOCRATIE ATHÉNIENNE

La Pnyx est la colline d'Athènes où se tient l'assemblée du peuple. Tous les citoyens sont appelés à participer aux assemblées contre une **allocation** journalière. Aristophane montre la dégradation de la démocratie en **démagogie**. Les fidèles serviteurs figurent deux généraux, Nicias et Démosthène, vrais démocrates, tandis que le Paphlagonien est la caricature de Cléon, orateur violent, démagogue et impérialiste. Il vient de remporter une victoire sur les Spartiates à Pylos, alors que Nicias y était bloqué depuis des semaines.

Jouer les dérives de la démocratie

LECTURE DU TEXTE

1. Rappelez qui est « Lepeuple ». Puis, montrez que son portrait, présenté par le serviteur, est une charge virulente contre la démocratie athénienne. Vous prêterez attention aux effets de style, des plus transparents aux plus subtils.

Fiche 39 **Lecture analytique (2)**

2. Par quels procédés de style le serviteur fait-il la satire du Paphlagonien ?

Fiche 41 **Les figures de style**

ÉCRITURE

Vers la dissertation

Dans quelle mesure le comique permet-il une critique de la politique d'hier et d'aujourd'hui ? Vous prendrez appui sur le texte d'Aristophane, ainsi que sur une autre forme théâtrale comme les « Guignols de l'info ».

Fiches 53 à 55 **Vers la dissertation**

VERS LE BAC

Oral (analyse)

Dans quelle mesure ce texte antique constitue-t-il une satire très actuelle de la démocratie ?

Fiche 56 **Réussir l'épreuve orale du baccalauréat**

Commentaire

Vous ferez le commentaire de cet extrait en montrant comment la métaphore de la maison permet la critique politique.

Fiches 49 à 51 **Vers le commentaire**

9

Beaumarchais, *Le Mariage de Figaro*, 1778

Le Comte Almaviva a épousé Rosine grâce aux ruses de Figaro. Infidèle depuis son mariage, il convoite Suzanne, femme de chambre de la Comtesse et fiancée de Figaro. Désirant envoyer Figaro à Londres pour l'éloigner, il l'a convoqué pour sonder le valet sur ce qu'il devine de ses intentions. Figaro s'est allié avec la Comtesse pour se venger du Comte.

Biographie
p. 624

Du même auteur
p. 196

Histoire littéraire
p. 140

Repères historiques
p. 618

Le Comte (M. Vuillermoz) et Figaro (L. Stocker), mise en scène de Christophe RAUCK (Comédie-Française, 2007).

Acte III, scène 5
LE COMTE, FIGARO

1 LE COMTE. – ...Autrefois tu me disais tout.

FIGARO. – Et maintenant je ne vous cache rien.

LE COMTE. – Combien la Comtesse t'a-t-elle donné pour cette belle association ?

5 FIGARO. – Combien me donnâtes-vous pour la tirer des mains du docteur ? Tenez, Monseigneur, n'humilions pas l'homme qui nous sert bien, crainte d'en faire un mauvais valet.

LE COMTE. – Pourquoi faut-il qu'il y ait toujours du louche en ce que tu fais ?

FIGARO. – C'est qu'on en voit partout quand on cherche des torts.

10 LE COMTE. – Une réputation détestable !

FIGARO. – Et si je vaux mieux qu'elle ? y a-t-il beaucoup de seigneurs qui puissent en dire autant ?

LE COMTE. – Cent fois je t'ai vu marcher à la fortune et jamais aller droit.

FIGARO. – Comment voulez-vous ? la foule est là : chacun veut courir, on
15 se presse, on pousse, on coudoie, on renverse, arrive qui peut ; le reste est écrasé. Aussi c'est fait ; pour moi j'y renonce.

LE COMTE. – À la fortune ? (*À part.*) Voici du neuf.

FIGARO, *à part*. – À mon tour maintenant. (*Haut.*) Votre Excellence m'a gratifié de la conciergerie du château ; c'est un fort joli sort ; à la vérité je ne
20 serai pas le courrier étrenné des nouvelles intéressantes ; mais en revanche, heureux avec ma femme au fond de l'Andalousie...

LE COMTE. – Qui t'empêcherait de l'emmener à Londres ?

FIGARO. – Il faudrait la quitter si souvent que j'aurais bientôt du mariage par-dessus la tête.

25 LE COMTE. – Avec du caractère et de l'esprit, tu pourrais un jour t'avancer dans les bureaux.

FIGARO. – De l'esprit pour s'avancer ? Monseigneur se rit du mien. Médiocre et rampant ; et l'on arrive à tout.

LE COMTE. – ... Il ne faudrait qu'étudier un peu sous moi la politique.

30 FIGARO. – Je la sais.

LE COMTE. – Comme l'anglais, le fond de la langue !

FIGARO. – Oui, s'il y avait de quoi se vanter. Mais, feindre d'ignorer ce qu'on sait, de savoir tout ce qu'on ignore ; d'entendre ce qu'on ne comprend pas, de ne point ouïr ce qu'on entend ; surtout de pouvoir au-delà de ses forces ;
35 avoir souvent pour grand secret de cacher qu'il n'y en a point ; s'enfermer pour tailler des plumes, et paraître profond, quand on n'est, comme on dit, que vide et creux ; jouer bien ou mal un personnage ; répandre des espions et pensionner des traîtres ; amollir des cachets ; intercepter des lettres ; et tâcher d'ennoblir la pauvreté des moyens par l'importance des objets : voilà
40 toute la politique, ou je meure !

LE COMTE. – Eh ! c'est l'intrigue que tu définis !

BEAUMARCHAIS, *Le Mariage de Figaro*, Acte III, scène 5, 1778.

Le duel du valet et du maître

LECTURE DU TEXTE

1. RECHERCHE Résumez l'intrigue du *Barbier de Séville* puis expliquez la l. 5. En quoi les relations entre Figaro et le Comte ont-elles changé ?

2. Quels indices rendent perceptible la tension entre les deux hommes ? Analysez **énonciation** et jeux de scène.

Fiche 59 **L'énonciation**

3. Quels reproches chacun fait-il à l'autre ? Quels sentiments expriment-ils ?

4. Quel **registre** Figaro utilise-t-il (l. 11-30) ? Quels aspects de la société Beaumarchais dénonce-t-il ainsi?

Fiche 40 **Les registres**

HISTOIRE DES ARTS

MISE EN SCÈNE Comment C. Rauck met-il en scène le rapport maître/valet ? Comparez ce parti-pris avec ce qu'avait prévu Beaumarchais dans ses *Caractères et habillements de la pièce*, que vous trouverez sur le site http://www.archithea.org/.

VERS LE BAC

Question sur un corpus

Comparez Figaro et Sganarelle (*Dom Juan*, p. 119) : quelles similitudes et différences voyez-vous dans les relations maître/valet ? Y a-t-il une évolution ?

Fiche 46 **Répondre à une question sur un corpus**

Invention

Un metteur en scène annonce aux acteurs son choix d'interprétation. Il donne des consignes pour faire de l'extrait une scène d'affrontement. Rédigez le dialogue avec ses comédiens comportant des indications de jeu, de déplacements et d'intonations.

Fiche 48 **Rédiger un écrit d'invention**

10 Alfred Jarry, Ubu Roi, 1896

Biographie p. 627
Histoire littéraire p. 140
Repères historiques p. 620

En Pologne, Ubu, poussé par sa femme la Mère Ubu, s'est emparé du pouvoir en assassinant le roi Venceslas. Ce tyran bouffon et terrifiant vient d'exécuter des nobles en les faisant « passer à la trappe » pour s'accaparer leurs biens.

Acte III, scène 2

La grande salle du palais

PÈRE UBU, MÈRE UBU, OFFICIERS et SOLDATS, GIRON, PILE, COTICE, NOBLES *enchaînés*, FINANCIERS, MAGISTRATS, GREFFIERS

1 LE NOBLE. – Prince de Podolie.

PÈRE UBU. – Quels sont tes revenus ?

LE NOBLE. – Je suis ruiné.

PÈRE UBU. – Pour cette mauvaise parole, passe dans la trappe. Cinquième
5 Noble, qui es-tu ?

LE NOBLE. – Margrave de Thorn, palatin de Polock.

PÈRE UBU. – Ça n'est pas lourd. Tu n'as rien autre chose ?

LE NOBLE. – Cela me suffisait.

PÈRE UBU. – Eh bien ! mieux vaut peu que rien. Dans la trappe. Qu'as-tu à
10 pigner[1], Mère Ubu ?

MÈRE UBU. –Tu es trop féroce, Père Ubu.

PÈRE UBU. – Eh ! je m'enrichis. Je vais faire MA liste de MES biens. Greffier, lisez MA liste de MES biens.

LE GREFFIER. – Comté de Sandomir.

15 PÈRE UBU. – Commence par les principautés, stupide bougre !

LE GREFFIER. – Principauté de Podolie, grand-duché de Posen, duché de Courlande, comté de Sandomir, comté de Vitepsk, palatinat de Polock, margraviat de Thorn.

PÈRE UBU. – Et puis après ?

20 LE GREFFIER. – C'est tout.

PÈRE UBU. – Comment, c'est tout ! Oh bien alors, en avant les Nobles, et comme je ne finirai pas de m'enrichir je vais faire exécuter tous les Nobles, et ainsi j'aurai tous les biens vacants. Allez, passez les Nobles dans la trappe. (*On empile les Nobles dans la trappe.*) Dépêchez-vous plus vite, je veux faire
25 des lois maintenant.

PLUSIEURS. – On va voir ça.

PÈRE UBU. – Je vais d'abord réformer la justice, après quoi nous procéderons aux finances.

PLUSIEURS MAGISTRATS. – Nous nous opposons à tout changement.

30 PÈRE UBU. – Merdre. D'abord les magistrats ne seront plus payés.

MAGISTRATS. – Et de quoi vivrons-nous ? Nous sommes pauvres.

PÈRE UBU. – Vous aurez les amendes que vous prononcerez et les biens des condamnés à mort.

UN MAGISTRAT. – Horreur.

35 DEUXIÈME. – Infamie.

1. Pleurnicher.

Ubu (Denis Lavant) dans la mise en scène de Bernard SOBEL (Festival d'Avignon, 2001).

TROISIÈME. – Scandale.

QUATRIÈME. – Indignité.

TOUS. – Nous nous refusons à juger dans des conditions pareilles.

PÈRE UBU. – À la trappe les magistrats ! (*Ils se débattent en vain.*)

40 MÈRE UBU. – Eh ! que fais-tu, Père Ubu ? Qui rendra maintenant la justice ?

PÈRE UBU. – Tiens ! moi. Tu verras comme ça marchera bien.

MÈRE UBU. – Oui, ce sera du propre.

PÈRE UBU. – Allons, tais-toi, bouffresque. Nous allons maintenant, messieurs, procéder aux finances.

Alfred JARRY, *Ubu Roi*, Acte III, scène 2, 1896.

Une parodie de roi

LECTURE DU TEXTE

1. (@ RECHERCHE) Cherchez ce qu'est un « jeu de massacre ». Pourquoi l'expression peut-elle s'appliquer à cette scène ?
2. En quoi Ubu est-il un roi **burlesque** ? Analysez ses ruptures de ton et ses inventions verbales.

▶ Fiche 40 **Les registres**

3. Pourquoi ce dialogue constitue-t-il une parodie de pouvoir ? Analysez les **manifestations verbales et physiques** de violence.

▶ Fiche 39 **Lecture analytique (2)**

4. Que veut Ubu ? Pourquoi sa politique est-elle absurde ?

HISTOIRE DES ARTS

(MISE EN SCÈNE) Le décor de B. Sobel est une gigantesque main sur laquelle évoluent les personnages. Que symbolise cette main ? Le jeu de l'acteur vous paraît-il en accord avec le personnage ?

VERS LE BAC

Question sur un corpus

Comparez cet extrait à celui de *Caligula* (p. 165) : quelles similitudes rapprochent les deux rois ? Pourquoi l'un est-il comique et l'autre tragique ?

▶ Fiche 46 **Répondre à une question sur un corpus**

Invention

« Le théâtre, c'est... » Écrivez un article de dictionnaire avec votre définition personnelle comportant différentes acceptions possibles du mot, des exemples, des synonymes et des expressions comportant le mot théâtre.

▶ Fiche 47 **Comprendre un sujet d'écriture d'invention**

Ill, le chef de train, Clara, le mari N° 7, en arrière-plan, Boby.
Mise en scène d'Omar PORRAS (Théâtre de la Ville Les Abbesses, 2004).

11 F. Dürrenmatt, La Visite de la vieille dame, 1956

Biographie p. 626

Histoire littéraire p. 140

Repères historiques p. 622

Claire Zahanassian a été chassée autrefois de Güllen parce qu'elle attendait un enfant d'Ill, qu'il n'a pas voulu reconnaître. Quarante ans après, devenue milliardaire, elle revient se venger. Les habitants, ignorant son projet, lui ont préparé une réception grandiose, mais elle arrive plus tôt que prévu.

Acte I

1 *Claire Zahanassian arrive de la droite. C'est une inconfortable vieille carcasse de soixante-trois ans, habillée de noir, aux vêtements amples, avec un chapeau immense, un collier de perles, d'énormes bracelets d'or, parée comme une châsse ; impossible, mais précisément pour cela très femme du grand monde,*
5 *d'une grâce peu commune en dépit de tout ce qu'elle a de grotesque. Sa suite se compose du valet de chambre Boby, dans les quatre-vingts ans, portant des lunettes noires ; de deux femmes de chambre avec des valises ; de son mari N° 7 (grand, svelte, moustache noire) qu'elle appelle Moby et qui porte un attirail complet de pêcheur à la ligne. Un chef de train très animé accompagne le groupe ;*
10 *il porte casquette et sacoche rouge.*

CLAIRE ZAHANASSIAN. – C'est bien Güllen ?

LE CHEF DE TRAIN, *essoufflé*. – Madame, vous avez tiré la sonnette d'alarme.

CLAIRE ZAHANASSIAN. – Je tire toujours les sonnettes d'alarme.

LE CHEF DE TRAIN. – Je proteste énergiquement. Dans ce pays, on ne tire
15 jamais la sonnette d'alarme, même en cas d'alarme. Le respect de l'horaire est le premier de nos principes. Puis-je vous demander une explication ?

CLAIRE ZAHANASSIAN. – Nous sommes bien à Güllen, Moby. Je reconnais ce triste trou. Là-bas, la forêt de l'Ermitage avec le ruisseau où tu pourras pêcher tes truites et tes brochets ; à droite, le toit de la grange à Colas[1].

20 ILL, *comme au sortir d'un rêve*. – Clara !

LE PROVISEUR. – La Zahanassian !

DES VOIX. – La Zahanassian !

1. C'était le lieu des rendez-vous amoureux entre Clara et Ill.

LE PROVISEUR. – Le chœur mixte n'est pas prêt, ni le patronage.
LE MAIRE. – Les gymnastes ! Les pompiers !
25 LE PASTEUR. – Le sacristain !
LE MAIRE. – Je n'ai pas ma redingote. Pour l'amour du Ciel ! Mon tube[2] ! Mes petites-filles !
LE PREMIER. – Clara Wäscher, Clara Wäscher !
Il part en courant en direction de la ville.
30 LE MAIRE, *criant après lui.* – N'oubliez pas mon épouse.
LE CHEF DE TRAIN. – J'attends une explication – ordre de service ! – au nom de la direction des Chemins de fer !
CLAIRE ZAHANASSIAN. – Vous êtes un imbécile. Je veux juste visiter le patelin ; est-ce que je devais sauter de votre express en marche ?
35 LE CHEF DE TRAIN. – Vous avez arrêté le Roland-Furieux uniquement parce que vous ?...
CLAIRE ZAHANASSIAN. – Évidemment.
LE CHEF DE TRAIN. – Madame, si vous désirez visiter Güllen, vous avez à votre disposition l'omnibus de 12 h 40 à Kalberstadt. Comme tout le
40 monde. Arrivée à Güllen à 1 h 13.
CLAIRE ZAHANASSIAN. – L'omnibus qui s'arrête à Loken, Brunnhübel, Beisen-Bach et Leuthenau ? Prétendez-vous me faire perdre une heure pour traverser ce pays sinistre ?
LE CHEF DE TRAIN. – Madame, cela vous coûtera cher.
45 CLAIRE ZAHANASSIAN. – Boby, donne cent mille.
LA FOULE. – Cent mille ?
Le valet de chambre obéit.

Friedrich DÜRRENMATT, *La Visite de la vieille dame*, Acte I, 1956, trad. de l'allemand par J.-P. Porret, LGF/Le Livre de Poche, 2008.

2. Chapeau haut de forme.

L'entrée en scène fracassante d'une milliardaire

LECTURE DU TEXTE

1. (@ RECHERCHE) Qu'est-ce qu'une « châsse » ? Analysez la didascalie initiale et précisez pourquoi ce mot caractérise bien le personnage.
2. Analysez l'échange entre Claire et le chef de train. Qu'est-ce qui est comique ?
Fiche 59 L'énonciation
3. Comment les habitants de Güllen sont-ils tournés en ridicule ? Lequel reste à l'écart ?
4. Quel rôle les personnages secondaires jouent-ils dans cette scène ? Quels effets l'auteur veut-il produire avec cette galerie de portraits ?

HISTOIRE DES ARTS

(MISE EN SCÈNE) Par quels moyens scéniques (costumes, accessoires, décor, lumière) O. Porras rend-il cette entrée spectaculaire ? Qu'en pensez-vous ?

ÉDUCATION AUX MÉDIAS

(@ RECHERCHE) Sur le site www.malandro.ch, étudiez le dossier consacré à *La Visite de la vieille dame* (2004), en particulier la vidéo et la revue de presse. Puis rédigez l'interview d'Omar Porras dans laquelle vous lui ferez expliquer ses partis pris.

VERS LE BAC

Oral (entretien)
Quelle impression Dürrenmatt veut-il donner de son personnage féminin ?
Fiche 56 Réussir l'épreuve orale du baccalauréat

Commentaire
Rédigez un commentaire montrant que cette entrée spectaculaire constitue une exposition annonçant l'intrigue
Fiches 49 à 51 Vers le commentaire

12

Yasmina Reza, Art, 1994

Biographie p. 630
Histoire littéraire p. 140
Repères historiques p. 622

Il s'agit de la scène d'exposition.

Marc (Pierre Vaneck), Serge (Fabrice Luchini) et Yvan (Pierre Arditi) mise en scène de Patrice KERBRAT (Comédie des Champs-Élysées, 1994).

1 *Le salon d'un appartement.*
Un seul décor. Le plus dépouillé, le plus neutre possible.
Les scènes se déroulent successivement chez Serge, Yvan et Marc.
Rien ne change, sauf l'œuvre de peinture exposée.

5 *Marc, seul.*

MARC. – Mon ami Serge a acheté un tableau.
C'est une toile d'environ un mètre soixante sur un mètre vingt, peinte en blanc. Le fond est blanc et si on cligne des yeux, on peut apercevoir de fins liserés blancs transversaux.
10 Mon ami Serge est un ami depuis longtemps.
C'est un garçon qui a bien réussi, il est médecin dermatologue et il aime l'*art*.
Lundi, je suis allé voir le tableau que Serge avait acquis samedi mais qu'il convoitait depuis plusieurs mois.
15 Un tableau blanc, avec des liserés blancs.

*

Chez Serge.
Posée à même le sol, une toile blanche, avec de fins liserés blancs transversaux.
Serge regarde, réjoui, son tableau.
Marc regarde le tableau.
20 *Serge regarde Marc qui regarde le tableau.*
Un long temps où tous les sentiments se traduisent sans mot.

MARC. – Cher ?

SERGE. – Deux cent mille.

MARC. – Deux cent mille ?...

25 SERGE. – Handtington me le reprend à vingt-deux.

MARC. – Qui est-ce ?

SERGE. – Handtington ?!

MARC. – Connais pas.

SERGE. – Handtington ! La galerie Handtington !

30 MARC. – La galerie Handtington te le reprend à vingt-deux ?...

SERGE. – Non, pas la galerie. Lui. Handtington lui-même. Pour lui.

MARC. – Et pourquoi ce n'est pas Handtington qui l'a acheté ?

SERGE. – Parce que tous ces gens ont intérêt à vendre à des particuliers. Il faut que le marché circule.
35 MARC. – Ouais...
SERGE. – Alors ?
MARC. – ...
SERGE. – Tu n'es pas bien là. Regarde-le d'ici. Tu aperçois les lignes?
MARC. – Comment s'appelle le...
40 SERGE. – Peintre. Antrios.
MARC. – Connu ?
SERGE. – Très. Très !
Un temps.
MARC. – Serge, tu n'as pas acheté ce tableau deux cent mille francs ?
45 SERGE. – Mais mon vieux, c'est le prix. C'est un ANTRIOS !
MARC. – Tu n'as pas acheté ce tableau deux cent mille francs !
SERGE. – J'étais sûr que tu passerais à côté.
MARC. – Tu as acheté cette merde deux cent mille francs ? !

*

Serge, comme seul
50 SERGE. – Mon ami Marc, qui est un garçon intelligent, garçon que j'estime depuis longtemps, belle situation, ingénieur dans l'aéronautique, fait partie de ces intellectuels, nouveaux, qui, non contents d'être ennemis de la modernité, en tirent une vanité incompréhensible.
Il y a depuis peu, chez l'adepte du bon vieux temps, une arrogance
55 vraiment stupéfiante.

Yasmina REZA, *Art*, © 1998, Y. REZA / ALBIN MICHEL.

Exposer la prétention culturelle

LECTURE DU TEXTE

1. Pourquoi ce texte est-il une scène d'exposition ?
2. Indiquez les étapes du dialogue et analysez l'évolution de la relation entre Marc et Serge. Quel problème constitue le nœud de l'intrigue ? Qu'attend Serge de Marc ?
Fiche 21 **La parole**
3. @ RECHERCHE Cherchez *Carré blanc sur fond blanc* de K. Malévitch. Qu'a pu représenter cette œuvre en 1917 ? A-t-elle la même portée transposée dans un intérieur bourgeois de 2002 ?

HISTOIRE DES ARTS

MISE EN SCÈNE Décrivez les éléments de décor et le costume de Serge dans la mise en scène de P. Kerbrat : cela correspond-il à l'idée que vous vous faites du personnage ?

VERS LE BAC

Oral (analyse)
Comment Y. Reza fait-elle la satire d'un milieu parisien aisé et cultivé, de sa prétention intellectuelle ?
Fiche 56 **Réussir l'épreuve orale du baccalauréat**

Question sur un corpus
Comparez ce texte avec l'extrait de *Théâtre sans animaux* (p. 138) : comment les œuvres d'art sont-elles prétexte à une réflexion plus sociale ? Argumentez.
Fiche 46 **Répondre à une question sur un corpus**

Dissertation
Le monologue n'existe pas dans la réalité. Le théâtre est-il seulement un art de l'artifice ou arrache-t-il le masque du mensonge et de l'hypocrisie ? Votre développement argumenté s'appuiera sur des textes et des éléments de mise en scène.
Fiches 53 à 55 **Vers la dissertation**

13 Jean-Michel Ribes, Théâtre sans animaux, 2001

Biographie p. 630
Histoire littéraire p. 140
Repères historiques p. 622

Musée

Une grande salle de musée. Faisceau de lumières qui éclairent les œuvres qu'on ne voit pas. Des visiteurs déambulent. Les pas résonnent. De temps en temps on saisit ce qu'ils disent.

[...]
– J'aime que les impressionnistes aient été des incompris.

5 – Tout ce qui est rouge sur le plan, c'est précolombien, en vert c'est les arts primitifs, en jaune la vallée de l'Indus et en bleu c'est la Chine des Tang.
– Et la cafétéria c'est quelle couleur ?

– J'en peux plus !
– Assieds-toi une seconde.
10 – Je suis épuisé.
– Il y a une banquette, profites-en.
– Incroyable... et pourtant le dimanche au bois, je tiens des kilomètres.
– Là c'est pas pareil, tu marches avec les yeux.

Mise en scène de Jean-Michel Ribes (Théâtre Tristan Bernard, 2002).

– On sent beaucoup plus l'influence de l'Inde ici qu'au sous-sol.

15 – Matisse c'est juif, comme nom ?
– Je crois...

– Dis donc Laurence, elle est toute petite la *Vénus de Milo*... C'était qui Milo, un nain ? Ah je suis déçue, Laurence, déçue... Je vais quand même faire une photo pour Jacques, mais on la fera
20 agrandir... si, on est obligé, elle est trop minus...Ah merde, je suis déçue !

Jean-Michel RIBES, *Théâtre sans animaux*, Éditions Actes Sud, 2001.

L'exhibition de la sottise ordinaire

LECTURE DU TEXTE

1. Pourquoi les personnages n'ont-ils pas de nom ? Essayez de classer les types de visiteurs suivant leurs réactions.
2. Quels sont les différents procédés comiques utilisés dans le dialogue ?
3. Que veut montrer ici J.-M. Ribes de notre rapport à la culture ?

ÉCRITURE

Vers l'écriture d'invention

Choisissez une œuvre d'art dont vous donnerez une reproduction. Vous imaginerez le dialogue de théâtre comique entre deux ou trois personnages devant ce tableau, dans un musée ou une exposition.

➲ **Fiche 47 Comprendre un sujet d'écriture d'invention**

VERS LE BAC

Oral (entretien)

Le théâtre est-il un moyen efficace pour s'interroger sur la société ?

➲ **Fiche 56 Réussir l'épreuve orale du baccalauréat**

Dissertation

E. Ionesco écrit : « Le théâtre est dans l'exagération [...] qui disloque la plate réalité quotidienne. » Discutez ce jugement en vous appuyant sur des exemples précis.

POUR ARGUMENTER LE TEXTE DE THÉÂTRE EXISTE-T-IL SANS LA SCÈNE ?

Antonin Artaud, *Le Théâtre et son double*, 1931

Car en soignant la mise en scène qui est dans une pièce de théâtre la partie véritablement et spécifiquement théâtrale du spectacle, le metteur en scène demeure dans la ligne vraie du théâtre qui est affaire de réalisation. Mais les uns et les autres jouent sur les mots ; car si le terme de mise en scène a pris avec l'usage ce sens dépréciatif, c'est affaire à notre conception européenne du théâtre qui donne le pas au langage articulé sur tous les autres moyens de représentation.

Il n'est pas absolument prouvé que le langage des mots soit le meilleur possible. Et il semble que sur la scène qui est avant tout un espace à remplir et un endroit où il se passe quelque chose, le langage des mots doive céder la place au langage par signes dont l'aspect objectif est ce qui nous frappe immédiatement le mieux.

[...] si nous nous montrons aujourd'hui tellement incapables de donner d'Eschyle, de Sophocle, de Shakespeare une idée digne d'eux, c'est très vraisemblablement que nous avons perdu le sens de la physique de leur théâtre.

Antonin ARTAUD, « Lettre sur le langage », 1931,
in *Le Théâtre et son double*, © Éditions Gallimard, 1964.

Henri IV de SHAKESPEARE transposé dans l'univers japonais par Ariane MNOUCHKINE (Théâtre du Soleil, 1984).

LES ENJEUX

1. Quelles conceptions différentes du théâtre Artaud oppose-t-il ? Laquelle défend-il ? Pour quelles raisons ?
2. MISE EN SCÈNE Pourquoi le parti pris d'A. Mnouchkine pour mettre en scène Shakespeare est-il conforme aux idées d'Artaud ?

Fiche 23 **Texte et représentation**

VERS LE BAC

Dissertation

Un texte de théâtre est-il fait pour être lu ou pour être vu ? Vous répondrez dans un développement argumenté illustré d'exemples précis.

Fiches 53 à 55 **Vers la dissertation**

Histoire du théâtre et de sa représentation

Le modèle grec

Le théâtre occidental naît à Athènes au Ve siècle av. J.-C. Théâtre à la fois religieux et politique, il se joue lors des **Grandes Dionysies**. Les représentations ont lieu de jour, en plein air, dans un édifice en demi-cercle ouvert sur la cité athénienne et situé au flanc de l'Acropole dans le périmètre du temple de Dionysos. Le **chœur**, élément spectaculaire originel, chante et danse à l'unisson au son de la flûte. Il est composé de citoyens. Il dialogue avec les personnages principaux joués uniquement par des hommes, **acteurs professionnels masqués**.

Chœur comique de cavaliers, vase attique, vers 530 avant J.-C. (Staatliche Museen, Berlin).

Ex. : *Dans* Les Cavaliers *d'Aristophane* (>p. 129), *le chœur représente les jeunes soldats envoyés à la guerre par le démagogue.*

Le théâtre romain

Le théâtre romain s'inscrit également dans une pratique religieuse, mais il a exclusivement une fonction ludique. Pendant ce que les Romains appellent les « **jeux scéniques** », toute activité sérieuse est suspendue. Les spectacles se déroulent dans des théâtres fermés d'un **haut mur** décoré d'or et de marbre. Les masques et costumes sont aussi somptueux. Les modèles des tragédies et comédies sont grecs mais adaptés au goût romain pour la virtuosité musicale des acteurs, tous des hommes, à la fois chanteurs et danseurs. Dans la comédie, les esclaves rusés favorisent les amours des jeunes gens par le mensonge et le déguisement.

Ex. : *Dans* Amphitryon *de Plaute, même les dieux se déguisent pour tromper les humains* (>p. 116).

La scène médiévale

Au Moyen Âge, les « **mystères** » rejouent, lors des fêtes chrétiennes, la Passion du Christ depuis le péché d'Adam et Ève. Les rôles sont tenus jusqu'au XVe siècle par des amateurs, bourgeois et étudiants dirigés par le « meneur de jeu ». Une estrade est installée sur la place de l'église. Les spectateurs, pour suivre le déroulement de l'action, déambulent autour des décors. Ce dispositif sert aussi pour le **théâtre de foire** où des acteurs professionnels jouent des farces profanes.

L'Âge d'or d'A. Mnouchkine, La Cartoucherie, 1975.

Ex. : *Le spectacle* L'Âge d'or, *d'A. Mnouchkine, expérimente ce modèle médiéval en créant un espace multiple qui rapproche acteurs et spectateurs et oblige ceux-ci à se déplacer.*

Le théâtre à l'italienne (XVIe-XVIIIe siècle)

La perspective, utilisée dans la peinture depuis la Renaissance, fait son apparition au théâtre et permet l'invention, en Italie, de la **scénographie** : des décors peints sur une toile sont accrochés au fond de la scène et donnent une impression de profondeur. En effet, la **perspective** ordonne les éléments du décor en fonction du « point de fuite », point vers lequel convergent les lignes, ainsi que du « point de vue », place centrale d'où l'on voit le mieux. Dès lors, le cadre de la scène semble délimiter les contours d'une boîte en **trompe-l'œil**, recréant, le temps de la représentation, **l'illusion** de la vie.

Le théâtre à l'italienne est un **espace clos**, hiérarchisé, tributaire de l'éclairage aux bougies. Les théâtres français construits dans des jeux de paume, longues salles rectangulaires, adoptent cette architecture. Les spectateurs sont soit debout au parterre, soit assis dans l'amphithéâtre placé au fond, en face de la scène, soit dans les galeries de loges autour de la salle, soit sur la scène même.

Ex. : *Les pièces à machines comme* Andromède *de Corneille ou* Dom Juan *de Molière* (>p. 119) *réclament des décors sophistiqués emmenant le spectateur dans un monde merveilleux.*

Décor de TORELLI pour *Andromède* de CORNEILLE, 1650.

L'illusion parfaite (XIXe siècle)

- Jusqu'à la fin du XIXe siècle, le metteur en scène n'existe pas. Décorateur, costumier, éclairagiste, acteurs collaborent sans projet d'ensemble. Seuls le directeur du théâtre ou l'acteur principal coordonnent les efforts. Les conditions de représentation évoluent cependant sous l'impulsion de nouveaux genres qui nécessitent de nombreux effets et trucages, comme le **drame romantique**, le **vaudeville** ou l'**opéra comique**. Les auteurs comme **Hugo**, **Feydeau**, **Labiche** écrivent des didascalies très précises pour les décors, et les auteurs du théâtre de boulevard tiennent à l'exactitude de la représentation des milieux.

Ex. : *L'espace et les accessoires jouent un grand rôle dans* Ruy Blas *de Hugo* (>p. 162) *et* Le Dindon *de Feydeau* (>p. 126).

- En 1820, l'apparition du gaz permet de nouveaux effets d'éclairage, du noir complet à la pleine clarté, renforçant l'illusion d'une boîte fermée : un **quatrième mur** invisible sépare les spectateurs d'une scène qui reproduit un fragment du monde réel. Le public s'identifie ainsi aux personnages incarnés par des acteurs charismatiques comme **Sarah Bernhardt**.

Ex. : *Sarah Bernhardt est célèbre pour ses rôles masculins, Hamlet ou Lorenzaccio, joués avec grandiloquence* (>Parcours de lecteur, p. 143).

Pourtant, dès la fin du XIXe siècle, des dramaturges critiquent la mauvaise visibilité du théâtre à l'italienne. Et si l'apparition de l'électricité (1880-1890) offre un meilleur éclairage, sa lumière sans nuance détruit l'illusion du trompe-l'œil.

Ex. : *A. Jarry rejette tout réalisme pour la mise en scène d'*Ubu Roi *en 1896* (>p. 132) *: il en dessine le costume grotesque et imagine, par exemple, « une tête de cheval qu'il se pendrait au cou ».*

Ubu, dessiné par A. JARRY.

L'invention de la mise en scène

Réunifier le lieu théâtral

En France, **Jacques Copeau (1879-1949)** est le premier à réformer le théâtre. Il commence par transformer la salle à l'italienne en scène ouverte avec un **proscenium** (ou avant-scène) pour établir un contact direct entre acteurs et spectateurs.
Copeau offre une scène nue avec très peu de décors et d'effets lumineux. Le spectacle repose sur le jeu de l'acteur servant le texte sobrement sans jouer les vedettes : « Pas d'affectation d'aucune sorte, ni du corps ni de l'esprit, ni de la voix. » (extrait d'un texte rédigé pour la 1re saison du Vieux Colombier, 1920-21, in J. Jomaron, *Le Théâtre en France)*.

Les héritiers de Copeau

Des metteurs en scène poursuivent l'idée de Copeau d'un théâtre populaire de qualité dans le respect du texte.

- **Charles Dullin (1885-1949)** a le goût du spectacle. Il s'entoure de peintres et de musiciens célèbres, d'acteurs capables de danser, chanter. Il adapte les textes de Shakespeare ou Aristophane pour les rendre actuels et fait découvrir de nouveaux auteurs.

Ex. : *Il monte* Les Mouches *de Sartre en 1943 dans une mise en scène qui évite tout réalisme psychologique* (>p. 164).

- Poète et acteur chez Dullin, **Antonin Artaud (1896-1948)** appartient au mouvement surréaliste. Ses écrits théoriques regroupés dans *Le Théâtre et son double* (1931) ont une influence considérable. Ses modèles sont orientaux, antiques et élisabéthains, là où musique, danse, masques, jeu outré créent des effets à grand spectacle.

Ex. : *Il prône un théâtre où le texte a moins d'importance que la mise en scène* (>p. 139).

- Professeur au Conservatoire, **Louis Jouvet (1887-1951)** pense que l'acteur n'incarne pas le personnage mais l'approche par un travail minutieux de longues répétitions.

Ex. : *Il fait redécouvrir* Dom Juan (>p. 119) *ou* L'École des femmes *de Molière dans les décors et costumes somptueux du peintre Bérard.*

Dom Juan, mis en scène par Louis JOUVET (Théâtre de l'Athénée, 1948).

La distanciation brechtienne

Le dramaturge et metteur en scène allemand **Bertolt Brecht (1898-1956)** assigne au théâtre une fonction didactique et politique. Pour détruire l'illusion théâtrale qui empêche le spectateur de réfléchir, il crée **l'effet de distanciation** : le spectateur doit toujours se rappeler qu'il est au théâtre. Brecht supprime donc le 4e mur, un récitant commente l'action, les décors sont visiblement faux, on fait des changements à vue, on projette des images sur un fond blanc.

Ex. : *Les mises en scène récentes respectent l'esthétique de Brecht comme* Mère Courage et ses enfants *par G. Sallin* (>p. 152).

L'ère des metteurs en scène

À partir des années 1940, la mise en scène oscille entre ces grandes tendances ou les associe : l'interprétation fondée sur une analyse rigoureuse des textes, la théâtralité exacerbée, la distanciation brechtienne et la réflexion politique. Mais tous pensent que chaque mise en scène est une nouvelle lecture du texte.

Rigueur du texte et du jeu

- **Jean Vilar (1912-1971)** crée le Théâtre National Populaire et, en 1948, le festival d'Avignon. Dans la cour du Palais des Papes, il installe un plateau nu qui plonge vers le public. Ses mises en scène se déroulent comme des rituels.

Ex. : *La mise en scène de* Lorenzaccio *est une cérémonie, sculptée par la lumière et magnifiée par de grands comédiens, M. Casarès, G. Philipe* (>Parcours de lecteur, p. 143).

- **Antoine Vitez (1930-1990)** refuse toute opposition entre le texte et la scène. Acteur lui-même et traducteur, il invite ses comédiens à un respect maniaque du texte, de son rythme, que ce soit pour les œuvres du XVIIe siècle (Molière, Racine) ou les vers libres de Claudel. Dans des scénographies conçues par le peintre Y. Kokkos, il impose un jeu artificiel qui révèle les motivations du personnage.

Ex. : *Il met trois fois en scène* Électre *de Sophocle avec la même actrice entre 1966 et 1986* (>p. 183).

- **Patrice Chéreau (né en 1944)** est acteur, metteur en scène de théâtre et d'opéra et réalisateur de films. Ses comédiens exagèrent leur jeu pour faire ressortir l'authenticité des émotions. Ses décors, conçus par R. Peduzzi, sont structurés par des lignes verticales et intègrent le public.

Ex. : *Dans sa mise en scène de* Phèdre (>p. 159), *de hautes murailles ferment un dispositif bi-frontal de chaque côté duquel est installé le public.*

Le théâtre comme art total

- **Jean-Louis Barrault (1910-1994)** venu du mime et adepte d'Artaud, pense que le théâtre s'exprime d'abord par le langage du corps et doit être un spectacle total qui entraîne le public dans une émotion quasi religieuse. Avec sa compagne, l'actrice Madeleine Renaud, il fait découvrir des auteurs contemporains comme Claudel, Ionesco, Beckett, Duras ou Genet.

Ex. : *Mise en scène de* Oh les beaux jours (>Vers le bac, p. 194).

- **Ariane Mnouchkine (née en 1939)** établit comme Artaud des ponts entre l'Orient et l'Occident.

Ex. : *Pour sa mise en scène de Shakespeare, elle choisit un univers japonais* (>p. 139), *et pour celle des* Atrides, *un univers indien.*

Elle retourne aux sources de la *commedia dell'arte*. Héritière aussi de Brecht, ses spectacles conçus pour un espace en arène allient musique et danses, et utilisent la distanciation par des procédés comme le masque. Elle veut ainsi refonder le lien social par l'émotion collective née du théâtre.

Le théâtre comme réflexion historique et politique

Bernard Sobel (né en 1936) a travaillé comme assistant au Berliner Ensemble, dirigé par la veuve de Brecht. Il assigne au théâtre un rôle politique inspiré à la fois de Marx et de Freud.

Ex : *Ses mises en scène d'*Ubu Roi (>p. 133) *et d'*En attendant Godot (>p. 167) *s'appuient sur des décors à la portée symbolique et politique forte.*

Denis LAVANT dans le rôle d'Ubu, mise en scène de Bernard SOBEL, 2001.

7

PARCOURS DE LECTEUR • ŒUVRE INTÉGRALE

Alfred de Musset
Lorenzaccio 1834

La pièce s'inspire d'un fait historique réel, relaté par le chroniqueur italien Varchi. En 1537, la ville de Florence vit sous la tyrannie du duc Alexandre de Médicis. Cet homme colérique est au pouvoir grâce à l'appui de l'empereur Charles Quint et du pape Clément VII et il sait leur obéir. Lorenzo de Médicis, son cousin, rêve de rendre à Florence sa liberté républicaine et feint de partager la débauche du Duc pour l'approcher et saisir le moment opportun de l'assassiner. Hélas, à peine son crime accompli, Lorenzo est tué par ceux qu'il voulait aider.

Objectifs

- Découvrir un drame romantique et sa mise en scène
- Caractériser le héros romantique

Chronologie

1829 Début de la carrière littéraire de Musset à 19 ans par un succès : *Les Contes d'Espagne et d'Italie*.

1830 Échec de sa première pièce, *La Nuit vénitienne*. Il invente un théâtre destiné non à la scène mais à la lecture.

1832-1837 Période féconde, enrichie par sa passion amoureuse pour George Sand. *Un spectacle dans un fauteuil* (1832), *Les Caprices de Marianne, Fantasio, On ne badine pas avec l'amour, Lorenzaccio, Le Chandelier* et *Un caprice* (1837) sont des pièces libérées des contraintes matérielles de la représentation.

1847 Seule pièce jouée du vivant de Musset, *On ne badine pas avec l'amour* connaît le succès à la Comédie-Française.

1857 Mort de Musset.

1897 *Lorenzaccio* est représenté dans une adaptation tronquée du texte, Sarah Bernhardt y tient le rôle titre.

1952 Au Festival d'Avignon, première véritable représentation de *Lorenzaccio* avec peu de coupures et un homme dans le rôle de Lorenzo, Gérard Philipe, qui met aussi en scène.

TEXTES ÉCHOS

V. HUGO, *Ruy Blas* > p. 162, 197
J.-P. SARTRE, *Les Mains sales* > p. 284
A. CAMUS, *Les Justes* > p. 286

Histoire littéraire p. 178

Entrée dans l'œuvre : Florence, la ville du carnaval

Mise en scène de Franco ZEFFIRELLI (Comédie-Française, Paris, 1976).

Du texte à la scène

1. Lisez l'Acte I, scène 2 (p. 15 à 22, éd. Bibliolycée). Comment didascalies et dialogues créent-ils l'illusion que l'action se passe à Florence, en 1537 ? Comment les étudiants et le peuple occupent-ils leur temps libre ? Quelle image de Florence se dessine peu à peu ?
2. (MISE EN SCÈNE) Comment l'ambiance de cette scène est-elle rendue par F. Zeffirelli, par O. Krejca ? Analysez les décors, les couleurs, les lumières, le nombre de personnages sur scène, leur occupation de l'espace.
3. (MISE EN SCÈNE) Les costumes correspondent-ils à la Renaissance italienne ? Expliquez le parti pris de F. Zeffirelli et celui d'O. Krejca.

Mise en scène d'O. KREJCA (Avignon, 1979).

L'œuvre et son contexte

George Sand a écrit une « scène historique » inspirée par Varchi et a offert le scénario à Musset. Ce dernier, séduit par l'atmosphère d'une Florence corrompue, transforme Lorenzo en héros romantique à son image. Le personnage de 1537 est aussi l'enfant du XIXe siècle, marqué par les chagrins d'amour – G. Sand l'abandonne – et une situation politique désespérante. En effet, Musset a assisté à la Révolution des Trois Glorieuses (1830), faisant rêver toute une jeunesse de liberté. Le roi Charles X, très conservateur, doit abdiquer et son cousin Louis-Philippe, réputé plus ouvert, monte sur le trône mais il ne tient pas ses promesses de modernisation. Les enfants de la Révolution et de Napoléon, comme Musset, sont rongés par le « mal du siècle ».

Dissertation

J.-M. Thomasseau, déclare : « Florence n'est pas un décor. Elle est présente dans la pièce comme un personnage vivant » (*Lorenzaccio*, PUF, 1986). Que peut symboliser la ville de Florence pour le dramaturge ? Vous répondrez en proposant plusieurs arguments.

EXTRAIT 1 Le Duc et son bouffon

TEXTE ÉCHO

> **V. Hugo,** *Ruy Blas* (Acte V, sc. 4) **p. 162**

Le Pape et le peuple se plaignent des débauches du cousin du Duc, Lorenzo de Médicis. En réalité, le héros joue un double jeu, ne partageant les vices du Duc que pour gagner sa confiance.

Acte I, scène 4

LE DUC ALEXANDRE, VALORI, SIRE MAURICE

LE CARDINAL. – Messire Francesco Molza vient de débiter à l'Académie romaine une harangue en latin contre le mutilateur de l'arc de Constantin.

LE DUC. – Allons donc, vous me mettriez en colère ! Renzo un homme à craindre ! le plus fieffé poltron ! une femmelette, l'ombre d'un ruffian[1] énervé ! un rêveur qui marche nuit et jour sans épée, de peur d'en apercevoir l'ombre à son côté ! d'ailleurs un philosophe, un gratteur de papiers, un méchant poète, qui ne sait seulement pas faire un sonnet ! Non, non, je n'ai pas encore peur des ombres. Eh ! corps de Bacchus ! que me font les discours latins et les quolibets de ma canaille ! J'aime Lorenzo, moi, et, par la mort de Dieu, il restera ici.

LE CARDINAL. – Si je craignais cet homme, ce ne serait pas pour votre Cour, ni pour Florence, mais pour vous, duc.

LE DUC. – Plaisantez-vous, cardinal, et voulez-vous que je vous dise la vérité ? (*Il lui parle bas.*) Tout ce que je sais de ces damnés bannis, de tous ces républicains entêtés qui complotent autour de moi, c'est par Lorenzo que je le sais. Il est glissant comme une anguille ; il se fourre partout, et me dit tout. N'a-t-il pas trouvé moyen d'établir une correspondance avec tous ces Strozzi[2] de l'enfer ? Oui, certes, c'est mon entremetteur ; mais croyez que son entremise, si elle nuit à quelqu'un, ne me nuira pas. Tenez ! (*Lorenzo paraît au fond d'une galerie basse.*) Regardez-moi ce petit corps maigre, ce lendemain d'orgie ambulant. Regardez-moi ces yeux plombés, ces mains fluettes et maladives, à peine assez fermes pour soutenir un éventail ; ce visage morne, qui sourit quelquefois, mais qui n'a pas la force de rire. C'est là un homme à craindre ? Allons, allons, vous vous moquez de lui. Hé ! Renzo, viens donc ici ; voilà sire Maurice qui te cherche dispute.

LORENZO, *monte l'escalier de la terrasse.* – Bonjour, messieurs les amis de mon cousin.

A. DE MUSSET, *Lorenzaccio*, 1834, Acte I, sc. 4, Hachette, coll. Bibliolycée, p. 43-45.

- Quel portrait physique et moral de Lorenzo le Duc brosse-t-il ?
- MISE EN SCÈNE Quelle impression contradictoire ce « héros » produit-il ? Le jeu du Lorenzo de C. Stavisky correspond-il à cela ? Justifiez.
- Lisez le texte écho. Quel intérêt la duplicité d'un héros peut-elle avoir pour un auteur romantique ?

1. Voyou.
2. Famille d'aristocrates florentins qui complotent contre le Duc.

Le Duc assis en toge et Lorenzo allongé à droite, mise en scène de Claudia STAVISKY (Théâtre des Célestins, Lyon, 2009).

EXTRAIT 2 Les désillusions d'un héros romantique

TEXTES ÉCHOS

> **A. Camus,** *Les Justes* **p. 286**
> **J.-P. Sartre,** *Les Mains sales* (Acte V, sc. 3) **p. 284**

- Quelles illusions Lorenzo a-t-il perdues ? Qu'apportent les métaphores à son discours ?
- Pourquoi Lorenzo veut-il agir malgré tout ?
- MISE EN SCÈNE Comment, dans les deux mises en scène, le double visage de Lorenzo est-il suggéré ? Analysez costumes, maquillage et jeu des acteurs.
- Lisez les textes échos. Comment ces textes montrent-ils le conflit tragique entre idéal et réalité ?

Dans cette scène centrale, Lorenzaccio révèle au chef du parti républicain Philippe Strozzi les raisons de sa conduite libertine. Mais on ne badine pas avec le vice.

Redjep Mitrovitsa (Lorenzo) dans la mise en scène de G. LAVAUDANT, 1989.

Acte III, scène 3

LORENZO, PHILIPPE STROZZI

LORENZO. – Suis-je un Satan ? Lumière du Ciel ! Je m'en souviens encore ; j'aurais pleuré avec la première fille que j'ai séduite, si elle ne s'était mise à rire. Quand j'ai commencé à jouer mon rôle de Brutus[1] moderne, je marchais dans mes habits neufs de la grande confrérie du vice comme un enfant de dix ans dans l'armure d'un géant de la fable. Je croyais que la corruption était un stigmate[2], et que les monstres seuls le portaient au front. J'avais commencé à dire tout haut que mes vingt années de vertu étaient un masque étouffant ; ô Philippe ! j'entrai alors dans la vie, et je vis qu'à mon approche tout le monde en faisait autant que moi ; tous les masques tombaient devant mon regard ; l'humanité souleva sa robe et me montra, comme à un adepte digne d'elle, sa monstrueuse nudité. J'ai vu les hommes tels qu'ils sont, et je me suis dit : « Pour qui est-ce donc que je travaille ? » Lorsque je parcourais les rues de Florence, avec mon fantôme à mes côtés, je regardais autour de moi, je cherchais les visages qui me donnaient du cœur, et me demandais : « Quand j'aurai fait mon coup, celui-là en profitera-t-il ? » J'ai vu les républicains dans leurs cabinets ; je suis entré dans les boutiques, j'ai écouté et j'ai guetté. J'ai recueilli les discours des gens du peuple ; j'ai vu l'effet que produisait sur eux la tyrannie ; j'ai bu dans les banquets patriotiques le vin qui engendre la métaphore et la prosopopée[3] ; j'ai avalé entre deux baisers les larmes les plus vertueuses ; j'attendais toujours que l'humanité me laissât voir sur sa face quelque chose d'honnête. J'observais comme un amant observe sa fiancée en attendant le jour des noces.

PHILIPPE STROZZI. – Si tu n'as vu que le mal, je te plains, mais je ne puis te croire. Le mal existe, mais non pas sans le bien ; comme l'ombre existe, mais non sans la lumière.

A. DE MUSSET, *Lorenzaccio*, 1834, Acte III, sc. 3, Hachette, coll. Bibliolycée, p. 139-140.

1. Meurtrier du roi Tarquin qui a mis fin à la royauté à Rome.
2. Signe révélant une détérioration.
3. Figure de rhétorique qui consiste à faire parler un absent ou une abstraction.

Jérôme Kircher (Lorenzo) dans la mise en scène de J.-P. VINCENT, 2000.

EXTRAIT 3 Répétition fébrile du meurtre

TEXTE ÉCHO
> **V. Hugo**, *Ruy Blas* (Acte II, sc. 2) **p. 197**

- Par quels procédés théâtraux (parole, gestuelle, déplacements, etc.) le monologue révèle-t-il l'extrême agitation du personnage ?
- MISE EN SCÈNE
  a) Comment la scène du meurtre est-elle dramatisée dans les deux mises en scène ?
  b) Comment l'ambiguïté de la relation entre le Duc et Lorenzo est-elle suggérée ?
- Lisez le texte écho. Par quels procédés les tourments des héros romantiques sont-ils mis en scène dans les monologues ?

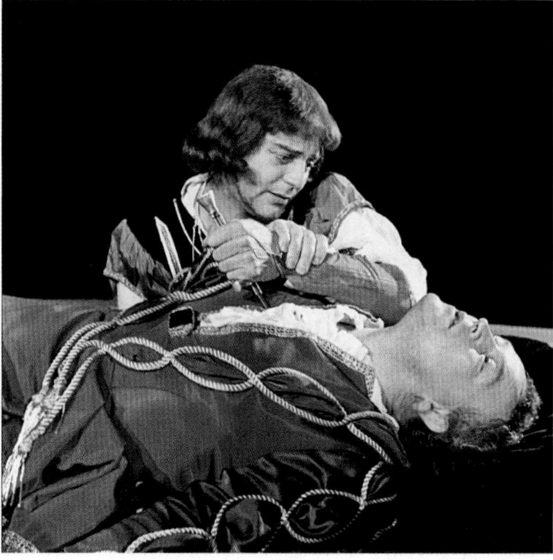
Mise en scène de J. VILAR, Avignon, 1952.

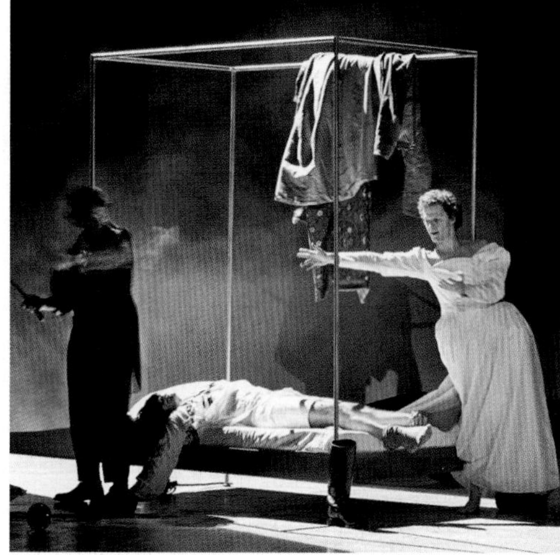
Mise en scène de J.-P. VINCENT, Avignon, 2000.

Lorenzo s'apprête à commettre son meurtre. Pour endormir la méfiance du Duc, il prétend lui avoir arrangé un rendez-vous galant avec sa tante Catherine. Mais dans la chambre, Lorenzo remplacera Catherine. Quelques instants avant la rencontre, l'assassin répète sa scène.

Acte IV, scène 9
LORENZO

1 LORENZO. – Non ! non ! je n'emporterai pas la lumière. – J'irai droit au cœur ; il se verra tuer… Sang du Christ ! on se mettra demain aux fenêtres. Pourvu qu'il n'ait pas imaginé quelque cuirasse nouvelle, quelque cotte de mailles ! Maudite invention ! Lutter avec Dieu et le Diable, ce n'est rien ;
5 mais lutter avec des bouts de ferraille croisés les uns sur les autres par la main sale d'un armurier ! Je passerai le second pour entrer ; il posera son épée, là, – ou là, – oui, sur le canapé. – Quant à l'affaire du baudrier à rouler autour de la garde, cela est aisé ; s'il pouvait lui prendre fantaisie de se coucher, voilà où serait le vrai moyen ; couché, assis, ou debout ? assis plutôt.
10 Je commencerai par sortir ; Scoronconcolo[1] est enfermé dans le cabinet. Alors nous venons, nous venons ; je ne voudrais pourtant pas qu'il tournât le dos. J'irai à lui tout droit. – Allons, la paix, la paix ! l'heure va venir. – Il faut que j'aille dans quelque cabaret ; je ne m'aperçois pas que je prends du froid, et je boirai une bouteille ; – non, je ne veux pas boire. Où diable
15 vais-je donc ? les cabarets sont fermés.
« Est-elle bonne fille ? – Oui, vraiment. – En chemise ? – Oh ! non, non, je ne le pense pas. » – Pauvre Catherine ! que ma mère mourût de tout cela, ce serait triste. Et quand je lui aurais dit mon projet, qu'aurais-je pu y faire ? au lieu de la consoler, cela lui aurait fait dire : « Crime ! crime ! » jusqu'à
20 son dernier soupir !
Je ne sais pourquoi je marche, je tombe de lassitude. (*Il s'assoit sur un banc.*)

A. DE MUSSET, *Lorenzaccio*, 1834, Acte IV, sc. 9,
Hachette, coll. Bibliolycée, p 190-191.

1. L'homme de main qui doit aider Lorenzo à tuer le Duc.

La réception de l'œuvre

Réunion chez les Stozzi, mise en scène de J.-P. VINCENT, 2000.

1. Un monde corrompu

Le Léviathan[1] politique que nous présente Lorenzaccio est un monde luxuriant et noir. Ici, pas d'heureux dénouement qui, malgré la mort du héros, nous réconcilierait. Du fond de sa solitude Musset nous adresse à tous, encore aujourd'hui, une série d'avertissements, et nous tend des miroirs. À nous de nous y regarder, si nous voulons, nous qui vivons au même titre que lui, en une époque où le passé est en ruines et l'avenir en gestation bien incertaine. [...]

Lorenzo, ange et pourriture, concentre en lui la tension centrale qui traverse toute la pièce et les autres personnages : d'un côté la corruption omniprésente, de l'autre l'angélisme étouffé qui anime tous ceux qui voudraient « faire quelque chose ». La réponse finale de Musset n'est pas optimiste, mais avons-nous besoin d'optimisme, ou bien de franchise ?

J.-P. VINCENT, Programme du spectacle, Festival d'Avignon, 2000.

1. Monstre marin dans la Bible.

2. Une jeunesse désabusée

Mise en scène d'Y. BEAUNESNE, 2010.

Musset, à travers Lorenzo, supprime les vénérations en même temps qu'il invente le mythe moderne de la jeunesse, jeunesse désorientée, turbulente, encombrée de ses cauchemars politiques, à l'avenir bloqué. La Florence imaginaire de Musset, c'est ce sentiment d'étouffement de la jeunesse, l'espoir écrasé de tous ceux qui voudraient « faire quelque chose ».

Les lumières de Musset sont sombres mais franches, son théâtre est irrecevable en 1833, c'est à aujourd'hui qu'il pourrait bien s'adresser. [...] Voilà pourquoi il y aura aussi des marionnettes aux nez barbouillés d'azur dont des puissances inconnues tirent les fils, négatifs des personnages de lumière, positifs des personnages d'ombre, un monde poétique de la délivrance que Musset a cherchée toute sa vie.

Y. BEAUNESNE, Programme du spectacle, TNP, Villeurbanne, 2010.

DU TEXTE A LA SCÈNE

1. Quels aspects universels de la société les deux metteurs en scène retrouvent-ils dans *Lorenzaccio* ? Pourquoi un spectateur contemporain peut-il s'y reconnaître ?
2. Pourquoi, selon les metteurs en scène, la pièce est-elle tragique ?
3. (MISE EN SCÈNE) Comment chaque mise en scène rend-elle concrètement cette atmosphère tragique ? Laquelle correspond le mieux à l'idée que vous vous faites de l'œuvre ? Argumentez.

ÉCRITURE

Argumentation

D'après Yves Beaunesne, « Les lumières de Musset sont sombres mais franches, son théâtre est irrecevable en 1833, c'est à aujourd'hui qu'il pourrait bien s'adresser. [...] ». Qu'en pensez-vous ? Vous répondrez en vous appuyant sur votre connaissance de l'œuvre.

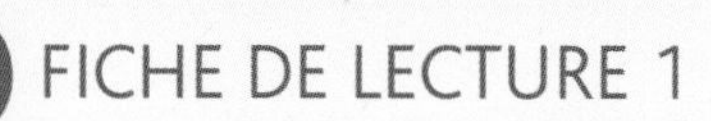

FICHE DE LECTURE 1

La tyrannie du masque

Lorenzo assis (J. Kircher) et le Duc debout (R. Sammut), mise en scène de J.-P. VINCENT, 2000.

Un héros double

1. Relevez dans l'acte I, scène 4 (p. 43 à 47, éd. Bibliolycée) et l'acte II, scène 4 (p. 75 à 80) les noms et surnoms de Lorenzo. Quels sens donnez-vous à ces différentes identités ? Comment Lorenzo est-il perçu par les autres ? Quelles sont ses deux faces opposées ? Comparez son attitude dans l'acte I, scène 4 et l'acte III, scène 1 (p. 107 à 110).

2. @ RECHERCHE Quels sont les deux Brutus romains auxquels Lorenzo fait référence dans l'acte III, scène 3 ? Que leur est-il arrivé ? Quel projet ces deux modèles ont-ils inspiré à Lorenzo ? Quelles sont ses motivations ?

3. Lorenzo est-il un héros ou un antihéros ? Argumentez.

Un homme pris à son propre piège

4. Quels personnages dans l'acte I, scène 6 (p. 53 à 56, éd. Bibliolycée) et l'acte III, scène 3 (p. 134 à 138) s'inquiètent pour Lorenzo ? Pour quelles raisons ?

5. Trouvez dans l'acte IV, scènes 3 (p. 173 à 174, éd. Bibliolycée) et 5 (p. 180 à 182), des indices montrant que Lorenzo ne sort pas indemne de son jeu. Quels sentiments exprime-t-il ? En quoi Lorenzo est-il un personnage romantique ?

6. MISE EN SCÈNE Dans la mise en scène de J.-P. Vincent, à quoi voit-on que le héros joue un rôle et qu'il en souffre ?

Le Duc, double démoniaque

7. À propos de la mise en scène de Gérard Philipe en 1953, B. Masson parle d'une relation ambiguë avec le Duc,

« Miroir déformant, où Lorenzo contemple, à la fois horrifié et ébloui, l'image épaisse de sa propre déchéance. »

Journal musical français, 12/03/1953, in *Lorenzaccio*, © Pocket, 2010.

Le Duc (D. Ivernel) et Lorenzo (G. Philipe), mise en scène de J. VILAR, Avignon, 1952.

Justifiez cette interprétation en vous appuyant sur l'acte II, scène 4 (p. 81 à 82, éd. Bibliolycée), et l'acte IV, scènes 1 (p. 169 à 171), 5 (p. 180 à 182) et 11 (p. 194 à 196) : comment Lorenzo se comporte-t-il face à la débauche du Duc ?

8. MISE EN SCÈNE Cherchez parmi les images de la séquence celles montrant Lorenzo et le Duc comme des personnages semblables et opposés. Comment l'ambivalence de leur relation est-elle suggérée ?

VERS LE BAC • *Dissertation*

9. Dans la tragédie classique, le héros prend parti clairement et affronte son destin au grand jour. C'est ce conflit qui est tragique. À l'inverse, Lorenzaccio ne peut jamais se dévoiler totalement. Pourquoi vivre sous un masque peut-il être tragique ? Quelle forme du tragique vous semble la plus expressive ?

Un drame historique et politique

Mise en scène d'Anne-Cécile MOSER, Compagnie du Passage (Théâtre des Quartiers d'Ivry, 2004).

Une Florence imaginaire

1. « La Florence imaginaire de Musset ressemble en bien des points à la France des années 1830, telle qu'il l'a vécue : cette invasion ecclésiastique, cet étalement de la corruption, cette humiliation après les gloires napoléoniennes, ce sentiment d'étouffement de la jeunesse »

J.-P. VINCENT, Programme du Théâtre des Amandiers, Nanterre, 2000.

Justifiez ce rapprochement par des références à des scènes précises de *Lorenzaccio*.

2. (MISE EN SCÈNE) De quoi le décor d'A.-C. Moser est-il fait ? Comment comprenez-vous ce parti pris ?

Un meurtre inutile

3. À quels indices de la fin de l'acte IV présage-t-on que le meurtre du Duc sera inutile ?

4. Étudiez la symétrie entre l'exposition et le dénouement. Qu'en conclure sur l'architecture générale du drame ? Pourquoi peut-on parler d'une sinistre farce ?

La métaphore d'une Révolution avortée

« *Lorenzaccio*, drame, est d'abord l'histoire d'un régicide ; et ce que raconte la fable minimale, c'est le remplacement d'un pouvoir personnel, celui d'Alexandre de Médicis, par un autre pouvoir personnel, celui de Côme. On peut le lire comme l'examen dramatique des conditions qui permettent ou ne permettent pas au régicide d'aboutir à une transformation révolutionnaire. Qu'on puisse le lire aussi comme un conflit centré autour du héros Lorenzo, comme le drame d'une conscience romantique n'enlève rien à cette constatation élémentaire que la fable est d'abord politique. »

A. UBERSFELD, « Révolution et topique de la cité : *Lorenzaccio* », © Armand Colin, *Littérature*, 1976.

5. (@ RECHERCHE) Cherchez des informations sur la Révolution de Juillet 1830 : son origine, les événements principaux, ses conséquences en 1830-1832. Par qui a-t-elle été récupérée ?
Cherchez dans *Lorenzaccio* ce qui permet de faire des liens entre la Révolution de 1830 et le régicide de Lorenzo.

VERS LE BAC • *Dissertation*

George Sand juge ainsi la situation le 15 août 1830 :
« Mais si par hasard on était dupe de soi-même ? Si on avait mis des mots à la place des idées, si on avait laissé, sans s'en douter, beaucoup de latitude au retour futur de l'absolutisme ? »

G. SAND, « Lettre du 15 août à Ch. Meure, avocat », *Lorenzaccio*, © Pocket, 2010.

6. Montrez que *Lorenzaccio* exprime le pessimisme de Sand et Musset en rédigeant trois paragraphes argumentés :
a) Le triomphe d'une société sans valeurs
b) Le peuple et les intellectuels incapables d'agir
c) L'inutilité du meurtre et la sinistre répétition de l'histoire.

Séquence

8 L'évolution du tragique : des héros aux personnages ordinaires

De l'Antiquité à la période classique, les tragédies mettent en scène des personnages hors du commun, que leur héroïsme ou leurs passions mènent à la mort. Le drame romantique introduit des exclus qui finissent en héros. Au contraire, le XXe siècle doute de toute forme d'héroïsme. Le tragique s'enracine dans le quotidien.

Problématique : Comment le théâtre tragique remet-il en cause la notion de héros ?

Objectifs

- Étudier l'évolution du tragique
- Analyser la mise en scène du héros de sa célébration à sa remise en cause

Histoire des arts : B. BRECHT, *Mère Courage et ses enfants* (1940), mise en scène de Gisèle Sallin, 2007 — 152

CORPUS 1 : Le spectacle de la mort des héros

1 ESCHYLE, *Agamemnon*, 458 av. J.-C. — 154
2 SOPHOCLE, *Antigone*, 4e épisode, 442 av. J.-C. — 156
3 J. ANOUILH, *Antigone*, 1944 TEXTE ÉCHO — 158
4 RACINE, *Phèdre*, V, 7, 1677 — 159
5 V. HUGO, *Ruy Blas*, V, 4, 1838 — 162
6 J.-P. SARTRE, *Les Mouches*, II, Deuxième tableau, 7, 1943 — 164

CORPUS 2 : Mettre en scène la fin des héros

7 A. CAMUS, *Caligula*, I, 8, 1945 — 165
8 S. BECKETT, *En attendant Godot*, I, 1952 — 166
9 E. IONESCO, *Le Roi se meurt*, 1962 — 168
10 B.-M. KOLTÈS, *Combat de nègre et de chiens*, IV, 1983 — 170
11 J.-L. LAGARCE, *Juste la fin du monde*, II, 2, 1990 — 173
12 D. KEENE, *Cinq Hommes*, 5, 2003 — 176

Pour argumenter : Le comique peut-il s'avérer tragique ?

E. IONESCO, *Notes et contrenotes*, 1962 — 177

Histoire littéraire : L'évolution du tragique : des héros mythiques aux figures ordinaires — 178

MÉTHODES p. 439

Le texte théâtral et sa représentation Fiches 19, 20, 21, 22, 23

Lire et analyser Fiches 39, 40, 41

Préparer le baccalauréat Fiches 46, 47, 48, 49, 50, 51, 53, 54, 55, 56

Étude de la langue Fiches 59, 60, 61

Histoire des arts

Bertolt Brecht, Mère Courage et ses enfants, 1940

Mise en scène de Gisèle Sallin, 2007

Durant la première moitié du XVIIe siècle, la guerre de trente ans ravage l'Europe. Pour subsister, Mère Courage pousse sa carriole entourée de ses trois enfants et vend aux soldats nourriture et petit matériel. Peu à peu, la guerre lui prend chacun de ses enfants. Au onzième tableau, sa fille Catherine, qui joue du tambour pour alerter une ville menacée par les soldats, se fait tuer.

Illusion et effet de distanciation

Au théâtre, la scène compte trois murs, enfermant les acteurs. Le quatrième mur, qui sépare la salle de la scène, n'existe pas : le spectateur peut ainsi avoir l'impression de surprendre de vraies personnes vivant des situations réelles. C'est ce qu'on appelle **l'illusion théâtrale**.
Brecht veut détruire le quatrième mur et l'illusion qu'il génère par **l'effet de distanciation** qui révèle l'artifice de l'univers théâtral. Pour cela, il utilise différents moyens :
- la scène ouverte permet un contact direct entre salle et plateau ;
- le décor affiche son artificialité, avec des projecteurs visibles, de simples toiles peintes ou des changements à vue ;
- un récitant ou des intermèdes chantés (les *songs)* commentent l'action ;
- la diction et le jeu des acteurs évitent tout réalisme et toute identification.

Brecht est marxiste. Dans son théâtre qu'il appelle « **épique** », la fable racontée dénonce la lutte des classes et le pouvoir de l'argent. Il a ainsi un but politique : le spectateur adopte une attitude critique pour réfléchir aux injustices tragiques de la société et se révolter.

Mère Courage et ses enfants (1940), de B. BRECHT, mise en scène de Gisèle SALLIN (Théâtre des Osses, 2007).

Le praticable 

C'est un élément de décor constitué d'objets réels ou solides avec lesquels, sur lesquels ou dans lesquels un acteur peut jouer : un balcon, une porte, un escalier, une plate-forme, un véhicule. Ce n'est donc pas un objet décoratif mais fonctionnel, un élément actif du décor qui souligne et traduit la matérialité du théâtre, et construit ou détruit, suivant son réalisme, l'illusion théâtrale.

Un nouvel espace tragique

LECTURE DE L'IMAGE

1. Décrivez l'élément fondamental du décor. De quoi s'agit-il ? Pourquoi ce praticable constitue-t-il une scène dans la scène ?
2. Lisez « Illusion et effet de distanciation ». Comment ce praticable, le décor de fond de scène et les costumes créent-ils un effet de distanciation ? Que dénoncent Brecht et le metteur en scène ?

Fiche 20 **L'action**

3. En quoi Catherine est-elle une figure héroïque ? Appuyez-vous sur la gestuelle du personnage et son occupation de l'espace.

Fiche 22 **Le personnage et son évolution**

4. La carriole doit, pour Brecht, être le symbole des contradictions de l'existence de Mère Courage. Quels différents indices en attestent sur scène ?

VERS LE BAC

Oral (entretien)

Quels moyens spécifiques permettent au théâtre de remplir une fonction politique ou critique ?

Fiche 56 **Réussir l'épreuve orale du baccalauréat**

Dissertation

« Le spectateur ne doit jamais s'identifier complètement au héros, en sorte qu'il reste toujours libre de juger les causes, puis les remèdes de sa souffrance. » (R. Barthes, « La révolution brechtienne », *Essais Critiques*, 1964)
Le spectateur doit-il garder une certaine distance critique afin de formuler un jugement objectif ou, au contraire, s'identifier aux personnages afin de réfléchir avec sa sensibilité ? Argumentez.

Fiches 53 à 55 **Vers la dissertation**

Eschyle, Agamemnon, 458 av. J.-C.

Biographie p. 626
Du même auteur p. 185
Histoire littéraire p. 178, 189

De retour de Troie après dix ans de guerre, le roi Agamemnon retrouve son épouse Clytemnestre. Il ignore qu'avec son amant Égisthe, elle veut venger la mort de sa fille Iphigénie sacrifiée par son père. Le chœur de vieux citoyens d'Argos vient de voir le roi et sa prisonnière Cassandre entrer dans le palais. Ils attendent inquiets devant la porte.

1 LA VOIX D'AGAMEMNON. – Hélas ! un coup mortel a déchiré ma chair !

LE CORYPHÉE. – Écoutez ! Qui crie là, atteint d'un coup mortel ?

LA VOIX D'AGAMEMNON. – Hélas ! deux fois hélas ! encore un autre coup !

5 LE CORYPHÉE. – Le crime est accompli : croyez-en les plaintes du roi ! Allons, amis, réunissons ici de sûrs conseils.

2e CHOREUTE. – Mon avis, le voici : crier aux citoyens : « À l'aide ! ici, tous ! au palais ! ».

3e CHOREUTE. – Et le mien : bondir nous-mêmes au plus vite et surprendre
10 le crime l'épée sanglante encore.

4e CHOREUTE. – Oui, je partagerai tout avis de ce genre : agir d'abord, ce n'est plus l'heure d'hésiter.

Agamemnon d'ESCHYLE, mise en scène de Peter STEIN (Maison des arts de Créteil, 1994).

5e CHOREUTE. – On peut attendre et voir ; ce n'est là qu'un début, l'annonce de la tyrannie qu'ils préparent à la cité.

15 6e CHOREUTE. – Parce que nous balançons ! Eux, foulent aux pieds la gloire d'hésiter et ne laissent pas s'endormir leurs bras.

7e CHOREUTE. – Je ne sais vraiment pas quel conseil formuler ; même à qui veut agir il appartient de consulter d'abord.

8e CHOREUTE. – C'est aussi mon avis : car je ne crois pas que des mots
20 puissent ressusciter un mort.

9e CHOREUTE. – Quoi donc ! uniquement pour prolonger nos jours, plier devant des maîtres qui souillent ce palais !

10e CHOREUTE. – Intolérable honte ! mourir vaut encore mieux ; la mort est plus douce que la tyrannie.

25 11e CHOREUTE. – Oui, mais pourquoi, sans autre indice qu'une plainte, vouloir prophétiser la mort de notre roi !

12e CHOREUTE. – Ce n'est que lorsqu'on sait que l'on doit s'indigner : conjecturer n'est pas savoir.

LE CORYPHÉE. – Ma voix donne du moins le nombre à cet avis : savoir
30 exactement le sort fait à l'Atride.

La porte centrale s'ouvre. On aperçoit Agamemnon, nu, étendu sur un large voile ensanglanté. Cassandre est couchée à ses côtés. Près des deux cadavres, Clytemnestre est debout, une épée à la main.

ESCHYLE, *Agamemnon*, 458 av. J.-C., traduit du grec par Paul Mazon, Édition des Belles Lettres, 1993.

Témoins du meurtre d'un roi

LECTURE DU TEXTE

1. @ RECHERCHE Cherchez comment est constitué un chœur antique et quelle est la fonction du coryphée. Comment s'expriment-ils traditionnellement sur scène ?
En quoi la distribution de la parole est-elle ici originale ? Identifiez les registres de ce dialogue.

Fiche 40 Les registres

2. @ RECHERCHE Cherchez la définition de ce que le philosophe grec Aristote appelle la catharsis. Dans quelle mesure le chœur exhibe-t-il ici cette fonction de la tragédie ?

Fiche 19 Les genres du théâtre

3. Analysez l'énonciation et les avis exprimés : comment le chœur est-il le représentant de l'humanité ordinaire et de ses contradictions ?

Fiche 59 L'énonciation

HISTOIRE DES ARTS

MISE EN SCÈNE Quel effet produit l'apparition finale après ce dialogue ? Comment Peter Stein rend-il cette scène frappante ?

ÉDUCATION AUX MÉDIAS

Sur le site http://crdp.ac-paris.fr/piece-demontee, trouvez le dossier consacré à la mise en scène de l'*Orestie* par Olivier Py en 2008. En vous appuyant sur les images données p. 11, 16, 19 et l'interview des p. 28-29, écrivez un article de critique théâtrale sur la représentation d'*Agamemnon*.

VERS LE BAC

Oral (analyse)

Comment le chœur joue-t-il, dans cette scène, un rôle d'intermédiaire entre l'action et le public ?

Fiche 56 Réussir l'épreuve orale du baccalauréat

Question sur un corpus

Comparez cette scène avec *Le Roi se meurt* (p. 168). Quelles réactions la mort d'un roi provoque-t-elle chez les personnages secondaires ?

Fiche 46 Répondre à une question sur un corpus

Invention

Ajoutez des didascalies au dialogue mettant en évidence la tension à la porte du palais.

Fiche 23 Texte et représentation

Océane Mozas dans le rôle de l'Antigone de SOPHOCLE, mise en scène de Jacques NICHET (Théâtre de l'Odéon Berthier, Paris, 2004).

2 Sophocle, *Antigone*, 442 av. J.-C.

Les jumeaux Étéocle et Polynice, fils d'Œdipe, se sont entretués pour le trône de Thèbes. Pour mettre fin à la guerre civile, leur oncle Créon, régent, fait enterrer Étéocle avec les honneurs et laisse Polynice aux corbeaux. Leur sœur Antigone refuse et répand une poignée de terre symbolique sur le corps. Elle est condamnée à être emmurée vivante dans une grotte.

Biographie p. 631

Du même auteur p. 184

Histoire littéraire p. 178, 189

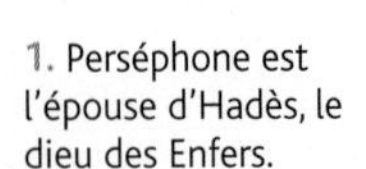

Quatrième épisode

1 ANTIGONE. – Ô tombeau, chambre nuptiale ! retraite souterraine, ma prison à jamais ! En m'en allant vers vous, je m'en vais vers les miens, qui, déjà morts pour la plupart, sont les hôtes de Perséphone[1], et vers qui je descends, la dernière de toutes et la plus misérable, avant d'avoir usé jusqu'à son
5 dernier terme ma portion de vie. Tout au moins, en partant, gardé-je l'espérance d'arriver là-bas chérie de mon père, chérie de toi, mère, chérie de toi aussi, frère bien-aimé[2], puisque c'est moi qui de mes mains ai lavé, paré vos corps ; c'est moi qui vous ai offert les libations funéraires[3]. Et voilà comment aujourd'hui, pour avoir, Polynice, pris soin de ton cadavre, voilà comment je suis payée ! Ces honneurs funèbres pourtant, j'avais raison de te les
10 rendre, aux yeux de tous les gens de sens. Si j'avais eu des enfants, si c'était mon mari qui se fût trouvé là à pourrir sur le sol, je n'eusse certes pas assuré cette charge contre le gré de ma cité. Quel est donc le principe auquel

1. Perséphone est l'épouse d'Hadès, le dieu des Enfers.
2. Ici, il s'agit d'Étéocle.
3. Offrandes d'eau, de lait, de miel ou de vin que l'on verse sur la tombe d'un mort.

je prétends avoir obéi ? Comprends-le
15 bien : un mari mort, je pouvais en trouver un autre et avoir de lui un enfant, si j'avais perdu mon premier époux ; mais mon père et ma mère une fois dans la tombe, nul autre frère ne
20 me fût jamais né. Le voilà, le principe pour lequel je t'ai fait passer avant tout autre. Et c'est ce qui me vaut de paraître à Créon coupable, rebelle, frère bien-aimé ! Et à cette heure je
25 suis entre ses mains ; il m'a saisie, il m'emmène – et je n'aurai connu ni le lit nuptial ni le chant d'hyménée[4]; je n'aurai pas eu, comme une autre, un mari, des enfants grandissant sous mes
30 yeux ; mais, sans égards, abandonnée des miens, misérablement, je descends, vivante, au séjour souterrain des morts ! Quel droit divin pourtant ai-je offensé ? ... Allons ! à quoi bon, mal-
35 heureuse, porter mes regards vers les dieux ? Je n'ai point d'allié à qui faire appel : ma piété m'a valu le renom d'une impie. Eh bien, soit ! si c'est cela vraiment qui est beau chez les dieux,
40 je veux bien, la peine soufferte, reconnaître mon erreur. Mais, si l'erreur est des autres, je ne leur souhaite qu'une chose : qu'ils ne souffrent pas de peine plus lourde que celle qu'ils m'infligent
45 aujourd'hui, à moi-même, contre toute équité !

LE CORYPHÉE[5]. – Ah ! Ce sont bien toujours les mêmes vents, et par mêmes rafales, qui règnent sur son
50 âme !

Djeneba Kone dans le rôle de l'Antigone de SOPHOCLE, mise en scène de Sotigui KOUYATÉ (Théâtre de la Commune, Aubervilliers, 1999).

CRÉON. – Et c'est pourquoi ceux qui l'emmènent vont me payer cher leurs lenteurs.

ANTIGONE. – Hélas ! Voilà un mot qui annonce une mort bien proche !

CRÉON. – Je ne t'engage pas à reprendre assurance et à t'imaginer un autre
55 dénouement.

ANTIGONE. – Ô pays de Thèbes, cité de mes pères ! dieux auteurs de ma race ! on m'entraîne, plus de délai ! Voyez, ô fils des chefs de Thèbes, la seule qui survive des filles de vos rois, voyez ce qu'elle souffre – et par qui ! – pour avoir rendu hommage, pieuse, à la piété !
60 *(On l'emmène.)*

SOPHOCLE, *Antigone*, 442 av. J.-C., Quatrième épisode, traduit du grec par Paul Mazon, © Les Belles Lettres, 1955.

4. Chant de mariage.
5. Chef du chœur constitué de douze vieillards thébains.

3 Jean Anouilh, Antigone, 1944

TEXTE ÉCHO

Ismène, la sœur d'Antigone, au départ opposée au geste d'Antigone, vient lui apporter son soutien face à Créon, et réclame de partager son sort.

Biographie p. 624

Histoire littéraire p. 178

Repères historiques p. 622

1 ISMÈNE. – Je ne veux pas vivre si tu meurs, je ne veux pas rester sans toi !

ANTIGONE. – Tu as choisi la vie et moi la mort. Laisse-moi maintenant avec tes jérémiades. Il fallait y aller ce matin, à quatre pattes, dans la nuit. Il fallait aller gratter la terre avec tes ongles pendant qu'ils étaient tout près
5 et te faire empoigner par eux comme une voleuse !

ISMÈNE. – Eh bien, j'irai demain !

ANTIGONE. – Tu l'entends, Créon ? Elle aussi. Qui sait si cela ne va pas prendre à d'autres encore, en m'écoutant ? Qu'est-ce que tu attends pour me faire taire, qu'est-ce que tu attends pour appeler tes gardes ? Allons,
10 Créon, un peu de courage, ce n'est qu'un mauvais moment à passer. Allons, cuisinier[1], puisqu'il faut !

CRÉON *crie soudain*. – Gardes !

Les gardes apparaissent aussitôt.

CRÉON. – Emmenez-la.

15 ANTIGONE, *dans un grand cri soulagé*. – Enfin, Créon !

Les gardes se jettent sur elle et l'emmènent. Ismène sort en criant derrière elle.

ISMÈNE. – Antigone ! Antigone !

Jean ANOUILH, *Antigone*, Éd. de la Table Ronde, 1946.

1. Créon appelle « cuisine » les conflits qui ont mené les deux frères d'Antigone à la mort.

Mourir en héroïne exemplaire

LECTURE DES TEXTES

1. @ RECHERCHE Sur le site www.ac-nice.fr/segurane/grec/Labdacides.htm, cherchez quelles fautes ont été commises dans la famille d'Antigone.
Pour quelles raisons son destin est-il tragique ? Analysez les l. 1-5 et 27-34 du texte 2.

2. Identifiez le registre de la tirade d'Antigone dans le texte 2. Appuyez-vous sur l'énonciation et le lexique des sentiments. Quelle progression remarquez-vous ?

➜ **Fiche 40 Les registres**

3. À quelles valeurs Antigone est-elle attachée chez Sophocle ? Reformulez ses arguments.

4. Comparez les deux textes : analysez le niveau de langue et la tonalité des répliques d'Antigone. Analysez le rôle et les réactions des différents personnages à son égard. L'impression produite par l'héroïne est-elle la même ? Justifiez.

5. MISE EN VOIX À trois ou quatre, mettez en voix la tirade de l'Antigone de Sophocle pour faire entendre à la fois sa plainte et sa détermination. Variez les intonations, la hauteur de voix, le rythme.

HISTOIRE DES ARTS

COMPARER DES MISES EN SCÈNE Comparez les deux mises en scène (costume, attitude de l'actrice) : laquelle préférez-vous ? Justifiez.

➜ **Fiche 22 Le personnage et son évolution**

VERS LE BAC

Oral (analyse)

En quoi la figure d'Antigone incarne-t-elle la force du tragique ?

➜ **Fiche 56 Réussir l'épreuve orale du baccalauréat**

Dissertation

Pour J. Nichet, Antigone et Créon « sont deux figures qui se font face, se renforcent en s'opposant ». Un dramaturge doit-il placer son personnage dans une situation de conflit avec l'autorité pour qu'il prenne une dimension tragique ? Argumentez en illustrant avec les textes de cette séquence ou d'autres pièces de théâtre.

➜ **Fiches 53 à 55 Vers la dissertation**

Racine, Phèdre, 1677

Phèdre est éprise d'Hippolyte, le fils de son époux Thésée. Rejetée par le jeune homme, elle se venge de l'affront en l'accusant de viol. Thésée obtient alors du dieu Neptune qu'il envoie un monstre marin tuer son fils. L'irréparable a lieu. Phèdre et sa suivante Panope arrivent alors.

Biographie p. 630
Histoire littéraire p. 140, 178
Repères historiques p. 616

Acte V, scène 7
THÉSÉE, PHÈDRE, THÉRAMÈNE, PANOPE, GARDES

1 THÉSÉE. – Hé bien ! vous triomphez, et mon fils est sans vie.
Ah ! que j'ai lieu de craindre ! et qu'un cruel soupçon,
L'excusant dans mon cœur, m'alarme avec raison !
Mais, Madame, il est mort, prenez votre victime :
5 Jouissez de sa perte, injuste ou légitime.
Je consens que mes yeux soient toujours abusés.
Je le crois criminel, puisque vous l'accusez.
Son trépas à mes pleurs offre assez de matières,
Sans que j'aille chercher d'odieuses lumières[1],
10 Qui ne pouvant le rendre à ma juste douleur,
Peut-être ne feraient qu'accroître mon malheur.

1. Explications.

Thésée (Pascal Greggory) et Phèdre (Dominique Blanc), mise en scène de Patrice CHÉREAU (Théâtre de l'Odéon Berthier, Paris, 2003).

Thésée (Marc Zammit) et Phèdre (Natacha Amal), mise en scène de Jean-Marie VILLÉGIER (Théâtre d'Évreux, 1991).

Laissez-moi, loin de vous et loin de ce rivage,
De mon fils déchiré fuir la sanglante image.
Confus, persécuté d'un mortel souvenir,
15 De l'univers entier je voudrais me bannir.
Tout semble s'élever contre mon injustice.
L'éclat de mon nom même augmente mon supplice.
Moins connu des mortels, je me cacherais mieux.
Je hais jusques au soin dont m'honorent les dieux ;
20 Et je m'en vais pleurer leurs faveurs meurtrières,
Sans plus les fatiguer d'inutiles prières.
Quoi qu'ils fissent pour moi, leur funeste bonté
Ne me saurait payer de ce qu'ils m'ont ôté.

PHÈDRE. – Non, Thésée, il faut rompre un injuste silence :
25 Il faut à votre fils rendre son innocence.
Il n'était point coupable.

THÉSÉE. – Ah ! père infortuné !
Et c'est sur votre foi que je l'ai condamné !
Cruelle, pensez-vous être assez excusée...

PHÈDRE. – Les moments me sont chers, écoutez-moi, Thésée.
30 C'est moi qui sur ce fils chaste et respectueux
Osai jeter un œil profane, incestueux.
Le ciel mit dans mon sein une flamme[2] funeste ;
La détestable Œnone a conduit tout le reste.
Elle a craint qu'Hippolyte, instruit de ma fureur[3],
35 Ne découvrît un feu qui lui faisait horreur.
La perfide, abusant de ma faiblesse extrême,
S'est hâtée à vos yeux de l'accuser lui-même.

2. Flamme et feu sont les métaphores de la passion amoureuse.

3. Folie.

Elle s'en est punie, et fuyant mon courroux,
A cherché dans les flots un supplice trop doux.
40 Le fer aurait déjà tranché ma destinée ;
Mais je laissais gémir la vertu soupçonnée.
J'ai voulu, devant vous exposant mes remords,
Par un chemin plus lent descendre chez les morts.
J'ai pris, j'ai fait couler dans mes brûlantes veines
45 Un poison que Médée apporta dans Athènes.
Déjà jusqu'à mon cœur le venin parvenu
Dans ce cœur expirant jette un froid inconnu ;
Déjà je ne vois plus qu'à travers un nuage
Et le ciel et l'époux que ma présence outrage ;
50 Et la mort, à mes yeux dérobant la clarté,
Rend au jour qu'ils souillaient, toute sa pureté.

PANOPE. – Elle expire, Seigneur !

THÉSÉE. – D'une action si noire
Que ne peut avec elle expirer la mémoire !
Allons, de mon erreur, hélas ! trop éclaircis,
55 Mêler nos pleurs au sang de mon malheureux fils.
Allons de ce cher fils embrasser ce qui reste,
Expier la fureur d'un vœu[4] que je déteste.
Rendons-lui les honneurs qu'il a trop mérités ;
Et pour mieux apaiser ses mânes[5] irrités,
60 Que malgré les complots d'une injuste famille,
Son amante[6] aujourd'hui me tienne lieu de fille.

RACINE, *Phèdre*, Acte V, scène 7, 1677.

4. Le dieu Neptune lui avait promis son aide.
5. Esprit d'Hippolyte mort.
6. Aricie, la jeune fille aimée d'Hippolyte.

Mettre en scène sa mort

LECTURE DU TEXTE

1. Pourquoi Thésée et Phèdre sont-ils des personnages tragiques ?
@ RECHERCHE Cherchez sur http://mythologica.fr/grec/ des informations sur les exploits de Thésée et la famille de Phèdre. Quels liens ce passé mythologique a-t-il avec ce dénouement ?

2. Comment Phèdre met-elle en scène ses aveux ? Expliquez en analysant la progression des v. 24-51. Comment l'actrice peut-elle jouer les derniers vers ?

3. Phèdre se sent-elle coupable ? Relevez les **procédés d'insistance poétiques** ou **syntaxiques** utilisés v. 40-51.
Fiche 41 Les figures de style

4. Dans quelle mesure la dernière réplique de Thésée sert-elle de morale à la tragédie ?

HISTOIRE DES ARTS

COMPARER DES MISES EN SCÈNE Comment J.-M. Villégier rend-il l'atmosphère tragique par le décor, la lumière, la place des personnages ? Comment P. Chéreau rend-il Phèdre pathétique par le jeu des acteurs ? Quelle mise en scène préférez-vous ? Pourquoi ?

VERS LE BAC

Oral (analyse)

Pourquoi ce dénouement tragique provoque-t-il terreur et pitié ?
Fiche 56 Réussir l'épreuve orale du baccalauréat

Question sur un corpus

Comparez cette scène avec celle de *Ruy Blas* (p. 162). Pourquoi le suicide du héros constitue-t-il un ressort tragique ?
Fiche 46 Répondre à une question sur un corpus

Commentaire

Rédigez le commentaire de ce texte en montrant que la mise en scène tragique de la mort de l'héroïne permet une fin morale et expiatoire.
Fiches 49 à 51 Vers le commentaire

5

Victor Hugo, Ruy Blas, 1838

Biographie
p. 627

Du même auteur
p. 76, 103, 109, 197, 236, 265, 277

Histoire littéraire
p. 140, 178

Repères historiques
p. 620

Dans l'Espagne du XVIIe *siècle, Dom Salluste est condamné à l'exil pour avoir séduit une dame de la reine et refusé de l'épouser. Il envoie à la Cour son valet Ruy Blas pour qu'il joue le rôle d'un gentilhomme, Dom César, qu'il séduise et déshonore la reine. Mais, amoureux, Ruy Blas tue Dom Salluste et avoue tout à la reine.*

Acte V, scène 4

LA REINE, RUY BLAS

1 RUY BLAS, *d'une voix grave et basse*. – [...] Je ne suis point coupable autant que vous croyez.
Je sens, ma trahison, comme vous la voyez,
Doit vous paraître horrible. Oh ! ce n'est pas facile
À raconter. Pourtant je n'ai pas l'âme vile,
5 Je suis honnête au fond. — Cet amour m'a perdu. —
Je ne me défends pas ; je sais bien, j'aurais dû
Trouver quelque moyen. La faute est consommée !
— C'est égal, voyez-vous, je vous ai bien aimée.

LA REINE. – Monsieur...

RUY BLAS, *toujours à genoux*. – N'ayez pas peur. Je n'approcherai point.
10 À votre majesté je vais de point en point
Tout dire. Oh ! croyez-moi, je n'ai pas l'âme vile ! —
Aujourd'hui tout le jour j'ai couru par la ville
Comme un fou. Bien souvent même on m'a regardé.
Auprès de l'hôpital que vous avez fondé,
15 J'ai senti vaguement, à travers mon délire,
Une femme du peuple essuyer sans rien dire
Les gouttes de sueur qui tombaient de mon front.
Ayez pitié de moi, mon Dieu ! mon cœur se rompt !

LA REINE. – Que voulez-vous ?

RUY BLAS, *joignant les mains*. – Que vous me pardonniez, madame !

20 LA REINE. – Jamais.

RUY BLAS. – Jamais ! *Il se lève et marche lentement vers la table.* Bien sûr ?

LA REINE. – Non, jamais !

RUY BLAS. *Il prend la fiole posée sur la table, la porte à ses lèvres et la vide d'un trait.* – Triste flamme,
Éteins-toi !

LA REINE, *se levant et courant à lui*. – Que fait-il ?

RUY BLAS, *posant la fiole*. – Rien. Mes maux sont finis.
Rien. Vous me maudissez, et moi je vous bénis.
Voilà tout.

LA REINE, *éperdue*. – Don César !

RUY BLAS. – Quand je pense, pauvre ange,
Que vous m'avez aimé !

Ruy Blas (T. Hancisse) et la reine (R. Brakni), mise en scène de B. Jacques-Wajeman (Comédie-Française, 2002).

LA REINE. – Quel est ce philtre étrange ?
25 Qu'avez-vous fait ? Dis-moi ! réponds-moi ! parle-moi !
César ! je te pardonne et t'aime, et je te crois !

RUY BLAS. – Je m'appelle Ruy Blas.

LA REINE, *l'entourant de ses bras.* – Ruy Blas, je vous pardonne !
Mais qu'avez-vous fait là ? Parle, je te l'ordonne !
Ce n'est pas du poison, cette affreuse liqueur ?
30 Dis ?

RUY BLAS. – Si ! C'est du poison. Mais j'ai la joie au cœur.
Tenant la reine embrassée et levant les yeux au ciel.
Permettez, ô mon Dieu, justice souveraine,
Que ce pauvre laquais bénisse cette reine,
Car elle a consolé mon cœur crucifié,
Vivant, par son amour, mourant, par sa pitié !

35 LA REINE. – Du poison ! Dieu ! c'est moi qui l'ai tué ! — Je t'aime !
Si j'avais pardonné ?...

RUY BLAS, *défaillant.* – J'aurais agi de même.
Sa voix s'éteint. La reine le soutient dans ses bras.
Je ne pouvais plus vivre. Adieu !
Montrant la porte. Fuyez d'ici !
— Tout restera secret. — Je meurs. *Il tombe.*

LA REINE, *se jetant sur son corps.* – Ruy Blas !

RUY BLAS, *qui allait mourir, se réveille à son nom prononcé par la reine.*
– Merci !

Victor HUGO, *Ruy Blas*, Acte V, scène 4, 1838.

Offrir sa vie en sacrifice

LECTURE DU TEXTE

1. Établissez le plan du texte, titrez chaque partie, puis précisez quel en est le registre dominant.

Fiche 40 **Les registres**

2. (@ RECHERCHE) Cherchez ce qu'est la Passion du Christ, puis relevez dans cette scène les allusions à ses différentes étapes. Pour quelles raisons Ruy Blas se sacrifie-t-il ? Qu'obtient-il ?

3. Par quels procédés poétiques et théâtraux le refus de pardonner de la reine est-il mis en valeur ? Quels indices révèlent un changement d'attitude ? Comment expliquer ce revirement ?

Fiche 39 **Lecture analytique (2)**

HISTOIRE DES ARTS

(MISE EN SCÈNE) À quel moment correspond, à votre avis, l'image de la mise en scène de B. Jacques-Wajeman ? Justifiez par l'analyse du jeu des comédiens. Commentez la valeur symbolique des costumes.

VERS LE BAC

Oral (analyse)

À quoi reconnaissez-vous dans cette scène la forme et les thèmes d'un drame romantique ?

Fiche 56 **Réussir l'épreuve orale du baccalauréat**

Invention

Imaginez l'interview de l'acteur qui doit jouer Ruy Blas : il explique la conception qu'il a du personnage et de son interprétation en faisant des références précises à cette scène. Il donnera aussi des indications sur son costume.

Fiches 47 et 48 **Vers l'écriture d'invention**

Commentaire

Vous rédigerez le commentaire de cette scène en vous aidant du parcours suivant :
a) Une mort théâtralisée et pathétique
b) Rachat et salut d'un héros romantique

Fiches 49 à 51 **Vers le commentaire**

Jean-Paul Sartre, Les Mouches, 1943

Depuis l'assassinat du roi Agamemnon par Clytemnestre et Égisthe son amant, la cité d'Argos est assaillie par des mouches, métaphore du remords qui hante les esprits. Oreste et sa sœur Électre veulent venger leur père. Oreste vient de tuer Égisthe et il est entré dans la chambre de sa mère. Électre est restée dans la salle du trône avec le cadavre d'Égisthe.

Biographie p. 630

Du même auteur p. 40, 284

Histoire littéraire p. 140, 178

Repères historiques p. 622

Acte II, scène 7

ÉLECTRE, *seule*

Est-ce qu'elle va crier ? (*Un temps. Elle prête l'oreille.*) Il marche dans le couloir. Quand il aura ouvert la quatrième porte… Ah ! je l'ai voulu ! Je le veux, il *faut* que je le veuille encore. (*Elle regarde Égisthe.*) Celui-ci est mort. C'est donc *ça* que je voulais. Je ne m'en rendais pas compte. (*Elle s'approche de lui.*) Cent fois je l'ai vu en songe, étendu à cette même place, une épée dans le cœur. Ses yeux étaient clos, il avait l'air de dormir. Comme je le haïssais, comme j'étais joyeuse de le haïr. Il n'a pas l'air de dormir, et ses yeux sont ouverts, il me regarde. Il est mort – et ma haine est morte avec lui. Et je suis là ; et j'attends, et l'autre est vivante encore, au fond de sa chambre, et tout à l'heure elle va crier. Elle va crier comme une bête. Ah ! je ne peux plus supporter ce regard. (*Elle s'agenouille et jette un manteau sur le visage d'Égisthe.*) Qu'est-ce que je voulais donc ? (*Silence. Puis cris de Clytemnestre.*) Il l'a frappée. C'était notre mère, et il l'a frappée. (*Elle se relève.*) Voici : mes ennemis sont morts. Pendant des années, j'ai joui de cette mort par avance, et, à présent, mon cœur est serré dans un étau. Est-ce que je me suis menti pendant quinze ans ? Ça n'est pas vrai ! Ça n'est pas vrai ! Ça ne peut pas être vrai : je ne suis pas lâche ! Cette minute-ci, je l'ai voulue et je la veux encore. J'ai voulu voir ce porc immonde couché à mes pieds. (*Elle arrache le manteau.*) Que m'importe ton regard de poisson mort. Je l'ai voulu, ce regard, et j'en jouis. (*Cris plus faibles de Clytemnestre.*) Qu'elle crie! Qu'elle crie ! Je veux ses cris d'horreur et je veux ses souffrances. (*Les cris cessent.*) Joie ! Joie ! Je pleure de joie : mes ennemis sont morts et mon père est vengé.

Oreste rentre, une épée sanglante à la main. Elle court à lui.

Jean-Paul SARTRE, *Les Mouches*, Acte II, Deuxième tableau, scène 7, 1943,

Tuer sa mère par procuration

LECTURE DU TEXTE

1. Identifiez les étapes de ce **monologue** et dites quelles sont ses différentes fonctions.

Fiche 21 La parole

2. Quels sentiments contradictoires Électre exprime-t-elle ? Quels **procédés stylistiques** les mettent en valeur ?

Fiche 41 Les figures de style

3. @ RECHERCHE Sur le site www.maremurex.net/lesmouches.html, cherchez dans quelles conditions cette pièce a été jouée en 1943. Quel message Sartre voulait-il faire passer ?

VERS LE BAC

Oral (entretien)

Pour quelles raisons les mythes soulèvent-ils toujours des questions actuelles ?

Fiche 56 Réussir l'épreuve orale du baccalauréat

Question sur un corpus

Comparez cette scène avec celle d'*Agamemnon* (p. 154). Comment le crime commis hors scène communique-t-il sa part de terreur à la tragédie ?

Fiche 46 Répondre à une question sur un corpus

Albert Camus, Caligula, 1945

À Rome, en 37 ap. J.-C., Caligula, jeune empereur, se transforme après la mort de sa sœur Drusilla : « obsédé d'impossible, emprisonné de mépris et d'horreur, il tente d'exercer, par le meurtre et la perversion systématique de toutes les valeurs, une liberté dont il découvrira pour finir qu'elle n'est pas la bonne. » (Camus)

Biographie p. 625

Du même auteur p. 88, 286, 301, 529

Histoire littéraire p. 178

Repères historiques p. 622

Acte I, scène 8

Caligula s'assied près de Cæsonia[1].

CALIGULA. – Écoute bien. Premier temps : tous les patriciens[2], toutes les personnes de l'Empire qui disposent de quelque fortune – petite ou grande, c'est exactement la même chose – doivent obligatoirement déshériter leurs enfants et tester[3] sur l'heure en faveur de l'État. (5)

L'INTENDANT. – Mais, César[4]...

CALIGULA. – Je ne t'ai pas encore donné la parole. À raison de nos besoins, nous ferons mourir ces personnages dans l'ordre d'une liste établie arbitrairement. À l'occasion, nous pourrons modifier cet ordre, toujours arbitrairement. Et nous hériterons. (10)

CÆSONIA, *se dégageant*. – Qu'est-ce qui te prend ?

CALIGULA, *imperturbable*. – L'ordre des exécutions n'a, en effet, aucune importance. Ou plutôt ces exécutions ont une importance égale, ce qui entraîne qu'elles n'en ont point. D'ailleurs, ils sont aussi coupables les uns que les autres. (15) Notez d'ailleurs qu'il n'est pas plus immoral de voler directement les citoyens que de glisser des taxes indirectes dans le prix de denrées dont ils ne peuvent se passer. Gouverner, c'est voler, tout le monde sait ça. Mais il y a la manière. Pour moi, je volerai franchement. Ça vous changera des gagne-petit. (*Rudement, à l'intendant.*) Tu exécuteras ces ordres sans délai. Les testaments (20) seront signés dans la soirée par tous les habitants de Rome, dans un mois au plus tard par tous les provinciaux. Envoie des courriers.

L'INTENDANT. – César, tu ne te rends pas compte...

CALIGULA. – Écoute-moi bien, imbécile. Si le Trésor a de l'importance, alors la vie humaine n'en a pas. Cela est clair. Tous ceux qui pensent comme toi doivent (25) admettre ce raisonnement et compter leur vie pour rien puisqu'ils tiennent l'argent pour tout. Au demeurant, moi, j'ai décidé d'être logique et puisque j'ai le pouvoir, vous allez voir ce que la logique va vous coûter. J'exterminerai les contradicteurs et les contradictions. S'il le faut, je commencerai par toi.

Albert CAMUS, *Caligula*, Acte I, scène 8, 1945

1. Maîtresse de Caligula.
2. Membres des grandes familles romaines.
3. Établir un testament.
4. Titre qui désigne l'empereur à Rome.

Caligula (Bruno PUTZULU), dans la mise en scène de Stéphane OLIVIÉ-BISSON, 2010.

Le jeu cruel du tyran

LECTURE DU TEXTE

1. Comment la violence de Caligula s'exprime-t-elle ? Quel rôle les autres personnages tiennent-ils ?
2. Reformulez la logique implacable du raisonnement de Caligula : sur quels faits incontestables repose-t-elle ? Est-ce ce qui la rend monstrueuse ? Argumentez.

VERS LE BAC

Dissertation

Comment le théâtre, à travers la figure du roi, permet-il de s'interroger sur le pouvoir ? Vous répondrez en vous appuyant sur les textes du corpus et les œuvres théâtrales que vous connaissez.

➔ **Fiches 53 à 55 Vers la dissertation**

8

Samuel Beckett, En attendant Godot, 1952

Biographie
p. 624

Du même auteur
p. 191

Histoire littéraire
p. 140, 178

Repères historiques
p. 622

Il s'agit de la scène d'exposition.

Acte premier

1 *Route à la campagne, avec arbre.*
Soir.

Estragon, assis sur une pierre, essaie d'enlever sa chaussure. Il s'y acharne des deux mains, en ahanant[1]*. Il s'arrête, à bout de forces, se repose en haletant,*
5 *recommence. Même jeu.*

Entre Vladimir.

ESTRAGON (*renonçant à nouveau*). – Rien à faire.

VLADIMIR (*s'approchant à petits pas raides, les jambes écartées*). – Je commence à le croire. (*Il s'immobilise.*) J'ai longtemps résisté à cette pensée,
10 en me disant, Vladimir, sois raisonnable. Tu n'as pas encore tout essayé. Et je reprenais le combat. (*Il se recueille, songeant au combat. À Estragon.*) – Alors, te revoilà, toi.

ESTRAGON. – Tu crois ?

VLADIMIR. – Je suis content de te revoir. Je te croyais parti pour toujours.

15 ESTRAGON. – Moi aussi.

VLADIMIR. – Que faire pour fêter cette réunion ? (*Il réfléchit.*) Lève-toi que je t'embrasse. (*Il tend la main à Estragon.*)

ESTRAGON (*avec irritation*). – Tout à l'heure, tout à l'heure.

Silence.

20 VLADIMIR (*froissé, froidement*). – Peut-on savoir où monsieur a passé la nuit ?

ESTRAGON. – Dans un fossé.

VLADIMIR (*épaté*). – Un fossé ! Où ça ?

ESTRAGON (*sans geste*). – Par là.

VLADIMIR. – Et on ne t'a pas battu ?

25 ESTRAGON. – Si... Pas trop.

VLADIMIR. – Toujours les mêmes ?

ESTRAGON. – Les mêmes ? Je ne sais pas.

Silence.

VLADIMIR. – Quand j'y pense... depuis le temps... je me demande... ce que
30 tu serais devenu... sans moi... (*Avec décision.*) Tu ne serais plus qu'un petit tas d'ossements à l'heure qu'il est, pas d'erreur.

ESTRAGON (*piqué au vif*). – Et après ?

VLADIMIR (*accablé*). – C'est trop pour un seul homme. (*Un temps. Avec vivacité.*) D'un autre côté, à quoi bon se décourager à présent, voilà ce que
35 je me dis. Il fallait y penser il y a une éternité, vers 1900.

ESTRAGON. – Assez. Aide-moi à enlever cette saloperie.

VLADIMIR. – La main dans la main on se serait jeté en bas de la tour Eiffel, parmi les premiers. On portait beau[2] alors. Maintenant il est trop tard. On ne nous laisserait même pas monter. (*Estragon s'acharne sur sa chaussure.*)
40 Qu'est-ce que tu fais ?

1. Ahaner : respirer bruyamment en faisant un effort.

2. Avait belle allure.

ESTRAGON. – Je me déchausse. Ça ne t'est jamais arrivé, à toi ?

VLADIMIR. – Depuis le temps que je te dis qu'il faut les enlever tous les jours. Tu ferais mieux de m'écouter.

ESTRAGON (*faiblement*). – Aide-moi !

45 VLADIMIR. – Tu as mal ?

ESTRAGON. – Mal ! Il me demande si j'ai mal !

VLADIMIR (*avec emportement*). – Il n'y a jamais que toi qui souffres ! Moi je ne compte pas. Je voudrais pourtant te voir à ma place. Tu m'en dirais des nouvelles.

50 ESTRAGON. – Tu as eu mal ?

VLADIMIR. – Mal ! Il me demande si j'ai eu mal !

ESTRAGON (*pointant l'index*). – Ce n'est pas une raison pour ne 55 pas te boutonner.

VLADIMIR (*se penchant*). – C'est vrai. (*Il se boutonne*.) Pas de laisser-aller dans les petites choses.

ESTRAGON. – Qu'est-ce que tu 60 veux que je te dise, tu attends toujours le dernier moment.

Samuel BECKETT, *En attendant Godot*, Acte premier, © Les Éditions de Minuit, 1952.

Estragon (Philippe Faure) et Vladimir (Daniel Znyk), dans la mise en scène de Bernard SOBEL (Théâtre de Gennevilliers, 2002).

Le jeu absurde de l'existence

LECTURE DU TEXTE

1. Relevez les informations propres à une scène d'exposition. Quelle impression les personnages font-ils à leur entrée en scène ?

Fiche 22 **Le personnage et son évolution**

2. Quelles relations entretiennent-ils ? Analysez l. 41-52 le ton sur lequel chacun s'exprime.

Fiche 21 **La parole**

3. Dans quel registre le jeu autour des accessoires et costumes plonge-t-il cette scène ? Que traduit-il pourtant de l'existence des personnages ?

Fiche 40 **Les registres**

HISTOIRE DES ARTS

MISE EN SCÈNE Dans la mise en scène de B. Sobel, les costumes et le jeu des acteurs correspondent-ils à ce que vous imaginiez des personnages ? Argumentez.

VERS LE BAC

Oral (analyse)

Quelle est l'originalité de cette scène d'exposition ?

Fiche 56 **Réussir l'épreuve orale du baccalauréat**

Question sur un corpus

Comparez cet extrait à celui du *Roi se meurt*, p. 168 : comment les défaillances du corps rendent-elles les personnages pathétiques ?

Fiche 46 **Répondre à une question sur un corpus**

Commentaire

Rédigez le commentaire de ce texte en vous aidant du parcours suivant :

a) L'entrée en scène de deux personnages pathétiques

b) Une existence absurde et tragique

Fiches 49 à 51 **Vers le commentaire**

9

Eugène Ionesco, Le Roi se meurt, 1962

Le médecin et la Reine Marguerite annoncent au roi Bérenger Ier qu'il va mourir dans une heure et demie. Il refuse de les croire. Pourtant, malgré le soutien de sa plus jeune épouse, Marie, ses forces lui échappent peu à peu et son royaume s'écroule autour de lui.

Biographie p. 627

Du même auteur p. 177, 280

Histoire littéraire p. 178

Repères historiques p. 622

LE ROI. – Nous verrons bien si je n'ai plus de pouvoir.

MARIE, *au Roi.* – Prouve que tu en as. Tu peux si tu veux.

LE ROI. – Je prouve que je veux, je prouve que je peux.

MARIE. – D'abord, lève-toi.

LE ROI. – Je me lève.

Il fait un grand effort en grimaçant.

MARIE. – Tu vois comme c'est simple.

LE ROI. – Vous voyez comme c'est simple. Vous êtes des farceurs. Des conjurés, des bolcheviques[1]. (*Il marche. À Marie qui veut l'aider.*) Non, non, tout seul... puisque je peux tout seul. (*Il tombe. Juliette[2] se précipite pour le relever.*) Je me relève tout seul.

Il se relève tout seul, en effet, mais péniblement.

LE GARDE. – Vive le Roi ! (*Le Roi retombe.*) Le Roi se meurt.

MARIE. – Vive le Roi !

Le Roi se relève péniblement, s'aidant de son sceptre.

LE GARDE. – Vive le Roi ! (*Le Roi retombe.*) Le Roi est mort.

MARIE. – Vive le Roi ! Vive le Roi !

MARGUERITE. – Quelle comédie.

Le Roi se relève péniblement. Juliette, qui avait disparu, réapparaît.

JULIETTE. – Vive le Roi !

Elle disparaît de nouveau.
Le Roi retombe.

LE GARDE. – Le Roi se meurt.

MARIE. – Non. Vive le Roi ! Relève-toi. Vive le Roi !

JULIETTE, *apparaissant puis disparaissant tandis que le Roi se relève.* – Vive le Roi !

LE GARDE. – Vive le Roi !

Cette scène doit être jouée en guignol tragique.

MARIE. – Vous voyez bien, cela va mieux.

MARGUERITE. – C'est le mieux de la fin, n'est-ce pas, Docteur ?

LE MÉDECIN, *à Marguerite.* – C'est évident, ce n'est que le mieux de la fin.

LE ROI. – J'avais glissé, tout simplement. Cela peut arriver. Cela arrive. Ma couronne ! (*La couronne était tombée par terre pendant la chute. Marie remet la couronne sur la tête du Roi.*) C'est mauvais signe.

MARIE. – N'y crois pas.

Le sceptre du Roi tombe.

LE ROI. – C'est mauvais signe.

Michel Bouquet dans le rôle de Bérenger, mise en scène de Georges WERLER (Théâtre de l'Atelier, 1994).

1. Un bolchevique est un communiste de la révolution russe.
2. Juliette est femme de ménage et infirmière.

De gauche à droite, Marie, le Médecin, le Roi et Marguerite dans la mise en scène de Georges WERLER (Comédie des Champs-Élysées, 2010).

MARIE. – N'y crois pas. (*Elle lui donne son sceptre.*) Tiens-le bien dans ta
40 main. Ferme le poing.

LE GARDE. – Vive, vive… (*puis il se tait*).

LE MÉDECIN, *au Roi.* – Majesté…

MARGUERITE, *au Médecin, montrant Marie.* – Il faut la calmer celle-là ; elle prend la parole à tort et à travers. Elle ne doit plus parler sans notre
45 permission.

Marie s'immobilise.

MARGUERITE, *au Médecin, montrant le Roi.* – Essayez, maintenant, de lui faire comprendre.

LE MÉDECIN, *au Roi.* – Majesté, il y a des dizaines d'années ou bien il y a
50 trois jours, votre empire était florissant. En trois jours, vous avez perdu les guerres que vous aviez gagnées. Celles que vous aviez perdues, vous les avez reperdues. Depuis que les récoltes ont pourri et que le désert a envahi notre continent, la végétation est allée reverdir les pays voisins qui étaient déserts jeudi dernier. Les fusées que vous voulez envoyer ne partent plus. Ou bien,
55 elles décrochent, retombent avec un bruit mouillé.

LE ROI. – Accident technique.

Eugène IONESCO, *Le Roi se meurt*, 1962 © Éditions Gallimard, 1963.

Le corps diminué d'un roi

LECTURE DU TEXTE

1. @ RECHERCHE Qu'est-ce que le théâtre de guignol ? Pourquoi cette scène s'y apparente-t-elle ? Expliquez le paradoxe de la didascalie, l. 28.

Fiche 40 **Les registres**

2. Analysez l'évolution des sentiments du roi en vous appuyant sur l'énonciation et la modalisation.

Fiche 59 **L'énonciation**
Fiche 60 **La modalisation**

3. Comment les objets symboliques de la royauté sont-ils utilisés ? Quelle force dramatique revêtent-ils ?

4. En quoi les personnages de Marie et Marguerite s'opposent-ils ?

HISTOIRE DES ARTS

COMPARER DES MISES EN SCÈNE Comparez les décors et costumes des deux mises en scène de G. Werler. Laquelle rend le mieux compte du tragique de la situation ? Argumentez.

Fiche 20 **L'action**

ÉCRITURE

Argumentation

Dans une interview, Ionesco déclare : « [Bérenger] c'est l'homme universel. Tout homme est une sorte de roi au centre de l'univers qui lui appartient. » Pensez-vous que chacun puisse s'identifier à ce personnage ? Argumentez.

Combat de nègre et de chiens, de B.-M. KOLTÈS, mise en scène de Patrice CHÉREAU (Théâtre des Amandiers, Nanterre, 1983).

10 B.-M. Koltès, *Combat de nègre et de chiens*, 1983

Biographie p. 627

Du même auteur p. 192

Histoire littéraire p. 178

Repères historiques p. 622

Horn est un Blanc dirigeant un chantier de travaux en Afrique de l'Ouest. L'un de ses ouvriers noirs a été tué par un ingénieur et son corps jeté dans un égout. Alboury, le frère du mort, veut récupérer le corps devenu introuvable. Horn, pour protéger son ingénieur, cache la vérité. Tout se passe la nuit.

IV

1 ALBOURY. – Moi, j'attends qu'on me rende mon frère ; c'est pour cela que je suis là.

HORN. – Enfin, expliquez-moi. Pourquoi tenez-vous tant à le récupérer ? Rappelez-moi le nom de cet homme?

5 ALBOURY. – Nouofia, c'était son nom connu ; et il avait un nom secret.

HORN. – Enfin, son corps, que vous importe son corps ? C'est la première fois que je vois cela ; pourtant, je croyais bien connaître les Africains, cette absence de valeur qu'ils donnent à la vie et à la mort. Je veux bien croire que vous soyez particulièrement sensible ; mais enfin, ce n'est pas l'amour,
10 hein, qui rend si têtu ? c'est une affaire d'Européen, l'amour ?

ALBOURY. – Non, ce n'est pas l'amour.

HORN. – Je le savais, je le savais. J'ai souvent remarqué cette insensibilité. Notez qu'elle choque beaucoup d'Européens, d'ailleurs ; moi, je ne condamne pas ; notez aussi que les Asiatiques sont pires encore. Mais bon,
15 pourquoi alors êtes-vous si têtu pour une si petite chose, hein ? Je vous ai dit que je dédommagerai.

ALBOURY. – Souvent, les petites gens veulent une petite chose, très simple ; mais cette petite chose, ils la veulent ; rien ne les détournera de leur idée ; et ils se feraient tuer pour elle ; et même quand on les aurait tués, même
20 morts, ils la voudraient encore.

HORN. – Qui était-il, Alboury, et vous, qui êtes-vous ?

ALBOURY. – Il y a très longtemps, je dis à mon frère : je sens que j'ai froid ; il me dit : c'est qu'il y a un petit nuage entre le soleil et toi ; je lui dis : est-ce possible que ce petit nuage me fasse geler alors que tout autour de moi,
25 les gens transpirent et le soleil les brûle ? Mon frère me dit : moi aussi, je gèle ; nous nous sommes donc réchauffés ensemble. Je dis ensuite à mon frère : quand donc disparaîtra ce nuage, que le soleil puisse nous chauffer nous aussi ? Il m'a dit : il ne disparaîtra pas, c'est un petit nuage qui nous suivra partout, toujours entre le soleil et nous. Et je sentais qu'il nous sui-
30 vait partout, et qu'au milieu des gens riant tout nus dans la chaleur, mon frère et moi nous gelions et nous nous réchauffions ensemble. Alors mon frère et moi, sous ce petit nuage qui nous privait de chaleur, nous nous sommes habitués l'un à l'autre, à force de nous réchauffer. Si le dos me démangeait, j'avais mon frère pour le gratter ; et je grattais le sien lorsqu'il
35 le démangeait ; l'inquiétude me faisait ronger les ongles de ses mains et, dans son sommeil, il suçait le pouce de ma main. Les femmes que l'on eut s'accrochèrent à nous et se mirent à geler à leur tour ; mais on se réchauffait tant on était serrés sous le petit nuage, on s'habituait les uns aux autres et le frisson qui saisissait un homme se répercutait d'un bord à l'autre du groupe.
40 Les mères vinrent nous rejoindre, et les mères des mères et leurs enfants et nos enfants, une innombrable famille dont même les morts n'étaient jamais arrachés, mais gardés serrés au milieu de nous, à cause du froid sous le nuage. Le petit nuage avait monté, monté vers le soleil, privant de chaleur une famille de plus en plus grande, de plus en plus habituée chacun à cha-
45 cun, une famille innombrable faite de corps morts, vivants et à venir, indispensables chacun à chacun à mesure que nous voyions reculer les limites des terres encore chaudes sous le soleil. C'est pourquoi je viens réclamer le corps de mon frère que l'on nous a arraché, parce que son absence a brisé cette proximité qui nous permet de nous tenir chaud, parce que, même
50 mort, nous avons besoin de sa chaleur pour nous réchauffer, et il a besoin de la nôtre pour lui garder la sienne.

HORN. – Il est difficile de se comprendre, monsieur. (*Ils se regardent.*) Je crois que, quelque effort que l'on fasse, il sera toujours difficile de cohabiter. (*Silence.*)

Bernard-Marie KOLTÈS, *Combat de nègre et de chiens*,

Combat de nègre et de chiens,
de B.-M. KOLTÈS,
mise en scène de Jacques NICHET
(Théâtre de la Ville, 2001).

Proximité des corps et humaine condition

LECTURE DU TEXTE

1. Quelle impression la relation entre Alboury et Horn donne-t-elle au spectateur ? Étudiez le jeu des questions-réponses et le registre dominant de leur dialogue.

Fiche 40 **Les registres**

2. Relevez deux métaphores filées dans la tirade d'Alboury et expliquez leur rôle dans son argumentation.

Fiche 41 **Les figures de style**

3. Peut-on dire de la tirade d'Alboury qu'elle est une sorte de fable ? Justifiez.

Fiche 31 **L'apologue**

4. SYNTHÈSE Koltès dit de sa pièce :

« Elle parle simplement d'un lieu du monde. On rencontre parfois des lieux qui sont [...] des sortes de métaphores de la vie ou d'un aspect de la vie, ou de quelque chose qui me paraît grave et évident. »

De quoi un chantier en Afrique et les rapports entre Noirs et Blancs peuvent-ils être la métaphore ? Quel autre lieu, quelle situation serait, pour vous, une métaphore frappante d'un aspect tragique de la vie ? Décrivez, puis justifiez ce choix.

HISTOIRE DES ARTS

COMPARER DES MISES EN SCÈNE Comparez les costumes, postures et accessoires des personnages dans les deux mises en scène. Que traduisent-ils des situations sociales et des rapports entre les personnages ? Laquelle préférez-vous ? Justifiez.

VERS LE BAC

Oral (entretien)

Comment la mise en scène permet-elle de comprendre le tragique de l'existence ? Argumentez.

Fiche 56 **Réussir l'épreuve orale du baccalauréat**

Question sur un corpus

Rapprochez ce texte d'*Antigone*, p. 156. Pourquoi ces deux scènes constituent-elles une réflexion sur la condition humaine centrée sur l'amour et le devoir ?

Fiche 46 **Répondre à une question sur un corpus**

Commentaire

Rédigez le commentaire de la tirade d'Alboury en montrant qu'elle est poétique et tragique.

Fiches 49 à 51 **Vers le commentaire**

11

Jean-Luc Lagarce, *Juste la fin du monde*, 1990

Biographie p. 627
Histoire littéraire p. 178
Repères historiques p. 622

À 34 ans, Louis, aîné de trois enfants, revient après une longue absence pour annoncer aux siens sa mort prochaine. Incapable de parler, il écoute chacun lui reprocher ses années de silence. Il s'apprête à reprendre son train. Son frère et sa sœur se disputent pour savoir qui va le raccompagner.

2e partie, scène 2

LOUIS, sa sœur SUZANNE, son frère ANTOINE, CATHERINE, la femme d'Antoine, LA MÈRE

1 ANTOINE. – [...] Catherine, aide-moi,
je ne disais rien,
on règle le départ de Louis,
il veut partir,
5 je l'accompagne, je dis qu'on l'accompagne, je n'ai rien dit de plus,
qu'est-ce que j'ai dit de plus ?
Je n'ai rien dit de désagréable,
pourquoi est-ce que je dirais quelque chose de désagréable,
qu'est-ce qu'il y a de désagréable à cela,
10 y a-t-il quelque chose de désagréable à ce que je dis ?
Louis ! Ce que tu en penses,
j'ai dit quelque chose de désagréable ?
Ne me regardez pas comme ça !

CATHERINE. – Elle[1] ne te dit rien de mal,
15 tu es un peu brutal, on ne peut rien te dire,
tu ne te rends pas compte,
parfois tu es un peu brutal,
elle voulait juste te faire remarquer.

1. Suzanne, la sœur d'Antoine.

De gauche à droite, Catherine, Antoine, Suzanne, Louis, La Mère, mise en scène de Bernard LEVY (La Coupole Scène Nationale de Sénart, 2003).

De gauche à droite, Suzanne, Antoine, Louis, La Mère, Catherine, mise en scène de François BERREUR (MC2, Grenoble, 2007).

ANTOINE. – Je suis un peu brutal ?
20 Pourquoi tu dis ça ?
Non.
Je ne suis pas brutal.
Vous êtes terribles, tous, avec moi.

LOUIS. – Non, il n'a pas été brutal, je ne comprends pas
25 ce que vous voulez dire.

ANTOINE. – Oh, toi, ça va, « la Bonté même » !

CATHERINE. – Antoine.

ANTOINE. – Je n'ai rien, ne me touche pas !
Faites comme vous voulez, je ne voulais rien de mal, je ne voulais rien
30 faire de mal,
il faut toujours que je fasse mal,
je disais seulement,
cela me semblait bien, ce que je voulais juste dire
– toi, non plus, ne me touche pas ! –
35 je n'ai rien dit de mal,
je disais juste qu'on pouvait l'accompagner, et là, maintenant,
vous en êtes à me regarder comme une bête curieuse,
il n'y avait rien de mauvais dans ce que j'ai dit, ce n'est pas bien, ce n'est
pas juste, ce n'est pas bien d'oser penser cela,

40 arrêtez tout le temps de me prendre pour un imbécile !

il fait comme il veut, je ne veux plus rien,
je voulais rendre service, mais je me suis trompé,
il dit qu'il veut partir et cela va être de ma faute,
cela va encore être de ma faute,
45 ce ne peut pas toujours être comme ça,
ce n'est pas une chose juste,
vous ne pouvez pas toujours avoir raison contre moi,
cela ne se peut pas,

je disais seulement,
50 je voulais seulement dire
et ce n'était pas en pensant mal,
je disais seulement,
je voulais seulement dire…

LOUIS. – Ne pleure pas.

55 ANTOINE. – Tu me touches : je te tue.

LA MÈRE. – Laisse-le, Louis,
laisse-le maintenant.

Jean-Luc LAGARCE, *Juste la fin du monde*, 1990,
Éditions Les Solitaires intempestifs, 2005.

Le duel ordinaire de deux frères

LECTURE DU TEXTE

1. RECHERCHE Résumez l'histoire biblique d'Abel et Caïn. Quels rapports voyez-vous entre ce récit et la pièce ? Caractérisez les relations au sein de cette fratrie. Justifiez avec des éléments précis.

2. Établissez le plan de la scène en montrant comment la tension va *crescendo*. Quels mots provoquent la colère d'Antoine ? Pourquoi ?

Fiche 21 La parole

3. Relevez le lexique de la faute. Quels sont les implicites de cette dispute ?

4. Par quels procédés syntaxiques la difficulté de communiquer est-elle suggérée ? Étudiez les l. 31-53.

Fiche 61 La syntaxe de la phrase

5. En vous aidant du paratexte, expliquez ce qui rend cette scène d'adieu tragique.

HISTOIRE DES ARTS

COMPARER DES MISES EN SCÈNE Analysez le décor, les lumières et l'utilisation de l'espace dans les deux mises en scène. Laquelle rend le mieux compte de la tension de la scène ? Justifiez.

Fiche 23 Texte et représentation

ÉDUCATION AUX MÉDIAS

« Cela se passe dans la maison de la Mère et Suzanne, un dimanche », précise la didascalie initiale.

@ RECHERCHE Sur le site www.lagarce.net, cherchez d'autres mises en scène de cet extrait.

Choisissez une scénographie qui vous paraît intéressante, puis rédigez un article de journal où, en qualité de critique, vous décrirez et plaiderez le choix de ce décor.

ÉCRITURE

Vers le commentaire

La journaliste M. Bouteiller dit de l'écriture de J.-L. Lagarce : « chaque mot qui perce se cogne au silence des familles » (*Libération*, 07/11/2003). Rédigez deux paragraphes de commentaire montrant la tragique difficulté des personnages à dire ce qu'ils ont sur le cœur.

Fiches 49 et 51 Vers le commentaire

VERS LE BAC

Oral (analyse)

Montrez que cette scène offre une vision tragique des relations familiales.

Fiche 56 Réussir l'épreuve orale du baccalauréat

12 Daniel Keene, *Cinq hommes*, 2003

Biographie p. 627
Histoire littéraire p. 178
Repères historiques p. 622

Cinq ouvriers clandestins, loin de leurs pays, se retrouvent sur un chantier pour construire un mur. Venus d'horizons différents, chacun porte ses souffrances et ses rêves. Obligés de partager le même baraquement inconfortable, ils fraternisent ou se disputent. Samir explique qu'il envoie de l'argent à sa famille. Et Janos se moque de lui.

Scène 5

Jour.
Le chantier.
Janos, Samir, Luca et Edvard travaillant sur l'échafaudage.

5 EDVARD. – Ne fais pas attention à lui[1].

SAMIR. – Pourquoi tu as dit ça ?

JANOS. – N'y pense plus.

SAMIR. – Qu'est-ce que tu voulais dire?

LUCA. – Il ne veut rien dire.

10 SAMIR. – Si.

LUCA. – Ce que Janos veut dire, Janos est seul à savoir.

JANOS. – Je sais ce que je veux dire.

LUCA. – Mais personne d'autre ne sait.

15 JANOS. – Donc ?

LUCA. – Donc nous autres on peut aller se faire foutre, c'est ça ?

JANOS. – Je n'ai pas dit ça.

LUCA. – Regarde Samir, regarde-le.

20 JANOS. – Je l'ai vu.

LUCA. – Non, non, non, tu ne l'as pas vu. Tu l'as observé quand il lit ces lettres que lui envoie sa femme ? C'est renversant.

SAMIR. – Qu'est-ce que tu –

25 LUCA. – Tout à fait renversant. Il est comme un enfant !

SAMIR. – Je suis pas un enfant.

LUCA. – Tu l'as vu laver ses vêtements ? Tellement scrupuleux ! Et quand il travaille... tellement scrupuleux de faire le boulot comme il faut.

EDVARD. – Luca... Qu'est-ce que tu –

LUCA. – Ne me coupe pas ! Je suis en train de raconter une histoire à Janos.

35 JANOS. – Tu n'es pas obligé.

LUCA. – Si, si, si. Obligé, je le suis.

JANOS. – Pourquoi ?

LUCA. – Parce que toi, mon ami, t'es un semeur de merde. Et tu as besoin d'aide. Parce que tu es tout seul au monde.

Cinq hommes in *Cinq hommes / Moitié-moitié* de Daniel KEENE, traduction de Séverine Magois,

1. Janos.

Exil tragique sur un chantier

LECTURE DU TEXTE

1. Analysez la progression du conflit et le rôle de chacun. Quels sont les motifs de la dispute ?

2. Lisez la didascalie initiale et justifiez le choix du lieu.

3. Comment la différence de Samir se manifeste-t-elle au quotidien ? Pourquoi est-elle insupportable à Janos ?

VERS LE BAC

Oral (entretien)

Quels buts la mise en scène des exclus de la société vise-t-elle dans le théâtre contemporain ?

Fiche 56 Réussir l'épreuve orale du baccalauréat

Dissertation

RECHERCHE Résumez le mythe de Sisyphe.

A. Camus dit dans *Le Mythe de Sisyphe, essai sur l'absurde* (1942) :

« Si ce mythe est tragique, c'est que son héros est conscient. [...] L'ouvrier d'aujourd'hui travaille, tous les jours de sa vie, aux mêmes tâches et ce destin n'est pas moins absurde. Mais il n'est tragique qu'aux rares moments où il devient conscient. »

Comment les différents textes de cette séquence illustrent-ils cette vision tragique de l'existence ?

Fiches 53 à 55 Vers la dissertation

POUR ARGUMENTER LE COMIQUE PEUT-IL S'AVÉRER TRAGIQUE ?

Eugène Ionesco, Notes et contrenotes, 1962

Fin de partie de Samuel BECKETT, mise en scène de Bernard LEVY (Théâtre de l'Athénée, 2006).

Notes et contrenotes *regroupe une série d'articles et conférences dans lesquels Ionesco explique ses idées paradoxales sur le théâtre : « Je me suis mis à écrire du théâtre parce que je le détestais », dit-il. À l'inverse, il affirme sa fascination pour le spectacle de guignol où sa mère l'emmenait enfant.*

1 Je n'ai jamais compris, pour ma part, la différence que l'on fait entre comique et tragique. Le comique étant intuition de l'absurde, il me semble plus désespérant que le tragique. Le comique n'offre pas d'issue. Je dis « désespérant », mais, en réalité, il est au-delà ou en-deçà du désespoir ou 5 de l'espoir.

Pour certains, le tragique peut paraître, en un sens, réconfortant, car, s'il veut exprimer l'impuissance de l'homme vaincu, brisé par la fatalité par exemple, le tragique reconnait par là même, la réalité d'une fatalité, d'un destin, de lois régissant l'Univers, incompréhensibles parfois, mais objec- 10 tives. Et cette impuissance humaine, cette inutilité de nos efforts peut aussi, en un sens, paraître comique.

J'ai intitulé mes comédies « anti-pièces », « drames comiques », car, me semble-t-il, le comique est tragique, et la tragédie de l'homme, dérisoire. Pour l'esprit critique moderne, rien ne peut être pris tout à fait au sérieux, 15 rien tout à fait à la légère.

Eugène IONESCO, *Notes et contrenotes* © Éditions Gallimard, 1962.

LECTURE DU TEXTE

1. Reformulez la définition du tragique selon Ionesco.
2. Quelle conception plus ancienne du tragique Ionesco évoque-t-il ? Qu'est-ce qui a changé à l'époque moderne ?
3. MISE EN SCÈNE Dans *Fin de partie*, Beckett imagine deux vieillards vivant dans des poubelles. Dans quelle mesure cette situation et sa mise en scène par B. Levy illustrent-elles les idées de Ionesco ?

VERS LE BAC

Oral (entretien)

Par quels moyens un texte de théâtre et sa représentation peuvent-ils produire des effets à la fois comiques et tragiques ? Cherchez des arguments dans les textes et images de la séquence.

L'évolution du tragique : des héros mythiques aux figures ordinaires

Le modèle antique

Le mot *personnage* désignant une personne fictive au théâtre vient du latin *persona* qui signifie « masque ». Le philosophe grec Aristote explique dans *La Poétique* (IVe siècle av. J.-C.) que le personnage de tragédie imite sur scène des actions réelles pour susciter terreur et pitié chez les spectateurs. C'est pourquoi, **les héros mythologiques**, voués au malheur à cause de leur histoire familiale ou de leur orgueil démesuré (*hybris* en grec), sont les sujets d'**Eschyle, Sophocle** ou **Euripide.** Les actions de ces personnages sont exemplaires et leur destinée librement choisie.

Ex. : *Agamemnon, pour avoir sacrifié sa fille Iphigénie, est assassiné à son retour de Troie, par son épouse Clytemnestre* (>p. 154).
Antigone, fille d'Œdipe, est condamnée à mort pour avoir désobéi au roi Créon et accompli les rites funéraires sur le corps de son frère (>p. 156).

La dramaturgie classique

Les auteurs français du XVIIe siècle respectent les règles imposées par Aristote, et puisent leurs sujets dans les mythes grecs ou l'histoire romaine. Ils y trouvent des **héros de haute condition**, qui ont conscience de leurs privilèges et devoirs. Cependant, les caractéristiques héroïques de leurs personnages sont associées à de nouvelles valeurs, en particulier la **passion amoureuse**. Les auteurs classiques, comme **Corneille** ou **Racine**, développent ainsi le caractère des héros tragiques. Ceux-ci se posent et s'opposent par le **conflit moral**, répondent de leur faute et se réconcilient avec la société ou eux-mêmes dans la mort.

Ex. : *Phèdre, responsable de la mort d'Hippolyte, avoue ses fautes à son époux, Thésée, avant de se suicider* (>p. 159).

La rupture du drame romantique

- En réaction à la dramaturgie classique, émerge un genre nouveau : le drame romantique. Porté par le vent de liberté né de la révolution de juillet 1830, il remet en cause la séparation des genres et supplante la tragédie.

Ex. : *La première représentation d'*Hernani *de V. Hugo (1831) est son acte de naissance : dans la salle, les « classiques », politiquement conservateurs, affrontent violemment les jeunes romantiques.*

Louis REYBAUD, *Les Romains échevelés à la première représentation de* Hernani *de Victor Hugo (1830)*, 1843, caricature.

Les romantiques redécouvrent Shakespeare, joué en version originale par des acteurs anglais en 1822 et 1827. La violence du drame élisabéthain, son mélange du tragique et du comique, inspirent à **Stendhal** (*Racine et Shakespeare*, 1823-25) et **Hugo** leur définition du drame romantique, comme **genre mêlé**.

- Le **drame romantique** répond à différents principes :

- **Totalité :** pour peindre toute la réalité, il faut mêler les registres tragique et comique, un même personnage pouvant être capable de grandeur « sublime » et de lâcheté « grotesque ».

Ex. : *Lorenzo de Médicis a deux visages : il est tantôt le fourbe Lorenzaccio, tantôt le nouveau Brutus capable de tuer le tyran pour rétablir la république* (>p. 145).

- **Liberté :** en réaction aux règles classiques sur l'espace et le temps, les romantiques proposent de nombreux décors, un découpage en tableaux, une temporalité éclatée (suspens et rebondissements ou, au contraire, ellipses brutales).

Ex. : *À la fin de* Ruy Blas (>p. 162), *la mort du héros est ralentie à l'extrême pour créer un effet pathétique.*

- **Vérité plutôt que vraisemblance :** décors, costumes, accessoires et langage des personnages ne sont pas toujours réalistes.

- **Violence sur scène :** le goût du spectaculaire et le rejet des bienséances classiques poussent à multiplier les morts sur scène.

● Les **drames historiques**, dont l'action se déroule dans l'Italie ou l'Espagne du XVIe-XVIIe siècle, permettent aux jeunes auteurs romantiques, comme **Hugo** ou **Musset**, de montrer une jeunesse blessée dans ses idéaux, qui ne trouve pas sa place dans la société bourgeoise de la Restauration. Leurs personnages sont des antihéros.

Ex. : *Lorenzo de Médicis, le héros de Musset, sait par avance que le meurtre du Duc ne sera d'aucune utilité* (>p. 146).

Le renouveau du tragique

Si le mot « tragédie » n'apparaît plus après le drame romantique, les auteurs du XXe siècle, traumatisés par les deux guerres mondiales, se réapproprient le genre, dans leurs **pièces « noires »** (Anouilh) ou leurs « **farces tragiques** » (Ionesco). Le tragique explore les horreurs de l'histoire et questionne le sens de l'existence, à travers des personnages qui, même s'ils s'engagent politiquement, n'ont pourtant plus la force d'agir sur les événements.

Le retour des mythes

Les dramaturges adaptent les mythes aux questionnements modernes : **Giraudoux**, dans *La Guerre de Troie n'aura pas lieu* (1935) et *Électre* (1937), montre que leur destin échappe aux hommes.

Ex. : ***Anouilh** crée en pleine Occupation (1944)* Antigone, *héroïne résistante incarnant la soif d'absolu et de liberté. Créon est lui-même un personnage tragique déchiré entre son affection pour Antigone et ses devoirs de roi* (>p. 158).

Le théâtre engagé

Installé en Allemagne de l'Est après la guerre, **Bertolt Brecht (1898-1956)** défend un théâtre social et marxiste, poussant à la réflexion par l'effet de distanciation. Il fonde ainsi le théâtre épique qui met en scène des personnages ordinaires, soumis aux rapports de force sociaux.

Ex. : Mère Courage et ses enfants *(1940) ont beau vouloir tirer parti de la guerre, ils en seront tous victimes. Le seul acte héroïque, celui de Catherine, est suicidaire* (>p. 152).

Sartre (1905-1980), philosophe existentialiste, s'interroge sur la liberté de l'homme sans Dieu : l'homme n'existe que dans la mesure où il se fera lui-même un destin. Mais cette liberté est difficile d'accès pour des personnages qui ne sont plus des héros.

Ex. : *Dans* Les Mouches, *il montre Électre doutant de la nécessité du meurtre et se méprisant elle-même* (>p. 164).

Ex. : *Le héros des* Mains sales *(1948), bourgeois converti au marxisme, est chargé d'exécuter son chef. Mais il le tue par jalousie et non par conviction* (>p. 284).

Les Mouches, de Jean-Paul SARTRE, mise en scène de Charles DULLIN, 1943. Égisthe et Clytemnestre (en haut) organisent un rituel pour évoquer les morts. En bas, un prêtre et des Argiens.

Pour **Camus (1913-1960)**, prendre conscience de l'absurde est une condition préalable à la liberté, comme le montre son personnage d'empereur romain.

Charles BERLING dans sa mise en scène de *Caligula* (Théâtre de l'Atelier, 2006).

Ex. : *Caligula (1945) se livre à la démesure de l'absurde, mais prend conscience qu'on ne peut tout détruire sans se détruire soi-même* (>p. 165).

Le théâtre de l'absurde

Dans les années 1950, l'absurdité de la condition humaine devient l'objet d'un tragique dérisoire. L'homme combat vainement ce qu'il ne peut maîtriser et perd tout repère. On assiste ainsi à la **déchéance des personnages** devenus de grotesques pantins, représentants d'une humanité souffrante.

Beckett (1906-1989) invente un univers sans repères temporels ni spatiaux où rien ne se passe, où le langage perd sa cohérence et sa fonction de communication

Ex. : *Dans* Oh les beaux jours *(1963), Winnie, enfoncée dans le sable, discourt sans fin devant Willie muet* (>p. 191).

Le corps souffrant de personnages diminués, infirmes a une place grandissante.

Ex. : *Dans* Fin de partie, *le personnage principal est paralysé et aveugle.*

Fin de partie, de Samuel Beckett, mise en scène par B. Levy, 2008.

Le personnage devient une figure dérisoire, sans identité, répétant des rituels absurdes dans un monde envahi d'objets hétéroclites. Il est réduit à sa seule parole.

Ex. : *Dans* En attendant Godot, *les personnages retournent sans cesse leur chaussure ou leur chapeau* (>p. 166).

Les personnages de **Ionesco (1912-1994)** tentent vainement de résister à ce qui les accable : les objets prolifèrent de façon cauchemardesque dans *Les Chaises*, Bérenger reste le seul humain parmi ses concitoyens transformés en *Rhinocéros* (1960).

Ex. : *Bérenger Ier du* Roi se meurt *(1962) voit son palais s'écrouler en même temps que ses facultés. Il symbolise l'angoisse de chaque individu face à la mort* (>p. 168).

Une cérémonie tragique

Délinquant devenu dramaturge, **Jean Genet (1910-1986)** dénonce tout ordre ou normalité sociale. Par la théâtralité, l'artifice, il met en scène la lutte des classes dans *Le Balcon* (1956), le racisme quotidien dans *Les Nègres* (1958) ou le colonialisme dans *Les Paravents* (1961).

Ex. : *Les deux* Bonnes *(1947) imitent « Madame » pour préparer son meurtre.*

Le tragique aujourd'hui

Les auteurs contemporains, héritiers du théâtre de l'absurde, explorent **le rapport tragique de l'homme au monde**, son impuissance face aux événements historiques comme les guerres, à la maladie et à la mort, à la solitude. Les personnages sont de simples figures. Sans véritable psychologie, ils n'existent qu'à travers une parole qu'ils ne maîtrisent pas.

Le théâtre contemporain exploite particulièrement le **monologue** pour exprimer la solitude de ses antihéros : il devient l'espace d'une **parole en quête d'interlocuteur** ou la marque d'une communication impossible.

Ex. : *L'héroïne de* Papa doit manger *de M. N'Diaye s'explique douloureusement devant un juge dont les questions sont omises, ce qui renforce le tragique de sa solitude* (>p. 193).

Le théâtre du quotidien

Michel Vinaver (né en 1927) filtre les grands événements politiques à travers l'expérience de gens ordinaires, sans pouvoir. *Les Coréens* (1956) met en scène de simples soldats, tous victimes de la guerre d'Indochine.

Ex. : *Dans* Par-dessus bord *(1973) ou* Les Travaux et les jours *(1979), l'auteur fait le procès du capitalisme broyant les salariés.*

Réalisme et poésie

Bernard-Marie Koltès (1948-1989) revient à des personnages bien définis, pris dans des conflits sociaux, familiaux ou économiques, dans des lieux en marge. Ils doivent alors négocier un « deal » : jeu de séduction (*Quai Ouest*, 1986 ou *Roberto Zucco*, 1988) ou achat de drogue (*Dans la solitude des champs de coton*, 1986).

Ex. : Combat de nègre et de chiens *(1979) se situe sur un chantier en Afrique où Alboury réclame à Horn le corps de son frère* (>p. 170).

Les personnages existent à travers de longs monologues poétiques leur insufflant complexité et épaisseur psychologique.

Ex. : *Dans* Sallinger *(1976), chaque membre d'une famille raconte son désarroi et sa solitude face au suicide du fils aîné dont le spectre les hante* (>p. 192).

Sallinger, de B.-M. Koltès, mise en scène par E. Chailloux (Théâtre des Quartiers d'Ivry, 2003).

Le théâtre de la parole

Jean-Luc Lagarce (1957-1995), admirateur de Ionesco (voir mise en scène de *La Cantatrice chauve*, p. 114), met en scène des personnages aux identités déterminées, qui semblent proches des personnages classiques, mais qui sont en réalité dépassés par les mots qu'ils emploient, incapables de trouver la parole juste et soumis à une mécanique verbale vaine.

Ex. : *Dans* Juste la fin du monde *(1990), Antoine tente vainement de se justifier et Louis ne peut dire sa mort prochaine. Prendre la parole devient une véritable mise à l'épreuve* (>p. 173).

Histoire des arts
Arts et littérature

9 De l'espace sacré antique à la scène moderne
Mettre en scène des tragédies grecques

Représentation à Épidaure, Grèce.

Objectifs

- Découvrir l'espace théâtral antique : son organisation et son fonctionnement
- Comprendre les problèmes posés par la mise en scène de tragédies antiques
- Analyser l'évolution de l'espace théâtral moderne

À Athènes, au Ve siècle av. J.-C., le théâtre s'inscrit dans le cadre du culte à Dionysos, dieu de l'ivresse et de la fertilité. Périclès fait ainsi construire un théâtre accolé au temple du dieu, sur les flancs de l'Acropole située derrière les spectateurs. Les Grandes Dionysies, fêtes en l'honneur de ce dieu, commencent et se terminent par des processions et sacrifices. Ces quatre jours sont consacrés aux concours de tragédies et comédies au terme desquels les meilleurs auteurs sont couronnés.

MÉTHODES ➤ p. 439
Le texte théâtral et sa représentation ➤ Fiches 20, 21, 22, 23

Histoire littéraire p. 189

1 Les metteurs en scène face au théâtre antique

1. L'organisation de l'espace antique

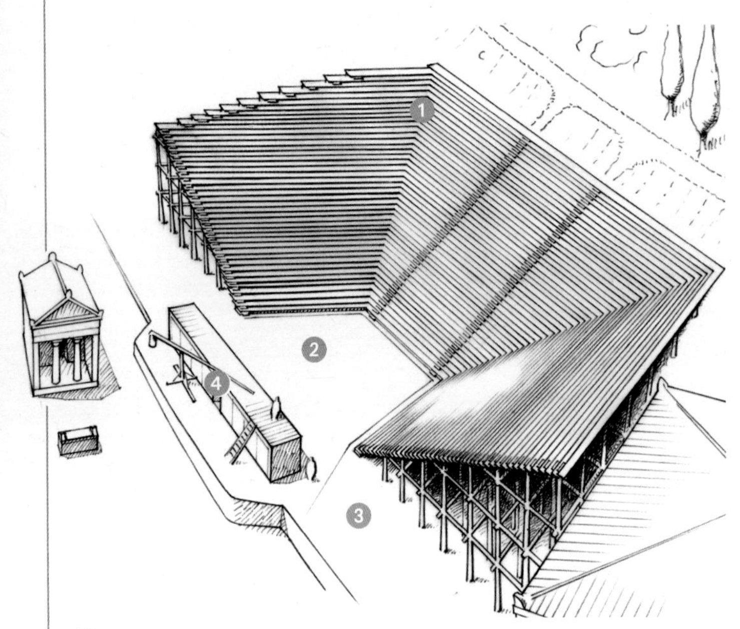

A Reconstitution du théâtre de Dionysos au Ve siècle av. J.-C. Dessin de Nicolas BRESCH, CNRS, 2001, dans *Agamemnon*, *Bac théâtre*, sceren/CNDP 2009.

B Théâtre Hérode Atticus, sur l'Acropole d'Athènes (161 ap. J.-C.)

Repères esthétiques

Le *theatron* ❶

Le *theatron*, « lieu où l'on voit », en grec, désigne l'espace où sont situés les spectateurs. En bas du *theatron* se trouve l'*orchestra* ❷, « lieu où l'on danse » en forme de demi-cercle réservé au chœur. L'accès à l'*orchestra* se fait par les *parodoi* ❸ : les personnages venant de la campagne arrivaient par la gauche du public, ceux de la cité, par la droite.
À l'origine, il n'existait que ces deux espaces. Avec l'*Orestie* d'Eschyle (456 av. J.-C.) apparaît un bâtiment de scène provisoire en bois, la *skènè* ❹, littéralement « la baraque ». Les acteurs jouent devant, sur une petite estrade, ou utilisent l'*orchestra*. Des toiles peintes pendues sur la *skènè* et une porte indiquent le palais tragique. Les scènes violentes se déroulent derrière la porte ; les cadavres sont ensuite sortis sur une plate-forme roulante.
La *scaena* ❺ romaine (voir image B) à l'origine de notre mot « scène », devient monumentale : c'est un mur de plusieurs étages décoré de marbre et de statues.

Étude d'images

1. Analysez le rapport que l'espace théâtral grec (image A) induit entre le public et le spectacle : à quelle distance les spectateurs se trouvent-ils ? Quelle visibilité est la leur ? Quels effets la vue d'Athènes, derrière la *skènè*, peut-elle produire ?

2. Déterminez le rôle et l'importance du chœur en étudiant la place qu'il occupe par rapport à la *skènè*.

3. Pourquoi le haut mur imaginé par les Romains (image B) constitue-t-il une véritable révolution ? Qu'est censé apporter à la qualité du spectacle cet espace semi-clos ?

2. Variations modernes sur l'espace antique

Scénographie de Vittorio Rossi pour la mise en scène des *Suppliantes* d'Euripide (Théâtre antique de Syracuse, Sicile, 1986).

Scénographie d'Y. Kokkos pour la mise en scène d'*Électre* de Sophocle (Théâtre National de Chaillot, Paris, 1986).

Repères esthétiques

La scénographie

Dans l'Antiquité, la *skenographia* désigne la peinture en trompe-l'œil des toiles de décors.
Aujourd'hui, le « scénographe » construit tout l'espace de la représentation : il s'occupe de la conception et de la construction des décors, des éclairages, des relations entre la scène et le public. Il révèle et traduit la vision du metteur en scène. Il ne cherche plus forcément à représenter un lieu réel mais préfère souvent un décor symbolique, permettant de visualiser les enjeux de la pièce.

3. Le décor de Y. Kokkos

C'est bien le réel qu'il bâtit, comme cette façade aérienne, pour *Électre*, qui représente toute la Grèce, mur nu, abandonné sur un terrain vague par l'effet d'une démolition inachevée, on voit encore le crépi des murs, les volets sont intacts, les vitres ont été enlevées, il reste des meubles où vivent et meurent, comme des fantômes, les rois et les reines du monde antique, mais les statues des dieux au faîte se sont retournées, nous ne devrions pas les voir, on dirait que les dieux regardent vers nous.

A. Vitez à propos du décor de Y. Kokkos, in *Théâtre en Europe*, n°13, avril 1987.

ANALYSE DE DÉCORS

Réinventer la skènè

1. @ RECHERCHE Cherchez où se déroulent l'intrigue des *Suppliantes* d'Euripide et celle d'*Électre* de Sophocle. Que pouvait représenter la toile peinte du décor antique ? Avait-on besoin d'un autre élément de décor posé dans l'*orchestra* ? Proposez plusieurs hypothèses.

2. En quoi le décor imaginé par V. Rossi est-il à la fois fidèle à l'espace antique et moderne ? Analysez les formes, couleurs, lumières.

Fiche 23 **Texte et représentation**

3. Selon A. Vitez, quels éléments de l'espace antique Y. Kokkos a-t-il conservés ? Comment les a-t-il transformés et modernisés ?

ATELIER D'ÉCRITURE

4. À la manière d'A. Vitez, écrivez une note d'une dizaine de lignes expliquant et justifiant le décor des *Suppliantes*.

5. G. Banu parle à propos du décor de Y. Kokkos « d'un lieu tragique assimilé au lieu quotidien » (*Le Scénographe et le héron*, 1989). Pensez-vous que le théâtre contemporain, en modernisant l'espace antique, dénature et banalise le spectacle ? Argumentez.

2 De l'espace mythique à l'espace symbolique

1. Une forêt aveugle

Œdipe à Colone de SOPHOCLE, mise en scène de J.-P. VINCENT, décor de J.-P. CHAMBAS (Festival d'Avignon, 1989).

2. L'œil de la conscience

Œdipe (fin d'*Œdipe-Roi*) d'après SOPHOCLE, mise en scène P. ADRIEN, décor de G. DIDIER (Cartoucherie de Vincennes, 2009).

3. Œdipe à Colone de Sophocle

ŒDIPE. – Allons ! Ma fille, si tu vois un endroit où je puisse m'asseoir, soit en terre profane, soit dans l'enclos d'un dieu, arrête-moi et installe-moi là. Nous nous informerons ensuite de l'endroit où nous nous trouvons. [...]

ANTIGONE. – Mon pauvre père, Œdipe, j'aperçois des remparts autour d'une acropole ; mais ils sont encore, si j'en crois mes yeux, à bonne distance. Ici, nous nous trouvons dans un lieu consacré. On ne peut s'y tromper : il abonde en lauriers, en oliviers, en vignes, et, sous ce feuillage, un monde ailé de rossignols fait entendre un concert de chants. Repose-toi ici sur cette pierre fruste. Tu as fait une étape longue pour un vieillard.

SOPHOCLE, *Œdipe à Colone*, Ve siècle av. J.-C., traduit du grec par P. Mazon, © Les Belles Lettres, 1999.

Repères esthétiques

Les scènes de demande d'asile

En Grèce antique, les personnes poursuivies peuvent trouver refuge dans des lieux sacrés d'où l'on ne peut les chasser sans encourir la vengeance divine. Le suppliant touche l'autel, la statue, ou tout autre objet sacré et cela le rend intouchable. La tragédie antique exploite cette situation qui dramatise l'espace et rappelle la fonction religieuse du théâtre. Le lieu de cet asile est souvent Athènes. Dans *Œdipe à Colone*, le héros aveugle s'installe dans un bois sacré près d'Athènes, pour ne pas être ramené à Thèbes, et dans *Les Euménides*, Oreste échappe aux Érinyes qui veulent venger le meurtre de sa mère, en s'accrochant à la statue d'Athéna sur l'Acropole.

ÉTUDE DE MISES EN SCÈNE

Du corps au décor

1. @ RECHERCHE Quels crimes Œdipe a-t-il commis ? Comment s'en punit-il ? Quel rapport symbolique ce châtiment a-t-il avec son crime ?

2. Comment chaque scénographie suggère-t-elle l'infirmité d'Œdipe ? Laquelle vous paraît la plus significative ? Argumentez.

3. Comment la détresse et le dénuement d'Œdipe sont-ils suggérés dans chaque mise en scène ? Analysez la disposition des personnages, les costumes.

➤ **Fiche 23 Texte et représentation**

4. Sous le regard d'Athéna

Athéna et le chœur, l'*Orestie, Les Euménides* d'ESCHYLE, mise en scène d'O. PY, décor de P. A. WEITZ (Théâtre de l'Odéon, 2008).

6. La scénographie de l'Orestie

La scénographie est marquée par la verticalité. Il y a par exemple un espace du dessous, celui des morts d'où viennent les fantômes comme Clytemnestre dans *Les Euménides*, et d'où peuvent resurgir des revenants comme Agamemnon ou Iphigénie. L'*Orestie* est construite sur une guerre entre les dieux d'en haut et les dieux d'en bas. À la fin, les Érinyes et le Cortège descendent dans les profondeurs, dans les dessous du théâtre.

Olivier PY à propos de la scénographie de l'*Orestie*, Dossier du Sceren, CRDP de Paris, 2008.

5. Les Euménides d'Eschyle

Sur l'Acropole d'Athènes. Dans l'orchestra, en avant du temple, une statue d'Athéna. Oreste entre en courant par la gauche et se jette au pied de la statue.

ORESTE. – Souveraine Athéna, c'est sur l'ordre de Loxias[1] que je suis ici : accueille le maudit avec bienveillance. Ce n'est plus un suppliant aux mains impures : ma souillure s'est émoussée, s'est usée au contact des hommes qui m'ont reçu à leur foyer ou rencontré sur les chemins, dans ma course à travers la terre et la mer. Docile aux commandements prophétiques de Loxias, j'arrive à ton sanctuaire et, attaché, déesse, à ton image, j'attends ici l'arrêt de la justice.

ESCHYLE, *Les Euménides*, Ve siècle av. J.-C., traduction du grec de P. Mazon, © Éditions Les Belles Lettres, 1993.

1. Autre nom d'Apollon, qui signifie « l'oblique » car ses prophéties sont obscures.

DU TEXTE À LA SCÈNE

Le jeu avec un espace sacré

1. Lisez les textes 3 et 5. Comment Sophocle et Eschyle jouent-ils avec les monuments d'Athènes que voit le spectateur du Ve siècle ? Quels objets sacrés posés dans l'*orchestra* sont utilisés ?

2. Quels éléments du texte 3 la mise en scène d'*Œdipe* (image 1) garde-t-elle ? Suggère-t-elle un lieu sacré ? Justifiez par l'analyse des décors, des lumières, etc.

3. Décrivez la scénographie des *Euménides* : que représente le praticable ? À quoi le choix des matériaux et le jeu des acteurs vous font-ils penser ? Quel rapport ont-ils avec l'espace grec du Ve siècle ?

4. Lisez le texte 6. Que veut symboliser O. Py avec son décor ? Le décor des *Euménides* et la disposition des personnages ont-ils, selon vous, une connotation religieuse ? Justifiez.

ATELIER D'ÉCRITURE

5. Sur le modèle de la prière d'Oreste, écrivez en une quinzaine de lignes la prière qu'Œdipe adresse à la divinité du bois sacré où il vient d'arriver. Il fera une présentation pathétique de sa situation pour demander une protection.

3 Quel espace pour le chœur ?

1. Un chœur oriental

Le chœur d'*Agamemnon* d'ESCHYLE, mise en scène d'A. MNOUCHKINE (Théâtre du Soleil, 1990).

2. Le chœur d'A. Mnouchkine

Contrairement à la tragédie grecque d'autrefois, les chœurs au Théâtre du Soleil ne parlaient pas mais dansaient. Ils étaient en eux-mêmes discours. Blasons[1] offerts au regard, ils étaient porteurs d'un état, celui de la cité face aux actes posés par les protagonistes. Ils n'intervenaient ni en chants, ni en mots mais ils réagissaient par leurs cris, les réactions de leur visage, l'écarquillement des yeux, le piétinement de leurs pas, le grondement de leur course. Tout leur corps, tout leur être, toutes leurs danses véhiculaient une impression en étroite relation avec les actions des héros.

Les Grecs à la Cartoucherie. La recherche des formes (p. 122) in *Trajectoires du Soleil* de Josette FÉRAL

1. Signes, emblèmes d'une famille ou d'une collectivité.

Repères esthétiques

Le chœur grec

À l'origine, le chœur est une formation religieuse d'une douzaine d'hommes ou de femmes qui chantent et dansent à l'unisson pour célébrer un dieu. Présent dans toutes les fêtes religieuses grecques, il prend une importance particulière dans le culte à Dionysos et constitue le premier élément spectaculaire du théâtre. Il entre en scène dès le début des tragédies ou comédies, chante et danse entre les épisodes et sort quand tout est achevé. Le coryphée (chef de chœur) prend la parole au nom des autres et dialogue avec les héros. Constitué de citoyens et non d'acteurs professionnels, le chœur est une émanation de l'opinion publique. Il commente l'action et exprime ses sentiments. Il peut ainsi critiquer l'attitude des héros, marquée par l'Hybris (*hubris*, « la démesure ») ou craindre pour eux le châtiment.

3. Un chœur de voisins

Clytemnestre écoutant le récit du précepteur à la table du Chœur, *Électre* de SOPHOCLE, mise en scène d'A. VITEZ (Théâtre National de Chaillot, 1986).

4. Le chœur d'A. Vitez

Le Coryphée. C'est un aveugle qui habite dans le quartier. Il raconte toujours les mêmes histoires ; on le comprend mal, car il s'exprime en langue dorienne[1]. De temps en temps, à intervalles réguliers, il vient boire un café à la maison, et il parle, pour lui-même, ou pour les femmes qui sont là, en égrenant son chapelet dans ses doigts. [...]

Le Chœur. Trois femmes du voisinage. Elles guident l'aveugle, donnent leur avis de temps en temps ; elles objectent, questionnent, pour forcer les protagonistes à parler.

Notes de mise en scène d'A. VITEZ parues dans *L'Art du Théâtre*, n°4, 1986.

1. Les chœurs grecs s'exprimaient dans une langue ancienne, poétique, que le public du Ve siècle ne comprenait pas toujours.

Chœur de jeunes filles, bas-relief du sanctuaire d'Héra à Paestum, Grèce, Ve siècle av. J.-C.

ÉTUDE DE MISES EN SCÈNE

Recréer le chœur antique

1. En vous aidant des Repères esthétiques (p. 186), des textes et du bas-relief, déterminez quelle mise en scène transpose le plus fidèlement l'image d'un chœur grec. Justifiez.

2. Dans chaque mise en scène, comment l'utilisation de l'espace et le jeu soulignent-ils le lien entre le chœur et l'action, et entre le chœur et le public ? Quel choix vous paraît le plus efficace ? Justifiez.

Deux approches opposées

3. @ RECHERCHE Sur le site www.theatre-du-soleil.fr, cherchez l'origine des costumes du chœur d'A. Mnouchkine. En quoi et pourquoi ce parti pris est-il spectaculaire ?

4. Lisez le texte 4. Pourquoi peut-on dire que la démarche d'A. Vitez est l'opposée de celle d'A. Mnouchkine ? Comment distingue-t-il le coryphée ? Quelle fonction originale lui donne-t-il ainsi ?

Fiche 23 **Texte et représentation**

Atelier d'écriture

Imaginer la mise en scène du départ d'Antigone vers la mort

Sujet. Lisez le texte d'*Antigone*, de Sophocle (p. 156). Sur le modèle du texte d'A. Vitez (p. 187), rédigez une note de mise en scène de 15 à 20 lignes, destinée au scénographe et aux acteurs, décrivant le décor et son utilisation.

1. Comprendre les enjeux de la pièce et de la scène

Le choix de Créon aboutit en fait à une souillure plus grande encore : le monde des morts et celui des vivants se trouvent confondus, l'ordre cosmique est renversé. Le mort [...] est laissé sans sépulture sur le sol ; il souille les autels et les foyers de Thèbes. La vivante est précipitée, vivante, chez les morts.

Paul DEMONT, note à l'édition d'*Antigone*,

En vous aidant des textes de Sophocle et de P. Demont, caractérisez votre décor sur une fiche :

- Que va-t-il représenter ? Quels éléments y sont indispensables ?
- Comment suggérer concrètement la fusion entre le monde des morts et celui des vivants ?

2. S'inspirer d'images

CANALETTO (1697-1768), *Caprice avec des ruines classiques et des motifs de Padoue*, vers 1734, huile sur toile (Accademia, Venise).

Temple d'Apollon, 370 av. J.-C. à Delphes.

- Quels liens établissez-vous entre ces images et la tragédie de Sophocle ? Pourquoi l'idée de ruines est-elle intéressante ?
- Complétez votre fiche : ces images vous inspirent-elles un décor réaliste ou symbolique ? Ouvert ou fermé ? Avec une architecture antique, classique ou moderne ? Avec quel sol ? Quels matériaux ? De quelle hauteur ? Avec ou sans un espace autour ? Etc.

3. Décrire le décor et le justifier

a) Organisez votre description en allant d'une vision d'ensemble aux détails, et du fond de scène à l'avant. Utilisez les termes « jardin » (à gauche pour le spectateur) et « cour » (à droite) pour les côtés.

b) Justifiez vos propositions par des références à l'intrigue.

c) Créez une atmosphère tragique en précisant les couleurs et les éclairages.

4. Mettre en scène le départ d'Antigone à la mort

a) Indiquez la position des personnages présents pendant le dialogue, les uns par rapport aux autres, et par rapport au public. Qui Antigone regarde-t-elle lorsqu'elle parle ?

b) Qui se déplace ? Quand et pourquoi ?

c) Décrivez la sortie d'Antigone : part-elle seule ou accompagnée ? Dans quelle direction ? Avec quel éclairage ?

Histoire littéraire
Le théâtre antique

Vase de Pronomos (détail). Préparatifs d'un drame satyrique : les acteurs tiennent des masques (400 av. J.-C., Naples).

Origines religieuses

Dans l'Antiquité, les représentations théâtrales ont toujours lieu lors de **fêtes religieuses**. Elles commencent par une procession traversant la cité et s'achèvent par des sacrifices d'animaux dont la viande est partagée entre tous.
À Athènes, le théâtre naît à la fin du VIe siècle av. J.- C. associé au **culte de Dionysos**. Deux fois par an, l'État organise des festivals. Les **chœurs rituels** chantant et dansant en l'honneur du dieu sont les premiers éléments du spectacle.
À Rome, en 364 av. J.-C., pour mettre fin à une peste, on fait venir d'Étrurie (nord de l'Italie) des danseurs et des musiciens qui se produisent devant un mur de scène. C'est le début des « **jeux scéniques** », rituels rassemblant les dieux et les hommes dans le plaisir du spectacle. Ils célèbrent une divinité ou un événement particulier (par exemple, une victoire).

Conditions de représentation

Le lieu théâtral

À Athènes, le premier lieu théâtral est une aire de terre battue où danse le chœur. À l'époque de Périclès, le public est assis sur des gradins en pierre, construits sur les flancs de l'Acropole, face à l'***orchestra* ronde** et à la ***skènè***, d'abord simple baraque en bois puis bâtiment en pierre dès 330 av. J.-C. Le théâtre grec, dont la visibilité et l'acoustique sont excellentes, est ouvert sur le monde extérieur.

Ex. : *Eschyle, dans* Les Euménides (>p. 185), *montre son héros trouvant refuge sur l'Acropole. Ainsi, les auteurs et les spectateurs peuvent faire des liens entre réalité politique et fiction tragique.*

Les Romains améliorent l'acoustique des gradins en hémicycle en plaçant sous les sièges des vases de bronze faisant office de micros. Un **monumental mur de scène** décoré de marbre, d'ivoire et d'or, orné de toiles en trompe-l'œil ainsi qu'un voile tendu isolent le public du monde extérieur. Le spectacle les transporte dans un univers de fiction.

L'acteur

Tous les rôles sont joués par des hommes portant des **masques**. Leur jeu est codifié : à chaque personnage, son masque, son costume, sa gestuelle et son type de voix. Un acteur joue les mêmes rôles comiques ou tragiques toute sa vie.

Ex. : *Les gestes, peu nombreux, sont tous significatifs. Ainsi, quand Oreste entoure la statue d'Athéna, cela veut dire qu'il demande aide et protection.* (>p. 185)

En Grèce, à partir du IVe siècle av. J.-C., un concours couronne le meilleur acteur. À Rome au contraire, les acteurs, considérés comme des prostitués, sont à la fois adulés pour leur performance et rejetés socialement.

Le théâtre grec

Un théâtre civique

Dans les festivals théâtraux, la démocratie athénienne se met en scène. Les citoyens sont en effet spectateurs, juges ou choreutes, et les alliés étrangers viennent déposer leur impôt dans le théâtre avant d'assister au spectacle où Athènes est le lieu de refuge des héros malheureux.

Ex. : *Œdipe trouve refuge dans un bois sacré près d'Athènes dans* Œdipe à Colone *de Sophocle* (>p. 184).

Les auteurs interrogent ainsi le fonctionnement de la démocratie, le rapport entre l'individu et l'État.

Ex. : *Antigone oppose les devoirs familiaux aux règles instituées par la cité* (>p. 156).
Aristophane dénonce les démagogues dans Les Cavaliers (>p. 129).

Selon le philosophe **Aristote** (*La Poétique*, IVe siècle av. J.-C.), le théâtre permet, par la **catharsis** (purgation des passions) de maintenir la cohésion du corps social.

La tragédie

Premier genre théâtral créé en Grèce, la tragédie repose sur l'alternance entre parties chantées et dansées par le chœur et parties dialoguées. Les intrigues reprennent les **mythes** connus du public, que les auteurs peuvent modifier pour s'interroger sur le pouvoir, la responsabilité humaine ou le rôle des dieux.
Eschyle (526-456), ce poète admiré du public athénien, a remporté presque chaque année de sa carrière le concours de tragédies. Son théâtre se caractérise par la simplicité de l'action et le rôle prépondérant du chœur.

Ex. : *Dans l'*Orestie, *seule trilogie conservée, le meurtre du roi Agamemnon est dramatisé par la présence du chœur de citoyens* (>p. 154).

Le chœur des Érinyes persécute Oreste qui vient de tuer sa mère Clytemnestre dans Les Euménides (>p. 185).

Sophocle (496-406) a assumé des charges politiques et a connu un succès constant au théâtre. Ses héros sont voués à la solitude morale. Leur grandeur réside dans l'aptitude à endurer et à sublimer la douleur.

Ex. : *Œdipe est un aveugle pitoyable dans* Œdipe à Colone (>p. 184). *Antigone vit dans le deuil éternel de toute sa famille* (>p. 156).

Euripide (484-406), ce novateur peu apprécié du public, ne remporte que quatre victoires. Pourtant, son théâtre, marqué par les guerres qui déchirent Athènes de 431 à 411 av. J.-C., donne une grande humanité aux personnages.

Ex. : Les Troyennes *et* Hécube, *multiplient les effets pathétiques, exprimant ainsi avec pessimisme la cruauté des hommes et l'indifférence des dieux.*

La comédie

Elle concurrence la tragédie, qu'elle parodie souvent. **La comédie ancienne** (Vᵉ siècle av. J.-C.), **à sujets politiques**, allie chant du chœur et texte parlé. Elle joue sur la farce, l'obscénité et se réfère au corps de façon grotesque. La comédie nouvelle (IVᵉ siècle av. J.-C.) respecte la décence et la vraisemblance. Elle supprime le chœur et propose des intrigues familiales autour de personnages types comme l'esclave fourbe. Elle comporte coups de théâtre et quiproquos.

Aristophane (445-385 environ) met en scène un monde à l'envers où règnent les plaisirs du ventre et du sexe. Ses héros inventent une ruse comique invraisemblable pour atteindre leurs objectifs.

Ex. : *Dans* Lysistrata, *les femmes ont pris le pouvoir : elles font la grève de l'amour pour contraindre les hommes à arrêter la guerre.*

Lysistrata d'ARISTOPHANE, mise en scène de R. BIANCIOTTO, (Théâtre 13, 2005).

Il critique ainsi de façon détournée les dérives de la démocratie.

Ex. : *Dans* Les Cavaliers, *Le Peuple se laisse berner par l'intendant qui vit chez lui en parasite* (>p. 129).

Le théâtre romain

Un théâtre ludique

Le théâtre romain appartient au temps de loisir et se démarque de toute activité civique ou politique. Les **« jeux scéniques »** (*ludi scaenici*) ne visent que le plaisir du public plongé, grâce à la musique, au décor et aux costumes somptueux, dans une atmosphère irréelle sans hiérarchie sociale. Un tel relâchement paraît moralement dangereux à la noblesse qui interdit pendant trois siècles les théâtres permanents. C'est seulement à la fin de la République que Pompée, adversaire de Jules César, construit un théâtre en pierre (55 av. J.-C.). Sous l'Empire, théâtres et jours de jeux se multiplient. Ils deviennent le lieu privilégié de rencontres entre le prince et son peuple.

Une transposition du monde grec

En 240 av. J.-C., un affranchi d'origine grecque, Livius Andronicus, adapte les pièces grecques à la culture romaine : il n'y a plus de chœur mais un chanteur psalmodiant le texte et un acteur qui danse. L'action se passe en Grèce, pour mieux dépayser les spectateurs.

La comédie

Plaute (254-184 av. J.-C.), d'abord comédien, introduit des chorégraphies et développe les parties chantées.

Ex. : *Ses intrigues suivent toujours le même canevas : un esclave fourbe (comme Pseudolus) aide des jeunes gens désargentés à voler des vieillards pour accéder aux plaisirs amoureux.*

Pseudolus de PLAUTE, mise en scène de B. JACQUES-WAJEMAN (Comédie de Reims, 2003).

Ses personnages types ont inspiré les auteurs classiques comme **Molière** (*Les Fourberies de Scapin, L'Avare*) ou **Corneille** (*L'Illusion comique*).

La tragédie

Sénèque (début du Iᵉʳ siècle ap. J.-C.- 64 ap. J.-C.), philosophe et précepteur de l'empereur Néron, a composé des tragédies inspirées de Sophocle et Euripide. Il transforme les héros grecs en **monstres inhumains**, capables de crimes abominables.

Ex. : *Dans* Les Troyennes, *sous l'emprise des fantômes d'Hector et Achille, les Grecs sacrifient deux enfants.*

Corpus : « Monologue et solitude dans le théâtre contemporain »

1 **Samuel BECKETT,** *Oh les beaux jours,* 1963
2 **Bernard-Marie KOLTÈS,** *Sallinger,* 1987
3 **Marie N'DIAYE,** *Papa doit manger,* 2003
4 Mise en scène de *Oh les beaux jours* par **Jean-Louis BARRAULT,** 1963

1 Samuel BECKETT, *Oh les beaux jours,* 1963

Acte I

Étendue d'herbe brûlée s'enflant au centre en petit mamelon. Pentes douces à gauche et à droite et côté avant-scène. [...]
Enterrée jusqu'au-dessus de la taille dans le mamelon, au centre précis de celui-ci, WINNIE. La cinquantaine, de beaux restes, blonde de préférence, grassouillette, bras et épaules nus, corsage très décolleté, poitrine plantureuse, collier de perles. [...]
À sa droite et derrière elle, allongé par terre, endormi, caché par le mamelon, WILLIE.

1 WINNIE. – [...] Ah oui, si seulement je pouvais supporter d'être seule, je veux dire d'y aller de mon babil sans âme qui vive qui entende. (*Un temps.*) Non pas que je me fasse des illusions, tu n'entends pas grand'chose, Willie, à Dieu ne plaise. (*Un temps.*) Des jours peut-être où tu n'entends rien. (*Un*
5 *temps.*) Mais d'autres où tu réponds. (*Un temps.*) De sorte que je peux me dire à chaque moment, même lorsque tu ne réponds pas et n'entends peut-être rien, Winnie, il est des moments où tu te fais entendre, tu ne parles pas toute seule tout à fait, c'est-à-dire dans le désert, chose que je n'ai jamais pu supporter – à la longue. (*Un temps.*) C'est ce qui permet de continuer, de
10 continuer à parler s'entend. Tandis que si tu venais à mourir – (*sourire*) – le vieux style ! – (*fin du sourire*) – ou à t'en aller en m'abandonnant, qu'est-ce que je ferais alors, qu'est-ce que je pourrais bien faire, toute la journée, je veux dire depuis le moment où ça sonne, pour le réveil, jusqu'au moment où ça sonne, pour le sommeil ? (*Un temps.*) Simplement regarder droit
15 devant moi, les lèvres rentrées ? (*Temps long pendant qu'elle le fait. Elle s'arrête de tirer sur l'herbe.*) Plus un mot jusqu'au dernier soupir, plus rien qui rompe le silence de ces lieux. (*Un temps.*) De loin en loin un soupir dans la glace. (*Un temps.*) Ou un bref... chapelet de rires, des fois que d'aventure je la trouverais encore bonne. (*Un temps. Elle a un sourire qui semble devoir*
20 *culminer en rire lorsque soudain il cède à une expression d'inquiétude.*) Mes cheveux ! (*Un temps.*) Me suis-je coiffée ? (*Un temps.*) Je l'ai fait peut-être. (*Un temps.*) Normalement je le fais. (*Un temps.*) Il y a si peu qu'on puisse faire. (*Un temps.*) On fait tout. (*Un temps.*) Tout ce qu'on peut. (*Un temps.*) Ce n'est qu'humain. (*Elle commence à inspecter le mamelon, lève la tête.*)
25 Que nature humaine. (*Elle se remet à inspecter le mamelon, lève la tête.*) Que faiblesse humaine. (*Elle se remet à inspecter le mamelon, lève la tête.*) Que faiblesse naturelle. (*Elle se remet à inspecter le mamelon.*) Pas trace de peigne. (*Elle inspecte.*) Pas trace de brosse. (*Elle lève la tête. Expression perplexe. Elle se tourne vers le sac, farfouille dedans.*) Le peigne est là. (*Elle revient de face.*

30 *Expression perplexe. Elle se tourne vers le sac, farfouille.*) La brosse est là. (*Elle revient de face. Expression perplexe*) J'ai pu les rentrer, après m'en être servie. (*Un temps. De même.*) Mais normalement je ne rentre pas mes choses, après m'en être servie, non, je les laisse traîner là, çà et là, et les rentre toutes ensemble, en fin de journée. (*Sourire.*) Le vieux style ! (*Un temps.*) Le doux
35 vieux style ! (*Fin du sourire.*) Et pourtant... il me semble... me rappeler... (*Soudain insouciante.*) Oh tant pis, quelle importance, voilà ce que je dis toujours, c'est très simple, je me coifferai plus tard, très simple, le temps est à Dieu et à moi. (*Un temps.*) À Dieu et à moi... (*Un temps.*) Drôle de tournure. (*Un temps.*) Est-ce que ça se dit ? (*Se tournant un peu vers Willie.*)
40 Est-ce que ça peut se dire, Willie, que son temps est à Dieu et à soi ? (*Un temps. Se tournant un peu plus, plus fort.*) Est-ce que tu dirais ça, Willie, que ton temps est à Dieu et à toi ?

Un temps long.

WILLIE. – Dors.

Samuel BECKETT, *Oh les beaux jours*, © Les Éditions de Minuit, 1963.

2 Bernard-Marie KOLTÈS, *Sallinger,* 1987

À New York, dans les années 1960, le Rouquin vient de se suicider. Tandis que sa veuve, ses parents, sa sœur Anna et son frère Leslie tentent de mettre des mots sur leur désarroi, son fantôme vient les hanter.

Acte II

1 ANNA (*à la fenêtre, soulevant le rideau.*) – Une voiture éteint ses phares. Il pleut, dirait-on. Cela dort, dans les maisons. (*Temps*) Tous ces ronflements, dans les chambres, autour de nous, me font pitié. (*Elle laisse retomber le rideau.*)

5 LESLIE (*s'arrêtant brusquement de marcher.*) – Parfois, il me vient l'envie d'aboyer, de sortir mon flingue et de tirer là-dedans, il me vient l'envie bizarre de casser les vitres, de sauter par la fenêtre, et de courir dehors jusqu'à ce qu'il se trouve quelqu'un sur mon chemin, quelqu'un que je prendrais par le bras, que je secouerais un peu pour lui faire perdre son air ahuri ;
10 quelqu'un que je m'approprierais pour toute la soirée ; quelqu'un à toucher (*il palpe*), à sentir (*il renifle*) ; quelqu'un à qui dire : « Ne craignez rien, laissez-vous faire ; vous avez en face de vous un être qui veut seulement entendre une autre respiration, écouter un autre cœur qui bat ; j'ai cassé toutes les vitres et sauté par la fenêtre pour pouvoir toucher un autre être ; c'est un
15 désir qui me prend certains soirs comme ce soir. Vous n'avez en face de vous qu'un esprit trop profond pour rester seul et enfermé. » (*Temps*) Ainsi quand le Rouquin est mort. Prenez votre frère préféré, enfin, le préféré de tous parce qu'il est supérieur à tous ; pas supérieur parce qu'il est mort – ne nous croyez pas si naïfs –, supérieur dès son vivant, le Rouquin ; supérieur comme
20 il sera difficile de vous le faire comprendre. En un mot – comprenez si vous le pouvez, comprenez si vous le voulez –, le Rouquin, c'était la tête la plus étrangement faite, la plus particulière que l'on a jamais connue.

Bernard-Marie KOLTÈS, *Sallinger*, © Les Éditions de Minuit, 1977.

3 Marie N'DIAYE, *Papa doit manger,* 2003

Un homme noir, a abandonné sa femme blanche et ses deux petites filles, Mina et Ami, pendant dix ans. Il revient en leur faisant croire qu'il était parti s'enrichir. En réalité, il est dans la misère et leur vole leurs économies. À la fin de la pièce, Mina, adulte et mariée, explique, devant un tribunal, pourquoi elle refuse d'assister son père.

X

MINA. – [...] Peut-on nous reprocher de vouloir nous décharger de lui ? Nous semblons froids et égoïstes. Il faudrait faire des sacrifices, aider son vieux père indigent. Et, oui, pourquoi pas ? Mais qu'ai-je à faire avec cet homme-là ?

...

Mon père est maintenant un homme sans âge à la face détruite. Il est encore grand, mais voûté. Mon père n'est plus svelte, il est maigre, d'une maigreur de pauvre, raide, mal répartie, sans élégance.

Mon père a encore la peau noire.

Certes, il a encore la peau noire, mais la couleur de sa peau est devenue terne, douteuse, et qu'il ait la peau noire semble être maintenant une sorte d'infirmité et non plus l'écrasant apanage du temps de sa splendeur.

Mon père est à plaindre.

...

Oui, Zelner[1] a bien senti que mon père pouvait être plaint à présent. Il ne s'en prive pas, machinalement, sans malice ni compassion. Ce pauvre vieux Ahmed, dit Zelner qui plus jamais n'appelle mon père Aimé comme mon père le souhaiterait. Il semble qu'aux yeux de Zelner mon père ne mérite plus de s'appeler Aimé, et cela non parce que mon père s'est mal comporté il y a trente ans mais parce qu'il n'a pas su demeurer en haut de la montagne de mensonges et d'illusions depuis laquelle il dominait Zelner.

Zelner suppose que mon père est ainsi ramené à sa personnalité véritable.

Il suppose que la vérité de mon père est toute contenue dans l'être insignifiant, morne, taciturne et sans manières qui prend place à son côté dans le canapé orange.

...

Le plus étrange ? C'est-à-dire ?

Oh oui, oui.

Maman est toujours émue et troublée de voir mon père.

Zelner est un homme correct et bon. Il a fait preuve d'honnêteté en toutes circonstances. Mon père n'a jamais été correct ni bon ni honnête.

Il n'y a rien là d'étrange.

Mais nous sommes de tout petits fonctionnaires. Nous ne pouvons plus supporter de l'héberger, de le nourrir, de travailler pour lui. N'est-ce pas de la vertu, plus que de l'égoïsme ?

M. N'DIAYE, *Papa doit manger*, © Les Éditions de Minuit, 2003.

1. Le second mari de la mère de Mina. Il est professeur de lycée.

4 Mise en scène de *Oh les beaux jours* par Roger BLIN, 1963

Madeleine Renaud dans *Oh les beaux jours* de Samuel BECKETT (1963), mise en scène de Roger BLIN, 1963.

Questions sur un corpus

1. Comparez la situation d'énonciation dans ces trois scènes. Quels éléments communs permettent de reconnaître une même forme théâtrale ?

2. Identifiez les registres de ces scènes. Appuyez-vous sur les textes et l'image.

3. Que cherche à montrer le théâtre contemporain de la condition humaine en utilisant le monologue ?

Travaux d'écriture

Commentaire

Vous rédigerez le commentaire du texte de Beckett, en analysant la vision qu'il donne de la condition humaine.

Fiches 49 à 51 Vers le commentaire

Dissertation

Après vous être demandé quelles formes peut prendre le monologue, vous vous interrogerez sur ses diverses fonctions, notamment symboliques, dans une œuvre théâtrale. Vous appuierez votre réflexion sur les textes du corpus et les pièces que vous connaissez.

Fiches 53 à 55 Vers la dissertation

Écriture d'invention

Imaginez que vous êtes metteur en scène et que vous montez l'une de ces scènes. Expliquez à l'acteur ou l'actrice comment jouer le monologue, avec quelles intonations, gestes, mouvements qui permettent de faire comprendre les émotions du personnage. Vous justifierez vos partis pris.

Fiches 47 et 48 Vers l'écriture d'invention

Corpus : « La lettre, accessoire de jeu »

1 **MARIVAUX,** *Les Fausses Confidences,* 1737
2 **BEAUMARCHAIS,** *Le Barbier de Séville,* 1775
3 **Victor HUGO,** *Ruy Blas,* 1838
4 Mise en scène des *Fausses Confidences* par **Didier BEZACE,** 2010

1 MARIVAUX, *Les Fausses Confidences,* 1737

Araminte met à l'épreuve son jeune intendant, Dorante. Elle sait qu'il est amoureux d'elle. Lui, suivant les conseils de son valet Dubois, ne lui a pas avoué son amour. Elle lui fait écrire une lettre à un rival.

Acte II, scène 13

1 ARAMINTE. – [...] Eh bien ? Vous n'allez pas à la table ! À quoi rêvez-vous ?

DORANTE, *toujours distrait.* – Oui, Madame.

ARAMINTE, *à part, pendant qu'il se place.* – Il ne sait ce qu'il fait ; voyons si cela continuera.

5 DORANTE *à part, cherchant du papier.* – Ah ! Dubois m'a trompé !

ARAMINTE *poursuit.* – Êtes-vous prêt à écrire ?

DORANTE. – Madame, je ne trouve point de papier.

ARAMINTE *allant elle-même.* – Vous n'en trouvez point ! En voilà devant vous.

DORANTE. – Il est vrai.

10 ARAMINTE. – Écrivez. « Hâtez-vous de venir, Monsieur ; votre mariage est sûr... » Avez-vous écrit ? ...

DORANTE. – Comment, Madame ?

ARAMINTE. – Vous ne m'écoutez donc pas ? « Votre mariage est sûr ; Madame veut que je vous l'écrive, et vous attend pour vous le dire » *(À*
15 *part.)* Il souffre, mais il ne dit mot. Est-ce qu'il ne parlera pas ? « N'attribuez point cette résolution à la crainte que Madame pourrait avoir des suites d'un procès douteux. »

DORANTE. – Je vous ai assuré que vous le gagneriez, Madame. Douteux ! Il ne l'est point.

20 ARAMINTE. – N'importe, achevez. « Non, Monsieur, je suis chargé de sa part de vous assurer que la seule justice qu'elle rend à votre mérite la détermine. »

DORANTE, *à part.* – Ciel ! Je suis perdu. *(Haut.)* Mais, Madame, vous n'aviez aucune inclination pour lui.

25 ARAMINTE. – Achevez, vous dis-je... « Qu'elle rend à votre mérite la détermine... » Je crois que la main vous tremble ; vous paraissez changé. Qu'est-ce que cela signifie ? Vous trouvez-vous mal ?

DORANTE. – Je ne me trouve pas bien, Madame.

Pierre CARLET DE CHAMBLAIN DE MARIVAUX, *Les Fausses Confidences*, 1737.

2 BEAUMARCHAIS, *Le Barbier de Séville*, 1775

Le docteur Bartholo compte épouser Rosine dont il est le tuteur. Mais elle est amoureuse du Comte Almaviva. Bartholo a surpris un échange de lettre entre les jeunes gens et exige de voir la missive.

Acte II, scène 15

1 BARTHOLO, *frappant du pied.* – Madame ! Madame !...

ROSINE *tombe sur un fauteuil, et feint de se trouver mal.* – Ah ! Quelle indignité !...

BARTHOLO. – Donnez cette lettre, ou craignez ma colère.

5 ROSINE, *renversée.* – Malheureuse Rosine !

BARTHOLO. – Qu'avez-vous donc ?

ROSINE. – Quel avenir affreux !

BARTHOLO. – Rosine !

ROSINE. – J'étouffe de fureur !

10 BARTHOLO. – Elle se trouve mal.

ROSINE. – Je m'affaiblis, je meurs.

BARTHOLO, *à part.* – Dieux ! la lettre ! Lisons-la sans qu'elle en soit instruite. (*Il lui tâte le pouls et prend la lettre qu'il tâche de lire en se tournant un peu.*)

15 ROSINE, *toujours renversée.* Infortunée ! Ah !...

BARTHOLO *lui quitte le bras, et dit à part.* – Quelle rage a-t-on d'apprendre ce qu'on craint toujours de savoir !

ROSINE. – Ah ! pauvre Rosine !

BARTHOLO. – L'usage des odeurs... produit ces affections spasmodiques[1].

20 (*Il lit par derrière le fauteuil, en lui tâtant le pouls. Rosine se relève un peu, le regarde finement, fait un geste de tête, et se remet sans parler*).

BARTHOLO, *à part.* – Ô Ciel ! c'est la lettre de son cousin. Maudite inquiétude ! Comment l'apaiser maintenant ? Qu'elle ignore au moins que je l'ai lue ! (*Il fait semblant de la soutenir, et remet la lettre dans la pochette*).

25 ROSINE *soupire.* – Ah !...

BARTHOLO. – Eh bien ! ce n'est rien, mon enfant ; un petit mouvement de vapeurs[2], voilà tout ; car ton pouls n'a seulement pas varié. (*Il va prendre un flacon sur la console.*)

ROSINE, *à part.* – Il a remis la lettre : fort bien.

Pierre Augustin CARON DE BEAUMARCHAIS, *Le Barbier de Séville*, 1775.

1. Terme médical qui désigne des convulsions.
2. Avoir des vapeurs : avoir un malaise.

3 Victor HUGO, *Ruy Blas,* 1838

La reine d'Espagne est inquiète de la haine que lui porte Don Salluste, un noble qu'elle a écarté de la Cour, et émue par les billets que lui dépose chaque soir un inconnu, Ruy Blas.

Acte II, scène 2

LA REINE, *seule*

1 LA REINE. – [...] Qui que tu sois, ô jeune homme inconnu,
Toi qui, me voyant seule et loin de ce qui m'aime,
Sans rien me demander, sans rien espérer même,
Viens à moi, sans compter les périls où tu cours ;
5 Toi qui verses ton sang, toi qui risques tes jours
Pour donner une fleur à la reine d'Espagne ;
Qui que tu sois, ami dont l'ombre m'accompagne,
Puisque mon cœur subit une inflexible loi,
Sois aimé par ta mère et sois béni par moi !
(Vivement et portant la main à son cœur.)
10 – Oh ! Sa lettre me brûle !
Retombant dans sa rêverie.
Et l'autre ! L'implacable
Don Salluste ! Le sort me protège et m'accable.
En même temps qu'un ange, un spectre affreux me suit ;
Et, sans les voir, je sens s'agiter dans ma nuit,
Pour m'amener peut-être à quelque instant suprême,
15 Un homme qui me hait près d'un homme qui m'aime.
L'un me sauvera-t-il de l'autre ? Je ne sais.
Hélas ! Mon destin flotte à deux vents opposés.
Que c'est faible, une reine, et que c'est peu de chose !
Prions. *(Elle s'agenouille devant la madone[1].)*
– Secourez-moi, madame ! Car je n'ose
20 Élever mon regard jusqu'à vous ! *(Elle s'interrompt.)*
– Ô mon Dieu !
La dentelle, la fleur, la lettre, c'est du feu !
(Elle met la main dans sa poitrine et en arrache une lettre froissée, un bouquet desséché de petites fleurs bleues et un morceau de dentelle taché de sang qu'elle jette sur la table ; puis elle retombe à genoux.)
Vierge, astre de la mer ! Vierge, espoir du martyre !
– Aidez-moi ! *(S'interrompant.)*
Cette lettre ! *(Se tournant à demi vers la table.)*
Elle est là qui m'attire. *(S'agenouillant de nouveau.)*
Je ne veux plus la lire ! – Ô reine de douceur !
25 Vous qu'à tout affligé Jésus donne pour sœur !
Venez, je vous appelle !
(Elle se lève, fait quelques pas vers la table, puis s'arrête, puis enfin se précipite sur la lettre, comme cédant à une attraction irrésistible.)

Victor HUGO, *Ruy Blas*, 1838.

1. La madone est la vierge Marie, présente sur scène sous la forme d'une statuette. Marie protège les malheureux.

4 Mise en scène des *Fausses confidences* par Didier BEZACE, 2010

Les Fausses confidences (1737), de MARIVAUX. Dorante (Robert Plagnol) et Araminte (Anouk Grinberg), dans la mise en scène de Didier BEZACE, 2010 (Théâtre de la Commune, Aubervilliers).

Questions sur un corpus

1. Quelle fonction dramatique et scénique la lettre joue-t-elle dans chacune de ces scènes ?

2. Comment le jeu avec la lettre souligne-t-il le registre de chaque scène ? Appuyez-vous sur les textes et l'image.

3. Dans les textes 1 et 2, montrez que la lettre participe au jeu avec la double énonciation.

Travaux d'écriture

Commentaire

Vous ferez le commentaire du texte de Marivaux (texte 1), en montrant que le jeu comique avec une lettre révèle les sentiments des personnages.

Fiches 49 à 51 **Vers le commentaire**

Dissertation

Dans quelle mesure les éléments scéniques (accessoires, costumes, décors) jouent-ils un rôle important dans la représentation d'une pièce de théâtre et contribuent-ils à l'élaboration de son sens pour le spectateur ?

Fiches 53 à 55 **Vers la dissertation**

Écriture d'invention

Imaginez le monologue dans lequel la reine d'Espagne (texte 3) envisage de répondre à l'inconnu ; cette scène de théâtre sera rédigée en prose et devra inclure des extraits de la lettre ébauchée.

Fiches 47 et 48 **Vers l'écriture d'invention**

Pistes de lecture Le texte théâtral et sa représentation, du XVIIe siècle à nos jours

À lire

1. ***Scènes de la vie conjugale*, 2008**
Traversée chronologique de l'histoire du théâtre avec des scènes de couple du Moyen Âge à Y. Reza.

2. Jean GENET, *Les Bonnes*, 1947
Genet montre la fascination de Solange et Claire pour Madame à travers un jeu de rôle pervers et tragique.

3. GRUMBERG / MINYANA / RENAUDE, *Trois pièces contemporaines*, 2009
Recueil de trois courtes pièces permettant de découvrir l'originalité de l'écriture contemporaine.

Lire l'*incipit*

4. Jean-Claude GRUMBERG, *L'Atelier*, 1985
J.-C. Grumberg évoque sa mère qui attend vainement son mari emmené en camp de concentration. L'action se passe entre 1945 et 1952 dans l'atelier de couture d'un couple juif. Les ouvrières racontent avec humour ou désespoir la difficulté de réapprendre à vivre après une guerre.

Scène première
L'Essai

Un matin très tôt de l'année 1945. Simone assise en bout de table, dos au public, travaille. Debout près d'une autre table, Hélène, la patronne, travaille également. De temps en temps elle jette un œil sur Simone.

1 HÉLÈNE. – Ma sœur aussi ils l'ont prise en quarante-trois…
SIMONE. – Elle est revenue ?
HÉLÈNE. – Non… Elle avait vingt-deux ans. (*Silence*) Vous étiez à votre compte ?
5 SIMONE. – Oui, juste mon mari et moi, en saison on prenait une ouvrière… J'ai dû vendre la machine le mois dernier, il pourra même pas se remettre à travailler… J'aurais pas dû la vendre mais…
HÉLÈNE. – Une machine ça se trouve…
SIMONE *approuve de la tête*. – J'aurais pas dû la vendre… On m'a proposé du
10 charbon et…
Silence.
HÉLÈNE. – Vous avez des enfants ?
SIMONE. – Oui, deux garçons…
HÉLÈNE. – Quel âge ?
15 SIMONE. – Dix et six.
HÉLÈNE. – C'est bien comme écart… Enfin c'est ce qu'on dit… J'ai pas d'enfants…
SIMONE. – Ils se débrouillent bien, l'aîné s'occupe du petit. Ils étaient à la campagne en zone libre, quand ils sont revenus, le grand a dû expliquer au
20 petit qui j'étais, le petit se cachait derrière le grand il voulait pas me voir, il m'appelait Madame…
Elle rit.

J.-C. GRUMBERG, *L'Atelier*, 1979 © Actes Sud.

@ consulter

- **www.archithea.org** : des documents, textes et images, sur la représentation, les décors, les costumes, les métiers du spectacle, et des articles sur le rapport entre texte et représentation. Très utile pour les dissertations.
- **www.theatre-contemporain.net** : tout sur les auteurs contemporains et leurs mises en scène récentes.
- **www.educnet.education.fr/theatre** : plusieurs sitographies pour des œuvres classiques comme *Dom Juan* ou *Lorenzaccio*.

À voir

***L'Esquive*, film d'Abdellatif KECHICHE, 2004.**
Des adolescents dans une cité de banlieue répètent *Le Jeu de l'amour et du hasard* de Marivaux.

Captation de mise en scène :
Phèdre de J. Racine, mis en scène par P. Chéreau, Théâtre de l'Odéon. DVD, 2004.

Chapitre

3 Écriture poétique et quête du sens,

du Moyen Âge à nos jours

SÉQUENCE 10
Les jeux de l'amour

SÉQUENCE 11
HISTOIRE DES ARTS :
Dame Nature en son jardin

SÉQUENCE 12
Le poète, arpenteur du monde

SÉQUENCE 13
PARCOURS DE LECTEUR
ŒUVRE INTÉGRALE :
Guillaume Apollinaire, Alcools

VERS LE BAC
Chanter la révolte

PISTES DE LECTURE

Max ERNST (1891-1976), *Repas des dieux*, 1948, huile sur toile, (Museum Moderner Kunst, Vienne, Autriche).

Séquence

10 Les jeux de l'amour

La légende raconte qu'Orphée, le poète à la lyre, fut inconsolable à la mort de son Eurydice. Descendu aux Enfers, il chanta son amour perdu en vers si beaux que les Dieux infernaux furent émus.

Problématique : Comment le poète donne-t-il forme au sentiment amoureux ?

Objectifs

- Découvrir la diversité des formes et genres poétiques
- Comprendre comment les textes poétiques expriment et exaltent l'émotion

Histoire des arts : N. POUSSIN, *Renaud et Armide*, vers 1625 — 202

CORPUS 1 : Chanter l'amour en jouant avec la forme fixe

1 C. DE PISAN, « Je ne sais comment je dure », *Rondeaux*, 1390-1400 — 204
2 C. MAROT, « D'Anne qui lui jeta de la neige », *Épigrammes*, 1538 — 205
3 L. LABÉ, « Ô beaux yeux bruns », « Je vis, je meurs... », *Œuvres*, 1555 — 206
4 P. DE RONSARD, « Si c'est aimer, Madame », *Sonnets pour Hélène*, 1578 — 208
5 PÉTRARQUE, *Canzoniere*, XIVe s. / C. MONTEVERDI, *Madrigaux guerriers et amoureux*, 1638 — 208
6 P. DE MARBEUF, « Et la mer et l'amour », *Recueil de vers*, 1628 — 210
7 V. VOITURE, « Ma foi, c'est fait de moi », *Poésies*, 1649 — 211
8 P. ÉLUARD, « La courbe de tes yeux », « Celle de toujours, toute », *Capitale de la douleur*, 1926 — 212

CORPUS 2 : Jouer avec l'absence

9 P. DE RONSARD, « Marie, qui voudrait votre beau nom tourner », « Sur la mort de Marie », *Second Livre des Amours*, 1578 — 214
10 P. VERLAINE, « Mon rêve familier », *Poèmes Saturniens*, 1866 — 216
11 P. VERLAINE, « À la manière de Paul Verlaine », *Parallèlement*, 1889 TEXTE ÉCHO — 217
12 C. BAUDELAIRE, « À une passante », *Les Fleurs du mal*, seconde édition, 1861 — 218
13 C. BAUDELAIRE « Le désir de peindre », *Petits Poèmes en prose*, 1863 TEXTE ÉCHO — 219
14 G. APOLLINAIRE, « Si je mourais là-bas... », « Reconnais-toi », *Poèmes à Lou*, 1955 — 220
15 R. CHAR, « Sur le franc-bord », *Lettera amorosa*, 1953 — 221

Pour argumenter : Amour de la femme ou amour des mots ?

P. DE RONSARD, Préface de *La Franciade*, 1572 — 222
J. DU BELLAY, *Divers Jeux rustiques*, 1558 — 222

Histoire littéraire : Le lyrisme de la poésie et de la musique — 223

MÉTHODES

p. 439

Écriture poétique et quête du sens, du Moyen Âge à nos jours Fiches 24, 25, 26, 27
Lire et analyser Fiches 40, 41, 42, 44
Préparer le baccalauréat Fiches 46, 47, 48, 49, 50, 51, 55, 56
Étude de la langue Fiches 59, 62

Histoire des arts

N. Poussin, *Renaud et Armide*, vers 1625

Pendant les croisades, Armide, la sorcière sarrasine, s'est juré de tuer Renaud. Elle trouve le chevalier chrétien endormi. « La perfide magicienne s'élance alors de sa retraite et fond sur lui » (Le Tasse). Tout sera fini dans une seconde. À moins que tout ne commence ?

Nicolas POUSSIN (1594-1665), *Renaud et Armide*, vers 1625, huile sur toile, 82 x 109 cm (Dulwich Picture Gallery, Londres).

La zone de verrouillage

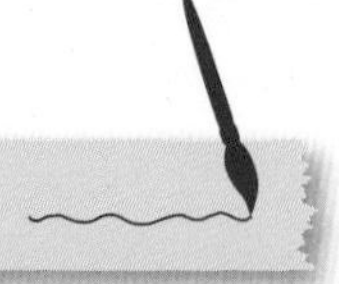

Ce tableau, qui narre la naissance de l'amour, se lit de gauche à droite et de haut en bas. La dernière zone caressée par le regard est donc située en bas, à droite. C'est la **zone de verrouillage**, celle où l'on trouve le fin mot de l'histoire racontée par l'image, la clé de l'énigme. Lus en dernier, ces ultimes éléments – des armes déposées – s'ancrent dans la mémoire. Dès lors, est-ce un hasard si on trouve en cet endroit, et nulle part ailleurs, la signature de l'artiste ?

Biographie
p. 629

Contexte artistique et historique

LE « GRAND GENRE » ET L'EXPRESSION CODIFIÉE DU SENTIMENT AMOUREUX

En poésie classique, l'expression du sentiment amoureux suit les lois de la métrique et de la versification. En peinture classique, les règles sont formulées par l'Académie royale de peinture et de sculpture, fondée en 1648. Cette dernière **hiérarchise** les genres de peinture. Ainsi, elle situe au plus haut niveau la peinture d'histoire et de mythologie. C'est le « **grand genre** », qui requiert une impeccable maîtrise technique. L'artiste doit en effet savoir peindre un nu, une scène de bataille, des décors antiques, etc. Il réclame aussi une culture sans faille. Les natures mortes et les portraits sont relégués à une position subalterne, celle de « **genres mineurs** ». À ces derniers, dit-on, de copier le réel, ce qui n'est guère valorisé. Aux genres majeurs, il revient d'exposer une vision intellectuelle du monde, une leçon de morale ou, ici, un art d'aimer qui dépasse la reproduction de la réalité. Comment aime-t-on, en ce monde idéalisé et intellectualisé ? En se convertissant progressivement aux lois de la douceur. Certes, la fureur d'aimer ou de haïr est représentée dans toute sa force et sa séduction : le tumulte des corps, le bouillonnement des formes et les contrastes entre ombre et lumière en témoignent. Cependant, c'est pour mieux céder la place à la grâce de l'abandon et au sommeil de la passion. Poussin invite donc à la **modération**, au respect de la **mesure**. Toutefois, le combat entre la mort et l'amour, entre le débordement et les règles qui le canalisent, ne fait ici que commencer.

Peindre l'amour dans les règles de l'art

LECTURE DE L'IMAGE

Le jeu de l'amour et de la mort

1. Suivez la pente de la colline et le bras gauche d'Armide. Qui découvrez-vous ? Comment la vulnérabilité du personnage est-elle soulignée ?
2. Trouvez trois adjectifs qualifiant ce que fait la main gauche d'Armide ; trois autres, l'action que prépare son bras droit. Utilisez-les pour présenter le combat de l'amour et de la mort se jouant sous vos yeux.
3. Comment Poussin peint-il les sentiments contradictoires de la jeune femme ? Analysez le mouvement du corps, le bouillonnement du vêtement et l'expression du visage.
4. Qui est le personnage ailé ? À quoi voit-on qu'il peine à retenir le geste d'Armide ?

Suivre la naissance de l'amour

5. Comment la main de Renaud se love-t-elle sous celle d'Armide ? Pourquoi le plumet du casque prolonge-t-il son geste ? Que signifie ce détail, situé à la fin du trajet de lecture ?
6. Poussin livre-t-il au spectateur l'issue de cette scène ? Pourquoi ce choix confère-t-il sa force au tableau ?

➔ Fiche 42 **Lecture de l'image fixe**

VERS LE BAC

Invention

Écrivez, en deux paragraphes, l'histoire que chuchotent les arbres du tableau sur l'amour plus fort que l'honneur et la raison.

➔ **Fiche 48 Rédiger un écrit d'invention**

Question sur un corpus

Faire de l'amour une question de vie et de mort permet-il au poète et au peintre d'en accentuer l'intensité ? Vous comparerez sur ce point le tableau de Poussin et les poèmes de Ronsard et Marbeuf (p. 208, 210).

➔ **Fiche 46 Répondre à une question sur un corpus**

1 Christine de Pisan, Rondeaux, 1390-1400

Biographie p. 629
Du même auteur p. 227
Histoire littéraire p. 223
Repères historiques p. 614

Le rondeau, poème à forme fixe comportant deux rimes, repose sur la répétition d'un vers, dès lors mis en valeur. Ainsi s'exprime la lancinante plainte amoureuse, que R. Barthes commente en ces termes : « il n'y a plus de place pour moi nulle part, même pas dans la mort. » (Fragments d'un discours amoureux)

« Je ne sais comment je dure »

1 Je ne sais comment je dure,
Car mon dolent[1] cœur fond d'ire[2]
Et plaindre n'ose, ni dire
Ma doleureuse[3] aventure,

5 Ma dolente vie obscure[4].
Rien, hors la mort ne désire :
Je ne sais comment je dure.

Et me faut, par couverture[5],
Chanter que[6] mon cœur soupire
10 Et faire semblant de rire ;
Mais dieu sait ce que j'endure.
Je ne sais comment je dure.

Christine DE PISAN,
« Je ne sais comment je dure »,
orthographe modernisée, *Rondeaux*,
1390-1400.

1. Souffrant.
2. De chagrin.
3. Douloureuse (du latin *dolor*, « douleur »).
4. Triste, sombre.
5. Pour donner le change.
6. Ce que.

Christine de Pisan dans son atelier, miniature, 1410-1411.

L'impossible deuil

LECTURE DU TEXTE

1. Relevez le champ lexical de la souffrance et caractérisez la douleur à la lumière de ce repérage. Quelle importance prend alors le jeu de reprise propre au rondeau ?

2. En quoi l'énonciation exalte-t-elle le lyrisme du poème ? Quelle valeur le présent prend-il au cœur de l'aveu ?

Fiche 40 **Les registres** Fiche 59 **L'énonciation**

3. Que fait entendre le rythme saccadé de l'heptasyllabe ? Choisissez et commentez le vers dont la musique vous semble particulièrement expressive.

Fiche 24 **La versification** Fiche 27 **Le langage poétique**

4. Montrez que la vie en société est comparée à un jeu aux règles hypocrites.

5. Pourquoi, à l'inverse, la poésie exprime-t-elle une parole sincère ?

HISTOIRE DES ARTS

Comment la miniature met-elle en valeur l'écriture et le livre, gardiens de la parole ?

VERS LE BAC

Invention

L'écriture poétique fondée sur le respect des règles métriques enrichit-elle l'expression du chagrin amoureux ou en étouffe-t-elle la sincérité ? Deux amoureux débattent et expriment leur désaccord.

Fiche 47 **Comprendre un sujet d'écriture d'invention**

2 Clément Marot, *Épigrammes*, 1538

*À l'origine, **une épigramme** est une inscription sur un monument avant de devenir, au IIIe siècle av. J.-C., un genre poétique à part entière. Constituée de huit à dix vers, elle s'achève sur une « pointe », un « effet », tendre parfois, piquant souvent. Marot dédie cette épigramme à Anne d'Alençon, qu'il aime.*

Biographie p. 628
Histoire littéraire p. 223
Repères historiques p. 614

Macrino D'ALBA (vers 1460-1520), *Portrait d'Anne d'Alençon*, vers 1520, tempera sur panneau, 15 x 19 cm (Santuaro dell'Assunta, Guardia Sanframondi).

D'Anne qui lui jeta de la neige

1 Anne (par jeu) me jeta de la neige,
Que je cuidois[1] froide certainement ;
Mais c'était feu ; l'expérience en ai-je,
Car embrasé je fus soudainement.
5 Puisque le feu loge secrètement
Dedans la neige, où trouverai-je place
Pour n'ardre[2] point ? Anne, ta seule grâce
Éteindre peut le feu que je sens bien,
Non point par eau, par neige, ni par glace,
10 Mais par sentir un feu pareil au mien.

Clément MAROT, *Épigrammes*, I, 24, 1538.

1. Prononcer « cuidais ». Croyais.
2. Brûler. « Où trouverai-je un endroit où je ne brûle pas ? »

Jouer avec la neige, jouer avec le feu

LECTURE DU TEXTE

1. À quel jeu Anne s'est-elle livrée ? Montrez que le poète répond à sa plaisanterie par un jeu littéraire dont il maîtrise les codes.
2. L'aspect ludique du dizain interdit-il l'intensité de l'amour ? Répondez en commentant le vers que vous jugez le plus expressif.
3. Quels vers donnent au feu et à la neige leur sens propre ? À quel moment glisse-t-on vers un sens métonymique ? Quel est l'effet produit ?

Fiche 41 Les figures de style

4. Sur quel paradoxe la pointe de ce dizain repose-t-elle ?

Fiche 25 Les formes poétiques du XVIe siècle à nos jours

VERS LE BAC

Question sur un corpus

Comment Marot et Louise Labé (p. 206) établissent-ils un parallèle entre le feu et l'amour ?

Fiche 46 Répondre à une question sur un corpus

3

Biographie
p. 627

Histoire littéraire
p. 223

Repères historiques
p. 614

Louise Labé, Œuvres, 1555

Très à la mode à la Renaissance, ***le sonnet*** *est un poème de quatorze vers, avec des rimes obéissant au schéma ABBA, ABBA, CCD, EED. Il demande de la virtuosité, que Louise Labé convertit en intensité. Son amour pour Olivier de Magny lui inspire alors un langage que chacun comprend : celui de la passion.*

Sonnet II

1 Ô beaux yeux bruns, ô regards détournés,
Ô chauds soupirs, ô larmes épandues,
Ô noires nuits vainement attendues,
Ô jours luisants vainement retournés !

5 Ô tristes plaints[1], ô désirs obstinés,
Ô temps perdu, ô peines dépendues[2],
Ô mille morts en mille rets[3] tendues,
Ô pires maux contre moi destinés !

Ô ris[4], ô front, cheveux, bras, mains et doigts :
10 Ô luth plaintif, viole, archet et voix !
Tant de flambeaux pour ardre[5] une femelle !

De toi me plains, que tant de feux portant,
En tant d'endroits d'iceux mon cœur tâtant,
N'en est sur toi volé quelque étincelle[6].

Louise LABÉ, Sonnet II, *Œuvres*, 1555.

1. Plaintes.
2. Dépensées.
3. Filets, pièges.
4. Rire, sourire.
5. Brûler.
6. « Je regrette que, alors que tu lançais tant de feux, que tu touchais mon cœur à tant d'endroits, aucune étincelle n'en ait volé sur toi. »

« Je vis, je meurs ; je me brûle et me noie »

1 Je vis, je meurs ; je me brûle et me noie ;
J'ai chaud extrême en endurant froidure :
La vie m'est et trop molle et trop dure.
J'ai grands ennuis entremêlés de joie.

5 Tout en un coup je ris et je larmoie,
Et en plaisir maint grief[1] j'endure ;
Mon bien s'en va, et à jamais il dure ;
Tout en un coup je sèche et je verdoie[2].

Ainsi Amour inconstamment[3] me mène ;
10 Et, quand je pense avoir plus de douleur,
Sans y penser je me trouve hors de peine.

Puis, quand je crois ma joie être certaine,
Et être au haut de mon désiré heur,
Il me remet en mon premier malheur.

Louise LABÉ, « Je vis, je meurs… », *Œuvres*, 1555.

1. Tourment.
2. Je dessèche et reverdis, comme une plante soumise à de brusques changements de temps.
3. Avec inconstance.

Andréa Del Sarto (1486-1531), *Portrait d'un jeune homme*, 1517, huile sur toile, 71 x 55 cm (National Gallery, Londres).

Crier son ravissement

LECTURE DES TEXTES

Un cri, une plainte

1. Lisez le Sonnet II à voix haute : quelle **figure de style** organise les deux quatrains et le premier tercet ? Quels autres éléments font du poème un jeu avec le langage et un cri sincère ?
2. Relevez, dans le Sonnet II, une **métaphore** et une **hyperbole**. Puis , dans « Je vis, je meurs... », plusieurs antithèses : qu'exprime ce langage figuré ? Montrez que la langue traduit l'intensité de la passion.
3. Ces poèmes sont-ils une célébration de l'amour ou une plainte contre sa dureté ? Argumentez.

Fiche 41 **Les figures de style**
Fiche 27 **Le langage poétique**

Fragments d'un discours amoureux

4. (@ RECHERCHE) Comment nomme-t-on un poème célébrant une ou plusieurs parties du corps aimé ? Qu'apporte dans le Sonnet II l'évocation de différents fragments du corps ?
5. Expliquez la **pointe** du Sonnet II et, plus précisément, le dernier mot. Quelle vision de l'amour s'y concentre ?

Fiche 25 **Les formes poétiques du XVIe siècle à nos jours**

6. Comment les deux tercets de « Je vis, je meurs... » expriment-ils l'instabilité du cœur subissant la passion ?

HISTOIRE DES ARTS

Comparez le Sonnet II et les tableaux d'A. del Sarto et de Vinci (*La Belle Ferronnière*), p. 214 : comment ces trois œuvres expriment-elles le pouvoir d'un regard ?

Fiche 44 **Lecture de corpus : textes et images**

ÉCRITURE

Vers le commentaire

Vous développerez un axe de commentaire montrant comment, du jeu avec les conventions poétiques et les figures de style, naît la sincérité criante de l'aveu.

Fiche 51 **Rédiger un commentaire**

VERS LE BAC

Dissertation

« Rien de plus affreux qu'un poème poétisé, où les mots s'ajoutent aux mots pour diluer l'effet de surprise, pour atténuer l'audace de la simplicité, la vision crue de la réalité inspirante et inspirée, élémentaire. »

P. Éluard, *Aujourd'hui la poésie*, 1946.

Le respect des règles poétiques est-il un frein aux élans du cœur ? Discutez ce point de vue en l'étayant d'exemples et de citations empruntés à la séquence.

Fiche 55 **Rédiger une dissertation**

4

Pierre de Ronsard, Sonnets pour Hélène, 1578

Biographie
p. 630

Du même auteur
p. 214, 222, 368, 395, 404

Histoire littéraire
p. 223

Repères historiques
p. 614

*Petit poème lyrique, le **madrigal** cherche, comme un billet doux, à formuler avec esprit un compliment amoureux, avant de clore sur une **pointe**. C'est un amusement raffiné auquel se livrent les aristocrates lettrés. Ronsard reprend ce divertissement sophistiqué pour lui donner une profondeur douloureuse.*

1 Si c'est aimer, Madame, et de jour, et de nuit
Rêver, songer, penser le moyen de vous plaire,
Oublier toute chose, et ne vouloir rien faire
Qu'adorer et servir la beauté qui me nuit :

5 Si c'est aimer de suivre un bonheur qui me fuit,
De me perdre moi même et d'être solitaire,
Souffrir beaucoup de mal, beaucoup craindre et me taire,
Pleurer, crier merci[1], et m'en voir éconduit :

Si c'est aimer de vivre en vous plus qu'en moi-même,
10 Cacher d'un front joyeux, une langueur extrême,
Sentir au fond de l'âme un combat inégal,
Chaud, froid, comme la fièvre amoureuse me traite :

Honteux, parlant à vous de confesser mon mal !
Si cela est aimer : furieux je vous aime :
15 Je vous aime et sais bien que mon mal est fatal :
Le cœur le dit assez, mais la langue est muette.

Pierre DE RONSARD, « Madrigal », *Sonnets pour Hélène*, 1578.

1. Demander grâce.

5

Pétrarque, Canzoniere, XIVe siècle C. Monteverdi, Madrigaux guerriers et amoureux, 1638

Biographie
p. 629

Du même auteur
p. 402

Repères historiques
p. 616

*Le **madrigal musical** se distingue du madrigal poétique. Apparu à la Renaissance, puis magnifié par les compositeurs baroques, il s'agit d'un chant polyphonique à 3, 5 ou 8 voix, sans refrain, ni strophe, rarement accompagné d'instruments. Sa mélodie met en valeur le sens des poèmes.*

Le texte mis en musique par Monteverdi est composé des deux premiers quatrains du sonnet 164 du Canzoniere de Pétrarque (1304-1374).

Hor che'l ciel e la terra e'l vento tace
e le fere e gli augelli il sonno affrena,
notte il carro stellato in giro mena
e nel suo letto il mar senz'onda giace,

veglio, penso, ardo, piango
e chi mi sface sempre m'è innanzi per mia dolce pena.
Guerra è il mio stato, d'ira e di duol piena,
e sol di lei pensando ho qualche pace.

Traduction :

Maintenant que le ciel, la terre et le vent se taisent,
et que les animaux et les oiseaux sont enfermés dans le sommeil,
le chariot étoilé de la nuit s'avance et tourne et,
dans son lit, l'océan repose sans vague,

je regarde, je pense, je souffre et je pleure,
et celle qui est la cause de ma douleur est toujours devant moi.
Mon cœur est en tumulte, plein de peine et de colère,
et seule sa pensée m'apporte un peu de paix.

PÉTRARQUE, *Canzoniere*, Sonnet 164, XIVe siècle / Claudio MONTEVERDI, *Madrigaux guerriers et amoureux*, « Hor che'l ciel e la terra », huitième livre, 1638, traduction de Maria Cristina Kiehr, dans l'album *Il : La Poesia Di Francesco Petrarca Nel Seicento*, 2004.

Henri MATISSE, *La Musique*, 1939, huile sur toile, 1,15 x 1,15 m (Albright-Knox Art Gallery, Buffalo, États-Unis).

6 Pierre de Marbeuf, Recueil de vers, 1628

Biographie p. 628

Histoire littéraire p. 223

Repères historiques p. 616

Le sonnet baroque développe le thème de l'amour malheureux. Si cet exercice de virtuosité met en valeur l'habileté de l'artiste, il exacerbe autant qu'il canalise les souffrances de la passion.

1 Et la mer et l'amour ont l'amer pour partage,
Et la mer est amère, et l'amour est amer,
L'on s'abîme en l'amour aussi bien qu'en la mer,
Car la mer et l'amour ne sont point sans orage.

5 Celui qui craint les eaux, qu'il demeure au rivage,
Celui qui craint les maux qu'on souffre pour aimer,
Qu'il ne se laisse pas à l'amour enflammer,
Et tous deux ils seront sans hasard de naufrage.

La mère de l'amour[1] eut la mer pour berceau,
10 Le feu sort de l'amour, sa mère sort de l'eau
Mais l'eau contre ce feu ne peut fournir des armes.

Si l'eau pouvait éteindre un brasier amoureux,
Ton amour qui me brûle est si fort douloureux,
Que j'eusse éteint son feu de la mer de mes larmes.

Pierre DE MARBEUF, « Sonnet », *Recueil de vers*, 1628.

1. Vénus, mère d'Éros, est née de l'écume de l'océan.

Les mots de l'amour, l'amour des mots

LECTURE DES TEXTES

Une virtuosité éblouissante

1. TEXTE 4 Quelle figure de style mime le caractère obsessionnel de l'amour ? Quelle définition de la passion en découle (dernière strophe) ?

Fiche 41 Les figures de style

2. TEXTE 6 Comment les paronomases renforcent-elles la similitude entre la mer et le sentiment amoureux ?

3. Quels procédés stylistiques et poétiques renforcent le lyrisme des trois textes ?

Fiche 40 Les registres

La femme, source du lyrisme et de la souffrance

4. Comparez la situation d'énonciation des trois textes, en relevant apostrophes et pronoms. Puis, précisez comment le ou la destinataire est idéalisé(e).

Fiche 59 L'énonciation

5. Quels sont les symptômes du mal d'amour ? Analysez leur gravité et précisez pourquoi ils font de l'amour une quête dangereuse.

6. Comment l'incapacité à s'exprimer est-elle mise en valeur dans la dernière strophe de Ronsard ? Pourquoi le dernier vers est-il paradoxal ?

HISTOIRE DES ARTS

7. MUSIQUE Écoutez Monteverdi sur www.deezer.com. Comment musique et textes exaltent-ils l'expression de la passion ?

8. IMAGE Décrivez comment le tableau, p. 209, associe la femme à la musique. Pourquoi, selon vous ?

VERS LE BAC

Oral (entretien)

Le poète amoureux aime-t-il la femme ou se laisse-t-il séduire par le plaisir d'écrire ?

Fiche 56 Réussir l'épreuve orale du baccalauréat

Commentaire

Vous ferez du madrigal de Ronsard un commentaire montrant que l'amour est excès. Vous analyserez le lyrisme de la souffrance, puis l'incapacité d'exprimer ce sentiment violent.

Fiches 49 à 51 Vers le commentaire

7 Vincent Voiture, Poésies, 1649

Le **rondeau** *requiert une grande habileté technique comme le rappelle ici Voiture, avec ironie et maestria.*

Biographie p. 631
Histoire littéraire p. 233
Repères historiques p. 616

« Ma foi, c'est fait de moi... »

1 Ma foi, c'est fait de moi, car Isabeau
M'a conjuré de lui faire un rondeau.
Cela me met en une peine extrême.
Quoi ! Treize vers, huit en *eau*, cinq en *ême* !
5 Je lui ferais aussitôt[1] un bateau !

En voila cinq pourtant en un monceau.
Faisons-en sept en invoquant Brodeau[2],
Et puis mettons, par quelque stratagème :
Ma foi, c'est fait.

10 Si je pouvais encor de mon cerveau
Tirer cinq vers, l'ouvrage serait beau.
Mais cependant je suis dedans l'onzième,
Et si[3] je crois que je fais le douzième.
En voilà treize ajustés au niveau.
15 Ma foi, c'est fait !

Vincent VOITURE, « Ma foi, c'est fait de moi... », *Poésies*, 1649.

1. Aussi vite.
2. Poète du XVIe siècle, ami de Marot, doué pour les genres poétiques mineurs.
3. Et pourtant.

Jean RAOUX (1677-1734), *Jeune fille lisant une lettre*, huile sur toile, 99 x 81 cm (Musée du Louvre, Paris).

La recette de l'amour

LECTURE DU TEXTE

1. Retrouvez, en analysant des vers précis, la recette du rondeau donnée par Voiture.

Fiche 25 **Les formes poétiques du XVIe siècle à nos jours**

2. Pourquoi s'agit-il, en même temps, d'une leçon de séduction, révélant aux hommes comment conquérir les belles ?
3. Établissez le plan du rondeau et montrez son principe de progression.

Fiche 62 **Organisation et cohérence textuelles**

4. Comment la difficulté de l'écriture est-elle mise en exergue ? Analysez, pour répondre, l'humour du poème.

VERS LE BAC

Invention

Imaginez la réponse ironique d'Isabeau, dans une lettre pleine d'humour. Votre texte se finira par la pointe : « Ma foi, ce n'est pas fait ».

Fiche 47 **Comprendre un sujet d'écriture d'invention**

8

Paul Éluard, Capitale de la douleur, 1926

Biographie
p. 626

Histoire littéraire
p. 223

Repères historiques
p. 622

*Au XVIe siècle, **le blason**, poème rimé célébrant une partie du corps aimé, devient très à la mode. Ce jeu littéraire et amoureux peut être élogieux, érotique ou humoristique. Quand il se fait moqueur, il devient **contre-blason**. Éluard le réinvente pour évoquer sa muse, sa femme, Helena Diakonova, qu'il surnomme Gala.*

Texte A
La courbe de tes yeux...

1 La courbe de tes yeux fait le tour de mon cœur,
Un rond de danse et de douceur,
Auréole du temps, berceau nocturne et sûr,
Et si je ne sais plus tout ce que j'ai vécu
5 C'est que tes yeux ne m'ont pas toujours vu.

Feuilles de jour et mousse de rosée,
Roseaux du vent, sourires parfumés,
Ailes couvrant le monde de lumière,
Bateaux chargés du ciel et de la mer,
10 Chasseurs des bruits et sources des couleurs

Parfums éclos d'une couvée d'aurores
Qui gît toujours sur la paille des astres,
Comme le jour dépend de l'innocence
Le monde entier dépend de tes yeux purs
15 Et tout mon sang coule dans leurs regards.

Paul ÉLUARD, « La courbe de tes yeux », *Capitale de la douleur*,

Wanda WULZ (1903-1984), *Io + Gatto*, 1932, photographie (Museo di Storia della Fotografia Fratelli Alinari, Florence).

Texte B
Celle de toujours, toute

1 […] L'éventail de sa bouche, le reflet de ses yeux,
Je suis le seul à en parler,
Je suis le seul qui soit cerné
Par ce miroir si nul où l'air circule à travers moi
5 Et l'air a un visage, un visage aimé,
Un visage aimant, ton visage,
À toi qui n'a pas de nom et que les autres ignorent,
La mer te dit : sur moi, le ciel te dit : sur moi,
Les astres te devinent, les nuages t'imaginent
10 Et le sang répandu aux meilleurs moments,
Le sang de la générosité
Te porte avec délices.
Je chante la grande joie de te chanter,
La grande joie de t'avoir ou de ne pas t'avoir,
15 La candeur de t'attendre, l'innocence de te connaître,
Ô toi qui supprimes l'oubli, l'espoir ou l'ignorance,
Qui supprimes l'absence et qui me mets au monde,
Je chante pour chanter, je t'aime pour chanter
Le mystère où l'amour me crée et se délivre.

20 Tu es pure, tu es encore plus pure que moi-même.

Paul ÉLUARD, « Celle de toujours, toute », *Capitale de la douleur*,

Un blason de l'œil surréaliste

LECTURE DES TEXTES

La courbe de tes yeux (TEXTE A)

1. Montrez que le premier poème est un blason de l'œil (lexique de l'œil, formes circulaires).

Fiche 25 **Les formes poétiques du XVIe siècle à nos jours**

2. Étudiez comment la courbe des yeux devient progressivement une ronde faisant le tour du monde.
3. Comment la description métaphorique de l'œil s'élargit-elle au cosmos ? Pourquoi peut-on parler d'écriture surréaliste ?

Fiche 27 **Le langage poétique**

L'éventail de sa bouche (TEXTE B)

4. Quelles parties du corps les images des deux textes célèbrent-elles ? Identifiez les figures de style.
5. Comment le poète exprime-t-il sa joie de chanter l'amour et l'aimée ?
6. SYNTHÈSE Comment ces deux poèmes exaltent-ils la féminité, séductrice et maternelle ?

HISTOIRE DES ARTS

Montrez que la photographie de Wanda Wulz est surréaliste, dans le sens où elle fait appel au rêve et à l'imagination. Comparez-la avec les poèmes d'Éluard.

Fiche 44 **Lecture de corpus : textes et images**

VERS LE BAC

Oral (entretien)

Préparez la lecture analytique du texte A en répondant à la question suivante : Qu'est-ce qui fait la force et la beauté de ce poème surréaliste ?

Fiche 56 **Réussir l'épreuve orale du baccalauréat**

Invention

Écrivez le blason métaphorique d'une autre partie du visage (poème en vers ou en prose).

Fiche 25 **Les formes poétiques du XVIe siècle à nos jours**

9 Pierre de Ronsard, *Second Livre des Amours*, 1578

Biographie
p. 630
Du même auteur
p. 208, 222, 368, 395, 404
Histoire littéraire
p. 223
Repères historiques
p. 614

Texte A

Dans le Premier Livre des Amours *(1552), Ronsard célèbre Cassandre, femme aimée incarnant la Dame idéale. Marie l'Angevine est, elle, au centre du* Second Livre des Amours *(1555), qui marque l'introduction de l'alexandrin pétrarquisant dans la poésie française.*

Marie, qui voudrait votre beau nom tourner

Marie, qui voudrait votre beau nom tourner,
Il trouverait Aimer : aimez-moi donc, Marie,
Faites cela vers moi dont votre nom vous prie,
Votre amour ne se peut en meilleur lieu donner.

5 S'il vous plaît pour jamais un plaisir demener[1],
Aimez-moi, nous prendrons les plaisirs de la vie,
Pendus l'un l'autre au col, et jamais nulle envie
D'aimer en autre lieu ne nous pourra mener.

Si faut-il bien aimer au monde quelque chose :
10 Celui qui n'aime point, celui-là se propose
Une vie d'un Scythe[2], et ses jours veut passer

Sans goûter la douceur des douceurs la meilleure.
Eh, qu'est-il rien de doux sans Vénus ? Las ! À l'heure
Que je n'aimerai point, puissé-je trépasser !

Pierre DE RONSARD, « Marie, qui voudrait votre beau nom tourner »,
Second Livre des Amours, 1578, 5e éd.

1. Manifester.
2. Peuple réputé pour sa cruauté et sa vie barbare.

Léonard DE VINCI (1452-1519),
Portrait d'une dame de la cour de Milan
dite à tort *La Belle Ferronnière*,
entre 1495 et 1497, huile sur bois,
45 x 63 cm (Musée du Louvre, Paris).

Texte B TEXTE ÉCHO

« Sur la mort de Marie » est un poème de commande : en 1574, Henri III voit mourir sa maîtresse Marie de Clèves, jeune rose de 21 ans. Il demande au poète de lui rendre un dernier hommage. Mais le sonnet célèbre une autre Marie : la paysanne dont Ronsard était épris, fauchée en 1573 dans la fleur de l'âge.

Sur la mort de Marie

1 Comme on voit sur la branche au mois de mai, la rose,
En sa belle jeunesse, en sa première fleur,
Rendre le ciel jaloux de sa vive couleur,
Quand l'aube, de ses pleurs, au point du jour l'arrose ;

5 La Grâce dans sa feuille, et l'Amour se repose,
Embaumant les jardins et les arbres d'odeur ;
Mais battue ou de pluie, ou d'excessive ardeur,
Languissante elle meurt feuille à feuille déclose ;

Ainsi en ta première et jeune nouveauté,
10 Quand la terre et le ciel honoraient ta beauté,
La Parque[1] t'a tuée, et cendre tu reposes.

Pour obsèques reçois mes larmes et mes pleurs,
Ce vase plein de lait, ce panier plein de fleurs,
Afin que, vif et mort, ton corps ne soit que roses.

Pierre DE RONSARD, « Sur la mort de Marie », *Second Livre des Amours*, 1578.

1. Les trois Parques sont les divinités présidant à la destinée de chacun. Au singulier, l'expression désigne la troisième Parque, représentée comme une fileuse qui coupe le fil de la vie.

Les promesses d'un nom

LECTURE DU TEXTE A

Une invitation au jeu de l'amour

1. @RECHERCHE Qui furent Cassandre Salviati, Marie Dupin et Hélène de Surgères ? Que signifie l'expression latine *carpe diem* ? Vos recherches vous permettront d'expliquer à quoi Ronsard invite les jeunes femmes.
2. Au vers 12, comment la volupté de l'amour est-elle suggérée ? Commentez l'hyperbole et l'enjambement.

▶ Fiche 27 **Le langage poétique**
▶ Fiche 41 **Les figures de style**

Une argumentation habile

3. Dans les deux quatrains, reformulez les trois arguments faisant du poète et Marie un couple idéal.
4. Comment le premier tercet fait-il de l'amour le fondement de notre humanité ? De quel bien se prive celui qui ne veut pas aimer ? (vers 12-13)
5. Relevez le dernier mot du poème et commentez l'effet de chute amené par la volte.
6. SYNTHÈSE Établissez le plan du poème, en soulignant son mouvement vers une réflexion générale portant sur l'amour et le sens de la vie.

▶ Fiche 24 **La versification du XVIe siècle à nos jours**

De la souffrance à l'absence

7. Dans le texte B, comment la jeune femme est-elle progressivement assimilée à une rose ? Observez la comparaison qui se déploie sur les quatrains et les tercets. Puis, commentez le dernier vers.
8. Dans les deux poèmes, le prénom désigne-t-il une femme précise ou renvoie-t-il plus largement à la souffrance et à l'absence ?

HISTOIRE DES ARTS

Comment le tableau de Vinci met-il en valeur « la douceur des douceurs » que sont l'amour et la beauté ?

VERS LE BAC

Invention

Le poète Maurice Scève (1514-1564) célèbre une femme qu'il nomme Délie. Son nom évoque Délos, cruelle déesse et le verbe « délier ». Écrivez une lettre à Délie, absente, en jouant avec son nom.

▶ Fiche 48 **Rédiger un écrit d'invention**

Commentaire

Vous ferez du poème un commentaire montrant comment les jeux de l'amour nourrissent les jeux avec le langage puis induisent une réflexion sur le sens de l'existence.

▶ Fiche 51 **Rédiger un commentaire**

10 Paul Verlaine, Poèmes Saturniens, 1866

Biographie
p. 631

Du même auteur
p. 407

Histoire littéraire
p. 223

Repères historiques
p. 620

Les premiers poèmes de Verlaine sont placés sous le signe de Saturne, dieu sombre et mélancolique. Verlaine, encore marqué par le désir de beauté formelle du Parnasse, fait de ce poème un chant nostalgique, pleurant un passé sans doute plus rêvé que vécu.

Mon rêve familier

1 Je fais souvent ce rêve étrange et pénétrant
D'une femme inconnue, et que j'aime, et qui m'aime,
Et qui n'est, chaque fois, ni tout à fait la même
Ni tout à fait une autre, et m'aime et me comprend.

5 Car elle me comprend, et mon cœur transparent
Pour elle seule, hélas ! cesse d'être un problème
Pour elle seule, et les moiteurs de mon front blême,
Elle seule les sait rafraîchir, en pleurant.

Est-elle brune, blonde ou rousse ? Je l'ignore.
10 Son nom ? Je me souviens qu'il est doux et sonore
Comme ceux des aimés que la vie exila.

Son regard est pareil au regard des statues,
Et, pour sa voix, lointaine, et calme, et grave, elle a
L'inflexion des voix chères qui se sont tues.

Paul VERLAINE, « Mon rêve familier », *Poèmes Saturniens*, 1866.

Constantin BRANCUSI (1876-1957), *Muse endormie*, 1910, bronze, 16 x 25 x 18 cm (Musée national d'Art moderne, Paris).

11 Paul Verlaine, Parallèlement, 1889

TEXTE ÉCHO

Verlaine, expert en contrefaçon, tente de se comprendre en reprenant tous les thèmes poétiques qui lui sont chers mais qui sont devenus des clichés un peu usés et faciles. Cet autopastiche brillant mêle amour du jeu et jeux de l'amour.

À la manière de Paul Verlaine

1 C'est à cause du clair de la lune
Que j'assume ce masque nocturne
Et de Saturne penchant son urne
Et de ces lunes l'une après l'une.

5 Des romances sans paroles ont,
D'un accord discord ensemble et frais,
Agacé ce cœur fadasse exprès,
Ô le son, le frisson qu'elles ont ! [...]

Paul VERLAINE, « À la manière de Paul Verlaine »,
Parallèlement, 1889.

Entre présence et absence

LECTURE DES TEXTES

Entre présence et absence (TEXTE 10)

1. Commentez le titre et le premier vers : dans quel univers le poète nous emmène-t-il ?
2. Quels rôles traditionnellement dévolus à la Muse trouvez-vous dans ce sonnet ?
3. Analysez la ponctuation et les assonances du vers 13 : comment le souvenir de la voix revient-il peu à peu ?
4. Expliquez les comparaisons des quatre derniers vers. Cette femme est-elle présente ou absente ? Argumentez.

➤ Fiche 27 **Le langage poétique**

5. Comment la répétition du verbe « aimer », dans le premier quatrain, souligne-t-elle la réciprocité de l'amour ?
6. Lisez le poème à haute voix, sans oublier les liaisons, la diérèse et le rythme irrégulier du vers 7 : comment la poésie sublime-t-elle la douceur féminine ?
7. RECHERCHE Quel est le sens premier du mot « charme » ? En vous appuyant sur les questions 5 et 6, expliquez, en une brève synthèse, ce qui confère au poème son pouvoir d'incantation.

Réécriture (TEXTE 11) PREMIÈRE L

8. Quels champs lexicaux, allitérations et effets de rythme Verlaine a-t-il empruntés à Verlaine ?
9. @RECHERCHE Cherchez ce qu'est un « tombeau » en littérature. Pourquoi ce poème est-il un tombeau à sa propre mémoire ?

HISTOIRE DES ARTS

La muse de Brancusi représente le visage d'une femme plongée dans le sommeil, aux traits à demi effacés. Pourquoi cette statue est-elle en accord avec le poème ?

ÉCRITURE

Vers le commentaire

« De la musique avant toute chose » (Verlaine, *Art poétique*) : écrivez l'introduction du commentaire en y intégrant cette citation. Puis élaborez un plan tenant compte de la musicalité du poème.

➤ Fiche 50 **Construire le plan détaillé d'un commentaire**

VERS LE BAC

Invention

Choisissez dans la séquence un tableau représentant un portrait de femme. Écrivez un poème en prose célébrant sa beauté ou son mystère.

➤ Fiche 26 **Poèmes en prose et prose poétique**

12 Charles Baudelaire, Les Fleurs du mal, 1861

Huitième poème des Tableaux parisiens, *« **À une passante** » est d'abord publié dans la revue* L'Artiste *en 1860, puis, l'année suivante, dans la seconde édition des* Fleurs du mal. *Baudelaire joue avec la forme du sonnet pour dire la beauté moderne : un éclair avant la nuit, une brève rencontre et puis l'absence.*

Biographie p. 624

Du même auteur p. 244, 245, 297, 351, 405, 429

Histoire littéraire p. 223

Repères historiques p. 620

Gustav KLIMT (1862-1918), *Femme au chapeau et boa de plumes*, 1909, huile sur toile, 69 x 75 cm (Österreichische Galerie Belvedere, Vienne).

À une passante

1 La rue assourdissante autour de moi hurlait.
Longue, mince, en grand deuil, douleur majestueuse,
Une femme passa, d'une main fastueuse
Soulevant, balançant le feston[1] et l'ourlet ;

5 Agile et noble, avec sa jambe de statue.
Moi, je buvais, crispé comme un extravagant,
Dans son œil, ciel livide[2] où germe l'ouragan,
La douceur qui fascine et le plaisir qui tue.

Un éclair… puis la nuit ! — Fugitive beauté
10 Dont le regard m'a fait soudainement renaître,
Ne te verrai-je plus que dans l'éternité ?

Ailleurs, bien loin d'ici ! trop tard ! *jamais* peut-être !
Car j'ignore où tu fuis, tu ne sais où je vais,
Ô toi que j'eusse aimée, ô toi qui le savais !

Charles BAUDELAIRE, « À une passante », *Les Fleurs du mal*, seconde édition, 1861.

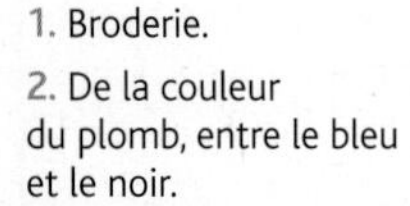

1. Broderie.
2. De la couleur du plomb, entre le bleu et le noir.

13 C. Baudelaire, Petits Poèmes en prose, 1863

TEXTE ÉCHO

« Quel est celui d'entre nous qui n'a pas, dans ses jours d'ambition, rêvé le miracle d'une prose poétique, musicale sans rythme et sans rime [...] ? », demande Baudelaire à son ami A. Houssaye. Ce bref poème en prose, paru dans la Revue nationale *du 10 décembre 1863, est la forme idéale pour capter la beauté.*

Le désir de peindre

1 Malheureux peut-être l'homme, mais heureux l'artiste que le désir déchire !

Je brûle de peindre celle qui m'est apparue si rarement et qui a fui si vite, comme une belle chose regrettable derrière le voyageur emporté dans la nuit. Comme il y a longtemps déjà qu'elle a disparu !

5 Elle est belle, et plus que belle; elle est surprenante. En elle le noir abonde ; et tout ce qu'elle inspire est nocturne et profond. Ses yeux sont deux antres où scintille vaguement le mystère, et son regard illumine comme l'éclair : c'est une explosion dans les ténèbres.

Je la comparerais à un soleil noir, si l'on pouvait concevoir un astre noir 10 versant la lumière et le bonheur. Mais elle fait plus volontiers penser à la lune, qui sans doute l'a marquée de sa redoutable influence; non pas la lune blanche des idylles, qui ressemble à une froide mariée, mais la lune sinistre et enivrante, suspendue au fond d'une nuit orageuse et bousculée par les nuées qui courent; non pas la lune paisible et discrète visitant le sommeil des hommes purs, mais 15 la lune arrachée du ciel, vaincue et révoltée, que les Sorcières thessaliennes[1] contraignent durement à danser sur l'herbe terrifiée ! [...]

Charles BAUDELAIRE, « Le désir de peindre », *Petits Poèmes en prose*, 1863.

1. De Thessalie, province grecque.

Beauté en fuite

LECTURE DES TEXTES

L'éclair d'une rencontre

1. TEXTE 12 Donnez un titre à chaque strophe. Vos intitulés traduiront l'opposition entre les quatrains et les tercets.

2. Montrez que le sonnet fait de l'apparition féminine un coup de théâtre. Vous analyserez le passé simple, les enjambements et diérèses des vers 2 à 5.

Fiche 24 **La versification du XVIe siècle à nos jours**
Fiche 27 **Le langage poétique**

3. TEXTE 13 Quelles images traduisent l'intensité et la fugacité de la rencontre précédant l'absence ?

4. TEXTE 12 Où se reverront les amants séparés ? Commentez le vers 12.

Une femme étrange

5. Dans les deux poèmes, montrez que la femme est à la fois glaciale et sensuelle ; attirante et cruelle.

6. L'évocation de la femme désirée se condense dans l'image du soleil noir. Nommez cette figure de style. Montrez qu'elle est développée dans le poème en prose.

7. Selon vous, est-ce le sonnet ou le poème en prose qui rend avec le plus d'intensité l'éclat de la rencontre ? Justifiez en vous appuyant sur vos émotions.

HISTOIRE DES ARTS

Comparez l'image de la femme dans le tableau de Klimt et les poèmes de Baudelaire.

VERS LE BAC

Invention

Transposez le sonnet en un poème en prose dramatisant la fugacité de l'apparition et l'intensité du coup de foudre.

Fiche 26 **Poèmes en prose et prose poétique**

Oral (entretien)

Pourquoi la femme baudelairienne guide-t-elle le poète vers « l'ailleurs » ?

Fiche 56 **Réussir l'épreuve orale du baccalauréat**

14 Guillaume Apollinaire, *Poèmes à Lou*, 1955

Biographie p. 624
Du même auteur p. 255
Histoire littéraire p. 223
Repères historiques p. 622

Texte A

Les Poèmes à Lou, *écrits pendant la première guerre mondiale, furent publiés en 1955. Ils célèbrent le nom de l'absente avec une grande inventivité.*

La nuit descend
On y pressent
Un long destin de sang

Guillaume APOLLINAIRE,
extrait de « Si je mourais là-bas... », 1915,
dans *Poèmes à Lou*, © Éditions Gallimard, 1955.

Texte B

Le mot « calligramme » est un néologisme, forgé par Apollinaire à partir des mots « calligraphie » et « idéogramme ». Il désigne un poème dont les mots forment un dessin, ici en lien intime avec Lou, trop loin de lui.

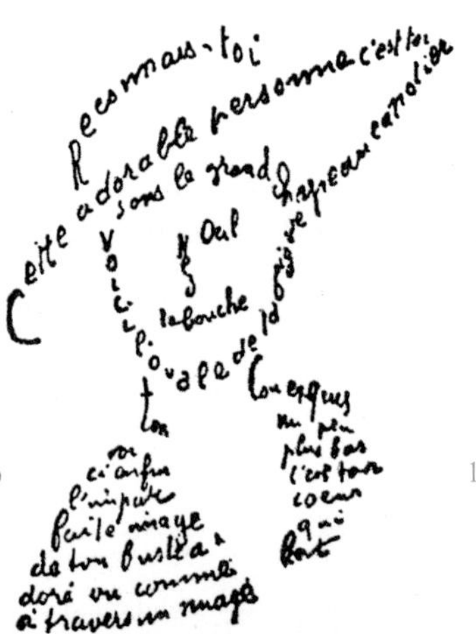

Guillaume APOLLINAIRE,
Poème du 9 février 1915, *Poèmes à Lou*,
© Éditions Gallimard, 1955.

Reconnais-toi
Cette adorable personne c'est toi
Sous le grand chapeau canotier
Œil
Nez (5)
La bouche
Voici l'ovale de ta figure
Ton cou exquis
Voici enfin l'imparfaite image de ton buste adoré
vu comme à travers un nuage (10)
Un peu plus bas c'est ton cœur qui bat

Guillaume APOLLINAIRE, « Reconnais-toi »,
Poème du 9 février 1915, *Poèmes à Lou*,
© Éditions Gallimard, 1955.

Louise de Coligny, dite « Lou ».

Poésie simultanée

LECTURE DES TEXTES

1. Caractérisez l'écriture qu'Apollinaire invente pour donner à ses poèmes la forme et le nom de l'aimée. Vous commenterez la multiplicité des sens de lecture.

Fiche 26 **Poèmes en prose et prose poétique**

2. TEXTE B Quelles parties du corps les mots-images célèbrent-ils avec netteté ? Avec flou ? Comment les mots de l'amour font-ils apparaître le visage de l'aimée ?

3. TEXTE A Comment le nom de Lou est-il lié à la violence du monde ? Pourquoi l'amour et la mort sont-ils réunis dans ce jeu littéraire ? Vous lirez la biographie du poète pour répondre.

Fiche 27 **Le langage poétique**

VERS LE BAC

Dissertation

La poésie amoureuse a-t-elle uniquement pour fonction de magnifier et réinventer la femme aimée ? Vous illustrerez votre propos avec des textes de la séquence.

Fiche 55 **Rédiger une dissertation**

15 René Char, Lettera amorosa, 1953

Biographie p. 625
Histoire littéraire p. 223
Repères historiques p. 622

Le franc-bord est le terrain, libre de propriété, situé en bordure de rivière. Là, poussent les iris, fleurs jaunes dont Char fait l'emblème de la poésie.

Sur le franc-bord

I. Iris. 1° Nom d'une divinité de la mythologie grecque, qui était la messagère des dieux. Déployant son écharpe, elle produisait l'arc-en-ciel.

2° Nom propre de femme, dont les poètes se servent pour désigner une femme aimée et même quelques dames lorsqu'on veut taire le nom.

3° Petite planète.

II. Iris. Nom spécifique d'un papillon, le nymphal gris, dit le grand mars changeant. Prévient du visiteur funèbre.

III. Iris. Les yeux bleus, les yeux noirs, les yeux verts sont ceux dont l'iris est bleu, est noir, est vert.

IV. Iris. Plante. Iris jaune des rivières.

...Iris plural, iris d'Éros, iris de *Lettera amorosa*[1].

René CHAR, « Sur le franc-bord », *Lettera amorosa*,
© Éditions Poésie Gallimard, 1953.

1. « Lettre d'amour » : titre du recueil qui fait écho à un madrigal du compositeur Monteverdi ainsi intitulé (1619).

Dérouler l'écharpe d'Iris

LECTURE DU TEXTE

1. @RECHERCHE Qui était la déesse Iris ? Comment René Char s'inspire-t-il de cette figure mythologique ?

2. À quel genre de texte le poème emprunte-t-il ses règles d'écriture ? Pourquoi est-ce à la fois une contrainte et une source de création ?

3. Quelles significations différentes le nom « Iris » a-t-il ? Quelle vision d'ensemble de la femme ressort de ces multiples entrées ?

4. Dans *La Princesse de Clèves*, la maîtresse dont on tait le nom est désignée par une couleur.
À quoi voit-on que Char s'inscrit dans cette tradition littéraire ?

Fiche 35 **L'intertextualité**

5. Quelles couleurs sont associées au nom aimé ? Pourquoi le papillon et l'arc-en-ciel en sont-ils la synthèse achevée ? Quelle ombre menaçante se glisse dans leur évocation irisée ?

VERS LE BAC

Invention

Après avoir choisi une couleur évocatrice, vous écrirez un poème d'amour à la manière de René Char. Vous jouerez avec les connotations associées à la couleur.

Fiche 47 **Comprendre un sujet d'écriture d'invention**

Oral (analyse)

Proposez une lecture analytique de ce poème ayant pour axe directeur la richesse poétique du nom.

Fiche 56 **Réussir l'épreuve orale du baccalauréat**

POUR ARGUMENTER AMOUR DE LA FEMME OU AMOUR DES MOTS ?

Pierre de Ronsard, Préface de La Franciade, 1572

Ronsard, porte-parole de la Pléiade, préconise dans La préface de la Franciade, *d'enrichir les vers de la poésie amoureuse française afin qu'elle rivalise avec la langue latine.*

Les vers doivent être « bâtis de la main d'un bon artisan, qui les face autant qu'il lui sera possible hausser comme les peintures relevées, et quasi séparer du langage commun, les ornant et enrichissant de figures, schèmes, tropes, métaphores, phrases et périphrases éloignées presque du tout, ou pour le moins séparées, de la prose triviale et vulgaire (car le style prosaïque est ennemi capital de l'éloquence poétique), et les illustrant de comparaisons bien adaptées de descriptions florides[1], c'est-à-dire enrichies de passements[2], broderies, tapisseries et entrelacements de fleurs poétiques, tant pour représenter la chose que pour l'ornement et splendeur des vers.

Pierre DE RONSARD, Préface de *La Franciade*, 1572, orthographe modernisée.

1. Ornée de fleurs.
2. Tissu plat fait de fils d'or et d'argent, destiné à orner les vêtements.

Joachim du Bellay, Divers Jeux rustiques, 1558

Après avoir longtemps défendu ce projet, Du Bellay a pris du recul dans « Contre les pétrarquistes ».

J'ai oublié l'art de pétrarquiser[1],
Je veux d'amour franchement deviser,
Sans vous flatter et sans me déguiser :
Ceux qui font tant de plaintes
N'ont pas le quart d'une vraie amitié,
Et n'ont pas tant de peine la moitié,
Comme leurs yeux, pour vous faire pitié,
Jettent de larmes feintes.

Joachim DU BELLAY, *Divers Jeux rustiques* (extrait), 1558.

1. Imiter le poète Pétrarque en célébrant un amour idéalisé par un style raffiné faisant place aux hyperboles, métaphores, jeux de mots.

LECTURE DES TEXTES

1. @RECHERCHE Que fut le groupe de « La Pléiade » ? Comment et pourquoi voulut-il défendre et illustrer les mérites de la langue française ?

2. En latin, *textum*, qui a donné « texte », signifie « tissu ». Expliquez la comparaison de Ronsard entre figures de style et fleurs brodées. Quels dangers guettent, selon Du Bellay, un auteur qui veut trop broder et pétrarquiser ?

3. Reformulez la thèse et les arguments des deux poètes. Trouvez dans les textes de la séquence des vers illustrant les deux points de vue.

ÉDUCATION AUX MÉDIAS

En vous appuyant sur le questionnaire, organisez un débat littéraire télévisé ayant pour sujet : « Pour émouvoir, faut-il parler vrai ou orner le langage » ? L'un de vous jouera le rôle du journaliste, quelques autres des slameurs, rappeurs ou poètes de la rue. Il faudra argumenter et donner des exemples.

Histoire littéraire

Le lyrisme de la poésie et de la musique

Musique et poésie : une même source

En Grèce, la poésie chantée était accompagnée à la **lyre**, instrument d'Apollon, dieu de la poésie ou d'Orphée, poète mythique dont la voix enchanteresse calmait les souffrances et apprivoisait la mort. Le lyrisme définit donc d'abord **le lien entre poésie et musique.** Ce n'est qu'en 1755 qu'il devient **l'expression « des sentiments intimes du poète »** (Abbé Batteux, *Principes de littérature*), sublimés dans une parole ayant la musique pour modèle.

Jean DELVILLE (1867-1953), *Orphée*, 1893 (collection Gillion-Crowet).

Histoire de la poésie et de la musique lyriques

La poésie lyrique au Moyen Âge

Au Moyen Âge, poésie et musique sont liées. **Aux XIIIe et XIVe siècles**, la poésie chantée, associée à la musique et la danse, s'exprime dans des lais, pastourelles, ballades, etc., célébrant la « Dame », figure idéalisée de l'épouse du seigneur. Dans une veine populaire, les femmes inventent des « **chansons de toiles** » dont les mots jaillissent au rythme du tissage. **Au XVe siècle**, la poésie se fait savante. Les « **Rhétoriqueurs** » expriment leur émotion en complexifiant les formes fixes.

Ex. : *C. de Pisan fait du rondeau, chant pour danser en rond, un chant de deuil aux deux rimes lancinantes.* (>p. 204)

Charles d'Orléans (1391-1465) et François Villon (1431-1463) font entendre leur voix singulière.

René I LE BON (duc d'Anjou), « Tenture de Manière et Chère Aimable », *Livre du Cœur d'Amour épris*, 1480-1485, parchemin, Provence (BNF, Paris).

Les innovations de la Renaissance

Musique et poésie se séparent. Certes, l'Italien Pétrarque (1304-1374), invente et définit le sonnet comme un « petit son ». Il est chanté pour Laure puis recueilli dans le *Canzoniere* (1327), le « recueil de chansons ». Mais, lorsque la Renaissance triomphe en France, au XVIe siècle, poème et musique cessent d'être composés dans un seul élan créateur.

Ex. : *Ronsard écrit d'abord les* Amours *pour un lecteur.*
Cette autonomie permet au musicien et au poète de se spécialiser et de mieux maîtriser leur art.

En musique, les progrès dans l'écriture des notes favorisent la polyphonie.

Ex. : *Monteverdi, compositeur italien, excelle dans le madrigal, où les voix épousent les fluctuations du sentiment.* (>p. 209)

En poésie, avec Clément Marot, Louise Labé, Maurice Scève, Joachim du Bellay ou Pierre de Ronsard, les schémas codifiés de la poésie courtoise cèdent le pas à l'expression sincère de la vie intérieure.

Ex. : *Les sonnets de* **Louise Labé** *évoquent la blessure intime de l'amour.* (>p. 206)

La Pléiade, groupe de poètes mené par Ronsard pour défendre et enrichir le français, réclame des formes poétiques nouvelles, comme **l'ode**. Ainsi, **Ronsard** écrit de savantes odes pindariques (*Ode à Michel de l'Hospital,* 1550) et des odelettes légères (*Mignonne, allons voir si la rose*). La Pléiade affectionne aussi **le sonnet et ses ressources**.

Ex. : *Dans « Marie », la structure duelle des quatrains et tercets sert une double thématique : la richesse du prénom et la beauté de la femme.* (>p. 214)

Ex. : **J. du Bellay** *clôt ses poèmes sur de brillants paradoxes : la « pointe » refuse* in extremis *le glaive qui trancherait un amour qui le tue.*

Par sa sophistication, la poésie devient un jeu éblouissant, sans cesser d'exiger une grande authenticité.

Le baroque

À l'époque baroque, au tournant du XVIe et du XVIIe siècle, poésie et musique (Pergolèse, Campra, Lully) se répondent pour exprimer le goût du mouvement et des émotions violentes.

Ex. : *P. de Marbeuf travaille les mots comme une pâte sonore pour faire entendre le ressac de l'amour. La passion amoureuse est comme l'océan : mobile, instable, amère.* (>p. 209)

Parfois, le jeu codifié l'emporte sur l'expression authentique des sentiments.

Ex. : *Voiture transforme avec humour la technique du rondeau en recette de l'amour.* (>p. 211)

Cette virtuosité entraîne un retrait du lyrisme. D'autant que s'impose, à **l'Âge classique**, la figure de « l'honnête homme », cultivé mais peu féru de poésie. Le lyrisme se réfugie dans la prose d'un Bossuet (*Oraisons funèbres,* 1667-1687) ou le théâtre d'un Racine.

Le romantisme

- **En donnant une voix au « moi » solitaire,** le Romantisme voit renaître le lyrisme, en littérature et en musique.

En l'Europe, la **musique** évolue : la symphonie se développe avec Berlioz, Beethoven ou Schubert. L'orchestre est étoffé pour faire entendre le rugissement des tempêtes ou l'inflexion **d'un cœur qui s'abandonne**. Le piano devient l'instrument permettant à Liszt ou Chopin d'exprimer la gamme des sentiments **intimes** dans des écritures variées, comme le prélude ou le nocturne.

Eugène Delacroix (1798-1863), *Portrait de Frédéric Chopin (1810-1849)*, **huile sur toile, 45 x 38 cm (Musée du Louvre, Paris).**

- **En littérature**, le lyrisme est associé à la figure d'Orphée, prophète primitif à **l'unisson** d'un monde neuf. « Quand l'homme s'éveille dans un monde qui vient de naître, le poète s'éveille en lui », confie Hugo (préface de *Cromwell*). À cette jeunesse du monde, Hugo associe les formes de l'ode (*Odes et ballades,* 1828), de l'idylle ou de la contemplation.

Ex. : *Dans* Les Contemplations, *le poète-prophète perçoit et exprime la souffrance des créatures humaines, animales et minérales.* (>p. 236)

Orphée est aussi le poète endeuillé, auquel s'identifient des poètes ayant traversé l'enfer sous la Révolution et sont « renés » différents, tel Chateaubriand.

- **L'échec de la révolution de 1848** inaugure un nouvel âge du lyrisme. Dire « je » en liant son destin à celui des opprimés semble dérisoire. Reste, avec Gautier puis Baudelaire, le plaisir de créer une forme belle, musicale. Verlaine, en diluant l'alexandrin dans des rythmes impairs, expérimente une « musique du moi » mélancolique.

Ex. : *« Mon rêve familier »* (>p. 216) *laisse filtrer à travers les brumes de l'oubli le souvenir flou de la femme aimée. Rimbaud, lui, refuse « la poésie du moi », « horriblement fadasse » (Lettre à Izambard, 1871) : « Le Bateau ivre » rompt les amarres avec le lyrisme sentimental.* (>p. 246)

- Le rejet du Romantisme s'accentue à la fin du XIXe siècle et au début du XXe. Les poètes s'inspirent de l'opéra wagnérien pour renouveler leur inspiration lyrique ; de même, les compositeurs s'inspirent de la poésie, renforçant la collaboration entre littérature et musique. Trois grands noms s'imposent : Ravel, Stravinsky et Manuel de Falla.

Au XXe, la poésie et le chant du monde

Au début du XXe siècle, Apollinaire dans « Zone » et Blaise Cendrars dans « Pâques à New-York » (1912) et « Prose du Transsibérien » (1913) inventent un lyrisme reliant passé et modernité.

Les surréalistes, comme André Breton dans *L'Amour fou* (1937), définissent « le comportement lyrique » comme écoute de l'inconscient et du rêve.

Cependant, **avec la Seconde Guerre mondiale**, les poètes font retour au lyrisme oublié des chansons anciennes.

Ex. : *« C », d'Aragon, évoque le rondeau médiéval à rime unique. Emprisonné, Jean Cassou s'inspire du « Temps des cerises » de J.-B. Clément.* (>p. 266, 267)

C'est dans la mémoire des poètes que s'inscrit désormais le chant de l'insurrection.

11 Dame Nature en son jardin

L'art des jardins, source d'inspiration du poète

Delacroix H. E. dit Cross Henri EDMOND, (1856-1910), *Nu dans un jardin*, 1905, peinture sur toile, 35 x 27 cm (Musée d'Orsay, Paris).

Le jardin est un lieu réel, mais aussi un refuge imaginaire : on ne peut en visiter un sans penser au jardin d'Éden ou de Cythère. Étymologiquement, le mot « paradis » lui-même vient de *pairidaeza*, ancien mot persan signifiant « clôture entourant un jardin ». Lieu à la fois naturel et culturel, il est une incarnation végétale de l'harmonie entre l'homme et la nature.

Objectifs

- Découvrir la représentation de la nature et son évolution, à travers le motif littéraire et pictural du jardin
- Analyser les formes et les significations d'œuvres artistiques et poétiques

Écriture poétique et quête du sens ▶ Fiches 24, 25, 26
Lire et analyser ▶ Fiche 42

Histoire littéraire p. 223

1 Le jardin des délices au Moyen Âge

Le jardin médiéval se veut locus amoenus, *« lieu agréable » offert aux plaisirs amoureux. Clairement séparé de la forêt sauvage par une clôture, il est ordonné en petits espaces cultivés de fleurs, de plantes comestibles ou médicinales, séparés par des haies de buis.*

1. Le jardin, lieu de plaisir des sens

Cette tapisserie appartient à une série consacrée aux cinq sens. Dans cette allégorie du goût, la dame prend une dragée dans le drageoir que lui présente sa suivante, tandis qu'un petit singe en est déjà à la dégustation.

Tenture de la Dame à la licorne : le Goût, XVe-XVIe siècle, laine (textile), soie (textile), tapisserie (technique), 3,77 x 4,66 m (Musée national du Moyen Âge, Thermes de Cluny, Paris).

Repères esthétiques

L'art de la tapisserie, tissage de fils et de littérature

La tapisserie est un art florissant au Moyen Âge. Ainsi, cinq des six tapisseries de la célèbre *Dame à la licorne* sont consacrées à l'exaltation des sens, la dernière étant souvent interprétée comme le renoncement à la tentation du plaisir.

Mais cet art est bien plus ancien, comme en témoignent l'*Odyssée* d'Homère et le personnage de Pénélope, tissant et détissant chaque jour sa tapisserie pour attendre le retour d'Ulysse.

Si, à travers l'exemple de Pénélope, la tapisserie est à l'origine de notre littérature, ce n'est pas un hasard. En latin, le mot *textum* désigne à la fois le texte et le tissu, ce qui est écrit et ce qui se tisse.

Le tressage des fils de la tapisserie symbolise les procédés permettant la cohérence du texte littéraire qui brode ses motifs selon un canevas rigoureux.

Étude d'une tapisserie

1. Relevez tous les éléments qui apparentent ce paysage à un jardin. Que peut suggérer la rondeur des bordures ?
2. Montrez que cette tapisserie est une exaltation du plaisir des sens et de la noblesse. Étudiez pour cela sa mise en scène, son décor et l'attitude des personnages humains.
3. @RECHERCHE Cherchez sur le site http://expositions.bnf.fr/bestiaire/index.htm le sens symbolique que peuvent avoir, dans cette œuvre médiévale occidentale, les divers animaux représentés.

2. Initiation amoureuse au jardin

Un jeune homme est initié au modèle du comportement amoureux selon l'idéal de l'amour courtois[1]. La porte du jardin du Déduit (plaisir amoureux) lui est ouverte par Oisiveté, et il y rencontre Beauté, Richesse, Courtoisie et Jeunesse.

Le Verger du Déduit, illustration pour *Le Roman de la Rose*, vers 1490-1500 (The British Library, Londres).

1. Aussi appelé *fin'amor*, il désigne l'amour idéal entre un chevalier et sa dame.

3. Rondel de Charles d'Orléans

Le retour du printemps est un motif poétique récurrent auquel le Moyen Âge a donné le nom de « Reverdie ». Voici une version de Charles d'Orléans.

Le temps a laissé son manteau
De vent, de froidure et de pluie,
Et s'est vêtu de broderie,
De soleil luisant clair et beau.

Il n'y a bête ni oiseau,
Qu'en son jargon ne chante ou crie,
Le temps a laissé son manteau
De vent, de froidure et de pluie.

Rivière, fontaine et ruisseau
Portent, en livrée jolie,
Gouttes d'argent, d'orfèvrerie ;
Chacun s'habille de nouveau,
Le temps a laissé son manteau.

Charles D'ORLÉANS, rondel, XVe siècle.

4. Le printemps des amours

Dans cette ballade, Christine de Pisan lie le thème de la reverdie et de l'amour.

Réjouissez-vous, soyez gais et contents,
Tendres amants, car mai est arrivé,
Vos nobles cœurs, enchantez-les gaiement ;
De vos chagrins il faut se libérer,
Mais le plaisir, il faut le préserver,
Quand vous voyez se réjouir toute chose
Et que pendant cette saison ont cours
Chapeaux jolis, violettes et roses,
Fleur de printemps, muguet et fleurs d'amours.

Voyez ces champs, ces arbres appréciés,
Et ces beaux prés qui sont verts devenus,
Ces oisillons qui sont si enjoués
Qu'ils ne cessent de faire un doux chahut
Tout est vêtu ; plus aucun arbre nu ;
Voyez ces fleurs en boutons ou écloses,
Faites-vous en pour leur parfum si lourd
Chapeaux jolis, violettes et roses,
Fleur de printemps, muguet et fleurs d'amour.

Christine DE PISAN, « Ballade » (extrait traduit), 1399-1402.

DES TEXTES AUX IMAGES

Le retour du printemps

1. Par quelle figure de style filée tout au long du poème Charles d'Orléans célèbre-t-il l'arrivée du printemps ?
2. Quels éléments de la nature les poètes associent-ils au printemps ? En quoi s'agit-il avant tout de la nature apprivoisée du jardin ?
3. Montrez que, dans la tapisserie ou l'enluminure, la représentation artistique du jardin utilise le topos de la reverdie.

Le renouveau du désir amoureux

4. De quels plaisirs des sens le verger du Déduit est-il le théâtre ? En quoi cette allégorie complète-t-elle l'image du jardin *« locus amoenus »* présentée par la tapisserie de *La Dame à la licorne* ?
5. SYNTHÈSE D'après les images et les poèmes, quels éléments symbolisent le jardin amoureux au Moyen Âge ?

La poésie lyrique courtoise

6. Montrez que, dans l'enluminure et les poèmes, le chant des oiseaux symbolise à la fois la renaissance de la nature et le lyrisme amoureux.
7. Dans quelle mesure le jardin permet-il l'expression privilégiée de la poésie lyrique courtoise ? Étudiez la structure et la musicalité des poèmes.

2 Le jardin baroque, théâtre des métamorphoses

1. La nature baroque, marquée par la métamorphose

Pourchassée par Apollon, la nymphe Daphné, sur le point d'être rattrapée, invoque le secours de son père, le Fleuve, qui la transforme en laurier, dont Apollon fit un arbre sacré.

Bernini GIAN dit LE BERNIN (1598-1680), *Apollon et Daphné*, XVIIe siècle, marbre, 2,43 m (Galleria Borghese, Rome, Italie).

Repères esthétiques

Le baroque

Issu du portugais *barroco* signifiant « perle de forme irrégulière », le mot « baroque » est à l'origine synonyme de « bizarre », « extravagant ». Le mouvement (1580-1670) est lié à la Contre-Réforme catholique : dans sa lutte contre la Réforme protestante, l'art baroque veut faire du catholicisme la religion du sentiment et des émotions, qui bouleverse le croyant jusqu'au vertige par des effets de mouvement, d'emphase, de profusion et de confusion.
L'esthétique baroque a une prédilection pour les symboles du mouvement, de la métamorphose et de l'inconstance : la magicienne Circé, les métamorphoses inspirées d'Ovide, les masques et l'illusion. La nature humaine est aussi précaire et instable que le monde est inconstant et changeant : les paysages, comme les sentiments, se transforment et entrent en mouvement.
Le baroque devient ainsi le vecteur d'une vision du monde et d'une philosophie de la vie : dans ce monde illusoire, seuls Dieu et son paradis céleste permettent à l'homme d'atteindre un refuge ferme et immuable.

Étude d'une sculpture

1. @RECHERCHE Comparez la sculpture et le texte des *Métamorphoses* d'Ovide sur le site http://bcs.fltr.ucl.ac.be/meta/01.htm. Quel moment de la légende d'Apollon et Daphné le sculpteur a-t-il choisi de représenter ? Relevez l'ensemble des détails par lesquels Le Bernin manifeste la transition entre l'humain et le végétal.

2. Comment les formes des corps rendent-elles compte de la poursuite et de la fuite de Daphné ?

2. Éloge de l'art baroque du jardin

La beauté de Vaux est l'occasion d'un prix que se disputent quatre fées : Palatiane, fée de l'architecture, Apellanire, fée de la peinture, Hortésie, fée du jardinage et Calliopée, fée de la poésie. C'est au tour d'Hortésie de parler.

Le Songe de Vaux

J'embellis les fruits et les fleurs :
Je sais parer Pomone[1] et Flore[2] ;
C'est pour moi que coulent les pleurs
Qu'en se levant verse l'Aurore.
Les vergers, les parcs, les jardins,
De mon savoir et de mes mains
Tiennent leurs grâces nonpareilles[3] ;
Là j'ai des prés, là j'ai des bois ;
Et j'ai partout tant de merveilles
Que l'on s'égare dans leur choix.

Je donne au liquide cristal
Plus de cent formes différentes,
Et le mets tantôt en canal,
Tantôt en beautés jaillissantes ;
On le voit souvent par degrés
Tomber à flots précipités ;
Sur des glacis[4] je fais qu'il roule,
Et qu'il bouillonne en d'autres lieux ;
Parfois il dort, parfois il coule,
Et toujours il charme les yeux.

Jean DE LA FONTAINE, *Le Songe de Vaux* (extrait), 1671.

1. Divinité des fruits chez les Romains.
2. Divinité des fleurs et de la croissance végétale chez les Romains.
3. Sans comparaison, uniques en leur genre.
4. Pente légère et régulière facilitant l'écoulement des eaux.

3. Le jardin de la Fortune

La divinité qui préside aux destinées humaines s'est entourée d'un bien étrange jardin.

Je découvre un jardin sans ordre et sans figure,
Où le hasard fait plus que ne fait la nature.
Des arbres qu'on y voit, ou venus, ou plantés,
Les uns chargés de fruit et parés de feuillage
Étendent alentour un agréable ombrage ;
Du faîte jusqu'au pied les autres écorchés
En vain lèvent au ciel leurs bras nus et séchés.
Mais les plus enrichis de fruit et de verdure
N'ont ni durable bien, ni durable parure.

Pierre LE MOYNE, « Le Palais de la Fortune » (extrait), *Lettres morales et poétiques*, Lettre IX, 1665.

4. Le char d'Apollon : une sculpture en mouvement

Jean-Baptiste TUBY (1635-1700), *Le char d'Apollon*, 1668-1670, plomb (Châteaux de Versailles et de Trianon).

DES IMAGES AUX TEXTES

Le mouvement et la métamorphose

1. Comparez les moments sculptés par Le Bernin et Tuby. En quoi ces choix incarnent-ils l'esthétique baroque ?
2. Comment la gestuelle et la position des corps humains et animaux dynamisent-elles la sculpture de la fontaine de Versailles ?
3. Comment La Fontaine fait-il transparaître dans son poème les mouvements qui animent le jardin baroque ?

Luxe et volupté du baroque

4. Comment la majesté et la grandeur royale s'expriment-elles dans la sculpture de Tuby ?
5. Comment La Fontaine élève-t-il Hortésie au rang de déesse des métamorphoses, faisant d'elle une nouvelle Circé ?
6. Pourquoi peut-on dire que le discours d'Hortésie est un éloge des plaisirs des sens ?
7. @ RECHERCHE Cherchez sur Internet un tableau ou une sculpture, baroque ou non, illustrant un récit des *Métamorphoses* d'Ovide et présentez-le.

L'art baroque

8. Montrez que la description que Pierre Le Moyne fait du jardin de la Fortune (texte 3) est également une métaphore de l'art baroque.

3 Le jardin public, rencontre avec la modernité

1. Le jardin des Tuileries, selon Manet

Édouard MANET (1832-1883), *La musique aux Tuileries*, XIXe siècle, huile sur toile, 0,762 x 1,181 m (National Gallery, Londres).

Repères esthétiques

L'art des jardins au XIXe siècle

Le mythe d'Éden et le motif du *locus amoenus*, « lieu agréable », lient les thèmes du bonheur et du jardin. Dès lors, comment être heureux en ville ? Grâce aux jardins publics que les urbanistes élaborent à partir du XIXe siècle. Le rôle du jardin est multiple :
– il permet aux nouveaux citadins issus de l'exode rural massif de retrouver la campagne, dans une version idéalisée ;
– il doit offrir un air sain et du soleil, dans une perspective hygiéniste ;
– c'est un lieu d'échange social, qui permet aussi de se rencontrer et de se montrer ;
– c'est enfin un lieu politique, qui doit à la fois donner l'image idéale de l'harmonie sociale car le jardin public est ouvert à tous, et diminuer les tensions sociales par ses divertissements et guinguettes.
Ces îlots de nature se généralisent dans le Paris restructuré sous l'impulsion de Napoléon III. Le baron Haussmann repense des lieux existants comme le bois de Boulogne, crée de nombreux squares et des jardins publics comme le parc Montsouris ou le parc des Buttes-Chaumont, et fait de ces espaces verts d'authentiques lieux de promenade, dont le plus célèbre est certainement les Champs-Élysées.

Étude d'un tableau

1. Dans quelle mesure la variété, l'attitude et la position des personnages font-elles de ce jardin un véritable lieu social ?
2. Dans quelle mesure ce tableau inaugure-t-il l'impressionnisme ?
3. Étudiez la composition du tableau et ses lignes de force. Quel est l'effet produit ?

Fiche 42 **Lecture de l'image fixe**

2. Coup de foudre au parc

« Une allée du Luxembourg »

Elle a passé, la jeune fille
Vive et preste comme un oiseau,
À la main une fleur qui brille,
À la bouche un refrain nouveau.

C'est peut-être la seule au monde
Dont le cœur au mien répondrait,
Qui venant dans ma nuit profonde,
D'un seul regard l'éclaircirait !

Mais non, – ma jeunesse est finie...
Adieu, doux rayon qui m'as lui, –
Parfum, jeune fille, harmonie...
Le bonheur passait, – il a fui !

Gérard DE NERVAL, « Une allée du Luxembourg », *Odelettes*, 1834.

4. Jardin public, jardin amoureux

« Le Jardin »

Des milliers et des milliers d'années
Ne sauraient suffire
Pour dire
La petite seconde d'éternité
Où tu m'as embrassé
Où je t'ai embrassée
Un matin dans la lumière de l'hiver
Au parc Montsouris à Paris
À Paris
Sur la terre
La terre qui est un astre.

Jacques PRÉVERT, « Le Jardin », *Paroles*, © Éditions Gallimard, 1946.

3. Le jardin public, nouveau locus amoenus

André KERTÉSZ (1894-1985), *Un après-midi aux Tuileries*, novembre 1963 (Médiathèque de l'Architecture et du Patrimoine, Paris).

DES IMAGES AUX TEXTES

Lieu de passage ou locus amoenus ?

1. Par quels procédés Nerval met-il en scène le coup de foudre ressenti pour la jeune fille ?
2. Comment le jardin est-il associé au bonheur dans les poèmes et les illustrations ?

Le jardin : entre fugacité et éternité

3. Par quels moyens Nerval traduit-il le caractère fugitif et fragile de la rencontre ?
4. Comparez la vision du temps qui passe exprimée dans les deux poèmes et la photographie.

Poésie du jardin

5. Comment, par son travail de composition, le photographe parvient-il à mettre en image le caractère à la fois stéréotypé et unique de la rencontre amoureuse au jardin ?

Fiche 42 **Lecture de l'image fixe**

6. Quels jeux d'antithèses, présents dans les poèmes de Nerval et Prévert, retrouve-t-on dans la photographie de Kertész ? Comment les interprétez-vous ?

Atelier d'écriture

Réaliser une anthologie poétique

Décor de vignes de marante avec trente-six poèmes provenant du Wakan Rôeishû, anthologie de poèmes japonais et chinois (détail), XVIIe siècle, encre de couleur, or (métal), papier doré, 1,67 x 3,76 m (The Metropolitan Museum of Art, New York).

1. Choisir sept poèmes

- Cherchez la définition et l'étymologie des mots « anthologie » et « florilège ». Dans quelle mesure l'illustration vous semble-t-elle éclairer le sens de ces mots ?
- Choisissez le thème de votre anthologie. N'hésitez pas à être original !
- Cherchez une dizaine de poèmes sur ce thème :

– au CDI ou en bibliothèque : feuilletez des anthologies et des recueils poétiques ;
– sur Internet : soyez attentif à ne choisir que des œuvres de poètes authentiques, car n'importe qui peut publier sur Internet !
www.diplomatie.gouv.fr (Culture et Science / Livre et écrit / Collection de textes / Florilège de la poésie française)
http://poesie.webnet.fr/

- Sélectionnez sept poèmes. Vous ferez en sorte qu'il s'y trouve au moins trois siècles et trois formes poétiques différents.

Fiche 25 **Les formes poétiques du XVIe siècle à nos jours**

2. Rechercher des illustrations

- Cherchez une illustration (tableau, photographie, sculpture) pour chaque poème et une pour la couverture de l'anthologie

Fiche 42 **Lecture de l'image fixe**

Vos illustrations doivent être des œuvres artistiques authentiques !
www.photo.rmn.fr
www.culture.gouv.fr/documentation/joconde/fr/pres.htm (Base Joconde)

3. Rédiger la préface

Rédigez la préface de votre anthologie. Dans un texte argumentatif destiné à susciter l'envie de lire, expliquez :
– l'intérêt et l'attrait du thème choisi ;
– le choix de vos poèmes : argumentez pour chacun d'eux ;

Fiche 24 **La versification, du XVIe siècle à nos jours**
Fiche 26 **Poèmes en prose et prose poétique**

– les raisons qui ont présidé à la sélection des illustrations ;
– le classement adopté et sa pertinence (thématique, chronologique ou alphabétique).

4. Présenter les poèmes

- Indiquez, pour chaque poème, son titre, s'il en a un, l'auteur, le recueil dont il est issu, sa date.
- Rédigez une brève introduction pour chaque poème, avec des informations sur l'auteur et son œuvre.
- Donnez les références précises de l'illustration (titre, auteur, date) et rédigez une courte légende s'appuyant par exemple sur une citation du poème.

5. Réaliser matériellement l'anthologie

Votre anthologie doit se présenter comme un livre :
– première de couverture, avec votre nom, le titre de l'anthologie et une illustration ;
– table des matières ;
– préface ;
– une double page par poème, avec l'illustration à gauche et le texte à droite.

Séquence

12 Le poète, arpenteur du monde

Le poète, inventeur d'images et jongleur de mots, invite à poser sur la beauté du monde un regard neuf, comme si c'était la première fois qu'on le voyait. La poésie d'« un coup de baguette fait revivre le lieu commun » (J. Cocteau, *Le rappel à l'ordre*, 1926).

Problématique : Comment la poésie moderne et contemporaine réinvente-t-elle le langage ?

Objectifs

- Observer le lien entre travail de l'écriture et vision singulière du monde
- Découvrir comment le poète s'approprie les mots pour inventer un nouveau langage

Histoire des arts : A. TÀPIES, *A. T.*, 1985 — 234

CORPUS 1 : Dire et déchiffrer le monde

1 V. HUGO, « Ce que dit la Bouche d'Ombre », *Les Contemplations*, 1855 — 236
2 J. SUPERVIELLE, « Le matin du monde », *Gravitations*, 1925 — 238
3 E. GUILLEVIC, « Art poétique », *Gagner*, 1949 — 240
4 E. GUILLEVIC, « Douceur », *Terre à bonheur*, 1952 — 241
5 J. PRÉVERT, « Grand Bal du Printemps », *Grand Bal du Printemps*, 1951 — 242

CORPUS 2 : Rompre les amarres

6 C. BAUDELAIRE, « L'invitation au voyage », *Les Fleurs du mal*, 1857 — 244
7 C. BAUDELAIRE, « L'invitation au voyage », *Petits Poèmes en prose*, 1869 — 245
8 A. RIMBAUD, « Le Bateau ivre », *Poésies*, 1871 — 246
9 V. SEGALEN, « Conseils au bon voyageur », *Stèles*, 1912 — 248
10 O. PAZ, « La Jarre cassée », *Liberté sur parole*, 1958 — 249
11 F. PONGE, « La valise », *Pièces*, 1961 — 250
12 G. ORTLIEB, « 3 h 56 », *Poste restante*, 1997 — 251

Pour argumenter : Comment la poésie transporte-t-elle hors des lieux communs ?

T. BEKRI, « Le poème ouvert », article paru dans *Le Français aujourd'hui*, 1997 — 252

Histoire littéraire : La poésie moderne et contemporaine — 253

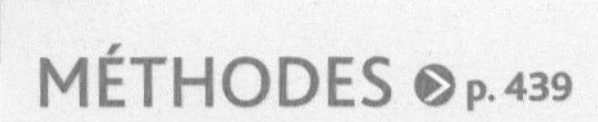

MÉTHODES p. 439

Écriture poétique et quête du sens, du XVIe siècle à nos jours Fiches 24, 26, 27
Lire et analyser Fiches 41, 42, 44
Préparer le baccalauréat Fiches 47, 48, 51, 52, 53, 55, 56
Étude de la langue Fiche 59

Histoire des arts

Antoni Tàpies, *A. T.*, 1985

Biographie
p. 631

Antoni TÀPIES (1923-), *A. T.*, 1985, 75,3 x 74,4 cm (Galerie Boisserée, Cologne).

Contexte artistique et historique

LE MUR

Le mur est la première surface où s'expriment les hommes. Il y a 35 000 ans, avec trois couleurs (rouge, blanc, noir), les artistes peignent sur la paroi des grottes les silhouettes de grands animaux et les traces de leurs mains. Ces peintures rupestres n'ont pas une simple fonction décorative : elles jouent un rôle **magique**. Les animaux représentés correspondent aux visions du *chaman*[1], visions d'un univers bruissant de vies et d'âmes, visibles ou invisibles, vivantes ou défuntes. L'art aurait ainsi pour fonction originelle de **comprendre le cosmos** infini et de traduire en mots ou en images nos **émotions** face à cette immensité. Cette fonction est revendiquée par les poètes et artistes modernes et contemporains, travaillant le langage pour **célébrer le mystère et la beauté** qu'on ne prend plus le temps de voir. Ainsi, « Tàpies » signifie « mur » en catalan et le peintre le souligne : « étrange destin, en vérité, inscrit dans mon nom ». Ici, sa toile ressemble à une paroi irrégulière, comme celles de Lascaux. Il relie ainsi son action aux gestes des premiers artistes.

Aujourd'hui, les graff' et les tags s'approprient sauvagement les murs de la ville. Leur dessin est comme un trait d'union entre leurs sentiments intérieurs, bouillonnants, et le monde extérieur.

1. Prêtre servant d'intermédiaire entre les hommes et les esprits avec qui il entre en relation par la transe, la drogue, l'extase.

Écrire et faire

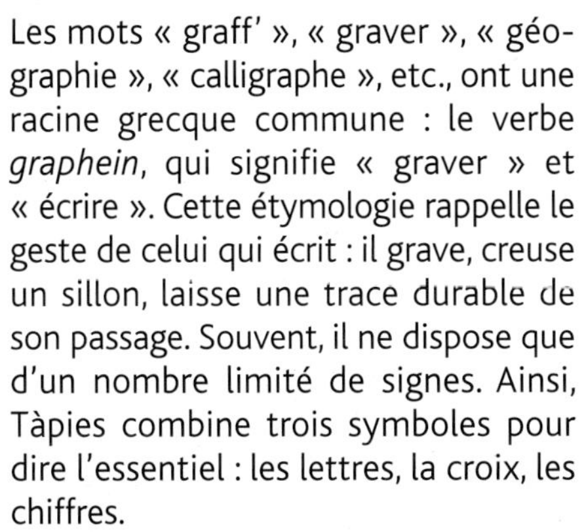

Les mots « graff' », « graver », « géographie », « calligraphe », etc., ont une racine grecque commune : le verbe *graphein*, qui signifie « graver » et « écrire ». Cette étymologie rappelle le geste de celui qui écrit : il grave, creuse un sillon, laisse une trace durable de son passage. Souvent, il ne dispose que d'un nombre limité de signes. Ainsi, Tàpies combine trois symboles pour dire l'essentiel : les lettres, la croix, les chiffres.

Les écritures alphabétiques combinent un nombre de phonèmes limité : 25 lettres de l'alphabet. Pour relever ce défi et tenter de tout dire, même l'ineffable, les poètes travaillent et pétrissent le langage comme un matériau, comme une pâte. C'est d'ailleurs le sens premier du mot « poète », dérivé du verbe grec *poein* : « fabriquer », « forger », « faire ».

La substance du monde

LECTURE DE L'IMAGE

Pauvreté des matériaux, richesse du monde

1. En quoi ce tableau évoque-t-il un amas de matière ? Analysez les couleurs et l'épaisseur de la peinture.
2. Repérez les lignes de force (courbes, obliques) et précisez quelle impression de mouvement elles insufflent.

Fiche 42 **Lecture de l'image fixe**

3. Comprend-on immédiatement ce que représente le tableau ? Lisez le titre et argumentez.

Tracer des signes sur le mur

4. Repérez la grande croix. Pourquoi ce signe fait-il penser à la signature du peintre ? Quels autres sens ce symbole peut-il prendre ?
5. Que peuvent signifier les balafres griffant la surface et les coulures déposées sur la toile ? Proposez plusieurs hypothèses.
6. Comment Tàpies donne-t-il à sa toile l'apparence d'un fragment de mur ? Après avoir lu l'encadré, essayez d'expliquer sa démarche.

ÉCRITURE

Vers l'écriture d'invention

La toile est composée avec les initiales de l'artiste. Pour quelles raisons un artiste ou un poète souhaite-t-il laisser la trace de son nom, mêlé à la matière même de son œuvre ?

Fiche 47 **Comprendre un sujet d'écriture d'invention**

1

Victor Hugo, *Les Contemplations*, 1855

Biographie
p. 627

Du même auteur
p. 76, 103, 109, 162, 197, 265, 277

Histoire littéraire
p. 253

Repères historiques
p. 620

Exilé à Jersey après le coup d'État de 1851, accablé par la noyade de sa fille Léopoldine, Hugo est hanté par la mort. Les Contemplations *s'achèvent par un poème de 786 vers où l'homme, infime créature, est perdu entre deux infinis : le gouffre et le ciel. Autour de lui, tout vit. Même dans les pierres, pleurent des âmes prisonnières. C'est ce que l'on appelle une vision panthéiste du monde.*

Ce que dit la Bouche d'Ombre

1 L'homme en songeant descend au gouffre universel.
J'errais près du dolmen qui domine Rozel[1],
À l'endroit où le cap se prolonge en presqu'île.
Le spectre m'attendait ; l'être sombre et tranquille
5 Me prit par les cheveux dans sa main qui grandit,
M'emporta sur le haut du rocher, et me dit :

[...] Tout parle ; l'air qui passe et l'alcyon[2] qui vogue,
Le brin d'herbe, la fleur, le germe, l'élément.
T'imaginais-tu donc l'univers autrement ?
10 Crois-tu que Dieu, par qui la forme sort du nombre[3],
Aurait fait à jamais sonner la forêt sombre,
L'orage, le torrent roulant de noirs limons,
Le rocher dans les flots, la bête dans les monts,
La mouche, le buisson, la ronce où croît la mûre,
15 Et qu'il n'aurait rien mis dans l'éternel murmure ?
Crois-tu que l'eau du fleuve et les arbres des bois,
S'ils n'avaient rien à dire, élèveraient la voix ?
Prends-tu le vent des mers pour un joueur de flûte ?
Crois-tu que l'océan, qui se gonfle et qui lutte,
20 Serait content d'ouvrir sa gueule jour et nuit
Pour souffler dans le vide une vapeur de bruit,
Et qu'il voudrait rugir, sous l'ouragan qui vole,
Si son rugissement n'était une parole ?
Crois-tu que le tombeau, d'herbe et de nuit vêtu,
25 Ne soit rien qu'un silence ? et te figures-tu
Que la création profonde, qui compose
Sa rumeur des frissons du lys et de la rose,
De la foudre, des flots, des souffles du ciel bleu,
Ne sait ce qu'elle dit quand elle parle à Dieu ?
30 Crois-tu qu'elle ne soit qu'une langue épaissie ?
Crois-tu que la nature énorme balbutie,
Et que Dieu se serait, dans son immensité,
Donné pour tout plaisir, pendant l'éternité,
D'entendre bégayer une sourde-muette ?
35 Non, l'abîme est un prêtre et l'ombre est un poète ;
Non, tout est une voix et tout est un parfum ;
Tout dit dans l'infini quelque chose à quelqu'un ;

1. Commune anglo-normande. Le rocher devient le paysage symbolique de l'exil et de la solitude.
2. Oiseau maritime. On fait la diérèse et prononce : al-cy-ion.
3. Qui crée des formes et des êtres à partir des grandes lois physiques de l'univers.

Une pensée emplit le tumulte superbe.
Dieu n'a pas fait un bruit sans y mêler le Verbe.
40 Tout, comme toi, gémit, ou chante comme moi ;
Tout parle. Et maintenant, homme, sais-tu pourquoi
Tout parle ? Écoute bien. C'est que vents, ondes, flammes
Arbres, roseaux, rochers, tout vit !

Tout est plein d'âmes.

Victor HUGO, « Ce que dit la Bouche d'Ombre », *Les Contemplations, Livre* 6, *Au bord de l'infini*, XXVI, vers 1 à 46, 1855.

Victor HUGO (1802-1885), *Dolmen où m'a parlé la Bouche d'Ombre,* vers 1852-1855, plume, lavis, encre brune, craie, grattages, sur papier vélin, 24 x 29 cm (Musée Victor Hugo, Paris).

Le poète visionnaire

LECTURE DU TEXTE

La bouche d'ombre

1. Établissez le plan de l'extrait en précisant qui sont les locuteurs successifs. Qui est « la bouche d'ombre » ? Quelles expressions la désignent ?

Fiche 59 **L'énonciation**

2. Nommez le procédé consistant à faire parler un mort ou une idée. Quel effet produit-il ?

Fiche 41 **Les figures de style**

3. Le poète est-il maître de sa parole ou est-ce « la bouche d'ombre » qui s'empare de lui ? Expliquez.

Le chant du monde

4. À quoi comprenez-vous que le poète est capable d'écouter l'ensemble de la création ?
5. Relevez les verbes de parole et montrez que toutes les créatures et éléments de la nature ne forment plus qu'un concert de voix. Que peuvent-elles exprimer ?
6. Expliquez la force du dernier hémistiche. Comment typographie et prosodie le mettent-elles en valeur ?

Fiche 24 **La versification du XVIe siècle à nos jours**

VERS LE BAC

Invention

Regardez le dessin de Hugo. Puis, imaginez la première page du journal intime qu'écrirait le poète découvrant l'île où il est exilé. Vous utiliserez le registre lyrique.

Fiche 48 **Rédiger un écrit d'invention**

Commentaire

Vous ferez de ce poème un commentaire montrant que la nature est une manifestation de la grandeur divine. Vous suivrez le parcours de lecture suivant :
a) Un dialogue instructif avec la mort ;
b) « Tout est plein d'âmes ».

Fiche 51 **Rédiger un commentaire**

2

Jules Supervielle, Gravitations, 1925

Dans la section « Matins du monde », le poète évoque chaque aube nouvelle comme une renaissance, la sienne et celle de la nature. En contemplant la beauté du monde d'un œil neuf, il lutte contre le déchirement de son cœur « dispersé aux quatre coins du monde » (« Ruptures ») à la mort de ses parents. Dans le poème suivant, il peut chanter : « je naissais ».

Biographie p. 631
Histoire littéraire p. 253
Repères historiques p. 622

Marc CHAGALL (1887-1985), *Scène champêtre*, 1944, 46 x 48,5 cm.

Le matin du monde

À Victor Llona.

1 Alentour naissaient mille bruits
Mais si pleins encor de silence
Que l'oreille croyait ouïr
Le chant de sa propre innocence.

5 Tout vivait en se regardant,
Miroir était le voisinage
Où chaque chose allait rêvant
À l'éclosion de son âge.

Les palmiers trouvant une forme
10 Où balancer leur plaisir pur
Appelaient de loin les oiseaux
Pour leur montrer des dentelures.

Un cheval blanc découvrait l'homme
Qui s'avançait à petit bruit,
15 Avec la Terre autour de lui
Tournant pour son cœur astrologue[1].

Le cheval bougeait les naseaux
Puis hennissait comme en plein ciel
Et tout entouré d'irréel
20 S'abandonnait à son galop.

Dans la rue, des enfants, des femmes,
À de beaux nuages pareils,
S'assemblaient pour chercher leur âme
Et passaient de l'ombre au soleil.

25 Mille coqs traçaient de leurs chants
Les frontières de la campagne
Mais les vagues de l'océan
Hésitaient entre vingt rivages.

L'heure était si riche en rameurs,
30 En nageuses phosphorescentes
Que les étoiles oublièrent
Leurs reflets dans les eaux parlantes.

Jules SUPERVIELLE, « Le matin du monde », *Gravitations*, « Matins du monde », © Éditions Gallimard, 1925.

1. Ici : qui comprend et révèle la vie secrète des astres, la course des planètes.

Célébrer la naissance du monde

LECTURE DU TEXTE

Le monde s'éveille

1. Établissez le plan du poème. Donnez à chaque partie un titre évoquant le *crescendo* des bruits du monde.

2. Montrez que les créatures du poème vivent en liberté, en harmonie. Vous commenterez le rythme de l'octosyllabe, les allitérations et les images évocatrices.

Fiche 24 **La versification du XVIe siècle à nos jours**

3. @ RECHERCHE Relevez les images du poème évoquant la naissance. Puis, procurez-vous le texte biblique de la *Genèse* et montrez que ce poème en est une réécriture.

Fiche 35 **L'intertextualité**

Le langage des origines

4. Dans les strophes 3, 7 et 8, quels verbes montrent que les éléments du monde sont doués de langage ? Montrez que le chant des coqs finit de réveiller le monde et lui donne des contours nets.

5. Lisez le chapeau et la biographie. Puis, commentez la strophe 6 : que signifie le passage de l'ombre à la lumière pour les femmes, les enfants et le poète ?

Fiche 41 **Les figures de style**

6. SYNTHÈSE Montrez que la fonction du poète « astrologue » est d'entendre et faire entendre la poésie du monde.

HISTOIRE DES ARTS

Quels personnages du poème retrouvez-vous dans le tableau de Chagall, peintre qu'affectionnait Supervielle ? Pourquoi donner au cheval un visage humain ?

VERS LE BAC

Commentaire

Vous ferez du poème un commentaire montrant :
a) qu'il est une ode à la beauté génésiaque du monde ;
b) puis, qu'il donne progressivement vie et parole aux créatures animales, végétales, astrales.

Fiche 51 **Rédiger un commentaire**

Oral (entretien)

Supervielle confie que le spectacle de la nature a été sa « première leçon de poésie ». Dans quelle mesure ce texte et ceux de la séquence en sont-ils l'illustration ?

Fiche 56 **Réussir l'épreuve orale du baccalauréat**

Nicolas DE STAËL, (1914-1955)
Nu couché bleu, 1955, huile sur toile, 114 x 162 cm (collection privée).

3

Eugène Guillevic, *Gagner*, 1949

Le poète s'exprime dans un langage concis, réduit à l'essentiel, frémissant de chaleur humaine. Il fait entendre une voix impersonnelle, qui s'efface devant la beauté de la création et se laisse envahir par son intensité vivante.

Biographie p. 626
Histoire littéraire p. 253
Repères historiques p. 622

Art poétique

1 Je ne parle pas pour moi,
Je ne parle pas en mon nom,
Ce n'est pas de moi qu'il s'agit.

Je ne suis rien
5 Qu'un peu de vie, beaucoup d'orgueil.

Je parle pour tout ce qui est,
Au nom de ce qui a forme et pas de forme.
Il s'agit de tout ce qui pèse,
De tout ce qui n'a pas de poids.

10 Je sais que tout a volonté, autour de moi,
D'aller plus loin, de vivre plus,
De mieux mourir aussi longtemps
Qu'il faut mourir.

Ne croyez pas entendre en vous
15 Les mots, la voix de Guillevic.

C'est la voix du présent allant vers l'avenir
Qui vient de lui sous votre peau.

Eugène GUILLEVIC, « Art poétique », *Gagner*, © Éditions Gallimard, 1949.

4 Eugène Guillevic, Terre à bonheur, 1952

1 Douceur,
Je dis : douceur.

Je dis : douceur des mots
Quand tu rentres le soir du travail harassant
5 Et que des mots t'accueillent
Qui te donnent du temps.

Car on tue dans le monde
Et tout massacre nous vieillit.

Je dis : douceur,
10 Pensant aussi
À des feuilles en voie de sortir du bourgeon,
À des cieux, à de l'eau dans les journées d'été,
À des poignées de main.

Je dis : douceur, pensant aux heures d'amitié,
15 À des moments qui disent
Le temps de la douceur venant pour tout de bon,

Cet air tout neuf,
Qui pour durer s'installera.

Eugène GUILLEVIC, « Douceur », *Terre à bonheur*, © Seghers, Paris, 1952.

Prêter sa voix à la beauté et à la douceur

LECTURE DES TEXTES

1. Quand le poète s'exprime, qui parle ? À qui ? Justifiez votre propos.
2. Dans le texte 3, montrez que le poète prête sa voix à l'ensemble des créatures et des choses. Quelle fonction est ainsi donnée au poète ? Justifiez.

Fiche 59 **L'énonciation**

3. Dans les deux poèmes, quels verbes sont repris en anaphore ? Pourquoi s'agit-il de verbes importants ?

Fiche 41 **Les figures de style**

4. Dans le texte 4, comment l'alexandrin du vers 4 exprime-t-il la dureté du monde extérieur ? Quels autres vers déplorent la violence du réel ? Par quels procédés poétiques ?

Fiche 24 **La versification du XVIe siècle à nos jours**

5. Dans le texte 4, quand le poète prononce le mot « douceur », quels types d'images se lèvent aux vers 4-6, 9-12, 13-15 ?
6. Caractérisez le vocabulaire utilisé par l'auteur dans les deux poèmes : quel effet est ainsi produit ?
7. (SYNTHÈSE) Quel pouvoir le poète accorde-t-il aux mots ?

HISTOIRE DES ARTS

À la manière de Guillevic, écrivez un poème pour alléger l'un des maux du monde commençant par « je dis : ... ». Vous vous inspirerez du tableau de N. de Staël.

VERS LE BAC

Dissertation

Dans *Terraqué*, le poète croit que la caresse des mots peut adoucir le monde. Avec eux :
« *Nous construirons. /Nous liquiderons la peur /De la nuit /Nous ferons du jour plus tendre.* »
Partagez-vous sa confiance dans le pouvoir des mots tendres ? Répondez dans un développement argumenté et étayé par des exemples.

5 Jacques Prévert, Grand Bal du Printemps, 1951

Biographie
p. 629

Du même auteur
p. 231, 337

Histoire littéraire
p. 253

Repères historiques
p. 622

En plein hiver, un homme arpente les rues de Paris. Il s'arrête un moment pour regarder un réverbère ou un arbre, pour déchiffrer une affiche annonçant gaiement « le grand bal du printemps ». Cet homme, c'est Izis le photographe.

Grand Bal du Printemps

Pour Izis

1 Sur une palissade
dans un pauvre quartier
des affiches mal collées
Grand Bal du Printemps
5 illuminent
l'ombre d'un arbre décharné
et celle d'un réverbère pas encore allumé

Devant ces petites annonces de la vie
un passant s'est arrêté
10 émerveillé

C'est un colporteur d'images
et même sans le savoir
un musicien ambulant
qui joue à sa manière
15 surtout en hiver
le Sacre du Printemps[1]
Et c'est toujours le même air
intense et bouleversant
pour tempérer l'espace
20 pour espacer le temps
Toujours le portrait des choses et des êtres
qui l'ont touché

Ces choses et ces êtres
ont été touchés eux aussi
25 Et malgré sa misère
ce petit monde
avec toute sa lumière
s'est fait une beauté pour lui.

Jacques Prévert

Jacques PRÉVERT,
« Grand Bal du Printemps »,
Grand Bal du Printemps,

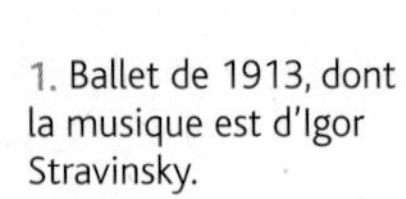

1. Ballet de 1913, dont la musique est d'Igor Stravinsky.

IZIS, *Grand bal du printemps*, vers 1945-1950.

Faire apparaître le printemps

LECTURE DU TEXTE

Des signes sur les murs de la ville

1. Dans la strophe 1 et sur la photographie, quelle est la caractéristique essentielle des éléments du décor ?
2. Quel pouvoir de métamorphose l'affiche publicitaire détient-elle sur ces éléments urbains ? Commentez la métrique du vers 5.
3. (ORAL) Proposez une lecture éloquente de la strophe 2. Comment et pourquoi mettre en valeur son dernier mot ?

La puissance de l'art et de la poésie

4. Au vers 11, relevez et commentez la périphrase désignant Izis.
5. Relevez le champ lexical de la musique. Montrez qu'il exprime la métamorphose du quartier populaire, touché par le regard artiste du photographe humaniste.
6. Commentez la figure de style des vers 19 et 20.

Fiche 27 **Le langage poétique**

Séquence 17 **La photographie humaniste**

ÉDUCATION AUX MÉDIAS

Relisez le titre de l'affiche et imaginez son visuel en quelques phrases. Pour quelles raisons, selon vous, cette annonce fait-elle rêver ?

VERS LE BAC

Oral (analyse)

Votre lecture du texte et de l'image montrera que le poète sait voir, enchanter et transfigurer le quotidien.

Fiche 56 **Réussir l'épreuve orale du baccalauréat**

Dissertation

Pensez-vous que le poète, en travaillant les mots, puisse renouveler notre vision du monde ? Vous songerez à prendre appui sur des vers que vous citerez.

Fiche 55 **Rédiger une dissertation**

6 Charles Baudelaire, *Les Fleurs du mal*, 1857

Ce poème provient de Spleen et Idéal, *première section des* Fleurs du mal *(1857). Ses trois strophes séparées par un refrain évoquent avec musicalité les correspondances, les liens unissant la femme aimée et le pays idéal dont rêve le poète.*

Biographie
p. 624

Du même auteur
p. 218, 219, 297, 351, 405, 429

Histoire littéraire
p. 253

Repères historiques
p. 620

L'invitation au voyage

Mon enfant, ma sœur,
Songe à la douceur
D'aller là-bas vivre ensemble ;
– Aimer à loisir,
Aimer et mourir
Au pays qui te ressemble ![1]
Les soleils mouillés
De ces ciels brouillés
Pour mon esprit ont les charmes
Si mystérieux
De tes traîtres yeux,
Brillant à travers leurs larmes.

Là, tout n'est qu'ordre et beauté,
Luxe, calme et volupté.

Des meubles luisants,
Polis par les ans,
Décoreraient notre chambre ;
Les plus rares fleurs
Mêlant leurs odeurs
Aux vagues senteurs de l'ambre[2],
Les riches plafonds,
Les miroirs profonds,
La splendeur orientale,
Tout y parlerait
À l'âme en secret
Sa douce langue natale.

Là, tout n'est qu'ordre et beauté,
Luxe, calme et volupté.

Vois sur ces canaux
Dormir ces vaisseaux[3]
Dont l'humeur est vagabonde ;
C'est pour assouvir
Ton moindre désir
Qu'ils viennent du bout du monde.
– Les soleils couchants
Revêtent les champs,
Les canaux, la ville entière,
D'hyacinthe[4] et d'or ;
– Le monde s'endort
Dans une chaude lumière.

Là, tout n'est qu'ordre et beauté,
Luxe, calme et volupté.

Charles BAUDELAIRE,
« L'invitation au voyage »
Les Fleurs du mal, « Spleen et idéal », 1857.

1. Voir encadré « Synesthésies correspondances », p. 245.
2. Parfum d'origine animale, lourd et sensuel.
3. Bateaux.
4. Pierre semi précieuse d'un jaune tirant sur le rouge.

Théodore CHASSÉRIAU (1819-1856),
Jeune fille mauresque assise dans un riche intérieur,
1853, huile sur toile, 41 x 32,3 cm.

7 Charles Baudelaire, Petits poèmes en prose, 1869

SYNESTHÉSIES CORRESPONDANCES

- Ce terme désigne les corrélations que le poète établit entre les éléments du monde.
- **Correspondances horizontales** (ou **synesthésies**) : analogies entre sensations. Ex. : la couleur du ciel fait penser à l'éclat des yeux.
- **Correspondances verticales.** Un objet terrestre peut évoquer une idée spirituelle. Ex. : le paysage fait penser à un monde situé « là-bas », au-delà du monde sensible.

Dans les Petits poèmes en prose, *Baudelaire évoque à nouveau « cette maladie fiévreuse », « cette nostalgie du pays qu'on ignore ».*

L'invitation au voyage

1 Il est un pays superbe, un pays de Cocagne, dit-on, que je rêve de visiter avec une vieille amie. Pays singulier, noyé dans les brumes de notre Nord, et qu'on pourrait appeler l'Orient de notre Occident, la Chine de l'Europe, tant la chaude et capricieuse fantaisie s'y est donné carrière, tant elle l'a 5 patiemment et opiniâtrement illustré de ses savantes et délicates végétations.

Un vrai pays de Cocagne, où tout est beau, riche, tranquille, honnête ; où le luxe a plaisir à se mirer dans l'ordre ; où la vie est grasse et douce à respirer ; d'où le désordre, la turbulence et l'imprévu sont exclus ; où le bonheur est marié au silence ; où la cuisine elle-même est poétique, grasse et excitante 10 à la fois, où tout vous ressemble, mon cher ange.

Tu connais cette maladie fiévreuse qui s'empare de nous dans les froides misères, cette nostalgie du pays qu'on ignore, cette angoisse de la curiosité ? Il est une contrée qui te ressemble, où tout est beau, riche, tranquille et honnête, où la fantaisie a bâti et décoré une Chine occidentale, où la vie est 15 douce à respirer, où le bonheur est marié au silence. C'est là qu'il faut aller vivre, c'est là qu'il faut aller mourir !

Charles BAUDELAIRE, « L'invitation au voyage » (extrait), *Petits Poèmes en prose*, *Œuvres complètes*, 4e volume, 1869.

Invitation au voyage

LECTURE DES TEXTES

« Anywhere out of the world » (Baudelaire)

1. À quel type de voyage la femme est-elle conviée ? Justifiez par le relevé d'un champ lexical significatif.

2. En vous appuyant sur le vers 26 et le poème en prose, caractérisez le pays situé « là-bas ».

Fiche 26 **Poèmes en prose et prose poétique**

3. Comment la strophe 2 suggère-t-elle la douceur du lieu clos ? Analysez le lexique de la lumière et les allitérations.

4. Quels procédés sonores mettent en valeur les deux couleurs du vers 38 ? Quels autres sens sont convoqués pour célébrer le coucher de soleil ?

Femme paysage

5. Relevez, dans les deux textes, les expressions caractérisant la femme. Puis, brossez le portrait de la femme idéale, sensuelle et désincarnée.

6. Montrez que la lumière brouillée du paysage est en correspondance avec les yeux de la femme (v. 7, 8 et 12).

Fiche 27 **Le langage poétique**

7. Où s'achève le voyage des bateaux (v. 29 à 34) ? Montrez que la femme est le point de départ et d'arrivée des voyages et du poème.

HISTOIRE DES ARTS

Comment le tableau de Chassériau rend-il la séduction de l'exotisme et de l'invitation au voyage ?

VERS LE BAC

Oral (analyse)

Pourquoi le texte 6 est-il aussi une clef pour découvrir la théorie des correspondances ?

Fiche 56 **Réussir l'épreuve orale du baccalauréat**

Commentaire

Vous ferez un commentaire comparé des deux textes, suivant ce parcours :

a) une invitation au voyage immobile

b) un pays harmonieux…

c) à l'image de la femme idéale.

Fiche 52 **Rédiger un commentaire comparé**

Ivan Konstantinovitch AIVAZOVSKI (1817-1900), *La vague (Dernière minute sur l'océan)*, 1889, huile sur toile, 304 x 505 cm (Musée National Russe, Saint Petersbourg).

8 Arthur Rimbaud, *Poésies*, 1871

Biographie p. 630

Histoire littéraire p. 253

Repères historiques p. 620

Le Bateau ivre

1 Comme je descendais des Fleuves impassibles,
Je ne me sentis plus guidé par les haleurs[1] :
Des Peaux-rouges criards les avaient pris pour cibles
Les ayant cloués nus aux poteaux de couleurs.

5 J'étais insoucieux de tous les équipages,
Porteur de blés flamands ou de cotons anglais.
Quand avec mes haleurs ont fini ces tapages
Les Fleuves m'ont laissé descendre où je voulais.

Dans les clapotements furieux des marées,
10 Moi, l'autre hiver, plus sourd que les cerveaux d'enfants,
Je courus ! Et les Péninsules démarrées
N'ont pas subi tohu-bohus plus triomphants.

La tempête a béni mes éveils maritimes.
Plus léger qu'un bouchon j'ai dansé sur les flots
15 Qu'on appelle rouleurs éternels de victimes,
Dix nuits, sans regretter l'œil niais des falots[2]!

1. Personne ou animal qui remorque un bateau, le long des quais.

2. Lanternes.

Plus douce qu'aux enfants la chair des pommes sures[3],
L'eau verte pénétra ma coque de sapin
Et des taches de vins bleus et des vomissures
20 Me lava, dispersant gouvernail et grappin.

Et dès lors, je me suis baigné dans le Poème
De la Mer, infusé d'astres[4], et lactescent[5],
Dévorant les azurs verts[6]; où, flottaison blême
Et ravie, un noyé pensif parfois descend ;

25 Où, teignant tout à coup les bleuités[7], délires
Et rhythmes[8] lents sous les rutilements du jour,
Plus fortes que l'alcool, plus vastes que nos lyres,
Fermentent les rousseurs amères de l'amour !

Je sais les cieux crevant en éclairs, et les trombes,
30 Et les ressacs et les courants : je sais le soir,
L'Aube exaltée ainsi qu'un peuple de colombes,
Et j'ai vu quelquefois ce que l'homme a cru voir.

J'ai vu le soleil bas, taché d'horreurs mystiques,
Illuminant de longs figements violets,
35 Pareils à des acteurs de drames très antiques,
Les flots roulant au loin leurs frissons de volets !

Arthur RIMBAUD, « Le Bateau ivre » (extrait), *Poésies*, 1871.

3. Acides.
4. Les étoiles se reflétant dans la mer ressemblent à des végétaux plongés dans l'eau.
5. D'apparence laiteuse.
6. Antoine Adam comprend ce vers de la façon suivante : « L'océan *dévore* l'azur en ce sens qu'il absorbe sa couleur. Il va de soi que l'antécédent de *où* n'est pas *les azurs verts* mais le *Poème de la Mer.* »
7. Nom inventé par Rimbaud à partir de l'adjectif « bleu ».
8. L'orthographe est de Rimbaud.

L'ivresse de l'inconnu

LECTURE DU TEXTE

Langage, tangage

1. Montrez comment bateau et poète rompent les amarres. Avec quel vieux monde sont-ils en rupture ?

2. Comment les enjambements et césure (v. 11-12) bouleversent-ils le rythme du vers ? Quelles autres ressources le poète convoque-t-il pour faire rugir la tempête et tanguer le bateau ?

3. Par quels moyens (vocabulaire, métrique, rythmes) les strophes 6 et suivantes évoquent-elles les dérives étourdissantes de l'épave ? Vous argumenterez par des relevés précis.

Fiche 24 **La versification du XVIe siècle à nos jours**
Fiche 27 **Le langage poétique**

Le poème de la mer

4. Pourquoi naufrage et noyade sont-ils une délivrance? Analysez le jeu des couleurs, les métaphores étranges et les synesthésies (voir encadré « Synesthésies correspondances », p. 245).

Fiche 41 **Les figures de style**

5. SYNTHÈSE « je me suis baigné dans le Poème de la Mer » (vers 21) : expliquez cette expression. En quoi le voyage est-il la métaphore d'une écriture rejetant les contraintes ?

VERS LE BAC

Invention

René Char s'exclame : « Tu as bien fait de partir Arthur Rimbaud ! ». Cette phrase ouvrira une nouvelle en une page narrant les aventures d'un « poète-arpenteur » délaissant l'écriture pour le voyage. Elle justifiera sa soif de rupture.

Fiche 48 **Rédiger un écrit d'invention**

Dissertation

Rimbaud écrit à P. Demeny : « Le poète se fait voyant par un long, immense et raisonné dérèglement de tous les sens ». Ainsi, « il arrive à l'inconnu ». Pensez-vous que découvrir l'inconnu soit une fonction essentielle de la poésie ?

Fiche 55 **Rédiger une dissertation**

9 Victor Segalen, Stèles, 1912

Biographie
p. 630

Histoire littéraire
p. 253

Repères historiques
p. 622

Victor Segalen dit de son recueil Stèles (1912) qu'il lui fut inspiré par les bornes de pierre que l'on trouverait le long des routes chinoises. Elles porteraient des inscriptions guidant le voyageur. Le poète imagine ici le texte, gravé sur une des stèles.

行路須知[1]

Conseils au bon voyageur

Ville au bout de la route et route prolongeant la ville : ne choisis donc pas l'une ou l'autre, mais l'une et l'autre bien alternées.

Montagne encerclant ton regard le rabat et le contient que la plaine ronde libère.[2] Aime à sauter roches et marches ; mais caresse les dalles où le pied pose bien à plat.

Repose-toi du son dans le silence, et, du silence, daigne revenir au son. Seul si tu peux, si tu sais être seul, déverse-toi parfois jusqu'à la foule.

Garde bien d'élire un asile. Ne crois pas à la vertu d'une vertu durable : romps-la de quelque forte épice qui brûle et morde et donne un goût même à la fadeur.

Ainsi, sans arrêt ni faux pas, sans licol[3] et sans étable, sans mérites ni peines, tu parviendras, non point, ami, au marais des joies immortelles,

Mais aux remous pleins d'ivresses du grand fleuve Diversité.

Victor SEGALEN, « Conseils au bon voyageur », *Stèles*, « Stèles du bord du chemin », 1912.

1. « Ce qu'il faut nécessairement savoir pour suivre sa route » (traduction de Victor Segalen).
2. On peut transcrire la phrase ainsi : la montagne, encerclant ton regard, le rabat et le contient tandis que la plaine ronde le libère.
3. Lien que l'on met autour du cou des bêtes de somme.

Victor SEGALEN (1878-1919), ***Vue d'ensemble du tombeau de Xiao Xiu dans la région de Nankin (Jiangsu), à Yao Hua Men au Jiangsu,*** **XXe siècle (Musée Guimet, Paris).**

10 Octavio Paz, *Liberté sur parole*, 1958

Le voyage est l'occasion d'écouter et de déchiffrer le monde.

Biographie p. 629
Histoire littéraire p. 253
Repères historiques p. 622

[…] il faut désenterrer la parole perdue, rêver vers l'intérieur, vers l'extérieur,
déchiffrer le tatouage de la nuit et regarder midi dans les yeux, lui arracher son masque,
se baigner dans le soleil et manger les fruits de la nuit, épeler l'écriture de l'étoile et du fleuve,
écouter ce que disent le sang et la marée, la terre et le corps, revenir au point de départ,
ni à l'intérieur ni à l'extérieur, ni en haut ni en bas, à la croisée de chemins, où commencent les chemins ;
la lumière chante avec une rumeur d'eau, l'eau chante avec une rumeur de feuillage,
l'aube est chargée de fruits, le jour et la nuit réconciliés glissent comme un seul fleuve paisible […]

Octavio PAZ, « La Jarre cassée », *Liberté sur parole*, 1958, traduction de J.-C. Lambert, © Éditions Gallimard, 1966.

Explorer le champ du possible

LECTURE DES TEXTES

Feuille de route

1. Établissez le plan du texte 9, en repérant les étapes du voyage. Pourquoi le dernier mot est-il le point d'aboutissement du voyage et la clef du poème ?
2. Dans le texte de Segalen, étudiez la situation d'énonciation, les sonorités et les rythmes de la strophe 1 : comment le destinataire est-il appelé et guidé par les signes gravés sur la stèle ?
3. Quels conseils ou quels ordres les deux poèmes donnent-ils au bon voyageur ? Montrez qu'il s'agit d'aller au contact du monde.

Fiche 59 **L'énonciation**
Fiche 27 **Le langage poétique**

Un espace ouvert sur le mystère

4. Le voyage évoqué dans les deux poèmes mentionne-t-il des lieux précis ? Pourquoi ? Analysez le lexique de l'espace et de l'ouverture.
5. Dans le texte 10, montrez que la nature tout entière est un texte à déchiffrer. Quelle mission revient au poète voyageur ?
6. Pourquoi la poésie d'O. Paz est-elle obscure ? Illustrez votre propos par une image dont l'étrangeté vous plaît.

ÉCRITURE

Argumentation

Relevez les phrases du texte 9 invitant à la privation. Pensez-vous, comme Segalen, que le dépouillement est source de richesse intérieure ? Argumentez par des exemples d'objets appartenant à la société de consommation.

VERS LE BAC

Commentaire

Vous ferez du texte 9 un commentaire analysant les « conseils au bon voyageur » comme une invitation à savourer la vie. Vous montrerez :
a) que le poème guide le voyageur…
b) vers une sagesse fondée sur l'ouverture et la frugalité.

Fiche 51 **Rédiger un commentaire**

11 Francis Ponge, *Pièces*, 1961

Francis Ponge, refusant tout lyrisme, part en quête de la matérialité des choses, de leur « profondeur substantielle ». Chaque objet observé est source de rêverie et de jeu avec le langage. Il devient alors un « objeu », mot-valise fabriqué avec les mots « objet » et « jeu », invitant au voyage en territoire poétique.

Biographie p. 629

Histoire littéraire p. 253

Repères historiques p. 622

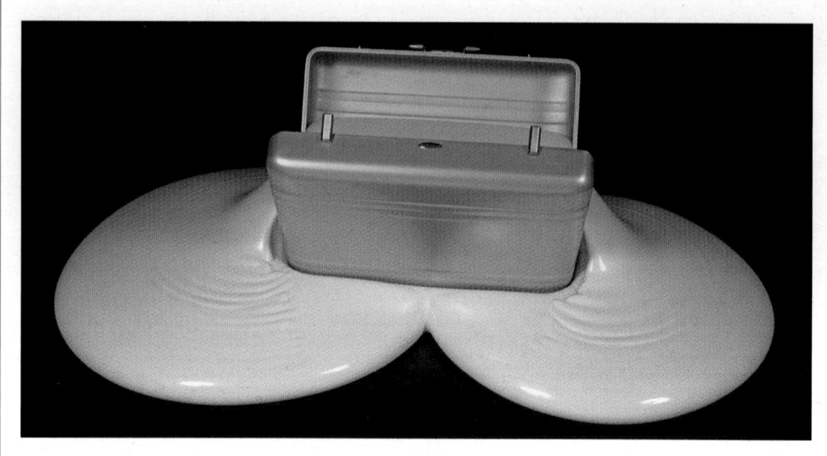

CÉSAR (1921-1998), *Valise-expansion*, 1970 (Musée d'art contemporain de Dunkerque).

La valise

Ma valise m'accompagne au massif de la Vanoise, et déjà ses nickels brillent et son cuir épais embaume. Je l'empaume, je lui flatte le dos, l'encolure et le plat. Car ce coffre comme un livre plein d'un trésor de plis blancs : ma vêture singulière, ma lecture familière et mon plus simple attirail, oui, ce coffre comme un livre est aussi comme un cheval, fidèle contre mes jambes, que je selle, je harnache, pose sur un petit banc, selle et bride, bride et sangle ou dessangle dans la chambre de l'hôtel proverbial.

Oui, au voyageur moderne sa valise en somme reste comme un reste de cheval.

Francis PONGE, « La valise », 1947, *Pièces*,

En selle

LECTURE DU TEXTE

1. « Embaume »/« empaume » : commentez la paronomase. Comment traduit-elle le passage d'une description réaliste à une rêverie poétique ?
2. Étudiez la **métaphore filée** employée par F. Ponge pour évoquer sa valise (l. 2).

Fiche 27 **Le langage poétique**

3. Montrez que l'image du cheval est liée à un mouvement qu'il faut maîtriser. Quelle définition du travail poétique en résulte ?

HISTOIRE DES ARTS

Expliquez l'expression : « ce coffre comme un livre plein d'un trésor de plis blancs ». Inspirez-vous de la *Valise-expansion* de César.

Fiche 44 **Lecture de corpus : textes et images**

VERS LE BAC

Invention

À la manière de F. Ponge, composez un poème en prose prenant le parti pris d'une chose banale et familière. Vous utiliserez une personnification et une métaphore filée pour en révéler la secrète poésie.

Fiches 47 et 48 Vers l'écriture d'invention

Oral (entretien)

Comment l'écriture poétique de Ponge transfigure-t-elle les objets du quotidien en déclencheurs de voyage imaginaire ?

Fiche 56 Réussir l'épreuve orale du baccalauréat

12 Gilles Ortlieb, *Poste restante*, 1997

Biographie p. 629
Histoire littéraire p. 253
Repères historiques p. 622

3 h 56

1 Dans le bruyant convoi de Porto à Salamanca,
Traverser[1] à la sauvette un chapelet de gares
En veilleuse, et trop promptes à nommer
La campagne accroupie dans l'obscurité ;
5 Puis le paysage ralentit avant la frontière,
S'immobilise en grinçant pour laisser monter
L'éternel passager, à l'arcade sourcilière
Béante sous le sang séché, qui se cherchera
Longtemps une place parmi les corps endormis
10 Et bien décidés à le rester. Et le wagon
Tout entier sent l'oignon entamé, le tabac
Refroidi et les conversations inachevées
Cependant que nul ne voit, dans le jour
Débutant, le relief lentement changer
15 La bruyère supplanter la vigne, et les bordées
D'eucalyptus se raréfier sur les côtés.
Et l'on devient soi-même, encore une fois,
Un autre – à quoi bon, sinon, voyager ? –
Et celui qui déjà nous attend à l'arrivée

Gilles ORTLIEB, « 3 h 56 », *Poste restante*, Éditions La Dogana, 1997.

1. Le sujet de ce verbe est le poète, qui voit défiler le paysage.

Voyager et devenir un autre

LECTURE DU TEXTE

1. Quelle atmosphère règne dans le train de nuit ? Appuyez-vous sur le champ lexical des sensations et l'évocation du voyageur blessé pour répondre.
2. Comment, des vers 1 à 6, les changements de vitesse du train sont-ils donnés à ressentir ?
3. Analysez la personnification de la campagne (v. 4). Montrez que le paysage est en correspondance (voir p. 245) avec l'état physique des voyageurs.
4. Analysez l'évolution du paysage des vers 14 à 16. Quelle mutation du moi annonce-t-elle ?
5. (SYNTHÈSE) Appuyez-vous sur ce texte et ceux de la séquence pour expliquer l'image du poète arpenteur.

VERS LE BAC

Oral (entretien)

Vous ferez une explication du poème avec pour axe directeur cette phrase de Rimbaud : « je est un autre ».

Fiche 56 Réussir l'épreuve orale du baccalauréat

Edward HOPPER (1882-1967), *Compartment C, Car 293*, 1938.

POUR ARGUMENTER **COMMENT LA POÉSIE TRANSPORTE-T-ELLE HORS DES LIEUX COMMUNS ?**

Tahar Bekri, « Le poème ouvert », 1997

Aujourd'hui adulte dans Paris, j'aime me souvenir de mes premiers poèmes lus ou écrits maladroitement dans la palmeraie. Ce sont mes premiers pas dans la création, mes écrits secrets, mes paroles arrachées au silence et à la mélancolie qui se sont imposés à moi après la mort de ma mère. Mais aujourd'hui encore, j'essaie de comprendre pourquoi je n'ai pas cherché à exprimer cela en prose, par la fiction, par la narration. Je crois, mais je ne suis pas sûr, que cela est dû, chez moi, à ce sentiment que la prose est trop explicite, trop explicative. La parole en prose supprime tout mystère dans le langage, elle est trop bavarde, elle ne fait pas l'économie des mots, veut donner un sens à tout, elle s'appauvrit à force d'exercices de style. J'aime quant à moi m'exprimer avec des métaphores, des images, des mots poétiques, qui évoquent et non expliquent, qui font allusion et non donnent des leçons, qui posent des questions et non qui répondent. Je ne sais pas toujours moi-même les réponses et je ne crois pas que cela soit primordial dans la poésie, car elle a aussi sa part de l'art et de son mystère. [...] Bien sûr, on peut expliquer la versification, la sonorité, le rythme, la forme, mais le succès d'un poème réside souvent dans le sens ouvert à la lecture et à l'interprétation. L'essentiel est de ne pas tuer l'émotion, de garder le poème comme un être vivant et non comme l'analyse anatomique d'un corps mort.

Le poète ne comprend pas toujours le sentiment qui l'obsède, le mot qui s'impose à lui comme un air dont on ne peut se défaire, il veut quitter les lieux communs du langage pour rendre au mot son pouvoir magique et sa beauté. Peut-être est-ce là la raison pour laquelle de nombreuses civilisations étaient méfiantes à l'égard des poètes, à commencer par la culture arabe dans laquelle j'étais élevé et qui a considéré les poètes comme des individus égarés parce qu'ils poursuivaient leurs démons, leurs djinns[1]. Appelons cela, si vous le voulez bien, la beauté du mystère.

Tahar BEKRI, « Le poème ouvert », article paru dans *Le Français aujourd'hui*, n°119.

1. Démons. Hugo a écrit un poème intitulé « Les djinns », qui mime leur approche, leur invasion et leur retrait.

LECTURE DU TEXTE

1. Quelle différence oppose prose et poésie ? Pour quelle raison peut-on détester les poètes, selon T. Bekri ?
2. Pour quelles raison la poésie est-elle obscure ? Illustrez votre propos avec des images poétiques prises dans les textes de la séquence.
3. Quel rôle l'écriture poétique a-t-elle joué lorsque la mère du poète a disparu ?

VERS LE BAC

Dissertation

4. Pensez-vous qu'une des fonctions du poète soit de « quitter les lieux communs du langage pour rendre au mot son pouvoir magique et sa beauté. » ? Expliquez l'expression « lieux communs ». Puis, appuyez-vous sur les poèmes de la séquence pour répondre.
5. Le poète P. Jaccottet est convaincu que la poésie naît des mots qui « ne disent pas tout, [...] et laissent à l'insaisissable sa part ». À partir de vos lectures, vous illustrerez cette affirmation avant de la nuancer.

➜ **Fiche 53 Comprendre un sujet de dissertation**

Histoire littéraire

La poésie moderne et contemporaine

Du Moyen Âge au XIXe siècle, la poésie française est composée en vers mesurés et rimés, si bien que l'on a pu tenir pour indissociables poésie et métrique. Mais la naissance du poème en prose et l'émergence du vers libre, au XIXe siècle, ont remis en cause cette définition de la poésie comme enfant de la forme fixe. Comment alors définir la poésie, jusque-là si codifiée, quand elle semble un chant sans rime ni raison ?

Une définition nouvelle et archaïque

- Paradoxalement, les poètes modernes obligent à revenir à la définition la plus ancienne de la poésie. Étymologiquement, poète est « **celui qui fait** », « qui fabrique ».

Ex. : *E. Guillevic, dans* Terraqué, *emploie à dessein des verbes comme « fabriquer », « construire », « faire ». O. Paz veut « rêver avec les mains ».*

- Le poète est un artisan, dont la matière première serait le monde qu'il appréhende et **arpente**. Les vers, dit Rainer Maria Rilke, « ce sont des expériences. Pour écrire un seul vers, il faut avoir vu beaucoup de villes, d'hommes et de choses » (Rainer Maria Rilke, *Les cahiers de Malte Laurids Bridge*, 1910).

Ex. : *Rimbaud (1854-1891), pendant son adolescence vagabonde, compose une œuvre placée sous le signe du départ. Le « Bateau ivre »* (>p. 246) *invite à rompre tous les attachements.*

Le poète arpenteur va au contact du monde, l'empoigne, quitte à en éprouver la violence et la résistance. Des poètes contemporains comme Henri Michaux (1899-1999), Michel Deguy (né en 1930) ou André Velter (né en 1945) comparent l'écriture à un « grand combat » de boxe, de catch ou de lutte à mort.

Ex. : *Gilles Ortlieb, dans « 3 h 56 », évoque un « éternel passager, à l'arcade sourcilière/ béante sous le sang séché »* (>p. 251).

Leur arme est le **langage**. Parfois cependant, le langage cesse d'être un « outil utile à tout » (Montaigne), un moyen, pour devenir une fin en soi.

Ex. : *« Le Bateau ivre » invente un langage nouveau, valant pour lui-même. Néologismes et audaces syntaxiques marquent une rupture avec la langue commune.*

Ernest PIGNON-ERNEST, *Rimbaud*, pochoir sur un mur de Paris, 14/07/2007.

- En travaillant la langue pour la faire **sortir des lieux communs**, les poètes rendent aux expressions figées leur sens premier, originel, que l'on n'entendait plus tant le mot était sclérosé par l'habitude.

Ex. : *Dans* Alcools, *Apollinaire (1880-1918) s'exclame : « Qui donc a fait pleurer les saules riverains ? ». L'expression « saule pleureur » est « lexicalisée » : c'est une métaphore tellement utilisée qu'elle ne fait plus image. Pourtant, il suffit au poète* **de jouer** *avec un mot pour que l'arbre pleure à nouveau.*

C'est, assure Cocteau, comme si « l'espace d'un éclair, nous « voyons » un chien, un fiacre, une maison « pour la première fois » (*Le Rappel à l'ordre*, 1926).

Ex. : *Dans « Le matin du monde », J. Supervielle (1884-1960) célèbre en chaque aube nouvelle une naissance du monde* (>p. 238).

- On définit alors la poésie comme une aptitude à voir et à **dévoiler** la beauté du monde, débarrassée des conventions du langage commun.

Ex. : *Prévert aime travailler avec le photographe Izis : son œil unique* ***révèle et fixe*** *la beauté printanière du quartier déshérité* (>p. 242).

Il s'agit alors, au contact du cosmos, de scruter et déchiffrer les signes qui zèbrent la surface du monde.

Ex. : *O. Paz veut «* ***déchiffrer*** *le tatouage de la nuit », «* ***épeler*** *l'écriture de l'étoile et du fleuve,* ***écouter ce que disent*** *le sang et la marée, la terre et le corps »* (>p. 249).

Brève histoire de la poésie moderne

Poème en prose

- Quand Chateaubriand (1768-1848) déroule les sortilèges de son écriture cadencée et sensible, la frontière entre prose et poésie devient poreuse. Les *Mémoires d'outre-tombe* annoncent les audaces d'Aloysius Bertrand, auteur de *Gaspard de la Nuit* (1842), premier recueil de poèmes en prose, ou celles de Maurice de Guérin (1810-1839), auteur du *Centaure*. Ces poèmes, à la forte unité thématique, captent dans leurs paragraphes tissés d'échos et de figures une vision du monde singulière. Baudelaire en célèbre la modernité et veut trouver à son tour « une prose poétique, musicale, sans rythme et sans rime, assez souple et assez heurtée pour s'adapter aux mouvements lyriques de l'âme, aux ondulations de la rêverie, aux soubresauts de la conscience. »

Ex. : *Dans* Petits poèmes en prose *(1862), Baudelaire voit dans le « miracle d'une prose poétique », « né de la fréquentation des villes énormes », un moyen de célébrer la beauté contemporaine, à la fois éternelle et transitoire (Lettre à A. Houssaye, 1862).*

- De nombreux poètes du XIXe (Lautréamont, Rimbaud, Mallarmé) et du XXe (P. Valéry, R. Char, P. Claudel, P. Reverdy, P. Jaccottet) l'ont adopté pour forger une œuvre empreinte à la fois de simplicité et de mystère.

Ex. : *Francis Ponge (1899-1988) célèbre la noblesse du quotidien dans des poèmes en prose où il « prend le parti » des choses.*

Poésie simultanée

- Les recherches graphiques d'Apollinaire, stimulées par sa collaboration avec les peintres cubistes, l'amènent à rêver d'une poésie « simultanée », offrant plusieurs sens de lecture.

Ex. : *Dans les* Poèmes à Lou, *publiés en 1955, l'acrostiche avec le prénom aimé superpose deux sens de lecture : horizontal et vertical. L'œil voit deux messages tissés ensemble : l'amour et la guerre* (>p. 220).

poignardée

Douces figures poi C hères lèvres fleuries
MIA MAREYE
YETTE LORIE
ANNIE et toi MARIE
où êtes-
vous ô
jeunes filles
MAIS
près d'un
jet d'eau qui
pleure et qui prie
cette colombe s'extasie

G. APOLLINAIRE, « La Colombe poignardée et le Jet d'eau », *Calligrammes*, 1918 © Éditions Gallimard.

Le poète joue avec les signes graphiques : blancs, espaces, traits et points forment un langage « total ». En inventant le calligramme, Apollinaire va au bout de cette démarche.

Ex. : *Segalen insère dans* Stèles au bord du chemin *(1913) un idéogramme chinois* (>p. 248)*, reproduit pour sa beauté visuelle. C'est, pour le dire avec les mots de V. Hugo, « un mot magique », tracé « sur le mur », rendant sensible le geste auguste du scripteur.*

Ex. : *La page composée par Prévert et Izis joue avec le graphisme d'une affiche déchirée* (>p. 242)*. Les mots lacérés sont des traces, valant pour leur qualité graphique.*

Aujourd'hui aussi, le pouvoir évocateur des mots sur les murs, bribes et graph', ne se dément pas.

Jacques VILLEGLÉ, « Rue des Tourelles », 1971, affiches lacérées marouflées sur toile, 112 x 140 cm (collection privée).

Vers libre et verset

La poésie invente le vers libre à la fin du XIXe siècle. C'est la forme la plus employée aujourd'hui. Le poète s'affranchit alors des contraintes de la rime et de la longueur des vers, qui est ou non régulière.

Ex. : *« Douceur » propose des vers de longueurs différentes. Guillevic ne s'impose pas un nombre de syllabes défini* (>p. 241).

Quand la ponctuation est abandonnée, le poème se reconnaît uniquement par le retour à la ligne, marquant le début d'un vers nouveau.

Ex. : *Dans « Zone », le retour périodique à la ligne impose à la diction un certain rythme* (>p .258).

Ex. : *Comme Paul Claudel, Segalen écrit en* ***versets****. C'est un vers libre irrégulier, reposant sur des phrases de longueur différente. La présentation graphique, voulue par le poète, crée un rythme ample.*

Cette disposition graphique renoue avec le sens premier du mot « vers » : le terme vient du latin *versus*, le « sillon ». Le poète trace, ligne après ligne, sillon après sillon, dans l'espace de la page blanche, le message qui lui tient à cœur.

13

PARCOURS DE LECTEUR • ŒUVRE INTÉGRALE

Guillaume Apollinaire
Alcools 1913

Objectifs

- **Découvrir les liens entre une œuvre poétique et un mouvement pictural, le cubisme**
- **Comprendre le rôle fondateur *d'Alcools* dans la naissance de la poésie moderne**

Wilhelm de Kostrowitzki choisit le nom solaire d'Apollinaire pour chanter l'amour et la guerre, les plaines de l'est et la ville. Cette esthétique du « collage », empruntée au cubisme, fait souffler un « esprit nouveau » dans *Alcools*, rassemblant des poèmes composés de 1898 à 1913. Ce recueil trouve une unité dans l'ivresse des images. Ainsi se justifie sa devise : « J'émerveille ».

Histoire littéraire p. 253

Chronologie

1880 Naissance. Son père refuse de le reconnaître.

1901 Il s'éprend d'Annie Playden. Éconduit, il écrit « La chanson du mal-aimé ».

1903 Rencontre des cubistes Picasso, Derain, Braque et du poète surréaliste Max Jacob.

1907-1912 Liaison avec le peintre Marie Laurencin.

1909 *L'Enchanteur Pourrissant* est signé Apollinaire, en référence à Apollon, dieu de la poésie et du soleil.

1911 Soupçonné à tort de recel d'objets d'art, il est incarcéré une semaine à la Santé.

1912 Création artistique, *Les Soirées de Paris*.

1913 Publication des *Peintres cubistes, Méditations esthétiques* et *Alcools*.

1914 Première guerre mondiale. Il rencontre Louise de Coligny – Lou –, à qui il dédie poèmes ardents et calligrammes.

1916 Blessé, il est trépané. Il publie *Le Poète assassiné*.

1918 Armistice. Il meurt de la grippe espagnole.

TEXTES ÉCHOS

C. DE PISAN, *« Je ne sais comment je dure »* > p. 204
P. DE RONSARD, *« Si c'est aimer madame »* > p. 208
P. DE MARBEUF, *« Et la mer et l'amour… »* > p. 209
C. BAUDELAIRE, *« À une passante »* > p. 218
« L'Invitation au voyage » > p. 244-245
G. APOLLINAIRE, *« Lou », « Reconnais-toi »* > p. 220
J. PRÉVERT/IZIS, *« Grand Bal du Printemps »* > p. 242

Entrée dans l'œuvre : l'influence des peintres cubistes

Robert DELAUNAY, *Champ de Mars. La Tour Rouge*, 1911, huile sur toile (Art Institute of Chicago).

L'éclatement des images

Reprenant l'héritage de Cézanne, les inventeurs du **cubisme**, comme Picasso ou Braque, représentent les objets sous plusieurs angles simultanément. Ils transposent ainsi les trois dimensions de la réalité dans les deux dimensions de la toile. La décomposition des objets provoque une impression d'éclatement mais aussi de richesse puisque plusieurs facettes de la réalité sont perçues et synthétisées. Apollinaire, qui a de nombreux amis artistes, analyse leur démarche dans *Les peintres cubistes*, puis s'en inspire.

1. Relevez, dans « Zone » (p. 7, éd. Gallimard), une réalité évoquée simultanément par plusieurs images emmêlées. Pourquoi cette superposition d'images, placée au seuil du recueil, nous fait-elle entrer dans un univers cubiste ?
2. Pourquoi le tableau de Delaunay illustre-t-il « Zone » ? Argumentez.
3. (@ RECHERCHE) Cherchez trois ou quatre autres tableaux cubistes pour illustrer « Zone » (p. 7, éd. Gallimard) et « Vendémiaire » (p. 136). Justifiez vos choix.

L'œuvre et son contexte : Apollinaire, d'un siècle à l'autre

Apollinaire est, selon Pierre Brunel, « entre deux mondes ». Ses connaissances en littérature médiévale, en histoire et en mythologie font en effet de lui l'héritier d'une culture ancienne. En même temps, le temps présent le séduit et l'inquiète. Ainsi, s'il célèbre les audaces des artistes modernes dans sa revue *Les Soirées de Paris*, sa poésie évoque parfois la guerre qui vient. En 1913, en Lorraine, les premiers incidents franco-allemands troublent la paix.

1. Comment la menace de la guerre se profile-t-elle dans « La maison des morts » (p. 39, éd. Gallimard) ?
2. Lisez le titre du tableau de Delaunay et retrouvez dans sa toile les deux éléments qu'il évoque. Lequel est moderne ? Comment Apollinaire le célèbre-t-il dans « Zone » (p. 7, éd. Gallimard) ?
3. « Je déteste les artistes qui ne sont pas de leur époque », écrit Apollinaire en 1913. Pourquoi, selon vous, la poésie et la peinture doivent-elles s'intéresser au monde contemporain ? Vous illustrerez votre propos par des vers d'Apollinaire.

Présentation du recueil : éclats de vie, éclats de verre

1. L'ivresse d'un titre

Le titre prévu était « Eau-de-vie ». Au dernier moment, Apollinaire choisit *Alcools*, en hommage au « Bateau ivre » de Rimbaud (p. 246 du manuel).

1. Comment, dans « Poème lu au mariage d'André Salmon » (p. 58, éd. Gallimard) et « Nuit rhénane » (p. 94), s'effectue le lien entre éclats de verre et éclats de rire ?
2. Étudiez le titre du recueil et les éléments du tableau de Picasso : quel lien établissez-vous avec l'œuvre d'Apollinaire?

Pablo PICASSO (1881-1973), *Bouteille de Pernod et verre*, 1912, huile sur toile, 45,5 x 32,5 cm (Musée de l'Ermitage, Saint-Pétersbourg).

2. La composition du recueil : une autobiographie éclatée

« Chacun de mes poèmes est la commémoration d'un événement de ma vie », écrit Apollinaire. Ainsi, les 71 poèmes, écrits entre 1901 et 1912, sont organisés en « séries », évoquant chacune un moment- clé de son existence troublée : « La Chanson du Mal-Aimé » (p. 17, éd. Gallimard), « Le brasier » (p. 89), « Rhénanes » (p. 94), « Les fiançailles » (p. 114) et « À la Santé » (p. 126).

1. Lisez « Les cloches » (p. 98, éd. Gallimard), « Mai » (p. 95) et « La Loreley » (p. 99), appartenant à la suite « Rhénanes ». Comment l'histoire d'amour entre le poète et Annie est-elle évoquée ? Analysez le jeu avec les différents points de vue.
2. « À la Santé » (p. 126, éd. Gallimard) évoque son incarcération suite à une erreur sur son nom. Comment, dans cette série de poèmes, l'auteur exprime-t-il une interrogation angoissée sur son identité ?
3. « Zone » (p. 7, éd. Gallimard) a été écrit tardivement mais placé en tête du recueil. Comment interpréter ce choix qui bouleverse l'ordre chronologique ?

HISTOIRE DES ARTS

Comment le tableau de Juan Gris exprime-t-il la même impression d'éclatement, de morcellement que le recueil ? Argumentez.

SYNTHÈSE Montrez que l'écriture, comme un tableau cubiste, recueille les éclats d'une vie pour leur donner une unité.

Juan GRIS (1887-1927), *Femme*, 1915-1917, 116 x 73 cm (collection privée, Suisse).

EXTRAIT 1 Le lyrisme de la modernité

TEXTES ÉCHOS

> **G. Apollinaire,** *« Lou », « Reconnais-toi »* **p. 220**
> **J. Prévert/Izis,** *« Grand Bal du Printemps »* **p. 242**

Le recueil s'ouvre sur « Zone », manifeste de la modernité poétique selon Apollinaire, et s'achève avec « Vendémiaire », ode au Paris futuriste. S'inspirant des peintres cubistes comme Picasso, Apollinaire décompose la réalité temporelle et spatiale et la recompose en éléments juxtaposés et simultanés.

Zone

1 À la fin tu es las de ce monde ancien

Bergère ô tour Eiffel[1] le troupeau des ponts bêle ce matin

Tu en as assez de vivre dans l'antiquité grecque et romaine

Ici même les automobiles ont l'air d'être anciennes
5 La religion seule est restée toute neuve la religion
Est restée simple comme les hangars de Port-Aviation[2]

Seul en Europe tu n'es pas antique ô Christianisme
L'Européen le plus moderne c'est vous Pape Pie X[3]
Et toi que les fenêtres observent la honte te retient
10 D'entrer dans une église et de t'y confesser ce matin
Tu lis les prospectus les catalogues les affiches qui chantent tout haut
Voilà la poésie ce matin et pour la prose il y a les journaux
Il y a la livraison à 25 centimes pleine d'aventures policières
Portraits des grands hommes et mille titres divers

15 J'ai vu ce matin une jolie rue dont j'ai oublié le nom
Neuve et propre du soleil elle était le clairon
Les directeurs les ouvriers et les belles sténodactylographes
Du lundi matin au samedi soir quatre fois par jour y passent
Le matin par trois fois la sirène y gémit
20 Une cloche rageuse y aboie vers midi
Les inscriptions des enseignes et des murailles
Les plaques les avis à la façon des perroquets criaillent
J'aime la grâce de cette rue industrielle
Située à Paris entre la rue Aumont-Thiéville et l'avenue des Ternes[4]
[…]

Guillaume APOLLINAIRE, « Zone » (extrait), *Alcools*, 1913,
© Éditions Gallimard, NRF, 2010, p. 7.

1. La tour Eiffel fut achevée en 1889.
2. Aérodrome de la région parisienne d'où partit en 1911 la course Paris-Rome.
3. Pie X, pape de 1903 à 1914, fut un adversaire du modernisme dans l'Église ; mais il donna sa bénédiction à l'aviateur vainqueur de la course Paris-Rome... d'où ce qualificatif de moderne.
4. Rue et avenue situées dans la zone nord-ouest de Paris, près de la Porte de Champerret (XVIIe arrondissement).

Diego RIVERA, *La Tour Eiffel*, 1914, huile sur toile, 115 x 92 cm (collection privée).

- Expliquez le titre « Zone » et ses connotations.
- Comment dans « Zone » et « La Chanson du Mal-Aimé » (p. 126, éd. Gallimard), arpenter le monde permet-il de voir la beauté de la ville moderne ?

ÉDUCATION AUX MÉDIAS

Lisez les textes échos. Comment Apollinaire, Prévert et Izis célèbrent-ils la « poésie simultanée » (Apollinaire) de la ville, faite d'affiches publicitaires et d'enseignes lumineuses ?

EXTRAIT 2 Le manteau d'Arlequin

TEXTES ÉCHOS

> **C. Baudelaire,**
« À une passante » **p. 218**
« L'Invitation au voyage » **p. 244**

Une troupe de saltimbanques se prépare pour une représentation aux couleurs fantastiques.

Crépuscule

À Mademoiselle Marie Laurencin[1].

1 Frôlée par les ombres des morts
Sur l'herbe où le jour s'exténue[2]
L'arlequine s'est mise nue
Et dans l'étang mire son corps

5 Un charlatan crépusculaire
Vante les tours que l'on va faire
Le ciel sans teinte est constellé
D'astres pâles comme du lait

Sur les tréteaux l'arlequin blême
10 Salue d'abord les spectateurs
Des sorciers venus de Bohême
Quelques fées et les enchanteurs

Ayant décroché une étoile
Il la manie à bras tendu
15 Tandis que des pieds un pendu
Sonne en mesure les cymbales

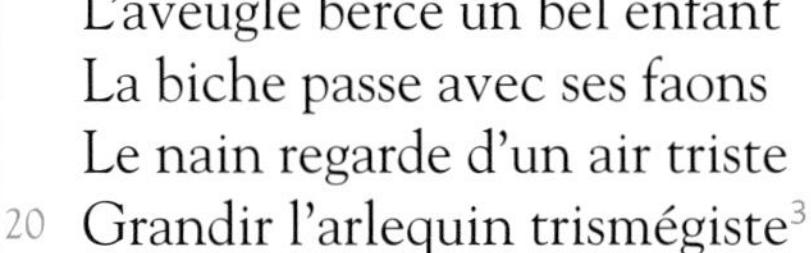

L'aveugle berce un bel enfant
La biche passe avec ses faons
Le nain regarde d'un air triste
20 Grandir l'arlequin trismégiste[3]

Guillaume APOLLINAIRE,
« Crépuscule », *Alcools*, 1913,

Marie LAURENCIN, *La Femme au singe*, (coloré par Jacques Villon), 1926.

1. Peintre proche des cubistes, maîtresse d'Apollinaire.
2. Le jour tombe et semble mourir d'épuisement.
3. Mot d'origine grecque signifiant « trois fois grand ». Cet adjectif est réservé à Hermès, dieu des joueurs et des voleurs, inventeur de l'écriture.

- @RECHERCHE Qui est Arlequin dans la *Commedia dell'arte* ?
- Apollinaire s'est souvent comparé à Arlequin. Relisez « Saltimbanques » (p. 68, éd. Gallimard) et « Crépuscule » : comment l'Arlequin-poète apparaît-il ? Sur Internet, regardez des tableaux (de Picasso, par exemple) représentant Arlequin en costume pour nourrir votre réflexion.
- IMAGE Décrivez l'écharpe d'Arlequine et le costume d'Arlequin. Pourquoi Apollinaire a-t-il comparé son recueil à leur costume composé de lambeaux et de fragments rapiécés ?
- Lisez les textes échos. Comment la femme idéale entraîne-t-elle le poète dans un monde situé « ailleurs » ?

EXTRAIT 3 Puiser aux sources de la légende

TEXTES ÉCHOS

> **C. de Pisan,** « *Je ne sais comment je dure* » **p. 204**
> **P. de Ronsard,** « *Si c'est aimer madame* » **p. 208**
> **P. de Marbeuf,** « *Et la mer et l'amour…* » **p. 209**
> **G. Apollinaire,** « *Lou* » **p. 220**

*Plusieurs poèmes d'*Alcools*, regroupés sous le titre de* Rhénanes*, chantent la Lorelei, sirène du Rhin attirant les marins par son chant ensorcelant. Cette légende populaire a été célébrée par les poètes allemands Heine ou Brentano, avant d'être reprise par Apollinaire.*

Nuit rhénane

Mon verre est plein d'un vin trembleur comme une flamme
Écoutez la chanson lente d'un batelier
Qui raconte avoir vu sous la lune sept femmes
Tordre leurs cheveux verts et longs jusqu'à leurs pieds

Debout chantez plus haut en dansant une ronde
Que je n'entende plus le chant du batelier
Et mettez près de moi toutes les filles blondes
Au regard immobile aux nattes repliées

Le Rhin le Rhin est ivre où les vignes se mirent
Tout l'or des nuits tombe en tremblant s'y refléter
La voix chante toujours à en râle-mourir[1]
Ces fées aux cheveux verts qui incantent[2] l'été

Mon verre s'est brisé comme un éclat de rire

Guillaume APOLLINAIRE, « Nuit rhénane », *Alcools*, 1913,

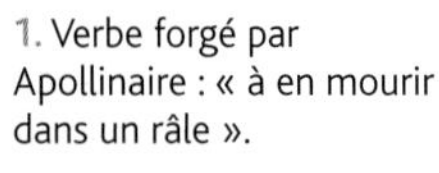

1. Verbe forgé par Apollinaire : « à en mourir dans un râle ».
2. Verbe inventé par Apollinaire : « chantent une incantation. »

Philip VON FOLTZ (1805-1877), *La Loreley*, 1850, huile sur toile, 65,6 x 47,3 cm (Max Bram-Stiftung, Rosenheim).

La Loreley

À Jean Sève[1].

1 À Bacharach[2] il y avait une sorcière blonde
Qui laissait mourir d'amour tous les hommes à la ronde

Devant son tribunal l'évêque la fit citer
D'avance il l'absolvit[3] à cause de sa beauté

5 Ô belle Loreley aux yeux pleins de pierreries
De quel magicien tiens-tu ta sorcellerie

Je suis lasse de vivre et mes yeux sont maudits
Ceux qui m'ont regardée évêque en ont péri

Mes yeux ce sont des flammes et non des pierreries
10 Jetez jetez aux flammes cette sorcellerie

Je flambe dans ces flammes ô belle Loreley
Qu'un autre te condamne tu m'as ensorcelé

Évêque vous riez Priez plutôt pour moi la Vierge
Faites-moi donc mourir et que Dieu vous protège

15 Mon amant est parti pour un pays lointain
Faites-moi donc mourir puisque je n'aime rien

Mon cœur me fait si mal il faut bien que je meure
Si je me regardais il faudrait que j'en meure

Mon cœur me fait si mal depuis qu'il n'est plus là
20 Mon cœur me fit si mal du jour où il s'en alla

L'évêque fit venir trois chevaliers avec leurs lances
Menez jusqu'au couvent cette femme en démence

Va-t-en Lore en folie va Lore aux yeux tremblant
Tu seras une nonne vêtue de noir et blanc

25 Puis ils s'en allèrent sur la route tous les quatre
La Loreley les implorait et ses yeux brillaient comme des astres

Chevaliers laissez-moi monter sur ce rocher si haut
Pour voir une fois encore mon beau château

Pour me mirer une fois encore dans le fleuve
30 Puis j'irai au couvent des vierges et des veuves

Là haut le vent tordait ses cheveux déroulés
Les chevaliers criaient Loreley Loreley

Tout là bas sur le Rhin s'en vient une nacelle[4]
Et mon amant s'y tient il m'a vue il m'appelle

35 Mon cœur devient si doux c'est mon amant qui vient
Elle se penche alors et tombe dans le Rhin

Pour avoir vu dans l'eau la belle Loreley
Ses yeux couleur du Rhin ses cheveux de soleil

Guillaume APOLLINAIRE, « La Loreley », *Alcools*, 1913,

@ RECHERCHE
Résumez l'histoire des sirènes contée par Homère dans l'*Odyssée* (Chant XII, v. 1 à 200) et celle de Mélusine, par Jean d'Arras. Comment Apollinaire reprend-il cette image de la femme séductrice et maléfique ?

Précisez la situation d'énonciation dans « La Loreley ». Comment la voix des différents locuteurs chante-t-elle la passion?

Lisez les textes échos. Comment l'amour et la mort se conjuguent-ils dans ces poèmes ? Vous répondrez en donnant trois exemples commentés.

1. Ami de lycée d'Apollinaire.
2. Localité des bords du Rhin.
3. Passé simple inventé par le poète pour le verbe « absoudre ».
4. Un petit bateau.

Les sources de l'œuvre

1. Puiser l'inspiration à la source des mythes

En latin, le mot « carmen » signifie « vers » mais aussi « enchantement », « charme magique ». Ainsi, dans les légendes et les mythes, la poésie a une portée magique. La voix d'Orphée fait pleurer les pierres et reculer la mort. Le chant envoûtant des sirènes a un pouvoir quasi surnaturel : il « incante », dit Apollinaire. Enfin, la musique d'Apollon et des muses fait danser les planètes et maintient ainsi l'harmonie du cosmos.

1. @RECHERCHE Qui sont Apollon et Orphée ? Pourquoi Apollinaire en fait-il ses sources d'inspiration ?
2. Proposez deux explications pour la métaphore clôturant « Zone » (p. 14, éd. Gallimard) : « soleil cou coupé ». La première évoquera le flamboiement du crépuscule ; la deuxième, la mise à mort du poète, héritier d'Orphée et d'Apollon.
3. Relisez « La Loreley » (p. 261 du manuel), « Nuit Rhénane » (p. 260) et « Crépuscule » (p. 259) : quelles figures légendaires s'y trouvent ? Pourquoi font-elles penser au pouvoir ensorcelant de la voix du poète ?

2. Inventer un rythme nouveau

Apollinaire est inspiré par les trépidations de la ville et le rythme syncopé du jazz. Pour le donner à entendre dans un lyrisme très personnel, il décide, au moment d'imprimer *Alcools*, de supprimer toute ponctuation : *« le rythme même et la coupe des vers, voilà la véritable ponctuation et il n'en est point besoin d'une autre »*.

1. Expliquez ce propos et illustrez-le par des vers témoignant de ce travail rythmique et métrique.
2. Dans « La Loreley » (p. 261 du manuel), en l'absence de ponctuation, est-il aisé de savoir qui parle ? Qu'apporte la confusion des voix narratives ?

ÉDUCATION AUX MÉDIAS

3. Sur le site « Vive voix » www.vivevoix.com, écoutez les poèmes dits par Apollinaire : quelles nuances sa voix donne-t-elle aux textes ? Proposez à votre tour une lecture faisant entendre le rythme du poème.

La réception de l'œuvre : « la ferraille du bric à brac » (Duhamel)

G. Duhamel compare Alcools *à une « boutique de brocanteur ». Il en déteste les images étranges, faites d'un mélange d'images ancestrales et futuristes.*

« Je dis : boutique de brocanteur parce qu'il est venu échouer dans ce taudis une foule d'objets hétéroclites dont certains ont de la valeur, mais dont aucun n'est le produit de l'industrie du marchand même. C'est bien là une des caractéristiques de la brocante : elle revend, elle ne fabrique pas. Elle revend parfois de curieuses choses ; il se peut qu'on trouve, dans ses étalages crasseux, une pierre de prix montée sur un clou. Tout cela vient de loin ; mais la pierre est agréable à voir. Pour le reste, c'est un assemblage de faux tableaux, de vêtements exotiques et rapiécés »

Georges DUHAMEL, article paru dans le *Mercure de France*, 16 juin 1913.

ÉCRITURE

Invention

a) Comprendre le sujet
- Expliquez ce que Duhamel reproche à Apollinaire.
- Relevez dans « Zone » (p. 7, éd. Gallimard) et « La Chanson du Mal-Aimé » (p. 26) des images héritées du passé et glanées dans l'actualité. Quel est l'effet produit par ce mélange ?

b) Inventer
Dans une lettre argumentative, inventez la réponse d'un amateur montrant que cet assemblage d'éléments apparemment « hétéroclite » est profondément riche.

FICHE DE LECTURE 1

En quête d'identité

Signé « Apollinaire »

1. Lisez la chronologie et la biographie du poète (p. 255 et 624 du manuel) : pour quelles raisons s'est-il donné un nom nouveau ? Qu'évoque ce pseudonyme ?

2. Lisez « Le larron » (p. 69, éd. Gallimard) puis « Cortège » (p. 48) : comment le premier texte expose-t-il la bâtardise du poète ? Comment le second annonce-t-il la naissance d'un nouveau « moi », poète et créateur ? Quelle fonction très symbolique la poésie revêt-elle alors ?

Se souvenir de sa vie

3. Quels passages de la « Chanson du Mal-Aimé » (p. 126, éd. Gallimard) évoquent une ancienne passion amoureuse ?

4. Relevez dans « Cors de chasse » (p. 135, éd. Gallimard) et « Le Pont Mirabeau » (p. 15) des vers ressuscitant les amours mortes. Après avoir justifié votre choix, vous les mettrez en page sous forme de beau florilège.

5. Comment la mémoire permet-elle de restaurer les moments intenses d'une vie disparue ?

6. La poésie commémorative prolonge-t-elle la souffrance amoureuse ou l'adoucit-elle en la rendant belle ? Vous argumenterez.

Portrait d'un mal-aimé

Marie LAURENCIN, *Groupe d'artistes*
(de gauche à droite, Pablo Picasso, Marie Laurencin, Guillaume Apollinaire et Fernande Olivier),
huile sur toile, 1908 (The Granger Collection, New York).

7. RECHERCHE Relevez et classez les poèmes évoquant les femmes aimées puis perdues.
Pourquoi le poète amoureux y apparaît-il comme le « mal-aimé » ?

HISTOIRE DES ARTS

8. Sur le tableau de Marie Laurencin, Apollinaire est placé entre la peintre et Fernande Olivier. Comment les deux rivales sont-elles représentées ? Que dit ce tableau de l'identité du poète, partagé entre deux femmes ?

9. Relisez « Marie » (p. 55, éd. Gallimard), qui évoque sa liaison avec Marie Laurencin. Comparez le poème et le tableau.

Se recréer par les mots

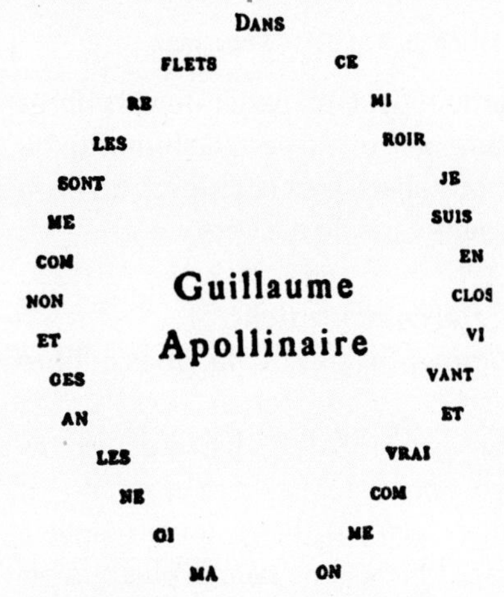

Guillaume APOLLINAIRE, « Miroir », *Calligrammes*

10. Transcrivez et expliquez les mots formant le cadre du miroir où se contemple le poète.

11. RECHERCHE Quelle est l'étymologie du mot « calligramme » ? Quel intérêt présente cette écriture inventive ?

12. Pourquoi, en dessinant, en écrivant, parvient-on mieux à savoir qui on est ?

ÉDUCATION AUX MÉDIAS

« Deviens ce que tu es », lance le philosophe Nietzsche.
13. Quelle publicité a repris ce message ? Pourquoi est-ce un slogan poétique et percutant ?

ÉCRITURE • *Invention*

14. À la manière d'Apollinaire, écrivez un calligramme révélant quel individu en devenir vous êtes.

FICHE DE LECTURE 2

Entre tradition et modernité

« Le dernier des poètes élégiaques » (M. Basuyaux)

1. Quels liens établir entre les poèmes d'*Alcools* rappelant le temps qui passe et emporte l'amour, et ceux de La Pléiade ? Apollinaire fait-il l'éloge du « *carpe diem* » ou préfère-t-il la mélancolie ?

2. Après avoir défini l'élégie, vous proposerez une lecture analytique de « L'Adieu » (p. 61, éd. Gallimard) en insistant sur la douceur mélancolique des vers qui atténuent la tristesse de la séparation.

Poésie en liberté

3. Nommez les strophes et types de vers repris par « Le Pont Mirabeau » (p. 15, éd. Gallimard) et « Les colchiques » (p. 33). Comment Apollinaire les retravaille-t-il ?

Fiche 24 **La versification du XVIe siècle à nos jours**

4. À l'inverse, pourquoi peut-on parler de vers libres pour « Vendémiaire » (p. 136, éd. Gallimard) ou « Zone » (p. 7) ? Vous analyserez la dislocation de la strophe et l'étirement variable des vers.

VERS LE BAC • *Argumentation*

5. Apollinaire commente ainsi « la poésie libre d'*Alcools* » :

« il ne peut y avoir aujourd'hui de lyrisme authentique sans la liberté complète du poète et même s'il écrit en vers réguliers, c'est sa liberté qui le convie à ce jeu : hors de cette liberté il ne saurait plus y avoir de poésie. »

Expliquez pourquoi une poésie en vers libres est plus authentique.

Mythes anciens, parler nouveau : les filles de l'eau et du feu

6. Pourquoi la sirène, créature composite, peut-elle servir d'emblème à la poésie d'Apollinaire ?

7. Relisez « Clotilde » (p. 47, éd. Gallimard), « Lul de Faltenin » (p. 76), « Nuit rhénane » (p. 94), « Mai » (p. 95), « La Loreley » (p. 99) et le dernier poème des « Fiançailles » (p. 122). Pourquoi les sirènes sont-elles les filles de l'eau et du feu ?

HISTOIRE DES ARTS

8. Quel aspect de la légende le peintre a-t-il choisi d'illustrer ?

Marc CHAGALL (1887-1985), *Sirène et poisson*, 1956, gouache et pastel, 77 x 57 cm.

ÉCRITURE

Invention

9. Créez une anthologie regroupant les poèmes de la question 7 et l'illustration de Marcoussis. Écrivez une préface expliquant que la poésie d'Apollinaire, fille de l'eau et du feu, est tantôt fluide et triste, tantôt passionnée.

10. Hommage à l'imprévu
À la fin de votre anthologie, écrivez un poème en prose continuant cette phrase d'Apollinaire : « Je suis comme ces marins qui dans les ports passent leur temps au bord de la mer, qui amène tant de choses imprévues. »

Dissertation

11. « Ouvrez-moi cette porte où je frappe en pleurant... » (Apollinaire)
Tous les poètes « sont "de grands commenceurs", pour reprendre un mot de René Char, même si, en chacun d'eux, l'esprit de crépuscule est également à l'œuvre... » (J.-M. Maulpoix)
a) Comprendre le sujet
En quoi Apollinaire est-il un « commenceur » ? Au moment où l'Allemagne s'apprête à sombrer dans la nuit de la guerre, Apollinaire en ressuscite les légendes. Pourquoi parler de « crépuscule » pour qualifier cette démarche ?
b) Vous discuterez ce propos en vous appuyant sur votre lecture d'*Alcools*.

Vers le bac

Corpus : « Chanter la révolte »

1 **Victor HUGO,** *Les Misérables,* 1862
2 **Jean-Baptiste CLÉMENT,** *« Le Temps des cerises »,* 1866-1868
3 **Louis ARAGON,** *« C »,* 1942
4 **Jean CASSOU,** *« La plaie que, depuis le temps des cerises ... »,* 1944
5 **René MAGRITTE,** *La Mémoire,* 1948

1 Victor HUGO, *Les Misérables,* 1862

Gavroche, l'enfant des rues, participe à la barricade du 6 juin 1832 aux côtés des révolutionnaires : il se faufile jusqu'aux cadavres et récupère leurs munitions. Voilà que la Garde Nationale le prend pour cible.

1 Il se dressa tout droit, debout, les cheveux au vent, les mains sur les hanches, l'œil fixé sur les gardes nationaux qui tiraient, et il chanta :

On est laid à Nanterre,
C'est la faute à Voltaire,
5 Et bête à Palaiseau,
C'est la faute à Rousseau.[1]

Puis il ramassa son panier, y remit, sans en perdre une seule, les cartouches qui en étaient tombées, et, avançant vers la fusillade, alla dépouiller une autre giberne. Là une quatrième balle le manqua encore. Gavroche chanta :

10 Je ne suis pas notaire,
C'est la faute à Voltaire ;
Je suis petit oiseau,
C'est la faute à Rousseau.

Une cinquième balle ne réussit qu'à tirer de lui un troisième couplet :

15 Joie est mon caractère,
C'est la faute à Voltaire ;
Misère est mon trousseau,
C'est la faute à Rousseau.

Cela continua ainsi quelque temps.

[...]

20 Une balle pourtant, mieux ajustée ou plus traître que les autres, finit par atteindre l'enfant feu follet. On vit Gavroche chanceler, puis il s'affaissa. Toute la barricade poussa un cri ; mais il y avait de l'Antée[2] dans ce pygmée ; pour le gamin toucher le pavé, c'est comme pour le géant toucher la terre ; Gavroche n'était tombé que pour se redresser ; il resta assis sur son séant, un 25 long filet de sang rayait son visage, il éleva ses deux bras en l'air, regarda du côté d'où était venu le coup, et se mit à chanter :

Je suis tombé par terre,
C'est la faute à Voltaire,
Le nez dans le ruisseau,
30 C'est la faute à...

Il n'acheva point. Une seconde balle du même tireur l'arrêta court. Cette fois il s'abattit la face contre le pavé, et ne remua plus. Cette petite grande âme venait de s'envoler.

Victor HUGO, *Les Misérables,* Cinquième partie, Livre I,
« La guerre entre quatre murs », Chapitre XV « Gavroche dehors », 1862.

1. Ce chant, inspiré d'une chanson de Béranger, évoque en Rousseau et Voltaire deux philosophes des Lumières qui, au siècle suivant, sont devenus les maîtres à penser de la bourgeoisie enrichie, nommée « la banlieue ». Certains de ses membres composent la Garde Nationale, qui tire sur les révolutionnaires parisiens.

2. Géant mythique, qui reprenait des forces chaque fois qu'il touchait la terre, sa mère.

2 Jean-Baptiste CLÉMENT, *« Le Temps des cerises »*, 1866-1868

« Le Temps des cerises » n'est pas, à l'origine, une chanson engagée. Mais après le massacre, en 1871, des révoltés de la Commune, ses paroles sentimentales et populaires prennent un double sens tragique et révolutionnaire.

Le Temps des cerises

1 Quand nous chanterons le temps des cerises,
Et gai rossignol et merle moqueur
Seront tous en fête.
Les belles auront la folie en tête
5 Et les amoureux du soleil au cœur.
Quand nous chanterons le temps des cerises,
Sifflera bien mieux le merle moqueur.

Mais il est bien court le temps des cerises,
Où l'on s'en va deux cueillir en rêvant
10 Des pendants d'oreille.
Cerises d'amour aux robes pareilles,
Tombant sous la feuille en gouttes de sang.
Mais il est bien court le temps des cerises
Pendants de corail qu'on cueille en rêvant.

15 Quand vous en serez au temps des cerises,
Si vous avez peur des chagrins d'amour,
Évitez les belles !
Moi qui ne crains pas les peines cruelles,
Je ne vivrai point sans souffrir un jour.
20 Quand vous en serez au temps de cerises
Vous aurez aussi des peines d'amour.

J'aimerai toujours le temps des cerises,
C'est de ce temps-là que je garde au cœur
Une plaie ouverte.
25 Et Dame Fortune en m'étant offerte
Ne pourra jamais fermer ma douleur.
J'aimerai toujours le temps des cerises
Et le souvenir que je garde au cœur.

Paroles et musique : Jean-Baptiste CLÉMENT et Antoine RENARD (1866-1868).

3 Louis ARAGON, « *C* », 1942

Aragon convoque lui aussi les chansons anciennes pour se remémorer la liberté d'avant la seconde guerre mondiale.

C

1 J'ai traversé les ponts de Cé[1]
C'est là que tout a commencé

Une chanson des temps passés
Parle d'un chevalier blessé

5 D'une rose sur la chaussée
Et d'un corsage délacé

Du château d'un duc insensé
Et des cygnes dans les fossés

De la prairie où vient danser
10 Une éternelle fiancée

Et j'ai bu comme un lait glacé
Le long lai[2] des gloires faussées

La Loire emporte mes pensées
Avec les voitures versées

15 Et les armes désamorcées
Et les larmes mal effacées

Ô ma France, ô ma délaissée
J'ai traversé les ponts de Cé

Louis ARAGON, « C », *Les Yeux d'Elsa*, 1942,
© Éditions Seghers.

1. Petite ville d'Anjou, située à une vingtaine de kilomètres de la Loire.
2. Poème en octosyllabes en rimes suivies, évoquant une aventure merveilleuse, inspirée généralement de légendes arthuriennes ou de la Table Ronde.

4 Jean CASSOU, « *La plaie que, depuis le temps des cerises...* », 1944

Emprisonné, le résistant Jean Cassou se souvient de la chanson des cerises.

« La plaie que, depuis le temps des cerises... »

1 La plaie que, depuis le temps des cerises,
je garde en mon cœur s'ouvre chaque jour.
En vain les lilas, les soleils, les brises
viennent caresser les murs des faubourgs.

5 Pays des toits bleus et des chansons grises,
qui saignes sans cesse en robe d'amour,
explique pourquoi ma vie s'est éprise
du sanglot rouillé de tes vieilles cours.

Aux fées rencontrées le long du chemin
10 je vais racontant Fantine et Cosette[1]
L'arbre de l'école, à son tour, répète

une belle histoire où l'on dit : demain...
Ah ! jaillisse enfin le matin de fête
où sur les fusils s'abattront les poings !

Jean CASSOU, publié sous le pseudonyme de Jean NOIR
in *Trente-trois sonnets composés au secret*, © Éditions Gallimard, 1944.

1. Héroïnes des *Misérables*, de V. Hugo, elles incarnent l'innocence et la fragilité des pauvres.

5 René MAGRITTE, *La Mémoire*, 1948

René MAGRITTE, *La Mémoire*, 1948, huile sur toile, 60 x 50 cm (Musée d'Ixelles, Bruxelles).

Questions sur un corpus

1. De quelles images, de quels messages les chansons anciennes sont-elles les gardiennes ? Pourquoi les poésies nouvelles s'en souviennent-elles en temps de guerre ?

2. Pourquoi ces quatre textes, faits de chansons et poèmes, sont-ils des chants de révoltés et de résistants ? Vous serez sensible au lexique de la blessure, notamment quand les mots sont allusifs ou ont un double sens.

3. PREMIÈRE L En prison, Jean Cassou s'est récité les poésies et chansons qu'il savait par cœur. Dans quelle mesure son poème est-il une variation sur « Le Temps des cerises » ? Quel est l'enjeu d'une telle « réécriture », composée au secret sans papier, ni crayon ?

Fiche 46 **Répondre à une question sur un corpus**

Travaux d'écriture

Commentaire

Vous ferez un commentaire du poème d'Aragon montrant sa force pathétique. Vous évoquerez le poids des images médiévales, référence secrète à la France de 1940, puis montrerez que la musicalité du texte en fait une déploration poignante.

Fiches 49 à 51 **Vers le commentaire**

Dissertation

Lisez le début de ce poème d'Aragon :

Trouver des mots forts comme la folie
Trouver des mots couleur de tous les jours
Trouver des mots que personne n'oublie

Louis ARAGON, « Je ne connais pas cet homme » (extrait), *La Diane française*, © Éditions Seghers, 1944.

À quoi sert-il de chercher des mots chantant la révolte ? Dans quelles circonstances cela peut-il être ressenti comme une impérieuse nécessité ?
Vous répondrez à ces questions et illustrerez votre propos par des exemples tirés de textes engagés.

Fiches 53 à 55 **Vers la dissertation**

Écriture d'invention

Le 14 juillet 1943, les Éditions de Minuit clandestines publient *L'Honneur des poètes*, recueil collectif regroupant les œuvres de vingt-deux auteurs appelant à la révolte.
Rédigez la préface de l'éditeur. Elle expliquera l'enjeu d'un tel projet.

Fiches 47 et 48 **Vers l'écriture d'invention**

Écriture poétique et quête du sens, du Moyen Âge à nos jours

À lire

1. Joachim du Bellay, *Les Regrets*, 1558
Son voyage à Rome aurait dû être source de joie et d'enthousiasme ; il se révèle, certains jours, synonyme de regrets et de nostalgie.

2. Victor Hugo, *Les Châtiments*, 1853
Napoléon III a été rebaptisé par Hugo « Napoléon le petit » et cette épithète ridicule n'est pas sortie de nos mémoires. Pourquoi ? Parce que l'ironie et la satire hugoliennes sont terriblement efficaces pour dénoncer les dérives autoritaires du Second Empire.

3. Charles Baudelaire, *Les Fleurs du mal*, 1857
Le recueil est publié le 23 juin 1857 et est réédité en 1861, après un procès retentissant. Empreint d'une esthétique où la beauté et le sublime surgissent de la réalité triviale, il exerce une influence considérable sur la poésie moderne.

Lire un poème

4. François Villon, *Poésies complètes*, 1991
François Villon est le poète français du Moyen Âge le plus célèbre. La légende raconte qu'il a écrit « La Ballade des pendus » en prison juste avant d'être gracié, alors qu'il se voyait déjà mort.

La Ballade des pendus

1 Frères humains qui après nous vivez
N'ayez les cœurs contre nous endurciz,
Car, ce pitié de nous pauvres avez,
Dieu en aura plus tost de vous merciz.
5 Vous nous voyez ci attachez cinq, six
Quant de la chair, que trop avons nourrie,
Elle est piéca devorée et pourrie,
Et nous les os, devenons cendre et pouldre.
De nostre mal personne ne s'en rie :
10 Mais priez Dieu que tous nous veuille absouldre ! [...]

Traduction :

1 Frères humains qui après nous vivez,
N'ayez pas les cœurs durcis contre nous
Car si vous avez pitié de nous, pauvres,
Dieu éprouvera plus tôt de la miséricorde à votre égard.
5 Vous nous voyez attachés ici, par cinq, par six :
Quant à notre chair, que nous avons trop nourrie,
Elle est depuis longtemps dévorée et pourrie,
Et nous, les os, devenons cendre et poussière.
De notre malheur, que personne ne se moque,
10 Mais priez Dieu que tous nous veuille absoudre ! [...]

François VILLON, « La Ballade des pendus », 1462.

À écouter

- La musique de Janequin sur les mots de Ronsard.
- **http://www.vivevoix.com**
Écouter et voir de la poésie sur Internet ? C'est possible avec le site « Vive voix ».

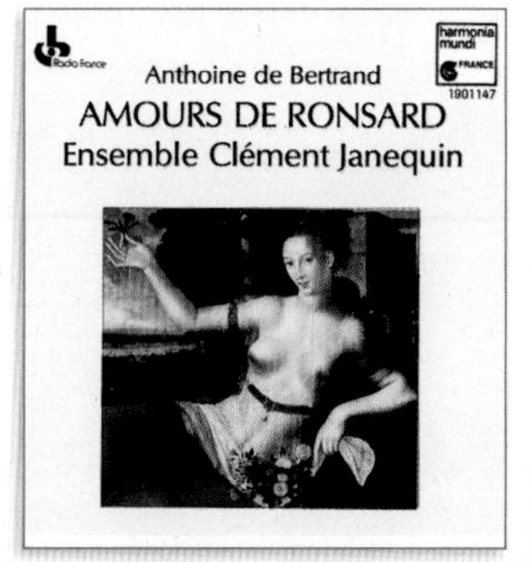

À voir

***Le Cercle des poètes disparus*, film de Peter Weir, 1989**
Todd est envoyé à Welton, école réputée pour être l'une des plus austères des États-Unis. Il rencontre un professeur de lettres (de l'être ?), M. Keating, qui refuse le conformisme et encourage l'originalité la plus poétique.

Chapitre

4 La question de l'Homme dans les genres de l'argumentation, du XVIe siècle à nos jours

SÉQUENCE 14
Les visages de l'homme

SÉQUENCE 15
PARCOURS DE LECTEUR
ŒUVRE INTÉGRALE :
Albert Camus, La Peste

SÉQUENCE 16
Les découvertes des voyageurs

SÉQUENCE 17
HISTOIRE DES ARTS :
La photographie humaniste

VERS LE BAC
La condition féminine

VERS LE BAC
Seul ou au milieu des autres ?

PISTES DE LECTURE

Julio GONZALES (1876-1942), *Masques japonais* (portrait de Foujita), 1927-1929, bronze, 0,18 m (Artcurial, Paris).

Séquence

14 Les visages de l'Homme

La pensée philosophique, le conte, le récit d'expérience et le discours engagé sont quelques-unes des formes qu'a prises la parole pour lutter contre la déshumanisation. Cependant, l'histoire montre qu'elles furent aussi confrontées à leur impuissance… ou perverties.

Problématique : **Comment écrivains et philosophes ont-ils défendu les valeurs humaines ?**

Objectifs

- Comprendre la portée de l'expérience et de l'exemple dans l'argumentation
- Découvrir l'évolution de l'humanisme en littérature, après le XVIe siècle

Histoire des arts : J. COCTEAU, *La Belle et la Bête,* 1946 — 272

Corpus 1 : Aux frontières de l'humanité

1 **A. PARÉ,** *Des monstres et prodiges,* 1573 — 274
2 **MONTAIGNE,** « Au sujet d'un enfant monstrueux », *Les Essais,* 1595 — 275
3 **J.-M. LEPRINCE DE BEAUMONT,** *La Belle et la Bête,* 1757 — 276
4 **V. HUGO,** *L'Homme qui rit,* 1869 — 277
5 **OVIDE,** *Les Métamorphoses,* Ier siècle av. J.-C. TEXTE ÉCHO — 278
6 **E. IONESCO,** *Rhinocéros,* II, Deuxième tableau, 1960 — 280

Corpus 2 : La valeur de l'homme

7 **CONDORCET,** *Réflexions sur l'esclavage des nègres,* 1781 — 282
8 **P. CHAMOISEAU,** *L'Esclave vieil homme et le molosse,* 1997 TEXTE ÉCHO — 283
9 **J.-P. SARTRE,** *Les Mains sales,* Cinquième tableau, 3, 1948 — 284
10 **A. CAMUS,** *Les Justes,* II, 1949 TEXTE ÉCHO — 286
11 **A. CÉSAIRE,** *Discours sur la Négritude,* 1987 — 288
12 **S. GERMAIN,** *Tobie des marais,* 1998 — 290

Corpus 3 : Résistances à la déshumanisation

13 **P. LEVI,** *Si c'est un homme,* 1947 — 292
14 **R. ANTELME,** *L'Espèce humaine,* 1947 — 294
15 **J. SEMPRUN,** *L'Écriture ou la vie,* 1994 — 296
16 **C. BAUDELAIRE,** « Le Voyage », *Les Fleurs du mal,* 1857 TEXTE ÉCHO — 297

Pour argumenter : Peut-on perdre son humanité ? — 298
R. ANTELME, *L'Espèce humaine,* 1947

Histoire littéraire : La réflexion sur l'Homme du XVIe siècle à nos jours — 299

La question de l'Homme dans les genres de l'argumentation ➜ Fiches 28, 30, 31
Lire et analyser ➜ Fiches 40, 41, 42, 43, 44
Préparer le baccalauréat ➜ Fiches 46, 48, 49, 50, 51, 52, 53, 56
Étude de la langue ➜ Fiche 61

Histoire des arts

Jean Cocteau, La Belle et la Bête, 1946

Biographie
p. 625

Inspiré du conte de Madame Leprince de Beaumont, La Belle et la Bête *met en scène Josette Day et Jean Marais. L'atmosphère merveilleuse et fantastique sert d'écrin à une réflexion sur l'altérité.*

Jean MARAIS et Josette DAY dans *La Belle et la Bête*, film de Jean COCTEAU (1946).

Le noir et blanc expressif au cinéma

Le noir et le blanc constituent deux pôles opposés, entre lesquels peut jouer le cinéaste. L'ombre modèle les formes, marque les traits du visage ; le blanc capte la lumière même s'il fait perdre à l'image de son mystère. Le travail sur la **lumière** est donc fondamental. Inspiré du cinéma expressionniste allemand (né dans les années 1920), l'éclairage expressif joue des contrastes pour faire naître le fantastique ou suggérer de grandes oppositions symboliques. Ainsi, Henri Alekan, chef opérateur de Cocteau, utilise la lumière pour magnifier cette rencontre entre l'humanité et l'animalité.

Contexte artistique et historique

COCTEAU ET LE MYTHE DE LA BELLE ET LA BÊTE

Les activités variées de Jean Cocteau traduisent la vitalité créative des années 1920. Sans être affilié à un groupe d'avant-garde, il prend part à l'aventure des Ballets russes (*Parade*, 1917), collabore avec Picasso, avec le musicien Satie ou avec ceux du « Bœuf sur le toit ». Il touche lui-même à la poésie, au théâtre *(La Machine infernale, Les Enfants terribles)*, au cinéma, dessine et décore. L'unité de son parcours se trouve dans le travail sur la figure du poète et le rêve, qui réactivent les mythes et transfigurent l'homme. En effet, le **mythe** est un langage symbolique : son histoire brève et intense exprime de manière imagée des vérités humaines que le langage rationnel ne sait pas toujours formuler. Ainsi, en reprenant l'histoire de Madame Leprince de Beaumont, Cocteau met en scène une Bête, dont le regard, plus humain que celui des chasseurs lancés à sa poursuite, est un miroir où la Belle se regarde et s'interroge sur ce qu'elle est : que signifient sa cruauté, son rejet instinctif de l'autre, si différent ? Est-elle capable d'éprouver de la compassion pour autrui, seule qualité qui nous rende profondément humain, selon Rousseau ?
Ce face-à-face entre la Belle et la Bête a été repris dans de nombreux films, comme *King Kong* ou *L'Île du crâne*. Le **gros plan** sur le regard du grand singe exprime sa douloureuse « **humanité** ». Il faut noter le dénouement saisissant de ces films populaires : la Bête, traquée, préfère se laisser tuer par des hommes à la sauvagerie déchaînée, plutôt que de mettre la Belle en danger.

Face au monstre

LECTURE DE L'IMAGE

Un face-à-face ambigu

1. Décrivez en détail chacun des deux personnages. Quel est l'effet voulu par le cinéaste ?
2. Relevez tous les détails permettant d'affirmer que le personnage masculin est une bête. Semble-t-il totalement monstrueux cependant ? Argumentez.

L'échange des regards

3. Comment les personnages se situent-ils l'un par rapport à l'autre sur l'image ?
4. Peut-on parler d'échange de regards entre le monstre et la femme, et pourquoi ?

➲ Fiche 43 **Lecture de l'image mobile**

Une altérité absolue ?

5. Comment la lumière éclaire-t-elle la face de chacun des personnages ? Indiquez le sens de cet éclairage.
6. Quels détails, laissés dans l'ombre, recèlent une part de mystère, voire d'angoisse ? Expliquez pourquoi le noir et blanc est propice à l'entrée dans un monde inconnu, voire fantastique.
7. Quels points communs rapprochent la Belle de la Bête ? Qu'est-ce que cela signifie ?
8. Quelle suite cette scène semble-t-elle promettre au spectateur ? Pourquoi ?

ÉCRITURE

Vers la dissertation

Que peut symboliser la « monstruosité » de la Bête, ici mise en valeur par un noir et blanc très expressif ? Proposez une hypothèse et défendez-la en argumentant.

Vers l'écriture d'invention

Imaginez le discours que le monstre pourrait tenir à la Belle pour lui donner envie de le connaître. Vous vous inspirerez de ce photogramme où il apparaît entre ombre et lumière.

➲ Fiche 48 **Rédiger un écrit d'invention**

1

Ambroise Paré, Des monstres et prodiges, 1573

Dans Des monstres et prodiges *(1573), le médecin Ambroise Paré étudie scientifiquement le phénomène des monstres. Dans l'extrait suivant, il s'attache à expliquer pourquoi les enfants monstrueux viennent au monde.*

Biographie p. 629
Histoire littéraire p. 299
Repères historiques p. 614

Chapitre III – « De l'ire[1] de Dieu »

Il y a d'autres créatures qui nous étonnent doublement, parce qu'elles ne procèdent [pas] des causes susdites[2], mais d'une confusion d'étranges espèces qui rendent la créature non seulement monstrueuse, mais prodigieuse : c'est-à-dire, qui est du tout abhorrente[3] et contre nature, comme pourquoi[4] sont faits ceux qui ont la figure d'un chien et la tête d'une volaille, un autre ayant quatre cornes à la tête, un autre ayant quatre pieds de bœuf et les cuisses déchiquetées, un autre ayant la tête d'un perroquet, et deux panaches sur la tête, et quatre griffes, et autres formes que tu pourras voir par plusieurs et diverses figures ci après dépeintes à leur ressemblance.

Il est certain que le plus souvent ces créatures monstrueuses et prodigieuses procèdent du jugement de Dieu, lequel permet que les pères et mères produisent telles abominations au désordre qu'ils font en la copulation comme bêtes brutes[5], où leur appétit les guide, sans respecter le temps ou autres lois ordonnées de Dieu et de Nature, comme il est écrit dans le livre d'Esdras le Prophète[6], que les femmes souillées de sang menstruel engendreront des monstres [...]. Les anciens estimaient tels prodiges venir souvent de la pure volonté de Dieu, pour nous avertir des malheurs dont nous sommes menacés de quelque grand désordre, ainsi que le cours ordinaire de Nature semblait être perverti en une si malheureuse engeance[7]. [...]

Du temps que le Pape Jules Second[8] suscita tant de malheurs en Italie et qu'il eut la guerre contre le Roi Louis XII (1512), laquelle fut suivie d'une sanglante bataille donnée près de Ravenne, peu de temps après on vit naître en la même ville un monstre ayant une corne à la tête, deux ailes et un seul pied semblable à celui d'un oiseau de proie, à la jointure du genou un œil, et participant de la nature du mâle et de femelle comme tu vois par ce portrait.

Ambroise PARÉ, *Des monstres et prodiges*, 1573.

Portrait d'un monstre merveilleux. Illustration extraite des *Monstres et prodiges*, d'Ambroise PARÉ, 1573.

1. Colère.
2. Causes exposées dans le chapitre I.
3. Repoussante.
4. Comme la raison pour laquelle...
5. Dieu permet que des parents accomplissent un acte si monstrueux lorsqu'ils copulent comme des bêtes brutes.
6. Livre historique de la Bible.
7. Race.
8. Le pape Jules II a surtout mené une activité militaire : il a cherché tout au long de son pontificat à annexer de nouveaux territoires.

2

Michel de Montaigne, Les Essais, 1595

Montaigne consacre un court chapitre de ses Essais *au phénomène des monstres et apporte ainsi une contribution essentielle à un débat en vogue au XVI*e *siècle.*

Biographie
p. 628

Du même auteur
p. 312, 365, 377, 383

Histoire littéraire
p. 299

Repères historiques
p. 614

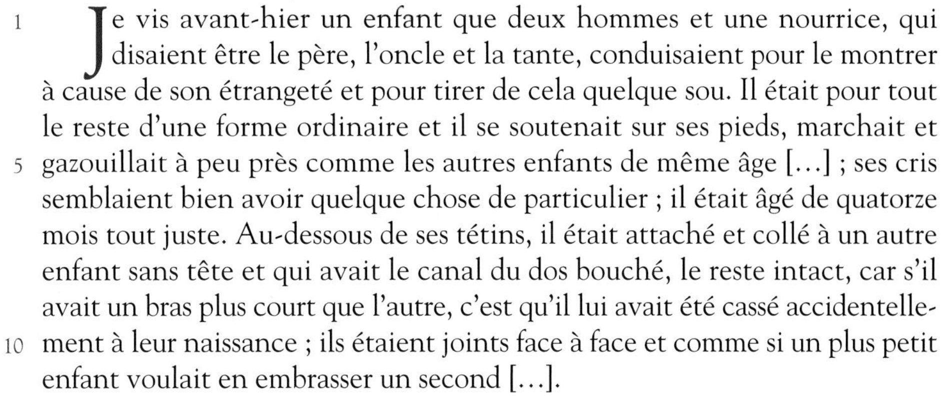

Je vis avant-hier un enfant que deux hommes et une nourrice, qui disaient être le père, l'oncle et la tante, conduisaient pour le montrer à cause de son étrangeté et pour tirer de cela quelque sou. Il était pour tout le reste d'une forme ordinaire et il se soutenait sur ses pieds, marchait et gazouillait à peu près comme les autres enfants de même âge [...] ; ses cris semblaient bien avoir quelque chose de particulier ; il était âgé de quatorze mois tout juste. Au-dessous de ses tétins, il était attaché et collé à un autre enfant sans tête et qui avait le canal du dos bouché, le reste intact, car s'il avait un bras plus court que l'autre, c'est qu'il lui avait été cassé accidentellement à leur naissance ; ils étaient joints face à face et comme si un plus petit enfant voulait en embrasser un second [...].

Les [êtres] que nous appelons monstres ne le sont pas pour Dieu, qui voit dans l'immensité de son ouvrage l'infinité des formes qu'il y a englobées ; et il est à croire que cette forme, qui nous frappe d'étonnement, se rapporte et se rattache à quelque autre forme d'un même genre, inconnu de l'homme. De sa parfaite sagesse[1] il ne vient rien que de bon et d'ordinaire et de régulier ; mais nous n'en voyons pas l'arrangement[2] et les rapports.

« *Quod crebro videt, non miratur, etiam si cur fiat nescit. Quod ante non vidit, id, si evenerit, ostentum esse censet.*[3] » [Ce que (l'homme) voit fréquemment ne l'étonne pas, même s'il en ignore la cause. Mais si ce qu'il n'a jamais vu arrive, il pense que c'est un prodige.]

Nous appelons « contre nature » ce qui arrive contrairement à l'habitude : il n'y a rien, quoi que ce puisse être, qui ne soit pas selon la nature. Que cette raison universelle et naturelle chasse de nous l'erreur et l'étonnement que la nouveauté nous apporte.

Michel DE MONTAIGNE, *Les Essais*, Livre II, chap. 30, « Au sujet d'un enfant monstrueux », 1595, trad. d'André Lanly, © Éditions Champion, Paris, 1989 / Éditions Gallimard, Quarto, 2009.

1. La sagesse absolue de Dieu.
2. Harmonie.
3. Citation de Cicéron, homme d'État et auteur romain du IIe siècle av. J.-C.

La « norme » humaine

LECTURE DES TEXTES

Origine des monstres

1. L'explication de l'origine des monstres faite par Paré vous semble-t-elle scientifique ? Justifiez.

2. En quoi le « Dieu » de Montaigne s'oppose-t-il au « Dieu » de Paré ?

Deux visions de l'homme

3. Quels types d'arguments A. Paré utilise-t-il pour défendre sa **thèse** ? En quoi sa méthode est-elle discutable ?

Fiche 28 Stratégies argumentatives et modes de raisonnement

4. Comment Montaigne parvient-il à prouver que l'enfant est un être humain ?

Un discours humaniste

5. Montrez que, pour Montaigne, nous appelons aberration de la nature ce qui sort de la coutume.

6. Dans quelle mesure Montaigne défend-il un idéal humaniste ?

VERS LE BAC

Invention

Imaginez un dialogue polémique entre Montaigne et Ambroise Paré. Chacun défendra sa vision du monstre et, plus généralement, de l'Homme.

Oral (entretien)

Quels sont les points communs entre le monstre et le Sauvage dans le discours de Montaigne ?

3 J.-M. Leprince de Beaumont, *La Belle et la Bête*, 1757

Après avoir découvert le visage monstrueux de la Bête, la Belle engage la discussion avec cet être repoussant. Le dialogue permet à la jeune fille de dépasser l'obstacle des apparences.

Biographie p. 628
Histoire littéraire p. 299
Repères historiques p. 618

1 – Mangez donc, la Belle, lui dit le monstre, et tâchez de ne vous point ennuyer dans votre maison ; car tout ceci est à vous ; et j'aurais du chagrin si vous n'étiez pas contente.

– Vous avez bien de la bonté, lui dit la Belle ; je vous avoue que je suis 5 bien contente de votre cœur ; quand j'y pense, vous ne me paraissez plus si laid.

– Oh ! Dame oui, répondit la Bête, j'ai le cœur bon, mais je suis un monstre.

– Il y a bien des hommes qui sont plus monstres que vous, dit la Belle, et 10 je vous aime mieux avec votre figure que ceux qui, avec la figure d'hommes, cachent un cœur faux, corrompu, ingrat.

– Si j'avais de l'esprit, reprit la Bête, je vous ferais un grand compliment pour vous remercier ; mais je suis stupide, et tout ce que je puis vous dire, c'est que je vous suis bien obligé[1].

15 La Belle soupa de bon appétit. Elle n'avait presque plus peur du monstre ; mais elle manqua mourir de frayeur, lorsqu'il lui dit : « La Belle, voulez-vous être ma femme ? »

Elle fut quelque temps sans répondre ; elle avait peur d'exciter la colère du monstre en le refusant ; elle lui dit pourtant en tremblant : « Non, la 20 Bête. »

Dans ce moment ce pauvre monstre voulut soupirer, et il fit un sifflement si épouvantable, que tout le palais en retentit ; mais la Belle fut bientôt rassurée, car la Bête lui ayant dit tristement : « Adieu donc, la Belle », sortit de la chambre en se retournant de temps en temps pour la regarder encore. La Belle, 25 se voyant seule, sentit une grande compassion pour cette pauvre Bête. « Hélas ! disait-elle, c'est bien dommage qu'elle soit si laide, elle est si bonne ! »

Jeanne-Marie LEPRINCE DE BEAUMONT, *La Belle et la Bête*, 1757.

1. Reconnaissant.

Un monstre au grand cœur

LECTURE DU TEXTE

1. @ RECHERCHE Pourquoi peut-on rattacher cet extrait au genre du conte ? Appuyez-vous sur le texte et l'exposition « Il était une fois... les contes de fées ». http://expositions.bnf.fr/contes/index.htm

2. Montrez, en relevant les oppositions du texte, que les personnages remettent en cause la loi de l'apparence.

3. Quelle leçon tirer de ce dialogue ? Montrez que cet extrait permet de réfléchir sur la question de l'Homme.

Fiche 31 L'apologue

VERS LE BAC

Oral (entretien)

Les contes sont-ils uniquement destinés à un jeune public ? Vous vous appuierez sur d'autres contes (Perrault, Grimm) pour interroger leur portée morale.

Fiche 31 L'apologue

Invention

Écrivez une page d'apologue dénonçant la tyrannie de l'apparence.

Fiche 48 Rédiger un écrit d'invention

4

Victor Hugo, L'Homme qui rit, 1869

Biographie
p. 627

Du même auteur
p. 76, 103, 109, 162, 197, 236, 265

Histoire littéraire
p. 299

Repères historiques
p. 620

Hugo situe son intrigue dans l'Angleterre du XVIIe siècle. Gwynplaine, fils de Lord, a été enlevé et défiguré par des bandits alors qu'il était tout enfant. Ils lui ont taillé au couteau un sourire permanent. Recueilli par un comédien généreux et savant, il attire les foules à ses spectacles de saltimbanque.

C'est en riant que Gwynplaine faisait rire. Et pourtant il ne riait pas. Sa face riait, sa pensée non. L'espèce de visage inouï que le hasard ou une industrie bizarrement spéciale lui avait façonné, riait tout seul. Gwynplaine ne s'en mêlait pas. Le dehors ne dépendait pas du dedans. Ce rire qu'il n'avait point mis sur son front, sur ses joues, sur ses sourcils, sur sa bouche, il ne pouvait l'en ôter. On lui avait à jamais appliqué le rire sur le visage. C'était un rire automatique, et d'autant plus irrésistible qu'il était pétrifié. Personne ne se dérobait à ce rictus. Deux convulsions de la bouche sont communicatives, le rire et le bâillement. Par la vertu de la mystérieuse opération probablement subie par Gwynplaine enfant, toutes les parties de son visage contribuaient à ce rictus, toute sa physionomie y aboutissait, comme une roue se concentre sur le moyeu[1] ; toutes ses émotions, quelles qu'elles fussent, augmentaient cette étrange figure de joie, disons mieux, l'aggravaient. Un étonnement qu'il aurait eu, une souffrance qu'il aurait ressentie, une colère qui lui serait survenue, une pitié qu'il aurait éprouvée, n'eussent fait qu'accroître cette hilarité des muscles ; s'il eût pleuré, il eût ri ; et, quoi que fît Gwynplaine, quoi qu'il voulût, quoi qu'il pensât, dès qu'il levait la tête, la foule, si la foule était là, avait devant les yeux cette apparition : l'éclat de rire foudroyant.

Qu'on se figure une tête de Méduse[2], gaie.

Tout ce qu'on avait dans l'esprit était mis en déroute par cet inattendu, et il fallait rire.

L'art antique appliquait jadis au fronton des théâtres de la Grèce une face d'airain, joyeuse. Cette face s'appelait la Comédie. Ce bronze semblait rire et faisait rire, et était pensif. Toute la parodie, qui aboutit à la démence, toute l'ironie, qui aboutit à la sagesse, se condensaient et s'amalgamaient sur cette figure ; la somme des soucis, des désillusions, des dégoûts et des chagrins se faisait sur ce front impassible, et donnait ce total lugubre, la gaieté ; un coin de la bouche était relevé, du côté du genre humain, par la moquerie, et l'autre coin, du côté des dieux, par le blasphème ; les hommes venaient confronter à ce modèle du sarcasme idéal l'exemplaire d'ironie que chacun a en soi ; et la foule, sans cesse renouvelée autour de ce rire fixe, se pâmait d'aise devant l'immobilité sépulcrale du ricanement. Ce sombre masque mort de la comédie antique ajusté à un homme vivant, on pourrait presque dire que c'était là Gwynplaine. Cette tête infernale de l'hilarité implacable, il l'avait sur le cou. Quel fardeau pour les épaules d'un homme, le rire éternel !

1. Pièce centrale de la roue, où passe l'essieu.
2. Personnage féminin de la mythologie gréco-latine qui pétrifiait ses adversaires de son regard. Méduse fut tuée par Persée, qui lui renvoya son reflet à l'aide de son bouclier (voir p. 278).

Croquis de Tim BURTON pour le personnage du Joker dans *Batman*, inspiré par Hugo.

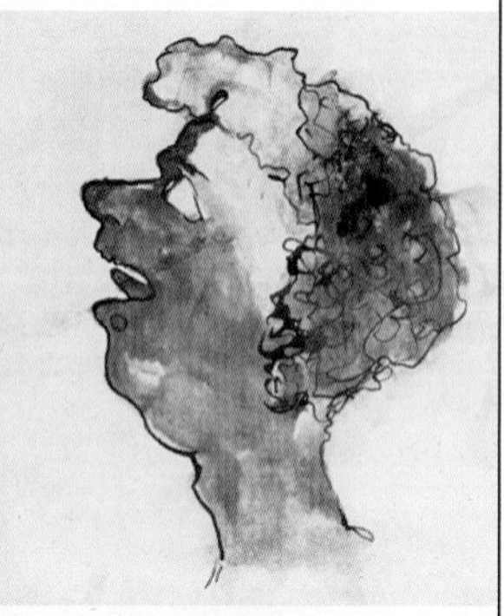

Victor HUGO,
Tête de profil,
plume, pinceau, encre brune et lavis, réserves sur papier beige, n°33 du *Théâtre de la Gaité*, vers 1864-1869, BnF.

Rire éternel. Entendons-nous, et expliquons-nous. À en croire les manichéens[3], l'absolu plie par moments, et Dieu lui-même a des intermittences[4]. Entendons-nous aussi sur la volonté. Qu'elle puisse jamais être tout à fait impuissante, nous ne l'admettons pas. Toute existence ressemble à une lettre, 45 que modifie le post-scriptum[5]. Pour Gwynplaine, le post-scriptum était ceci : à force de volonté, en y concentrant toute son attention, et à condition qu'aucune émotion ne vînt le distraire et détendre la fixité de son effort, il pouvait parvenir à suspendre l'éternel rictus[6] de sa face et à y jeter une sorte de voile tragique, et alors on ne riait plus devant lui, on frissonnait.

50 Cet effort, Gwynplaine, disons-le, ne le faisait presque jamais, car c'était une fatigue douloureuse et une tension insupportable. Il suffisait d'ailleurs de la moindre distraction et de la moindre émotion pour que, chassé un moment, ce rire, irrésistible comme un reflux, reparût sur sa face, et il était d'autant plus intense que l'émotion, quelle qu'elle fût, était plus forte.

55 À cette restriction près, le rire de Gwynplaine était éternel.

On voyait Gwynplaine, on riait. Quand on avait ri, on détournait la tête. Les femmes surtout avaient horreur. Cet homme était effroyable. La convulsion bouffonne était comme un tribut[7] payé ; on la subissait joyeusement, mais presque mécaniquement. Après quoi, une fois le rire refroidi, Gwynplaine, 60 pour une femme, était insupportable à voir et impossible à regarder.

Il était du reste grand, bien fait, agile, nullement difforme, si ce n'est de visage. Ceci était une indication de plus parmi les présomptions[8] qui laissaient entrevoir dans Gwynplaine plutôt une création de l'art qu'une œuvre de la nature. Gwynplaine, beau de corps, avait été probablement beau de 65 figure. En naissant, il avait dû être un enfant comme un autre. On avait conservé le corps intact et seulement retouché la face. Gwynplaine avait été fait exprès.

C'était là du moins la vraisemblance.

On lui avait laissé les dents. Les dents sont nécessaires au rire. La tête de 70 mort les garde.

Victor HUGO, *L'Homme qui rit*, 1869.

3. Adeptes d'une croyance en la lutte entre Bien et Mal.
4. Dieu intervient dans le monde de façon irrégulière.
5. Ajout que l'auteur d'une lettre fait au-dessous de sa signature.
6. Apparence de rire due à une contraction de la bouche.
7. Contribution, impôt.
8. Suppositions.

5 *Ovide,* Les Métamorphoses, Ier siècle avant J.-C.

TEXTE ÉCHO

Biographie
p. 629

Histoire littéraire
p. 299

Après avoir délivré Andromède, avec l'aide de son cheval Pégase, Persée raconte comment il a tué la Méduse.

1 « Et maintenant, ô courageux héros, dis-nous, je[1] t'en prie, Persée, par quel prodige de valeur et par quels moyens tu as pu t'emparer de cette tête à la chevelure de serpents. » Le petit-fils d'Agénor raconte alors qu'au pied de l'Atlas glacé, il est, à l'abri d'un épais et solide rempart, un lieu à l'en- 5 trée duquel habitaient deux sœurs, les filles de Phorcys[2], qui se partageaient l'usage d'un œil unique. À la dérobée, grâce à une ruse habile, au moment où l'une le transmettait à l'autre, substituant sa main à la main tendue, il s'en était emparé. Puis, par des sentiers cachés et des routes détournées, à travers des rochers hérissés de forêts escarpées, il avait atteint la demeure

des Gorgones[3] ; çà et là, à travers les champs et sur les routes, il avait vu des figures d'hommes et de bêtes féroces qui avaient été, perdant leur forme première, pétrifiés pour avoir vu Méduse. Lui-même, cependant, dans le miroir de bronze du bouclier qu'il portait à sa main gauche, il avait aperçu le hideux personnage de Méduse. Profitant d'un lourd sommeil qui s'était emparé d'elle et de ses serpents, il lui avait détaché la tête du cou ; Pégase, à la course ailée, et son frère étaient nés du sang de cette mère. [...] Prenant alors la parole, l'un des nobles lui demande pourquoi, seule parmi ses sœurs, Méduse portait des serpents emmêlés au milieu de ses cheveux. L'hôte répondit : « Le fait dont tu t'informes là mérite d'être rapporté ;

Michelangelo MERISI DA CARAVAGIO, dit LE CARAVAGE (1571-1610), *Méduse*, 1598 (Musée des Offices, Florence, Italie).

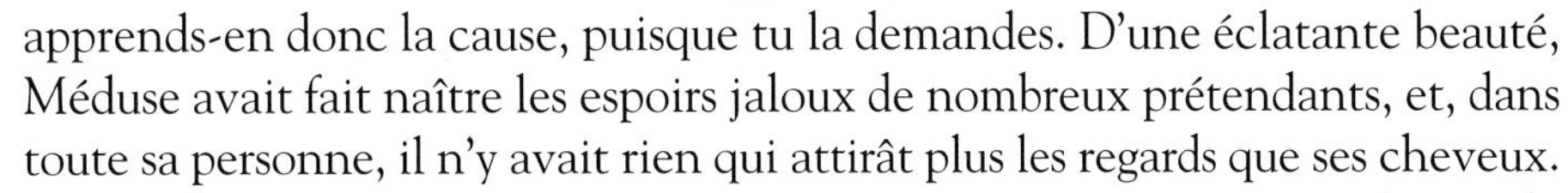

apprends-en donc la cause, puisque tu la demandes. D'une éclatante beauté, Méduse avait fait naître les espoirs jaloux de nombreux prétendants, et, dans toute sa personne, il n'y avait rien qui attirât plus les regards que ses cheveux. J'ai rencontré un homme qui racontait l'avoir vue. Le maître de la mer la viola, dit-on, dans le temple de Minerve. La fille de Jupiter[4] détourna sa vue et couvrit de son égide son chaste visage. Et, pour que cet attentat ne demeurât pas impuni, elle changea les cheveux de la Gorgone en hideux serpents. Aujourd'hui encore, pour frapper de terreur ses ennemis épouvantés, elle porte, sur le devant de sa poitrine, les serpents nés par sa volonté. »

OVIDE, *Les Métamorphoses*, IV, Ier siècle av. J.-C., trad. de Joseph Chamonard, © GF Flammarion, 1966.

1. L'un des convives du banquet s'adresse à Persée.
2. Ancien dieu grec, fils de la Terre et de la Mer, père des Gorgones.
3. Les trois Gorgones étaient des monstres féminins, dragons au regard qui pétrifiait. Deux d'entre elles étaient immortelles.
4. Minerve, dont l'égide (ou bouclier) est recouverte de la tête de Méduse.

Dépasser les apparences

LECTURE DU TEXTE 4

Portrait d'un monstre

1. @RECHERCHE Cherchez l'étymologie de « monstre » et reliez-la à deux passages du texte. Qu'a-t-on fait à l'enfant pour qu'il devienne un monstre ?

2. Qu'est-ce qui est monstrueux, et qu'est-ce qui est humain chez Gwynplaine ? Quel aspect de son être finit par l'emporter aux yeux du lecteur ?

3. Relevez les figures d'opposition. Montrez le divorce entre la drôlerie du physique et la tristesse du cœur.

Le rire du supplicié

4. Distinguez les passages où le narrateur émet des hypothèses, ceux où il exprime ses sentiments et ceux où il décrit objectivement son personnage. Dans chacun d'eux, le point de vue est-il omniscient ? Que révèle ce choix ?

5. Quels différents **registres** cohabitent dans ce texte ? Identifiez-les et classez-les en vous appuyant sur des expressions précises.

Fiche 40 Les registres

Des profondeurs inquiétantes

6. « Ce bronze semblait rire et faisait rire, et était pensif. » Montrez que le développement sur la comédie est essentiel pour comprendre le personnage de Gwynplaine.

HISTOIRE DES ARTS

Que peut cacher une expression laide et terrifiante ? Aidez-vous des deux textes et des images pour répondre.

ÉCRITURE

Argumentation

Quelle importance les apparences ont-elles lors d'une rencontre ? Comment la fiction d'un conte, d'un roman ou d'un film, peut-elle amener à y réfléchir ?

VERS LE BAC

Question sur un corpus

Quelles leçons un lecteur peut-il tirer de personnages dont le portrait ne coïncide pas avec l'âme ?

Fiche 46 Répondre à une question sur un corpus

6

Eugène Ionesco, Rhinocéros, 1960

Un phénomène curieux alimente les conversations d'une petite ville de province : un rhinocéros a traversé la rue principale. Progressivement, la population s'habitue à voir des rhinocéros jusqu'à ce qu'une pathologie se déclare : la rhinocérite ou métamorphose de l'homme en rhinocéros. Dans l'extrait qui suit, Bérenger exprime son refus obstiné de perdre son statut d'homme.

Biographie p. 627
Du même auteur p. 168, 177
Histoire littéraire p. 299
Repères historiques p. 614

1 JEAN. – [...] Après tout, les rhinocéros sont des créatures comme nous, qui ont le droit à la vie au même titre que nous !

BÉRENGER. – À condition qu'elles ne détruisent pas la nôtre. Vous rendez-vous compte de la différence de mentalité ?

5 JEAN, *allant et venant dans la pièce, entrant dans la salle de bains, et sortant.* – Pensez-vous que la vôtre soit préférable ?

BÉRENGER. – Tout de même, nous avons notre morale à nous, que je juge incompatible avec celle de ces animaux.

JEAN. – La morale ! Parlons-en de la morale, j'en ai assez de la morale, elle
10 est belle la morale ! Il faut dépasser la morale.

BÉRENGER. – Que mettriez-vous à la place ?

JEAN, *même jeu.* – La nature !

BÉRENGER. – La nature ?

JEAN, *même jeu.* – La nature a ses lois. La morale est antinaturelle.

15 BÉRENGER. – Si je comprends, vous voulez remplacer la loi morale par la loi de la jungle !

JEAN. – J'y vivrai, j'y vivrai.

BÉRENGER. – Cela se dit. Mais dans le fond, personne...

JEAN, *l'interrompant, et allant et venant.* – Il faut reconstituer les fondements
20 de notre vie. Il faut retourner à l'intégrité primordiale[1].

BÉRENGER. – Je ne suis pas du tout d'accord avec vous.

JEAN, *soufflant bruyamment.* – Je veux respirer.

BÉRENGER. – Réfléchissez, voyons, vous vous rendez bien compte que nous avons une philosophie que ces animaux n'ont pas, un système de valeurs
25 irremplaçable. Des siècles de civilisation humaine l'ont bâti !...

JEAN, *toujours dans la salle de bains.* – Démolissons tout cela, on s'en portera mieux.

BÉRENGER. – Je ne vous prends pas au sérieux. Vous plaisantez, vous faites de la poésie.

30 JEAN. – Brrr...

Il barrit presque.

BÉRENGER. – Je ne savais pas que vous étiez poète.

JEAN, *il sort de la salle de bains.* – Brrr...

Il barrit de nouveau.

35 BÉRENGER. – Je vous connais trop bien pour croire que c'est là votre pensée profonde. Car, vous le savez aussi bien que moi, l'homme...

1. Âge premier de la civilisation.

Rhinocéros, d'Eugène IONESCO, mis en scène par Emmanuel DERMARCY MOTA (Théâtre de la Ville, Paris, 2004).

JEAN, *l'interrompant.* – L'homme... Ne prononcez plus ce mot !

BÉRENGER. – Je veux dire l'être humain, l'humanisme...

JEAN. – L'humanisme est périmé ! Vous êtes un vieux sentimental ridicule. [...]

40 BÉRENGER. – De telles affirmations venant de votre part... *(Bérenger s'interrompt, car Jean fait une apparition effrayante. En effet, Jean est devenu tout à fait vert. La bosse de son front est presque devenue une corne de rhinocéros.)* Oh ! Vous semblez vraiment perdre la tête ! *(Jean se précipite vers son lit, jette les couvertures par terre, prononce des paroles furieuses*
45 *et incompréhensibles, fait entendre des sons inouïs.)* Mais ne soyez pas si furieux, calmez-vous ! Je ne vous reconnais plus.

JEAN, *à peine distinctement.* – Chaud... trop chaud. Démolir tout cela, vêtements, ça gratte, vêtements, ça gratte.

Eugène IONESCO, *Rhinocéros*, Acte II, Deuxième tableau, © Éditions Gallimard, 1960.

Face à la rhinocérite

LECTURE DU TEXTE

Le statut d'homme

1. Quels arguments de Bérenger montrent la supériorité de l'homme sur l'animal ? Présentez votre réponse dans un tableau comparatif.

2. « L'humanisme est périmé », déclare Jean. Expliquez le sens de cette phrase.

La mutation en rhinocéros

3. Quels signes révèlent la « rhinocérite » de Jean ? Vous relèverez des indices dans les dialogues et les didascalies.

4. La métamorphose de Jean en rhinocéros est-elle **comique ou tragique** ? En quoi cet extrait illustre-t-il l'appellation « farce tragique » accordée à *Rhinocéros*.

Fiche 40 Les registres

5. ORAL Proposez une lecture à deux voix, insistant sur la métamorphose en bête.

La portée symbolique

6. Ionesco écrit : « *Rhinocéros* est sans doute une pièce antinazie mais surtout une pièce contre les hystéries collectives. » Identifiez dans le texte des indices conduisant à cette interprétation.

HISTOIRE DES ARTS

Comment E. Demarcy Mota choisit-il de représenter la mutation du personnage en rhinocéros ?

VERS LE BAC

Invention

Imaginez le monologue que prononcerait Jean à la suite de ce dialogue avec Bérenger. Ce discours comportera des didascalies mettant en valeur la métamorphose du personnage.

Fiche 48 Rédiger un écrit d'invention

Commentaire

Vous commenterez cet extrait en insistant sur la dévalorisation de l'idée d'humanité qui ressort de ce dialogue.

Fiches 49 à 51 Vers le commentaire

7 Condorcet, *Réflexions sur l'esclavage des nègres*, 1781

Biographie p. 625
Histoire littéraire p. 299
Repères historiques p. 618

Il est d'usage de placer son œuvre sous la protection d'un grand. Or ici, les réflexions de Condorcet s'ouvrent sur une dédicace à des dominés. Cette épître fait appel aux émotions et aux sentiments. L'auteur s'adresse donc directement aux esclaves, en tant qu'hommes et non en tant que marchandises.

Diego RIVERA (1886-1957), Esclaves indiens dans une plantation de canne à sucre, 1930-1931, fresque du palais Cortes (Cuernavaca, Mexique).

Mes amis,

Quoique que je ne sois pas de la même couleur que vous, je vous ai toujours regardés comme mes frères. La nature vous a formés pour avoir le même esprit, la même raison, les mêmes vertus que les Blancs. Je ne parle ici que de ceux d'Europe ; car pour les Blancs des colonies, je ne vous fais pas l'injure de les comparer à vous ; je sais combien de fois votre fidélité, votre probité[1], votre courage ont fait rougir vos maîtres. Si on allait chercher un homme dans les îles de l'Amérique, ce ne serait point parmi les gens de chair blanche qu'on le trouverait.

Votre suffrage[2] ne procure point de places dans les colonies ; votre protection ne fait point obtenir de pensions ; vous n'avez pas de quoi soudoyer[3] les avocats : il n'est donc pas étonnant que vos maîtres trouvent plus de gens qui se déshonorent en défendant leur cause, que vous n'en avez trouvé qui se soient honorés en défendant la vôtre. Il y a même des pays où ceux qui voudraient écrire en votre faveur n'en auraient point la liberté.

Tous ceux qui se sont enrichis dans les îles aux dépens de vos travaux et de vos souffrances, ont, à leur retour, le droit de vous insulter dans des libelles[4] calomnieux ; mais il n'est point permis de leur répondre.

Telle est l'idée que vos maîtres ont de la bonté de leurs droits ; telle est la conscience qu'ils ont de leur humanité à votre égard. Mais cette injustice n'a été pour moi qu'une raison de plus pour prendre, dans un pays libre, la défense de la liberté des hommes.

Je sais que vous ne connaîtrez jamais cet ouvrage, et que la douceur d'être béni par vous me sera toujours refusée. Mais j'aurai satisfait mon cœur déchiré par le spectacle de vos maux, soulevé par l'insolence absurde des sophismes[5] de vos tyrans. Je n'emploierai point l'éloquence, mais la raison ; je parlerai, non des intérêts du commerce, mais des lois de la justice.

Vos tyrans me reprocheront de ne dire que des choses communes, et de n'avoir que des idées chimériques : en effet, rien n'est plus commun que les maximes[6] de l'humanité et la justice ; rien n'est plus chimérique que de proposer aux hommes d'y conformer leur conduite.

Jean Antoine Nicolas CARITAT DE CONDORCET,
Réflexions sur l'esclavage des nègres, 1781.

1. Honnêteté.
2. Soutien.
3. Séduire en versant de l'argent.
4. Courts écrits diffamatoires (qui visent à déshonorer), pamphlets.
5. Argumentations qui ne sont logiques qu'en apparence, raisonnements faux.
6. Préceptes moraux, règles de conduite.

8 P. Chamoiseau, *L'Esclave vieil homme et le molosse*, 1997 TEXTE ÉCHO

Un vieil esclave s'enfuit d'une plantation et « marronne » à travers la jungle martiniquaise. Son maître lance à sa poursuite un chien féroce, dressé pour pister les fuyards à l'intérieur de l'île.

Biographie p. 625
Histoire littéraire p. 299
Repères historiques p. 622

Je dus pleurer longtemps, la course plaquant mes larmes sur les rosées anciennes. Je pleurais le malheur de ce chien qui allait me détruire, mais je pleurais aussi sur cette vie retrouvée qui m'enivrait les jambes, ce vieux cœur qui brûlait chaque seconde l'énergie de mille ans d'existence. Je pleurais cette fraîcheur découverte dans mes chairs, cette magie de mes yeux qui enchantait le monde, cette bouche où explosaient les goûts, le sensible de mes mains et du reste de mon corps. J'étais en appétit et j'étais déjà mort. Et je pleurais tout cela, sans tristesse ni souffrance, avec d'autant moins de réserve – je l'apprenais ainsi – que pleurer c'était vivre et mourir en même temps.

Je voyais clair, mais j'avançais moins vite. Était-ce la fatigue ou l'amas des obstacles ? Se détourner des troncs. Écarter les broussailles. Rompre l'amarrée des lianes[1] et le vrac des branches mortes. Mes blessures n'étaient pas calculables. Grafigné[2]. Griji[3]. Écorché. Froixé[4]. Tuméfié. Zié boy. Blesses[5].

Patrick CHAMOISEAU, *L'Esclave vieil homme et le molosse*,

1. Rompre les attaches que constituent les lianes.
2. « Égratigné », en créole.
3. « Écorché », en créole.
4. Froissé.
5. Blessé.

L'éloquence contre l'esclavage

LECTURE DU TEXTE 7

Une dédicace aux opprimés

1. À quels détails voit-on que le texte 7 est une lettre ? À qui est-elle adressée officiellement ? Quel public plus large en est aussi le destinataire ? Appuyez-vous sur des citations que vous commenterez.

2. Relevez le champ lexical de la vertu et des sentiments, les connotations mélioratives et péjoratives. Quelle image l'auteur donne-t-il de son destinataire explicite, et de lui-même ?

Une situation injuste

3. Faites le plan détaillé de l'épître ; donnez un titre à chacun de ses paragraphes. Quelle thèse Condorcet défend-il ?

4. Quelle est la situation des esclaves noirs ? Relevez précisément les **oppositions**, les **concessions**, puis les formes négatives.

Fiche 28 Stratégies argumentatives et modes de raisonnement

5. À l'aide d'exemples précis, indiquez le registre dominant. Quelle en est l'efficacité ?

Identité et altérité

6. Pourquoi l'auteur se sent-il proche des esclaves ? Repérez les **répétitions** et les **anaphores** du premier paragraphe : quelle est leur fonction ?

Fiche 41 Les figures de style

7. De qui l'auteur veut-il être moralement différent ? Pourquoi ?

8. RECHERCHE Quel sens l'adjectif « chimérique » prend-il tour à tour, aux lignes 33 et 34 ? Proposez un synonyme pour chaque acception.

HISTOIRE DES ARTS

Observez les lignes du tableau : quelles différentes idées expriment-elles ? D'où vient la force de l'image ?

Fiche 42 Lecture de l'image fixe

VERS LE BAC

Commentaire

Rédigez un commentaire du texte 7. Vous commencerez par montrer comment la « raison » guide Condorcet dans son argumentation, puis vous soulignerez l'efficacité de sa lettre sur le cœur et l'imagination de ses lecteurs.

Fiche 51 Rédiger un commentaire

Commentaire comparé

Comparez l'éloquence de la lettre de Condorcet avec celle du monologue intérieur de l'esclave en fuite chez Chamoiseau.

Fiche 52 Rédiger un commentaire comparé

9 Jean-Paul Sartre, *Les Mains sales*, 1948

Biographie p. 630
Du même auteur p. 40, 164
Histoire littéraire p. 299
Repères historiques p. 622

Jeune intellectuel bourgeois, Hugo est entré au Parti communiste pour des raisons idéologiques. En pleine guerre mondiale, alors que les communistes divergent sur la conduite à suivre vis-à-vis des autres formations politiques, il se voit confier la tâche de tuer un ennemi interne au Parti, le « social traître » Hoederer.

1 HOEDERER. – Es-tu fou ? Une armée socialiste va occuper le pays[1] et tu la laisserais repartir sans profiter de son aide ? C'est une occasion qui ne se reproduira jamais plus : je te dis que nous ne sommes pas assez forts pour faire la Révolution seuls.

5 HUGO. – On ne doit pas prendre le pouvoir à ce prix.

HOEDERER. – Qu'est-ce que tu veux faire du Parti ? Une écurie de courses ? À quoi ça sert-il de fourbir[2] un couteau tous les jours si l'on n'en use jamais pour trancher ? Un parti, ce n'est jamais qu'un moyen. Il n'y a qu'un seul but : le pouvoir.

10 HUGO. – Il n'y a qu'un seul but : c'est de faire triompher nos idées, toutes nos idées et rien qu'elles.

HOEDERER. – C'est vrai : tu as des idées, toi. Ça te passera.

HUGO. – Vous croyez que je suis le seul à en avoir ? Ça n'était pas pour des idées qu'ils sont morts, les copains qui se sont fait tuer par la police du 15 Régent[3] ? Vous croyez que nous ne les trahirions pas, si nous faisions servir le Parti à dédouaner[4] leurs assassins ?

HOEDERER. – Je me fous des morts. Ils sont morts pour le Parti et le Parti peut décider ce qu'il veut. Je fais une politique de vivant, pour les vivants.

HUGO. – Et vous croyez que les vivants accepteront vos combines ?

20 HOEDERER. – On les leur fera avaler tout doucement.

HUGO. – En leur mentant ?

HOEDERER. – En leur mentant quelquefois.

HUGO. – Vous… vous avez l'air si vrai, si solide ! Ça n'est pas possible que vous acceptiez de mentir aux camarades.

25 HOEDERER. – Pourquoi ? Nous sommes en guerre et ça n'est pas l'habitude de mettre le soldat heure par heure au courant des opérations.

HUGO. – Hoederer, je… je sais mieux que vous ce que c'est que le mensonge ; chez mon père tout le monde se mentait, tout le monde me mentait. Je ne respire plus que depuis mon entrée au Parti. Pour la première fois j'ai 30 vu des hommes qui ne mentaient pas aux autres hommes. Chacun pouvait avoir confiance en tous et tous en chacun, le militant le plus humble avait le sentiment que les ordres des dirigeants lui révélaient sa volonté profonde, et s'il y avait un coup dur, on savait pourquoi on acceptait de mourir. Vous n'allez pas…

35 HOEDERER. – Mais de quoi parles-tu ?

HUGO. – De notre Parti.

1. La scène a lieu en Illyrie (région de la Yougoslavie et de l'actuelle Croatie) dont la situation est inspirée de l'immédiat après 1945. L'armée soviétique étend l'influence du communisme.
2. Nettoyer, préparer une arme.
3. Dirigeant fasciste qui a collaboré avec l'Allemagne nazie.
4. Blanchir, faire oublier un passé répréhensible.

Les Mains sales, de Jean-Paul SARTRE, mise en scène de Guy-Pierre COULEAU (Scène nationale d'Angoulême, 2009).

HOEDERER. – De notre Parti ? Mais on y a toujours un peu menti. Comme partout ailleurs. Et toi, Hugo, tu es sûr que tu ne t'es jamais menti, que tu n'as jamais menti, que tu ne mens pas à cette minute même ?

40 HUGO. – Je n'ai jamais menti aux camarades. Je… À quoi ça sert de lutter pour la libération des hommes, si on les méprise assez pour leur bourrer le crâne ?

HOEDERER. – Je mentirai quand il faudra et je ne méprise personne. Le mensonge, ce n'est pas moi qui l'ai inventé : il est né dans une société divisée en 45 classes et chacun de nous l'a hérité en naissant. Ce n'est pas en refusant de mentir que nous abolirons le mensonge : c'est en usant de tous les moyens pour supprimer les classes[5].

HUGO. – Tous les moyens ne sont pas bons.

HOEDERER. – Tous les moyens sont bons quand ils sont efficaces.

50 HUGO. – Alors, de quel droit condamnez-vous la politique du Régent ? Il a déclaré la guerre à l'U.R.S.S. parce que c'était le moyen le plus efficace de sauvegarder l'indépendance nationale[6].

HOEDERER. – Est-ce que tu t'imagines que je la condamne ? Il a fait ce que n'importe quel type de sa caste aurait fait à sa place. Nous ne luttons ni 55 contre des hommes ni contre une politique mais contre la classe qui produit cette politique et ces hommes.

HUGO. – Et le meilleur moyen que vous ayez trouvé pour lutter contre elle, c'est de lui offrir de partager le pouvoir avec vous ?

HOEDERER. – Parfaitement. Aujourd'hui, c'est le meilleur moyen. (*Un* 60 *temps.*) Comme tu tiens à ta pureté, mon petit gars ! Comme tu as peur de te salir les mains. Eh bien, reste pur ! À qui cela servira-t-il et pourquoi viens-tu parmi nous ? La pureté, c'est une idée de fakir et de moine. Vous autres, les intellectuels, les anarchistes bourgeois, vous en tirez prétexte pour ne rien faire. Ne rien faire, rester immobile, serrer les coudes contre le 65 corps, porter des gants. Moi j'ai les mains sales. Jusqu'aux coudes. Je les ai plongées dans la merde et dans le sang. Et puis après ? Est-ce que tu t'imagines qu'on peut gouverner innocemment ?

5. Dès la seconde moitié du XIXe siècle, les socialistes analysent la société en termes de classes. Les classes capitalistes s'opposent à celles des prolétaires, travailleurs exploités.

6. Le second tableau est présenté comme un *flash back* par rapport au premier tableau de la pièce, situé en 1945. Sartre écrit *Les Mains sales* au moment où les pays de l'Est basculent dans le bloc soviétique, figeant l'Europe dans la Guerre froide.

HUGO. – On s'apercevra peut-être un jour que je n'ai pas peur du sang.

HOEDERER. – Parbleu : des gants rouges, c'est élégant. C'est le reste qui te
70 fait peur. C'est ce qui pue à ton petit nez d'aristocrate.

HUGO. – Et nous y voilà revenus : je suis un aristocrate, un type qui n'a jamais eu faim ! Malheureusement pour vous, je ne suis pas seul de mon avis.

HOEDERER. – Pas seul ? Tu savais donc quelque chose de mes négociations
75 avant de venir ici ?

HUGO. – N-non. On en avait parlé en l'air, au Parti, et la plupart des types n'étaient pas d'accord et je peux vous jurer que ce n'étaient pas des aristocrates.

HOEDERER. – Mon petit, il y a malentendu : je les connais, les gens du Parti
80 qui ne sont pas d'accord avec ma politique et je peux te dire qu'ils sont de mon espèce, pas de la tienne – et tu ne tarderas pas à le découvrir. S'ils ont désapprouvé ces négociations, c'est tout simplement qu'ils les jugent inopportunes ; en d'autres circonstances ils seraient les premiers à les engager. Toi, tu en fais une affaire de principes.

Jean-Paul SARTRE, *Les Mains sales*, Cinquième tableau, scène 3,

10 Albert Camus, *Les Justes*, 1949

TEXTE ÉCHO

Biographie p. 625
Du même auteur p. 88, 165, 301, 529
Histoire littéraire p. 299
Repères historiques p. 622

Russie, 1905. Kalialyev, un activiste socialiste révolutionnaire, n'a pu se résoudre à lancer sa bombe sur la calèche du grand-duc, parce qu'il y a vu des enfants. De retour dans son groupe de terroristes, il provoque une discussion : peut-on être « juste » pour la société, à tout prix ?

1 DORA. – [...] À *Stepan*. Pourrais-tu, toi, Stepan, les yeux ouverts, tirer à bout portant sur un enfant ?

STEPAN. – Je le pourrais si l'Organisation le commandait.

DORA. – Pourquoi fermes-tu les yeux ?

5 STEPAN. – Moi ? j'ai fermé les yeux ?

DORA. – Oui.

STEPAN. – Alors, c'était pour mieux imaginer la scène et répondre en connaissance de cause.

DORA. – Ouvre les yeux et comprends que l'Organisation perdrait ses pou-
10 voirs et son influence si elle tolérait, un seul moment, que des enfants fussent broyés par nos bombes.

STEPAN. – Je n'ai pas assez de cœur pour ces niaiseries. Quand nous nous déciderons à oublier les enfants, ce jour-là, nous serons les maîtres du monde et la révolution triomphera.

15 DORA. – Ce jour-là, la révolution sera haïe de l'humanité entière.

STEPAN. – Qu'importe si nous l'aimons assez fort pour l'imposer à l'humanité entière et la sauver d'elle-même et son esclavage.

DORA. – Et si l'humanité entière rejette la révolution ? Et si le peuple entier, pour qui tu luttes, refuse que ses enfants soient tués ? Faudra-t-il le frapper 20 aussi ?

Albert CAMUS, *Les Justes*, Acte II, 1949 © Éditions Gallimard, 1962.

Les Justes, d'Albert CAMUS, mise en scène de Stanislas NORDEY (Théâtre de la Colline, 2010).

Débattre sur le prix d'une vie humaine

LECTURE DU TEXTE 9

Deux situations, deux personnages

1. Caractérisez chacun des deux personnages en vous référant précisément au dialogue.
2. Quels indices suggèrent qu'Hoederer est le double inversé (ou maléfique) de Hugo ?
3. À qui réfère le pronom « nous » ? A-t-il le même sens dans la bouche des deux hommes ?

L'homme : moyen ou fin ?

4. Quelle thèse chaque interlocuteur défend-il ? Dégagez-en les **arguments** et **contre-arguments** en les opposant dans un tableau.

Fiche 28 Stratégies argumentatives et modes de raisonnement

5. Comment le texte de Camus fait-il écho à ce débat ?

La confrontation

6. Comment le dialogue progresse-t-il ? Quels **procédés syntaxiques** et lexicaux traduisent le conflit entre les deux hommes ?

Fiche 61 La syntaxe de la phrase

7. Connaissant le but secret de Hugo, quel poids prennent certaines répliques ? Donnez des exemples précis.
8. Quel personnage suscite la confiance du spectateur ? Argumentez.

HISTOIRE DES ARTS

Comment comprendre et interpréter la métaphore des « mains sales » ? Comment la mise en scène de G.-P. Couleau (p. 285) lui donne-t-elle force et signification ?

VERS LE BAC

Dissertation

« Tous les moyens sont bons quand ils sont efficaces », affirment Hoederer et Stepan. Que pensez-vous de ces propos ? Étayez votre réponse à l'aide d'arguments empruntés à la littérature et à l'histoire.

Fiche 53 Comprendre un sujet de dissertation

Oral (entretien)

Quel est l'intérêt de présenter cette réflexion sur l'engagement sous la forme d'un dilemme théâtral ?

Fiche 56 Réussir l'épreuve orale du baccalauréat

11

Aimé Césaire, *Discours sur la Négritude*, 1987

Ce discours prononcé à l'Université internationale de Floride redéfinit la « Négritude ». Créé dans les années 1930, ce terme controversé visait à dénoncer le colonialisme et à revaloriser la culture d'origine africaine.

Biographie p. 625

Histoire littéraire p. 299

Repères historiques p. 622

La Négritude, à mes yeux, n'est pas une philosophie.
La Négritude n'est pas une métaphysique.
La Négritude n'est pas une prétentieuse conception de l'univers.

C'est une manière de vivre l'histoire dans l'histoire : l'histoire d'une communauté dont l'expérience apparaît, à vrai dire, singulière avec ses déportations de populations, ses transferts d'hommes d'un continent à l'autre, les souvenirs de croyances lointaines, ses débris de cultures assassinées.

Comment ne pas croire que tout cela qui a sa cohérence constitue un patrimoine ?

En faut-il davantage pour fonder une identité ?

Les chromosomes m'importent peu. Mais je crois aux archétypes[1].

Je crois à la valeur de tout ce qui est enfoui dans la mémoire collective de nos peuples et même dans l'inconscient collectif[2].

Je ne crois pas que l'on arrive au monde le cerveau vide comme on y arrive les mains vides.

Je crois à la vertu plasmatrice[3] des expériences séculaires[4] accumulées et du vécu véhiculé par les cultures.

Singulièrement, et soit dit en passant, je n'ai jamais pu me faire à l'idée que les milliers d'hommes africains que la traite négrière[5] transporta jadis aux Amériques ont pu n'avoir eu d'importance que celle que pouvait mesurer leur seule force animale – une force animale analogue et pas forcément supérieure à celle du cheval ou du bœuf – et qu'ils n'ont pas fécondé d'un certain nombre de valeurs essentielles, les civilisations naissantes dont ces sociétés nouvelles étaient en puissance les porteuses.

1. Symboles primitifs présents dans l'imaginaire et l'« inconscient collectif » des peuples.
2. Partie de l'inconscient présent chez la plupart des individus d'un groupe.
3. Qui façonne, modèle.
4. Qui durent des siècles.
5. Commerce et déportation de populations africaines réduites en esclavage, surtout au XVIIIe siècle.

Jean-Michel BASQUIAT (1960-1988), *Slaveships (Tobacco)*, 1984, acrylique et crayon gras sur toile, 183 x 244 cm (collection privée).

25 C'est dire que la Négritude au premier degré peut se définir d'abord comme prise de conscience de la différence, comme mémoire, comme fidélité et comme solidarité.

Mais la Négritude n'est pas seulement passive. Elle n'est pas de l'ordre du pâtir et du subir.

30 Ce n'est ni un pathétisme[6] ni un dolorisme[7].

La Négritude résulte d'une attitude active et offensive de l'esprit.

Elle est sursaut, et sursaut de dignité.

Elle est refus, je veux dire refus de l'oppression.

Elle est combat, c'est-à-dire combat contre l'inégalité.

35 Elle est aussi révolte. Mais alors, me direz-vous, révolte contre quoi ? Je n'oublie pas que je suis ici dans un congrès culturel, que c'est ici à Miami que je choisis de le dire. Je crois que l'on peut dire, d'une manière générale, qu'historiquement, la Négritude a été une forme de révolte d'abord contre le système mondial de la culture tel qu'il s'était constitué pendant les derniers 40 siècles et qui se caractérise par un certain nombre de préjugés, de pré-supposés qui aboutissent à une très stricte hiérarchie. Autrement dit, la Négritude a été une révolte contre ce que j'appellerai le réductionnisme européen.

Je veux parler de ce système de pensée ou plutôt de l'instinctive tendance d'une civilisation éminente et prestigieuse à abuser de son prestige 45 même pour faire le vide autour d'elle en ramenant abusivement la notion d'universel, chère à Léopold Sédar Senghor[8], à ses propres dimensions, autrement dit à penser l'universel à partir de ses seuls postulats[9] et à travers ses catégories propres. On voit et on n'a que trop vu les conséquences que cela entraîne : couper l'homme de lui-même, couper l'homme de ses racines, 50 couper l'homme de l'univers, couper l'homme de l'humain, et l'isoler, en définitive, dans un orgueil suicidaire sinon dans une forme rationnelle et scientifique de la barbarie.

Aimé CÉSAIRE, *Discours sur la Négritude*, dans *Discours sur le colonialisme*, Présence Africaine, 2004.

6. Goût excessif pour le pathétique.
7. Complaisance pour la douleur.
8. (1906-2001) Président de la République du Sénégal de 1960 à 1980, poète et grammairien, membre de l'Académie française.
9. Principes de base d'une pensée.

Affirmer sa valeur

LECTURE DU TEXTE

Se définir dans l'histoire

1. Expliquez comment sont progressivement évoqués ici deux aspects de la Négritude : un « patrimoine » et une « offensive de l'esprit ». Puis, reformulez la **thèse** soutenue par l'écrivain.

Fiche 28 Stratégies argumentatives et modes de raisonnement

2. Quels indices lexicaux, grammaticaux et syntaxiques laissent à penser que définir la Négritude ne va pas de soi et nécessite un travail sur les mots ?

3. Quels enseignements Césaire tire-t-il de l'histoire ?

S'affirmer avec force

4. En quels termes Césaire dénonce-t-il une vision du monde centrée sur l'Europe ? La tonalité est-elle alors polémique ?

5. Comment l'« offensive de l'esprit » se manifeste-t-elle dans le style du discours ?

Une parole entraînante

6. Préparez une lecture à haute voix. Sur quels procédés de style vous appuyez-vous ?

7. Commentez la façon dont Césaire s'investit dans son discours.

8. Par quels moyens stylistiques l'auditoire est-il impliqué dans le discours ?

HISTOIRE DES ARTS

Comment la souffrance et le besoin de reconnaissance se manifestent-ils dans la force du ton et du trait, chez Basquiat d'une part, et chez Césaire d'autre part ?

ÉCRITURE

Vers l'écriture d'invention

@ RECHERCHE D'où vient la puissance du discours de Martin Luther King « *I have a dream* » ? En vous inspirant de ce modèle d'éloquence, composez un discours définissant un rêve de société.

12

Sylvie Germain, *Tobie des marais*, 1998

Au début du roman est relatée la rencontre entre les arrière-grands-parents du héros. Après avoir quitté l'Europe de l'Est à cause des persécutions ou de la pauvreté, ils ont été aussi refoulés d'Amérique. Tous deux ont perdu leur famille et leurs maigres ressources dans ces voyages. Leur rencontre est la redécouverte de leur humanité et de leur richesse.

Biographie p. 626

Du même auteur p. 44, 45

Histoire littéraire p. 299

Repères historiques p. 622

Le lendemain, un jeune homme aussi loqueteux[1] qu'elle l'était elle-même devenue, l'avait abordée. Il avait la témérité des timides, et la déconcertante sagacité[2] des innocents. Il était polonais ; Déborah parlait sa langue aussi bien que le yiddish[3]. Il avait des yeux pareils à des lunes, tout à fait ronds et d'un bleu très pâle, transparent presque, ce qui lui donnait un air de candeur radieuse malgré la fatigue et le désarroi qui marquaient ses traits. C'était d'ailleurs à cause de cette expression lunaire, et aussi de ses ongles rongés jusqu'au sang, qu'il avait été refoulé loin du Nouveau Monde. On lui avait trouvé l'allure d'un idiot et on avait suspecté chez lui une déficience mentale. Pas plus que Déborah il n'avait su se défendre, prouver qu'il était sain d'esprit ; il était seulement anxieux, et d'une excessive émotivité.

Ce fut donc en bafouillant beaucoup qu'il avait dit à Déborah l'avoir remarquée la veille lorsqu'elle s'était glissée jusqu'à la poupe et qu'elle s'était penchée vers la mer. Il avait d'abord pensé qu'elle voulait se noyer – lui-même avait déjà lutté plus d'une fois contre cette tentation depuis son enfermement puis son renvoi de l'île Ellis –, et il s'était approché d'elle sans faire de bruit pour la retenir au dernier instant. Mais alors il avait entendu chanter la mer et vu un sourire trembler sur l'eau[4]. Et il voulait la remercier pour « cela » – il ne savait pas comment définir ce discret prodige. Juste la remercier.

Déborah l'avait écouté en silence, les mains serrées sur son châle qu'elle tenait bien croisé sur sa poitrine pour cacher sa veste en lambeaux. Et lui restait planté devant elle, la fixant de ses yeux ronds et ingénus. Le mutisme de la jeune fille ne le gênait pas, il ne lui était même pas venu à l'esprit que peut-être elle ne comprenait pas sa langue. Ce face-à-face absurde et silencieux avait duré des heures ; des heures pendant lesquelles ils s'étaient regardés, non sous l'emprise d'un charme amoureux, mais parce que tous deux étaient parvenus au même degré d'épuisement, d'extrême solitude et de nudité. Ils s'étaient regardés sans curiosité ni calcul, hors attente, et le regard de chacun traversait

Constantin BRANCUSI (1876-1957), *Le Baiser*, 1923-1925, sculpture, 36,5 x 25,5 cm (Centre Pompidou, Paris).

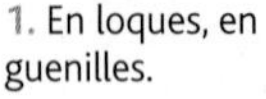

1. En loques, en guenilles.
2. Finesse d'esprit.
3. Langue allemande des communautés juives d'Europe centrale et de l'Est.
4. Déborah a chanté en repensant à son enfance.

le visage et le corps de l'autre ainsi qu'une vitre. Une vitre donnant sur l'ab-
40 sence, la lumière de l'absence. Ils se tenaient l'un devant l'autre ainsi qu'ils l'avaient si souvent fait depuis des mois devant le ciel, l'océan.

Il ne s'était rien passé d'autre ce jour-là, rien que cette lente exténuation du regard au fil de laquelle la douleur de chacun s'était allégée, transformée imperceptiblement en douceur. Les jours suivants ils s'étaient de nouveau
45 rencontrés. Ils se postaient côte à côte, appuyés au bastingage[5], ils contemplaient la mer, et le temps suspendu ; ne parlant toujours pas. Parfois il posait sa main sur celle de Déborah ; il ne caressait pas cette main, ne la pressait pas, il s'assurait juste de sa présence. Il lui arrivait aussi d'émettre un long soupir, léger comme l'approche d'une consolation, ou d'esquisser un sourire,
50 dédié au vide, à personne.

La veille de l'arrivée le jeune homme avait rompu le silence. « Et demain, que va-t-il se passer demain ? – Rien, avait répondu Déborah. Désormais, rien. » Et elle avait pensé : « Nous avons tout perdu en mer, nous sommes des naufragés. Sur terre aussi nous le serons, le resterons, à jamais. » Il avait
55 cependant repris : « Je ne peux même pas retourner en Pologne, je n'ai plus rien là-bas, le peu que je possédais je l'ai vendu pour partir. – Je n'ai plus rien là-bas non plus, et plus de famille », avait répondu Déborah en écho. Il avait réfléchi, puis avait déclaré : « Alors, allons ailleurs ! », comme s'il s'agissait d'un pays, et qu'il fût évident qu'ils s'y rendraient ensemble.

Sylvie GERMAIN, *Tobie des marais*, 1998, © Éditions Gallimard, 2000.

5. Balustrade autour du pont du navire.

Une reconnaissance inestimable

LECTURE DU TEXTE

Radicalement pauvres

1. Relevez les expressions évoquant l'exclusion et le dénuement des deux passagers. Ne connaissent-ils qu'une pauvreté matérielle ?

Fiche 18 La description

2. Les personnages se laissent-ils emporter par leur faiblesse et ne font-ils « rien » ? Qu'est-ce qui leur reste ?

Le langage du silence

3. Précisez les étapes de la rencontre en établissant le plan de l'extrait. De quelle manière les personnages communiquent-ils ?

4. Comment les deux personnages parviennent-ils à se connaître ? Quelles sont les qualités de chacun qui attirent l'autre ?

Une destinée à partager

5. Commentez le couple de mots « douleur » et « douceur » au début du quatrième paragraphe. Comment est-on passé de l'une à l'autre ?

6. Quelles expressions construisent une symétrie entre les deux personnages ? Lesquelles indiquent qu'ils partageront leur avenir ? Quelle note d'espoir vient conclure le texte ?

7. Que pourrait symboliser le navire, au milieu de l'immense océan ?

HISTOIRE DES ARTS

Comparez le texte de Sylvie Germain avec la sculpture de Brancusi, en essayant de caractériser la représentation de l'Homme que chacun propose.

Fiche 44 Lecture de corpus : textes et images

ÉCRITURE

Argumentation

Quelles peuvent être les différentes significations de la pauvreté du corps et de l'esprit ? Comment amoindrit-elle la dignité humaine ; comment peut-elle la révéler malgré tout ?

13 Primo Levi, *Si c'est un homme*, 1947

Biographie p. 628
Histoire littéraire p. 299
Repères historiques p. 622

Ainsi commence le poème inaugural du témoignage de P. Levi : « Vous qui vivez en toute quiétude [...] Considérez si c'est un homme / Que celui qui peine dans la boue / Qui ne connaît pas de repos [...] » Il est inspiré de L'Enfer de Dante : « Considérez quelle est votre origine : Vous n'avez pas été faits pour vivre comme brutes / Mais pour ensuivre et science et vertus ». Le portrait de Jean rend hommage à l'humanité de l'un des détenus.

Ce n'était pas le Vorarbeiter[1], ce n'était que Jean, le Pikolo de notre Kommando. Jean était un étudiant alsacien. Bien qu'il eût déjà vingt-quatre ans, c'était le plus jeune Häftling[2] du Kommando de Chimie. Et c'est pour cette raison qu'on lui avait assigné le poste de Pikolo, c'est-à-dire de livreur-commis aux écritures, préposé à l'entretien de la baraque, à la distribution des outils, au lavage des gamelles et à la comptabilité des heures de travail du Kommando.

Jean parlait couramment le français et l'allemand ; dès qu'on reconnut ses chaussures en haut de l'échelle, tout le monde s'arrêta de racler[3] :

– Also, Pikolo, was gibt es Neues ?[4]

– *Qu'est-ce qu'il y a comme soupe aujourd'hui ?*

...De quelle humeur était le Kapo ? Et l'histoire des vingt-cinq coups de cravache à Stern ? Quel temps faisait-il dehors ? Est-ce qu'il avait lu le journal ? Qu'est-ce que ça sentait à la cuisine des civils ? Quelle heure était-il ?

Jean était très aimé au Kommando. Il faut savoir que le poste de Pikolo représente un échelon déjà très élevé dans la hiérarchie des prominences[5] : le Pikolo (qui en général n'a pas plus de dix-sept ans) n'est pas astreint à un travail manuel, il a la haute main sur les fonds de marmite et peut passer ses journées à côté du poêle : « c'est pourquoi » il a droit à une demi-ration supplémentaire, et il est bien placé pour devenir l'ami et le confident du Kapo, dont il reçoit officiellement les vêtements et les souliers usagés. Or, Jean était un Pikolo exceptionnel. Il joignait à la ruse et à la force physique des manières affables et amicales : tout en menant avec courage et ténacité son combat personnel et secret contre le camp et contre la mort, il ne manquait pas d'entretenir des rapports humains avec ses camarades moins privilégiés ; et de plus il avait été assez habile et persévérant pour gagner la confiance d'Alex, le Kapo[6].

Alex avait tenu toutes ses promesses. Il avait amplement confirmé sa nature de brute violente et sournoise, sous une solide carapace d'ignorance et de bêtise sauf pour ce qui était de son flair et de sa technique de garde-chiourme[7] consommé. Il ne perdait pas une occasion de vanter la pureté de son sang et la supériorité du triangle vert[8], et affichait un profond mépris pour ses chimistes loqueteux et affamés : « Ihr Doktoren, Ihr Intelligenten ! »[9] ricanait-il chaque jour en nous voyant nous bousculer, gamelle tendue, à la distribution de la soupe. Avec les Meister[10] civils, il se montrait extrêmement empressé et obséquieux, et avec les SS il entretenait des rapports de cordiale amitié.

Il était visiblement intimidé par le registre du Kommando et le petit rapport quotidien des travaux et des prestations, et c'est par ce biais que Pikolo s'était rendu indispensable. Les travaux d'approche avaient été longs, prudents et minutieux, et l'ensemble du Kommando en avait suivi les progrès

1. Chef d'équipe.
2. Détenu.
3. Les détenus étaient en train de nettoyer l'intérieur d'une citerne.
4. « Alors, Pikolo, quoi de neuf ? »
5. Germanisme, comme pour les mots empruntés au vocabulaire du camp : fonctionnaire, plus ou moins haut placé.
6. Détenu surveillant, chargé de commander les autres détenus.
7. (*Très péjoratif*) Gardien de bagnards (« chiourme » signifie d'abord « les galériens », puis « les bagnards »).
8. Triangle signalant les malfaiteurs ou criminels de droit commun.
9. « Vous, les docteurs (scientifiques), vous, l'Intelligence ».
10. Maîtres.

pendant tout un mois en retenant son souffle ; mais finalement la défense du porc-épic avait cédé, et Pikolo s'était vu confirmé dans sa charge à la satisfaction de tous les intéressés.

Bien que Jean n'abusât pas de sa position, nous avions déjà pu constater
45 qu'un mot de lui, dit au bon moment et sur le ton qu'il fallait, pouvait faire beaucoup ; plusieurs fois déjà il avait pu ainsi sauver certains d'entre nous de la cravache ou de la dénonciation aux SS. Depuis une semaine, nous étions amis : nous nous étions découverts par hasard, à l'occasion d'une alerte aérienne, mais ensuite, pris par le rythme impitoyable du Lager[11], nous n'avions pu que nous
50 dire bonjour en nous croisant aux latrines ou aux lavabos.

11. Camp.

Primo LEVI, *Si c'est un homme*, 1947,
trad. M. Schruoffeneger, Pocket, Julliard, 1987.

Photogramme du film *La Trêve* (1997) de l'Italien Francesco ROSI, d'après le roman de Primo LEVI.

Se souvenir des gestes d'humanité

LECTURE DU TEXTE

Un témoignage

1. Faites un plan précis du texte distinguant description et narration. Comment le portrait de Jean est-il organisé ?

2. « [...] j'ai délibérément recouru au langage sobre et posé du témoin plutôt qu'au pathétique de la victime ou à la véhémence du vengeur » : indiquez comment ces mots de Primo Levi aident à caractériser le style de ce texte.

3. Classez les détails du portrait permettant de comprendre les conditions de vie du camp et les caractéristiques physiques et morales de Jean. Qu'en déduisez-vous ?

4. Quelle est l'impression produite par le contre-portrait d'Alex ? Justifiez votre réponse.

Le sens des gestes

5. Quel rôle Jean semble-t-il jouer auprès des détenus ? Commentez des passages précis.

6. L'éloge de Jean est-il explicite ? Quels autres mots pourriez-vous utiliser pour caractériser ce portrait, et pourquoi ?

HISTOIRE DES ARTS

Comment le gros plan du cinéaste exprime-t-il la fragilité de l'être humain ?

Fiche 43 Lecture de l'image mobile

ÉCRITURE

Vers la dissertation

Est-il nécessaire d'accompagner le portrait d'un homme de bien par une leçon de morale explicite ? Inspirez-vous de ce texte pour construire une réponse argumentée et illustrée.

Fiche 30 La littérature morale

ORAL

Analyse

@RECHERCHE Qui est Primo Levi ? Proposez une explication orale de ce passage. Insérez votre biographie dans l'introduction afin de l'enrichir.

Fiche 56 Réussir l'épreuve orale du baccalauréat

14

Robert Antelme, *L'Espèce humaine*, 1947

Biographie p. 624

Du même auteur p. 298

Histoire littéraire p. 299

Repères historiques p. 622

« À nous-mêmes ce que nous avions à dire commençait alors à nous paraître inimaginable », écrit Robert Antelme pour montrer la difficulté de parler au retour de la déportation. Et pourtant, L'Espèce humaine *tente de mettre en mots une tentative bien réelle de la déshumanisation.*

1 Dehors, la vallée est noire. Aucun bruit n'en arrive. Les chiens dorment d'un sommeil sain et repu. Les arbres respirent calmement. Les insectes nocturnes se nourrissent dans les prés. Les feuilles transpirent, et l'air se gorge d'eau. Les prés se couvrent de rosée et brilleront tout à l'heure au 5 soleil. Ils sont là, tout près, on doit pouvoir les toucher, caresser cet immense pelage. Qu'est-ce qui se caresse et comment caresse-t-on ? Qu'est-ce qui est doux aux doigts, qu'est-ce qui est seulement à être caressé ?

Jamais on n'aura été aussi sensible à la santé de la nature. Jamais on n'aura été aussi près de confondre avec la toute-puissance de l'arbre qui sera 10 sûrement encore vivant demain. On a oublié tout ce qui meurt et qui pourrit dans cette nuit forte, et les bêtes malades et seules. La mort a été chassée par nous des choses de la nature, parce que l'on n'y voit aucun génie qui s'exerce contre elles et les poursuive. Nous nous sentons comme ayant pompé tout pourrissement possible. Ce qui est dans 15 cette salle apparaît comme la maladie extraordinaire, et notre mort ici comme la seule véritable. Si ressemblants aux bêtes, toute bête nous est devenue somptueuse ; si semblables à toute plante pourrissante, le destin de cette plante nous paraît aussi luxueux que celui qui 20 s'achève par la mort dans le lit. Nous sommes au point de ressembler à tout ce qui ne se bat que pour manger et meurt de ne pas manger, au point de nous niveler sur une autre espèce, qui ne sera jamais nôtre et vers laquelle on tend ; mais celle-ci qui vit du moins 25 selon sa loi authentique – les bêtes ne peuvent pas devenir plus bêtes – apparaît aussi somptueuse que la nôtre « véritable » dont la loi peut être aussi de nous conduire ici. Mais il n'y a pas d'ambiguïté, nous restons des hommes, nous ne 30 finirons qu'en hommes. La distance qui nous sépare d'une autre espèce reste intacte, elle n'est pas historique. C'est un rêve SS de croire que nous avons pour mission historique de changer 35 d'espèce, et comme cette mutation se fait trop lentement, ils tuent. Non, cette maladie extraordinaire n'est autre chose qu'un moment culminant de l'histoire des hommes. Et cela peut signifier deux choses : d'abord que l'on fait 40 l'épreuve de la solidité de cette espèce, de sa fixité. Ensuite, que la variété des rapports entre les hommes, leur couleur, leurs coutumes, leur

Alberto GIACOMETTI (1901-1966), *Three Men Walking (II)*, 1949, bronze, 76,5 x 33 x 32,4 cm (Museum of Modern Art, New York).

formation en classes masquent une vérité qui apparaît ici éclatante, au bord de la nature, à l'approche de nos limites : il n'y a pas des espèces humaines, il y a une espèce humaine. C'est parce que nous sommes des hommes comme eux que les SS seront en définitive impuissants devant nous. C'est parce qu'ils auront tenté de mettre en cause l'unité de l'espèce qu'ils seront finalement écrasés. Mais leur comportement et notre situation ne sont que le grossissement, la caricature extrême – où personne ne veut, ni ne peut sans doute se reconnaître – de comportements, de situations qui sont dans le monde et qui sont même cet « ancien monde véritable » auquel nous rêvons. Tout se passe effectivement là-bas comme s'il y avait des espèces – ou plus exactement comme si l'appartenance à l'espèce n'était pas sûre, comme si l'on pouvait y entrer et en sortir, n'y être qu'à demi ou y parvenir pleinement, ou n'y jamais parvenir même au prix de générations –, la division en races ou en classes étant le canon de l'espèce[1] et entretenant l'axiome[2] toujours prêt, la ligne ultime de défense : « Ce ne sont pas des gens comme nous. »

Eh bien, ici, la bête est luxueuse, l'arbre est la divinité et nous ne pouvons devenir ni la bête ni l'arbre. Nous ne pouvons pas et les SS ne peuvent pas nous y faire aboutir. Et c'est au moment où le masque a emprunté la figure la plus hideuse, au moment où il va devenir notre figure, qu'il tombe. Et si nous pensons alors cette chose qui, d'ici, est certainement la chose la plus considérable que l'on puisse penser : « Les SS ne sont que des hommes comme nous » [...] nous sommes obligés de dire qu'il n'y a qu'une espèce humaine.

Robert ANTELME, *L'Espèce humaine*, 1947 © Éditions Gallimard, 1957.

1. Canon de l'espèce : le moyen d'évaluation, le critère de reconnaissance et de mesure de l'espèce.
2. Principe, fondement d'un système.

Penser l'espèce humaine

LECTURE DU TEXTE

Une étrange concurrence

1. Quels **détails** renforcent la beauté et la cruauté de la description qui ouvre l'extrait ? Que représente la nature, pour le prisonnier ?

Fiche 18 La description

2. Indiquez les aspects des règnes végétal et animal sur lesquels insiste l'auteur. Par contraste, comment apparaissent les « malades » ?

3. Les termes « ressemblants », « semblables » et « ressembler à », l. 16 à 21, proposent-ils une assimilation de l'homme aux animaux et aux plantes ? Retrouvez le paradoxe que formule l'auteur à deux reprises dans l'extrait.

Fiche 28 Stratégies argumentatives et modes de raisonnement

Radicalité de l'expérience, radicalité de l'espèce

4. Expliquez cette affirmation : « La distance qui nous sépare d'une autre espèce reste intacte, elle n'est pas historique. »

5. Qu'expriment les **répétitions** du début du dernier paragraphe ?

6. Où la très forte **antithèse** entre les deux groupes d'hommes est-elle annulée ? Par quoi ?

Fiche 41 Les figures de style

7. Montrez comment Robert Antelme fait du récit d'une expérience personnelle une méditation générale, en observant de près les pronoms personnels, la structure du passage et le va-et-vient entre le concret de l'expérience et la réflexion abstraite.

HISTOIRE DES ARTS

Giacometti a souvent représenté l'homme « debout », ou « qui marche ». Que peut signifier la verticalité de ses figures, en même temps que leur dépouillement ? Rédigez quelques lignes sur ces sculptures, qui pourraient conclure votre commentaire du passage d'Antelme.

ÉCRITURE

Argumentation

Pourquoi un récit autobiographique peut-il intéresser un très grand public ? Aidez-vous d'autres exemples tirés de cette séquence.

15

Jorge Semprun, *L'Écriture ou la vie*, 1994

Déporté à Buchenwald en 1943, Semprun mettra plusieurs années à prendre la décision de relater son expérience. L'alternative du titre de son livre correspond au choix difficile d'écrire après avoir vécu une expérience concentrationnaire.

Biographie p. 631

Histoire littéraire p. 299

Repères historiques p. 622

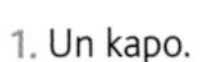

Il[1] avait tourné les talons et m'accompagnait jusqu'au châlit[2] de Maurice Halbwachs[3].

– *Dein Herr Professor*, avait-il chuchoté, *kommt heute noch durch's Kamin !*[4]

J'avais pris la main de Halbwachs qui n'avait pas eu la force d'ouvrir les yeux. J'avais senti seulement une réponse de ses doigts, une pression légère : message presque imperceptible.

Le professeur Maurice Halbwachs était parvenu à la limite des résistances humaines. Il se vidait lentement de sa substance, arrivé au stade ultime de la dysenterie qui l'emportait dans la puanteur.

Un peu plus tard, alors que je lui racontais n'importe quoi, simplement pour qu'il entende le son d'une voix amie, il a soudain ouvert les yeux. La détresse immonde, la honte de son corps en déliquescence[5] y étaient lisibles. Mais aussi une flamme de dignité, d'humanité vaincue mais inentamée. La lueur immortelle d'un regard qui constate l'approche de la mort, qui sait à quoi s'en tenir, qui en a fait le tour, qui en mesure face à face les risques et les enjeux, librement : souverainement.

Alors, dans une panique soudaine, ignorant si je puis invoquer quelque Dieu pour accompagner Maurice Halbwachs, conscient de la nécessité d'une prière, pourtant, la gorge serrée, je dis à haute voix, essayant de maîtriser celle-ci, de la timbrer comme il faut, quelques vers de Baudelaire. C'est la seule chose qui me vienne à l'esprit.

Ô mort, vieux capitaine, il est temps, levons l'ancre…

Le regard de Halbwachs devient moins flou, semble s'étonner.
Je continue de réciter. Quand j'en arrive à

…nos cœurs que tu connais sont remplis de rayons,
un mince frémissement s'esquisse sur les lèvres de Maurice Halbwachs.

Il sourit, mourant, son regard sur moi, fraternel.

Jorge SEMPRUN, *L'Écriture ou la vie*,

1. Un kapo.
2. Cadre du lit, sur lequel on pose le sommier.
3. Grand professeur de sociologie, déporté pour actes de résistance.
4. « Aujourd'hui, ton Professeur s'en va par la cheminée ».
5. Très grand affaiblissement physique.

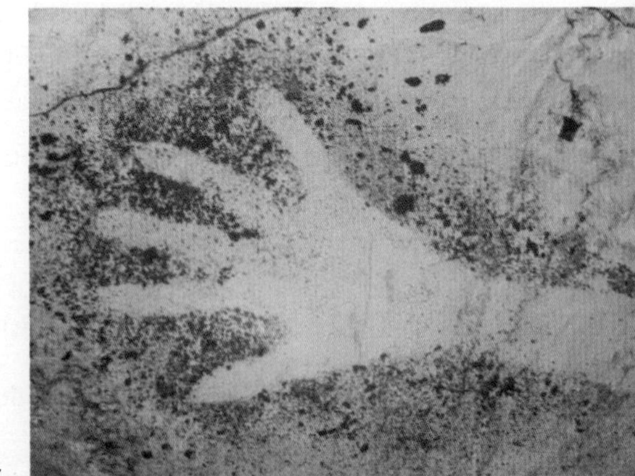

Main rupestre, grotte de Cosquer.

16 Charles Baudelaire, *Les Fleurs du mal*, 1857

TEXTE ÉCHO

Biographie p. 624

Du même auteur p. 218, 219, 244, 245, 351, 405, 429

Histoire littéraire p. 299

Repères historiques p. 622

Voici la fin du long poème « Le voyage » qui revient à la mémoire de Jorge Semprun. Les vers de Baudelaire expriment surtout l'envie de « s'en aller » : par dégoût, lassitude, mais aussi soif inapaisée du Beau et de l'Idéal.

Le voyage

VIII

1 Ô Mort, vieux capitaine, il est temps ! levons l'ancre !
Ce pays nous ennuie, ô Mort ! Appareillons !
Si le ciel et la mer sont noirs comme de l'encre,
Nos cœurs que tu connais sont remplis de rayons !

5 Verse-nous ton poison pour qu'il nous réconforte !
Nous voulons, tant ce feu nous brûle le cerveau,
Plonger au fond du gouffre, Enfer ou Ciel, qu'importe ?
Au fond de l'Inconnu pour trouver du *nouveau* !

Charles BAUDELAIRE, « Le voyage », CXXVI (extrait),
Les Fleurs du mal, 1857.

Retrouver des rites de l'humanité

LECTURE DU TEXTE 15

L'expérience des limites

1. Par quels termes la perte de dignité physique du malade est-elle décrite ? Qu'est-ce qui vient contredire cette « déliquescence » ?

2. Quel rôle le narrateur veut-il jouer auprès du mourant ? Y semble-t-il préparé ?

L'expérience de la fraternité

3. Indiquez quels langages sont employés par les deux hommes pour communiquer. Quel est le rôle de leurs mains ?

4. Observez précisément les détails indiquant les réactions du mourant. Comment l'antithèse entre leur fragilité et leur grandeur spirituelle est-elle exprimée ?

L'expérience de la dignité humaine

5. Où et comment le mourant manifeste-t-il le plus fortement sa dignité ?

6. Commentez le rythme des phrases, l. 14 à 17 : « Mais aussi une flamme [...] souverainement. » en vous aidant de leur structure syntaxique et en relevant les mots isolés mis en valeur. Que suggère ainsi Semprun ?

7. Comment la mort apparaît-elle dans le poème de Baudelaire ? Quel rôle est dévolu à la poésie dans ce moment de départ ?

8. @ RECHERCHE http://atilf.atilf.fr/ Qu'est-ce qu'un « tombeau » en littérature ? En opposant le propos de Semprun à celui du kapo qui ouvre le texte, pouvez-vous dire que ce passage est un tombeau pour M. Halbwachs ?

HISTOIRE DES ARTS

Cette très ancienne représentation de main est-elle seulement un document, ou peut-elle inspirer une réflexion sur l'art, sanctuaire de l'humanité ?

ÉCRITURE

Argumentation

Lisez, dans *Si c'est un homme*, le poème initial de Primo Levi, et le chapitre 11 « Le Chant d'Ulysse ». Pensez-vous que le partage d'un patrimoine poétique puisse aider les hommes à rester hommes ?

POUR ARGUMENTER PEUT-ON PERDRE SON HUMANITÉ ?

Robert Antelme, *L'Espèce humaine*, 1947

Zoran MUŠIČ (1909-2005), *Nous ne sommes pas les derniers*, 1970, huile sur toile (Musée des Beaux-Arts, Caen).

Je rapporte ici ce que j'ai vécu. L'horreur n'y est pas gigantesque. Il n'y avait à Gandersheim[1] ni chambre à gaz, ni crématoire. L'horreur y est obscurité, manque absolu de repère, solitude, oppression incessante, anéantissement lent. Le ressort de notre lutte n'aura été que la revendication forcenée, et presque toujours elle-même solitaire, de rester, jusqu'au bout, des hommes. [...]

Dire que l'on se sentait alors contesté comme homme, comme membre de l'espèce, peut apparaître comme un sentiment rétrospectif, une explication après coup. C'est cela cependant qui fut le plus immédiatement et constamment sensible et vécu, et c'est cela d'ailleurs, exactement cela, qui fut voulu par les autres. La mise en question de la qualité d'homme provoque une revendication presque biologique d'appartenance à l'espèce humaine. Elle sert ensuite à méditer sur les limites de cette espèce, sur sa distance à la « nature » et sa relation avec elle, sur une certaine solitude de l'espèce donc, et pour finir, surtout à concevoir une vue claire de son unité indivisible.

Robert ANTELME, *L'Espèce humaine*, Avant-propos, 1947

1. Baraquement dépendant de Buchenwald, camp de concentration nazi.

LECTURE DU TEXTE

1. « On ne naît pas homme, on le devient », affirme l'humaniste Érasme au XVIe siècle. En quoi cet adage s'applique-t-il à la vision de l'Homme défendue par Antelme ?

2. L'appartenance à l'espèce humaine s'exprime-t-elle d'un point de vue physique ou intellectuel pour l'auteur ? Justifiez votre réponse par un relevé lexical précis.

LECTURE DE L'IMAGE

Quelle vision de l'Homme ce tableau donne-t-il à voir ? Vous répondrez à cette question après avoir fait des recherches sur Zoran Music. Aidez-vous également du titre du tableau pour justifier votre réponse.

DÉBAT

En vous appuyant sur les textes de Primo Levi (p. 292) et de Robert Antelme (p. 294 et 298), construisez un débat sur ce sujet : « Peut-on encore croire en un idéal humaniste aujourd'hui ? » Vous pourrez vous reporter à la synthèse d'histoire littéraire « L'humanisme » (p. 372).

Histoire littéraire

La réflexion sur l'Homme du XVIe siècle à nos jours

La littérature n'a eu de cesse de s'interroger sur l'Homme du XVIe siècle à nos jours. En explorant la complexité de l'espèce humaine, les écrivains ont pu s'interroger sur son essence même et définir un idéal vers lequel l'Homme doit tendre.

L'idéal humaniste

- À la Renaissance, une nouvelle vision de l'Homme apparaît. S'appuyant sur une connaissance des philosophes antiques, les humanistes valorisent le savoir de l'être humain et diffusent ainsi un idéal de perfection. Reprenant les thèses d'Aristote (IVe siècle avant J.-C.), les penseurs du XVIe siècle établissent la supériorité de l'homme sur l'animal. L'Homme se distingue par sa capacité à acquérir « vertu et connaissance » comme le préconise Dante *(La Divine Comédie)*.

Ex. : *Dans son* Discours sur la dignité de l'homme *(vers 1488), l'humaniste Pic de la Mirandole s'émerveille devant les pouvoirs de l'homme : « Ô très haute et très merveilleuse félicité de l'homme ! À lui seul est accordé le pouvoir de posséder ce qui lui plaît, d'être ce qui lui semble bon. »*

- De nombreux auteurs insistent sur la nécessité d'acquérir de solides connaissances lui permettant d'être à l'image de Dieu et de s'affranchir de toutes sortes de frayeurs. L'homme idéal de la Renaissance apparaît donc sage et avide de savoir.

Ex. : *La célèbre lettre de Gargantua à son fils Pantagruel rappelle cette exigence humaniste en définissant un véritable programme d'enseignement : « C'est pourquoi, mon fils, je t'engage à employer ta jeunesse à bien progresser en savoir et en vertu. Tu es à Paris, tu as ton précepteur Épistémon [« savant » en grec] : l'homme par un enseignement direct et de vive voix, la ville par de louables exemples, ont le pouvoir de te former. »* (>p. 362)

« Misère de l'homme »

Les guerres de religion qui agitent la France de 1562 à 1598 remettent en cause l'idéal promu par les humanistes. L'Homme étant capable de tuer son voisin, il n'apparaît plus comme une valeur suprême. De la période baroque (1560-1640) à l'âge classique (1640-1715), les écrivains relativisent la notion de perfection humaine. Ce moment de « crise de la conscience européenne » (P. Hazard) voit la naissance de diverses formes artistiques en lien avec cette nouvelle représentation de l'homme.

Le genre des **vanités** se développe en Europe : la peinture des natures mortes s'accompagne d'une vision sombre de la destinée humaine comme le suggère la présence marquée d'un sablier ou d'une tête de mort.

Adriaen VERDOEL (vers 1620-après 1695), *Vanité*, 1692, huile sur bois, 32 x 37 cm (Musée Charles de Bruyères, Remiremont)

La **littérature morale** connaît alors un renouvellement au XVIIe siècle. Des formes fragmentaires voient le jour comme les **maximes**, **sentences** ou autres **réflexions**.

Ex. : *La Rochefoucauld écrit les* Maximes *en 1664 et Pascal les* Pensées *en 1670. Ces* ***moralistes*** *révèlent la vanité de toute action humaine et la misère de celui qui ne se conduit pas en suivant le chemin tracé par Dieu.*
« Que le cœur de l'homme est creux et plein d'ordure. » (Pascal, Pensées, *IX, « Divertissement »)*
« L'homme croit souvent se conduire lorsqu'il est conduit ; et pendant que par son esprit il tend à un but, son cœur l'entraîne insensiblement à un autre. » (La Rochefoucauld, Réflexions morales, *43)*

Deuil et renaissances

La notion d'humanité se trouve fortement ébranlée au XXe siècle : les guerres mondiales, la guerre d'Espagne ou encore les luttes postcoloniales inspirent les artistes.

- Le « **théâtre de l'absurde** » met en scène des personnages en quête perpétuelle de sens. Incapables de raisonner et d'expliquer leur raison d'exister, ils se contentent de subir les événements.

Ex. : *Dans* Rhinocéros (>p. 280), *le phénomène de la « rhinocérite » advient sans préavis. L'Homme est une idée vide de sens dès lors que les hommes deviennent rhinocéros. « L'humanisme est périmé », dit Jean.*

- Certains écrivains choisissent néanmoins de redonner une vitalité à la notion d'**humanisme**. Primo Levi (>p. 292) et Robert Antelme (>p. 294) refusent de subir la logique de déshumanisation des camps de concentration. Dans cette perspective, l'écrivain devient une figure de résistant : *« Il n'y a pas d'ambiguïté, nous restons des hommes, nous ne finirons qu'en hommes. La distance qui nous sépare d'une autre espèce reste intacte, elle n'est pas historique »* (Robert Antelme, >p. 294).

- Redonnant sens à l'engagement de l'homme, le XXe siècle se définit comme « **le siècle des intellectuels** » (M. Winock). Les combats en faveur de l'humanité se multiplient, qu'il s'agisse de la reconnaissance des droits des femmes par Simone de Beauvoir (>p. 347) ou de la défense d'une identité par Aimé Césaire (>p. 288).

Manifestes pour l'Homme

Le XXe siècle apparaît à plus d'un titre comme le siècle de la **littérature engagée**. Plusieurs facteurs expliquent l'essor d'une littérature en prise avec les combats sociopolitiques de son temps. Avec l'émergence de nouveaux médias (journal, cinéma, télévision, Internet), les écrivains sont plus en prise avec la réalité et contribuent à des manifestes à l'attention du grand public. L'enjeu consiste alors à défendre les droits de l'homme en mettant sa plume au service de valeurs essentielles.

- À la fin du XIXe siècle, l'affaire Dreyfus marque la naissance de la figure de l'intellectuel. En 1898, l'écrivain Émile Zola publie une **lettre ouverte** au président de la République (« J'accuse ») pour dénoncer le sort réservé au capitaine Dreyfus, accusé à tort d'espionnage. Zola profite de sa notoriété et des gros tirages de *L'Aurore* pour donner une publicité à son message.

- Au XXe siècle, les écrivains participent à de nombreux manifestes visant à défendre une cause. En 1960, plusieurs intellectuels français donnent naissance au « **manifeste des 121** », déclaration écrite pour exprimer une opposition à la guerre d'Algérie. Parmi les signataires figurent Marguerite Duras, Maurice Blanchot ou encore Robert Antelme. Le manifeste se termine par trois formules demeurées célèbres :

« – Nous respectons et jugeons justifié le refus de prendre les armes contre le peuple algérien.
– Nous respectons et jugeons justifiée la conduite des Français qui estiment de leur devoir d'apporter aide et protection aux Algériens opprimés au nom du peuple français.
– La cause du peuple algérien, qui contribue de façon décisive à ruiner le système colonial, est la cause de tous les hommes libres. »

Réconciliant la parole et l'action, les intellectuels n'hésitent pas à participer à toutes sortes de **manifestations** de soutien à une population opprimée. Après les événements de mai 1968, **Jean-Paul Sartre (1905-1980)** entame une période d'action en faveur de la gauche prolétarienne, allant jusqu'à participer aux grèves aux côtés des ouvriers de Renault à Boulogne-Billancourt.

J.-P. Sartre à la sortie de l'usine Renault de Boulogne-Billancourt (21/10/1970).

- Au XXIe siècle, malgré un net recul de la figure de l'intellectuel, quelques artistes (écrivains, dramaturges, metteurs en scène) continuent de participer à des rassemblements ou à publier des tribunes dans des quotidiens ou des magazines pour défendre la dignité humaine. Des écrivains ou des dramaturges se mobilisent pour de nombreuses causes dans le cadre de manifestations en soutien à des victimes. L'intellectuel devient alors la caution morale d'un mouvement d'indignation populaire.

Le philosophe Bernard-Henri Lévy et la chanteuse Jane Birkin lors d'une manifestation en soutien à l'Iranienne Sakineh Mohammadi-Ashtiani, condamnée à mort par lapidation dans son pays.

Albert Camus
La Peste 1947

Un jour d'avril à Oran, en Algérie, le docteur Rieux découvre un rat mort sur son palier. Le concierge de l'immeuble tombe malade et meurt d'une maladie mystérieuse. Les morts suspectes se multiplient et la rumeur court : la peste serait revenue. Bientôt, la ville est mise en quarantaine et les habitants pris au piège révèlent ce qu'ils sont, grands ou misérables.

Objectifs

- Comprendre les ressources romanesques de la persuasion
- Proposer des morales de l'engagement au cœur de l'Histoire

Chronologie

1938 Camus accumule des notes pour préparer son roman.

1940 Quittant l'Algérie, il s'installe à Paris.

1942 *Le Mythe de Sisyphe.* Camus, en France occupée, est séparé de sa femme.

1943 Parution en revue clandestine des deux premières *Lettres à un ami allemand*, expliquant son combat dans un dispositif d'échange fictif. Camus rejoint la résistance au quotidien *Combat* où il sera journaliste jusqu'à l'après-guerre.

1947 Publication de *La Peste*.

1957 Prix Nobel de littérature.

TEXTES ÉCHOS

E. IONESCO, *Rhinocéros* > p. 280
J.-P. SARTRE, *Les Mains sales* > p. 284
A. CAMUS, *Les Justes* > p. 286
A. CÉSAIRE, *Discours sur la Négritude* > p. 288
P. LEVI, *Si c'est un homme* > p. 292
R. ANTELME, *L'Espèce humaine* > p. 294
J. SEMPRUN, *L'Écriture ou la vie* > p. 296

Histoire littéraire p. 299

Entrée dans l'œuvre : une allégorie de la peste

Arnold BÖCKLIN (1827-1901),
La Peste, 1898,
détrempe sur bois,
1,49 x 1,04 m (Kunstmuseum, Bâle).

1. @RECHERCHE Lisez l'extrait 1, p. 303 du manuel, puis cherchez sur Internet les tableaux *Bonaparte visitant les pestiférés de Jaffa*, de Jean-Antoine Gros et *La Peste d'Asdod*, de Nicolas Poussin. Quelles épidémies de peste historiques représentent-ils ? Comment Camus s'est-il inspiré de leur vision de cauchemar ?
2. Qu'est-ce qu'une allégorie et quelle peut-être sa portée dans un texte ?
3. Pour quelles raisons le tableau de Böcklin est-il une « allégorie de la peste » ? Comment est-elle représentée ?

L'œuvre et son contexte

En décembre 1942, au moment où la seconde guerre mondiale s'intensifie et où la « peste brune » se répand, Camus explique son projet :

« Je veux exprimer au moyen de la peste l'étouffement dont nous avons souffert et l'atmosphère de menace et d'exil que nous avons vécue. Je veux du même coup étendre cette interprétation à la notion d'existence en général. La peste donnera l'image de ceux qui dans cette guerre ont eu la part de la réflexion, du silence – et celle de la souffrance morale. »

Albert CAMUS, *Œuvres complètes*, II, *Carnets*,
© Éditions Gallimard, 2006.

1. @RECHERCHE À quels fléaux historiques précis Camus fait-il allusion ?
2. Plus largement, quelle forme de peste universelle dénonce-t-il ? Expliquez son allégorie de la peste en vous appuyant sur les images et le texte.

EXTRAIT 1

La force de suggestion des images

TEXTES ÉCHOS

> **A. Césaire,** *Discours sur la Négritude* **p. 288**
> **P. Levi,** *Si c'est un homme* **p. 292**
> **J. Semprun,** *L'Écriture ou la vie* **p. 296**

- Montrez que cette vision de la peste insiste sur la contagion physique et morale. Quelle ligne de conduite Rieux choisit-il d'adopter face à ce fléau ?
- Lisez les textes échos. Dans un monde où règne la peur, comment les personnages expriment-ils leur choix de la raison, de l'humanité et de l'espoir ?

Le roman se présente comme une chronique tenue par le Dr Rieux, médecin à Oran dans les années 1940. Après avoir vu des rats agoniser, il doit traiter des malades atteints de ce qui paraît être une épidémie de peste. Ce mot terrible vient d'être prononcé pour la première fois, plongeant le médecin dans la perplexité.

Le docteur regardait toujours par la fenêtre. D'un côté de la vitre, le ciel frais du printemps, et de l'autre côté le mot qui résonnait encore dans la pièce : la peste. Le mot ne contenait pas seulement ce que la science voulait bien y mettre, mais une longue suite d'images extraordinaires qui ne s'accordaient pas avec cette ville jaune et grise, modérément animée à cette heure, bourdonnante plutôt que bruyante, heureuse en somme, s'il est possible qu'on puisse être à la fois heureux et morne. Et une tranquillité si pacifique et si indifférente niait presque sans effort les vieilles images du fléau, Athènes empestée et désertée par les oiseaux, les villes chinoises remplies d'agonisants silencieux, les bagnards de Marseille empilant dans des trous les corps dégoulinants, la construction en Provence du grand mur qui devait arrêter le vent furieux de la peste, Jaffa[1] et ses hideux mendiants, les lits humides et pourris collés à la terre battue de l'hôpital de Constantinople, les malades tirés avec des crochets, le carnaval des médecins masqués pendant la Peste noire, les accouplements des vivants dans les cimetières de Milan, les charrettes de morts dans Londres épouvanté, et les nuits et les jours remplis, partout et toujours, du cri interminable des hommes. Non, tout cela n'était pas encore assez fort pour tuer la paix de cette journée. De l'autre côté de la vitre, le timbre d'un tramway invisible résonnait tout d'un coup et réfutait en une seconde la cruauté et la douleur. Seule la mer, au bout du damier terne des maisons, témoignait de ce qu'il y a d'inquiétant et de jamais reposé dans le monde. Et le docteur Rieux, qui regardait le golfe, pensait à ces bûchers dont parle Lucrèce[2] et que les Athéniens frappés par la maladie élevaient devant la mer. On y portait les morts durant la nuit, mais la place manquait et les vivants se battaient à coups de torches pour y placer ceux qui leur avaient été chers, soutenant des luttes sanglantes plutôt que d'abandonner leurs cadavres. On pouvait imaginer les bûchers rougeoyants devant l'eau tranquille et sombre, les combats de torches dans la nuit crépitante d'étincelles et d'épaisses vapeurs empoisonnées montant vers le ciel attentif. On pouvait craindre…

Mais ce vertige ne tenait pas devant la raison. Il est vrai que le mot de « peste » avait été prononcé, il est vrai qu'à la minute même le fléau secouait et jetait à terre une ou deux victimes. Mais quoi, cela pouvait s'arrêter. Ce qu'il fallait faire, c'était reconnaître clairement ce qui devait être reconnu, chasser enfin les ombres inutiles et prendre les mesures qui convenaient. Ensuite, la peste s'arrêterait, parce que la peste ne s'imaginait pas ou s'imaginait faussement. Si elle s'arrêtait, et c'était le plus probable, tout irait bien. Dans le cas contraire, on saurait ce qu'elle était et s'il n'y avait pas moyen de s'en arranger d'abord pour la vaincre ensuite.

Le docteur ouvrit la fenêtre et le bruit de la ville s'enfla d'un coup. D'un atelier voisin montait le sifflement bref et répété d'une scie mécanique. Rieux se secoua. Là était la certitude, dans le travail de tous les jours. Le reste tenait à des fils et à des mouvements insignifiants, on ne pouvait s'y arrêter. L'essentiel était de bien faire son métier.

Albert CAMUS, *La Peste*, 1947 © Éditions Gallimard, coll. Folio, 2010, p. 43-44.

1. Lors de la prise de Jaffa par l'armée française dirigée par Bonaparte (1799), les soldats pestiférés furent visités par le général en chef ; peut-être Camus pense-t-il au tableau de Gros (1804).
2. Philosophe épicurien (Ier siècle après J.-C.), Lucrèce explique dans son *De natura rerum* comment les corps composés d'atomes permanents sont des combinaisons périssables, affectées de sensations selon l'harmonie ou le désaccord entre ces atomes (d'où l'odeur pénible des « bûchers »).

EXTRAIT 2 Des raisons d'agir contre la peste

TEXTES ÉCHOS 

> **E. Ionesco,** *Rhinocéros* **p. 280**
> **R. Antelme,** *L'Espèce humaine* **p. 294**

Quel sens Rieux donne-t-il à sa mission, au cœur de la nuit ? Quelle conception de l'existence incarne-t-il ?

Lisez les textes échos. Qu'est-ce qui montre l'importance de la solidarité en résistance, chez chacun de ces auteurs ?

La peste se répand dans la ville, tandis que plusieurs personnages évoluent différemment. Le mystérieux Tarrou propose son aide au docteur Rieux, dans l'idée de constituer des groupes d'hommes de bonne volonté contre le fléau. Rieux l'avertit des dangers qu'il courrait s'il participait à la lutte.

– [...] vos victoires seront toujours provisoires, voilà tout.
Rieux parut s'assombrir.
– Toujours, je le sais. Ce n'est pas une raison pour cesser de lutter.
– Non, ce n'est pas une raison. Mais j'imagine alors ce que doit être cette peste pour vous.
– Oui, dit Rieux, une interminable défaite.
[...] Les escaliers restaient plongés dans la nuit. Le docteur se demandait si c'était l'effet d'une nouvelle mesure d'économie. Mais on ne pouvait pas savoir. Depuis quelque temps déjà, dans les maisons et dans la ville, tout se détraquait. C'était peut-être simplement que les concierges, et nos concitoyens en général, ne prenaient plus soin de rien. Mais le docteur n'eut pas le temps de s'interroger plus avant, car la voix de Tarrou résonnait derrière lui :
– Encore un mot, docteur, même s'il vous paraît ridicule : vous avez tout à fait raison.
Rieux haussa les épaules pour lui-même, dans le noir.
– Je n'en sais rien, vraiment. Mais vous, qu'en savez-vous ?
– Oh ! dit l'autre sans s'émouvoir, j'ai peu de choses à apprendre.
Le docteur s'arrêta net et le pied de Tarrou, derrière lui, glissa sur une marche. Tarrou se rattrapa en prenant l'épaule de Rieux.
– Croyez-vous tout connaître de la vie ? demanda celui-ci.
La réponse vint dans le noir, portée par la même voix tranquille :
– Oui.
Quand ils débouchèrent dans la rue, ils comprirent qu'il était assez tard, onze heures peut-être. La ville était muette, peuplée seulement de frôlements. Très loin, le timbre d'une ambulance résonna. Ils montèrent dans la voiture et Rieux mit le moteur en marche.
– Il faudra, dit-il, que vous veniez demain à l'hôpital pour le vaccin préventif. Mais, pour en finir et avant d'entrer dans cette histoire, dites-vous que vous avez une chance sur trois d'en sortir.
– Ces évaluations n'ont pas de sens, docteur, vous le savez comme moi. Il y a cent ans, une épidémie de peste a tué tous les habitants d'une ville de Perse, sauf précisément le laveur des morts qui n'avait jamais cessé d'exercer son métier.
– Il a gardé sa troisième chance, voilà tout, dit Rieux d'une voix soudain plus sourde. Mais il est vrai que nous avons encore tout à apprendre à ce sujet.
Ils entraient maintenant dans les faubourgs. Les phares illuminaient les rues désertes. Ils s'arrêtèrent. Devant l'auto, Rieux demanda à Tarrou s'il voulait entrer et l'autre dit que oui. Un reflet du ciel éclairait leurs visages. Rieux eut soudain un rire d'amitié :
– Allons, Tarrou, dit-il, qu'est-ce qui vous pousse à vous occuper de cela ?
– Je ne sais pas. Ma morale peut-être.
– Et laquelle ?
– La compréhension.

Albert CAMUS, *La Peste*, 1947 © Éditions Gallimard, coll. Folio, 2010, p. 121-123.

EXTRAIT 3

La mort de l'innocent et la question du mal

TEXTES ÉCHOS

> **J.-P. Sartre,** *Les Mains sales* **p. 284**
> **A. Camus,** *Les Justes* **p. 286**

« Et si la souffrance des enfants sert à parfaire la somme des douleurs nécessaires à l'acquisition de la vérité, j'affirme d'ores et déjà que cette vérité ne vaut pas un tel prix... Je préfère garder mes souffrances non rachetées et mon indignation persistante, même si j'avais tort ! »

Fédor DOSTOÏEVSKI, *Les Frères Karamazov*, 1880, trad. par Henri Mongault, Éd. Gallimard, Pléiade, 1952.

Lisez les textes échos. Quelle hypothèse au sujet du mal est envisagée dans les quatre extraits de Camus, Sartre et Dostoïevski ?

Expliquez la révolte du personnage de Dostoïevski et du docteur Rieux devant l'agonie de l'enfant.

Parmi les victimes se trouve le petit garçon du juge Othon. Si Rieux s'est occupé de tant de malades depuis le début de la peste, il reste longtemps au chevet de celui-ci, accompagné du père Paneloux, un jésuite, de Tarrou et du Dr Castel. L'enfant vit ses derniers moments.

1 Il ouvrit alors les yeux pour la première fois et regarda Rieux qui se trouvait devant lui. Au creux de son visage maintenant figé dans une argile grise, la bouche s'ouvrit et, presque aussitôt, il en sortit un seul cri continu, que la respiration nuançait à peine, et qui emplit soudain la salle d'une protes-
5 tation monotone, discorde, et si peu humaine qu'elle semblait venir de tous les hommes à la fois. Rieux serrait les dents et Tarrou se détourna. Rambert s'approcha du lit près de Castel qui ferma le livre, resté ouvert sur ses genoux. Paneloux regarda cette bouche enfantine, souillée par la maladie, pleine de ce cri de tous les âges. Et il se laissa glisser à genoux et tout le monde trouva
10 naturel de l'entendre dire d'une voix un peu étouffée, mais distincte derrière la plainte anonyme qui n'arrêtait pas : « Mon Dieu, sauvez cet enfant. »

Mais l'enfant continuait de crier et, tout autour de lui, les malades s'agitèrent. Celui dont les exclamations n'avaient pas cessé, à l'autre bout de la pièce, précipita le rythme de sa plainte jusqu'à en faire, lui aussi, un vrai cri,
15 pendant que les autres gémissaient de plus en plus fort. Une marée de sanglots déferla dans la salle, couvrant la prière de Paneloux, et Rieux, accroché à sa barre de lit, ferma les yeux, ivre de fatigue et de dégoût.

Quand il les rouvrit, il trouva Tarrou près de lui.

– Il faut que je m'en aille, dit Rieux. Je ne peux plus les supporter.

20 Mais brusquement, les autres malades se turent. Le docteur reconnut alors que le cri de l'enfant avait faibli, qu'il faiblissait encore et qu'il venait de s'arrêter. Autour de lui, les plaintes reprenaient, mais sourdement, et comme un écho lointain de cette lutte qui venait de s'achever. Car elle s'était achevée. Castel était passé de l'autre côté du lit et dit que c'était fini. La bouche
25 ouverte, mais muette, l'enfant reposait au creux des couvertures en désordre, rapetissé tout d'un coup, avec des restes de larmes sur son visage.

Paneloux s'approcha du lit et fit les gestes de la bénédiction. Puis il ramassa ses robes et sortit par l'allée centrale.

[...]

30 Mais Rieux quittait déjà la salle, d'un pas si précipité, et avec un tel air que, lorsqu'il dépassa Paneloux, celui-ci tendit le bras pour le retenir.

– Allons, docteur, lui dit-il.

Dans le même mouvement emporté, Rieux se retourna et lui jeta avec violence :

35 – Ah ! celui-là, au moins, était innocent, vous le savez bien !

[...]

– Pourquoi m'avoir parlé avec cette colère ? dit une voix derrière lui. Pour moi aussi, ce spectacle était insupportable.

Rieux se retourna vers Paneloux :

40 – C'est vrai, dit-il. Pardonnez-moi. Mais la fatigue est une folie. Et il y a des heures dans cette ville où je ne sens plus que ma révolte.

Albert CAMUS, *La Peste*, 1947 © Éditions Gallimard, coll. Folio, 2010, p. 197-198.

Les sources littéraires : le mystère du mal

LE PRÊTRE. – […] la cité, tu le vois bien toi-même, plie sous la rafale d'un ouragan, sans pouvoir lever la tête hors des abîmes de ce roulis sanglant. La mort est sur elle, enfermée dans le germe des récoltes de son sol. La mort est sur le bétail qui broute ses pâturages, sur ses femmes qui ne mettent au monde que des enfants morts-nés. Diabolique, incendiaire, foudroyante, fonce des cieux sur notre ville une peste atroce qui fait de Thèbes un désert. Et le Prince noir, le Seigneur Hadès, s'engraisse de gémissements et de sanglots…

SOPHOCLE, *Œdipe Roi*, Ve siècle av. J.-C.,
trad. Victor-Henri Debidour, © Éd. de Fallois, 1999.

1. RECHERCHE **Lisez la réplique du prêtre à Œdipe, au début de la pièce. Que peut signifier la peste dans *Œdipe Roi* de Sophocle ?**
2. Lisez également le chapitre VI de l'*Apocalypse* et la fable de La Fontaine intitulée « Les animaux malades de la peste ». Quels éléments semblent avoir nourri la réflexion de Camus sur le mal ?

La réception de l'œuvre : une proposition morale et ses limites

1. *Une morale provisoire*

Qu'il y ait des valeurs, Camus n'en doutait pas, et il était en train dans *La Peste* d'affirmer leur existence au niveau humain. […] L'homme n'est pas innocent, mais il n'est pas non plus coupable. Dans quelle mesure, dans quelles limites ? On ne sait pas. En attendant – car c'est une morale provisoire – le porte-parole de l'auteur, Rieux, croit qu'il faut guérir tout ce qu'on peut guérir. Aveu d'ignorance, mais aussi résolution dans le sens d'une action nécessaire, si incertain qu'en soit le résultat.

Jean GRENIER, *Albert Camus (Souvenirs)*,
© Éditions Gallimard, 1968.

2. *Refuser sa responsabilité*

[…] les deux hommes se rejoignent dans la même attitude morale, attitude qui n'est pas, certes, de passivité, puisqu'ils luttent et se sacrifient également, Tarrou autant que Rieux, plus que Rieux même, puisqu'il paiera ce sacrifice de sa vie, mais qui est seulement de *défense* et, au fond, de *non-intervention*. Des plaies à panser, des crimes à comprendre (et à pardonner) : c'est tout ce que l'on peut faire. La médecine et la compréhension : voilà la morale.

Et sans doute, cette morale est la seule qui soit sans danger, la seule qui nous laisse les mains parfaitement nettes, qui nous dégage de toute responsabilité dans les catastrophes. Mais l'insuffisance et l'inefficacité d'une attitude se trahit précisément à cela qu'elle est sans danger. L'obsession majeure de Camus, comment ne pas la reconnaître et ne pas l'admettre : mais comment ne pas vouloir la dépasser ? Redouter que la volonté du meilleur ne soit une cause du pire, refuser toute intervention par crainte de ses conséquences possibles, se contenter de soigner les victimes afin de ne pas ajouter soi-même aux fléaux, c'est se dérober au destin d'exemple et de révélation qui est la mission de certains hommes, échanger le risque contre la sécurité, la responsabilité contre le repos.

Gaëtan PICON, « Remarques sur *La Peste* »,
L'Usage de la lecture, I, © Mercure de France, 1979.

1. @RECHERCHE Présentez plusieurs interventions humanitaires ayant fait l'actualité et qui ont suscité le débat. La portée des « bonnes actions » est-elle toujours bénéfique ? En vous appuyant sur ces textes, expliquez pourquoi Rieux soigne sans intervenir à la racine même du mal.
2. Comment J. Grenier et G. Picon ont-ils compris la morale de *La Peste* ? Reformulez leur propos. Quelles réserves G. Picon exprime-t-il ?

Les sens de *La Peste*

Jules Élie DELAUNAY (1828-1891), *La Peste à Rome*, 1869, 1,31 x 1,76 m (Musée d'Orsay, Paris).

L'œuvre et son contexte historique

1. Quelles grandes sources littéraires et quels événements récents ont inspiré à Camus sa réflexion sur le mal dans *La Peste* ? (p. 301, 302 et 306 du manuel)

2. Camus, comme Rieux, est séparé de sa femme par la guerre. Il note dans ses *Carnets* : « Ce qui me semble le mieux caractériser cette époque, c'est la séparation. Tous furent séparés du reste du monde, de ceux qu'ils aimaient ou de leurs habitudes. » Il voulut d'abord intituler son roman *Les Séparés*. Préférez-vous à ce titre celui de *La Peste*, et pourquoi ?

Le fléau

3. @ RECHERCHE Quels sont les différents sens du mot « fléau » ? Comment vous semblent-ils adaptés au développement de la maladie dans l'extrait 1 (p. 303 du manuel) et dans le roman ?

4. Quel passage du roman (p. 92, édition Gallimard) vous semble faire précisément allusion au tableau de Delaunay ? Quel est l'effet du prêche de Paneloux ?

Une allégorie

5. Dans l'extrait 2 (p. 304 du manuel), pourquoi la peste n'est-elle qu'un prétexte à une réflexion plus philosophique ? Répondez en vous appuyant sur les trois dialogues successifs de cet extrait.

6. Dans *Le Mythe de Sisyphe*, Camus constate qu'une allégorie « dépasse toujours celui qui en use, et lui fait dire en réalité plus qu'il n'a conscience d'exprimer ». Est-ce le cas pour les lecteurs de *La Peste* ?

Le genre de l'œuvre : un roman entre chronique réaliste et récit mythique

7. @ RECHERCHE Qu'est-ce qu'une chronique, en histoire et dans la presse ? Pourquoi le témoignage de Rieux peut-il être défini comme une chronique de son époque ? Et de l'époque où Camus a écrit ?

8. Trouvez plusieurs passages où les détails, vraisemblables, donnent au récit une tonalité réaliste. Quel est l'effet sur le lecteur ?

9. Qu'est-ce qu'un mythe ? Lisez les pages 104-105 de l'édition Gallimard. Pourquoi peut-on dire que ce passage réaliste a aussi une dimension mythique ?

Le style de l'œuvre

10. La longueur et le rythme des phrases diffèrent en fonction des sujets et des épisodes : montrez-le en commentant certaines phrases des extraits 1 (p. 303 du manuel) et 3 (p. 305 du manuel). Qu'expriment ces choix ?

11. Qu'est-ce qui rend intensément poétique le passage du bain, pages 231-232 de l'édition Gallimard ? Comment fait-il contrepoids, par son atmosphère et ses images, à la monstruosité de la peste ?

La progression tragique de l'action

12. Donnez un titre à chacune des parties du roman et rapprochez-la de l'un des cinq actes d'une tragédie classique.

13. Relisez la dernière page du roman et montrez que la fin est plus ouverte qu'un dénouement de tragédie. Comment interprétez-vous ce choix ?

FICHE DE LECTURE 2

Le problème de l'absurde et la solution de la révolte

L'absurdité au quotidien : la mort des innocents

1. Pourquoi l'extrait 3 (p. 305 du manuel) constitue-t-il le paroxysme tragique et pathétique du roman ?

2. Quel sens prend le silence à la fin de l'extrait ?

3. Quelle focalisation est employée dans ce récit ? Le narrateur impose-t-il un point de vue ? Comment interpréter ce choix ?

La notion d'absurde pour Camus

Sisyphe est condamné par les dieux à rouler une énorme pierre au sommet de la colline, à la voir retomber et à recommencer, éternellement. Tâche aussi absurde que la vie de l'homme, conscient du mal et de la mort, mais tentant d'agir, tout de même.

Sisyphe, prolétaire des dieux, impuissant et révolté, connaît toute l'étendue de sa misérable condition : c'est à elle qu'il pense pendant sa descente. La clairvoyance qui devait faire son tourment consomme du même coup sa victoire. Il n'est pas de destin qui ne se surmonte par le mépris.
Si la descente ainsi se fait certains jours dans la douleur, elle peut se faire aussi dans la joie. [...]
Toute la joie silencieuse de Sisyphe est là. Son destin lui appartient. Son rocher est sa chose. De même, l'homme absurde, quand il contemple son tourment, fait taire toutes les idoles.

A. CAMUS, *Le Mythe de Sisyphe*, © Éditions Gallimard, 1942.

4. RECHERCHE Que signifie le terme « absurde » ? Qu'est-ce qui semble absurde aux personnages de *La Peste* ? Comment Camus fait-il prendre conscience à son lecteur de l'absurdité du monde ?

5. Comparez Rieux (extrait 2, p. 304 du manuel) à Sisyphe. Caractérisez la tâche quotidienne de chacun.

6. Pourquoi ces deux personnages, loin de renoncer, s'accomplissent-ils dans un labeur absurde ? Argumentez en relevant des phrases significatives.

7. Le roman offre-t-il une solution facile au mal et à son absurdité ?

ÉCRITURE • *Invention*

8. En regardant le tableau de Chirico, imaginez que la statue représente le docteur Rieux solitaire, qui contemple la cité en songeant au destin qui l'a frappée. Écrivez son bref monologue intérieur.

Giorgio DE CHIRICO (1888-1978), *Les Joies et les énigmes d'une heure étrange*, 1913, huile sur toile (collection privée).

Les personnages : indifférence ou solidarité ?

9. Classez les personnages, de l'acceptation de l'absurdité à la révolte contre la peste.

10. Présentez chacun des personnages principaux :
– État civil, physique, caractère
– Action principales et motivations
– Choix et engagement par rapport aux « pestes »
Réfléchissez sur le parcours de chaque personnage. Puis, expliquez si s'engager, c'est se révolter contre le mal.

11. En vous appuyant sur la chronologie (p. 301 du manuel) et la biographie de l'écrivain (p. 625 du manuel), comparez l'engagement de Camus avec celui de Rieux (p. 273-274, édition Gallimard) et Rambert (p. 81 et 190, édition Gallimard).

Le romancier, engagé ou embarqué ?

12. Lisez le *Discours de Stockholm* de Camus, p. 529 du manuel et sur http://nobelprize.org/nobel_prizes/literature/laureates/1957/camus-speech-f.html.
En 1946, Camus écrit :
« J'aime mieux les hommes engagés que les littératures engagées. Du courage dans sa vie et du talent dans ses œuvres, ce n'est déjà pas si mal. Et puis l'écrivain est engagé quand il le veut. Son mérite c'est son mouvement. Et si ça doit devenir une loi, un métier ou une terreur, où est le mérite justement ? »

Albert CAMUS, *Œuvres complètes*, II, *Carnets*, © Éditions Gallimard, 2006.

SYNTHÈSE Vous expliquerez en dix lignes ce qui fait de ce roman un récit engagé nuancé.

ÉCRITURE • *Vers la dissertation*

13. Pensez-vous que la qualité d'une œuvre dépende de l'engagement de son auteur ?

Séquence

16 Les découvertes des voyageurs

Du XVIe siècle à nos jours, les écrivains ne cessent de sillonner le monde à la découverte de l'Homme. Pourtant, les écrivains voyageurs « savent souvent bien ce qu'ils fuient, non ce qu'ils cherchent » (Montaigne).

Problématique : Le voyage permet-il aux écrivains de comprendre l'Homme ?

Objectifs

- Découvrir la diversité des genres argumentatifs
- Étudier la représentation de l'altérité dans des textes du XVIe au XXe siècle

Histoire des arts : P. GAUGUIN, *D'où venons-nous ? Que sommes-nous ? Où allons-nous ?*, 1897 — 310

Corpus 1 : La rencontre du Sauvage

1 **M. DE MONTAIGNE,** *Les Essais,* « Sur les Cannibales », 1595 — 312
2 **J. DE LÉRY,** *Histoire d'un voyage fait en la terre du Brésil,* 1578 — 314
3 **L. A. DE BOUGAINVILLE,** *Voyage autour du monde,* 1771 — 316
4 **D. DIDEROT,** *Supplément au voyage de Bougainville,* 1772 — 317
5 **VOLTAIRE,** *L'Ingénu,* 1767 — 319
6 **M. TOURNIER,** *Vendredi ou les limbes du Pacifique,* 1967 — 320

Corpus 2 : La marche vers les hommes

7 **J.-J. ROUSSEAU,** *Émile,* 1762 — 322
8 **P. NIZAN,** *Aden Arabie,* 1931 — 324
9 **M. LEIRIS,** *L'Afrique fantôme,* 1934 — 324
10 **B. CENDRARS,** « Passagers », *Feuilles de route,* 1924 TEXTE ÉCHO — 325
11 **A. DE SAINT-EXUPÉRY,** *Terre des hommes,* 1939 — 326
12 **C. LÉVI-STRAUSS,** *Tristes tropiques,* 1955 — 328
13 **C. LÉVI-STRAUSS,** *Race et histoire,* 1952 TEXTE ÉCHO — 330

Pour argumenter : Les voyages forment-ils l'Homme ?

ALAIN, *Propos sur le bonheur,* 1928 — 331

Histoire littéraire : Les discours des voyageurs du XVIe au XXe siècle — 332

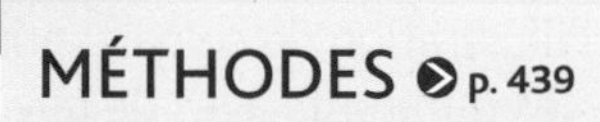

MÉTHODES

p. 439

Travailler en autonomie Fiche 10
La question de l'Homme dans les genres de l'argumentation Fiches 28, 29, 31
Lire et analyser Fiches 40, 41, 42
Préparer le baccalauréat Fiches 46, 47, 48, 51, 53, 54, 55, 56
Étude de la langue Fiches 59, 60

Histoire des arts

P. Gauguin, *D'où venons-nous ? Que sommes-nous ? Où allons-nous ?*, 1897

Contexte artistique et historique

L'EXOTISME

Un grand nombre de toiles peintes par Paul Gauguin (1848-1903) représentent l'homme au sein de la nature polynésienne. Curieux de découvrir la culture maohie, l'artiste effectue plusieurs séjours en Polynésie entre 1891 et 1903. Il rêve alors de se « débarrasser de l'influence de la civilisation » pour rencontrer une **humanité idéale**, qu'il suppose demeurée à l'état « sauvage ».

À la fin de sa vie, miné par la maladie, Gauguin livre son **« testament » pictural** avant de se laisser mourir. L'énigmatique fresque intitulée *D'où venons-nous ? Que sommes-nous ? Où allons-nous ?* (1897) en est la pierre angulaire. Cette toile aux dimensions impressionnantes – 3,74 mètres de long – appartient à une série de frises primitives. Gauguin y peint la réalité mais privilégie sa dimension originelle et exotique.

La notion d'**exotisme** est théorisée au début du XXe siècle par le poète breton Victor Segalen qui voit en Gauguin le pionnier de cette esthétique. Dans son *Essai sur l'exotisme*, Segalen la définit comme la capacité d'un individu à se laisser surprendre par « ce qui est en dehors de lui », contraire à ses habitudes.

Ce tableau est l'illustration de ce parti pris. Le spectateur identifie les différents âges de la vie dans un univers **dépaysant** et chatoyant. Interpellé par le **regard captivant** des femmes assises au premier plan, il pénètre au cœur de ce milieu pour mieux s'interroger sur lui-même et sur sa destinée.

Biographie
p. 626

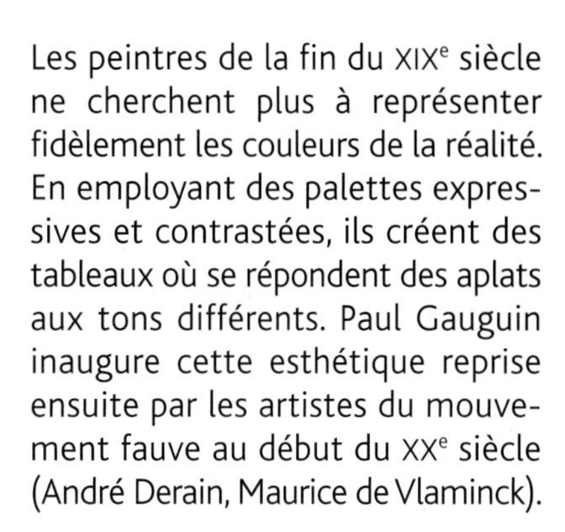

La couleur

Les peintres de la fin du XIXe siècle ne cherchent plus à représenter fidèlement les couleurs de la réalité. En employant des palettes expressives et contrastées, ils créent des tableaux où se répondent des aplats aux tons différents. Paul Gauguin inaugure cette esthétique reprise ensuite par les artistes du mouvement fauve au début du XXe siècle (André Derain, Maurice de Vlaminck).

Paul GAUGUIN (1848-1903),
D'où venons-nous ? Que sommes-nous ? Où allons-nous ?, 1897,
huile sur toile, 1,39 x 3,74 m
(Museum of Fine Arts, Boston, États-Unis).

Au miroir de l'autre

LECTURE DE L'IMAGE

Les âges de la vie

1. Observez la toile de droite à gauche. Pourquoi ce tableau est-il une réflexion sur la destinée humaine ?
2. Réfléchissez au titre du tableau. En quoi la toile illustre-t-elle ce questionnement ?
3. Comment interpréter les contrastes de couleurs ? Appuyez-vous sur le titre de l'œuvre.

Fiche 42 Lecture de l'image fixe

L'homme naturel

4. Quelle relation l'Homme « primitif » et la nature entretiennent-ils dans cette toile ? Comment un Occidental est-il supposé réagir ?
5. @RECHERCHE En quoi ce tableau ressemble-t-il au « jardin d'Éden » ? Vous répondrez après avoir lu le passage de la *Genèse* décrivant ce jardin et le poème de Supervielle, p. 238.
6. Gauguin entretient-il ou non le mythe du « bon sauvage » à travers cette toile ? (voir p. 332 du manuel)

VERS LE BAC

Dissertation

Ce tableau invite-t-il à s'ouvrir aux autres cultures ? Vous répondrez dans un paragraphe argumenté.

Fiche 53 Comprendre un sujet de dissertation

Invention

Vous êtes commissaire d'une exposition intitulée « états de nature ». Imaginez le discours que vous tiendriez au vernissage pour présenter des œuvres peignant l'exotisme. Votre écrit s'appuiera sur des arguments précis et mentionnera des tableaux de Gauguin, Derain ou Vlaminck.

Fiche 48 Rédiger un écrit d'invention

1

Michel de Montaigne, *Les Essais*, 1595

En 1562, Montaigne accompagne l'armée royale à Rouen et y rencontre des « cannibales » du Brésil. Ces Indiens fascinent les Européens qui ne se lassent pas de les décrire, non sans s'interroger sur eux-mêmes. Dans ce passage, Montaigne tente de prendre à rebours l'opinion commune qui assimile le sauvage à un barbare.

Biographie
p. 628

Du même auteur
p. 275, 365, 377, 383

Histoire littéraire
p. 332

Repères historiques
p. 614

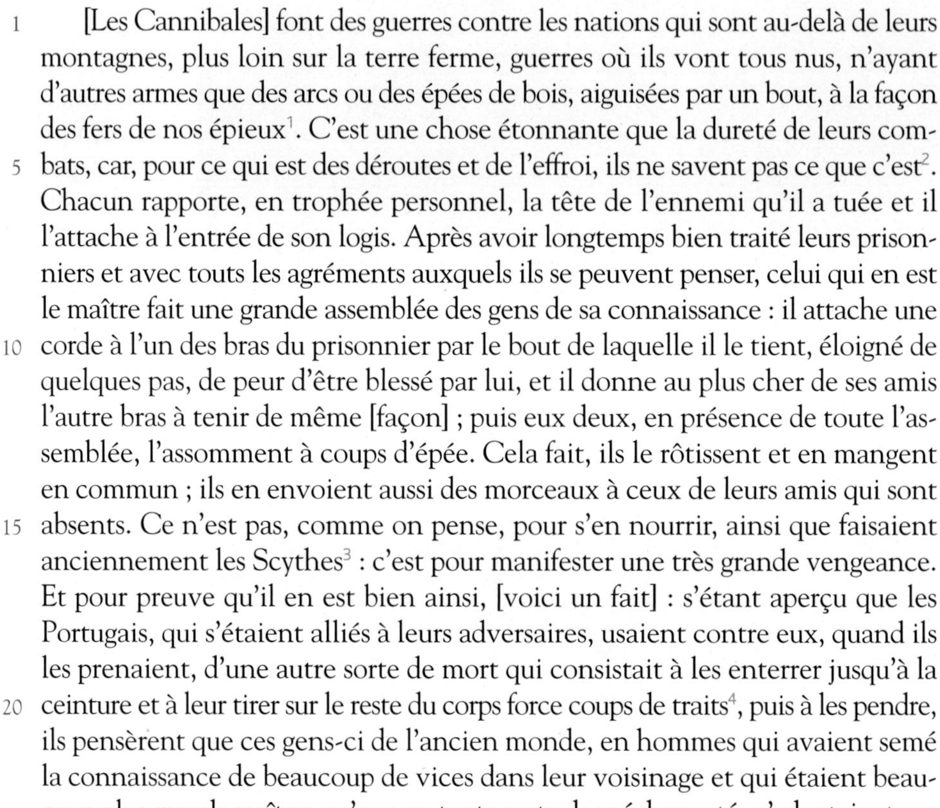

1 [Les Cannibales] font des guerres contre les nations qui sont au-delà de leurs montagnes, plus loin sur la terre ferme, guerres où ils vont tous nus, n'ayant d'autres armes que des arcs ou des épées de bois, aiguisées par un bout, à la façon des fers de nos épieux[1]. C'est une chose étonnante que la dureté de leurs com-
5 bats, car, pour ce qui est des déroutes et de l'effroi, ils ne savent pas ce que c'est[2]. Chacun rapporte, en trophée personnel, la tête de l'ennemi qu'il a tuée et il l'attache à l'entrée de son logis. Après avoir longtemps bien traité leurs prisonniers et avec touts les agréments auxquels ils se peuvent penser, celui qui en est le maître fait une grande assemblée des gens de sa connaissance : il attache une
10 corde à l'un des bras du prisonnier par le bout de laquelle il le tient, éloigné de quelques pas, de peur d'être blessé par lui, et il donne au plus cher de ses amis l'autre bras à tenir de même [façon] ; puis eux deux, en présence de toute l'assemblée, l'assomment à coups d'épée. Cela fait, ils le rôtissent et en mangent en commun ; ils en envoient aussi des morceaux à ceux de leurs amis qui sont
15 absents. Ce n'est pas, comme on pense, pour s'en nourrir, ainsi que faisaient anciennement les Scythes[3] : c'est pour manifester une très grande vengeance. Et pour preuve qu'il en est bien ainsi, [voici un fait] : s'étant aperçu que les Portugais, qui s'étaient alliés à leurs adversaires, usaient contre eux, quand ils les prenaient, d'une autre sorte de mort qui consistait à les enterrer jusqu'à la
20 ceinture et à leur tirer sur le reste du corps force coups de traits[4], puis à les pendre, ils pensèrent que ces gens-ci de l'ancien monde, en hommes qui avaient semé la connaissance de beaucoup de vices dans leur voisinage et qui étaient beaucoup plus grands maîtres qu'eux en toute sorte de méchanceté, n'adoptaient pas

1. À la manière des embouts ferrés.
2. Ils ne savent pas ce que sont la déroute et l'effroi.
3. Peuple antique d'origine iranienne.
4. Flèches.

Gallo GALLINA (1796-1874), « Indiens du Pérou faisant un sacrifice », in Jules FERRARIO, *Le Costume ancien et moderne*, vol. I, 1820.

sans cause cette sorte de vengeance et qu'elle devait être plus pénible que la
25 leur ; [alors] ils[5] commencèrent à abandonner leur manière ancienne pour suivre celle-ci. Je ne suis pas fâché que nous soulignions l'horreur barbare qu'il y a dans une telle action, mais plutôt du fait que, jugeant bien de leurs fautes, nous soyons si aveugles à l'égard des nôtres. Je pense qu'il y a plus de barbarie à manger un homme vivant qu'à le manger mort[6], à déchirer par des tortures et des supplices[7]
30 un corps ayant encore toute sa sensibilité, à le faire rôtir petit à petit, à le faire mordre et tuer par les chiens et les pourceaux (comme nous l'avons non seulement lu, mais vu de fraîche date, non entre des ennemis anciens, mais entre des voisins et concitoyens et, qui pis est[8], sous prétexte de piété et de religion) que de le rôtir et manger après qu'il est trépassé.

35 Chrysippe et Zénon[9], chefs de l'école Stoïque, ont bien pensé qu'il n'y avait aucun mal à se servir de notre chair, à quelque usage que ce fût pour notre besoin, et même d'en tirer de la nourriture, comme [le firent] nos ancêtres [quand], assiégé dans la ville d'Alésia, ils se résolurent à lutter contre la faim due à ce siège en utilisant les corps des vieillards, des femmes et autres
40 personnes inutiles au combat.

Vascones, fama est, alimentis talibus usi
Produxere animas[10]

Les médecins aussi ne craignent pas de s'en servir pour toute sorte d'emploi en faveur de notre santé, soit pour l'appliquer au-dedans ou au dehors ; mais
45 il ne se trouva jamais aucune opinion à ce point déréglée qu'elle excusât la trahison, la déloyauté, la tyrannie, la cruauté, qui sont nos fautes habituelles.

Nous pouvons donc bien appeler ces hommes barbares eu égard aux règles de la raison, mais non pas eu égard à nous, qui les surpassons en toute sorte de barbarie.

Michel DE MONTAIGNE, *Les Essais*, Livre I, chap. XXXI, « Sur les Cannibales », 1595, trad. d'André Lanly, © Éditions Champion, Paris 1989/ Éditions Gallimard, Quarto, 2009.

5. Si bien qu'ils.
6. Montaigne fait ici référence aux guerres civiles et religieuses entre catholiques et protestants (1562-1598).
7. Tortures.
8. Ce qui est pire.
9. Philosophes grecs du IIIe siècle avant J.-C.
10. « Les Gascons, dit-on, en faisant usage de pareils aliments, prolongèrent leur vie ». Propos attribué à Juvénal, poète satirique latin du Ier siècle après J.-C.

Le cannibalisme, entre humanité et inhumanité

LECTURE DU TEXTE

Apologie du cannibalisme

1. Quel **type de raisonnement** est utilisé dans cet extrait ? Quelle **thèse** est ainsi défendue ?

2. Dans quel but Montaigne s'appuie-t-il sur Chrysippe et Zénon ? Quel type d'argument utilise-t-il alors ?

Fiche 28 Stratégies argumentatives et modes de raisonnement

3. Identifiez les différentes étapes constitutives de l'acte cannibale. Pourquoi peut-on parler d'un rituel culturel et non de violence animale ?

4. VOCABULAIRE Cherchez l'étymologie du mot « barbare ». Montrez que Montaigne met en doute la pertinence de cette notion.

Interrogations sur l'autre, interrogations sur soi

5. Quel effet le spectacle de la guerre produit-il sur Montaigne ? Relevez des indices faisant de cet extrait une page d'« essai ».

Fiche 29 L'essai

6. Que ressort-il de la comparaison faite par Montaigne entre l'homme européen et l'homme sauvage ? Justifiez par des oppositions lexicales.

HISTOIRE DES ARTS

Pourquoi peut-on comparer l'Indien sacrifié à une figure du Christ ? Appuyez-vous sur une analyse de la composition du tableau.

VERS LE BAC

Oral (entretien)

Comment Montaigne montre-t-il l'humanité du sauvage dans cet extrait des *Essais* ?

Fiche 56 Réussir l'épreuve orale du baccalauréat

Dissertation

En quoi le fait d'évoquer la vie des peuples « barbares » nous amène-t-il à réfléchir sur nous, peuples « civilisés » ? Vous construirez un développement proposant deux réponses possibles.

Fiche 53 Comprendre un sujet de dissertation

2

J. de Léry, Histoire d'un voyage fait en la terre du Brésil, 1578

Biographie
p. 628
Histoire littéraire
p. 332
Repères historiques
p. 614

L'Histoire d'un voyage fait en la terre du Brésil *constitue l'œuvre principale de Jean de Léry. Dans ce tableau du monde sauvage, l'auteur dépeint la nature brésilienne et les coutumes de l'ethnie Tupinamba. Dans ce passage, cet étonnant voyageur décrit le corps du Sauvage.*

Photogramme du film *La Controverse de Valladolid*, réalisé par J.-D. Verhaeghe, 1991 (d'après le roman de J.-C. Carrière, voir p. 397 du manuel).

En premier lieu donc[1] (afin que commençant par le principal je poursuive par ordre) les Sauvages de l'Amérique habitant en la terre du Brésil nommés *Tupinambas*, avec lesquels j'ai demeuré et fréquenté environ un an, n'étant point plus grands, plus gros, ou plus petits de stature que nous sommes en l'Europe, n'ont le corps ni monstrueux, ni prodigieux à notre égard : bien sont-ils[2] plus forts, plus robustes et replets[3], plus dispos, moins sujets à maladie : et même il n'y a presque point de boiteux, de manchots, d'aveugles, de borgnes, contrefaits, ni maleficiés[4] entre eux. Davantage combien que[5] plusieurs parviennent jusqu'à l'âge de cent ou cent vingt ans (car ils savent bien ainsi retenir et conter leurs âges par lunes), peu y en a qui en leur vieillesse aient les cheveux ni blancs ni gris. Choses qui pour certains montrent non seulement le bon air et bonne température de leur pays, auquel, comme j'ai dit ailleurs, sans gelées ni grandes froidures les bois et les champs sont toujours verdoyants, mais aussi (eux tous buvant vraiment à la fontaine de Jouvence[6]) le peu de soin et de souci qu'ils ont des choses de ce monde. Et de fait, comme je le montrerai encore plus amplement après, tout ainsi qu'ils ne puisent en façon que ce soit en ces sources fangeuses[7], ou plutôt pestilentielles, dont découlent tant de ruisseaux qui nous rongent les os, sucent la moelle, atténuent le corps, et consument l'esprit : bref nous empoisonnent et font mourir devant nos jours : à savoir, en la défiance, en l'avarice qui en procède, aux procès et brouilleries, en l'envie et ambition, aussi rien de tout cela ne les tourmente, moins[8] les domine et passionne.

1. Par conséquent.
2. Au contraire, ils sont.
3. Bien en chair.
4. Frappé par un maléfice.
5. Combien que : même si.
6. Fontaine ramenant à la jeunesse tout vieillard qui s'y plonge.
7. Remplies de boue épaisse.
8. Encore moins.

Quant à leur couleur naturelle, attendu[9] la région chaude où ils habitent, n'étant pas autrement noirs, ils sont seulement basanés, comme vous diriez les Espagnols ou Provençaux.

Au reste, chose non moins étrange que difficile à croire à ceux qui ne l'ont vu, tant hommes, femmes, qu'enfants, non seulement sans cacher aucune partie de leurs corps, mais aussi sans montrer aucun signe d'en avoir honte ni vergogne[10], demeurent et vont coutumièrement aussi nus qu'ils sortent du ventre de leur mère. Cependant tant s'en faut, comme aucuns[11] pensent, et d'autres le veulent faire croire, qu'ils soient velus ni couverts de leurs poils, qu'au contraire, n'étant point naturellement plus pelus que nous sommes en ces pays par deçà, encore si tôt que le poil qui croît sur eux, commence à poindre et à sortir de quelque partie que ce soit, voire la barbe et jusques aux paupières et sourcils des yeux (ce qui leur rend la vue louche, bicle, égarée et farouche) ou il est arraché avec les ongles, ou depuis que les chrétiens y fréquentent avec des pincettes qu'ils leur donnent : ce qu'on a aussi écrit que font les habitants de l'Ile de Cumana au Pérou. J'excepte seulement quant à nos *Tupinambas* les cheveux, lesquels encore à tous les mâles dès leur jeune âge, depuis le sommet, et tout le devant de la tête sont tondus fort près, tout ainsi que la couronne d'un moine, et sur le derrière, à la façon de nos majeurs[12] et de ceux qui laissent croître leur perruque, on leur rogne sur le col.

Outreplus[13], ils ont cette coutume, que dès l'enfance de tous les garçons, la lèvre de dessous au dessus du menton, leur étant percée, chacun y porte ordinairement dans le trou un certain os bien poli, aussi blanc qu'ivoire, fait presque de la façon d'une de ces petites quilles de quoi on joue par deçà sur la table avec la pirouette[14].

Jean DE LÉRY, *Histoire d'un voyage fait en la terre du Brésil*, 1578.

9. Étant donné.
10. Sans vergogne : sans aucun scrupule.
11. Certains.
12. Aînés.
13. De plus.
14. L'auteur fait référence à un jeu traditionnel de quilles sur table.

Le corps du sauvage

LECTURE DU TEXTE

Un témoignage scientifique

1. Pourquoi cette description des Sauvages s'apparente-t-elle à une démonstration ? Appuyez-vous notamment sur la portée argumentative des **connecteurs logiques.**

Fiche 28 Stratégies argumentatives et modes de raisonnement

2. Relevez les passages montrant que Jean de Léry s'appuie sur une expérience vécue. Quelle valeur ce récit prend-il alors ?

Le Sauvage et l'Européen

3. Pourquoi l'auteur insiste-t-il à ce point sur la nudité des Sauvages ?

4. Relevez les idées reçues que Jean de Léry conteste. Quel sens prend alors son entreprise ?

5. @RECHERCHE Réalisez un exposé sur le voyage de Jean de Léry au Brésil. Vous pourrez vous appuyer notamment sur le site de la BnF « La France au Brésil » : http://bndigital.bn.br/projetos/francebr/frances/equinoxiale.htm
Vous montrerez dans quelle mesure Jean de Léry peut être considéré comme l'ancêtre de l'anthropologie.

Fiche 10 Préparer un exposé

HISTOIRE DES ARTS

Quelle attitude les Indiens ont-ils sur cette image ? Après avoir fait des recherches sur le combat mené par Bartolomé de Las Casas, précisez la relation qu'il pourrait entretenir dans cette scène avec les Indiens.

ÉCRITURE

Vers le commentaire

Rédigez un paragraphe de commentaire qui aurait pour axe directeur : Le Sauvage, miroir inversé de l'Européen.

Fiche 51 Rédiger un commentaire

VERS LE BAC

Question sur un corpus

Comparez ce texte avec l'extrait de Montaigne, p. 312. Quelle image du Sauvage se dessine à la lecture de ces deux extraits ?

Fiche 46 Répondre à une question sur un corpus

3 L. A. de Bougainville, *Voyage autour du monde*, 1771

Biographie p. 625
Histoire littéraire p. 332
Repères historiques p. 618

Dans Voyage autour du monde *(1771), Louis Antoine de Bougainville relate son voyage à Tahiti et dans les territoires avoisinants. Après avoir quitté le détroit de Magellan, l'explorateur sillonne des bandes de sable étroites et finit par amarrer au milieu d'une foule de « sauvages » qui viennent à sa rencontre.*

À mesure que nous avions approché la terre, les insulaires[1] avaient environné les navires. L'affluence des pirogues fut si grande autour des vaisseaux, que nous eûmes beaucoup de peine à nous amarrer au milieu de la foule et du bruit. Tous venaient en criant « tayo », qui veut dire « ami », et en nous donnant mille témoignages d'amitié ; tous demandaient des clous et des pendants d'oreilles. Les pirogues étaient remplies de femmes qui ne le cèdent pas, pour l'agrément de la figure, au plus grand nombre des Européennes et qui, pour la beauté du corps, pourraient le disputer à toutes avec avantage.

La plupart de ces nymphes étaient nues, car les hommes et les vieilles qui les accompagnaient leur avaient ôté le pagne dont ordinairement elles s'enveloppent. Elles nous firent d'abord, de leurs pirogues, des agaceries[2] où, malgré leur naïveté, on découvrit quelque embarras ; soit que la nature ait partout embelli le sexe d'une timidité ingénue, soit que, même dans les pays où règne encore la franchise de l'âge d'or, les femmes paraissent ne pas vouloir ce qu'elles désirent le plus. Les hommes, plus simples ou plus libres, s'énoncèrent bientôt clairement : ils nous pressaient de choisir une femme, de la suivre à terre, et leurs gestes non équivoques démontraient la manière dont il fallait faire connaissance avec elle. Je le demande : comment retenir au travail, au milieu d'un spectacle pareil, quatre cents Français, jeunes, marins, et qui depuis six mois n'avaient point vu de femmes ? Malgré toutes les précautions que nous pûmes prendre, il entra à bord une jeune fille, qui vint sur le gaillard d'arrière[3] se placer à une des écoutilles[4] qui sont au-dessus du cabestan[5] ; cette écoutille était ouverte pour donner de l'air à ceux qui viraient. La jeune fille laissa tomber négligemment un pagne qui la couvrait, et parut aux yeux de tous telle que Vénus se fit voir au berger phrygien[6] : elle en avait la forme céleste. Matelots et soldats s'empressaient pour parvenir à l'écoutille, et jamais cabestan ne fut viré avec une pareille activité.

Louis Antoine DE BOUGAINVILLE, *Voyage autour du monde*, 1771.

1. Habitants de l'île.
2. Petites mines aguichantes.
3. Pont situé à l'arrière du grand mât.
4. Sur le pont d'un bateau, ouverture permettant d'accéder aux cales.
5. Treuil à axe vertical.
6. Allusion aux aventures de Vénus, déesse romaine de l'amour et de la beauté.

Paul GAUGUIN (1848-1903), *Arearea (Joyeusetés)*, 1892, 0,73 x 0,94 m (Musée d'Orsay, Paris).

4 Denis Diderot, *Supplément au voyage de Bougainville*, 1772

Biographie p. 625
Du même auteur p. 36, 350
Histoire littéraire p. 332
Repères historiques p. 618

Après la parution du Voyage autour du monde, *les Français se prennent d'engouement pour Tahiti. Soucieux d'apporter un regard critique à l'entreprise de Bougainville, Diderot publie l'année suivante un* Supplément au voyage de Bougainville *dans lequel il fait entendre un autre discours, celui d'un indigène interpellant le navigateur.*

Puis s'adressant à Bougainville, il ajouta : « Et toi, chef des brigands qui t'obéissent, écarte promptement ton vaisseau de notre rive : nous sommes innocents, nous sommes heureux ; et tu ne peux que nuire à notre bonheur. Nous suivons le pur instinct de la nature ; et tu as tenté d'effacer de nos âmes son caractère. Ici tout est à tous ; et tu nous as prêché je ne sais quelle distinction du *tien* et du *mien*. Nos filles et nos femmes nous sont communes ; tu as partagé ce privilège avec nous ; et tu es venu allumer en elles des fureurs inconnues. Elles sont devenues folles dans tes bras ; tu es devenu féroce entre les leurs. Elles ont commencé à se haïr ; vous vous êtes égorgés pour elles ; et elles nous sont revenues teintes de votre sang. Nous sommes libres ; et voilà que tu as enfoui dans notre terre le titre de notre futur esclavage. Tu n'es ni un dieu, ni un démon : qui es-tu donc pour faire des esclaves ? Orou[1], toi qui entends la langue de ces hommes-là, dis-nous à tous, comme tu me l'as dit à moi-même, ce qu'ils ont écrit sur cette lame de métal : *Ce pays est à nous*. Ce pays est à toi ! et pourquoi ? parce que tu y as mis le pied ? Si un Otaïtien débarquait un jour sur vos côtes, et qu'il gravât sur une de vos pierres ou sur l'écorce d'un de vos arbres : *Ce pays est aux habitants d'Otaïti*, qu'en penserais-tu ? Tu es le plus fort ! Et qu'est-ce que cela fait ? Lorsqu'on t'a enlevé une des méprisables bagatelles[2] dont ton bâtiment[3] est rempli, tu t'es récrié, tu t'es vengé ; et dans le même instant tu as projeté au fond de ton cœur le vol de toute une contrée ! Tu n'es pas esclave : tu souffrirais plutôt la mort que de l'être, et tu veux nous asservir ! Tu crois donc que l'Otaïtien ne sait pas défendre sa liberté et mourir ? Celui dont tu veux t'emparer comme de la brute[4], l'Otaïtien est ton frère. Vous êtes deux enfants de la nature ; quel droit as-tu sur lui qu'il n'ait pas sur toi ? Tu es venu, nous sommes-nous jetés sur ta personne ? avons-nous pillé ton vaisseau ? t'avons-nous saisi et exposé aux flèches de nos ennemis ? t'avons-nous associé dans nos champs au travail de nos animaux ? Nous avons respecté notre image en toi.

Laisse-nous nos mœurs ; elles sont plus sages et plus honnêtes que les tiennes ; nous ne voulons point troquer ce que tu appelles notre ignorance, contre tes inutiles lumières. Tout ce qui nous est nécessaire et bon, nous le possédons. Sommes-nous dignes de mépris, parce que nous n'avons pas su nous faire des besoins superflus ? Lorsque nous avons faim, nous avons de quoi manger ; lorsque nous avons froid, nous avons de quoi nous vêtir. Tu es entré dans nos cabanes, qu'y manque-t-il à ton avis ? Poursuis jusqu'où tu voudras ce que tu appelles commodités de la vie ; mais permets à des êtres sensés de s'arrêter, lorsqu'ils n'auraient à obtenir de la continuité de leurs pénibles efforts, que des biens imaginaires. Si tu nous persuades de franchir l'étroite limite du besoin, quand finirons-nous de travailler ? Quand jouirons-nous ? Nous avons rendu la somme de nos fatigues annuelles et journalières la moindre qu'il était possible, parce que rien ne nous paraît préférable au

1. Indigène qui a servi d'interprète.
2. Objets de peu de valeur.
3. Navire.
4. Ici, l'espèce animale.

repos. Va dans ta contrée t'agiter, te tourmenter tant que tu voudras ; laisse-nous reposer : ne nous entête ni de tes besoins factices, ni de tes vertus
45 chimériques.

Regarde ces hommes, vois comme ils sont droits, sains et robustes ; regarde ces femmes, vois comme elles sont droites, saines, fraîches et belles. Prends cet arc, c'est le mien, appelle à ton aide un, deux, trois, quatre de tes camarades, et tâchez de le tendre. Je le tends moi seul ; je laboure la terre ;
50 je grimpe la montagne ; je perce la forêt ; je parcours une lieue de la plaine en moins d'une heure ; tes jeunes compagnons ont eu peine à me suivre, et j'ai quatre-vingt-dix ans passés. Malheur à cette île ! malheur aux Otaïtiens présents, et à tous les Otaïtiens à venir, du jour où tu nous as visités ! Nous ne connaissions qu'une maladie, celle à laquelle l'homme, l'animal et la plante
55 ont été condamnés, la vieillesse, et tu nous en as apporté une autre ; tu as infecté notre sang. Il nous faudra peut-être exterminer de nos propres mains nos filles, nos femmes, nos enfants, ceux qui ont approché tes femmes, celles qui ont approché tes hommes. Nos champs seront trempés du sang impur qui a passé de tes veines dans les nôtres, ou nos enfants, condamnés à nourrir et
60 à perpétuer le mal que tu as donné aux pères et aux mères et qu'ils transmettront à jamais à leurs descendants. Malheureux ! tu seras coupable, ou des ravages qui suivront les funestes caresses des tiens, ou des meurtres que nous commettrons pour en arrêter le poison.

Denis DIDEROT, *Supplément au voyage de Bougainville*, 1772.

Deux visages du monde sauvage

LECTURE DES TEXTES

Regards sur la Tahitienne

1. En quoi les portraits des Tahitiennes de Bougainville et de Diderot diffèrent-ils ?

2. Le portrait proposé par Bougainville est-il mélioratif ou péjoratif ? Que vous évoque la beauté des Tahitiennes ? Relevez une **métaphore** et une **comparaison** permettant de justifier votre propos.

➔ **Fiche 41 Les figures de style**

Paradis perdu

3. TEXTE 3 Montrez que Bougainville et ses marins voient Tahiti comme un paradis. Justifiez votre réponse par un relevé précis.

4. TEXTE 4 Montrez que les Européens ont ensuite saccagé ce paradis sauvage. Sur quels aspects de la domination européenne Diderot insiste-t-il, en donnant la parole à un vieux Tahitien imaginaire ?

5. En quoi le discours du Tahitien est-il éloquent ? Relevez deux types de **procédés argumentatifs** pour justifier votre propos.

➔ **Fiche 28 Stratégies argumentatives et modes de raisonnement**

6. À la lumière des deux textes, opposez dans un tableau la société tahitienne et la société européenne.

HISTOIRE DES ARTS

Gauguin fait-il de Tahiti un paradis intact, offert au voyageur européen ? Appuyez-vous sur les couleurs et les techniques picturales pour justifier votre propos.

ÉCRITURE

Vers la dissertation

« Nous ne voulons point troquer ce que tu appelles notre ignorance contre tes inutiles lumières », dit le Tahitien à Bougainville. Que recouvre, selon vous, cette notion d'« inutiles lumières » ? En quoi apparaît-elle paradoxale ? Vous rédigerez un paragraphe argumenté pour défendre votre thèse.

➔ **Fiche 55 Rédiger une dissertation**

VERS LE BAC

Invention

On raconte que Diogène, scandalisé par la mollesse de ses concitoyens, se promenait dans Athènes avec une chandelle allumée en pleine journée. Questionné sur son attitude, il répondit : « je cherche un homme ». Inventez le discours argumentatif où il précise son propos.

➔ **Fiche 47 Comprendre un sujet d'écriture d'invention**

5 Voltaire, *L'Ingénu*, 1767

Biographie p. 631
Du même auteur p. 435
Histoire littéraire p. 332
Repères historiques p. 618

L'Ingénu de Voltaire raconte l'histoire d'un jeune Huron[1], tout juste débarqué en Bretagne, qui découvre la société provinciale française. Cette « histoire véritable » narre les pérégrinations de l'Ingénu à travers la société et donne à entendre le discours d'un sauvage s'étonnant des coutumes françaises.

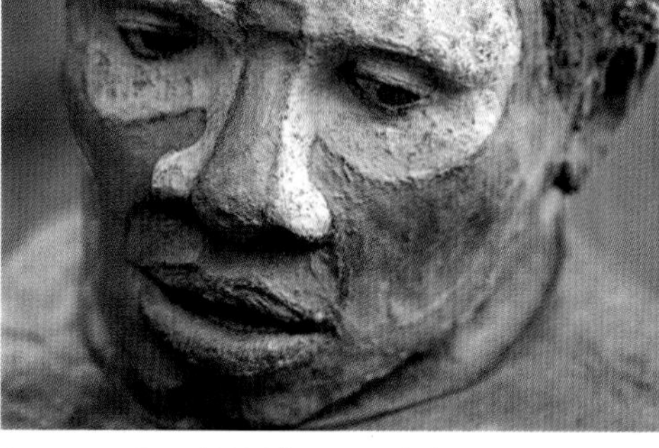

Ousmane Sow (1935-), statue de bronze, 2001.

L'Ingénu faisait des progrès rapides dans les sciences, et surtout dans la science de l'homme. La cause du développement rapide de son esprit était due à son éducation sauvage presque autant qu'à la trempe de son âme. Car, n'ayant rien appris dans son enfance, il n'avait point appris de préjugés. Son entendement[2], n'ayant point été courbé par l'erreur, était demeuré dans toute sa rectitude. Il voyait les choses comme elles sont, au lieu que les idées qu'on nous donne dans l'enfance nous les font voir toute notre vie comme elles ne sont point. « Vos persécuteurs sont abominables, disait-il à son ami Gordon. Je vous plains d'être opprimé, mais je vous plains d'être janséniste[3]. Toute secte me paraît le ralliement de l'erreur. Dites-moi s'il y a des sectes en géométrie. — Non, mon cher enfant, lui dit en soupirant le bon Gordon ; tous les hommes sont d'accord sur la vérité quand elle est démontrée, mais ils sont trop partagés sur les vérités obscures. — Dites sur les faussetés obscures. S'il y avait eu une seule vérité cachée dans vos amas d'arguments qu'on ressasse depuis tant de siècles, on l'aurait découverte sans doute ; et l'univers aurait été d'accord au moins sur ce point-là. Si cette vérité était nécessaire comme le soleil l'est à la terre, elle serait brillante comme lui. C'est une absurdité, c'est un outrage au genre humain, c'est un attentat contre l'Être infini et suprême de dire : il y a une vérité essentielle à l'homme, et Dieu l'a cachée. »

Tout ce que disait ce jeune ignorant instruit par la nature faisait une impression profonde sur l'esprit du vieux savant infortuné.

VOLTAIRE, *L'Ingénu*, chapitre XIV, 1767.

1. Membre d'un peuple indien d'Amérique du Nord.
2. Esprit.
3. Courant religieux ayant connu son essor au XVIIe siècle attaché à la défense d'une doctrine sévère et rigoureuse.

La sagesse du Huron

LECTURE DU TEXTE

Le savoir du Sauvage

1. @RECHERCHE Lisez les articles « Ingénu » et « Préjugé » de l'*Encyclopédie* de Diderot et D'Alembert : http://www.atilf.fr/encyclopedie/
Quelles attitudes intellectuelles Voltaire oppose-t-il ?

2. Quelle leçon de sagesse le Sauvage donne-t-il dans cet extrait ? Justifiez votre propos.

Un dialogue argumentatif

3. Montrez que le discours du jeune Huron est persuasif. Classez vos éléments de réponse.

4. @RECHERCHE Renseignez-vous sur le genre du dialogue philosophique. Pourquoi cet échange entre l'Ingénu et Gordon reprend-il le procédé de la maïeutique[1] cher à Socrate ? De quelle vérité le texte accouche-t-il ?

1. Technique consistant à bien interroger une personne pour lui faire « accoucher » des connaissances.

6 Michel Tournier, *Vendredi ou les limbes du Pacifique*, 1967

Biographie
p. 631

Du même auteur
p. 104

Histoire littéraire
p. 332

Repères historiques
p. 622

Voilà trente ans que Robinson a échoué sur une île déserte qu'il a baptisée Speranza. Or un jour, il voit débarquer l'équipage du Whitebird, *navire anglais.*

1 Qui sait si, en revenant en Angleterre, Robinson ne parviendrait pas, non seulement à sauvegarder le bonheur solaire auquel il avait accédé, mais même à l'élever à une puissance supérieure au milieu de la cité humaine ? Ainsi Zoroastre[1] après avoir longuement forgé son âme au soleil 5 du désert avait-il plongé à nouveau dans l'impur grouillement des hommes pour leur dispenser sa sagesse.

En attendant, le dialogue avec Hunter[2] s'engageait laborieusement et menaçait à tout instant de se perdre dans un silence pesant. Robinson avait entrepris de lui faire connaître les ressources de Speranza en gibier et en ali- 10 ments frais, propres à prévenir le scorbut[3], comme le cresson et le pourpier. Déjà des hommes grimpaient le long des troncs à écailles pour faire tomber d'un coup de sabre les choux palmistes, et on entendait le rire de ceux qui poursuivaient les chèvres à la course. Robinson pensait, non sans orgueil, aux souffrances qu'il aurait endurées, à l'époque où il entretenait l'île comme 15 une cité-jardin, de la voir livrée ainsi à cette bande fruste et avide. Car si le spectacle de ces brutes déchaînées accaparait toute son attention, ce n'étaient ni les arbres stupidement mutilés ni les bêtes massacrées au hasard qui le retenaient, c'était le comportement de ces hommes, *ses semblables*, à la fois si familier et si étrange. À l'emplacement où s'était élevée autrefois 20 la Paierie générale de Speranza[4], de hautes herbes se creusaient sous le vent avec un murmure soyeux. Un matelot y trouva coup sur coup deux pièces

1. Zarathushtra, réformateur de la religion perse dans l'Antiquité.
2. Capitaine du *Whitebird*.
3. Maladie due à une carence en vitamine C qui pouvait causer la mort.
4. Robinson y avait établi sa banque.

Photogramme du film *Las aventuras de Robinson Crusoe*, 1954.

d'or. Il ameuta aussitôt ses compagnons à grands cris et, après des disputes hagardes, on décida d'incendier toute la prairie pour faciliter les recherches. L'idée effleura à peine Robinson que cet or était à lui, en somme, et que les 25 bêtes allaient être privées de la seule pâture de l'île que la saison des pluies ne rendait jamais marécageuse. Les bagarres que ne manquait pas de susciter chaque nouvelle trouvaille le fascinaient, et c'était d'une oreille distraite qu'il écoutait les propos du commandant qui lui racontait comment il avait coulé un transport de troupes français envoyé en renfort aux insurgés américains. 30 De son côté, le second s'employait à l'initier au mécanisme si fructueux de la traite des esclaves africains, échangés contre du coton, du sucre, du café et de l'indigo[5], marchandises qui constituaient un fret[6] de retour idéal et qui s'écoulaient avantageusement au passage dans les ports européens. Aucun de ces hommes, murés dans leurs préoccupations particulières, ne songeait à l'in- 35 terroger sur les péripéties qu'il avait traversées depuis son naufrage. La présence même de Vendredi ne semblait soulever aucun problème à leurs yeux. Et Robinson savait qu'il avait été semblable à eux, mû par les mêmes ressorts – la cupidité, l'orgueil, la violence – qu'il était encore des leurs par toute une part de lui-même. Mais en même temps il les voyait avec le détachement 40 intéressé d'un entomologiste[7] penché sur une communauté d'insectes, des abeilles ou des fourmis, ou ces rassemblements suspects de cloportes qu'on surprend en soulevant une pierre.

5. Matière végétale bleue que l'on utilise pour teindre des étoffes.
6. Cargaison.
7. Savant spécialiste des insectes.

Michel TOURNIER, *Vendredi ou les limbes du Pacifique*, 1967,

Réfléchir sur l'opposition entre deux modes de vie

LECTURE DU TEXTE

La ruée vers l'île

1. Comment le comportement des marins est-il décrit ? Commentez les connotations, le lexique et les métaphores qui s'attachent à leurs gestes.

Fiche 18 La description

2. Montrez pourquoi les termes « cupidité », « orgueil » et « violence » caractérisent bien les actes des nouveaux venus.

Un autre regard sur la civilisation

3. Qu'apprend-on du monde extérieur à l'île ? Quelle image en est donnée aux lignes 30 à 33 ?

4. @ RECHERCHE Qu'appelle-t-on « commerce triangulaire » au XVIIIe siècle ?

5. À la lumière de votre recherche, comment la présence de Vendredi peut-elle être interprétée par les marins du *Whitebird* ?

Un silence pesant

6. Peut-on parler ici de dialogue ou d'échange entre les différents protagonistes ? Justifiez votre propos en étudiant l'énonciation.

Fiche 59 L'énonciation

7. Quel est le point de vue dominant dans ce passage ? Comment Robinson réagit-il aux actions des marins ?

Fiche 15 Le point de vue

8. Dans un tableau, opposez les valeurs des marins à celles de Robinson, l'insulaire. Qu'en déduisez-vous ?

HISTOIRE DES ARTS

Quand Robinson se regarde dans la glace, quel homme voit-il ? Vous vous appuierez sur les l. 37 à 39 pour répondre.

ÉCRITURE

Vers l'écriture d'invention

Les hommes d'équipage proposent à Robinson de regagner son pays avec eux ; il refuse.
Travail en binôme : l'un imaginera le discours des hommes d'équipage ; l'autre, la réponse de Robinson, ses arguments et ses exemples.

VERS LE BAC

Question sur un corpus

Comment Bougainville (p. 316) et Michel Tournier donnent-ils à voir les vices de la société occidentale ?

Fiche 46 Répondre à une question sur un corpus

7 Jean-Jacques Rousseau, Émile, 1762

Biographie
p. 630
Histoire littéraire
p. 332
Repères historiques
p. 618

Émile de Rousseau est un traité pédagogique comme le suggère son sous-titre : De l'éducation. Le narrateur se présente en précepteur d'un jeune garçon, Émile, dont il suit le développement de la naissance au mariage. Dans cet extrait, Rousseau montre avec lucidité l'utilité du voyage dans la formation du jeune homme.

Il est utile à l'homme de connaître tous les lieux où l'on peut vivre, afin de choisir ensuite ceux où l'on peut vivre le plus commodément. Si chacun se suffisait à lui-même, il ne lui importerait de connaître que le pays qui peut le nourrir. Le Sauvage, qui n'a besoin de personne, et ne convoite rien au monde, ne connaît et ne cherche à connaître d'autres pays que le sien. S'il est forcé de s'étendre pour subsister, il fuit les lieux habités par les hommes ; il n'en veut qu'aux bêtes, et n'a besoin que d'elles pour se nourrir.

Robert SMITHSON, *Jetée en spirale*, 1970, boue, cristaux de sel, rochers de basalte, 450 x 4 m (Utah, États-Unis).

Mais pour nous, à qui la vie civile[1] est nécessaire, et qui ne pouvons plus nous passer de manger des hommes[2], l'intérêt de chacun de nous est de fréquenter les pays où l'on en trouve le plus. Voilà pourquoi tout afflue à Rome, à Paris, à Londres. C'est toujours dans les capitales que le sang humain se vend à meilleur marché. Ainsi l'on ne connaît que les grands peuples, et les grands peuples se ressemblent tous. Nous avons, dit-on, des savants qui voyagent pour s'instruire ; c'est une erreur ; les savants voyagent par intérêt comme les autres. Les Platon, les Pythagore ne se trouvent plus, ou, s'il y en a, c'est bien loin de nous. Nos savants ne voyagent que par ordre de la cour ; on les dépêche, on les défraye, on les paye pour voir tel ou tel objet, qui très sûrement n'est pas un objet moral. Ils doivent tout leur temps à cet objet unique ; ils sont trop honnêtes gens pour voler leur argent. Si, dans quelque pays que ce puisse être, des curieux voyagent à leurs dépens, ce n'est jamais pour étudier les hommes, c'est pour les instruire. Ce n'est pas de science qu'ils ont

1. Vie en société.
2. Ici, au sens figuré.

besoin, mais d'ostentation[3]. Comment apprendraient-ils dans leurs voyages à secouer le joug[4] de l'opinion ? Ils ne les font que pour elle. Il y a bien de la différence entre voyager pour voir du pays ou pour voir des peuples. Le
25 premier objet est toujours celui des curieux, l'autre n'est pour eux qu'accessoire. Ce doit être tout le contraire pour celui qui veut philosopher. L'enfant observe les choses en attendant qu'il puisse observer les hommes. L'homme doit commencer par observer ses semblables, et puis il observe les choses s'il en a le temps.

30 C'est donc mal raisonner que de conclure que les voyages sont inutiles, de ce que nous voyageons mal. Mais, l'utilité des voyages reconnue, s'ensuivra-t-il qu'ils conviennent à tout le monde ? Tant s'en faut ; ils ne conviennent au contraire qu'à très peu de gens ; ils ne conviennent qu'aux hommes assez fermes sur eux-mêmes pour écouter les leçons de l'erreur sans se laisser
35 séduire, et pour voir l'exemple du vice sans se laisser entraîner. Les voyages poussent le naturel vers sa pente, et achèvent de rendre l'homme bon ou mauvais. Quiconque revient de courir le monde est à son retour ce qu'il sera toute sa vie : il en revient plus de méchants que de bons, parce qu'il en part plus d'enclins au mal qu'au bien. Les jeunes gens mal élevés et mal conduits
40 contractent dans leurs voyages tous les vices des peuples qu'ils fréquentent, et pas une des vertus dont ces vices sont mêlés ; mais ceux qui sont heureusement nés[5], ceux dont on a bien cultivé le bon naturel et qui voyagent dans le vrai dessein de s'instruire, reviennent tous meilleurs et plus sages qu'ils n'étaient partis. Ainsi voyagera mon Émile.

Jean-Jacques ROUSSEAU, *Émile*, Livre V, 1762.

3. Spectacle.
4. Pouvoir.
5. Nés avec de la chance.

De l'utilité du voyage

LECTURE DU TEXTE

Deux conceptions du voyage

1. Montrez que Rousseau oppose deux manières de voyager. Laquelle vous semble la plus formatrice ? Justifiez votre propos par un relevé lexical précis.

2. Sur quoi l'auteur fonde-t-il l'opposition entre les « Sauvages » et « ceux à qui la vie civile est nécessaire » ?

3. Pourquoi le voyage tel que le préconise Rousseau est-il caractéristique de l'esprit des Lumières ?

Un récit didactique

4. Comment se manifeste l'implication personnelle de l'auteur ? Relevez des **modalisateurs** montrant que le narrateur est ici un « précepteur ».

Fiche 60 La modalisation

5. Quels **arguments** Rousseau réfute-t-il ? En quoi cela contribue-t-il à rendre l'argumentation efficace ?

Fiche 28 Stratégies argumentatives et modes de raisonnement

« L'état de nature »

6. @RECHERCHE Cherchez dans une encyclopédie ou sur Internet ce que Rousseau nomme « l'état de nature ». Identifiez ensuite un ou plusieurs passages faisant référence à cette théorie au sein du texte.

7. SYNTHÈSE « Les voyages poussent le naturel vers sa pente », écrit Rousseau. Comment comprenez-vous cette phrase ?

HISTOIRE DES ARTS

Robert Smithson appartient au mouvement contemporain du « Land Art ». Après avoir recueilli des informations sur ce courant artistique contemporain, réfléchissez aux rapports que l'artiste instaure entre l'homme et la nature en produisant cette œuvre.

VERS LE BAC

Oral (entretien)

Peut-on dire que le voyage instruise nécessairement l'homme, selon Rousseau ?

Fiche 56 Réussir l'épreuve orale du baccalauréat

Dissertation

Le véritable voyage est celui qui permet, selon Rousseau, de « secouer le joug de l'opinion ». En vous appuyant sur les textes de la séquence, montrez que les récits de voyage permettent le plus souvent de remettre en cause les préjugés et les idées reçues.

Fiche 54 Construire le plan détaillé d'une dissertation

8

Paul Nizan, **Aden Arabie**, 1931

Biographie
p. 629

Histoire littéraire
p. 332

Repères historiques
p. 622

Dans cet essai, l'auteur raconte son voyage à Aden, ville du Yémen où a séjourné Rimbaud. Ce voyage constitue une échappatoire pour ce jeune étudiant en philosophie qui souffre du cadre étriqué de la vie parisienne.

Il n'y a qu'une espèce valide de voyages, qui est la marche vers les hommes. C'est le voyage d'Ulysse, comme j'aurais dû savoir, si je n'avais pas fait mes humanités[1] pour rien. Et il se termine naturellement par le retour. Tout le prix du voyage est dans son dernier jour.

Quant à la poésie, que les derniers éléments minéraux des voyages coulent dans l'oubli des mers[2].

L'espace ne contient aucun bien pour les hommes. Il y a des écrivains qui parlent des leçons des paysages, ils font semblant de croire que les pierres et le ciel se livrent à une mimique qui fait d'eux des instituteurs[3]. En échange les hommes peuvent imiter les attitudes et les vertus morales d'une ville, d'un territoire, d'une zone de végétation : sérénité, intelligence, grandeur, désespoir, volupté.

Mais les voyageurs sérieux ont fait peu de cas de cette rhétorique : les voyages de Montaigne sont secs, ceux de Descartes sont dénués de tout, à peine s'intéressent-ils aux hommes [...].

Quand on a dit qu'il y a des paysages où l'on crève de froid, d'autres où l'on se dessèche de chaud, et qu'il n'est possible de vivre facilement qu'entre les deux, il n'y a plus grand-chose à ajouter sur la poésie de la terre. Les terres ne sont pas des associés, ni des professeurs de morale, ni des missionnaires prêchant ici l'ordre, là le désordre : tout est en nous. Elles ne persuadent rien. Ce lyrisme est tout à fait vide de matière.

Les hasards vous ramèneront seulement à l'ordre et au désordre des troupeaux humains qui sont dans les paysages et vous serez forcés de juger, d'aimer, de détester, de céder, de résister : l'homme attend l'homme, c'est même sa seule occupation intelligente.

Paul NIZAN, *Aden Arabie*, © Éditions La Découverte, 1931.

1. Formation scolaire où l'étude du latin et du grec est prépondérante.
2. Il est inutile de s'attarder sur la beauté des éléments naturels.
3. On croit souvent reconnaître dans les éléments de la nature, comme un nuage ou un rocher, une forme connue. Certains vont plus loin et pensent qu'il s'agit d'un message moral adressé à l'homme.

9

Michel Leiris, **L'Afrique fantôme**, 1934

Biographie
p. 628

Michel Leiris a participé à la mission « Dakar Djibouti » *en 1931*. L'Afrique fantôme *(1934) constitue le journal de bord de cette mission. Souvent désabusé, l'auteur ne cesse de constater ses difficultés à rencontrer autrui : « le voyage que nous effectuons n'a été jusqu'à présent en somme, qu'un voyage de touristes » (30 mars 1932).*

31 mars 1932

J'ai engraissé. J'éprouve une ignoble sensation de pléthore[1]. Moi qui comptais rentrer d'Afrique avec l'allure d'un de ces beaux corsaires ravagés. La vie que nous menons est on ne peut plus plate et bourgeoise. Le travail, pas essentiellement différent d'un travail d'usine, de cabinet ou de bureau. Pourquoi l'enquête ethnographique[2] m'a-t-elle fait penser souvent à un interrogatoire de police ? On ne s'approche pas tellement des hommes en s'approchant de leurs coutumes. Ils restent, après comme avant l'enquête, obstinément fermés. Puis-je me flatter, par exemple, de savoir ce que pensait 10 Ambara, qui pourtant était mon ami ? Je n'ai jamais couché avec une femme noire. Que je suis donc resté européen !

Michel LEIRIS, *L'Afrique fantôme*, © Éditions Gallimard, 1934.

1. Abondance.
2. Étude des coutumes de populations déterminées, le plus souvent primitives.

10 Blaise Cendrars, Feuilles de route, 1924

TEXTE ÉCHO

Au retour d'un voyage au Brésil, Blaise Cendrars « croque » les passagers du Gelria[1] *dans un court poème.*

Biographie
p. 625

1 Ils sont tous là à faire de la chaise longue
Ou à jouer aux cartes
Ou à prendre le thé
Ou à s'ennuyer
5 Il y a tout de même un petit groupe de sportifs qui jouent aux galets
Ou au deck-tennis[2]
Et un autre petit groupe qui vient nager dans la piscine
La nuit quand tout le monde est couché les fauteuils vides alignés sur le pont ressemblent à une collection de squelettes dans un musée
10 Vieilles femmes desséchées
Caméléons pellicules ongles

Blaise CENDRARS, « Passagers », *Feuilles de route*, in *Du monde entier au cœur du monde. Poésies complètes*, © Éditions Denoël, 1947, 1963, 2001, 2005/ © Miriam Cendrars, 1961.

1. Paquebot d'une compagnie hollandaise.
2. Pratique sportive consistant à envoyer des anneaux au-dessus d'un filet.

L'impossible voyage vers l'autre

LECTURE DES TEXTES

Le voyage initiatique

1. @RECHERCHE Parcourez l'exposition consacrée à Ulysse sur le site de la BnF, et précisez quelle sagesse ce héros a acquise lors de ses voyages.
2. Pourquoi Paul Nizan érige-t-il en modèle le voyage d'Ulysse ?
3. En quoi les figures de « l'aventurier » et du « touriste » s'opposent-elles selon Michel Leiris ? Quelle conception du voyageur défend-il alors ?

Un discours polémique

4. Pourquoi, selon Nizan, le voyageur ne peut-il tirer aucune leçon de la contemplation des beaux paysages ? Quel type d'enseignement les voyages apportent-ils ? Appuyez-vous sur les deux dernières phrases.
5. Comment Nizan parvient-il à interpeller le lecteur ? Pour quel dessein ? Analysez les passages où l'auteur s'adresse directement à son destinataire.
Fiche 28 Stratégies argumentatives et modes de raisonnement

Moi et les autres

6. Quels sont les obstacles à une véritable rencontre de l'Autre selon Leiris ? Comment interpréter le titre de son journal de voyage ?

VERS LE BAC

Question sur un corpus

En quoi Gilles Ortlieb (p. 251) et Paul Nizan défendent-ils une visée humaniste du voyage ?

Invention

Dans une lettre à M. Leiris, vous défendrez l'idée que la rencontre avec l'Homme est possible.
Fiche 48 Rédiger un écrit d'invention

Oral (entretien)

« Ce que d'abord vous nous montrez, voyages, c'est notre ordure... » écrit l'ethnologue Claude Lévi-Strauss dans *Tristes tropiques*. En vous appuyant sur les textes 8, 9 et 10, illustrez et discutez ce propos.
Fiche 56 Réussir l'épreuve orale du baccalauréat

Nikos ECONOMOPOULOS (1953-), *Nomades*, village Kars, 1990 (Balkans, Turquie).

11

Antoine de Saint-Exupéry, *Terre des hommes*, 1939

Biographie p. 630
Histoire *littéraire* p. 332
Repères historiques p. 622

Dans Terre des hommes *(1939), Antoine de Saint-Exupéry évoque les années durant lesquelles il a travaillé pour l'Aéropostale. Au terme de ce récit autobiographique, il se remémore « un long voyage en chemin de fer » au cours duquel il s'est retrouvé face à des ouvriers polonais revenant au pays, parqués en « voiture de troisième ».*

Et voici qu'ils me semblaient avoir à demi perdu qualité humaine, ballotté d'un bout de l'Europe à l'autre par les courants économiques, arrachés à la petite maison du Nord, au minuscule jardin, aux trois pots de géranium que j'avais remarqués autrefois à la fenêtre des mineurs polonais. Ils n'avaient rassemblé que les ustensiles de cuisine, les couvertures et les rideaux, dans des paquets mal ficelés et crevés de hernies[1]. Mais tout ce qu'ils avaient caressé ou charmé, tout ce qu'ils avaient réussi à apprivoiser en quatre ou cinq années de séjour en France, le chat, le chien et le géranium, ils avaient dû le sacrifier et ils n'emportaient avec eux que ces batteries de cuisine.

Un enfant tétait une mère si lasse qu'elle paraissait endormie. La vie se transmettait dans l'absurde et le désordre de ce voyage. Je regardai le père. Un crâne pesant et nu comme une pierre. Un corps plié dans l'inconfortable sommeil, emprisonné dans les vêtements de travail, fait de bosses et de creux. L'homme était pareil à un tas de glaise. Ainsi, la nuit, des épaves qui n'ont plus de forme, pèsent sur les bancs des halles. Et je pensai : le problème ne réside point dans cette misère, dans cette saleté, ni dans cette laideur. Mais ce même homme et cette même femme se sont connus un jour, et l'homme a souri sans doute à la femme : il lui a, sans doute, après le travail, apporté des fleurs. Timide et gauche, il tremblait peut-être de se voir dédaigné. Mais la femme, par coquetterie naturelle, la femme sûre de sa grâce, se plaisait peut-être à l'inquiéter. Et l'autre, qui n'est plus aujourd'hui qu'une machine à piocher ou à cogner, éprouvait ainsi dans son cœur l'angoisse délicieuse. Le mystère, c'est qu'ils soient devenus ces paquets de glaise. Dans quel moule terrible ont-ils passé, marqués par lui comme par une machine à emboutir[2] ? Un animal vieilli conserve sa grâce. Pourquoi cette belle argile humaine est-elle abîmée ? [...]

1. Excroissances.
2. Emboutir : au sens propre, travailler une plaque de métal pour lui donner une forme définie.

Je m'assis en face d'un couple. Entre l'homme et la femme, l'enfant, tant bien que mal, avait fait son creux, et il dormait. Mais il se retourna dans le sommeil, et son visage m'apparut sous la veilleuse. Ah ! quel adorable 30 visage ! Il était né de ce couple-là une sorte de fruit doré. Il était né de ces lourdes hardes cette réussite de charme et de grâce. Je me penchai sur ce front lisse, sur cette douce moue des lèvres, et je me dis : voici un visage de musicien, voici Mozart enfant, voici une belle promesse de la vie. Les petits princes des légendes n'étaient point différents de lui : protégé, entouré, 35 cultivé, que ne saurait-il devenir ! Quand il naît par mutation dans les jardins une rose nouvelle, voilà tous les jardiniers qui s'émeuvent. On isole la rose, on cultive la rose, on la favorise. Mais il n'est point de jardinier pour les hommes. Mozart enfant sera marqué comme les autres par la machine à emboutir. Mozart fera ses plus hautes joies de musique pourrie, dans la puan- 40 teur des cafés-concerts. Mozart est condamné.

Et je regagnai mon wagon. Je me disais : ces gens ne souffrent guère de leur sort. Et ce n'est point la charité ici qui me tourmente. Il ne s'agit point de s'attendrir sur une plaie éternellement rouverte. Ceux qui la portent ne la sentent pas. C'est quelque chose comme l'espèce humaine et non l'in- 45 dividu qui est blessé ici, qui est lésé. Je ne crois guère à la pitié. Ce qui me tourmente, c'est le point de vue du jardinier. Ce qui me tourmente, ce n'est point cette misère, dans laquelle, après tout, on s'installe aussi bien que dans la paresse. Des générations d'Orientaux vivent dans la crasse et s'y plaisent. Ce qui me tourmente, les soupes populaires ne le guérissent point. Ce qui 50 me tourmente, ce ne sont ni ces creux, ni ces bosses, ni cette laideur. C'est un peu, dans chacun de ces hommes, Mozart assassiné.

*

Seul l'esprit, s'il souffle sur la glaise, peut créer l'Homme.

Antoine DE SAINT-EXUPÉRY, *Terre des hommes* © Éditions Gallimard, 1939.

Retrouver « l'esprit » de l'Homme

LECTURE DU TEXTE

Un peuple misérable

1. À quels signes comprend-on que cette population est démunie ?

2. Comment et avec quelle intention l'auteur parvient-il à attendrir le lecteur ? Quel registre domine alors ?

Fiche 40 **Les registres**

3. Montrez que l'auteur adopte un style sobre et dépouillé pour décrire la misère. Ce choix descriptif accentue-t-il la peinture de la misère ? Expliquez.

Fiche 41 **Les figures de style**

La pesanteur et la grâce

4. À quoi l'auteur identifie-t-il les individus dans cet extrait ? Analysez plusieurs figures de style.

5. Comment interpréter l'insistance de l'auteur autour de la figure de Mozart ?

Fiche 31 **L'apologue**

Un discours sur l'Homme

6. Expliquez la distinction opérée par l'auteur entre « l'espèce humaine » et « l'individu » (l. 44).

7. Comment comprenez-vous la dernière phrase ? À quel texte majeur fait-elle écho ? Quelle est la valeur prise par le présent dans cet énoncé ?

VERS LE BAC

Invention

L'un des Polonais découvre ce voyageur qui les observe. Rédigez le monologue intérieur traduisant ses sentiments et ses réflexions.

Fiche 48 **Rédiger un écrit d'invention**

Commentaire

Vous rédigerez un commentaire de ce texte en insistant sur la dimension pathétique de ce témoignage.

Fiche 51 **Rédiger un commentaire**

12

Claude Lévi-Strauss, *Tristes tropiques*, 1955

Biographie p. 628
Du même auteur p. 330
Histoire littéraire p. 332
Repères historiques p. 622

Dans Tristes tropiques *(1955), Claude Lévi-Strauss fait le récit de ses différentes rencontres avec la misère du monde. Dans l'extrait qui suit, l'ethnologue analyse la complexité de la relation qui se noue (et se dénoue) entre l'Européen et le mendiant de Calcutta.*

L'Européen qui vit dans l'Amérique tropicale se pose des problèmes. Il observe des relations originales entre l'homme et le milieu géographique ; et les modalités mêmes de la vie humaine lui offrent sans cesse des sujets de réflexion. Mais les relations de personne à personne n'affectent pas une forme nouvelle ; elles sont toujours du même ordre que celles qui l'ont toujours entouré. Dans l'Asie méridionale, au contraire, il lui semble être en deçà ou au-delà de ce que l'homme est en droit d'exiger du monde, et de l'homme.

La vie quotidienne paraît être une répudiation[1] permanente de la notion de relations humaines. On vous offre tout, on s'engage à tout, on proclame toutes les compétences alors qu'on ne sait rien. Ainsi, on vous oblige d'emblée à nier chez autrui la qualité humaine qui réside dans la bonne foi, le sens du contrat et la capacité de s'obliger. Des *rickshaw boys*[2] proposent de vous conduire n'importe où, bien qu'ils soient plus ignorants de l'itinéraire que vous-même. Comment donc ne pas s'emporter et – quelque scrupule que l'on ait à monter dans leur pousse et à se faire traîner par eux – ne pas les traiter en bêtes, puisqu'ils vous contraignent à les considérer tels par cette déraison qui est la leur ?

La mendicité générale trouble plus profondément encore. On n'ose plus croiser un regard franchement, par pure satisfaction de prendre contact avec un autre homme, car le moindre arrêt sera interprété comme une faiblesse, une prise donnée à l'imploration de quelqu'un. Le ton du mendiant qui appelle : « sa-HIB ! »[3] est étonnamment semblable à celui que nous employons pour gourmander un enfant : « vo-YONS ! » amplifiant la voix et baissant le ton sur la dernière syllabe, comme s'ils disaient : « Mais c'est évident, cela crève les yeux, ne suis-je pas là, à mendier devant toi, ayant de ce seul fait, sur toi, une créance[4] ? À quoi penses-tu donc ? Où as-tu la tête ? » L'acceptation d'une situation de fait est si totale qu'elle parvient à dissoudre l'élément de supplication. Il n'y a plus que la constatation d'un état objectif, d'un rapport naturel de lui à moi, dont l'aumône devrait découler avec la même nécessité que celle unissant, dans le monde physique, les causes et les effets.

Là aussi, on est contraint par le partenaire à lui dénier l'humanité qu'on voudrait tant lui reconnaître. Toutes les situations initiales qui définissent les rapports entre des personnes sont faussées, les règles du jeu social truquées, il n'y a pas moyen de commencer. Car, voudrait-on même traiter ces malheureux comme des égaux, ils protesteraient contre l'injustice : ils ne se veulent pas égaux ; ils supplient, ils conjurent que vous les écrasiez de votre superbe [...].

Ils ne songent donc pas à se poser en égaux. Mais, même d'êtres humains, on ne peut supporter cette pression incessante, cette ingéniosité toujours en alerte pour vous tromper, pour vous « avoir », pour obtenir quelque chose de vous par ruse, mensonge ou vol. Et pourtant, comment se durcir ? Car – et c'est ici qu'on *n'en sort plus* – tous ces procédés sont des modalités diverses

1. Rejet.
2. Garçons tirant les pousse-pousse en Inde.
3. Mot indien signifiant « maître », « seigneur ».
4. Sentiment de reconnaissance que l'on attend d'une personne à laquelle on a rendu service.

Rickshaws, Pondichéry (Inde), 1961.

de la prière. Et c'est parce que l'attitude fondamentale à votre égard est celle
45 de la prière, même quand on vous vole, que la situation est si parfaitement, si totalement insupportable et que je ne puis, quelque honte que j'en éprouve, résister à confondre les réfugiés – que j'entends toute la journée, des fenêtres de mon palace, geindre et pleurer à la porte du Premier ministre au lieu de nous chasser de nos chambres qui logeraient plusieurs familles – avec ces cor-
50 beaux noirs à camail[5] gris qui croassent sans trêve dans les arbres de Karachi[6].

Cette altération des rapports humains paraît d'abord incompréhensible à un esprit européen. Nous concevons les oppositions entre les classes sous forme de lutte ou de tension, comme si la situation initiale – ou idéale – correspondait à la solution de ces antagonismes. Mais ici, le terme de tension
55 n'a pas de sens. Rien n'est tendu, il y a belle lurette que tout ce qui pouvait être tendu s'est cassé. La rupture est au commencement, et cette absence d'un « bon temps », à quoi on puisse se référer pour en retrouver les vestiges ou pour souhaiter son retour, laisse en proie à une seule conviction : tous ces gens qu'on croise dans la rue sont en train de se perdre. Pour les retenir un
60 moment sur la pente, suffirait-il même de se dépouiller ?

Et si l'on veut penser en termes de tension, le tableau auquel on arrive n'est guère moins sombre. Car alors, il faudra dire que tout est si tendu qu'il n'y a plus d'équilibre possible : dans les termes du système et à moins qu'on ne commence par la détruire, la situation est devenue irréversible. D'emblée,
65 on se trouve en déséquilibre vis-à-vis de suppliants qu'il faut repousser, non parce qu'on les méprise mais parce qu'ils vous avilissent de leur vénération [...].

Claude LÉVI-STRAUSS, *Tristes tropiques*, Plon, 1955.

5. Petit manteau couvrant les épaules jusqu'à la ceinture.
6. Grande ville du Pakistan.

13 Claude Lévi-Strauss, *Race et histoire*, 1952

TEXTE ÉCHO

À la demande de l'UNESCO, Claude Lévi-Strauss écrit une brochure consacrée à la question du racisme. Son essai dépasse cette stricte commande en abordant plus largement la question de la diversité des cultures.

Biographie p. 628
Du même auteur p. 328
Histoire littéraire p. 332
Repères historiques p. 622

[...] la notion de la diversité des cultures humaines ne doit pas être conçue d'une manière statique. Cette diversité n'est pas celle d'un échantillonnage inerte ou d'un catalogue desséché. Sans doute les hommes ont-ils élaboré des cultures différentes en raison de l'éloignement géographique, des propriétés particulières du milieu et de l'ignorance où ils étaient du reste de l'humanité ; mais cela ne serait rigoureusement vrai que si chaque culture ou chaque société était liée et s'était développée dans l'isolement de toutes les autres. Or cela n'est jamais le cas, sauf peut-être dans des exemples exceptionnels comme celui des Tasmaniens (et là encore, pour une période limitée). Les sociétés humaines ne sont jamais seules ; quand elles semblent le plus séparées, c'est encore sous forme de groupes ou de paquets. [...] Par conséquent, la diversité des cultures humaines ne doit pas nous inviter à une observation morcelante ou morcelée. Elle est moins fonction de l'isolement des groupes que des relations qui les unissent.

Claude LÉVI-STRAUSS, *Race et histoire*, 1952

Affronter la misère humaine

LECTURE DU TEXTE 12

Le regard de l'ethnologue

1. (@ RECHERCHE) Cherchez sur le site de l'INA des documents d'archives consacrés à Claude Lévi-Strauss. En vous appuyant sur quelques entretiens vidéo, définissez le rôle de l'ethnologue.

2. Pourquoi peut-on dire que Claude Lévi-Strauss analyse la société dans laquelle il se trouve plongé ? Faites un relevé du champ lexical correspondant pour justifier votre propos.

3. Pourquoi cet extrait se rattache-t-il au genre de l'essai ? Dégagez la thèse et le mode de raisonnement qui structurent l'argumentation.

Fiche 29 L'essai

4. Quel sens et quelle valeur le vouvoiement employé par l'auteur prend-il ?

Une humanité dégradée

5. (@ RECHERCHE) En vous appuyant sur des données précises, faites une recherche sur la mendicité à Calcutta.

6. Quelles sont les différentes réactions de l'auteur face aux mendiants ?

7. À quoi l'auteur compare-t-il les mendiants ? Quel sens ces images prennent-elles ?

Fiche 41 Les figures de style

Un dialogue impossible

8. Quelles sont les particularités des relations humaines en Asie méridionale ? Caractérisez-les.

9. En vous concentrant sur le troisième paragraphe, montrez que l'auteur n'instaure qu'un faux dialogue avec les mendiants.

10. En quoi le rapport entre l'Européen et le mendiant indien s'identifie-t-il à un cercle vicieux ?

11. (SYNTHÈSE) Ce texte vous choque-t-il ? Argumentez.

VERS LE BAC

Question sur un corpus

À la lecture des textes de Saint-Exupéry (p. 326) et de Lévi-Strauss, quelles leçons peut-on tirer de la rencontre entre les cultures ?

Fiche 46 Répondre à une question sur un corpus

Oral (entretien)

Connaissez-vous d'autres manières d'aborder la question de la misère humaine ? Appuyez-vous sur des modes d'argumentation directs et indirects.

Fiche 28 Stratégies argumentatives et modes de raisonnement
Fiche 56 Réussir l'épreuve orale du baccalauréat

POUR ARGUMENTER LES VOYAGES FORMENT-ILS L'HOMME ?

Alain, *Propos sur le bonheur*, 1928

En ce temps de vacances, le monde est plein de gens qui courent d'un spectacle à l'autre, évidemment avec le désir de voir beaucoup de choses en peu de temps. Si c'est pour en parler, rien de mieux ; car il vaut mieux avoir plusieurs noms de lieux à citer ; cela remplit le temps. Mais si c'est pour eux, et pour réellement voir, je ne les comprends pas bien. Quand on voit les choses en courant, elles se ressemblent beaucoup. Un torrent c'est toujours un torrent. Ainsi celui qui parcourt le monde à toute vitesse n'est guère plus riche de souvenirs à la fin qu'au commencement.

La vraie richesse des spectacles est dans le détail. Voir, c'est parcourir les détails, s'arrêter un peu à chacun, et, de nouveau, saisir l'ensemble d'un coup d'œil. Je ne sais si les autres peuvent faire cela vite, et courir à autre chose, et recommencer. Pour moi, je ne le saurais. [...]

Pour mon goût, voyager c'est faire à la fois un mètre ou deux, s'arrêter et regarder de nouveau un nouvel aspect des mêmes choses. Souvent, aller s'asseoir un peu à droite ou à gauche, cela change tout, et bien mieux que si je fais cent kilomètres.

Si je vais de torrent à torrent, je trouve toujours le même torrent. Mais si je vais de rocher en rocher, le même torrent devient autre à chaque pas. Et si je reviens à une chose déjà vue, en vérité elle me saisit plus que si elle était nouvelle, et réellement elle est nouvelle. Il ne s'agit que de choisir un spectacle varié et riche, afin de ne pas s'endormir dans la coutume. [...]

ALAIN, « 29 août 1906 », *Propos sur le bonheur* © Éditions Gallimard, 1928.

Caspar David FRIEDRICH (1774-1840), *Matin de Pâques,* 1833, huile sur toile, 43,7 x 34,4 cm (Musée Thyssen-Bornemisza, Madrid).

LECTURE DU TEXTE

1. Quels arguments Alain utilise-t-il pour critiquer le tourisme ?
2. Quelle définition donne-t-il du voyage idéal ?

HISTOIRE DES ARTS

En quoi ce tableau illustre-t-il la thèse d'Alain ?

VERS LE BAC

Question sur un corpus

En vous appuyant sur les textes d'Alain, de Tahar Bekri (p. 252) et d'Octavio Paz (p. 249), montrez les liens possibles entre voyage et poésie.

Dissertation

À quelles conditions le voyage devient-il une occasion de découverte ?

Histoire littéraire

Les discours des voyageurs

De la découverte de l'Amérique par Christophe Colomb en 1492 à aujourd'hui, nombre d'écrivains ont sillonné le monde entier à la rencontre de l'Homme. Le fait d'entrer en relation avec une culture étrangère a incité les écrivains voyageurs à faire le récit de leur périple.

Les récits de voyage du XVIe au XXe siècle

Hérodote : une figure tutélaire

Les écrivains du XVIe siècle n'ont pas inventé le genre du récit de voyage. Dès le Ve siècle avant Jésus-Christ, le grand historien Hérodote est le premier à parcourir le monde grec afin d'observer les us et coutumes des habitants de Perse, d'Égypte ou de Babylonie. Ses commentaires sont rapportés dans des *Enquêtes*, ***historia*** en grec, mot qui a donné « histoire ».

Le voyage humaniste

« Voir puis savoir »

Au XVIe siècle, si la totalité du globe a pu être appréhendée par Christophe Colomb ou Magellan, la **cartographie** demeure encore très incertaine. Aussi, rares sont les voyageurs qui se lancent dans l'aventure d'un voyage au-delà du Proche et du Moyen-Orient.

Ex. : ***Jean de Léry*** *publie en 1578 l'*Histoire d'un voyage fait en la terre du Brésil (>p. 314). *Il s'appuie sur ce qu'il a vu pour construire une « autopsie » du monde sauvage. Sa devise « Voir puis savoir » l'engage à remettre en cause les croyances établies. Son discours humaniste est repris par Montaigne dans l'essai « Sur les Cannibales »* (>p. 312).

Penser l'homme sauvage

La rencontre avec le sauvage devient ainsi l'occasion de remettre en question les frontières de l'humanité. Les rituels sauvages tels que le **cannibalisme** fascinent les humanistes. « Chacun appelle barbarie ce qui n'est pas de son usage », proclame ainsi Montaigne afin de répondre aux préjugés de ses contemporains. Jean de Léry avoue, quant à lui, regretter de ne vivre parmi les sauvages, figurant ainsi son attachement à ces individus aux mœurs pourtant déroutantes (>p. 312, 314).

Ex. : *« Ils sont sauvages de même que nous appelons sauvages les fruits que nature d'elle-même et de son progrès a produits : là où à la vérité ce sont ceux que nous avons altérés par notre artifice et détournés de l'ordre commun, que nous devrions appeler plutôt sauvages. » (Montaigne, « Sur les Cannibales », 1595).*

Extrait de la carte de l'Amérique latine de Bry, 1625.

Le mythe du « bon sauvage »

Après la découverte du continent américain, l'image d'un homme sauvage pur et innocent se développe. Plusieurs facteurs poussent l'idéalisation de ces peuples primitifs. La fin du XVIe siècle est en effet marquée par les **Guerres de religion** (1562-1598), qui mettent en crise le modèle humaniste. Le déchaînement de violence et de cruauté suscité par les querelles civiles engage de nombreux penseurs à vanter le modèle de la vie sauvage. En effet, le Sauvage incarne alors l'**innocence**, la **bonté** et la **simplicité**, vertus flétries par les Européens. (Séquence 18, >p. 355)

Ce mythe du bon sauvage trouvera par la suite un écho favorable au XVIIIe siècle : Diderot, Voltaire ou Rousseau reprennent chacun à leur façon les intuitions de Montaigne.

Le discours critique des Lumières

La construction d'un discours

Du XVIe siècle au XVIIIe siècle, le récit de voyage connaît un essor considérable dû en partie à la découverte de nouvelles contrées et à la publication de témoignages de grands voyageurs. Dans son *Dictionnaire universel* (1690), Furetière déclare ainsi que « les voyages sont les romans des honnêtes gens » (article « Voyage ») témoignant du crédit nouveau dont bénéficie ce genre. Les récits de voyage du XVIIe siècle se limitent néanmoins à des « **relations** » de négociants ou de missionnaires jésuites. Ce n'est qu'au XVIIIe siècle que le voyage devient prétexte à un **discours critique**. Les philosophes des Lumières encouragent la diffusion de récits de voyage qui permettent une connaissance plus étendue de l'humanité. Les penseurs du XVIIIe siècle insistent alors sur la nécessité du contact avec autrui dans la construction de soi.

Les voyageurs contre les philosophes

Au XVIIIe siècle, de nombreux voyages sont organisés par des **explorateurs** ou des **scientifiques** qui rendent compte de leurs visions dans des récits à l'attention d'un public lettré. Parmi ces voyageurs, **Bougainville** et **La Pérouse** constituent les figures les plus connues du siècle. Un dialogue polémique s'engage très rapidement au sujet des peuples sauvages.

Ex. : *Une controverse très célèbre naît entre Bougainville et Diderot, auteur du* Supplément au voyage de Bougainville. *Bougainville plaide pour une science des faits et reproche aux philosophes des Lumières leur vision abstraite, utopique de l'humanité sauvage.* (>p. 316, 317)

« Je suis voyageur et marin ; c'est-à-dire un menteur et un imbécile aux yeux de cette classe d'écrivains paresseux et superbes [orgueilleux] *qui, dans l'ombre de leur cabinet, philosophent à perte de vue sur le monde et ses habitants, et soumettent impérieusement la nature à leurs imaginations. » (Bougainville, Discours préliminaire du* Voyage autour du monde, *1771).*

Bougainville rencontrant les natifs de Tahiti en avril 1768, gravure, vers 1800.

Le détour par la fiction

Les **philosophes des Lumières** construisent des récits de voyage imaginaires venant concurrencer la vision donnée par les explorateurs. Le détour par la fiction permet à de nombreux écrivains de **dénoncer les théories ethnocentristes** qui dominent alors.

Montesquieu (1689-1755) publie les *Lettres persanes* (1727), roman épistolaire dans lequel deux Persans venus visiter la France émettent des critiques sur la société de cour.

Voltaire (1694-1778) met à la mode le genre du conte philosophique pour dénoncer les systèmes politiques européens (*Candide*, 1759).

Diderot (1713-1784) invente le dialogue philosophique (*Supplément au voyage de Bougainville*, 1772). La parole du Tahitien permet à l'auteur de faire passer un message subversif. (>p. 317)

Ce type d'**argumentation indirecte** permet aux auteurs d'éviter la censure et d'inventer de nouvelles formes littéraires.

Les voyages « pittoresques » du XIXe siècle

L'itinéraire romantique

Le romantisme prend son essor en France à la chute de l'Empire napoléonien (1815). Les artistes de ce mouvement aspirent à trouver un cadre idéal pour l'expression de leur sensibilité exacerbée. Le **voyage exotique** devient alors une destination prisée par ces écrivains en quête de lieux sauvages et consolateurs. Plus précisément, les romantiques sont en quête de « **pittoresque** », autrement dit de paysages dignes d'être peints (*pittoresco*, mot italien dérivé de *pittore*, « peintre »).

Ex. : ***Chateaubriand (1768-1848)*** *voyage en Amérique en 1791 et découvre la beauté des grands espaces vierges. Ce voyage lui inspire* Atala *(1801), sous-titrée « Les amours de deux sauvages dans le désert ».*

L'orientalisme

À partir des années 1820, l'Orient devient la destination favorite des artistes. Ce goût pour l'Orient donne naissance à un mouvement artistique connu sous le nom d'**orientalisme**. Ce courant rassemble des écrivains (Chateaubriand, Lamartine, Hugo, Baudelaire), des peintres d'origines diverses comme Ingres ou Delacroix. Tous ont en commun de priser l'exotisme des cultures du Maghreb et du Moyen Orient.

Ex. : ***Victor Hugo (1802-1885)*** *met l'Orient à la mode dès 1829 en publiant* Les Orientales, *recueil poétique constitué de quarante et un poèmes à la gloire de la Grèce.*

Ex. : ***Gérard de Nerval (1808-1855)*** *écrit* Le Voyage en Orient *en 1851 où il célèbre la magie poétique des contrées égyptiennes.*

« Chaque matin dans ce demi-sommeil où la raison triomphe peu à peu des folles images du rêve, je sens qu'il est naturel, logique et conforme à mon origine parisienne de m'éveiller aux clartés d'un ciel gris, au bruit des roues broyant les pavés, dans quelque chambre d'un aspect triste, garnie de meubles anguleux, où l'imagination se heurte aux vitres comme un insecte emprisonné, et c'est avec un étonnement toujours plus vif que je me retrouve à mille lieues de ma patrie, et que j'ouvre mes sens peu à peu aux vagues impressions d'un monde qui est la parfaite antithèse du nôtre. » (Gérard de Nerval, Voyage en Orient, *1851)*

Eugène DELACROIX (1798-1863), *Le Kaid, chef marocain*, 1837, huile sur toile, 0,98 x 1,26 m (Musée des Beaux-Arts, Nantes).

Carnets de route XXe siècle

Claude Lévi-Strauss et l'ethnographie

Le XXe siècle voit la naissance d'une nouvelle science, l'**anthropologie**, qui entend expliquer le fonctionnement des sociétés humaines. **Claude Lévi-Strauss (1908-2009)** est l'un des penseurs à l'origine de ce renouvellement des sciences de l'Homme. Il publie des œuvres consacrées aux peuples premiers sous la forme de récits (*Tristes Tropiques*, 1955, >p. 328) ou d'essais scientifiques (*Anthropologie structurale,* 1958). Spécialisé dans l'étude des peuples sans écriture, le travail de Claude Lévi-Strauss est celui d'un **ethnologue**.

Indien Bororo du Brésil, photographié par Claude Lévi-Strauss.

Le journal de voyage

En parallèle du développement des sciences de l'Homme, de nombreux écrivains perpétuent la tradition du récit de voyage. Reprenant la tradition du journal initié par les artistes romantiques, les écrivains du XXe siècle tiennent des carnets de voyage qui décrivent le territoire qu'ils découvrent et les sentiments suscités par cette découverte. Plusieurs écrivains ont laissé une empreinte de grand aventurier.

Ex. : ***Blaise Cendrars (1887-1961)*** *publie de nombreux reportages et autres carnets de route de ses voyages (*Vol à voile*, 1932 ;* Bourlinguer*, 1948).* (>p. 325)

La fin des voyages ?

Le XXe siècle connaît deux guerres mondiales qui remettent en question le modèle humaniste hérité du XVIe siècle. Cette situation de crise inspire au premier rang les écrivains voyageurs qui constatent l'impossibilité de rencontrer l'Homme au cœur du voyage. Des ethnologues aux diaristes, il semblerait qu'une même désillusion domine.

Ex. : *Claude Lévi-Strauss intitule ainsi le premier chapitre de* Tristes tropiques *(1955) « La fin des voyages » et débute par cette phrase devenue célèbre : « Je hais les voyages et les explorateurs ».*

André Gide (*Voyage au Congo*, 1927), **Henri Michaux** (*Ecuador,* 1929 ; *Un Barbare en Asie,* 1933) ou encore **Michel Leiris** (*L'Afrique fantôme*, 1934, >p. 324) dressent un même constat : le voyage n'est plus à même de faire évoluer l'homme.

Le récit de voyage et la découverte de l'Autre

« C'est un sujet merveilleusement vain, divers et ondoyant que l'homme », écrit Montaigne dans ses *Essais*. Il est en effet peu évident de dessiner les contours de l'humanité. Comment envisager, dès lors, la variété de l'espèce humaine ?

La diversité humaine

De nombreux auteurs ont eu à défendre l'idée d'une **humanité plurielle** au cours du temps. En dénonçant les lieux communs de leur époque, ils ont favorisé une approche nouvelle. De Montaigne à Lévi-Strauss, nombre d'écrivains ont remis en cause la notion d'**ethnocentrisme**. Il n'existe que des différences de coutumes d'une civilisation à l'autre.

La fascination pour l'étranger

Les écrivains du XVIe siècle aiment employer le mot « bigarrure » pour caractériser les Sauvages. Cette société primitive offre en effet un **dépaysement** au premier abord. Les voyageurs ne se lassent pas de contempler cette humanité à l'état de nature.
Au XIXe siècle, les orientalistes avouent leur fascination pour des populations aux mœurs éloignées de celles des Européens.

La réflexion sur l'Autre

Les Sauvages représentent un **miroir inversé du continent européen**. Le « mythe du bon sauvage » permet ainsi à de nombreux philosophes (Diderot, Voltaire) de dénoncer les vices de leur société.

L'échec du voyage humaniste ?

La marche vers les hommes ne se fait pas sans quelques obstacles. Au XXe siècle, des écrivains avouent leur incapacité à voyager, faute d'une aspiration à l'aventure humaine. Le voyage vers les hommes se fait plus chaotique comme l'attestent les titres des récits de voyage : *L'Afrique fantôme* de Michel Leiris (>p. 324) ou *Tristes tropiques* de Claude Lévi-Strauss (>p. 328). C'est alors que la poésie prend le relais : elle propose un regard neuf sur le monde, les mots, l'autre et donc soi-même (Séquence 12 > p. 233).

Histoire des arts
Arts et littérature

17 La photographie humaniste
La foi retrouvée en l'Homme

Au XXe siècle, de nombreux artistes ont tenté de redonner un sens à la notion d'humanisme. Des photographes tels que Brassaï, Ronis ou Doisneau ont cherché à saisir l'essence même de l'Homme, en montrant un visage digne et radieux de l'espèce humaine.

François KOLLAR (1904-1979), *Portrait d'un paysan à casquette*, Normandie, années 1930.

Objectifs

- Étudier les intentions des photographes humanistes
- Comprendre les visées argumentatives de la photographie

MÉTHODES p. 439

La question de l'Homme dans les genres de l'argumentation Fiche 28
Lire et analyser Fiches 40, 42
Préparer le baccalauréat Fiches 46, 53, 55

Histoire littéraire p. 299

1 Une vision optimiste de l'homme

1. L'œil du photographe

Brassaï (1899-1984), *Couple d'amoureux dans un petit café parisien - Place d'Italie*, 1932.

Étude d'une photographie

1. Comment le photographe parvient-il ici à magnifier le couple amoureux ? Justifiez votre propos en étudiant la construction de cette image et ses contrastes lumineux.

Fiche 42 Lecture de l'image fixe

2. Dans quelle mesure cette photographie peut-elle être qualifiée d'humaniste ? Étudiez entre autres l'apport symbolique des effets de miroir ici.

3. À votre avis, ce couple pose-t-il pour le photographe ? Justifiez.

Repères esthétiques

La photographie humaniste

La notion de « photographie humaniste » désigne un mouvement artistique né dans les années 1945-1950 autour de Willy Ronis, Robert Doisneau ou encore Henri Cartier-Bresson. En réaction aux atrocités commises durant les années de guerre, ces photographes ont cherché à **valoriser l'homme** : saisi dans son milieu social ou professionnel, il offre une image souvent positive de la nature humaine. Le mouvement humaniste s'inscrit en rupture avec les expérimentations surréalistes des décennies précédentes : fuyant l'abstraction moderne, les photographes humanistes s'attachent à restituer, intacte, la réalité, au détriment de toute visée formaliste. Izis précise ainsi que « la bonne photo doit paraître tellement facile que chaque amateur peut croire qu'il aurait fait aussi bien avec son simple appareil photo s'il s'était trouvé devant la même scène ». La saisie de l'instant présent préoccupe ainsi davantage ces artistes que le travail de finalisation en laboratoire. Bien que ses représentants aient en partie disparu, le courant humaniste demeure toujours une source d'inspiration pour des artistes avides de refonder un humanisme.

2. Instant volé

Izis (1911-1980), *Bords de Seine*, 1949.

3. « Embrasse-moi »

C'était dans un quartier de la ville Lumière
Où il fait toujours noir où il n'y a jamais d'air
Et l'hiver comme l'été là c'est toujours l'hiver
Elle était dans l'escalier
Lui à côté d'elle elle à côté de lui
C'était la nuit
Ça sentait le soufre
Car on avait tué des punaises dans l'après-midi
Et elle lui disait
Ici il fait noir
Il n'y a pas d'air
L'hiver comme l'été c'est toujours l'hiver
Le soleil du bon Dieu ne brill' pas de notr' côté
Il a bien trop à faire dans les riches quartiers
Serre-moi dans tes bras
Embrasse-moi
Embrasse-moi longtemps
Embrasse-moi
Plus tard il sera trop tard
Notre vie c'est maintenant [...]

Jacques PRÉVERT, « Embrasse-moi » (extrait), *Histoires*, 1946 © Éditions Gallimard, 1963.

4. « L'instant maître de nous »

J'extrais, d'un chaos d'impressions, [la soirée du 24 août 1944], qui est bien caractéristique de ce temps où rien ne s'isole de tout. Pendant que le ciel local n'était que lueurs brèves, coups sourds, déchirements et mitraillades [...] voici qu'une voix divine s'éleva qui chantait à l'Opéra de Berlin je ne sais quelle mélodie de musique italienne, dont la phrase très pure se détachait comme une idée claire sur le fond de bataille des bruits et des éclats de toutes parts que projette une action violente étendue à une ville immense.

Mais quel étrange et merveilleux désordre s'imposa à tous les esprits, je pense, le lendemain ! Toute la joie d'une délivrance mêlée de toutes les émotions d'une lutte non encore achevée. [...] J'observai sur moi-même ce désordre : ce que l'on voit, ce que l'on imagine, ce qui vient d'être et ce que l'on prévoit ; le cœur anxieux qui, brusquement, se déchaîne, se dilate, se ressaisit ; l'instant qui précipite, simplifie, exagère, échange toutes les valeurs vivantes dont les possibilités nous constituent – *l'instant maître de nous...*

Paul VALÉRY *et alii*, *Jours de gloire, Histoire de la libération de Paris*, Éditions Lambusier, 1945.

ÉTUDE D'UNE PHOTOGRAPHIE

1. Quel **angle de prise de vue** Izis adopte-t-il pour photographier le couple ? Pour quel effet ?

Fiche 42 **Lecture de l'image fixe**

2. Quel rôle la lumière joue-t-elle dans cette œuvre ?

DE L'IMAGE AUX TEXTES

3. Montrez que les textes de Prévert et Valéry sont construits sur un jeu de contrastes. Que révèle cette tension ?

Fiche 46 **Répondre à une question sur un corpus**

4. Pourquoi peut-on dire que Valéry opère à la manière d'un photographe ? Appuyez-vous sur la dernière phrase de son propos : « L'instant maître de nous... ».

VERS LE BAC

Dissertation

Pourquoi photographie et poésie ont-elles le pouvoir d'enchanter la vie ? Étayez votre développement en vous appuyant notamment sur les textes et images de la séquence et les pages 242-243.

Fiche 55 **Rédiger une dissertation**

2 Un regard engagé

1. Capter l'expression du refus

Willy RONIS (1910-2009), *Le Délégué*, 1950.

Willy RONIS (1910-2009), *Prise de parole aux usines Citroën-Javel*, 1938.

2. Le commentaire du photographe

LE DÉLÉGUÉ[1]. Il est rare qu'une bonne photo vous soit offerte sur un plateau d'argent. Il faut la mériter. En voici un exemple.

Le premier trimestre 1950 fut une période de grèves. Je sillonne Paris à moto pour un hebdomadaire, selon un itinéraire raisonné, et je m'arrête devant l'entreprise Les Charpentiers de Paris, rue Saint-Amand. Les ouvriers attendent que leur délégué les informe de l'état des négociations.

Depuis le trottoir, je peux voir six hommes au maximum. Je me retourne. Un vélo est appuyé contre un mur. Son propriétaire m'aide à grimper sur le cadre. Du haut de cet observatoire le viseur de mon Rollei est rempli par une trentaine de têtes, toutes reconnaissables. Au moment opportun, je déclenche, avec le délégué à droite, dans une bonne attitude. Les cas seront nombreux où l'intérêt du sujet découle essentiellement d'une prise de vue plongeante. Parce que c'est ainsi que les plans se détachent le mieux de bas en haut de l'image. Tout se lit du premier coup d'œil.

Willy RONIS, *Derrière l'objectif de Willy Ronis, photos et propos*, Hoëbeke, 2001.

1. Ces mots renvoient à la photo du même nom.

Étude de photographies

1. Comment le photographe met-il en valeur le personnage prenant la parole ? Étudiez la **composition** des deux photographies pour justifier votre réponse.

Fiche 42 Lecture de l'image fixe

2. Quelle figure sociale se distingue sur les photographies ? Appuyez-vous sur le texte de Willy Ronis.

3. Quelles informations sur le travail de photographe le texte de Willy Ronis livre-t-il ?

3. Donner à voir le travailleur dans son milieu

Willy RONIS (1910-2009), *Filature Rhodiaceta, Lyon*, 1955.

4. Sortir les ouvriers du silence

Le malheur ouvrier est le déshonneur de cette civilisation. Mais la société bourgeoise n'a jamais imaginé qu'un remède au déshonneur des familles : le silence. Et elle n'a jamais détesté que ceux qui rompaient ce silence et la dérangeaient dans son confort rêveur.

Mais il faut que ce confort soit détruit et, de fond en comble, que le silence soit brisé, et que de plus en plus ceux qui ont la parole la passent, selon leurs moyens, à ceux que la nécessité et la misère des jours bâillonnent. Non pas pour se substituer à eux, ni pour leur vanter de nouveaux maîtres, mais pour dire simplement qui ils sont et comment notre société les fait vivre, et pour qu'enfin de cette vérité nue naisse la justice, qui en est inséparable.

Albert CAMUS, « La condition ouvrière », *L'Express*, 13 décembre 1955.

DES IMAGES AU TEXTE

1. Caractérisez à l'aide de quelques adjectifs le regard porté par Willy Ronis sur la condition ouvrière à travers la photo, p. 339. Vous justifierez votre réponse en analysant la profondeur de champ.

2. En vous appuyant sur les images et le texte de Camus, montrez que la photographie peut devenir un moyen de dénoncer les injustices.

3. Que reproche Camus à la « société bourgeoise » ? Quels **procédés argumentatifs** utilise-t-il pour donner plus d'efficacité à sa critique ?

Fiche 28 Stratégies argumentatives et modes de raisonnement

4. En vous appuyant sur la photographie de François Kollar (p. 335) et sur celles de cette double page, montrez que la photographie humaniste offre des visions variées de l'individu au travail.

Repères esthétiques

La profondeur de champ

Les photographes choisissent un angle de prise de vue précis en variant la profondeur de champ. L'augmentation de la profondeur de champ permet de marquer l'éloignement d'un objet ou la sensation d'un espace immense. Grâce à la technique de la **mise au point**, le photographe fixe son regard sur un objet en particulier, au premier ou au second plan. Sur certains clichés, cette mise au point conduit à des effets contrastés de net et de flou sur les différents plans. Dans la photographie humaniste, ces écarts de distance et de netteté à l'intérieur du champ soulignent souvent la singularité d'un individu.

3 Plaidoyer pour l'humanité

1. Une humanité idéale

Édouard BOUBAT (1923-1999), *Famille hindoue*, Inde, 1962.

DU LIEU COMMUN AU CLICHÉ

À l'origine, le cliché est un terme de typographie, « l'image négative obtenue à la chambre noire » (Larousse, 1865).
Au sens figuré, le cliché désigne un discours rebattu, une représentation éculée.
Depuis la fin du XVIIIe siècle, la notion de lieu commun s'est trouvée remise en cause, une œuvre d'art se devant d'être originale et non conforme à des modèles préétablis.

Étude d'une photographie

1. Quelle image de la famille hindoue cette photographie défend-elle ? Justifiez votre propos en étudiant la construction de l'image et les jeux de lumière.

2. Montrez, en analysant la **composition** de l'image, que cette photographie relève à la fois de l'instantané et de la mise en scène.

Fiche 42 Lecture de l'image fixe

3. Cette photographie donne-t-elle une vision réaliste ou mythifiée de la famille hindoue ? Argumentez en nuançant votre propos.

Repères esthétiques

L'exposition « *The Family of man* » (1955-1956)

En 1955, Edward Steichen organise une grande exposition au Musée d'Art moderne de New York intitulée « *The Family of man* ». L'enjeu de cette rétrospective est de montrer tout un panel de photographies représentant l'homme sous toutes ses facettes. Comme le précise le catalogue de l'exposition : « il y a un seul homme dans le monde et son nom est tous les hommes ». Les organisateurs de l'événement entendent ainsi prouver que l'être humain a retrouvé sa dignité après les traumatismes de la deuxième guerre mondiale. L'exposition suscite un véritable engouement, d'autant qu'elle est reprise un peu partout dans le monde. Néanmoins, certains émettent des doutes sur l'approche naïve d'Edward Steichen, lui reprochant de nier les différences entre les peuples au profit d'une image mythique et – donc – fausse de l'Homme. Il n'en demeure pas moins que « *The Family of man* » a permis à de nombreux artistes du mouvement humaniste de diffuser leur art à l'attention d'un public élargi.

2. *Le reportage « culturel »*

Chefs de la tribu des Moshi, Tanzanie, 1907.

Hommes Wodaabe (Peuls) au visage peint, lors du concours annuel de beauté masculine (fête du Gerewol), Niger.

3. *La dénonciation du cliché*

Roland Barthes fait référence dans cet article au reportage de Paris Match *racontant l'histoire d'un couple d'instituteurs et de leur jeune enfant, Bichon. Tous trois explorent le pays des Nègres[1] Rouges entre le Soudan et le Tchad.*

L'astuce profonde de l'opération-Bichon, c'est de donner à voir le monde nègre par les yeux de l'enfant blanc : tout y a évidemment l'apparence d'un *guignol*. Or comme cette réduction recouvre très exactement l'image que le sens commun se fait des arts et des coutumes exotiques, voilà le lecteur de *Match* confirmé dans sa vision infantile, installé un peu plus dans cette impuissance à imaginer autrui [...]. Au fond, le Nègre n'a pas de vie pleine et autonome : c'est un objet bizarre ; il est réduit à une fonction parasite, celle de distraire les hommes blancs par son baroque vaguement menaçant : l'Afrique, c'est un guignol un peu dangereux.
Et maintenant, si l'on veut bien mettre en regard de cette imagerie générale (*Match* : un million et demi de lecteurs, environ), les efforts des ethnologues pour démystifier le fait nègre, les précautions rigoureuses qu'ils observent déjà depuis fort longtemps lorsqu'ils sont obligés de manier les notions ambiguës de « Primitifs » ou d' « archaïques » [...] on comprendra mieux l'une de nos servitudes majeures : le divorce accablant de la connaissance et de la mythologie. La science va vite et droit en son chemin ; mais les représentations collectives ne suivent pas, elles sont des siècles en arrière, maintenues stagnantes dans l'erreur par le pouvoir, la grande presse et les valeurs d'ordre.

Roland BARTHES, « Bichon chez les Nègres », *Mythologies*, © Éditions du Seuil, 1957, coll. *Points Essais*, 1970.

1. R. Barthes utilise volontairement ce terme, très péjoratif aujourd'hui, pour dénoncer les préjugés inconscients des Européens.

LECTURE DU TEXTE

1. Quelle vision des cultures africaines donnent ces deux photographies ? Appuyez-vous sur le texte de R. Barthes pour justifier votre propos.
2. Quelle définition peut-on donner de la « mythologie » à la lumière de l'extrait de Roland Barthes ?
3. En quoi la « connaissance » et la « mythologie » s'opposent-elles selon Barthes ? Identifiez pour ce faire des couples de mots antinomiques dans le texte.

ÉDUCATION AUX MÉDIAS

4. @ RECHERCHE Comment la presse illustrée a-t-elle évolué au cours du XXe siècle ? Vous vous appuierez notamment sur l'exposition virtuelle consacrée à la photographie humaniste : http://expositions.bnf.fr/humaniste/index.htm
5. Pensez-vous que la critique de Barthes soit toujours d'actualité ? Justifiez en vous appuyant sur des « reportages culturels » dans des médias populaires.

4 Dénoncer la souffrance humaine

1. Un regard

Steve McCurry, photographe américain, a gagné sa notoriété grâce à son reportage photo réalisé en Afghanistan et au Pakistan dans les années 1980. En 1984, il prend en photo cette jeune fille afghane dans le camp de réfugiés de Nasir Bagh, à Peshawar, au Pakistan : son regard intense, inoubliable, a fait le tour du monde. Cette photo est devenue l'image de marque du magazine National Geographic.

Steve McCURRY (1950-), *La Jeune Fille afghane*, 1984.

Repères esthétiques

Montrer, est-ce dénoncer ?

La photographie de presse a connu un développement considérable au XXe siècle : l'essor de nouveaux médias a permis de sensibiliser un public populaire à un grand nombre de sujets politiques ou sociaux. De la guerre du Viêtnam à la guerre en Irak, de nombreux conflits ont été couverts par des reporters indépendants ou appartenant à des agences de presse. En captant sur le vif les conséquences de la guerre, ces photographes ont cherché à dénoncer le sort réservé aux victimes civiles. Mais ce procédé s'avère discutable : la dénonciation de la guerre doit-elle passer par cette forme de voyeurisme ? Doit-on nécessairement choquer le spectateur pour le faire réagir ? En définitive, la photographie militante risque toujours de privilégier le message au détriment de la forme artistique.

Étude d'une photographie

1. Quel sentiment éprouvez-vous en vous confrontant à ce regard ?

2. Quel parti pris Steve McCurry a-t-il choisi pour dénoncer les affres de la guerre ?

3. Comment peut-on expliquer que cette « jeune fille afghane » soit devenue une « icône » dans le monde entier ? Justifiez votre point de vue.

2. Le témoignage du réfugié

Jeune Afghan réfugié en France, Wali Mohammadi raconte sa fuite et son périple de Kaboul jusqu'en France avec son frère.

Les journalistes savent que c'est au moment des repas qu'ils verront un grand nombre de réfugiés et trouveront leurs sujets. Pour eux, Calais est une mine inépuisable. Un jour, je vois même une équipe de la télévision suédoise.
Depuis le quai de la Batellerie, les reporters n'ont qu'à suivre une voie ferrée envahie par les herbes, le long du port. Ici et là, les abris de fortune se multiplient.
Les détritus, les chaussures, les vêtements abandonnés qui jalonnent la piste caillouteuse entre les rails permettent aux reporters de repérer les petits groupes …
Énormes pneus abandonnés, pelles de grues laissées à la rouille, tout est bon pour dormir au sec. Découvrir un homme lové dans une de ces monstrueuses mâchoires métalliques, dotées de rideaux en lambeaux, est saisissant.

Wali MOHAMMADI, *De Kaboul à Calais*, Robert Laffont, 2009.

3. Réfugiés Hmongs

Un camp de réfugiés de Hmongs dans la province de Phetchabun, au centre de la Thaïlande.

DE L'IMAGE AU TEXTE

1. Quel angle de prise de vue adopte le photographe ? Quelle image des réfugiés ressort ainsi de ce cliché ?
2. En étudiant l'échelle des plans, montrez que le photographe vise à dénoncer la situation des réfugiés Hmongs.

Fiche 42 **Lecture de l'image fixe**

3. Sur quels aspects du camp Wali Mohammadi met-il l'accent ? Justifiez votre réponse en relevant un champ lexical dominant.
4. Comment l'auteur décrit-il les abris de fortune dans le dernier paragraphe ? Identifiez un registre littéraire dominant.

Fiche 40 **Les registres**

5. Pour interpeller l'opinion publique, faire appel à nos sentiments est-il efficace ? moral ? Un propos solidement argumenté aurait-il le même impact ?

VERS LE BAC

Dissertation

Roland Barthes dénonce ainsi les « photos-chocs » :
« En face d'elle, nous sommes à chaque fois dépossédés de notre jugement : on a frémi pour nous, on a réfléchi pour nous, on a jugé pour nous : le photographe ne nous a rien laissé – qu'un simple droit d'acquiescement intellectuel. »

Roland BARTHES, « Photos-chocs », *Mythologies*, 1957, Éditions du Seuil.

Après avoir reformulé sa thèse, donnez votre point de vue sur ce type de photographie.

Fiche 53 **Comprendre un sujet de dissertation**

Invention

Imaginez le récit de la fuite de W. Mohammadi hors de Kaboul. Vous rédigerez ce texte à la première personne du singulier, en mettant l'accent sur les sentiments éprouvés par l'auteur.

Atelier d'écriture

Je me souviens de... mon enfance

Édouard BOUBAT (1923-1999), *La Petite Fille aux feuilles mortes*, 1946.

Willy RONIS (1910-2009), *Le Petit Parisien*, 1952.

Soucieux de partir à la recherche du temps perdu, vous décidez de composer un texte autobiographique à partir de photographies de votre enfance. Vous évoquerez des souvenirs tour à tour marquants, symboliques ou amusants directement reliés à chacun de ces clichés.

1. Étudier la photographie

- Comment le photographe est-il parvenu à isoler la petite fille du cadre dans lequel elle se trouve ? Appuyez-vous sur la technique de la **mise au point** (voir p. 339) pour justifier votre réponse.
- Quelles impressions ressortent de ces deux photographies ? Justifiez votre propos en analysant quelques points techniques.
- « Ce jour-là pour cette photo [...] j'avais fait une petite entrave à ma pratique habituelle. Je veux dire que j'ai fait un minimum de mise en scène », écrit Willy Ronis à propos de la photo *Le Petit Parisien*. Quels éléments permettent de comprendre que le photographe a « mis en scène » l'image ?

2. Sélectionner les photographies

- Choisissez plusieurs photographies de votre enfance. Répondez aux questions suivantes avant de composer votre album :

– Quelle image souhaitez-vous donner de votre enfance ?
– Préférez-vous les photographies où vous apparaissez seul ou les clichés de groupe ?
– La photographie d'un paysage peut-elle évoquer votre enfance au même titre qu'un portrait humain ?

- Après avoir répondu à ces questions, classez vos photographies en suivant un ordre personnel.

3. Rédiger un texte autobiographique à la manière de Georges Perec

En 1978, Georges Perec compose un texte autobiographique composé de bribes de souvenirs : ces réminiscences débutent toutes par la formule « Je me souviens » qui donne son titre à l'ouvrage.

En vous appuyant sur votre sélection de photos, rédigez de courtes légendes débutant par « Je me souviens ». Vos textes devront :

– mettre en valeur un aspect de votre enfance ;
– évoquer quelques éléments liés à la photographie : cadre, lumière, échelle des plans...

Corpus : « La condition féminine »

- **1** **Louis-Sébastien MERCIER,** *Tableau de Paris,* 1781-1788
- **2** **George SAND,** *Histoire de ma vie,* 1855
- **3** **Simone DE BEAUVOIR,** *Le Deuxième Sexe,* 1949
- **4** **Barbara KRUGER,** *You Are Not Yourself,* 1982

1 Louis-Sébastien MERCIER, *Tableau de Paris,* 1781-1788

Dans son Tableau de Paris, *Louis-Sébastien Mercier observe les comportements de la société tout entière. Dans le chapitre 845, il se préoccupe de la question des femmes en livrant une réflexion hardie pour l'époque.*

1 Si l'on ne défend point aux femmes la musique, la peinture, le dessin, pourquoi leur interdirait-on la littérature ? Ce serait dans l'homme une jalousie honteuse que de repousser la femme dans l'ignorance, qui est un défaut avilissant. Quand un être sensible a reçu de la Nature une imagination 5 vive, comment lui ravir le droit d'en disposer à son gré ?

Mais voici le danger. L'homme redoute toujours dans la femme une supériorité quelconque ; il veut qu'elle ne jouisse que de la moitié de son être. Il chérit la modestie de la femme ; disons mieux, son humilité, comme le plus beau de tous ses traits ; et comme la femme a plus d'esprit naturel que 10 l'homme, celui-ci n'aime point cette facilité de voir, cette pénétration. Il craint qu'elle n'aperçoive en lui tous ses vices et surtout ses défauts.

Dès que les femmes publient leurs ouvrages, elles ont d'abord contre elles la plus grande partie de leur sexe, et bientôt presque tous les hommes. L'homme aimera toujours mieux la beauté d'une femme que son esprit ; car 15 tout le monde peut jouir de celui-ci.

L'homme voudra bien que la femme possède assez d'esprit pour l'entendre[1], mais point qu'elle s'élève trop, jusqu'à vouloir rivaliser avec lui et montrer égalité de talent, tandis que l'homme exige pour son propre compte, un tribut[2] journalier d'admiration. [...]

20 Ainsi à travers tous les compliments dont l'homme accable une femme, il craint ses succès ; il craint que sa fierté n'en augmente et ne mette un double prix à ses regards. L'homme veut subjuguer[3] la femme tout entière, et ne lui permet une célébrité particulière, que quand c'est lui qui l'annonce et qui la confirme. Il consent bien qu'elle ait de la réputation, pourvu qu'on l'en croie 25 le premier juge et le plus proche appréciateur.

Louis-Sébastien MERCIER, *Tableau de Paris,* chapitre 845, 1781-1788.

1. Entendre : comprendre.
2. Ce qui est dû à une personne.
3. Ici, au sens étymologique : mettre sous le joug, soumettre.

2 George SAND, *Histoire de ma vie*, 1855

1 En méditant Montaigne dans le jardin d'Ormesson[1], je m'étais souvent sentie humiliée d'être femme, et j'avoue que dans toute lecture d'enseignement philosophique, même dans les livres saints, cette infériorité morale attribuée à la femme a révolté mon jeune orgueil. « Mais cela est 5 faux ! m'écriais-je ; cette ineptie et cette frivolité que vous nous jetez à la figure, c'est le résultat de la mauvaise éducation à laquelle vous nous avez condamnées, et vous aggravez le mal en le constatant. Placez-nous dans de meilleures conditions, placez-y les hommes aussi ; faites qu'ils soient purs, sérieux et forts de volonté, et vous verrez bien que nos âmes sont sorties 10 semblables des mains du Créateur. »

Puis, m'interrogeant moi-même et me rendant bien compte des alternatives de langueur et d'énergie, c'est-à-dire de l'irrégularité de mon organisation essentiellement féminine, je voyais bien qu'une éducation rendue un peu différente de celle des autres femmes par des circonstances fortuites[2] 15 avait modifié mon être ; que mes petits os s'étaient endurcis à la fatigue, ou bien que ma volonté, développée par les théories stoïciennes de Deschartres[3] d'une part et les mortifications[4] chrétiennes de l'autre, s'était habituée à dominer souvent les défaillances de la nature. Je sentais bien aussi que la stupide vanité des parures, pas plus que l'impur désir de plaire à tous les 20 hommes, n'avaient de prise sur mon esprit, formé au mépris de ces choses par les leçons et les exemples de ma grand-mère. Je n'étais donc pas tout à fait une femme comme celles que censurent et raillent les moralistes ; j'avais dans l'âme l'enthousiasme du beau, la soif du vrai, et pourtant j'étais bien une femme comme toutes les autres, souffreteuse, nerveuse, dominée par l'imagi-25 nation, puérilement accessible aux attendrissements et aux inquiétudes de la maternité. Cela devait-il me reléguer à un rang secondaire dans la création et dans la famille ? Cela étant réglé par la société, j'avais encore la force de m'y soumettre patiemment ou gaiement. Quel homme m'eût donné l'exemple de ce secret héroïsme qui n'avait que Dieu pour confident des protestations 30 de la dignité méconnue ?

Que la femme soit différente de l'homme, que le cœur et l'esprit aient un sexe, je n'en doute pas. Le contraire fera toujours exception ; même en supposant que notre éducation fasse les progrès nécessaires (je ne la voudrais pas semblable à celle des hommes), la femme sera toujours plus artiste et plus 35 poète dans sa vie, l'homme le sera toujours plus dans son œuvre. Mais cette différence, essentielle pour l'harmonie des choses et pour les charmes les plus élevés de l'amour, doit-elle constituer une infériorité morale ?

George SAND, *Histoire de ma vie*, IV, 13, 1855.

1. Parc de la ville d'Ormesson, dans le Val-de-Marne.
2. Liées au hasard.
3. Précepteur du père de George Sand.
4. Dans la tradition religieuse, désigne les souffrances que l'on s'inflige à soi-même.

3 Simone DE BEAUVOIR, *Le Deuxième Sexe*, 1949

Le privilège que l'homme détient et qui se fait sentir dès son enfance, c'est que sa vocation d'être humain ne contrarie pas sa destinée de mâle. Par l'assimilation du phallus et de la transcendance[1], il se trouve que ses réussites sociales ou spirituelles le douent d'un prestige viril. Il n'est pas divisé. Tandis qu'il est demandé à la femme pour accomplir sa féminité de se faire objet et proie, c'est-à-dire de renoncer à ses revendications de sujet souverain. C'est ce conflit qui caractérise singulièrement la situation de la femme affranchie. Elle refuse de se cantonner dans son rôle de femelle parce qu'elle ne veut pas se mutiler ; mais ce serait aussi une mutilation de répudier son sexe. L'homme est un être humain sexué ; la femme n'est un individu complet, et l'égale du mâle, que si elle est aussi un être humain sexué. Renoncer à sa féminité, c'est renoncer à une part de son humanité. Les misogynes ont souvent reproché aux femmes de tête de « se négliger » ; mais ils leur ont aussi prêché : si vous voulez être nos égales, cessez de vous peindre la figure et de vernir vos ongles. Ce dernier conseil est absurde. Précisément parce que l'idée de féminité est définie artificiellement par les coutumes et les modes, elle s'impose du dehors à chaque femme ; elle peut évoluer de manière que ses canons se rapprochent de ceux adoptés par les mâles : sur les plages, le pantalon est devenu féminin. Cela ne change rien au fond de la question : l'individu n'est pas libre de la modeler à sa guise. Celle qui ne s'y conforme pas se dévalue sexuellement et par conséquent socialement puisque la société a intégré les valeurs sexuelles. En refusant des attributs féminins, on n'acquiert pas des attributs virils ; même la travestie ne réussit pas à faire d'elle-même un homme : c'est une travestie. On a vu que l'homosexualité constitue elle aussi une spécification : la neutralité est impossible. Il n'est aucune attitude négative qui n'implique une contrepartie positive. L'adolescente croit souvent qu'elle peut simplement mépriser les conventions ; mais par là même elle manifeste ; elle crée une situation nouvelle entraînant des conséquences qu'il lui faudra assumer. Dès qu'on se soustrait à un code établi on devient un insurgé. Une femme qui s'habille de manière extravagante ment quand elle affirme avec un air de simplicité qu'elle suit son bon plaisir, rien de plus : elle sait parfaitement que suivre son bon plaisir est une extravagance. Inversement, celle qui ne souhaite pas faire figure d'excentrique se conforme aux règles communes. À moins qu'il ne représente une action positivement efficace, c'est un mauvais calcul que de choisir le défi : on y consume plus de temps et de forces qu'on en économise.

Simone DE BEAUVOIR, *Le Deuxième Sexe*, deuxième partie, chapitre 14, « Vers la libération », 1949, © Éditions Gallimard, 1976.

1. Caractère de ce qui est situé au-delà de notre monde, qui le dépasse.

4 Barbara KRUGER, *You Are Not Yourself*, 1982

Barbara KRUGER,
You Are Not Yourself, 1982,
photo, collage,
182,9 x 121,9 cm.

Questions sur un corpus

1. Quelle vision de la femme ressort de ces trois textes ?

2. À quel genre littéraire chacun des trois textes appartient-il ? Justifiez votre réponse en identifiant des procédés d'écriture précis.

Fiche 46 Répondre à une question sur un corpus

Travaux d'écriture

Commentaire

Vous ferez le commentaire du texte de Louis-Sébastien Mercier en montrant que l'auteur remet en cause une certaine image de la femme. Concluez en vous appuyant sur l'œuvre de Barbara Kruger.

Fiches 49 à 51 Vers le commentaire

Dissertation

L'essai est-il le genre littéraire le mieux à même de révéler les défauts d'une société ? Vous appuierez votre réflexion sur les textes du corpus, ainsi que sur vos connaissances littéraires et vos lectures personnelles.

Fiches 53 à 55 Vers la dissertation

Écriture d'invention

Les humiliations subies par les femmes dans le monde vous révoltent. Vous décidez d'écrire une tribune destinée à être publiée dans un quotidien pour alerter le public. Vous veillerez à mettre en valeur votre indignation et à dégager des arguments en faveur de l'égalité entre hommes et femmes.

Fiches 47 et 48 Vers l'écriture d'invention

Vers le bac

Corpus : « Seul ou au milieu des autres ? »

1 PASCAL, *Pensées,* VII, « Divertissement », 1670
2 DIDEROT et D'ALEMBERT, *Encyclopédie,* article « Société », 1765-1772
3 Charles BAUDELAIRE, « La Solitude », *Petits Poèmes en prose,* 1869
4 Alexey TITARENKO, *City of Shadows,* 1992-1994

1 PASCAL, *Pensées,* VII, « Divertissement », 1670

Dans ses Pensées, *Pascal constate que tous les hommes, jusqu'au Roi, tendent à « se divertir » pour ne plus penser à la misère de leur condition*[1].

1 Quand je m'y suis mis quelquefois, à considérer les diverses agitations des hommes, et les périls et les peines où ils s'exposent, dans la cour, dans la guerre, d'où naissent tant de querelles, de passions, d'entreprises hardies et souvent mauvaises, j'ai dit souvent que tout le malheur des hommes vient 5 d'une seule chose, qui est de ne savoir pas demeurer en repos dans une chambre. Un homme qui a assez de bien pour vivre, s'il savait demeurer chez soi avec plaisir, n'en sortirait pas pour aller sur la mer ou au siège d'une place ou n'achèterait une charge à l'armée si cher, que parce qu'on trouverait insupportable de ne bouger de la ville, et on ne recherche les conversations et les divertissements[1] 10 des jeux que parce qu'on ne peut demeurer chez soi avec plaisir.

Mais quand j'ai pensé de plus près, et qu'après avoir trouvé la cause de tous nos malheurs, j'ai voulu en découvrir les raisons, j'ai trouvé qu'il y en a une bien effective, qui consiste dans le malheur naturel de notre condition faible et mortelle, et si misérable[2] que rien ne peut nous consoler lorsque nous y pensons de près.

15 Quelque condition[3] qu'on se figure où l'on assemble tous les biens qui peuvent nous appartenir, la royauté est le plus beau poste du monde, et cependant qu'on s'en imagine[4] accompagné de toutes les satisfactions qui peuvent le toucher. S'il est sans divertissement, et qu'on le laisse considérer et faire réflexion sur ce qu'il est, cette félicité languissante ne le soutiendra 20 point : il tombera par nécessité dans les vues qui le menacent des révoltes qui peuvent arriver et enfin de la mort et des maladies qui sont inévitables, de sorte que s'il est sans ce qu'on appelle divertissement, le voilà malheureux, et plus malheureux que le moindre de ses sujets qui joue et se divertit.

De là vient que le jeu et la conversation des femmes, la guerre, les grands 25 emplois sont si recherchés. Ce n'est pas qu'il y ait en effet du bonheur, ni qu'on s'imagine que la vraie béatitude soit d'avoir l'argent qu'on peut gagner au jeu, ou dans le lièvre qu'on court : on n'en voudrait pas s'il était offert. Ce n'est pas cet usage mol et paisible et qui nous laisse penser à notre malheureuse condition qu'on recherche ni les dangers de la guerre ni la peine des 30 emplois, mais c'est le tracas qui nous détourne d'y penser et nous divertit. [...]

Voilà tout ce que les hommes ont pu inventer pour se rendre heureux : et ceux qui font sur cela les philosophes et qui croient que le monde est bien peu raisonnable de passer tout le jour à courir après un lièvre qu'ils ne voudraient pas avoir acheté, ne connaissent guère notre nature. Ce lièvre ne 35 nous garantirait pas de la vue de la mort [...].

PASCAL, *Pensées*, VII, « Divertissement », 1670.

1. Voir « Le divertissement chez Pascal », p. 79 du manuel.
2. Selon Pascal, tout homme porte en lui la culpabilité liée au péché originel.
3. Rang social.
4. Cependant qu'on s'imagine un roi.

2 DIDEROT et D'ALEMBERT, *Encyclopédie*, article « Société », 1765-1772

SOCIÉTÉ, s.f. (*Morale.*)

Les hommes sont faits pour vivre en *société* ; si l'intention de Dieu eût été que chaque homme vécût seul et séparé des autres, il aurait donné à chacun d'eux des qualités propres et suffisantes pour ce genre de vie solitaire ; s'il n'a pas suivi cette route, c'est apparemment parce qu'il a voulu que les liens du sang et de la naissance commençassent à former entre les hommes cette union plus étendue qu'il voulait établir entre eux ; la plupart des facultés de l'homme, ses inclinations naturelles, sa faiblesse, ses besoins, sont autant de preuves certaines de cette intention du Créateur. Telle est en effet la nature et la constitution de l'homme, que hors de la *société*, il ne saurait ni conserver sa vie, ni développer et perfectionner ses facultés et ses talents, ni se procurer un vrai et solide bonheur. Que deviendrait, je vous prie, un enfant, si une main bienfaisante et secourable ne pourvoyait à ses besoins ? Il faut qu'il périsse si personne ne prend soin de lui ; et cet état de faiblesse et d'indigence[1], demande même des secours longtemps continués ; suivez-le dans sa jeunesse, vous n'y trouverez que grossièreté, qu'ignorance, qu'idées confuses ; vous ne verrez en lui, s'il est abandonné à lui-même, qu'un animal sauvage, et peut-être féroce ; ignorant toutes les commodités de la vie, plongé dans l'oisiveté, en proie à l'ennui et aux soucis dévorants. Parvient-on à la vieillesse, c'est un retour d'infirmités, qui nous rendent presque aussi dépendants des autres, que nous l'étions dans l'enfance imbécile[2] ; cette dépendance se fait encore plus sentir dans les accidents et dans les maladies ; c'est ce que dépeignait fort bien Sénèque[3] : « D'où dépend notre sûreté, si ce n'est des services mutuels ? Il n'y a que ce commerce de bienfaits qui rende la vie commode, et qui nous mette en état de nous défendre contre les insultes et les évasions imprévues ; quel serait le sort du genre humain, si chacun vivait à part ? Autant d'hommes, autant de proies et de victimes pour les autres animaux, un sang fort aisé à répandre, en un mot la faiblesse même. En effet, les autres animaux ont des forces suffisantes pour se défendre ; tous ceux qui doivent être vagabonds, et à qui leur férocité ne permet pas de vivre en troupes, naissent pour ainsi dire armés, au lieu que l'homme est de toute part environné de faiblesse, n'ayant pour armes ni dents ni griffes ; mais les forces qui lui manquent quand il se trouve seul, il les trouve en s'unissant avec ses semblables ; la raison, pour le dédommager, lui a donné deux choses qui lui rendent sa supériorité sur les animaux, je veux dire la raison et la sociabilité, par où celui qui seul ne pouvait résister à personne, devient le tout ; la *société* lui donne l'empire sur les autres animaux ; la *société* fait que non content de l'élément où il est né, il étend son domaine jusque sur la mer ; c'est la même union qui lui fournit des remèdes dans ses maladies, des secours dans sa vieillesse, du soulagement à ses douleurs et à ses chagrins ; c'est elle qui le met, pour ainsi dire, en état de braver la fortune. Ôtez la sociabilité, vous détruirez l'union du genre humain, d'où dépend la conservation et tout le bonheur de la vie. »

DIDEROT et D'ALEMBERT, *Encyclopédie ou Dictionnaire raisonné des sciences, des arts et des métiers*, article « Société », 1765-1772.

1. Misère.
2. Faible d'esprit.
3. Philosophe stoïcien (-4 av. J.-C. / -65 ap. J.-C.).

3 Charles BAUDELAIRE, « La Solitude », *Petits Poèmes en prose,* 1869

Un gazetier[1] philanthrope me dit que la solitude est mauvaise pour l'homme ; et à l'appui de sa thèse, il cite, comme tous les incrédules, des paroles des Pères de l'Église[2].

Je sais que le Démon fréquente volontiers les lieux arides, et que l'Esprit de meurtre et de lubricité s'enflamme merveilleusement dans les solitudes. Mais il serait possible que cette solitude ne fût dangereuse que pour l'âme oisive et divagante qui la peuple de ses passions et de ses chimères.

Il est certain qu'un bavard, dont le suprême plaisir consiste à parler du haut d'une chaire ou d'une tribune, risquerait fort de devenir fou furieux dans l'île de Robinson. Je n'exige pas de mon gazetier les courageuses vertus de Crusoé[3], mais je demande qu'il ne décrète pas d'accusation les amoureux de la solitude et du mystère.

Il y a dans nos races jacassières des individus qui accepteraient avec moins de répugnance le supplice suprême, s'il leur était permis de faire du haut de l'échafaud une copieuse harangue, sans craindre que les tambours de Santerre[4] ne leur coupassent intempestivement la parole.

Je ne les plains pas, parce que je devine que leurs effusions oratoires leur procurent des voluptés égales à celles que d'autres tirent du silence et du recueillement ; mais je les méprise.

Je désire surtout que mon maudit gazetier me laisse m'amuser à ma guise. « Vous n'éprouvez donc jamais, – me dit-il, avec un ton de nez très apostolique[5], – le besoin de partager vos jouissances ? » Voyez-vous le subtil envieux ! Il sait que je dédaigne les siennes, et il vient s'insinuer dans les miennes, le hideux trouble-fête !

« Ce grand malheur de ne pouvoir être seul ! ... » dit quelque part La Bruyère[6], comme pour faire honte à tous ceux qui courent s'oublier dans la foule, craignant sans doute de ne pouvoir se supporter eux-mêmes.

« Presque tous nos malheurs nous viennent de n'avoir pas su rester dans notre chambre », dit un autre sage, Pascal, je crois, rappelant ainsi dans la cellule du recueillement tous ces affolés qui cherchent le bonheur dans le mouvement et dans une prostitution que je pourrais appeler *fraternitaire*, si je voulais parler la belle langue de mon siècle.

Charles BAUDELAIRE, « La Solitude », *Petits Poèmes en prose*, 1869.

1. Personne rédigeant une gazette (publication périodique).
2. Auteurs ecclésiastiques de la doctrine catholique (Ier – VIe siècle ap. J.-C.).
3. Forme francisée de Robinson Crusoé, héros du roman de Daniel Defoe (1719).
4. Lors de l'exécution de Louis XVI, le Général Santerre ordonna un roulement de tambour pour couvrir les dernières paroles du roi guillotiné.
5. Propre aux apôtres.
6. La citation exacte est « Tout notre malheur vient de ne pouvoir être seuls. » (La Bruyère, *Les Caractères*, 1688)

4 Alexey TITARENKO, *City of Shadows,* 1992-1994

Alexey TITARENKO, *City of Shadows,* 1992-1994.

Question sur un corpus

Comment les auteurs démontrent-ils les avantages ou les inconvénients de la vie en société ?

Fiche 46 Répondre à une question sur un corpus

Travaux d'écriture

Commentaire

Vous commenterez le texte de Baudelaire en analysant sa force persuasive. Vous étudierez le traitement que réserve le poète aux arguments de son adversaire, puis montrerez la vigueur dont il fait preuve pour défendre son point de vue. **Fiches 49 à 51 Vers le commentaire**

Dissertation

Quel type de savoir sur l'homme la littérature est-elle en mesure de dispenser ? Vous répondrez à cette question en vous appuyant sur les textes proposés, sur ceux que vous avez étudiés en classe, ainsi que sur vos lectures personnelles. **Fiches 53 à 55 Vers la dissertation**

Écriture d'invention

« j'ai dit souvent que tout le malheur des hommes vient d'une seule chose, qui est de ne savoir pas demeurer en repos dans une chambre » (texte 1, p. 349). En partant de cette affirmation de Pascal, rédigez le monologue d'un individu qui déciderait un jour de ne plus sortir de chez lui. Vous veillerez à faire entendre la force qui se dégage de cet engagement à fuir la société. **Fiches 47 et 48 Vers l'écriture d'invention**

À lire

1. Aldous HUXLEY, *Le Meilleur des mondes*, 1932
Dans ce roman d'anticipation, Aldous Huxley imagine une société qui utiliserait la génétique et le clonage pour conditionner et manipuler l'espèce humaine. Ce système aux apparences séduisantes se révèle rapidement pernicieux.

2. René BARJAVEL, *Ravage*, 1943
Nous sommes en l'an 2052. Des troubles électriques inquiétants se manifestent, provoquant la destruction progressive de la ville de Paris. François Deschamps réunit un groupe de survivants qui vont tenter de reconstruire une nouvelle communauté après cette apocalypse.

3. François SCHUITEN et Jacques ABEILLE, *Les Mers perdues*, 2010
Afin de réaliser une expédition mystérieuse, un milliardaire recrute une jeune géologue, un dessinateur, un écrivain et un guide. Nul ne connaît l'objet de leur recherche. Naviguant sur les « mers perdues », l'équipage s'abandonne au plaisir de la quête spirituelle.

Lire l'*incipit*

4. VOLTAIRE, Micromégas, 1752
Micromégas est une « histoire philosophique » décrivant le voyage interplanétaire d'un habitant de Sirius, haut de 32 km, nommé Micromégas (étymologiquement, « petit et grand »). Celui-ci parcourt la Terre et s'étonne de l'arrogance de ses habitants qui vivent pourtant sur un « petit tas de boue ».

Chapitre premier

Voyage d'un habitant de l'étoile Sirius dans la planète de Saturne

1 Dans une de ces planètes qui tournent autour de l'étoile nommée Sirius, il y avait un jeune homme de beaucoup d'esprit, que j'ai eu l'honneur de connaître dans le dernier voyage qu'il fit sur notre petite fourmilière ; il s'appelait Micromégas, nom qui convient fort à tous les grands. Il avait huit
5 lieues de haut : j'entends, par huit lieues, vingt-quatre mille pas géométriques de cinq pieds chacun.

Quelques géomètres, gens toujours utiles au public, prendront sur-le-champ la plume, et trouveront que, puisque monsieur Micromégas, habitant du pays de Sirius, a de la tête aux pieds vingt-quatre mille pas, qui font cent vingt
10 mille pieds de roi, et que nous autres, citoyens de la terre, nous n'avons guère que cinq pieds, et que notre globe a neuf mille lieues de tour, ils trouveront, dis-je, qu'il faut absolument que le globe qui l'a produit ait au juste vingt et un millions six cent mille fois plus de circonférence que notre petite terre. Rien n'est plus simple et plus ordinaire dans la nature. Les États de quelques
15 souverains d'Allemagne ou d'Italie, dont on peut faire le tour en une demi-heure, comparés à l'empire de Turquie, de Moscovie ou de la Chine, ne sont qu'une très faible image des prodigieuses différences que la nature a mises dans tous les êtres.

VOLTAIRE, *Micromégas*, 1752.

@ consulter

- **www.expositions.bnf.fr/utopie/index.htm** : exposition virtuelle consacrée à « la quête de société idéale en Occident ». Ce site permet de découvrir les modèles d'utopie de l'Antiquité à nos jours. Plusieurs entreprises utopiques sont étudiées telles les cités idéales de la Renaissance ou les projets architecturaux de Boulée.

À voir

La Guerre des étoiles, six longs métrages de **George Lucas (1977-2005)**. L'histoire se déroule « il y a très longtemps dans une galaxie très lointaine » : une guerre civile oppose l'Empire galactique à l'alliance des rebelles. Luke Skywalker, jeune *Jedi*, doit vaincre les Forces du Mal pour faire triompher la justice.

Chapitre

5 Vers un espace culturel européen : Renaissance et humanisme

SÉRIE L

SÉQUENCE 18
L'idéal humaniste à travers l'Europe

SÉQUENCE 19
HISTOIRE DES ARTS :
L'inspiration humaniste au cœur de l'art de la Renaissance

SÉQUENCE 20
PARCOURS DE LECTEUR
ŒUVRE INTÉGRALE :
Michel de Montaigne, « Sur le démenti » (Les Essais)

VERS LE BAC
Éloge et blâme du souverain

PISTES DE LECTURE

Michelangelo BUONARROTI dit MICHEL-ANGE (1475-1564), *Sibylle d'Érythrée*, 1508-1512, détail de la voûte de la chapelle Sixtine, fresque (Musées du Vatican).

Séquence

18 L'idéal humaniste à travers l'Europe

L'humaniste, par sa soif de culture littéraire, philosophique et scientifique, bouleverse tant l'époque qui l'a vu naître qu'elle apparaît comme une rupture majeure avec le Moyen Âge. C'est pourquoi on la nomme « Renaissance ».

Problématique : Comment l'idéal optimiste de l'humanisme s'impose-t-il malgré l'épreuve des faits au XVIe siècle ?

Objectifs

- Découvrir les ambitions philosophiques, politiques et littéraires de l'humanisme
- Percevoir comment la littérature devient le lieu d'un combat en faveur des idées humanistes

Histoire des arts : H. HOLBEIN LE JEUNE, *Les Ambassadeurs,* 1533 356

CORPUS 1 : L'éducation d'un homme nouveau

1 BOCCACE, *Le Décaméron,* 1353 358
2 T. MORE, *L'Utopie,* 1516 359
3 F. RABELAIS, *Gargantua,* 1534 360
4 F. RABELAIS, *Pantagruel,* 1532 362
5 J. DU BELLAY, « Je me ferai savant en la philosophie », *Les Regrets,* 1558 364
6 MONTAIGNE, « Sur l'éducation des enfants », *Les Essais,* 1595 365

CORPUS 2 : Espoirs et combats humanistes

7 ÉRASME, Préface à la traduction du *Nouveau Testament,* 1516 366
8 J. DU BELLAY, *Défense et illustration de la langue française,* 1549 367
9 P. DE RONSARD, *Discours des misères de ce temps,* 1562 368
10 A. d'AUBIGNÉ, « Je veux peindre la France... », *Les Tragiques,* 1616 369

Pour argumenter : Comment l'affaire Galilée reflète-t-elle les débats humanistes ?

B. BRECHT, *La Vie de Galilée,* 1938 371

Histoire littéraire : L'humanisme 372

MÉTHODES

p. 439

Objets d'étude de la filière littéraire Fiches 33, 34

Lire et analyser Fiches 40, 41, 42

Préparer le baccalauréat Fiches 46, 47, 48, 51, 53, 54, 55, 56

Étude de la langue Fiches 59, 60

Histoire des arts

Hans Holbein le Jeune, *Les Ambassadeurs*, 1533

Biographie
p. 626

Envoyé par François Ier auprès d'Henri VIII, l'ambassadeur de France Jean de Dinteville, à gauche, se fait peindre en compagnie de son ami Georges de Selve, évêque de Lavaur, également ambassadeur de France.

Hans HOLBEIN LE JEUNE (1497-1543), *Jean de Dinteville et Georges de Selve*, dit *Les Ambassadeurs*, 1533, huile sur bois, 2,07 x 2,095 m (National Gallery, Londres).

Contexte artistique et historique

NATURES MORTES ET VANITÉS

La **nature morte** est la représentation picturale d'**objets inanimés** (table, fruits, fleurs, instruments de musique) ou d'**animaux morts** (tableau de chasse, plats cuisinés).
C'est à la fin de la Renaissance qu'apparaît le plaisir de peindre des objets qui, auparavant, n'étaient que des éléments de décor d'un tableau plus vaste dont l'être humain était le sujet central. Cela manifeste le désir de rivaliser avec la nature : le peintre se fait **illusionniste** et tente de faire oublier qu'on n'est pas devant la réalité mais devant une toile. Il montre sa virtuosité dans le rendu des couleurs, des textures, des transparences.
La nature morte connaît un essor fulgurant au XVIIe siècle dans les écoles du Nord, puis au XVIIIe siècle en Europe, et notamment en France avec Chardin. Derrière la volonté de réalisme, le peintre cache souvent un message secret. Certaines natures mortes exaltent les cinq sens, que chacun des objets de la toile symbolise. D'autres glissent vers une réflexion philosophique sur la fuite du temps et la mort. La nature morte devient alors une **vanité**, inspirée par la citation de la Bible (*Ancien Testament, L'Ecclésiaste*, I, v1) : « vanité des vanités, tout est vanité ». Elle introduit un crâne, un ossement parmi les objets représentés (voir p. 22 du manuel). D'autres objets allégoriques complètent cette **méditation** : chandelle, horloge ou sablier symbolisent le temps qui passe, tandis qu'une fleur fanée ou la corde brisée d'un instrument de musique (comme le luth d'Holbein) représentent la fragilité de l'existence.

Inventée au XVIe siècle, l'**anamorphose** est un procédé de déformation de l'image qui s'appuie sur la perspective que viennent de découvrir et de théoriser les artistes de la Renaissance. Cette technique, que Dürer nomme « art de la perspective secrète », impose au spectateur d'adopter un angle de vue particulier ou, parfois, de s'aider d'un miroir cylindrique ou conique, afin de rétablir l'aspect figuratif et reconnaissable du dessin.

Portrait de deux humanistes

LECTURE DE L'IMAGE

Deux ambassadeurs clairement identifiables

1. À quel genre pictural ce tableau appartient-il ?

Fiche 42 **Lecture de l'image fixe**

2. Décrivez les vêtements et les attributs des personnages (c'est-à-dire les objets qui leur sont associés). Quels indices donnent-ils sur leur identité et leur caractère ?

Des objets symboliques

3. Identifiez les objets figurant sur le meuble central. À quels domaines appartiennent-ils ? En quoi symbolisent-ils l'humanisme et la soif de connaissance ?

Fiche 33 **Un espace culturel européen (1)**

4. Qu'y a-t-il en haut à gauche du tableau ? Comment interprétez-vous ce signe, ainsi que le fait qu'une des cordes du luth soit cassée ?

Une anamorphose mystérieuse

5. Collez votre œil contre la page droite du manuel et observez d'un regard rasant la forme étrange en bas du tableau. Que représente-t-elle ?
6. Que symbolise cette anamorphose selon vous ? Expliquez à l'aide de vos réponses précédentes.
7. SYNTHÈSE Pourquoi ce tableau est-il une vanité ?

ÉCRITURE

Vers l'écriture d'invention

Vous êtes l'auteur d'un ouvrage consacré aux tableaux mystérieux. Présentez en une page (que vous titrerez) celui d'Holbein, en vantant sa valeur dans le contexte humaniste et la force évocatrice de son anamorphose.

Fiche 47 **Comprendre un sujet d'écriture d'invention**

1 Boccace, *Le Décaméron*, 1353

Biographie p. 625
Histoire littéraire p. 372
Repères historiques p. 614

Dix jeunes nobles florentins décident de fuir la peste qui ravage leur ville et de se réfugier en petite société à la campagne, afin de retrouver une vie agréable et de s'égayer mutuellement en contant des nouvelles.

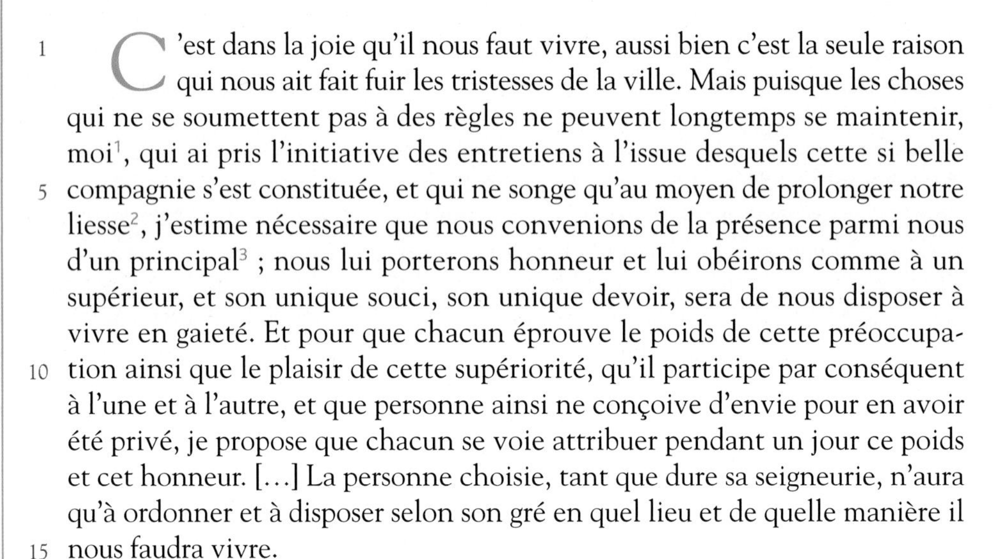

C'est dans la joie qu'il nous faut vivre, aussi bien c'est la seule raison qui nous ait fait fuir les tristesses de la ville. Mais puisque les choses qui ne se soumettent pas à des règles ne peuvent longtemps se maintenir, moi[1], qui ai pris l'initiative des entretiens à l'issue desquels cette si belle compagnie s'est constituée, et qui ne songe qu'au moyen de prolonger notre liesse[2], j'estime nécessaire que nous convenions de la présence parmi nous d'un principal[3] ; nous lui porterons honneur et lui obéirons comme à un supérieur, et son unique souci, son unique devoir, sera de nous disposer à vivre en gaieté. Et pour que chacun éprouve le poids de cette préoccupation ainsi que le plaisir de cette supériorité, qu'il participe par conséquent à l'une et à l'autre, et que personne ainsi ne conçoive d'envie pour en avoir été privé, je propose que chacun se voie attribuer pendant un jour ce poids et cet honneur. [...] La personne choisie, tant que dure sa seigneurie, n'aura qu'à ordonner et à disposer selon son gré en quel lieu et de quelle manière il nous faudra vivre.

BOCCACE, *Le Décaméron*, 1353, trad. de Giovanni Clerico, © Éditions Gallimard, Folio, 2006.

1. La jeune Pampinée a eu, la première, l'idée de se réfugier à la campagne pour quitter la morosité florentine.
2. Joie.
3. Ce sera le roi ou la reine de la journée.

BOCCACE (auteur), Maître de l'Échevinage (enlumineur), Laurent DE PREMIERFAIT (traducteur), *Épidémie de peste à Florence (1348) et entretien des conteurs du Décaméron*, vers 1450-1457, parchemin (Échevinage de Rouen, BnF).

Un nouvel optimisme

LECTURE DU TEXTE

1. Comment les personnages de Boccace dépassent-ils le pessimisme consécutif à l'épidémie de peste à Florence ?
2. Sur quelles règles cette petite société à l'écart de la ville repose-t-elle ? En quoi sont-elles caractéristiques de l'émergence de l'humanisme ?
3. Montrez que, sans abolir la notion d'autorité, Boccace libère l'individu renaissant du poids de la hiérarchie féodale.

Fiche 34 **Un espace culturel européen (2)**

VERS LE BAC

Question sur un corpus

Comparez la vie des Thélémites (p. 360) et celle de ces Florentins. Quelle est leur unique règle de vie ?

Fiche 46 Répondre à une question sur un corpus

Luciano LAURANA (1420-1479), *La Cité idéale*, vers 1470, détrempe, peinture sur bois, 0,6 x 2 m (Galleria Nazionale delle Marche, Urbino, Italie).

2 Thomas More, *L'Utopie*, 1516

L'auteur présente un territoire imaginaire, où les hommes ont bâti une ville à l'organisation sociale et politique parfaite. Ce modèle est proposé comme un idéal humaniste.

Biographie p. 629
Histoire littéraire p. 372
Repères historiques p. 614

La principale et presque la seule fonction des syphograntes[1] est de veiller que personne ne demeure inactif, mais s'adonne activement à son métier, non pas cependant jusqu'à s'y épuiser du point du jour à la nuit tombante, comme une bête de somme, existence pire que celle des esclaves, et qui est cependant celle des ouvriers dans presque tous les pays, sauf en Utopie.

Le jour solaire y est divisé en vingt-quatre heures d'égale durée dont six sont consacrées au travail : trois avant le repas du midi, suivies de deux heures de repos, puis de trois autres heures de travail terminées par le repas du soir. À la huitième heure, qu'ils comptent à partir de midi, ils vont se coucher et accordent huit heures au sommeil.

Chacun est libre d'occuper à sa guise les heures comprises entre le travail, le sommeil et les repas – non pour les gâcher dans les excès et la paresse, mais afin que tous, libérés de leur métier, puissent s'adonner à quelque bonne occupation de leur choix. La plupart consacrent ces heures de loisir à l'étude. Chaque jour en effet des leçons accessibles à tous ont lieu avant le début du jour, obligatoires pour ceux-là seulement qui ont été personnellement destinés aux lettres. Mais, venus de toutes les professions, hommes et femmes y affluent librement, chacun choisissant la branche d'enseignement qui convient le mieux à sa forme d'esprit. Si quelqu'un préfère consacrer ses heures libres, de surcroît, à son métier, comme c'est le cas pour beaucoup d'hommes qui ne sont tentés par aucune science, par aucune spéculation, on ne l'en détourne pas. Bien au contraire, on le félicite de son zèle à servir l'État.

Après le repas du soir, on passe une heure à jouer, l'été dans les jardins, l'hiver dans les salles communes qui servent aussi de réfectoire. On y fait de

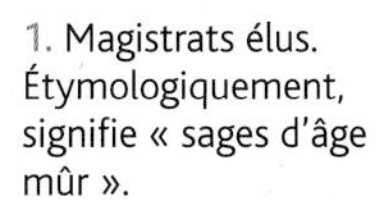

1. Magistrats élus. Étymologiquement, signifie « sages d'âge mûr ».

la musique, on se distrait en causant. Les Utopiens ignorent complètement les dés et tous les jeux de ce genre, absurdes et dangereux. Mais ils pratiquent deux divertissements qui ne sont pas sans ressemblance avec les échecs. L'une est une bataille de nombres où la somme la plus élevée est victorieuse ; dans l'autre, les vices et les vertus s'affrontent en ordre de bataille. Ce jeu montre fort habilement comment les vices se font la guerre les uns aux autres, tandis que la concorde règne entre les vertus ; quels vices s'opposent à quelles vertus ; quelles forces peuvent les attaquer de front, par quelles ruses on peut les prendre de biais, sous quelle protection les vertus brisent l'assaut des vices, par quels arts elles déjouent leurs efforts, comment enfin un des deux partis établit la victoire. [...]

La Constitution vise uniquement, dans la mesure où les nécessités publiques le permettent, à assurer à chaque personne, pour la libération et la culture de son âme, le plus de temps possible et un loisir affranchi de tout assujettissement[2] physique. En cela réside pour eux le bonheur véritable.

Thomas MORE, *L'Utopie*, 1516, traduction de Marie Delcourt, © GF, Flammarion, 1987.

2. État de soumission.

3 François Rabelais, *Gargantua*, 1534

Biographie p. 630
Du même auteur p. 362, 394
Histoire littéraire p. 372
Repères historiques p. 614

Pour le récompenser d'avoir combattu pour sauver son royaume, Gargantua offre à frère Jean des Entommeures une abbaye dont le nom, Thélème, signifie « Désir » en grec.

Toute leur vie était ordonnée non selon des lois, des statuts ou des règles, mais selon leur bon vouloir et leur libre arbitre. Ils se levaient quand bon leur semblait, buvaient, mangeaient, travaillaient, et dormaient quand le désir leur en venait. Nul ne les réveillait, nul ne les contraignait à boire, à manger, ni à faire quoi que ce soit. Ainsi en avait décidé Gargantua. Pour toute règle, il n'y avait que cette clause, *Fais ce que voudras*, parce que les gens libres, bien nés et bien éduqués, vivant en bonne compagnie, ont par nature un instinct, un aiguillon qui les pousse toujours à la vertu et les éloigne du vice, qu'ils appelaient honneur. Ces gens-là, quand ils sont opprimés et asservis par une honteuse sujétion[1] et par la contrainte, détournent cette noble inclination par laquelle ils tendaient librement à la vertu, vers le rejet et la violation du joug de servitude ; car nous entreprenons toujours ce qui nous est interdit et nous convoitons ce qui nous est refusé.

C'est cette liberté même qui les poussa à une louable émulation[2] : faire tous ce qu'ils voyaient faire plaisir à un seul. Si l'un ou l'une d'entre eux disait : « Buvons », ils buvaient tous ; s'il disait : « Jouons », tous jouaient ; s'il disait : « Allons nous ébattre aux champs », tous y allaient. S'il s'agissait de chasser à courre ou au vol, les dames, montées sur de belles haquenées[3] suivies du palefroi[4] de guerre, portaient sur leur poing joliment ganté[5] un épervier, un laneret[6] ou un émerillon[7]. Les hommes portaient les autres oiseaux.

1. Oppression, servitude.
2. Incitation.
3. Juments montées par les femmes.
4. Cheval de grande valeur monté par les hommes.
5. Recouvert d'un gant.
6. Petit oiseau de proie.
7. Petit faucon.

Ils étaient si bien éduqués qu'il n'y avait parmi eux homme ni femme qui ne sût lire, écrire, chanter, jouer d'instruments de musique, parler cinq ou six langues et y composer, tant en vers qu'en prose. Jamais on ne vit de chevaliers si vaillants, si hardis, si adroits au combat à pied ou à cheval, plus vigoureux, plus agiles, maniant mieux les armes que ceux-là : jamais on ne vit de dames si fraîches, si jolies, moins acariâtres, plus doctes aux travaux d'aiguilles et à toute activité de femme honnête et bien née que celles-là.

L'île d'Utopia, illustration pour *L'Utopie*, de Thomas MORE. Gravure sur bois, 1516.

C'est pourquoi, quand arrivait le temps où l'un d'entre eux, soit à la requête de ses parents, soit pour d'autres raisons, voulait quitter l'abbaye, il emmenait avec lui une des dames, celle qui l'aurait choisi pour chevalier servant, et ils se mariaient ; et s'ils avaient bien vécu à Thélème en amitié de cœur, ils continuaient encore mieux dans le mariage, et ils s'aimaient autant à la fin de leurs jours qu'au premier jour de leurs noces.

François RABELAIS, *Gargantua*, chap. 57,
« Comment était réglée la vie des Thélémites », 1534, © Éditions Pocket, 1992.
Traduction en français moderne de Marie-Madeleine Fragonard.

Deux utopies humanistes

LECTURE DES TEXTES

Une société harmonieuse

1. RECHERCHE Quelles sont l'étymologie et la signification du mot « utopie », inventé par Thomas More ?
2. Caractérisez les sociétés décrites par More et Rabelais. Quels principes fondent leur organisation ? En quoi est-ce idéaliste ?
3. Quels indices attestent de l'harmonie qui règne en Utopie ?

La vertu, nouvelle règle de vie

4. Quels sont les membres de ces sociétés et quelles sont leurs activités ?
5. Quelle définition du bien et du mal proposent-elles ?
6. En quoi l'éducation y est-elle humaniste ?

La vocation critique de l'utopie

7. Montrez que ces textes utopiques ont une dimension argumentative : quels aspects de la société renaissante remettent-ils en cause ?
8. Montrez que l'Utopie de More, à la différence de celle de Rabelais, n'est pas un paradis idyllique, mais un lieu avec ses propres contraintes. Quelles limites au projet utopiste se dessinent alors ?

HISTOIRE DES ARTS

@ RECHERCHE À partir du site http://expositions.bnf.fr/utopie/index.htm, présentez une société utopique ou contre-utopique choisie dans un autre siècle que le XVIe. Comparez-la avec les textes de More et Rabelais afin d'établir les points communs, les différences et l'évolution du genre utopique.

VERS LE BAC

Question sur un corpus

Relevez les points communs entre les textes de Thomas More et Rabelais. En quoi sont-ils humanistes ?

Fiche 46 Répondre à une question sur un corpus

Dissertation

Selon vous, la présentation d'une société utopique dans une œuvre littéraire peut-elle contribuer à améliorer la société réelle ?

Fiches 53 à 55 Vers la dissertation

4

François Rabelais, Pantagruel, 1532

C'est d'Utopie que Gargantua envoie à son fils, parti étudier à Paris, ses recommandations pour ses études.

Biographie p. 630
Du même auteur p. 360, 394
Histoire littéraire p. 372
Repères historiques p. 614

Maintenant toutes les disciplines sont restituées[1], les langues établies. Le grec, sans lequel c'est une honte de se dire savant, l'hébreu, le chaldéen, le latin. Des impressions[2] si élégantes et si correctes sont en usage, elles qui ont été inventées de mon temps par inspiration divine, comme, à l'inverse, l'artillerie l'a été par suggestion diabolique. Le monde entier est plein de gens savants, de précepteurs très doctes, de bibliothèques très amples, si bien que je crois que ni au temps de Platon, ni de Cicéron, ni de Papinien, il n'était aussi facile d'étudier que maintenant. Et dorénavant, celui qui ne sera pas bien poli en l'officine[3] de Minerve ne pourra plus se trouver nulle part en société. Je vois les brigands, bourreaux, aventuriers, palefreniers de maintenant plus doctes que les docteurs et prédicateurs[4] mon temps. […]

Mon fils, je t'admoneste[5] d'employer ta jeunesse à bien profiter de tes études. Tu es à Paris, tu as ton précepteur Épistémon[6] : l'un peut te donner de la doctrine par ses instructions vivantes et vocales, l'autre par des exemples louables. J'entends et veux que tu apprennes les langues parfaitement : d'abord la grecque, comme le veut Quintilien. Puis la latine. Puis l'hébraïque pour l'Écriture sainte, ainsi que la chaldaïque et l'arabe. Et que tu formes ton style, pour la grecque à l'imitation de Platon, et pour la latine, de Cicéron. Qu'il n'y ait d'histoire que tu n'aies présente à la mémoire, à quoi t'aidera la cosmographie[7]. Les arts libéraux, géométrie, arithmétique, musique, je t'en ai donné quelque goût quand tu étais encore petit, vers tes cinq six ans. Continue le reste ; et sache tous les canons d'astronomie ; laisse l'astrologie divinatrice et l'art de Lulle, abus et vanités. Du droit civil, je veux que tu saches par cœur les beaux textes, et que tu les rapproches de la philosophie.

1. Par rapport au Moyen Âge, pendant lequel de nombreuses connaissances antiques avaient disparu.
2. Livres imprimés.
3. Atelier.
4. Orateurs, prêcheurs.
5. Avertis.
6. Du grec « epistemè », science.
7. Histoire universelle.

RAPHAËL (1483-1520), *L'École d'Athènes*, 1512, fresque (Vatican, Italie).

CHAMP LEXICAL DU SAVOIR À LA RENAISSANCE

- **Art de Lulle :** alchimie.
- **Arts libéraux :** arts intellectuels.
- **Chaldéen :** langue du Proche-Orient antique.
- **Docte :** savant.
- **Docteur :** qui a obtenu un doctorat de l'université.
- **Doctrine :** théorie.
- **Impression :** livre imprimé.
- **Minerve :** déesse, entre autres, de la sagesse et des sciences.
- **Papinien :** juriste de la Rome antique.

25 Quant à la connaissance des sciences naturelles, je veux que tu t'y adonnes avec zèle ; qu'il n'y ait mer, rivière, ni fontaine dont tu ne connaisses les poissons ; tous les oiseaux de l'air ; tous les arbres, arbustes, et fruitiers des forêts, toutes les herbes de la terre ; tous les métaux cachés au ventre des abîmes, les pierreries de l'Orient et de l'Afrique : que rien ne te soit inconnu.

30 Puis avec soin, relis les livres des médecins : grecs, arabes, latins, sans mépriser les talmudistes et cabalistes[8]; et, par des fréquentes dissections, acquiers la parfaite connaissance de ce second monde qu'est l'homme. Et, pendant quelques heures chaque jour, commence à apprendre les Saintes Écritures : d'abord le Nouveau Testament en grec, les Épîtres des apôtres, puis 35 en hébreu l'Ancien Testament. En somme, que je voie un abîme de science. Car maintenant que tu te fais grand, et que tu deviens un homme, il te faudra sortir de cette tranquillité et de ce repos consacré aux études, et apprendre la chevalerie et les armes, pour défendre ma maison, et secourir nos amis dans leurs débats contre les assauts des malfaisants. Et je veux que rapidement tu 40 essaies de tester combien tu as profité : ce que tu ne saurais mieux faire qu'en soutenant des thèses publiquement sur toutes choses, envers et contre tous, et en fréquentant les gens lettrés qui sont à Paris et ailleurs.

Mais parce que, selon le sage Salomon, sagesse n'entre dans une âme mauvaise, et que science sans conscience n'est que ruine de l'âme, il te faut 45 servir, aimer et craindre Dieu, et mettre en lui toutes tes pensées et tout ton espoir, et, par une foi orientée par la charité, lui être uni au point que tu n'en sois jamais séparé par le péché. [...]

D'Utopie, 17 mars,

ton père,

Gargantua

François RABELAIS, *Pantagruel*, chap. 8, « Gargantua écrit à son fils Pantagruel une lettre pour l'exhorter à étudier. », © Éditions Pocket, 1992. Traduction en français moderne de Marie-Madeleine Fragonard.

8. Spécialistes de la tradition orale juive.

Les principes de l'éducation humaniste

LECTURE DU TEXTE

Une lettre programme

1. Par quels moyens liés à l'énonciation et à la modalisation la volonté paternelle s'affirme-t-elle ?

Fiche 59 **L'énonciation**
Fiche 60 **La modalisation**

2. Comment Rabelais montre-t-il la dimension universelle du savoir humaniste ? Classez par domaine les disciplines énumérées par Gargantua.
3. En quoi ce programme révèle-t-il les idées et l'état des connaissances de la Renaissance ?

Fiches 33 et 34 **Un espace culturel européen**

Une nouvelle image de l'homme

4. L'enseignement du précepteur est-il le seul moyen d'accès à la connaissance ?
5. Montrez que l'enseignement de Pantagruel doit bénéficier à sa vie en société.
6. SYNTHÈSE Expliquez la devise : « Science sans conscience n'est que ruine de l'âme ».

HISTOIRE DES ARTS

@ RECHERCHE Quels sages Raphaël a-t-il peints dans *L'École d'Athènes* ? Comparez son programme d'éducation à celui de Rabelais.

ÉCRITURE

Argumentation

Pourquoi ce programme est-il davantage un idéal qu'un programme réaliste ? Développez un paragraphe argumentatif.

VERS LE BAC

Commentaire

Proposez un commentaire du texte en suivant ce parcours :

a) Une lettre à valeur éducative ;
b) Un projet humaniste ambitieux.

Fiche 51 **Rédiger un commentaire**

5 J. du Bellay, *Les Regrets*, 1558

De 1553 à 1557, Joachim du Bellay suit à Rome son oncle, ambassadeur de France, dont il est le secrétaire particulier. Mais la capitale antique qui faisait rêver le jeune humaniste n'est pas la Rome qui s'offre à ses yeux.

Biographie
p. 626

Du même auteur
p. 222, 367, 382, 403

Histoire littéraire
p. 372

Repères historiques
p. 614

Albrecht DÜRER (1471-1528),
***Allégorie de la Mélancolie*, 1514,**
23,9 x 16,8 cm
(Musée des Offices, Florence, Italie).

Sonnet 32

1 Je me ferai savant en la philosophie,
En la mathématique, et médecine aussi,
Je me ferai légiste[1], et d'un plus haut souci[2]
Apprendrai les secrets de la théologie :

5 Du luth et du pinceau j'ébatterai[3] ma vie,
De l'escrime et du bal. Je discourais ainsi,
Et me vantais en moi d'apprendre tout ceci,
Quand je changeai la France au séjour d'Italie.

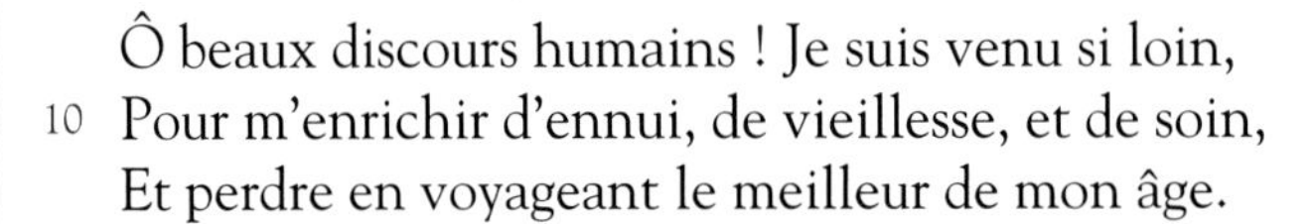

Ô beaux discours humains ! Je suis venu si loin,
10 Pour m'enrichir d'ennui, de vieillesse, et de soin,
Et perdre en voyageant le meilleur de mon âge.

Ainsi le marinier souvent pour tout trésor
Rapporte des harengs en lieu de lingots d'or,
Ayant fait, comme moi, un malheureux voyage.

Joachim DU BELLAY, « Je me ferai savant en la philosophie »,
Sonnet 32, *Les Regrets*, 1558.

1. Spécialiste des lois.
2. Préoccupation.
3. Ébattre : distraire, égayer.

L'idéal humaniste, un rêve inaccessible ?

LECTURE DU TEXTE

Les ambitions de l'humaniste

1. Quelles connaissances Du Bellay rêvait-il d'acquérir à Rome ?
2. Par quels procédés stylistiques et poétiques valorise-t-il ces savoirs humanistes ?

Fiche 24 **La versification du XVIe siècle à nos jours**

Un idéal déçu

3. Comment les temps verbaux soulignent-ils la désillusion du poète ?
4. Par quelles figures de style Du Bellay exprime-t-il ses regrets ?

Fiche 27 **Le langage poétique**

5. Quelle est la fonction de la comparaison avec le marinier ?
6. Quelle touche d'humour révèle l'inutilité du voyage de formation ?

HISTOIRE DES ARTS

Par quels procédés picturaux le graveur montre-t-il la mélancolie de la jeune femme, alors qu'elle a à ses pieds tous les attributs du savoir ? Sa situation est-elle comparable à celle du poète ?

VERS LE BAC

Question sur un corpus

Quels rapprochements pouvez-vous faire avec l'idéal de Rabelais formulé dans *Gargantua*, p. 360 ?

Fiche 46 **Répondre à une question sur un corpus**

Oral (analyse)

Faites la lecture analytique de ce poème en répondant à la question suivante : comment la construction antithétique du sonnet révèle-t-elle les idées humanistes du poète ?

Fiche 56 **Réussir l'épreuve orale du baccalauréat**

6

Montaigne, Les Essais, 1595

Prenant prétexte de la future naissance du premier enfant de Diane de Foix, Montaigne expose sa conception de l'éducation et de la pédagogie.

Biographie p. 628
Du même auteur p. 275, 312, 377, 383
Histoire littéraire p. 372
Repères historiques p. 614

Que [le précepteur] fasse tout passer par le [filtre d']étamine[1], qu'il ne loge rien dans la tête [de son élève] par pure autorité et en abusant de sa confiance ; que les principes d'Aristote ne soient pas pour lui des principes, pas plus que ceux des Stoïciens et des Épicuriens. Qu'on lui expose cette diversité de jugements : il choisira s'il peut ; sinon il demeurera, entre eux, dans le doute. Il n'y a que les sots qui soient sûrs et déterminés[2].

Che non men che saper dubbiar m'aggrada.[3]

[Car, non moins que savoir, douter m'est agréable.]

Car s'il adopte les idées de Xénophon[4] et de Platon[5] par son propre jugement, ce ne seront plus les leurs, ce seront les siennes. Celui qui suit [simplement] un autre, ne suit rien. Il ne trouve rien, et même il ne cherche rien. « *Non sumus sub rege ; sibi quisque se vindicet.*[6] » [Nous ne sommes pas sous un roi ; que chacun dispose de lui-même.] Qu'il sache ce qu'il sait, au moins. Il faut qu'il s'imbibe de leurs façons de sentir et penser, non qu'il apprenne leurs préceptes ; et qu'il oublie hardiment, s'il veut, d'où il les tient, mais qu'il sache se les approprier. La vérité et la raison sont communes à chacun et n'appartiennent pas plus à celui qui les a dites la première fois qu'à celui qui les dit après. Ce n'est pas plus selon Platon que selon moi puisque lui et moi le comprenons et le voyons de la même façon. Les abeilles « pillotent[7] » de-çà de-là les fleurs, mais, après, elles en font le miel qui est entièrement leur ; ce n'est plus du thym ni de la marjolaine : de même les emprunts faits à autrui, il les transformera et fondra ensemble pour en faire un ouvrage entièrement sien, à savoir son jugement.

MONTAIGNE, *Les Essais*, Livre I, chap. 26, « Sur l'éducation des enfants », 1595, trad. d'André Lanly, © Éditions Champion, Paris, 1989 / © Éditions Gallimard, Quarto, 2009.

1. Tissu fin filtrant certains liquides.
2. Qui ne changent pas d'avis.
3. Citation de Dante, premier grand poète de langue italienne (XIVe siècle).
4. Philosophe et historien grec (Ve siècle av. J.-C.).
5. Philosophe grec (Ve siècle av. J.-C.).
6. Citation du philosophe romain Sénèque (Ier siècle ap. J.-C.).
7. Butinent.

Connaître les Anciens pour penser par soi-même

LECTURE DU TEXTE

Les principes de l'éducation humaniste

1. Quels reproches Montaigne formule-t-il à l'égard de l'éducation de son époque ?
2. Quels principes pratiques d'apprentissage défend-il ?
3. Montrez que Montaigne s'est appliqué à lui-même ces principes humanistes.

La formation du jugement

4. Quelle doit être la finalité de l'éducation ?
5. Expliquez la comparaison avec l'abeille. Montrez qu'elle clôt avec finesse le mode de raisonnement du philosophe.

Fiche 29 **L'essai**

VERS LE BAC

Question sur un corpus

Comparez les principes éducatifs de Montaigne et de Rabelais, p. 362. Montrez que leurs deux approches humanistes sont complémentaires.

Fiche 46 Répondre à une question sur un corpus

Commentaire

Vous ferez de ce texte un commentaire en montrant que :
a) Montaigne prône une éducation humaniste ;
b) tout en appliquant, dans son écriture même, les principes qu'il préconise.

Fiche 51 Rédiger un commentaire

7 Érasme, *Préface à la traduction du Nouveau Testament*, 1516

Avec l'invention de l'imprimerie et le retour des langues anciennes, les traductions se multiplient, parmi lesquelles celles de la Bible, qui font débat.

Biographie p. 626
Histoire littéraire p. 372
Repères historiques p. 614

Je suis violemment opposé à l'opinion de ceux qui ne veulent pas que les lettres divines soient traduites en langue vulgaire[1] afin d'être lues par les profanes[2], comme si le Christ avait enseigné une matière si enveloppée qu'à peine un très petit nombre de théologiens pouvait la comprendre, ou bien comme si le rempart de la religion chrétienne reposait sur la base de cette ignorance. Les mystères des rois, peut-être était-il plus sage de les taire, mais le Christ a désiré que ses mystères à lui fussent divulgués le plus largement possible. Je souhaiterais que toutes les femmes de la plus humble extraction[3] lisent les Évangiles, lisent les Épîtres de Paul[4]. Puissent ces livres être traduits en toutes les langues en sorte que les Écossais, les Irlandais, mais également les Turcs et les Sarrasins, soient capables de les lire et de les connaître. [...] Puisse le paysan au manche de sa charrue en chanter des passages, le tisserand à sa navette en moduler quelque air, ou le voyageur alléger la fatigue de sa route avec des récits de cette nature. Puissent ces passages entrer dans les conversations de tous les Chrétiens, car nous sommes à peu près tels que nous révèlent nos conversations de tous les jours.

Quentin METSYS (1465/1466-1530), *Portrait d'Érasme*, 1517 (Palazzo Barberini, Rome).

ÉRASME, « Préface à la traduction du *Nouveau Testament* », 1516, *Éloge de la folie et autres écrits*, trad. de Franz Bierlaire, Claude Blum et Jean-Claude Margolin, © Éditions Gallimard, Folio, 2010.

1. Langue parlée par le peuple.
2. Les laïcs.
3. Origine.
4. Partie du *Nouveau Testament*, dans la *Bible*.

Traduire la Bible pour en diffuser l'enseignement

LECTURE DU TEXTE

1. Par quels arguments Érasme condamne-t-il ceux qui s'opposent à la traduction de la Bible ?

Fiche 28 **Stratégies argumentatives et modes de raisonnement**

2. Quels sont les trois arguments en faveur de la traduction de la Bible en langue vulgaire ? Puis, dans de nombreuses langues étrangères ?
3. Par quelles figures d'intensification Érasme exalte-t-il le souhait qu'il formule pour l'avenir ?

Fiche 41 **Les figures de style**

HISTOIRE DES ARTS

Comment le travail d'Érasme est-il mis en valeur par Quentin Metsys ?

ÉCRITURE

Argumentation

Pourquoi la traduction de la Bible au XVIe siècle s'inscrit-elle dans l'esprit humaniste ?

Fiches 33 et 34 Un espace culturel européen

8 Joachim du Bellay, *Défense et illustration de la langue française*, 1549

Biographie p. 626
Du même auteur p. 222, 364, 382, 403
Histoire littéraire p. 372
Repères historiques p. 614

En 1539, avec l'ordonnance de Villers-Cotterêts, François Ier impose l'usage du français dans l'administration. Dix ans plus tard, le manifeste de Du Bellay défend la langue française dans la littérature.

Qui oserait dire que les langues grecque et romaine ont toujours été dans la perfection qu'on leur a vue du temps d'Homère et de Démosthène, de Virgile et de Cicéron[1] ? [...] Ainsi puis-je dire de notre langue, qui commence à peine à fleurir sans fructifier, ou plutôt, comme une plante et vergette[2], n'a point encore fleuri : il s'en faut de beaucoup qu'elle ait apporté tout le fruit qu'elle pourrait bien produire. Cela, certainement, non à cause de défauts de nature, car elle est aussi apte à engendrer que les autres, mais par la faute de ceux qui l'ont eue en garde, et ne l'ont pas suffisamment cultivée [...]. Si les anciens Romains avaient été aussi négligents à la culture de leur langue quand elle commença tout juste à prospérer, il est certain qu'elle ne serait pas devenue si grande en si peu de temps. Mais eux, en bons agriculteurs, l'ont premièrement transplantée d'un lieu sauvage en un lieu familier ; puis, afin qu'elle puisse mieux fructifier et plus tôt, ils l'ont fortifiée de rameaux solides et fertiles, magistralement tirés de la langue grecque, lesquels se sont immédiatement si bien greffés et faits semblables au tronc de la langue romaine que désormais ils n'apparaissent plus adoptifs, mais naturels. De là sont nées en la langue latine ces fleurs et ces fruits colorés de cette grande éloquence, avec ces nombres et cette liaison si artificielle, choses que toute langue a coutume de produire, non pas tant de sa propre nature que par artifice.

Joachim DU BELLAY, *Défense et illustration de la langue française*, 1549 (texte modernisé).

1. Respectivement poètes et orateurs, grecs et romains.
2. Petite tige.

L'humaniste, jardinier des langues

LECTURE DU TEXTE

1. Quels sont les grands modèles antiques de l'humaniste selon Du Bellay ?
2. Étudiez la construction et le développement de la métaphore filée de la culture des langues. Quelle fonction remplit-elle dans l'argumentation ?
3. Selon Du Bellay, comment les auteurs latins ont-ils cultivé leur langue pour en faire l'égale de la grecque ? Quelle conséquence tirer de cette démonstration en ce qui concerne la langue française ?
4. (SYNTHÈSE) Dans quelle mesure la démarche préconisée par Du Bellay est-elle humaniste ?

Fiche 34 **Un espace culturel européen (2)**

5. (@ RECHERCHE) Comme toutes les langues vivantes, le français compte de nouvelles « boutures » empruntées à des langues étrangères. Est-ce un enrichissement ? Argumentez et donnez des exemples variés.

VERS LE BAC

Question sur un corpus

Pourquoi les sonnets 31 (p. 382) et 32 (p. 364) des *Regrets* vous semblent-ils une défense et illustration de la langue française ?

Fiche 46 Répondre à une question sur un corpus

Oral (analyse)

Comment comprendre le titre de cet ouvrage ?

9

Ronsard, *Discours des misères de ce temps*, 1562

En 1562, le massacre de Wassy, premier massacre de protestants, signe le début de la première guerre de religion en France. Ronsard, catholique et fervent défenseur de la cause royale, prend parti et condamne le protestantisme, source de discorde.

Biographie
p. 630

Du même auteur
p. 208, 214, 222, 395, 404

Histoire littéraire
p. 372

Repères historiques
p. 614

1 De quel front, de quel œil, ô siècles inconstants !
Pourront-ils[1] regarder l'histoire de ce temps !
En lisant que l'honneur, et le sceptre de France
Qui depuis si long âge avait pris accroissance[2],
5 Par une Opinion nourrice des combats,
Comme une grande roche, est bronché contre bas[3].
On dit que Jupiter fâché contre la race
Des hommes, qui voulaient par curieuse audace
Envoyer leurs raisons jusqu'au Ciel pour savoir
10 Les hauts secrets divins que l'homme ne doit voir,
Un jour étant gaillard[4] choisit pour son amie
Dame Présomption[5], la voyant endormie
Au pied du mont Olympe, et la baisant soudain
Conçut l'Opinion, peste du genre humain.
15 Cuider[6] en fut nourrice, et fut mise à l'école
D'orgueil, de fantaisie, et de jeunesse folle.
Elle fut si enflée, et si pleine d'erreur
Que même à ses parents elle faisait horreur.
Elle avait le regard d'une orgueilleuse bête.
20 De vent et de fumée était pleine sa tête.
Son cœur était couvé de vaine[7] affection,
Et sous un pauvre habit cachait l'ambition.
Son visage était beau comme d'une Sirène,
D'une parole douce avait la bouche pleine,
25 Légère elle portait des ailes sur le dos :
Ses jambes et ses pieds n'étaient de chair ni d'os,
Ils étaient faits de laine, et de coton bien tendre
Afin qu'à son marcher on ne la put entendre.
Elle vint se loger par étranges moyens
30 Dedans le cabinet des Théologiens[8],
De ces nouveaux Rabbins[9], et brouilla leurs courages[10]
Par la diversité de cent nouveaux passages,
Afin de les punir d'être trop curieux
Et d'avoir échellé[11] comme Géants les cieux. [...]
35 Ce monstre arme le fils contre son propre père,
Et le frère (ô malheur) arme contre son frère,
La sœur contre la sœur, et les cousins germains
Au sang de leurs cousins veulent tremper leurs mains,
L'oncle fuit son neveu, le serviteur son maître,
40 La femme ne veut plus son mari reconnaître.
Les enfants sans raison disputent de la foi,
Et tout à l'abandon va sans ordre et sans loi.

Pierre DE RONSARD, *Discours des misères de ce temps*, 1562.

1. Les enfants des générations futures qui liront l'histoire de France.
2. Le pouvoir royal s'est affermi tout au long du XVIe siècle.
3. Tombé à terre.
4. Galant.
5. Préjugé, qui condamne sans preuve.
6. Croyance.
7. Futile, superficielle.
8. En particulier, Luther et Calvin.
9. Prêtres de la religion juive.
10. Découragea.
11. Tenté de monter jusqu'aux cieux.

Guiseppe ARCIMBOLDO (vers 1527-1593), *Le Feu*, 1566, sur bois, 66,5 x 51 cm (Kunsthistorisches Museum, Vienne).

10 Agrippa d'Aubigné, Les Tragiques, 1616

Protestant engagé dans les guerres de religion, Agrippa d'Aubigné engage également sa plume.

Biographie p. 624
Histoire littéraire p. 372
Repères historiques p. 616

1 Je veux peindre la France une mère affligée,
Qui est entre ses bras de deux enfants chargée.
Le plus fort, orgueilleux, empoigne les deux bouts
Des tétins nourriciers ; puis, à force de coups
5 D'ongles, de poings, de pieds, il brise le partage
Dont nature donnait à son besson[1] l'usage :
Ce voleur acharné, cet Esaü[2] malheureux,
Fait dégât du doux lait qui doit nourrir les deux,
Si que[3], pour arracher à son frère la vie,
10 Il méprise la sienne et n'en a plus d'envie ;
Lors son Jacob, pressé d'avoir jeûné meshuy[4],
Ayant dompté longtemps en son cœur son ennui[5],
À la fin se défend, et sa juste colère
Rend à l'autre un combat dont le champ est la mère.
15 Ni les soupirs ardents, les pitoyables cris,

Ni les pleurs réchauffés, ne calment leurs esprits ;
Mais leur rage les guide et leur poison les trouble,
Si bien que leur courroux par leurs coups se redouble.
Leur conflit se rallume et fait[6] si furieux
20 Que d'un gauche malheur ils se crèvent les yeux.
Cette femme éplorée, en sa douleur plus forte,
Succombe à la douleur, mi-vivante, mi-morte ;
Elle voit les mutins[7] tous déchirés, sanglants,
Que, ainsi que du cœur, des mains se vont cherchant,
25 Quand, pressant à son sein d'une amour maternelle
Celui qui a le droit et la juste querelle,
Elle veut le sauver, l'autre, qui n'est pas las,
Viole en poursuivant l'asile de ses bras.
Adonc[8] se perd le lait, le suc de sa poitrine ;
30 Puis, aux derniers abois de sa proche ruine,
Elle dit : « Vous avez, félons, ensanglanté
Le sein qui vous nourrit et qui vous a porté ;
Or, vivez de venin, sanglante géniture.
Je n'ai plus que du sang pour votre nourriture ! »

Agrippa d'AUBIGNÉ, *Les Tragiques*, 1616, Livre I, vers 97-130 (orthographe modernisée).

1. Frère jumeau.
2. Frère aîné de Jacob, mais moins aimé que son cadet. Affamé, il vend son droit d'aînesse contre un plat de lentilles.
3. Tant et si bien que.
4. Tout le jour.
5. Souffrance.
6. Devient.
7. Révoltés.
8. Puis, alors.

La France, déchirée par les luttes fratricides

LECTURE DES TEXTES

Deux poèmes engagés

1. RECHERCHE Qu'est-ce que le massacre de Wassy, l'Édit de Nantes, la Révocation de l'Édit de Nantes ?
2. En quoi les événements et les personnages historiques évoqués par Ronsard révèlent-ils son engagement aux côtés des catholiques ?
3. Comment l'utilisation des figures bibliques montre-t-elle l'engagement d'Agrippa d'Aubigné en faveur des protestants ?

Deux allégories

4. Étudiez l'allégorie de l'Opinion et celle de la France.
5. Montrez que ces portraits vivants et en action ont une dimension argumentative.

➤ Fiche 41 **Les figures de style**

Un tableau tragique

6. Quels procédés visent à rendre ces scènes particulièrement vivantes et visuelles ?
7. Comment les poètes soulignent-ils le caractère tragique du conflit et provoquent-ils terreur et pitié chez le lecteur ?

➤ Fiche 27 **Le langage poétique**
➤ Fiche 40 **Les registres**

HISTOIRE DES ARTS

En quoi le tableau d'Arcimboldo peut-il être l'allégorie de l'éloquence engagée au service d'une cause ? Vous repérerez les éléments qui composent le portrait.

ÉCRITURE

Argumentation

Par quels moyens visuels les textes littéraires peuvent-ils efficacement défendre une cause ? Vous justifierez chacun de vos arguments par des références précises, issues des textes de la séquence ou de vos propres lectures.

➤ **Fiche 53 Comprendre un sujet de dissertation**
➤ **Fiche 54 Construire le plan détaillé d'une dissertation**

VERS LE BAC

Invention

En vous inspirant du tableau et du poème, continuez le texte suivant de Carl Norac :

« Ma langue prend feu. Il fallait bien que je l'attise. Le vent frappe mon front, mais se refuse à ma bouche. Je n'écris pas à perdre haleine, j'écris pour que ma bouche prenne feu. »

La Révolte des poètes, 150 poèmes inédits choisis par Jacques Charpentreau, Le Livre de Poche Jeunesse, 1998.

➤ **Fiches 47 et 48 Vers l'écriture d'invention**

POUR ARGUMENTER COMMENT L'AFFAIRE GALILÉE REFLÈTE-T-ELLE LES DÉBATS HUMANISTES ?

Bertolt Brecht, *La Vie de Galilée*, 1938

Joseph Nicolas ROBERT-FLEURY (1797-1890), *Galilée devant le Saint-Office au Vatican (1632)*, 1847, huile sur toile, 1,96 m x 3,08 m (Musée du Louvre, Paris).

GALILÉE. – J'aime à penser que ça a commencé par les bateaux. De mémoire d'homme, ils n'avaient fait que se traîner le long des côtes, mais tout à coup, ces côtes, ils les ont quittées et ils s'en sont allés sur toutes les mers.

Sur notre vieux continent, une rumeur est née : des continents nouveaux existent. Et depuis que nos bateaux y vont, la nouvelle se répand sur les continents tout joyeux : le vaste océan redouté est une petite mare.

[…] le vieux temps est passé, et voici un temps nouveau. Bientôt l'humanité saura à quoi s'en tenir sur son domicile, ce corps céleste sur lequel elle demeure. Ce qui est écrit dans les vieux livres, ça ne lui suffit plus.

Car là où la foi était incrustée depuis mille ans, c'est là que maintenant le doute s'incruste. Le monde entier dit : bien sûr, c'est écrit dans les livres, mais maintenant voyons nous-mêmes. Les vérités les plus reconnues, on leur frappe sur l'épaule ; ce dont on n'avait jamais douté, maintenant on en doute. […]

Je prédis qu'avant la fin de notre vie on parlera d'astronomie sur les marchés. Même les fils des poissonnières courront à l'école. Car il plaira à ces hommes de nos villes, avides de changement, que maintenant une astronomie nouvelle fasse bouger aussi la terre. On avait toujours dit que les astres étaient rivés à une voûte de cristal, afin qu'ils ne puissent pas tomber. Maintenant nous avons pris courage, et nous les laissons aller dans l'espace, sans attache, et ils sont au grand large, tout comme nos bateaux, sans attache et au grand large.

Et la terre roule gaiement autour du soleil.

Bertolt BRECHT, *La Vie de Galilée*, 1938, in *Théâtre complet*, vol. 4, trad. de Armand Jacob et Édouard Pfrimmer, Éditions de l'Arche, 1955.

LECTURE DU TEXTE

1. RECHERCHE Quelle théorie astronomique Galilée défend-il ? Quelle est la réaction de l'Église ? Résumez « l'affaire Galilée » en dix lignes et montrez qu'elle illustre les espoirs et limites du rêve humaniste.
2. Montrez que, selon Brecht, les découvertes astronomiques sont pour Galilée dans la continuation des grandes découvertes de la Renaissance et de l'élan humaniste.
3. Pourquoi cet épisode célèbre de la Renaissance peut-il être d'actualité en 1938 ?

VERS LE BAC

Dissertation

D'après vous, le mouvement humaniste (idées, découvertes, combats) se limite-t-il au XVIe siècle ou persiste-t-il dans les mouvements futurs ? Votre lecture des textes de la séquence permettra de formuler un avis nuancé.

Histoire littéraire
L'humanisme

Les grandes découvertes de la Renaissance

L'invention de l'imprimerie et la diffusion de l'écrit

Étienne COLLAUT (enlumineur), *Le doctrinal sans macule imprimé : imprimerie*, in *Chants royaux sur la Conception couronnées au Puy de Roen*, manuscrit à peinture, XVIe siècle. (BNF)

En 1450, l'Allemand **Gutenberg** synthétise et perfectionne plusieurs progrès scientifiques (remplacement du parchemin par le papier, presse à vis, fonte de caractères en métal réutilisables) et crée la première **imprimerie**. Rapidement, les imprimeries se développent et permettent une diffusion très large d'ouvrages qui, auparavant, n'existaient que sous forme de manuscrits, très chers, que seuls les lecteurs les plus fortunés (princes, papes ou cardinaux) pouvaient posséder.
D'abord consacrée aux livres religieux en latin et en particulier la Bible, l'impression s'étend ensuite aux ouvrages antiques, qui deviennent largement accessibles, puis aux œuvres nouvelles des humanistes.

Les progrès scientifiques

Les humanistes cherchent à comprendre le monde qui les entoure et établissent les bases de la **démarche scientifique** et de l'**observation de la nature**. Les progrès mathématiques, en particulier dans la géométrie, révolutionnent l'architecture (étude des proportions) et la peinture (invention de la perspective). L'algèbre et les calculs progressent également et sont à l'origine de la **révolution copernicienne** : contrairement à la pensée médiévale, héritée des Grecs Aristote et Ptolémée, selon laquelle l'univers est un monde clos enfermé dans une sphère qui porte les étoiles, et dont le centre est la Terre, Copernic affirme que c'est la Terre qui tourne autour du Soleil, suivi bientôt par Galilée.

Ex. : *En perfectionnant la lunette astronomique, Galilée rend possibles des observations précises de la Lune, de Vénus, et la découverte des satellites de Jupiter. Autant de découvertes qui mettent à mal le modèle aristotélicien médiéval de l'héliocentrisme au profit du modèle copernicien.* (>p. 371)

Lorenzo LOTTO, (1480-1556) *Le Physicien Giovanni Agostino della Torre et son fils Niccolo*, 1513/1516, huile sur toile, 85 x 68,2 cm (National Gallery, Londres).

L'expérimentation scientifique permet également des progrès décisifs : Vésale pratique la dissection, longtemps interdite par l'Église, et permet de dépasser les connaissances anatomiques de l'Antiquité. Michel Servet découvre la circulation sanguine et Ambroise Paré fait progresser la chirurgie.
Hommes complets, les humanistes de la Renaissance tel Léonard de Vinci, se révèlent à la fois peintres, architectes, ingénieurs, passionnés aussi bien par l'anatomie humaine que par les inventions techniques.

Ex. : *Gargantua engage son fils Pantagruel à étudier aussi bien les langues, les lettres que les sciences.* (>p. 362)

L'élargissement du monde

Inspiré par Ptolémée qui reconnaît la rotondité de la Terre, mais sous-estime largement sa circonférence, **Christophe Colomb découvre les Antilles en 1492** alors qu'il tente d'ouvrir une nouvelle route vers les Indes et ne se rend pas compte immédiatement qu'il s'agit d'un continent jusque-là inconnu.

Les voyages de découverte deviennent rapidement des voyages de conquêtes, et pour exploiter ces nouveaux territoires, l'importation d'esclaves noirs se systématise.
Le contact avec ces civilisations différentes, leurs richesses, et les massacres commis par les Européens provoquent un véritable choc culturel, philosophique et religieux. Comment concilier ces découvertes avec la vision du monde héritée des Anciens et reprise par l'Église du Moyen Âge ? Comment est-il possible que ces peuples n'aient pas été mentionnés dans la Bible ? Comment faire coexister la volonté d'évangéliser ces populations pour élargir la domination du christianisme et l'appât du gain des conquérants, qui se traduit souvent par des actes inhumains, dénoncés par les moines évangélistes ?

Ex. : *La réflexion sur l'altérité de Montaigne se nourrit des récits des cosmographes.*

L'idéal humaniste : l'éducation d'un homme nouveau

La redécouverte de l'Antiquité

Sandro BOTTICELLI (1445-1510), *La Naissance de Vénus*, 1485, 1,72 x 2,7 m (Galleria degli Uffizi, Florence, Italie).

Les humanistes se consacrent à l'**étude des langues anciennes** : le **latin**, mais aussi le **grec**, et l'**hébreu**. Grâce à ces connaissances nouvelles, ils s'efforcent de retrouver les œuvres antiques dans leur authenticité première. En effet, conservés dans les couvents grâce aux copies manuscrites, les textes anciens, en particulier grecs et hébraïques, ont souvent été déformés par les moines copistes qui n'en maîtrisaient pas la langue. L'essor des langues bénéficie de soutiens politiques, comme celui de François Ier qui rétribue des maîtres chargés d'enseigner le grec, l'hébreu et d'autres langues orientales comme l'araméen et l'arabe. La chute de Constantinople en 1453 entraîne l'arrivée en Europe de nombreux clercs orthodoxes qui y viennent avec de nombreux manuscrits perdus que la Renaissance découvre avec passion.

L'approche des humanistes diffère de l'approche médiévale par l'attitude critique qu'ils adoptent face aux textes et par la diversification de leurs centres d'intérêt. À la pensée d'Aristote[1], exaltée par l'Église médiévale, ils préfèrent la philosophie de Platon[2], jusque-là négligée. Ils redécouvrent également les ouvrages scientifiques et techniques de l'Antiquité, qu'ils étudient afin de les dépasser.
C'est un nouveau mode de pensée et une nouvelle éducation qui se mettent en place : alors que l'enseignement traditionnel médiéval était fondé sur la mémoire, les humanistes préconisent plutôt la réflexion. L'humaniste doit être un homme complet, et **les programmes d'éducation se font encyclopédiques**, fondés sur la lecture et l'observation de la nature.

Ex. : *S'il leur faut lire les grands auteurs grecs et latins, les enfants doivent surtout développer leur esprit critique et apprendre à penser par eux-mêmes, selon Montaigne.* (>p. 365)

Une réflexion centrée sur l'homme

L'humanisme rompt avec la perception pessimiste de l'homme et du monde du Moyen Âge et se caractérise par une **vision optimiste et positive**.

Ex. : *La naissance du genre de l'utopie, préparé par Boccace, inventé par Thomas More puis repris par Rabelais dans l'abbaye de Thélème, révèle la confiance humaniste en l'être humain. Certes, l'utopie n'est pas réelle ni réalisable, mais elle est un horizon politique vers lequel l'homme doit tendre.* (>p. 358 à 360)

L'homme est au cœur de la vision du monde humaniste. À la différence du Moyen Âge, pour lequel les hommes étaient avant tout déchus par le péché originel, l'humanisme valorise leur dignité d'êtres créés par Dieu à son image, et parmi lesquels Jésus a choisi de s'incarner.

La vision humaniste de l'homme est positive. Être intelligent, libre, il est capable de progrès. La beauté du corps humain, exaltée par la sculpture antique, inspire également la pensée et l'art humanistes.
L'humanisme accompagne la naissance de la notion d'individu. Alors qu'au Moyen Âge les liens sociaux (féodaux, corporatifs et religieux) encadraient l'individu, la société renaissante se transforme rapidement et permet l'**affirmation de l'individu**. Ce sont tout d'abord quelques grandes figures qui se hissent à la hauteur des princes, dont les Médicis. Cet essor de l'individu se traduit par la naissance du portrait réaliste (>p. 356), chargé de perpétuer la renommée après la

1. Philosophe grec du IVe siècle avant J.-C.
2. Philosophe grec des Ve et IVe siècles avant J.-C.

mort. L'artiste lui-même devient un personnage hors du commun, susceptible de se représenter dans des **autoportraits**.

La « République des Lettres » européenne

Les idées humanistes se répandent grâce à l'imprimerie, à la diffusion du latin qui permet des correspondances entre des philosophes de tous les pays européens et aux voyages d'étude. Une communauté humaniste se crée, dépassant les frontières politiques, et favorise l'émergence d'une conscience européenne qu'on appelle alors la « République des Lettres ».

Ex. : *C'est un voyage humaniste qu'espère faire Du Bellay en allant à Rome.* (>p. 364)

Grâce à l'éducation, les idées humanistes se diffusent également parmi les courtisans. Les cours princières européennes deviennent des lieux de savoir et de pouvoir. L'image idéale du prince défini par Balthazar Castiglione est désormais celle du **mécène** qui accueille humanistes et artistes et jouit du rayonnement qu'ils apportent à sa cour. De cette relation nouvelle entre art et pouvoir naît une littérature de réflexion politique qui se développe tout au long de la Renaissance.

RAPHAËL (1483-1520), *Balthazar Castiglione*, XVIe siècle, huile sur toile, 82 x 67 cm (Musée du Louvre, Paris).

Combats et crises de l'humanisme

L'émergence des langues nationales aux dépens du latin

L'imprimerie, avec la multiplication des traductions des textes antiques et de la Bible, contribue à fixer les langues nationales, dont les littératures se développent, aux dépens du latin. Avec l'éclosion des littératures nationales disparaît l'idéal de la « République des Lettres ».

Ex. : *Même s'il met progressivement fin à la « République des Lettres », l'essor des langues nationales est revendiqué par des humanistes comme Du Bellay et les poètes de la Pléiade.* (>p. 367)

La contestation de l'autorité de l'Église

En revendiquant pour l'homme la liberté et la faculté d'exercer son esprit critique, l'humanisme ouvre la voie à la contestation de l'Église et de son autorité. Au nom de leurs idéaux moraux, religieux et politiques, les humanistes critiquent l'ambition des papes, la vie de cour des prélats, ou l'ignorance des curés. L'application au texte sacré de la Bible des mêmes méthodes philologiques et critiques qu'aux textes profanes antiques débouche sur une contestation du christianisme traditionnel. La lecture de la Bible, qui autrefois n'était pas accessible, devient centrale dans la vie spirituelle des chrétiens. En cela, la pensée humaniste rend possible et prépare la **Réforme**.

Ex. : *Érasme défend ainsi la traduction du* Nouveau Testament *afin de promouvoir le christianisme.* (>p. 366)

Guerre de religion et remise en cause de l'humanisme

Antoine CARON (1521-1599), *Les Massacres du Triumvirat*, 1566, huile sur toile, 1,16 x 1,95 m (Musée du Louvre, Paris).

En 1517, le moine allemand **Luther** dénonce des pratiques de l'Église qui lui semblent trop éloignées du christianisme primitif. Malgré sa condamnation par le pape, il propose une nouvelle doctrine qui connaît un grand retentissement grâce à l'imprimerie et se diffuse largement en Allemagne, en Suisse et dans les pays scandinaves. En 1530, **Calvin** se rallie aux idées de Luther.

En France, les guerres de religion s'étendent de 1562 à 1598. Elles débutent par le massacre de Wassy (>p. 368). Le **massacre de la Saint-Barthélemy**, qui fait près de trois mille morts à Paris dans la nuit du 23 au 24 août 1572, est le plus célèbre d'une série de massacres de protestants, appelés huguenots. L'Édit de Nantes en 1598 met fin à ces guerres.

Face à ce dévoiement des idées humanistes, l'optimisme initial s'estompe et laisse la place à une vision de l'homme plus pessimiste, marquée par le doute et l'idée que la vie n'est qu'illusion et l'homme inconstance. À l'aube du XVIIe siècle, l'humanisme cède ainsi peu à peu la place au baroque.

Ex. : *Face aux guerres civiles qui déchirent la France, les humanistes Pierre de Ronsard et Agrippa d'Aubigné s'engagent, le premier du côté catholique, et le second du côté huguenot* (>p. 368 à 370).

Histoire des arts
Arts et littérature

19 L'inspiration humaniste au cœur de l'art de la Renaissance
Une nouvelle image de l'homme

Michelangelo BUONARROTI dit MICHEL-ANGE (1475-1564), *La Pietà*, 1498-1499, marbre, 1,74 x 1,95 x 0,69 m (Basilique Saint-Pierre, Rome).

Les humanistes proposent une vision renouvelée de l'homme, inspirée par la redécouverte de l'Antiquité. Ces idées bouleversent également l'art de la Renaissance, qui place l'homme au cœur de la représentation.

Objectifs

- Analyser les liens entre la littérature humaniste et le renouveau artistique de la Renaissance
- Découvrir la nouvelle représentation picturale de l'homme

MÉTHODES p. 439

Objets d'étude de la filière littéraire Fiche 35
Lire et analyser Fiche 42

Histoire littéraire p. 372

1 L'exaltation du corps humain

La représentation de l'homme est au cœur de la peinture renaissante : c'est une célébration de la beauté du corps et de la sensibilité humaine.

1. Un tableau renaissant

Léonard DE VINCI (1452-1519), *La Vierge, l'Enfant Jésus et Sainte Anne*, 1508-1510, huile sur bois, 1,68 x 1,3 m (Musée du Louvre, Paris).

2. Un tableau médiéval, influencé par la tradition des icônes byzantines

CIMABUE (vers 1240-1302), *Maestà di Santa Trinita*, 1280, tempera sur bois, 3,85 x 2,23 m (Musée des Offices, Florence).

Étude de deux œuvres

1. @RECHERCHE Quels sont les personnages peints sur le tableau de Vinci ? Et sur celui de Cimabue ? Comment sont-ils représentés ? Appartiennent-ils au monde humain ou divin ?

2. Quelles sont les couleurs dominantes des deux tableaux ? Y a-t-il une profondeur ? Quel est l'effet produit sur le spectateur ?

3. Comparez les proportions, la position du corps, l'attitude, l'expression des visages, les jeux de regards, la gestuelle des personnages de Vinci et de Cimabue. Que remarquez-vous ?

3. Les divines proportions de l'homme

Le XVIe siècle redécouvre la géométrie, et y voit une preuve de la noblesse du corps humain.

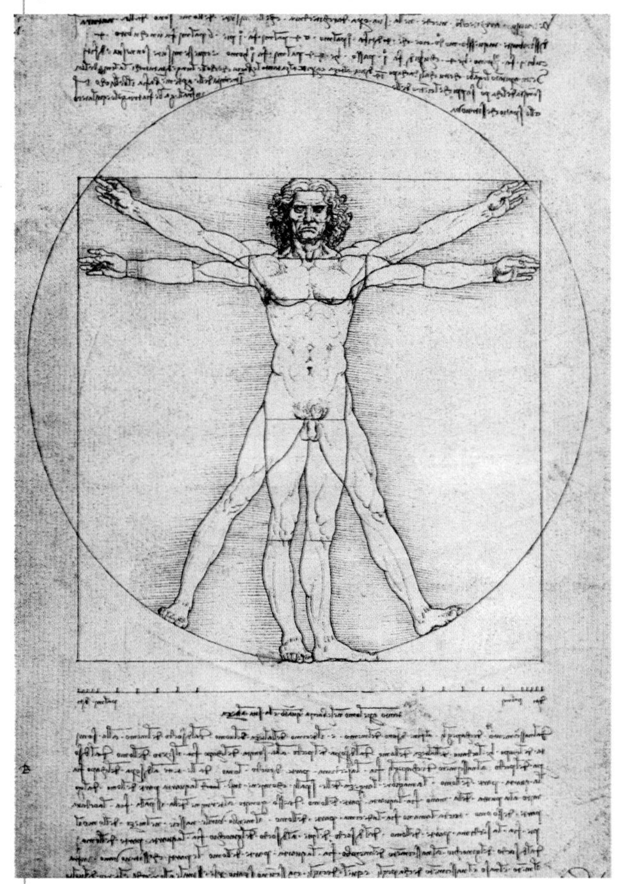

Léonard DE VINCI (1452-1519), *Proportions du corps humain, schéma inspiré du* De Architectura *de Vitruve, notes manuscrites de Léonard de Vinci*, vers 1492, dessin à l'encre noire (Galleria dell'Accademia, Florence, Italie).

Repères esthétiques

Du scalpel au pinceau

Le peintre médiéval représentait le corps humain comme un support symbolique, signe de sainteté ou de mal dépourvu de réalisme.
Avec la diffusion des idées humanistes, la Renaissance voit en l'homme un individu dont le corps est célébré et représenté avec réalisme. Parmi les découvertes scientifiques, la pratique de la dissection, longtemps interdite par l'Église, permet de faire progresser la connaissance de l'anatomie, de la médecine… et de la peinture. D'ailleurs, Léonard de Vinci, Raphaël ou Michel-Ange n'hésitent pas à pratiquer eux-mêmes des dissections pour parfaire leur connaissance du corps humain et en améliorer la représentation picturale.

DES IMAGES AUX TEXTES

Éloge de la géométrie

1. Dans quelles figures géométriques l'homme est-il dessiné ? Pourquoi est-ce un éloge du corps humain ?
2. Quelle figure géométrique préside à la composition de *La Vierge, l'Enfant Jésus et Sainte Anne* peints par Vinci ?

Pour la dignité du corps humain

3. Observez la *Pietà* de Michel-Ange, p. 375. En quoi peut-on dire que le corps humain y est célébré à travers les deux personnages du Christ et de Marie ?
4. Quels arguments Montaigne développe-t-il en faveur de l'éminente dignité du corps ? Quel rôle l'âme y tient-elle ?

Fiche 29 **L'essai**

4. Réunir l'âme et le corps

La beauté est un élément de grande importance dans les relations entre les hommes ; c'est le premier moyen de conciliation des uns avec les autres et il n'y a pas d'homme si barbare et si hargneux qui ne se sente en quelque façon frappé par sa douceur. Le corps a une grande part dans notre être, il y tient un grand rang ; aussi sa structure et la façon dont il est fait méritent-elles une très légitime considération. Ceux qui veulent séparer nos deux parties principales et les isoler l'une de l'autre ont tort. Au contraire, il faut les remettre ensemble et les unir. Il faut ordonner à l'âme non de se retirer dans ses quartiers, de s'occuper elle-même à part, de mépriser et abandonner le corps (aussi bien ne saurait-elle le faire que par quelque artificielle simagrée[1]), mais de se rallier à lui, de l'embrasser, le chérir, l'assister, le contrôler, le conseiller, le remettre dans le bon chemin et le ramener quand il en sort, l'épouser en somme et lui servir de mari, afin que leurs actions ne paraissent pas différentes et contraires mais en bon accord et uniformes.

M. DE MONTAIGNE, *Les Essais*, Livre II, chap. 17, « Sur la présomption », 1595, trad. André Lanly,

1. Tromperie.

2 Un homme pétri de culture antique

Les humanistes redécouvrent l'Antiquité. Elle influence alors la littérature, l'architecture et la peinture.

1. Saint Sébastien, d'Andrea Mantegna

Andrea MANTEGNA (1431-1506), *Saint Sébastien*, 1480, détrempe sur toile, 2,55 x 1,4 m (Musée du Louvre, Paris).

Repères esthétiques

Une nouvelle architecture, inspirée par l'antique

Les architectes de la Renaissance rompent avec le gothique médiéval et redécouvrent le style antique, son goût de la symétrie, de la géométrie, des proportions mathématiques. Le traité de l'architecte antique Vitruve, retrouvé, est un succès d'imprimerie : il codifie l'emploi des colonnes gréco-romaines, les plus massives en bas et les plus décoratives en hauteur, pour donner une impression de légèreté. Les idées humanistes s'incarnent dans la pierre : « Tout ainsi que la colonne dorique a été inventé selon les mesures et proportions de l'homme, et la ionique suivant celles de la femme, ainsi la présente [corinthienne] a été faite à l'imitation d'un délié et joli corps d'une pucelle », écrit Philibert Delorme en 1567.
L'architecture antique envahit également la peinture, où elle est à la fois un hommage de l'artiste à ses modèles anciens, et le symbole du passage du temps : la présence de ruines dans les scènes sacrées évoque la chute du paganisme et la victoire du christianisme.

Étude d'une œuvre

1. (@ RECHERCHE) Quels sont les personnages ? Comparez leur position respective et leur apparence physique.

2. Dégagez le sens symbolique et l'intérêt des éléments architecturaux dans le paysage : que montrent-ils de l'art renaissant ? Que peut signifier l'allure particulière de la colonne par rapport au saint qui y est attaché ?

3. Mantegna a juxtaposé le pied d'une statue romaine et celui du saint. Quelles peuvent être les significations religieuses et artistiques de ce choix ?

2. Vénus et Mars, de Botticelli

Sandro BOTTICELLI (1444/1445-1510), *Vénus et Mars*, vers 1485, détrempe, huile sur bois, peuplier (bois), 0,692 x 1,734 m (National Gallery, Londres).

3. Dante Alighieri, La Divine Comédie, 1321

Perdu dans un lieu terrifiant, préfiguration de la mort, Dante aperçoit un être au loin : l'espoir renaît.

Quand je le vis parmi le grand désert,
« Aie pitié de moi » lui criai-je,
« quel que tu sois, ombre ou homme réel ! »
Il me dit : « Homme non, homme je fus jadis,
et mes parents furent lombards[1],
mantouans[2] de patrie tous les deux.
Je naquis *sub Julio*[3], quoiqu'il fût tard,
et je vécus à Rome sous le bon Auguste
au temps des dieux faux et trompeurs.
Je fus poète, et je chantai ce juste
fils d'Anchise qui vint de Troie[4],
après que fut brûlée la superbe Ilion[5].
Mais toi, pourquoi rejoins-tu tel tourment ?
Pourquoi ne gravis-tu ce mont heureux
qui est de toute joie principe et cause ? »
« Or es-tu ce Virgile, et cette source
qui répand en parlant si large fleuve ? »
lui répondis-je avec la honte au front.
« Ô lumière et honneur de tous poètes,
la longue étude me vaille et l'ample amour
qui m'ont permis d'examiner ton œuvre.
Tu es mon maître et mon auteur,
tu es le seul auquel je doive
le noble style qui m'a fait honneur. »

DANTE ALIGHIERI, *La Divine Comédie*, 1321,
trad. de l'italien par Marc Garin,
Éditions de la Différence, 2003.

1. Habitant de la Lombardie, région du nord de l'Italie. – 2. Originaire de Mantoue, capitale de la Lombardie. – 3. À l'époque de Jules César. 4. Énée, héros de l'*Énéide* de Virgile. – 5. Autre nom de Troie.

DES IMAGES AUX TEXTES

L'hommage aux Anciens

1. Comparez le tableau de Mantegna et le poème de Dante. Quel regard portent-ils sur l'Antiquité ?
2. En quoi se révèlent-ils des artistes humanistes ?

L'inspiration mythologique

3. En quoi le tableau de Botticelli s'inspire-t-il de l'Antiquité tout en reflétant les idées de la Renaissance ? Quelle est la symbolique des objets avec lesquels jouent les petits satyres ?
4. Relevez les allusions mythologiques dans le poème de Dante. Que révèlent-elles des liens qui subsistent d'une culture à l'autre ?

Fiche 35 **L'intertextualité**

3 La perspective : peindre le monde comme l'homme le voit

1. Les Noces de Cana, de Véronèse

Ce tableau monumental ornait le réfectoire d'un monastère vénitien, dont il prolongeait, en trompe-l'œil, l'architecture renaissante. Lors d'une noce, Jésus accomplit son premier miracle en changeant l'eau en vin : présage de son sang versé et allégorie du mariage entre le Christ et l'Église.

Caliari Paolo **VÉRONÈSE** (1528-1588), *Les Noces de Cana*, XVIe siècle, huile sur toile, 6,66 x 9,9 m (Musée du Louvre, Paris).

Repères esthétiques

L'invention de la perspective

L'artiste médiéval ne reproduit pas la nature telle que son œil la voit : les dimensions des décors ou des personnages ne sont pas proportionnelles à leur éloignement, mais à leur importance religieuse ou sociale.

L'invention de la **perspective géométrique** à la Renaissance bouleverse la peinture en créant l'illusion d'un espace en profondeur. Le point de fuite, unique, dépend de la position de l'observateur par rapport à la scène (plongée, contre-plongée, etc.). Désormais la nature est peinte selon un point de vue humain.

Plus tard, Léonard de Vinci invente la perspective aérienne qui donne l'illusion de la profondeur sans ligne de fuite, grâce à une palette de plus en plus bleue et froide au fur et à mesure que les objets s'éloignent.

Étude d'une œuvre

1. De quelle période le décor du banquet s'inspire-t-il ?

2. @RECHERCHE Quels sont les principaux personnages ? Où les mariés se trouvent-ils ? Qui occupe la place centrale, qui leur est traditionnellement réservée ? Comment interpréter ce choix ?

3. Vers quels points de fuite les lignes des corniches et celles de la table convergent-elles ? Quel est l'effet produit ?

4. Dès lors, que peuvent signifier l'axe central horizontal représenté par la terrasse et l'axe central vertical sur lequel les points de fuite sont situés ?

Fiche 42 **Lecture de l'image fixe**

2. Une Scène de la vie de saint François, de Giotto

GIOTTO (vers 1267-1337),
Scènes de la vie de saint François : Les démons chassés d'Arezzo, 1297-1299,
fresque, 2,7 x 2,3 m (Basilica di San Francesco, Assise, Italie).

3. La Flagellation, de Piero della Francesca

Piero DELLA FRANCESCA (vers 1416-1492),
La Flagellation, vers 1447,
peinture sur bois, 81,5 x 59 cm
(Galleria Nazionale delle Marche, Urbino, Italie).

4. Léonard de Vinci, Le Peintre et la peinture

Si le peintre veut voir des beautés qui le rendent amoureux, il est en son pouvoir de les faire naître ; s'il veut voir des choses monstrueuses qui fassent peur, ou bien qui soient bouffonnes et ridicules, ou attirent la pitié, il en est maître et Dieu ; et s'il veut faire apparaître des lieux et des déserts, des endroits ombreux ou sombres, des climats chauds, et qu'il les représente, ces lieux brûlants ou ces temps froids. S'il veut des vallons, s'il veut découvrir de vastes champs depuis de hauts sommets, et s'il veut, ensuite, voir l'horizon de la mer, il en est le maître, et de même si depuis les vallons profonds il veut voir les hautes montagnes et depuis les hautes montagnes les vallons profonds et les plages. En vérité ce qui est dans l'univers parce que cela existe, qu'on en rencontre souvent, ou qu'on l'imagine, tout cela il l'a dans l'esprit d'abord, entre les mains ensuite.

L. DE VINCI, *Éloge de l'œil* suivi de *Le Peintre et la peinture*, traduction de Sylvain FORT, Éditions L'Arche, 2001.

DES IMAGES AUX TEXTES

Les règles de la perspective

1. Comparez le tableau de Giotto et celui de Piero della Francesca. Lequel respecte les règles de la perspective ? En quoi ce choix sert-il la dramatisation de la scène ?
2. Comparez le tableau de Piero della Francesca et celui de Léonard de Vinci, p. 376, et retrouvez les deux sortes de perspective.

Fiche 42 **Lecture de l'image fixe**

Le peintre, un nouveau démiurge

3. Quels arguments Vinci emploie-t-il pour faire l'éloge de la peinture ?
4. En quoi ce texte révèle-t-il la pensée humaniste de Vinci ?

Atelier d'écriture

Écrire un sonnet à la manière de Du Bellay

Heureux qui, comme Ulysse, a fait un beau voyage,
Ou comme cestuy-là qui conquit la toison,
Et puis est retourné, plein d'usage et raison,
Vivre entre ses parents le reste de son âge !

Quand reverrai-je, hélas, de mon petit village
Fumer la cheminée, et en quelle saison,
Reverrai-je le clos de ma pauvre maison,
Qui m'est une province, et beaucoup davantage ?

Plus me plaît le séjour qu'ont bâti mes aïeux,
Que des palais Romains le front audacieux,
Plus que le marbre dur me plaît l'ardoise fine :

Plus mon Loire Gaulois que le Tibre latin,
Plus mon petit Liré, que le mont Palatin,
Et plus que l'air marin la douceur Angevine.

Joachim DU BELLAY, *Les Regrets*, Sonnet XXXI, 1558.

BRUEGHEL DE VELOURS (1568-1625),
***Paysage avec le temple de Vesta à Tivoli*, vers 1595, huile sur toile, 0,208 m (Museumslandschaft Hessen Kassel, Gemäldegalerie, Allemagne).**

1. Analyser le poème

- Quelles sont les caractéristiques formelles de ce poème (strophes, vers, rimes, diérèse) ?
Fiche 24 **La versification du XVIe siècle à nos jours**
- Par quels procédés Du Bellay exprime-t-il la nostalgie et la plainte mélancolique ? Classez en les distinguant :
  – références littéraires et culturelles
  – vocabulaire affectif
- Que compare-t-il ? De quoi fait-il l'éloge ? Le blâme ? Est-ce ce à quoi l'on s'attendait ?
- Quels procédés emploie-t-il pour l'éloge et le blâme ?
- Le tableau de Brueghel vous semble-t-il une bonne illustration du poème ? Justifiez.

2. Transposer le poème

- À la manière de Du Bellay, faites l'éloge d'un paysage aimé. Avant de rédiger votre poème, cherchez les idées et les mots que vous évoquent ce lieu en remplissant le tableau suivant :

Champs lexicaux	Adjectifs mélioratifs
village, cheminée, maison...	*Petit, fine, angevine...*

- Si vous le souhaitez, vous pouvez également, comme le fait Du Bellay, opposer ce paysage à un lieu que vous n'aimez pas.

3. Rédiger le premier jet

Inspirez-vous du poème de Du Bellay et respectez les contraintes suivantes :
– Votre poème sera un sonnet.
– Il commencera par : *« Heureux qui comme... »*.
– Les deux tercets multiplieront les comparaisons et les antithèses.

4. Améliorer le poème

Retravaillez votre poème en améliorant le rythme et les sonorités mais sans délaisser le sens des vers.
@ RECHERCHE Pour améliorer :
– la longueur des vers, jouez sur les synonymes : www.synonymes.com/index.html
– les rimes : www.dicodesrimes.com/

Michel de Montaigne

Les Essais, 1595

« Sur le démenti » (Livre II, chap. 18)

Traduction d'André Lanly

Objectifs

- Découvrir la dimension humaniste des *Essais* de Montaigne
- Comprendre le rôle des *Essais* dans la naissance du genre autobiographique

Dans l'essai « Sur le démenti », Montaigne interroge l'écriture de soi, sa légitimité et sa sincérité. Comment parler de soi sans être jugé vaniteux ? Comment persuader le lecteur que l'auteur ne ment pas et gagner sa confiance ?

Chronologie

1533	Naissance à Bordeaux, rencontre marins et marchands de retour du nouveau monde dans le port.
1539	Apprend à parler le latin couramment.
1557	Rencontre Étienne de La Boétie, son ami le plus cher.
1563	Mort prématurée de La Boétie, sans doute emporté par la peste.
1568	Mort de son père. Montaigne, héritant de la fortune paternelle, vend sa charge de magistrat et se retire dans ses terres pour se consacrer à l'écriture des *Essais*.
1576	Adopte pour devise : « Que sais-je ? »
1581	Élu maire de Bordeaux.
1580	Première édition des *Essais*.
1582	Seconde édition, enrichie d'additions.
1588	Troisième édition des *Essais*.
1592	Mort de Montaigne, qui travaillait à une quatrième édition.
1595	Dernière édition posthume des *Essais*.

TEXTES ÉCHOS

MONTAIGNE, *Les Essais,* Livre I, chap. 31 « Sur les Cannibales » > **p. 312**
D. DIDEROT, *Supplément au voyage de Bougainville* > **p. 317**
T. MORE, *L'Utopie* > **p. 359**
RABELAIS, *Gargantua,* chap. 55 *« Comment était réglée la vie des Thélémites »* > **p. 360**
RABELAIS, *Pantagruel,* chap. 8 > **p. 362**
J. DU BELLAY, *Les Regrets,* Sonnet 32 > **p. 364**
MONTAIGNE, *Les Essais,* Livre I, chap. 26 « Sur l'éducation des enfants » > **p. 365**
J. DU BELLAY, *Défense et illustration de la langue française* > **p. 367**
DANTE ALIGHIERI, *La Divine Comédie* > **p. 379**
MONTAIGNE, *Les Essais,* adresse au lecteur > **p. 397**

Histoire littéraire p. 372

Entrée dans l'œuvre : l'autoportrait

Albrecht DÜRER (1471-1528), *Autoportrait en manteau de fourrure*, 1500, peinture sur bois, 0,671 m (Bayerische Staatsgemäldesammlungen, Alte Pinakothek, Munich).

Figurent sur l'autoportrait les inscriptions suivantes :

– à gauche : date et monogramme d'Albrecht Dürer ;

– à droite, en latin : « Moi, Albrecht Dürer, me représentais moi-même ainsi avec des couleurs durables à l'âge de vingt-huit ans. »

1. Pourquoi peut-on dire que dans ce tableau le peintre se met en valeur ? En particulier, à qui cette œuvre peut-elle faire penser ?
2. Comparez les quatre autoportraits de la Renaissance reproduits dans ce parcours (p. 384, 386, 388, 391). En quoi chacun d'eux est-il original ? Que vous apprennent-ils sur le peintre ou son approche du genre de l'autoportrait ?

L'œuvre et son contexte

François Rigolot écrit, dans l'*Histoire de la France littéraire* : « Le développement de la conscience littéraire à la Renaissance se rattache à la question de " l'émergence de l'individu " à l'époque moderne, à l'évolution de la notion d'*auteur* depuis le Moyen Âge et à la naissance du personnage social de l'écrivain. »

La nouvelle dignité accordée à l'homme par les humanistes se traduit par une nouvelle conscience de soi qui aboutit à la naissance, en peinture, du genre de l'autoportrait, et dans le domaine de la littérature, de l'écriture de soi, révélée par Montaigne.

1. @ RECHERCHE Proposez une définition des genres de l'essai, de l'autobiographie et de l'autoportrait. Quelles différences voyez-vous entre eux ?
2. Pourquoi la naissance de l'autoportrait et de l'écriture de soi à la Renaissance est-elle directement influencée par les idées humanistes ?

Sur le démenti[1]

1 Oui, mais on me dira que ce dessein de se servir de soi pour en faire le sujet de son livre serait excusable pour des hommes rares et fameux qui, par leur réputation, auraient donné [aux autres] quelque désir de les connaître. Cela est certain ; je l'avoue ; et je sais bien que pour voir un 5 homme fait comme tout le monde, c'est à peine si un artisan lève les yeux de dessus son ouvrage, tandis que, pour voir un grand et illustre personnage arriver dans une ville, on abandonne les ateliers et les boutiques. Il est malséant[2] de se faire connaître pour tout autre que pour celui qui a des qualités pour se faire imiter et dont la vie et les idées peuvent servir de modèle. César 10 et Xénophon[3] ont trouvé dans la grandeur de leurs exploits pour ainsi dire une base légitime et ferme pour établir solidement leur narration. Sont à regretter pour la même raison les relations [de ses exploits] faites au jour le jour par Alexandre[4], les commentaires qu'Auguste, Caton, Sylla, Brutus[5] et d'autres avaient laissés de leurs actions. On aime et on étudie les portraits de 15 tels gens, même en bronze et en pierre.

La remontrance suivante est très vraie, mais elle ne me concerne que bien peu :

Non recito cuiquam, nisi amicis, idque rogatus,
Non ubivis, coramve quibuslibet. In medio qui
20 *Scripta foro recitent, sunt multi, quique lavantes.*[6]

[Je ne fais de lecture qu'à mes seuls amis, et encore sur leur demande, non en tout lieu ni devant n'importe qui. Mais beaucoup d'auteurs déclament leurs écrits au forum[7] et même dans les bains publics.]

Je ne fais pas ici une statue pour qu'elle soit érigée au carrefour d'une ville 25 ou dans une église ou sur une place publique :

Non equidem hoc studeo, bullatis ut mihi nugis
Pagina turgestat.
Secreti loquintur.[8]

[Je ne vise pas à enfler mes pages de billevesées[9] ; je parle en tête à tête.]

30 [Tout] cela est pour le coin d'une bibliothèque et pour divertir un voisin, un parent, un ami qui aura plaisir à me fréquenter de nouveau et avoir d'autres relations avec moi sous cette image. Les autres ont eu le courage d'entreprendre de parler d'eux parce qu'ils ont trouvé là un sujet noble et riche ; moi, au contraire, parce que je l'ai trouvé si stérile et si maigre qu'on 35 ne peut pas lui adresser un reproche d'ostentation[10].

1. Accusation de mensonge. C'était alors une offense si grave que l'homme accusé devait se défendre par un duel. L'essai se trouve en p. 806, édition Quarto Gallimard.
2. Choquant.
3. Philosophe et historien de l'Antiquité grecque.
4. Alexandre Le Grand, conquérant macédonien.
5. Personnages historiques de la fin de la République et du début de l'Empire romain, au Ier siècle avant J.-C.
6. Citation du poète romain Horace (Ier siècle après J.-C.).
7. C'est-à-dire en public.
8. Citation du poète latin Perse (Ier siècle après J.-C.).
9. Sottises.
10. Orgueil de qui cherche à se faire remarquer.

TEXTES ÉCHOS À L'EXTRAIT L. 1-35

> **Rabelais,** *Pantagruel,* chap. 8 **p. 362**
> **J. du Bellay,** *Défense et illustration de la langue française* **p. 367**
> **Dante Alighieri,** *La Divine Comédie* **p. 379**

L. 1-35 *Parler de soi ne va pas de soi*

- Montrez que Montaigne instaure une relation de communication particulière avec son lecteur, entre séduction et défi.
- Quels reproches et quelles objections le lecteur pourrait-il adresser à Montaigne ? Quelle réponse ce dernier apporte-t-il ? Relevez les justifications qu'il donne à son œuvre.
- Lisez les textes échos. Pour quelles raisons Montaigne affirme-t-il que le portrait des grands personnages antiques est digne d'intérêt pour le lecteur ?
- Comparez les références de Montaigne avec celles de Dante, Du Bellay et Rabelais. En quoi révèlent-elles une culture commune à ces auteurs humanistes ?
- Pour quelles raisons Montaigne refuse-t-il de se magnifier comme une statue monumentale ?

LE PARMESAN (1503-1540), *Autoportrait dans un miroir convexe*, 1523-1524, huile sur bois, 0,244 m (Kunsthistorisches Museum, Vienne, Autriche).

Je juge volontiers les actions d'autrui ; des miennes je donne peu à juger à cause de leur néant.

40 Je ne trouve pas tant de bien en moi que je ne puisse pas le dire sans rougir.

Quelle satisfaction ce serait pour moi d'entendre, et de la même façon, quelqu'un qui me raconterait la façon de 45 vivre, le visage, le comportement, les paroles habituelles et les destinées de mes ancêtres ! Comme j'y serais attentif ! Si nous avions du dédain pour les portraits mêmes de nos amis et de nos prédécesseurs, pour la forme de leurs vêtements et de leurs armes, vraiment cela viendrait d'une mauvaise nature. D'eux je conserve l'écritoire, le sceau, des livres d'heures et une épée person- 50 nelle qui leur a servi, et je n'ai pas chassé de mon cabinet de longues badines que mon père portait ordinairement à la main. « *Paterna vestis et annulus tanto charior est posteris quanto erga parentes major affectus.*[11] » [Le vêtement d'un père, son anneau, sont d'autant plus chers à ses enfants que ceux-ci avaient plus d'affection pour lui.]

55 Si toutefois ma postérité a d'autres goûts, j'aurai bien le moyen de prendre ma revanche : elle ne saurait, en effet, faire moins de cas de moi que je n'en ferai d'elle à ce moment-là[12].

Tous les rapports que j'ai avec le public en faisant ce livre, c'est que j'emprunte les outils de son écriture[13], plus rapide et plus facile. En échange, 60 j'empêcherai peut-être que quelque morceau de beurre ne fonde au marché[14].

> *Ne toga codyllis, ne penula desit olivis,*[15]
> [Que les enveloppes ne manquent pas pour les thons et les olives,]
> *Et laxas scombris saepe dabo tunicas.*[16]
> [Et je fournirai d'amples tuniques aux maquereaux.]

65 Et si personne ne me lit, ai-je perdu mon temps en occupant mon esprit, pendant tant d'heures oisives[17], de pensées aussi utiles et aussi agréables ? Moulant ce portrait sur moi-même, il a fallu si souvent me façonner et mettre de l'ordre en moi pour extraire cette image que le modèle s'est affermi et, en quelque mesure, formé lui-même. En me peignant pour autrui, je me 70 suis peint intérieurement de couleurs plus nettes que ne l'étaient celles que j'avais d'abord. Je n'ai pas plus fait mon livre que mon livre ne m'a fait, livre consubstantiel à son auteur, qui ne s'occupe que de moi, qui est un membre de ma vie, qui ne s'occupe pas de tiers et n'a pas de fin extérieure à lui comme les autres livres. Ai-je perdu mon temps en faisant pour moi l'inventaire de 75 moi-même si continuellement, si soigneusement ? Car ceux qui s'analysent en pensée seulement, et oralement, une heure en passant, ne s'examinent pas aussi essentiellement et ne se pénètrent pas comme celui qui fait de cela son

11. Citation du philosophe et théologien latin saint Augustin (IVe-Ve siècle après J.-C.).
12. Une fois mort, Montaigne ne pourra plus s'intéresser à quiconque.
13. L'imprimerie.
14. Les pages des livres invendus servaient alors à envelopper certains produits achetés sur les marchés.
15. Citation du poète latin Martial (Ier siècle après J.-C.).
16. Citation du poète latin Catulle (Ier siècle après J.-C.).
17. Inoccupées.

étude, son ouvrage et son métier, qui s'engage à tenir un registre permanent avec toute sa foi, toute sa force.

80 Les plaisirs les plus délicieux se digèrent, certes, au-dedans, évitent de laisser des traces d'eux-mêmes et évitent d'être vus non seulement par le public, mais par un autre individu.

Combien de fois cette tâche m'a détourné de pensées ennuyeuses ! Et doivent être comptées comme ennuyeuses toutes les pensées frivoles[18]. 85 Nature nous a gratifiés d'une large faculté de nous occuper à part [dans nos réflexions] et elle nous y convie souvent pour nous apprendre que nous nous devons en partie à la société, mais, dans la meilleure partie, à nous-mêmes. Afin de discipliner mon imagination même à rêver avec quelque ordre et suivant un plan, et de la préserver de se perdre et de vagabonder au vent, il 90 n'y a rien comme de donner forme et de noter sur un registre tant de menues pensées qui se présentent à elle. Je prête attention à mes rêveries parce que j'ai à les enregistrer.

18. Futiles, superficielles.

TEXTES ÉCHOS À L'EXTRAIT L. 65-92

> **J. du Bellay,** *Les Regrets,* Sonnet 32 **p. 364**
> **Montaigne,** *Les Essais,* adresse au lecteur **p. 397**

L. 65-92 *Connais-toi toi-même !*

- Relevez les métaphores empruntées à la peinture et à la sculpture dans cet extrait et dans l'adresse au lecteur (p. 397). Comment éclairent-elles la définition du genre de l'essai selon Montaigne ?
- Que signifie l'expression « livre consubstantiel à son auteur » ? Pourquoi le lien qui unit Montaigne et ses *Essais* est-il original ?
- Lisez les textes échos. Dans cet extrait et dans l'adresse au lecteur p. 397, qu'apporte la pratique de l'introspection à Montaigne ? Comparez cette démarche à celle de Du Bellay (p. 364).

Combien de fois, étant contrarié par quelque action que la civilité et la raison me défendaient de blâmer ouvertement, je m'en suis soulagé ici, non 95 sans un dessein d'instruire le public ! Et certes ces coups de verges[19],

Zon dessus l'euil, zon sur le groin,
Zon sur le dos du Sagoin ![20]

s'impriment encore mieux sur le papier que la chair vive.

Que dire du fait que je prête un peu plus attentivement l'oreille aux 100 livres depuis que je guette si je pourrai en dérober quelque chose qui me permette d'émailler[21] ou d'étayer[22] le mien ?

Je n'ai nullement étudié pour faire un livre, mais j'ai quelque peu étudié parce que je l'avais fait, si c'est étudier un peu que d'effleurer et pincer par la tête ou par les pieds tantôt un auteur, tantôt un autre, nullement pour for- 105 mer mes opinions, mais bien pour les assister, formées [qu'elles sont] depuis longtemps, pour les seconder et les servir.

19. Baguettes qui servaient pour les châtiments corporels.
20. Citation du poète de la Renaissance Marot dans laquelle le nom de Sagon, ennemi du poète, est déformé en « sagoin », petit singe.
21. Embellir.
22. Consolider.

TEXTE ÉCHO À L'EXTRAIT L. 99-106

> **Montaigne,** *Les Essais,* Livre I, chap. 26 « Sur l'éducation des enfants » **p. 365**

L. 99-106 *Une œuvre nourrie de références antiques*

- Quelle est la place de la citation, c'est-à-dire de la parole de l'autre, dans l'écriture de Montaigne ?
- Lisez le texte écho. Comparez-le avec cet extrait de Montaigne et expliquez ce qu'apporte la connaissance des Anciens.

LE TITIEN (1485/88-1576),
Une allégorie de la prudence, vers 1565-1570, huile sur toile, 0,762 x 0,686 m (National Gallery, Londres).

Les visages représentent, de gauche à droite, Titien, son fils Orazio, et son cousin et héritier Marco Vecellio. Inscription en latin : « Informé du passé / le présent agit avec prudence / de peur qu'il n'ait à rougir de l'action future. »

Mais qui croirons-nous quand il parle de lui en une époque si corrompue ? vu qu'il est peu de gens, ou pas du tout, que nous puissions croire quand ils parlent des autres, à propos desquels il y a pourtant moins de raisons 110 de mentir. Le premier fait qui montre la corruption[23] des mœurs, c'est le bannissement de la vérité, car, comme disait Pindare[24], être véridique est le commencement d'une grande vertu et c'est le premier article que Platon demande à celui qui gouverne sa république[25]. Notre vérité de maintenant, ce n'est pas ce qui est, mais ce qui est persuadé aux autres, comme nous 115 appelons monnaie non seulement celle qui est légale, mais aussi la fausse monnaie qui a cours. On reproche depuis longtemps ce vice à notre nation : Salvien de Marseille[26] qui vivait du temps de l'empereur Valentinien, dit que pour les Français le mensonge et le parjure[27] n'est pas un vice, mais une façon de parler. Celui qui voudrait enchérir sur ce témoignage pourrait dire 120 que c'est à présent pour eux une vertu. On s'y forme, on s'y façonne comme dans un exercice honorable, car la dissimulation[28] est une des plus notables manières d'être de ce siècle.

Ainsi j'ai souvent considéré d'où pouvait naître la coutume, que nous observons si scrupuleusement, de nous sentir plus vivement offensés par le 125 reproche de ce vice, qui nous est si ordinaire, que par aucun autre, et [je me suis demandé] pourquoi l'extrême injure que l'on puisse nous faire en paroles c'est de nous reprocher le mensonge. Sur ce point, je trouve qu'il est naturel de se défendre surtout des défauts dont nous sommes le plus entachés. Il semble qu'en étant touchés par l'accusation et en nous émouvant nous nous 130 déchargeons en quelque sorte de la faute ; si nous l'avons effectivement [sur nous], nous la condamnons au moins en apparence.

[Si nous ressentons vivement] ce reproche, ne serait-ce pas aussi parce qu'il semble impliquer la couardise[29] et la lâcheté de cœur ? Est-il [couardise et lâcheté] plus expresses que de se dédire de sa parole ? Plus encore, de nier 135 ce que l'on sait ?

23. Dégradation, perversion.
24. Référence à Plutarque, historien latin (Ier-IIe siècle après J.-C.).
25. Référence à Platon.
26. Référence à Salvien, auteur latin (Ve siècle après J.-C.).
27. Faux serment ou trahison d'un serment.
28. Duplicité, hypocrisie.
29. Lâcheté.

C'est un vice bien laid que le mensonge, et un vice qu'un ancien[30] peint sous des couleurs honteuses quand il dit que mentir c'est donner un témoignage de mépris de Dieu et en même temps de crainte des hommes. Il n'est pas possible d'en exprimer plus pleinement l'horreur, la bassesse et la dépravation[31]. Que peut-on imaginer, en effet, de plus laid que d'être couard[32] à l'égard des hommes et brave à l'égard de Dieu[33] ? Le commerce entre les hommes étant conduit par la seule voie de la parole, celui qui la fausse trahit la société publique. C'est le seul outil par le moyen duquel se communiquent nos volontés et nos pensées, c'est l'interprète de notre âme : s'il nous manque, nous n'avons plus d'attaches entre nous, nous ne nous connaissons plus. S'il nous trompe, il rompt toutes nos relations et délie tous les liens de notre société.

Certains peuples des Indes nouvelles[34] (on n'a que faire d'en connaître les noms : ils n'existent plus, car la désolation apportée par cette conquête, d'un type extraordinaire et inouï, s'est étendue jusqu'au complet abolissement des noms et de l'ancienne connaissance des lieux) offraient à leurs dieux du sang humain, mais tiré uniquement de leur langue et de leurs oreilles, comme expiation du péché de leur mensonge, entendu aussi bien que proféré[35].

Tel joyeux compagnon de la Grèce [antique] disait que les enfants s'amusent avec les osselets, les hommes avec les mots.[36]

Quant aux différents usages de nos démentis, et aux lois de notre honneur en cette matière, et aux changements qu'elles ont reçus, je remets à une autre fois d'en dire ce que j'en sais ; j'apprendrai pendant ce temps, si je peux, en quel temps commença d'abord cette coutume qui consiste à peser et à mesurer si exactement les paroles et à y attacher notre honneur. Il est facile, en effet, de juger qu'elle n'existait pas dans l'antiquité chez les Romains et les Grecs. Et il m'a semblé souvent étrange et inouï de les voir s'infliger réciproquement des démentis et s'injurier sans entrer pour autant en querelle. Les lois de leur devoir prenaient quelque autre voie que les nôtres. On appelle César tantôt voleur, tantôt ivrogne à sa barbe. Nous voyons la liberté des invectives qu'ils lancent les uns contre les autres, je veux dire les plus grands chefs de guerre de l'une et l'autre de ces deux nations, invectives où les mots sont vengés seulement par des mots et qui n'entraînent pas d'autre conséquence.

Michel DE MONTAIGNE, *Les Essais*, Livre II, chap. 18, « Sur le démenti », 1595, traduction d'André Lanly, © Éditions Champion, Paris, 1989 / © Éditions Gallimard, coll. Quarto, 2009, pages 806 à 811.

30. Allusion à Plutarque.
31. Immoralité.
32. Lâche.
33. Ne pas craindre Dieu et n'avoir peur que des hommes est une preuve condamnable d'athéisme.
34. Allusion à Francisco López de Gómara, historien espagnol du XVIe siècle.
35. Prononcé.
36. Allusion au général spartiate Lysandre, qui mit fin à la guerre du Péloponnèse entre Sparte et Athènes (Ve siècle avant J.-C.).

TEXTES ÉCHOS À L'EXTRAIT L. 136-169

> **Montaigne,** *Les Essais* Livre I, chap. 31 « Sur les Cannibales » **p. 312**
> **D. Diderot,** *Supplément au voyage de Bougainville* **p. 317**
> **T. More,** *Utopie* **p. 359**
> **Rabelais,** *Gargantua*, chap. 55 « Comment était réglée la vie des Thélémites » **p. 360**

L. 136-169 *La condamnation du mensonge : un pacte de sincérité*

- Pourquoi cette réfutation du mensonge est-elle stratégique en regard du projet de Montaigne ?
- De quels modèles de sincérité Montaigne fait-il l'éloge ? En quoi ce choix s'inscrit-il dans la pensée et dans l'histoire de la Renaissance ?
- Montrez que celui que ses contemporains nomment « sauvage » devient, sous la plume de Montaigne, un modèle à imiter, et un instrument critique pour dénoncer les vices de la société européenne de la Renaissance.
- Lisez les textes échos. Comparez-les avec cet extrait de Montaigne et montrez que l'éloge et le blâme visent à condamner les défauts de la société européenne.

Le cheminement de l'écriture

1. L'émergence de l'écriture

Dans ma bibliothèque [...], je feuillette tantôt un livre, tantôt un autre, sans ordre et sans dessein, en prenant des passages sans lien [entre eux] ; tantôt je rêve, tantôt je note et je dicte, en me promenant, mes rêveries que je vous livre [dans ces *Essais*].

M. DE MONTAIGNE, *Les Essais*, Livre III, 3, « De trois commerces », trad. d'A. Lanly, © Éditions Champion, Paris, 2002 / © Éditions Gallimard, 2009, p. 1002.

2. Les additions, d'édition en édition

J'ajoute, mais je ne corrige pas. [...] Parce que, en ce qui me concerne, je crains de perdre au change : mon intelligence ne va pas toujours en progressant, elle va aussi à reculons. [...] Moi à l'heure qu'il est et moi il y a quelque temps nous sommes bien deux ; mais quand le meilleur ? Je n'en peux rien dire. Il serait beau d'être vieux si nous ne marchions que vers l'amélioration. [En réalité] nous avons un mouvement d'ivrogne titubant, pris de vertige, un mouvement informe, ou de joncs que l'air fait mouvoir au hasard selon son gré.

M. DE MONTAIGNE, *Les Essais*, Livre III, 9, « Sur la vanité », trad. d'A. Lanly, p. 1165.

3. L'écriture vagabonde

Cette farcissure est un peu hors de mon sujet. Je m'égare, mais plutôt par licence que par mégarde. Mes idées se suivent, mais parfois c'est de loin, et se regardent, mais d'une vue oblique. [...] C'est l'inattentif lecteur qui perd mon sujet, ce n'est pas moi ; il se trouvera toujours, dans un coin, un mot concernant le sujet qui ne manque pas d'être suffisant, quoiqu'il soit concis. Je vais au change sans mesure et en désordre. Mon style et mon esprit vagabondent l'un comme l'autre.

M. DE MONTAIGNE, *Les Essais*, Livre III, 9 « Sur la vanité », trad. d'A. Lanly, p. 1203.

1. Dans l'essai « Sur le démenti », où le mot du titre apparaît-il ? Comment qualifieriez-vous l'attitude de l'auteur vis-à-vis du sujet qu'il prétend traiter ?
2. Établissez le plan de cet extrait en titrant chaque paragraphe. Montrez que, malgré son apparence décousue, l'argumentation est construite avec précision.
3. Comment Montaigne justifie-t-il cette écriture à bâtons rompus ? Répondez en vous appuyant sur les textes 1, 2 et 3.

La réception de l'œuvre

Le sot projet qu'il a de se peindre ! et cela non pas en passant et contre ses maximes, comme il arrive à tout le monde de faillir, mais par ses propres maximes et par un dessein premier et principal. Car de dire des sottises par hasard et par faiblesse, c'est un mal ordinaire ; mais d'en dire par dessein, c'est ce qui n'est pas supportable, et d'en dire de telles que celles-ci...

PASCAL, *Pensées*, 1670.

Montaigne estime ne pouvoir véritablement connaître rien, que lui-même. De là cette extraordinaire défiance, dès qu'il raisonne : de là cette confiance, cette assurance, dès qu'il s'abandonne à lui-même et qu'il résigne à lui[1] ses visées. C'est bien ce qui l'amène à tant parler de lui ; car la connaissance de soi lui paraît aussitôt plus importante que toute autre.

André GIDE.

1. Limite à lui-même.

1. Quels reproches Pascal adresse-t-il à Montaigne ? En quoi ce jugement reflète-t-il la philosophie du classicisme selon laquelle « le moi est haïssable » ?
2. Que répond Gide à ces accusations ?
3. Quels arguments pouvez-vous ajouter en faveur des *Essais* ?

FICHE DE LECTURE 1
Je et les autres

Les *Essais* et la peinture du « moi » : un autoportrait littéraire

1. En quoi l'œuvre de Montaigne, tout en relevant de l'écriture de soi, diffère-t-elle de l'autobiographie, des mémoires, du journal intime ?

2. Pourquoi peut-on dire que les *Essais* sont un autoportrait de Montaigne alors qu'il n'y décrit quasiment pas son apparence physique ?

HISTOIRE DES ARTS

3. @ RECHERCHE Cherchez l'autoportrait d'un peintre d'une autre époque que la Renaissance et présentez-le à la classe en insistant particulièrement sur ce qu'il nous apprend de la personnalité ou de la vie du peintre. Indiquez également les différences avec un autoportrait de la Renaissance. Vous vous référerez à l'un des quatre autoportraits qui jalonnent ce parcours.

L'émergence de l'individu

4. En quoi les *Essais* reflètent-ils, au même titre que l'apparition de l'autoportrait en peinture, l'émergence de la notion d'individu à la Renaissance ?

5. Pourquoi Montaigne doit-il si souvent se justifier d'écrire sur lui-même, en se présentant comme homme « humble et sans gloire » ? Que révèle cette position défensive ?

6. Relevez les allusions aux sphères du privé et du public dans l'essai « Sur le démenti » (pages 385 à 389 du manuel). En quoi l'œuvre de Montaigne bouleverse-t-elle la frontière que le XVIe siècle établit entre privé et public ? En vous appuyant sur votre culture personnelle, montrez que Montaigne inaugure un mouvement qui n'a cessé de s'accroître jusqu'à nos jours.

Présence de l'autre : la culture humaniste

7. Montrez que, même s'il ne prétend pas faire une œuvre érudite, Montaigne est nourri de culture antique et que celle-ci influence ses idées, sa rédaction, son style.

8. On pourrait reprocher à quelqu'un qui prétend parler de lui avec sincérité de s'appuyer sur des textes écrits par d'autres. Comment Montaigne réfute-t-il cette objection dans l'essai « Sur le démenti » ?

RAPHAËL (1483-1520), *Portrait de l'artiste avec un ami*, XVe-XVIe siècle, huile sur toile, 0,99 x 0,83 m (Musée du Louvre, Paris).

9. @ RECHERCHE Cherchez les titres des différents essais de Montaigne et relevez-en quelques-uns qui illustrent la fameuse devise de l'auteur : « Que sais-je ? » En quoi ce questionnement est-il humaniste ?

Le « moi » de Montaigne, miroir de la nature humaine

J'expose une vie humble et sans gloire ; cela n'a pas d'importance : on attache aussi bien toute la philosophie morale à une vie ordinaire et privée qu'à une vie de plus riche étoffe : chaque homme porte [en lui] la forme entière de la condition humaine.

M. DE MONTAIGNE, *Les Essais*, Livre III, 2, « Sur le repentir », 1595, trad. d'A. Lanly, © Éditions Champion, Paris, 2002 / © Éditions Gallimard, 2009, p. 975.

10. Les *Essais* sont une œuvre littéraire, mais aussi une œuvre philosophique. Pourquoi l'autoportrait d'un homme unique, Montaigne, est-il en même temps une réflexion générale sur la nature humaine ?

11. Quels vices Montaigne dénonce-t-il dans l'essai « Sur le démenti » ? Où explicite-t-il cette vocation critique des *Essais* ?

FICHE DE LECTURE 2

Une écriture sans fin

L'essai, genre de l'inachèvement

Les traits de ma peinture ne sortent pas de leur vrai chemin bien qu'ils se changent et se diversifient. [...] Je ne peux pas fixer l'objet de mon étude. Il va trouble et chancelant, dans une ivresse naturelle. Je le prends dans cette situation, comme il est, dans l'instant où je m'occupe de lui. Je ne peins pas l'être, je peins le passage, non un passage d'un âge à un autre, ou, comme dit le peuple, de sept ans en sept ans, mais de jour en jour, de minute en minute.

M. DE MONTAIGNE, *Les Essais*, Livre III, 2, « Sur le repentir », 1595, trad. d'A. Lanly, © Éditions Champion, Paris, 2002 / © Éditions Gallimard, 2009, p. 974.

1. Quelle conception de la nature humaine l'œuvre dessine-t-elle ?

2. Comment le genre de l'essai parvient-il à fixer, par l'écriture, un « moi » toujours changeant et en mouvement ?

3. Pourquoi le genre décousu et fragmentaire de l'essai est-il adapté à la mise par écrit de pensées vagabondes ?

L'essai, tentative de prolonger une amitié achevée tragiquement

4. @ RECHERCHE Qui était Étienne de La Boétie et quelles étaient ses relations avec Montaigne ?

5. Peut-on dire que Montaigne, dans certains passages des *Essais*, semble vouloir renouer une telle relation, mais avec son lecteur ? Justifiez votre réponse avec précision.

Une écriture de la mélancolie

Dans le premier livre, l'essai XXIX, éloge de l'œuvre poétique de La Boétie, ne compte qu'une seule page : le chagrin empêche Montaigne d'écrire davantage et d'ériger un tombeau à la mémoire de son ami. À l'inverse, les textes qui encadrent cet essai vide sont sans cesse retravaillés. Ils deviennent de plus en plus longs.

C'est une humeur mélancolique – et une humeur par conséquent très opposée à ma disposition naturelle –, humeur produite par le chagrin de la solitude dans laquelle je m'étais jeté il y a quelques années, qui m'a mis d'abord en tête cette idée folle de me mêler d'écrire.

M. DE MONTAIGNE, *Les Essais*, Livre II, 8, « De l'affection des pères pour leurs enfants », trad. d'A. Lanly, © Éditions Champion, Paris, 1989 / © Éditions Gallimard, 2009, p. 473.

6. Regardez la gravure de Dürer intitulée *Allégorie de la Mélancolie*, p. 364 du manuel. Le personnage parvient-il à sortir de sa tristesse, malgré les livres, les objets d'art ou de science qui sont à sa disposition ?

7. Pour quelles raisons l'écriture peut-elle arracher Montaigne à son chagrin ? Pourquoi permet-elle de devenir un peu plus sage ?

8. Pourquoi l'écriture des *Essais* ne peut-elle prendre fin qu'avec la mort de Montaigne ?

Converser avec le lecteur

9. Relevez les marques stylistiques du dialogue dans les extraits présents dans le manuel et montrez que l'écriture de Montaigne s'apparente à une conversation à bâtons rompus.

10. @ RECHERCHE Quelle forme littéraire les œuvres de Platon adoptent-elles ? Montrez qu'elles ont influencé l'écriture et le style des *Essais*.

11. Quelles sont les qualités dont le lecteur doit disposer pour bien lire les *Essais* ? Référez-vous aux passages où Montaigne évoque son écriture vagabonde ou sa pratique des additions successives (p. 390 du manuel). Pensez aussi que les citations et références littéraires n'étaient à l'époque ni traduites ni accompagnées de notes.

Converser avec Montaigne, comme avec un ami

Je relis du Montaigne. C'est singulier comme je suis plein de ce bonhomme-là ! Est-ce une coïncidence, ou bien est-ce parce que je m'en suis bourré toute une année à 18 ans, où je ne lisais *que lui* ? Mais je suis ébahi, souvent, de trouver l'analyse très déliée de mes moindres sentiments ! Nous avons mêmes goûts, mêmes opinions, même manière de vivre, mêmes manies. – Il y a des gens que j'admire plus que lui, mais il n'y en a pas que j'évoquerais plus volontiers, et avec qui je causerais mieux.

Gustave FLAUBERT

Dans Montaigne ne m'émeut et ne m'occupe aujourd'hui que ceci : comment, dans une époque semblable à la nôtre, il s'est lui-même libéré intérieurement et comment, en le lisant, nous pouvons nous-mêmes nous fortifier à son exemple. Je vois en lui l'ancêtre, le protecteur et l'ami de chaque *homme libre* sur terre.

Stefan ZWEIG

12. Quelle relation Flaubert et Zweig ont-il l'impression d'entretenir avec Montaigne, malgré les siècles qui les séparent ? Montrez qu'elle correspond précisément au projet des *Essais*.

Corpus : « Éloge et blâme du souverain »

1 **Nicolas Machiavel,** *Le Prince,* 1516
2 **Rabelais,** *Gargantua,* 1534
3 **Ronsard,** *Institution pour l'adolescence de Charles IX,* 1561
4 *Portrait mythologique de François Ier, avec les attributs de Minerve, Mars, Mercure et Diane,* 1545

1 Nicolas Machiavel, *Le Prince,* 1516

Machiavel réfléchit à la cruauté et à la clémence du souverain. Il propose une réponse plus politique que morale à la question : vaut-il mieux qu'un Prince soit aimé ou craint ?

Le Prince ne se doit point soucier d'avoir le mauvais renom de cruauté pour tenir tous ses sujets en union et obéissance ; car, en ne faisant que quelques exemples, il sera plus pitoyable[1] que ceux qui, pour être trop miséricordieux[2], laissent se poursuivre les désordres, d'où naissent meurtres et rapines[3], qui nuisent à tous, alors que les exécutions ordonnées par le prince ne nuisent qu'à un particulier. [...]

Là-dessus naît une dispute[4] : vaut-il mieux être aimé que craint, ou l'inverse ? Je réponds qu'il faudrait être et l'un et l'autre ; mais comme il est bien difficile de les marier ensemble, il est beaucoup plus sûr de se faire craindre qu'aimer, quand on doit renoncer à l'un des deux. Car il est une chose qu'on peut dire de tous les hommes : qu'ils sont ingrats, changeants, dissimulés, ennemis du danger, avides de gain ; tant que tu leur fais du bien, ils sont tout à toi, ils t'offrent leur sang, leurs biens, leurs vies et leurs enfants, comme j'ai dit plus haut, pourvu que le besoin soit éloigné ; mais quand il approche, ils se dérobent. Et le Prince qui s'est fondé seulement sur leurs paroles, se trouve tout nu d'autres préparatifs, il est perdu ; car les amitiés qui s'acquièrent par argent et non par grand et noble cœur, on les mérite, mais on ne les a pas, et dans le besoin, on ne les peut employer ; les hommes hésitent moins à nuire à un homme qui se fait aimer qu'à un autre qui se fait craindre ; car l'amour se maintient par un lien d'obligations[5] et parce que les hommes sont méchants, là où l'occasion s'offrira d'un profit particulier, ce lien est rompu ; mais la crainte se maintient par une peur de châtiment qui ne te quitte jamais.

Nicolas Machiavel, *Le Prince*, 1516, © Éditions Gallimard, Folio Plus, 1980.

1. Charitable.
2. Indulgent.
3. Vols.
4. Débat.
5. Sentiment de reconnaissance envers quelqu'un.

2 RABELAIS, *Gargantua*, 1534

Admirateur de François Ier, en guerre contre Charles Quint, Rabelais s'inspire des conflits de son temps pour imaginer le conflit qui oppose, pour un motif futile (une querelle de fougasses), le géant Grandgousier, père de Gargantua, et son voisin, le roitelet Picrochole, que de mauvais conseillers poussent à la guerre.

1 Le duc de Menuail[1], le comte Spadassin[2] et le capitaine Merdaille comparurent devant Picrochole et lui dirent :

« Sire, aujourd'hui nous allons faire de vous le prince le plus heureux et le plus chevaleresque qui ait jamais existé depuis la mort d'Alexandre de
5 Macédoine. Voici comment :

[...] Votre armée, vous la séparerez en deux, comme vous le comprenez bien. Une partie se précipitera sur ce Grandgousier et ses gens. Il en sera facilement déconfit au premier assaut. [...] L'autre partie, pendant ce temps, se dirigera vers l'Aunis, la Saintonge, l'Angoumois et la Gascogne, et aussi
10 le Périgord, le Médoc et les Landes. Sans résistance ils prendront villes, châteaux et forteresses. À Bayonne, Saint-Jean-de-Luz et Fontarabie, vous saisirez tous les navires, et, longeant la Galice et le Portugal, vous pillerez toutes les côtes jusqu'à Lisbonne, où vous trouverez tout le renfort d'équipage nécessaire à un conquérant. Corbleu, l'Espagne se rendra, car ce ne sont que
15 des lourdauds ! Vous passerez le détroit de Gibraltar, et là vous érigerez deux colonnes plus magnifiques que celles d'Hercule[3], pour perpétuer à jamais votre mémoire. Et on nommera ce détroit la mer Picrocholine. Passé la mer Picrocholine, voici Barberousse[4], qui se reconnaît votre esclave...

– Je lui ferai grâce, dit Picrochole.

20 – Sans doute, dirent-ils, pourvu qu'il se fasse baptiser. Et vous attaquerez les royaumes de Tunis, d'Hippone, bref toute la Barbarie. En poursuivant votre route, vous vous saisirez de Majorque, Minorque, la Sardaigne, la Corse et les autres îles de la mer Ligurienne et Baléare. Longeant la côte à main gauche, vous dominerez toute la Narbonnaise, la Provence et les Allobroges, Gênes, Florence,
25 Lucques, et adieu Rome ! Le pauvre Monsieur du Pape meurt déjà de peur[5]...

– Par ma foi, dit Picrochole, je ne lui baiserai pas la pantoufle.

– [...] De là nous prendrons la Crête, Chypre, Rhodes et les îles Cyclades, et fonceront sur la Morée. Nous la tenons. Saint Treignant, Dieu garde Jérusalem ! car le sultan ne peut rivaliser avec votre puissance !

30 – Je ferai donc rebâtir le temple de Salomon[6].

– Pas encore, dirent-ils ; attendez un peu. Ne soyez pas si précipité dans vos entreprises. Savez-vous ce que disait Octavien Auguste ? *Hâte-toi lentement*[7]. Il vous faut d'abord conquérir l'Asie Mineure, la Carie, la Lycie, la Pamphylie, la Cilicie, la Lydie, la Phrygie, la Mysie, la Bithynie, Carrisie,
35 Adalia, Samagarie, Kastamouni, Luga, Sébaste, jusqu'à l'Euphrate[8].

– Verrons-nous Babylone et le mont Sinaï ?

– Il n'en est pas besoin pour le moment. Ne s'est-on pas déjà assez déméné à franchir les mots du Caucase, traverser la mer Caspienne, et chevaucher à travers les deux Arménies et les trois Arabies ?

40 – Par ma foi, dit-il, nous sommes affolés. Ha, pauvres gens !

– Quoi donc ?

– Que boirons-nous dans ces déserts ? [...] »

RABELAIS, *Gargantua*, 1534, © Éditions Pocket, 1992.
Traduction de Marie-Madeleine Fragonard.

1. Menuaille : quantité de petite monnaie ou de petites choses sans valeur.
2. Amateur de duels à l'épée.
3. Ces colonnes, selon la légende érigées par Hercule au détroit de Gibraltar, figurent sur le drapeau de Charles Quint, avec la devise « Plus outre », qui explicite son désir de conquêtes universelles.
4. Célèbre corsaire, hantise de la flotte de Charles Quint.
5. En 1527, l'armée de Charles Quint pille Rome et retient le pape prisonnier.
6. Allusion aux Croisades, dont Charles Quint se réclamait également.
7. Devise d'Auguste.
8. La plupart de ces noms, issus de la géographie antique, sont déjà obsolètes du temps de Rabelais.

3 RONSARD, *Institution pour l'adolescence de Charles IX*, 1561

Né en 1550, Charles IX a tout juste dix ans lorsqu'il devient roi de France en 1560, dans un contexte tendu de guerres de religion, et c'est sa mère, Catherine de Médicis, qui assure la régence et gouverne en son nom. Ronsard adresse au jeune roi ce discours, dans lequel il définit sa conception du souverain.

1 Sire, ce n'est pas tout que d'être Roi de France,
Il faut que la vertu honore votre enfance :
» Un Roi sans la vertu porte le Sceptre en vain,
» Qui ne lui est sinon un fardeau dans la main.[1]
5 Pource[2] on dit que Thétis[3] la femme de Pelée,
Après avoir la peau de son enfant brûlée,
Pour le rendre immortel le prit en son giron[4],
Et de nuit l'emporta dans l'antre de Chiron :
Chiron noble centaure, à fin de lui apprendre
10 Les plus rares vertus dès sa jeunesse tendre,
Et de science et d'art son Achille honorer.
» Un Roi pour être grand ne doit rien ignorer.
Il ne doit seulement savoir l'art de la guerre,
De garder les cités, ou les ruer[5] par terre,
15 De piquer[6] les chevaux, ou contre son harnois[7]
Recevoir mille coups de lances aux tournois :
De savoir comme il faut dresser une embuscade,
Ou donner une cargue[8] ou une camisade[9],
Se ranger en bataille et sous les étendards
20 Mettre par artifice en ordre les soldars[10].
Les Rois les plus brutaux telles choses n'ignorent,
Et par le sang versé leurs couronnes honorent :
Tout ainsi que Lions qui s'estiment alors
De tous les animaux être vus les plus forts
25 Quand ils ont dévoré un cerf au grand corsage[11],
Et ont rempli les champs de meurtre et de carnage.
Mais les Princes mieux nés n'estiment leur vertu
Procéder ni de sang ni de glaive pointu :
Ni de harnois ferrés qui les peuples étonnent,
30 Mais par les beaux métiers que les Muses nous donnent.
Quand les Muses qui sont filles de Jupiter
(Dont les Rois sont issus) les Rois daignent chanter,
Elles les font marcher en toute révérence,
Loin de leur Majesté bannissent l'ignorance :
35 Et tous remplis de grâce et de divinité,
Les font parmi le peuple ordonner équité.
Ils deviennent appris en la Mathématique,
En l'art de bien parler, en Histoire et Musique,
En physionomie, à fin de mieux savoir
40 Juger de leurs sujets seulement à les voir.
Telle science sut le jeune Prince Achille.

RONSARD, *Institution pour l'adolescence de Charles IX*, 1561.

1. Les vers précédés par » sont des maximes.
2. Pour cela.
3. Thétis et Pelée ont eu Achille pour fils. Pour le rendre invincible, Thétis le plonge dans les eaux brûlantes du fleuve Styx et, pour parfaire son éducation, elle le confie au centaure Chiron.
4. Contre sa poitrine.
5. Renverser.
6. Éperonner.
7. Armure.
8. Charge.
9. Attaque de nuit.
10. Soldats.
11. Poitrail.

4 *Portrait mythologique de François Ier*, 1545

Portrait mythologique de François Ier, avec les attributs de Minerve, Mars, Mercure et Diane, par le Maître des Heures de Henri II, 1545, parchemin.

Transcription du texte :

« François en guerre est un Mars furieux /
En paix Minerve et Diane à la chasse /
À bien parler Mercure copieux /
À bien aimer vrai Amour plein de grâce /
Ô France heureuse honore donc la face /
De ton grand Roy qui surpasse Nature /
Car l'honorant tu sers en même place /
Minerve Mars Diane Amour Mercure »

Questions sur un corpus

1. Quelle image du souverain chacun de ces textes propose-t-il ? Quels procédés littéraires mobilisent-ils au service de cette visée ?

2. Les conceptions du pouvoir idéal qu'expriment explicitement ou implicitement ces auteurs vous semblent-elles correspondre aux idéaux humanistes ? Justifiez votre réponse.

Fiche 46 Répondre à une question sur un corpus

Travaux d'écriture

Commentaire

Rédigez un commentaire du texte de Rabelais. Après avoir étudié la démesure des conquêtes imaginées par les conseillers de Picrochole et les procédés stylistiques qui la soulignent, vous montrerez leur dimension comique. Enfin, vous ferez apparaître la perspective critique qui se cache dans cet extrait humaniste.

Fiches 49 à 51 Vers le commentaire

Dissertation

Quelles améliorations de la société un écrivain humaniste, conseiller du Prince, peut-il proposer ? Vous appuierez votre réflexion sur les textes du corpus, ainsi que sur vos connaissances littéraires et vos lectures personnelles.

Fiches 53 à 55 Vers la dissertation

Écriture d'invention

Deux humanistes, l'un partisan des théories de Machiavel, et l'autre de celles de Ronsard, cherchent à convaincre un jeune souverain de suivre leurs conseils. Imaginez leur dialogue, présentant arguments et exemples fondés sur le bon sens et la culture humaniste.

Fiches 47 et 48 Vers l'écriture d'invention

Vers un espace culturel européen : Renaissance et humanisme

À lire

1. Jean-Claude CARRIÈRE, *La Controverse de Valladolid*, 1993
Ce roman, par la suite adapté pour la télévision, s'inspire d'un débat réel qui oppose au XVIe siècle Bartholomé de Las Casas, ardent défenseur de l'humanité des Indiens, au philosophe Sepúlveda, partisan de leur infériorité et de leur colonisation.

© Éditions J'ai lu

2. Thomas MORE, *Utopie*, 1516
Le dialogue entre l'auteur et un marin sur la société anglaise et ses vices est suivi de la description de l'idéal de justice sociale et d'ordre moral que représente l'île d'Utopie.

3. RABELAIS, *Pantagruel Gargantua*, 1532-1534
Ces deux romans, certainement les plus célèbres de la Renaissance française, racontent, sur un mode comique, les aventures humanistes du géant Gargantua et de son fils Pantagruel.

Lire l'*incipit*

4. MONTAIGNE, *Les Essais*, 1595
Œuvre majeure de Montaigne à laquelle il travailla jusqu'à sa mort, *Les Essais* sont un recueil de pensées philosophiques et de réflexions autobiographiques.

Au lecteur

C'est ici un livre de bonne foi, lecteur. Il t'avertit, dès l'entrée, que je ne m'y suis pas assigné d'autres buts que familiaux et personnels. Je ne m'y suis pas du tout préoccupé de ton intérêt, ni de ma gloire. Mes forces ne sont pas capables d'un tel dessein. J'ai voulu que ce livre soit commode avant tout pour mes parents et mes amis : que, lorsqu'ils m'auront perdu (ce qui ne saurait tarder), ils puissent y retrouver certains traits de mon caractère et de mes humeurs, et qu'ils entretiennent ainsi de manière plus entière et plus vivante la connaissance qu'ils ont eue de moi. Si j'avais écrit pour rechercher les faveurs du monde, je me serais mieux paré, et je me présenterais avec une démarche étudiée. Je veux qu'on me voie là tel que je suis dans ma forme simple, naturelle et ordinaire, sans effort et sans artifice : car c'est moi que je peins. Mes défauts se liront sur le vif, ainsi que ma manière d'être naïve, autant que me le permettent les convenances. Si j'avais été de ces peuplades dont on dit qu'elles vivent encore dans la douce liberté des premières lois de nature, je t'assure que je me serais très volontiers peint tout entier ici, et tout nu. Ainsi, lecteur, je suis moi-même la matière de mon livre : il n'est pas raisonnable de prendre sur tes loisirs pour un sujet si frivole et si vain.

Adieu donc ; de Montaigne, ce 1er mars 1580.

MONTAIGNE, *Les Essais*, 1595, traduction de Bruno Roger-Vasselin, Classiques Hachette, Bibliolycée, 2004.

@ consulter

- **http://expositions.bnf.fr/renais/index.htm**

Exposition virtuelle sur les dessins de la Renaissance.

À voir

***1492*, film de Ridley Scott, 1992**
Sorti jour pour jour 500 ans après son accostage sur l'île de Guanahani dans les Bahamas, ce film relate le voyage de Christophe Colomb et sa découverte des Amériques.

***La Reine Margot*, film de Patrice Chéreau, 1994**
Adapté du roman d'Alexandre Dumas, ce film retrace les quelques jours qui séparent le mariage de Marguerite, fille de Catherine de Médicis et sœur du roi Charles IX, avec le protestant Henri de Navarre, futur Henri IV, du massacre de la Saint-Barthélemy.

Chapitre

6 Les réécritures, du XVIIe siècle à nos jours

SÉRIE L

- SÉQUENCE 21
  Réécrire pour faire œuvre nouvelle
- SÉQUENCE 22
  HISTOIRE DES ARTS : *Les Vampires*
- VERS LE BAC
  L'anecdote de la jeune veuve
- PISTES DE LECTURE

François FONTAINE, *Poésie urbaine*, Madrid, 1999-2001.

Séquence

21 Réécrire pour faire œuvre nouvelle

La pratique des réécritures témoigne d'une volonté de s'inscrire dans un patrimoine littéraire et artistique. De l'hommage à la parodie, de l'imitation au plagiat, de la variation à la transposition : nourri de ses lectures, l'auteur fait œuvre nouvelle.

Problématique : L'acte de création doit-il rechercher l'innovation ?

Objectifs

- Étudier les formes et les fonctions des réécritures
- Comprendre les motivations de cette démarche de création

Histoire des arts : L. DE VINCI, *La Joconde*, 1503-1506 — 400
F. LÉGER, *La Joconde aux clés*, 1930
J.-M. BASQUIAT, *Mona Lisa*, 1983

CORPUS 1 : La filiation et l'hommage
1 **PÉTRARQUE**, « Sonnet 57 », *Canzoniere*, XIVe siècle — 402
2 **J. DU BELLAY**, « Les cheveux d'or », *L'Olive*, 1549 — 403
3 **P. DE RONSARD**, « J'espère et crains », *Les Amours*, 1553 — 404
4 **C. BAUDELAIRE**, « Chant d'automne », *Les Fleurs du mal*, 1857 — 405
5 **P. VERLAINE**, « Chanson d'automne », *Poèmes saturniens*, 1866 — 407
6 **S. GAINSBOURG**, « Je suis venu te dire que je m'en vais », *Vu de l'extérieur*, 1973 — 408

CORPUS 2 : L'imitation
7 **HOMÈRE**, *Iliade*, VIIIe siècle av. J.-C — 410
8 **A. BARICCO**, *Homère, Iliade*, 2006 — 411

CORPUS 3 : Se réécrire, en quête du mot juste
9 **A. COHEN**, *Le Livre de ma mère*, 1954 — 412
10 **A. COHEN**, *Carnets 1978*, 1979 — 413

CORPUS 4 : Transposer, d'un genre à l'autre
11 **G. FLAUBERT**, *Madame Bovary*, 1857 — 414
12 **P. SIMMONDS**, *Gemma Bovery*, 2000 — 415

CORPUS 5 : La variation et la transposition, autour de Salomé
13 *La Bible, Nouveau Testament*, « Évangile selon Marc », VI — 416
14 **G. FLAUBERT**, « Herodias », *Trois Contes*, 1877 — 417
15 **J.-K. HUYSMANS**, *À rebours*, 1884 — 418
16 **J. LAFORGUE**, *Moralités légendaires*, 1887 — 420

Pour argumenter : Réécriture ou plagiat ?
M. DARRIEUSSECQ, *Rapport de police*, 2010 — 421

Histoire littéraire : Les réécritures — 422

MÉTHODES p. 439

Objets d'étude de la filière littéraire Fiche 36
Lire et analyser Fiches 40, 41, 42
Préparer le baccalauréat Fiches 46, 47, 49, 53, 54, 55, 56
Étude de la langue Fiches 59, 61

Histoire des arts

La Joconde,
vue par L. de Vinci (1503-1506), F. Léger (1930), et J.-M. Basquiat (1983)

Biographie p. 631

Biographie p. 628

Biographie p. 624

Fernand LÉGER (1881-1955), *La Joconde aux clés*, 1930, huile sur toile, 91 x 72 cm (Musée Fernand Léger, Biot).

Jean-Michel BASQUIAT (1960-1988), *Mona Lisa*, 1983, acrylique et crayon sur toile, 169,5 x 154,5 cm (collection privée).

Bad painting

La Joconde devient pour Jean-Michel Basquiat un support de « ***bad painting*** ». Littéralement « mauvaise peinture », ce mouvement pictural avant-gardiste né dans les années 1970 aux États-Unis, s'inspire des arts de la rue (tags, dessins à la craie sur le sol, pochoir, graffitis) et développe une critique du beau académique. Figuration libre, surcharges de couleur, thèmes tapageurs et utilisation de matériaux en tout genre : tout est permis. Cette rébellion totale dans la composition, proche des cultures marginalisées (punk, afro-américaine, hispano-américaines...), veut libérer l'art et lui rendre toute sa puissance esthétique et politique.

Ici, l'utilisation mêlée de la craie et de l'acrylique, la rapidité et la nervosité du trait, l'imprécision des contours ainsi que la présence d'inscriptions en arrière-plan montrent que Basquiat revisite Mona Lisa selon les codes du graffiti et fait descendre l'art dans la rue.

Léonard DE VINCI (1452-1519), *La Joconde*, 1503-1506, huile sur bois, 77 x 53 cm (Musée du Louvre, Paris).

Un sourire qui inspire

La Joconde marque un tournant dans l'histoire de la peinture. Vinci adopte certes une touche réaliste, mimétique du sujet, mais le ***sfumato***, technique qui dissout les contours dans un lointain bleuté, met en valeur l'énigme du sourire.

Ce **chef-d'œuvre patrimonial** a alors été maintes fois copié et détourné. Au XXe siècle, M. Duchamp, S. Dalí et A. Warhol ont proposé « leur » Mona Lisa. Ainsi, la célébrité de ce tableau connu de tous offre l'occasion aux artistes de jouer avec une **icône**, de s'amuser avec les codes de notre culture commune.

On peut rapprocher la démarche de F. Léger et J.-M. Basquiat de celle des réécritures littéraires.

Chez **Fernand Léger**, c'est une **approche ludique** qui nous est proposée. Le peintre s'amuse dans sa toile à placer Mona Lisa au second plan : elle devient **un objet** comme un autre, au même titre qu'une boîte de sardines. L'imposant trousseau de clés qui les désigne toutes deux, semble renvoyer le spectateur au mystère que constitue *La Joconde* et l'invite à trouver « les clés » de cet énigmatique tableau. Si l'on peut parler de « réécriture » ou de « citation », c'est parce que F. Léger emprunte à L. de Vinci les couleurs orangées et les contours flous de la jeune femme qui peuvent rappeler le *sfumato*.

Comme Salvador Dalí, dessinant à Mona Lisa des yeux en forme de dollar, **Jean-Michel Basquiat** peint Mona Lisa sur un billet d'un dollar. Le fond jaune d'or évoque la valeur marchande des œuvres d'art. Il signale que l'œuvre est comme une **monnaie d'échange**, un symbole de l'argent. Son sourire, irrévérencieux, est un pied de nez au marché de l'art.

Variations sur un visage

LECTURE DES IMAGES

1. (@ RECHERCHE) D'autres artistes ont proposé leur vision de *La Joconde* : cherchez les plus célèbres et demandez-vous s'il s'agit d'un hommage ou d'une parodie.
2. En étudiant la place accordée à *La Joconde* dans les deux tableaux qui la réinterprètent, le choix des couleurs et les techniques employées, analysez l'écart entre l'original et sa variation.

Fiche 42 **Lecture de l'image fixe**

3. Quelles sont les caractéristiques du « *Bad painting* » dans le tableau de Basquiat ?
4. En vous aidant des textes qui accompagnent le tableau, explicitez le titre choisi par Fernand Léger.
5. Nombreux sont les artistes inspirés par le sourire énigmatique de Mona Lisa. Qu'a-t-il d'unique et de mystérieux selon vous ? Le repeindre est-il un exercice de style ou la tentative d'éclaircir ce mystère ?
6. Pourquoi peut-on dire du tableau de Vinci qu'il est une œuvre source ?
7. « Mona » signifie la seule, l'unique. Or, *La Joconde* est l'œuvre la plus reproduite au monde. Comment expliquez-vous ce paradoxe ?

VERS LE BAC

Oral (entretien)

Copier, photocopier, détourner une œuvre d'art en atténue-t-il la force ou lui rend-il hommage ?

Fiche 56 **Réussir l'épreuve orale du baccalauréat**

Invention

Mona Lisa souffre de se voir reproduite en série sur des sacs, des tee-shirts, des mugs, avec, parfois, des moustaches ou des lunettes. Inventez le monologue où elle revendique son caractère unique, absolument non reproductible.

Fiche 47 **Comprendre un sujet d'écriture d'invention**

Pétrarque, Canzoniere, XIVe siècle

Pétrarque est l'auteur italien du Canzoniere*, recueil de 170 poèmes rédigés à partir de 1327. Il lance le sonnet, toute nouvelle forme fixe composée de deux quatrains et de deux tercets, qui peut s'organiser autour d'oppositions : il s'agit alors d'un sonnet par contradictions.*

Biographie p. 629
Du même auteur p. 208
Histoire littéraire p. 422
Repères historiques p. 614

1 Ma fortune à venir est lente et paresseuse,
Mon espoir incertain ; et mon désir croît, monte,
Si bien que me déplaisent et partir et attendre ;
Ensuite à s'en aller plus que tigre elle est prompte.

5 Hélas, les neiges seront tièdes et noires,
La mer sans onde, et les poissons sur l'alpe,
Le coucher du soleil au-delà d'où jaillissent
Et l'Euphrate et le Tigre[1] d'une source commune,

Avant qu'à cet état ne trouve trêve ou paix,
10 Et qu'Amour ou ma dame un autre usage apprennent,
À tort tous deux contre moi conjurés.

Et la douceur pour moi vient après tant d'amer,
Que de dépit le goût en disparaît :
Jamais de leurs bienfaits rien d'autre ne retire.

PÉTRARQUE, Sonnet 57, *Canzoniere*, XIVe siècle,
trad. du comte Ferdinand L. de Gramont, 1842.

1. Fleuves d'Asie occidentale.

Michelangelo MERISI DA CARAVAGGIO, dit LE CARAVAGE (vers 1571-1610), *L'Amour vainqueur*, vers 1602, huile sur toile, 1,56 x 1,13 m (Gemäldegalerie, Berlin).

2

Joachim du Bellay, L'Olive, 1549

Désireux, de faire connaître le lyrisme amoureux du sonnet pétrarquisant, J. du Bellay s'inspire du modèle italien pour composer L'Olive *(1549).*

Biographie p. 626
Du même auteur p. 222, 364, 367, 382
Histoire littéraire p. 422
Repères historiques p. 614

Pierre-Paul RUBENS (1577-1640), *Prométhée enchaîné*, 1611, huile sur bois, 1,060 x 0,757 m (Lille, Palais des Beaux-Arts).

Ces cheveux d'or sont les liens, Madame

1 Ces cheveux d'or sont les liens, Madame,
Dont fut premier[1] ma liberté surprise,
Amour la flamme autour du cœur éprise,
Ces yeux le trait[2], qui me transperce l'âme.

5 Forts sont les nœuds, âpre, et vive la flamme,
Le coup de main à tirer bien apprise,
Et toutefois j'aime, j'adore et prise[3]
Ce qui m'étreint, qui me brûle, et entame.

Pour briser donc, pour éteindre, et guérir
10 Ce dur lien, cette ardeur, cette plaie,
Je ne quiers[4] fer, liqueur ni médecine :

L'heur[5] et plaisir, que ce m'est de périr
De telle main, ne permet que j'essaie
Glaive tranchant, ni froideur, ni racine.

Joachim DU BELLAY, « Ces cheveux d'or sont les liens, Madame », *L'Olive*, 1549.

1. D'abord.
2. La flèche (allusion aux flèches décochées par Cupidon).
3. J'estime, j'apprécie.
4. Du verbe « quérir » : chercher.
5. Le bonheur.

3

Pierre de Ronsard, Les Amours, 1553

Biographie p. 630
Du même auteur p. 208, 214, 222, 368, 395
Histoire littéraire p. 422
Repères historiques p. 614

Chef de file de La Pléiade, Ronsard est célébré comme « le prince des poètes ». Les Amours *désignent une série de sonnets qui s'égrènent au fil de sa vie. Il y compose une poésie lyrique en décasyllabes célébrant des passions fictives ou réelles, celles de Cassandre, de Marie ou d'Hélène.*

1 J'espère et crains, je me tais et supplie,
Or je suis glace et ores[1] un feu chaud,
J'admire tout, et de rien ne me chaut[2],
Je me délace, et puis je me relie[3].

5 Rien ne me plaît sinon ce qui m'ennuie :
Je suis vaillant, et le cœur me défaut[4],
J'ai l'espoir bas, j'ai le courage haut,
Je doute Amour, et si[5] je le défie.

Plus je me pique, et plus je suis rétif,
10 J'aime être libre, et veux être captif,
Cent fois je meurs, cent fois je prends naissance.

Un Prométhée[6] en passions je suis,
Et pour aimer perdant toute puissance,
Ne pouvant rien je fais ce que je puis.

Pierre DE RONSARD, Sonnet 12, *Les Amours*, 1553.

1. « Or… ores » : tantôt… tantôt.
2. Du verbe « chaloir » : m'importer, m'intéresser.
3. Je renoue le lien.
4. Me manque.
5. Pourtant.
6. Titan qui déroba aux dieux le feu pour l'apporter aux hommes. Cette action lui valut d'être enchaîné tandis qu'un aigle lui ronge le foie pour l'éternité.

Les feux de la passion

LECTURE DES TEXTES 1 À 3

Héritiers de Pétrarque

1. Observez strophes, vers et dispositions des rimes afin de déduire quelle forme adopte un sonnet pétrarquisant.
2. Montrez, par des relevés, qu'il exprime le tourment amoureux par des contradictions.

▶ Fiche 25 **Les formes poétiques du XVIe siècle à nos jours**

3. Quelle image du poète chaque sonnet propose-t-il ? Montrez que certains vers s'appuient sur des images mythiques quand d'autres préfèrent des analogies avec la nature.

Le lien fatal

4. LEXIQUE Cherchez l'étymologie du mot « passion ». Quels champs lexicaux utilisent Ronsard et Du Bellay pour évoquer la duplicité de la passion ?
5. Quels objet ou image symbolisent le lien amoureux dans chaque sonnet ? Analysez l'intensité de ce lien.
6. Pétrarque définit *l'innamoramento* comme le coup de foudre : quels termes expriment la soudaineté et l'intensité de cet instant fatal ?
7. Quels vers pourraient servir de titre au tableau du Caravage ? Justifiez vos choix.

▶ Fiche 42 **Lecture de l'image fixe**

8. ORAL Identifiez les phénomènes sonores (allitérations, -e muets, diérèses ou synérèses). Puis, proposez une lecture du poème de votre choix mettant en valeur les mots-clés.

▶ Fiche 24 **La versification du XVIe siècle à nos jours**

HISTOIRE DES ARTS

9. Montrez que le traitement de la lumière par Le Caravage met en valeur la victoire de l'amour.
10. Montrez que dans le tableau de Rubens l'analogie de traitement entre le corps humain et le tronc de l'arbre exprime la souffrance de Prométhée.

VERS LE BAC

Oral (entretien)

Tel Prométhée enchaîné, supplicié pour l'éternité, le poète amoureux n'est-il pas condamné à écrire et réécrire le mal qui le ronge ?

Question sur un corpus

Pétrarque exprime la souffrance de l'amour en images savantes et raffinées. Ses suiveurs sont-ils fidèles à cette démarche ?

▶ Fiche 46 **Répondre à une question sur un corpus**

Ivan Silytch GORIOUCHKINE-SOROKOPOUDOV (1873-1954), *Chute de feuilles*, ap. 1900, 0,67 x 0,47 m (Galerie Tretïakoff, Moscou).

4 Charles Baudelaire, *Les Fleurs du mal*, 1857

À trente-six ans, Baudelaire publie Les Fleurs du mal, *qui lui valent une condamnation pour immoralité : il affirme qu'il existe une beauté propre au Mal, émanant de la souffrance ou de la laideur. Elle repose sur l'opposition fondamentale entre le « Spleen et l'Idéal », titre de la section dont est extrait « Chant d'automne ».*

Biographie p. 624

Du même auteur p. 218, 219, 244, 245, 297, 351, 429

Histoire littéraire p. 422

Repères historiques p. 620

Chant d'automne

I

1 Bientôt nous plongerons dans les froides ténèbres ;
Adieu, vive clarté de nos étés trop courts !
J'entends déjà tomber avec des chocs funèbres
Le bois[1] retentissant sur le pavé des cours.

5 Tout l'hiver va rentrer dans mon être : colère,
Haine, frissons, horreur, labeur dur et forcé,
Et, comme le soleil dans son enfer polaire,
Mon cœur ne sera plus qu'un bloc rouge et glacé.

1. Des arbres que l'on abat. Au sens figuré : l'échafaud.

J'écoute en frémissant chaque bûche qui tombe ;
10 L'échafaud qu'on bâtit n'a pas d'écho plus sourd.
Mon esprit est pareil à la tour qui succombe
Sous les coups du bélier infatigable et lourd.

Il me semble, bercé par ce choc monotone,
Qu'on cloue en grande hâte un cercueil quelque part.
15 Pour qui ? – C'était hier l'été ; voici l'automne !
Ce bruit mystérieux sonne comme un départ.

II

J'aime de vos longs yeux la lumière verdâtre,
Douce beauté, mais tout aujourd'hui m'est amer,
Et rien, ni votre amour, ni le boudoir, ni l'âtre,
20 Ne me vaut le soleil rayonnant sur la mer.

Et pourtant aimez-moi, tendre cœur ! soyez mère,
Même pour un ingrat, même pour un méchant ;
Amante ou sœur, soyez la douceur éphémère
D'un glorieux automne ou d'un soleil couchant.

25 Courte tâche ! La tombe attend ; elle est avide !
Ah ! laissez-moi, mon front posé sur vos genoux,
Goûter, en regrettant l'été blanc et torride,
De l'arrière-saison le rayon jaune et doux !

Charles BAUDELAIRE, « Chant d'automne », *Les Fleurs du mal*, LVI, 1857.

Deux visages pour une saison

LECTURE DU TEXTE

1. Donnez un titre à chaque partie du poème. Votre plan montrera la progression du malaise, rendue sensible par le lexique des sensations, les sonorités, les rimes.

2. Comment l'imminence de la mort est-elle suggérée dans l'ensemble du poème ? Relevez les **métaphores** et les **oxymores** traduisant l'angoisse du poète.

Fiche 41 **Les figures de style**

3. Comment le poète exprime-t-il des sentiments contradictoires ? À quel **registre** fait-il appel ?

Fiche 40 **Les registres**

4. @RECHERCHE Ce poème est dédicacé à Marie Daubrun. Cherchez qui fut Marie et quelle fut son importance auprès du poète.

5. Quel rôle le poète lui attribue-t-il ? Appuyez-vous sur le contraste des champs lexicaux entre la première et la seconde partie et les marques énonciatives.

HISTOIRE DES ARTS

Montrez par quels procédés le peintre personnifie la saison en une jeune femme.

VERS LE BAC

Oral (analyse)

En considérant les deux parties du poème, quelle vision Baudelaire nous donne-t-il de l'automne ?

Fiche 56 **Réussir l'épreuve orale du baccalauréat**

5 Paul Verlaine, Poèmes saturniens, 1866

Biographie p. 631
Du même auteur p. 216, 217
Histoire littéraire p. 422
Repères historiques p. 620

Les Poèmes saturniens *constituent le premier recueil du poète de vingt-deux ans. Les amours malheureuses et la langueur de vivre s'y expriment avec une extraordinaire musicalité. Son lyrisme ne « recherche pas la couleur, rien que la nuance » et la subtilité musicale de sa « Chanson d'automne » a inspiré de nombreux compositeurs.*

Chanson d'automne

1 Les sanglots longs
Des violons
De l'automne
Blessent mon cœur
5 D'une langueur
Monotone.

Tout suffocant
Et blême, quand
Sonne l'heure,
10 Je me souviens
Des jours anciens
Et je pleure ;

Et je m'en vais
Au vent mauvais
15 Qui m'emporte
Deçà, delà,
Pareil à la
Feuille morte.

Paul VERLAINE, « Chanson d'automne »,
Poèmes saturniens, 1866.

Alphonse MUCHA (1860-1939), *L'Automne*, 1896 (détail de *Les quatre saisons*), 55,5 x 72,4 cm.

Mélancolie automnale

LECTURE DU TEXTE

1. En observant la longueur des vers et la disposition des strophes, montrez le contraste entre le poème de Verlaine et celui de Baudelaire, p. 405. Justifiez.

2. Justifiez le titre du poème en rendant sensible sa **musicalité**. Fiche 27 **Le langage poétique**

3. Quels effets la dislocation des vers provoque-t-elle ? Empêche-t-elle ou renforce-t-elle l'harmonie ?

4. Quelle image du poète ressort de la comparaison (vers 17) ?

5. LEXIQUE Expliquez le mot « langueur ».

6. @ RECHERCHE Quels compositeurs et chanteurs, séduits par cette langueur, ont revisité le poème ? Quels sentiments personnels leur recréation exprime-t-elle ?

HISTOIRE DES ARTS

Observez la lumière et les couleurs dans le tableau. Quelle image de l'automne nous est ainsi donnée ?

VERS LE BAC

Oral (analyse)

Comparez la vision de l'automne proposée par Baudelaire (p. 405) et par Verlaine.

Fiche 56 **Réussir l'épreuve orale du baccalauréat**

Invention

À la manière de Verlaine ou Baudelaire, écrivez un poème sur une saison qui exprimera vos états d'âme.

Fiche 47 **Comprendre un sujet d'écriture d'invention**

6 Serge Gainsbourg, Vu de l'extérieur, 1973

Célèbre chanteur, « l'homme à la tête de chou » s'est créé l'image d'un provocateur dans la lignée des poètes maudits. Son talent s'est nourri de Baudelaire, de Nerval ou de compositeurs comme Chopin. « Je suis venu te dire que je m'en vais » est inspiré par la « Chanson d'automne » de Verlaine.

Biographie p. 626
Histoire littéraire p. 422
Repères historiques p. 622

Je suis venu te dire que je m'en vais

1 Je suis venu te dire que je m'en vais
Et tes larmes n'y pourront rien changer.
Comme dit si bien Verlaine, « au vent mauvais »
Je suis venu te dire que je m'en vais.
5 Tu te souviens de jours anciens et tu pleures,
Tu suffoques, tu blêmis à présent qu'a sonné l'heure.
Des adieux à jamais,
Ouais, je suis au regret
De te dire que je m'en vais.
10 Oui je t'aimais, oui mais.

Je suis venu te dire que je m'en vais,
Tes sanglots longs n'y pourront rien changer.
Comme dit si bien Verlaine, « au vent mauvais »
Je suis venu te dire que je m'en vais.
15 Tu te souviens des jours heureux et tu pleures,
Tu sanglotes, tu gémis à présent qu'a sonné l'heure.
Des adieux à jamais,
Ouais, je suis au regret
De te dire que je m'en vais,
20 Car tu m'en as trop fait.

Affiche du film
Gainsbourg, une vie héroïque
de Joann SFAR, 2010.

Je suis venu te dire que je m'en vais
Et tes larmes n'y pourront rien changer.
Comme dit si bien Verlaine, « au vent mauvais »
Je suis venu te dire que je m'en vais.
25 Tu te souviens de jours anciens et tu pleures,
Tu suffoques, tu blêmis à présent qu'a sonné l'heure.
Des adieux à jamais,
Ouais, je suis au regret
De te dire que je m'en vais,
30 Oui je t'aimais, oui mais.

Je suis venu te dire que je m'en vais
Tes sanglots longs n'y pourront rien changer.
Comme dit si bien Verlaine, « au vent mauvais »
Je suis venu te dire que je m'en vais.
35 Tu te souviens des jours heureux et tu pleures,
Tu sanglotes, tu gémis à présent qu'a sonné l'heure.
Des adieux à jamais,
Ouais, je suis au regret
De te dire que je m'en vais.
40 Car tu m'en as trop fait.

« Je suis venu te dire que je m'en vais », paroles et musique de Serge GAINSBOURG,

Gainsbourg revisite Verlaine

LECTURE DU TEXTE

1. Pourquoi cette chanson est-elle une référence explicite au poème de Verlaine, p. 407 ?
2. S'agit-il d'un hommage ou d'une parodie ? Justifiez en vous appuyant sur les registres de langue.
3. Étudiez la présence d'une interlocutrice. En quoi modifie-t-elle le sens du texte source ?

Fiche 59 **L'énonciation**

4. Analysez les procédés stylistiques de cette chanson : peut-on la considérer comme un poème au même titre que « Chant d'automne » (p. 405) et « Chanson d'automne » (p. 407) ?
5. @RECHERCHE Recherchez et écoutez Gainsbourg chantant « Le serpent qui danse », de Charles Baudelaire. La démarche vous semble-t-elle similaire ?

HISTOIRE DES ARTS

Quels choix esthétiques et quelles techniques photographiques sont mis en œuvre pour évoquer la figure troublante de l'artiste ?

VERS LE BAC

Oral (entretien)

Selon vous, pourquoi un chanteur peut-il vouloir adapter en chanson un poème ? Explorez des univers musicaux variés (Léo Ferré, Ridan, Grand Corps Malade, Marc Lavoine...).

Fiche 56 **Réussir l'épreuve orale du baccalauréat**

Question sur un corpus

Quelle image de l'automne Baudelaire (p. 405), Verlaine (p. 407) et Gainsbourg nous donnent-ils à entendre ?

Fiche 46 **Répondre à une question sur un corpus**

7 Homère, *Iliade*, VIIIe siècle av. J.-C.

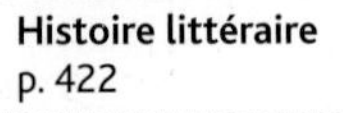

Biographie p. 627

Histoire littéraire p. 422

Au VIIIe siècle av. J.-C., Homère chante la mythique guerre de Troie en une épopée de 24 chants. Achille venge ici son ami Patrocle, en tuant son vainqueur, le héros troyen Hector. Au terme d'un combat acharné, au pied des murailles de Troie, sous le regard horrifié de sa famille, Hector succombe aux coups du guerrier grec.

Les belles armes d'airain [...] le couvraient en entier, sauf à la jointure du cou et de l'épaule, là où la fuite de l'âme est la plus prompte. C'est là que le divin Akhilleus[1] enfonça sa lance, dont la pointe traversa le cou de Hektôr[2] ; mais la lourde lance d'airain ne trancha point le gosier, et il pouvait encore parler. Il tomba dans la poussière, et le divin Akhilleus se glorifia ainsi :

– Hektôr, tu pensais peut-être, après avoir tué Patroklos[3], n'avoir plus rien à craindre ? Tu ne songeais point à moi qui étais absent[4]. [...] Va ! les chiens et les oiseaux te déchireront honteusement, et les Akhaiens[5] enseveliront Patroklos !

Et Hektôr au casque mouvant lui répondit, parlant à peine :

– Je te supplie par ton âme, par tes genoux[6], par tes parents, ne laisse pas les chiens me déchirer auprès des nefs Akhaiennes. Accepte l'or et l'airain[7] que te donneront mon père et ma mère vénérable. Renvoie mon corps dans mes demeures, afin que les Troiens et les Troiennes me déposent avec honneur sur le bûcher.

Et Akhilleus aux pieds rapides, le regardant d'un œil sombre, lui dit :

– Chien ! ne me supplie ni par mes genoux, ni par mes parents. Plût aux dieux que j'eusse la force de manger ta chair crue, pour le mal que tu m'as fait ! Rien ne sauvera ta tête des chiens, quand même on m'apporterait dix et vingt fois ton prix, et mille autres présents ; quand même le Dardanide Priamos[8] voudrait te racheter ton poids d'or ! Jamais la mère vénérable qui t'a enfanté ne te pleurera couché sur un lit funèbre. Les chiens et les oiseaux te déchireront tout entier ! [...]

Son âme s'envola de son corps chez Aidès[9], pleurant sa destinée mauvaise, sa vigueur et sa jeunesse.

HOMÈRE, *Iliade*, extrait du chant XXII, trad. de Leconte de Lisle, 1866.

1. Nom grec d'Achille, le plus brave des guerriers grecs.
2. Nom grec d'Hector, le plus vaillant des défenseurs de Troie, fils de Priam et époux d'Andromaque.
3. Nom grec de Patrocle, meilleur ami d'Achille.
4. Achille, en colère, n'avait pas participé au combat.
5. Achéens, du grec *Akhaios*. Homère désigne ainsi tous les Grecs participant à la guerre de Troie.
6. Supplication humble et déchirante, rituel habituel dans l'Antiquité.
7. Le bronze.
8. Priam, roi de Troie.
9. Nom grec d'Hadès, dieu des morts, règnant aux Enfers.

Brad Pitt (Achille) dans le film *Troie* de Wolfgang PETERSEN (2004).

8 Alessandro Baricco, Homère, Iliade, 2006

Souhaitant adapter l'Iliade pour une lecture publique, Alessandro Baricco a relu le texte traduit par Maria Grazia Ciani et réécrit l'épopée homérique pour la condenser et la moderniser. Il donne la parole à vingt et un personnages narrant leurs passions et leurs combats. Ici, la mort d'Hector est vue par Andromaque, son épouse.

Biographie p. 624
Histoire littéraire p. 422
Repères historiques p. 622

Alors Hector comprit que son destin l'avait finalement rejoint. Et parce qu'il était un héros, il tira son épée, pour mourir en combattant, pour mourir d'une manière que les hommes à venir raconteraient à jamais. Il prit son élan, comme un aigle avide de fondre sur sa proie. En face de lui, Achille se ramassa dans la splendeur de ses armes. Ils bondirent l'un sur l'autre, comme des lions. La pointe de bronze de la lance d'Achille avançait comme avance en brillant l'étoile du soir dans le ciel nocturne. Elle cherchait un endroit à découvert dans les armes d'Hector, les armes qui avaient été celles d'Achille un jour, puis celles de Patrocle[1]. Elle cherchait dans le bronze la fente pour arriver à la chair et à la vie. Elle la trouva à l'endroit où le cou prenait appui sur l'épaule, le tendre cou de mon bien-aimé : elle pénétra dans sa gorge et la transperça de part en part. Il tomba dans la poussière, Hector. Il regarda Achille et dans un dernier souffle de vie lui dit : « Je t'en supplie, ne m'abandonne pas aux chiens, rends mon corps à mon père. » Mais le cœur d'Achille était dur au-delà de toute espérance. « Ne me supplie pas, Hector. Trop grand est le mal que tu m'as fait, c'est déjà beaucoup si je ne te taille pas en pièces moi-même. Patrocle, lui, en revanche, aura tous les honneurs funèbres qu'il mérite. Toi, tu mérites que les chiens et les oiseaux te dévorent ; loin de ton lit, et des larmes de ceux qui t'ont aimé. » Hector ferma les yeux, et la mort l'enveloppa. Elle s'envola, son âme, vers l'Hadès, pleurant sur son destin, et sa force et sa jeunesse perdues.

Alessandro BARICCO, *Homère, Iliade*, 2006, trad. de Françoise Brun © Éd. Albin Michel, 2007.

1. Meilleur ami d'Achille. Achille a offert ses armes à Patrocle, incapable de les bien manier.

L'art du pastiche

LECTURE DES TEXTES

1. (@ RECHERCHE) Pourquoi priver un Grec ou un Troyen de sépulture est-il d'une cruauté sans nom ? Comment l'évocation des chiens et des oiseaux marque-t-elle, chez Achille, la volonté de blesser Hector par-delà la mort ? (voir *Antigone*, de Sophocle, p. 156)

2. Quels éléments de modernisation remarquez-vous d'une version à l'autre ?

3. TEXTE 8 Quel indice atteste que le récit est mené par Andromaque ? Quel est l'effet produit ?

4. (LEXIQUE) Qu'est-ce qu'une épithète homérique ? À quel(s) personnage(s) s'applique-t-elle ?

5. La langue d'Homère est célèbre pour les images et les épithètes : les deux traducteur et transpositeur ont-ils conservé cette spécificité ?

6. Comment Leconte de Lisle fait-il de son *Iliade* un poème barbare ? Prononcez à voix haute les noms grecs.

7. Comment la cruauté est-elle transposée et magnifiée par les deux écrivains ? Commentez les hypotyposes.

HISTOIRE DES ARTS

Comment le cinéaste, par la position de la caméra et l'expression de l'acteur, suggère-t-il la violence ?

VERS LE BAC

Oral (analyse)

Montrez que la traduction de Leconte de Lisle (p. 410) privilégie la dimension épique du duel alors que la transposition de Baricco opte pour le registre pathétique. Quelle « lecture » d'Homère préférez-vous ? Pourquoi ?

Fiche 56 Réussir l'épreuve orale du baccalauréat

Invention

Poursuivez le texte de Baricco en imaginant les paroles d'Andromaque face au corps torturé de son bien-aimé. Vous utiliserez les registres lyrique et pathétique et insérerez dans votre production des images et épithètes homériques.

Fiche 47 Comprendre un sujet d'écriture d'invention

9 Albert Cohen, Le Livre de ma mère, 1954

« Pleurer sa mère, c'est pleurer son enfance ». Quand sa mère meurt, seule, à Marseille, en 1943, Cohen est à Londres. Triste et coupable, il écrit Le Livre de ma mère. *Dans ce livre tombeau, l'auteur rend hommage à sa mère, réécrivant sans relâche le chagrin et la douleur : « Et ce qui m'importe, ce qui est vrai et capital, pourquoi ne pas inlassablement le redire ? Ainsi ont fait mes prophètes, saints ressasseurs. »*

Biographie p. 625
Histoire littéraire p. 422
Repères historiques p. 622

Ô mon passé, ma petite enfance, ô chambrettes, coussins brodés de petits chats rassurants, vertueuses chromos[1], conforts et confitures, tisanes, pâtes pectorales, arnica, papillons du gaz dans la cuisine[2], sirop d'orgeat[3], antiques dentelles, odeurs, naphtalines, veilleuses de porcelaine, petits baisers du soir, baisers de Maman qui me disait, après avoir bordé mon lit, que maintenant j'allais faire mon petit voyage dans la lune avec mon ami un écureuil. Ô mon enfance, gelées de coins, bougies roses, journaux illustrés du jeudi, ours en peluche, convalescences chéries, anniversaires, lettres du Nouvel An sur du papier à dentelures, dindes de Noël, fables de La Fontaine idiotement récitées debout sur la table, bonbons à fleurettes, attente des vacances, cerceaux, diabolos, petites mains sales, genoux écorchés et j'arrachais la croûte toujours trop tôt, balançoires des foires, cirque Alexandre où elle me menait une fois par an et auquel je pensais des mois à l'avance, cahiers neufs de la rentrée, sac d'école en faux léopard, plumiers japonais, plumiers à plusieurs étages, plumes sergent-major, plumes baïonnette de Blanzy Poure[4], goûters de pain et de chocolat, noyaux d'abricots thésaurisés[5], boîte à herboriser[6], billes d'agate[7], chansons de Maman, leçons qu'elle me faisait repasser le matin, heures passées à la regarder cuisiner avec importance, enfance, petites paix, petits bonheurs, gâteaux de Maman, sourires de Maman, ô tout ce que je n'aurai plus, ô charmes, ô sons morts du passé, fumées enfuies et dissoutes saisons. Les rives s'éloignent. Ma mort approche. [...]

Je vous salue, mères pleines de grâce, saintes sentinelles, courage et bonté, chaleur et regard d'amour, vous aux yeux qui devinent, vous qui savez tout de suite si les méchants nous ont fait de la peine, vous, seuls humains en qui nous puissions avoir confiance et qui jamais, jamais ne nous trahirez. [...]

Albert COHEN, *Le Livre de ma mère*,

1. Images de couleur.
2. Régulateurs du débit du gaz.
3. Boisson douce, autrefois fabriquée avec de l'orge puis avec des amandes douces et amères.
4. Types de plumes en acier utilisées par les écoliers. Sergent-major et Blanzy Poure sont les noms des fabricants.
5. Amassés comme des trésors.
6. Boîte destinée à recueillir les végétaux pour les étudier ou constituer un herbier.
7. Billes de verre teinté et veiné.

Pierre Auguste RENOIR (1841-1919), *Portrait du fils du peintre, Jean Renoir, avec sa nourrice Gabrielle Renard*, vers 1895, huile sur toile (Musée de l'Orangerie, Paris).

10 Albert Cohen, *Carnets 1978*, 1979

Les Carnets 1978 sont le journal intime que tient Albert Cohen entre janvier et septembre 1978 dans un but thérapeutique. Pour sortir de la dépression et de l'anorexie qui le foudroie à 82 ans, il tente, par l'écriture, de se consoler de l'inconsolable : le deuil de sa mère, décédée 35 ans auparavant, et celui de son ami Marcel Pagnol. Il est hanté par la peur de mourir.

1 En mon vieil âge, je retourne vers toi, Maman morte, et c'est mon pauvre bonheur de te faire vivre un peu encore, sainte sentinelle et gardienne de ton fils, te faire vivre un peu encore avant de te rejoindre bientôt, c'est ma lamentable magie et mon pauvre truc pour ne t'avoir pas 5 entièrement perdue, Maman à qui absurdement j'aime parler, Maman morte à qui, stupidement souriant, je veux raconter des jours de mon enfance.

J'ai quatre-vingt-deux ans et je vais bientôt mourir. Vite me redire, stupidement souriant, me redire le temps de mon enfance, vite avant la fin de moi et de mes souvenirs. [...]

10 Angéliques médicaments de ma mère, jamais plus. Jamais plus le baume tranquille dont j'aimais le nom [...] Jamais plus alcool camphré, sirop de tolu[1], eau des Carmes[2], alcoolat vulnéraire[3], charmants guérisseurs de mon enfance, et j'en aimais le bouchon de papier plissé par le pharmacien [...] Ô chères cérémonies des maladies d'enfance, ô tendres lueurs de la veilleuse 15 de porcelaine, ô décalcomanies de convalescences, ô bonheurs.

Albert COHEN, *Carnets 1978*, © Éditions Gallimard, 1979.

1. Sirop contre la toux.
2. Élixir de plantes à vertu thérapeutique.
3. Distillation de plantes macérées dans l'alcool pour soigner les coups et les bleus.

Réécrire pour saisir l'indicible

LECTURE DES TEXTES

1. Classez les souvenirs liés à la figure maternelle et soulignez les échos entre les extraits.
2. Définissez ce qu'est un mot « hypocoristique ». Comment et pour quels effets Cohen en utilise-t-il ?
3. Quels indices révèlent la précision des souvenirs ? Étudiez particulièrement la permanence de la syntaxe d'un texte à l'autre.

Fiche 61 **La syntaxe de la phrase**

4. Déterminez les registres en présence et interrogez-vous sur les différentes fonctions de l'apostrophe « Ô ».

Fiche 40 **Les registres**

5. Dans quelle mesure le chant d'amour filial prend-il une dimension universelle ? Quelle prière Cohen réécrit-il ?
6. Prouvez qu'il s'agit là d'une écriture de la litanie : fondez-vous sur les reprises, les anaphores, les jeux sonores qui « scandent le train de (s)a douleur. » (Cohen)

Fiche 41 **Les figures de style**

7. Montrez que le style de Cohen a néanmoins évolué entre 1954 et 1978 et que l'angoisse de sa propre mort entraîne un glissement de registre.

HISTOIRE DES ARTS

Comment le tableau, comme le texte, célèbre-t-il « la majesté de l'amour maternel » ?

VERS LE BAC

Oral (entretien)

Expliquez le titre du *Livre de ma mère* et l'enjeu de l'écriture autobiographique.

Fiche 56 **Réussir l'épreuve orale du baccalauréat**

Dissertation

Dans *Souvenirs d'enfance et de jeunesse*, Renan, écrivain du XIXe siècle, écrit que « ce qu'on dit de soi est toujours poésie ». Pourquoi l'écriture des souvenirs transforme-t-elle la vie en poème ?

Invention

À la manière de Cohen, écrivez un pastiche énumérant nombre d'objets chargés d'affects, célébrés dans une cascade de phrases nominales, convergeant vers une fin lapidaire. Vous évoquerez une figure essentielle de votre petite enfance.

Fiche 35 **L'intertextualité**

11 Gustave Flaubert, *Madame Bovary*, 1857

La jeune Emma, nourrie de romans d'amour et de rêves exotiques, a épousé Charles Bovary, petit médecin de campagne. Pour tromper son ennui et ses désillusions, elle devient la maîtresse de Rodolphe, un séducteur peu scrupuleux. Pour lui plaire, elle se ruine en cadeaux dispendieux et refait sa garde-robe.

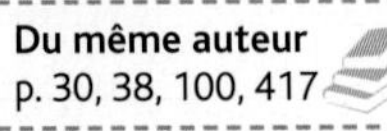

Biographie p. 626

Du même auteur p. 30, 38, 100, 417

Histoire littéraire p. 422

Repères historiques p. 620

C'était pour lui[1] qu'elle se limait les ongles avec un soin de ciseleur, et qu'il n'y avait jamais assez de *cold-cream*[2] sur sa peau, ni de patchouli dans ses mouchoirs. Elle se chargeait de bracelets, de bagues, de colliers. Quand il devait venir, elle emplissait de roses ses deux grands vases de verre bleu, et disposait son appartement et sa personne comme une courtisane qui attend un prince. [...]

Jamais Mme Bovary ne fut aussi belle qu'à cette époque ; elle avait cette indéfinissable beauté qui résulte de la joie, de l'enthousiasme, du succès, et qui n'est que l'harmonie du tempérament avec les circonstances. Ses convoitises, ses chagrins, l'expérience du plaisir et ses illusions toujours jeunes, comme font aux fleurs le fumier, la pluie, les vents et le soleil, l'avaient par gradations développée, et elle s'épanouissait enfin dans la plénitude de sa nature. Ses paupières semblaient taillées tout exprès pour ses longs regards amoureux où la prunelle se perdait, tandis qu'un souffle fort écartait ses narines minces et relevait le coin charnu de ses lèvres, qu'ombrageait à la lumière un peu de duvet noir. On eût dit qu'un artiste habile en corruptions avait disposé sur sa nuque la torsade de ses cheveux : ils s'enroulaient en une masse lourde, négligemment, et selon les hasards de l'adultère, qui les dénouait tous les jours. Sa voix maintenant prenait des inflexions plus molles, sa taille aussi ; quelque chose de subtil qui vous pénétrait se dégageait même des draperies de sa robe et de la cambrure de son pied. Charles, comme aux premiers temps de son mariage, la trouvait délicieuse et tout irrésistible.

Gustave FLAUBERT, *Madame Bovary*, 1857.

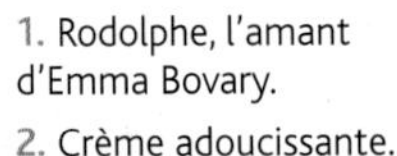

1. Rodolphe, l'amant d'Emma Bovary.
2. Crème adoucissante.

Du roman... au roman graphique

DU TEXTE À L'IMAGE

1. Quelles expressions traduisent l'ironie de Flaubert et celle de Posy Simmonds (p. 415) ?
2. Montrez la transformation d'Emma en sensuelle courtisane. Comment Gemma interprète-t-elle ce rôle déjà écrit ?
3. Sur quels éléments la réécriture s'appuie-t-elle ? Quelle vignette pourrait illustrer la phrase de Flaubert : « elle s'épanouissait dans la plénitude de sa nature » ?
4. Montrez que dans les deux cas, mais différemment, Charles est dupe des actions d'Emma.

LECTURE DE L'IMAGE

5. Montrez que la problématique centrale de ce document est la frontière entre la réalité et la fiction.

VERS LE BAC

Oral (entretien)

Comment expliquez-vous le succès remporté par les adaptations littéraires à la télévision ou au cinéma ?

Fiche 56 Réussir l'épreuve orale du baccalauréat

Commentaire

Vous commenterez l'extrait de *Madame Bovary* en analysant le regard du narrateur sur la transformation de son héroïne.

Fiche 49 Comprendre un sujet de commentaire

12 Posy Simmonds, Gemma Bovery, 2000

Gemma Bovery paraît d'abord en feuilleton dans le journal The Guardian dont Posy Simmonds est l'illustratrice vedette. Ce roman graphique, librement adapté du roman réaliste de Gustave Flaubert, a connu un vif succès, tout comme Tamara Drewe, réécriture de Thomas Hardy, adapté au cinéma par Stephen Frears, en 2010.

Biographie p. 631

Repères historiques p. 622

Posy SIMMONDS, *Gemma Bovery*,
traduction de l'anglais par Lili SZTAJN et Jean-Luc FROMENTAL,
Éditions Denoël, 2000.

Madame Bovery s'est également redécorée. "Mes accessoires", c'est ainsi qu'elle appelle les bottes, les chaussures, les ceintures, les bas, le maquillage, le long manteau de cachemire et la bouillotte. En lisant son journal, on a l'impression qu'elle se prépare pour un rôle, comme une actrice, répétant certains gestes, essayant des *maquillages*, apprenant à se mouvoir dans une robe peu familière. À se demander si Charlie se rendait compte des après-midi qu'elle passait dans sa chambre "à répéter le coup du manteau". Elle ajoute : "On fait les choses correctement, ou pas."

En public, l'apparence de Gemma semblait inchangée. Quand elle venait à la boutique, elle avait son allure négligée. Puis on était frappé par un détail nouveau et incongru. Un jour, du rouge à lèvres. Le lendemain, du mascara. La fois d'après, des talons hauts — toutes choses que je n'avais jamais vues sur elle.

13 La Bible, « Évangile selon Marc »

Hérode a répudié sa femme pour épouser sa nièce et belle-sœur, Hérodiade. Dans sa citadelle, il a emprisonné Jean-Baptiste, célèbre pour avoir baptisé Jésus dans le Jourdain. L'homme a en effet critiqué publiquement cette union incestueuse ; Hérodiade veut sa mort. La jeune Salomé, fille d'Hérodiade, danse pour son beau-père.

[...] Hérode[1], à l'anniversaire de sa naissance, donna un festin à ses grands, aux chefs militaires et aux principaux de la Galilée.

La fille d'Hérodias[2] entra dans la salle ; elle dansa, et plut à Hérode et à ses convives. Le roi dit à la jeune fille : « Demande-moi ce que tu voudras, et je te le donnerai. »

Il ajouta avec serment : « Ce que tu me demanderas, je te le donnerai, fût-ce la moitié de mon royaume. »

Étant sortie, elle dit à sa mère : « Que demanderai-je ? » Et sa mère répondit : « La tête de Jean-Baptiste. »

Elle s'empressa de rentrer aussitôt vers le roi, et lui fit cette demande : « Je veux que tu me donnes à l'instant, sur un plat, la tête de Jean-Baptiste. »

Le roi fut attristé ; mais, à cause de ses serments et des convives, il ne voulut pas lui faire un refus.

Il envoya sur-le-champ un garde, avec ordre d'apporter la tête de Jean-Baptiste.

Le garde alla décapiter Jean dans la prison, et apporta la tête sur un plat. Il la donna à la jeune fille, et la jeune fille la donna à sa mère.

Les disciples de Jean, ayant appris cela, vinrent prendre son corps, et le mirent dans un sépulcre.

La Bible, Nouveau Testament, Les Évangiles, MARC, VI, 21-29,
trad. de Louis SEGOND, 1910.

1. Hérode Antipas, roi de Galilée.
2. Hérodias : Hérodiade.

Michelangelo MERISI DA CARAVAGGIO, dit LE CARAVAGE (vers 1571-1610), *La Décollation de Jean-Baptiste*, 1608, huile sur toile, 3,61 x 5,2 m (Cathédrale Saint-Jean, La Valette, Malte).

14 Gustave Flaubert, Trois Contes, 1877

Biographie p. 626
Du même auteur p. 30, 38, 100, 414
Histoire littéraire p. 422
Repères historiques p. 620

« Hérodias » est l'un des Trois Contes *publiés par Gustave Flaubert en 1877. Dans la citadelle de Machaerous où il retient Jean-Baptiste prisonnier, Hérode Antipas donne un festin somptueux pour son anniversaire. La fille de son épouse, la belle Salomé, danse et charme l'assemblée.*

Mais il arriva du fond de la salle un bourdonnement de surprise et d'admiration. Une jeune fille venait d'entrer.

Sous un voile bleuâtre lui cachant la poitrine et la tête, on distinguait les arcs de ses yeux, les calcédoines[1] de ses oreilles, la blancheur de sa peau. Un carré de soie gorge-de-pigeon[1], en couvrant les épaules, tenait aux reins par une ceinture d'orfèvrerie. Ses caleçons noirs étaient semés de mandragores[1], et d'une manière indolente elle faisait claquer de petites pantoufles en duvet de colibri[2].

Sur le haut de l'estrade, elle retira son voile. C'était Hérodias, comme autrefois dans sa jeunesse. Puis elle se mit à danser.

Ses pieds passaient l'un devant l'autre, au rythme de la flûte et d'une paire de crotales[1]. Ses bras arrondis appelaient quelqu'un, qui s'enfuyait toujours. Elle le poursuivait, plus légère qu'un papillon, comme une Psyché[3] curieuse, comme une âme vagabonde et semblait prête à s'envoler. [...]

Les sons funèbres de la gingras[1] remplacèrent les crotales. L'accablement avait suivi l'espoir. Ses attitudes exprimaient des soupirs, et toute sa personne une telle langueur qu'on ne savait pas si elle pleurait un dieu, ou se mourait dans sa caresse. Les paupières entre-closes, elle se tordait la taille, balançait son ventre avec des ondulations de houle, faisait trembler ses deux seins, et son visage demeurait immobile, et ses pieds n'arrêtaient pas. [...]

Puis, ce fut l'emportement de l'amour qui veut être assouvi. Elle dansa comme les prêtresses des Indes, comme les Nubiennes des cataractes[4], comme les bacchantes[5] de Lydie. Elle se renversait de tous les côtés, pareille à une fleur que la tempête agite. Les brillants de ses oreilles sautaient, l'étoffe de son dos chatoyait ; de ses bras, de ses pieds, de ses vêtements jaillissaient d'invisibles étincelles qui enflammaient les hommes. Une harpe chanta ; la multitude y répondit par des acclamations. Sans fléchir ses genoux en écartant les jambes, elle se courba si bien que son menton frôlait le plancher ; et les nomades habitués à l'abstinence, les soldats de Rome experts en débauches, les avares publicains[6], les vieux prêtres aigris par les disputes, tous, dilatant leurs narines, palpitaient de convoitise.

Ensuite elle tourna autour de la table d'Antipas, frénétiquement, comme le rhombe[1] des sorcières ; et d'une voix que des sanglots de volupté entrecoupaient, il lui disait : « Viens ! viens ! » Elle tournait toujours ; les tympanons[1] sonnaient à éclater, la foule hurlait. Mais le Tétrarque[7] criait plus fort : « Viens ! viens ! Tu auras Capharnaüm ! la plaine de Tibérias ! mes citadelles ! la moitié de mon royaume ! »

Gustave FLAUBERT, « Hérodias », *Trois Contes*, chapitre 3, 1877.

1. Voir l'encadré « Lexique décadent », p. 419.
2. Oiseau minuscule des climats tropicaux.
3. Personnification de l'âme, elle est aimée d'Amour et persécutée par Aphrodite, jalouse de sa beauté.
4. Chutes d'eau.
5. Prêtresses de Bacchus.
6. Dans l'Antiquité, fermiers généraux.
7. Désigne Hérode, gouverneur de Galilée.

15 Joris-Karl Huysmans, À rebours, 1884

Des Esseintes, personnage esthète et excentrique, expose ses goûts artistiques. Parmi les chefs-d'œuvre qu'il se propose d'étudier figurent les tableaux de Gustave Moreau. Il admire particulièrement sa peinture emblématique de l'esthétique fin du siècle : L'Apparition, *peint en 1874, illustre le mythe de Salomé.*

Biographie p. 627

Histoire littéraire p. 422

Repères historiques p. 620

Gustave MOREAU (1826-1898), *L'Apparition*, 1874, huile sur toile (Musée Gustave Moreau, Paris).

Dans l'odeur perverse des parfums, dans l'atmosphère surchauffée de cette église, Salomé, le bras gauche étendu, en un geste de commandement, le bras droit replié, tenant, à la hauteur du visage, un grand lotus, s'avance lentement sur les pointes, aux accords d'une guitare dont une femme accroupie pince les cordes.

La face recueillie, solennelle, presque auguste, elle commence la lubrique danse qui doit réveiller les sens assoupis du vieil Hérode ; ses seins ondulent et, au frottement de ses colliers qui tourbillonnent, leurs bouts se dressent ; sur la moiteur de sa peau les diamants, attachés, scintillent ; ses bracelets, ses ceintures, ses bagues, crachent des étincelles ; sur sa robe triomphale, couturée de perles, ramagée d'argent, lamée d'or, la cuirasse des orfèvreries dont chaque maille est une pierre, entre en combustion, croise des serpenteaux de feu, grouille sur la chair mate, sur la peau rose thé, ainsi que des insectes splendides aux élytres[1] éblouissants, marbrés de carmin[1], ponctués de jaune aurore, diaprés[1] de bleu d'acier, tigrés de vert paon.

Concentrée, les yeux fixes, semblable à une somnambule, elle ne voit ni le Tétrarque qui frémit, ni sa mère, la féroce Hérodias, qui la surveille, ni l'hermaphrodite[2] ou l'eunuque[3] qui se tient, le sabre au poing, en bas du trône, une terrible figure, voilée jusqu'aux joues, et dont la mamelle de châtré[4] pend, de même qu'une gourde, sous sa tunique bariolée d'orange.

1. Voir l'encadré « Lexique décadent », p. 419.
2. Être humain possédant les caractéristiques génitales des deux sexes.
3. Homme castré qui gardait les femmes dans les harems.
4. Castré, émasculé.
5. Désigne Jean-Baptiste, en qui les Évangiles reconnaissent le précurseur du christianisme.
6. Fâché, affligé.
7. Cédée, octroyée.
8. Allusion au texte biblique du *Nouveau Testament* (voir p. 416).

LEXIQUE DÉCADENT

Les écrivains décadents et symbolistes aiment les mots rares et précieux.

- **Couleurs et pierreries**
Calcédoine : pierre semi-précieuse.
Carmin : rouge vif.
Diaprés : de couleur variée et changeante, chatoyants.
Gorge-de-pigeon : gris clair.
- **Magies animales et végétales**
Élytres : ailes scintillantes de coléoptère.
Mandragore : plante aux vertus magiques.
- **Instruments de musique orientalisants**
Crotale : castagnettes de la Grèce antique.
Gingras : flûte utilisée pendant les cérémonies funéraires.
Rhombe : instrument de musique, rituel ou magique.
Tympanon : instrument dont on joue en frappant sur les cordes avec deux petits maillets.

Ce type de la Salomé si hantant pour les artistes et pour les poètes, obsédait, depuis des années, des Esseintes. Combien de fois avait-il lu dans la vieille Bible de Pierre Variquet, traduite par les docteurs en théologie de l'université de Louvain, l'évangile de saint Mathieu qui raconte en de naïves et brèves phrases, la décollation du Précurseur[5] ; combien de fois avait-il rêvé, entre ces lignes :

« Au jour du festin de la Nativité d'Hérode, la fille d'Hérodias dansa au milieu et plut à Hérode.

Dont lui promit, avec serment, de lui donner tout ce qu'elle lui demanderait.

Elle donc, induite par sa mère, dit : Donne-moi, en un plat, la tête de Jean-Baptiste.

Et le roi fut marri[6], mais à cause du serment et de ceux qui étaient assis à table avec lui, il commanda qu'elle lui fût baillée[7].

Et envoya décapiter Jean, en la prison.

Et fut la tête d'icelui apportée dans un plat et donnée à la fille ; et elle la présenta à sa mère ».

Mais ni saint Mathieu, ni saint Marc, ni saint Luc, ni les autres évangélistes ne s'étendaient sur les charmes délirants, sur les actives dépravations de la danseuse. [...]

Dans l'œuvre de Gustave Moreau, conçue en dehors de toutes les données du Testament[8], des Esseintes voyait enfin réalisée cette Salomé, surhumaine et étrange qu'il avait rêvée.

Joris-Karl HUYSMANS, *À rebours*, 1884.

Une fatale sensualité

LECTURE DES TEXTES

Le texte fondateur TEXTE 13

1. Montrez qu'Hérode est sous l'emprise de Salomé.
2. Selon l'évangéliste, qui porte la responsabilité de ce crime ?

La danse des sept voiles TEXTES 14-15

3. Montrez que l'évocation des couleurs et des matières contribue à la sensualité de Salomé.
4. Étudiez le dévoilement progressif du corps de la danseuse. Comment charge-t-il la scène d'érotisme ?
5. Montrez que le *crescendo* musical accompagne la lascivité grandissante de la danse. Relevez les champs lexicaux et les verbes de mouvement exprimant cette montée en puissance.
6. Analysez le rôle et les réactions du public dans les deux textes.

Réécritures de la Bible

7. Dans les textes 14 et 15, relevez les éléments empruntés à la Bible.
8. Quels visages de Salomé présentent les textes 14 et 15 ? Pourquoi Des Esseintes dit-il de cette figure qu'elle « hante » les artistes ?
9. Précisez quelle était la visée du texte biblique et ce qu'elle est devenue dans les deux réécritures. Que constatez-vous ?
10. Montrez que, pour Des Esseintes, Salomé devient une figure mythique. Vous analyserez pour cela l'expression de la fascination.

HISTOIRE DES ARTS

11. Comment la violence de la décollation (p. 416) est-elle mise en valeur ? Pour quelles raisons la danseuse peut-elle être qualifiée de « femme fatale » ?
12. Dans quelle mesure le tableau de G. Moreau (p. 418) porte-t-il l'imagination de Des Esseintes vers une réinvention de Salomé ?

➔ **Fiche 42 Lecture de l'image fixe**

VERS LE BAC

Invention

Réécrivez cette scène mythique. Après avoir décrit le décor de la scène en réutilisant le vocabulaire du « Lexique décadent », vous imaginerez le discours prononcé par cette « apparition » et les réactions qu'elle suscite.

➔ **Fiche 47 Comprendre un sujet d'écriture d'invention**

16 Jules Laforgue, Moralités légendaires, 1887

Laforgue s'empare du mythe qui fait fureur à la fin du XIXe siècle et se moque du personnage, de l'atmosphère décadente qui le nimbe. Il prend ainsi ses distances avec Flaubert qu'il vénère et qu'il hait tant il voudrait l'égaler sans y parvenir. C'est donc une parodie de la danse des sept voiles qu'il nous propose révélant, par l'imitation, les splendeurs et ridicules du texte source.

Biographie p. 627

Histoire littéraire p. 422

Repères historiques p. 620

Et enfin voici qu'un silence s'élargit, comme un épervier à mailles pâles jeté aux soirs de grande pêche ; on se levait ; il paraît que c'était Salomé.

Elle entra, descendant l'escalier-tournant, raide dans son fourreau de mousseline. [...]

Et elle vint se poser, en face, sur l'estrade devant le rideau tiré de l'Alcazar, attendant qu'on l'eût contemplée de tout son cœur, s'amusant par contenance[1] à vaciller sur ses pieds exsangues[2] aux orteils écartés.

Elle ne faisait attention à personne. Saupoudrés de pollens inconnus, ses cheveux se défaisaient en mèches plates sur les épaules, ébouriffés au front avec des fleurs jaunes, et des pailles froissées ; ses épaules nues retenaient, redressée au moyen de brassières de nacre, une roue de paon nain, en fond changeant, moire, azur, or, émeraude, halo sur lequel s'enlevait sa candide tête, tête supérieure mais cordialement insouciante de se sentir unique, le col fauché, les yeux décomposés d'expiations chatoyantes, les lèvres découvrant d'un accent circonflexe rose pâle une denture aux gencives d'un rose plus pâle encore, en un sourire des plus crucifiés. [...]

Hermétiquement emmousselinée d'une arachnéenne[3] jonquille à pois noirs qui, s'agrafant çà et là de fibules[4] diverses, laissait les bras à leur angélique nudité, formait entre les deux soupçons de seins aux amandes piquées d'un œillet, une écharpe brodée de ses dix-huit ans et, s'attachant un peu plus haut que l'adorable fossette ombilicale en une ceinture de bouillonnés[5] d'un jaune intense et jaloux, s'adombrait d'inviolable au bassin dans l'étreinte des hanches maigres, et venait s'arrêter aux chevilles, pour remonter par derrière en deux écharpes flottant écartées, rattachées enfin aux brassières de nacre de la roue de paon nain en fond changeant, azur, moire[6], émeraude, or, halo à sa candide tête supérieure ; elle vacillait sur ses pieds, ses pieds exsangues, aux orteils écartés, chaussés uniquement d'un anneau aux chevilles d'où pleuvaient d'éblouissantes franges de moire jaune.

Jules LAFORGUE, *Moralités légendaires*, 1887.

1. Manière de se tenir, aplomb, prestance.
2. Très pâles, livides.
3. Qui a la légèreté et la finesse d'une toile d'araignée.
4. Broches antiques pour retenir les extrémités d'un vêtement.
5. Ornements d'étoffe froncés et bouffants.
6. Aspect chatoyant, tantôt mat, tantôt brillant.

Regard parodique sur un mythe

LECTURE DU TEXTE

1. Relevez les éléments repris à Flaubert (p. 417).
2. Quelle fonction les néologismes, termes rares et hyperboles remplissent-ils ici ?

Fiche 41 **Les figures de style**

3. Comment Salomé devient-elle, sous la plume de l'auteur, un objet de moquerie ?

Fiche 35 **L'intertextualité**
Fiche 36 **L'art du détournement**

4. @ RECHERCHE Que signifie le proverbe « le geai paré des plumes du paon » ? Pourquoi Salomé arbore-t-elle « une roue de paon nain » ?

ÉCRITURE

Argumentation

L'auteur qui parodie un écrivain fameux est-il un vrai créateur ou un imitateur malheureux ? Vous vous appuierez sur les textes du manuel pour répondre.

POUR ARGUMENTER RÉÉCRITURE OU PLAGIAT ?

Marie Darrieussecq, Rapport de police, 2010

Accusée à deux reprises de plagiat par des consœurs, Marie Darrieussecq s'est penchée sur la notion de plagiat, et sur l'histoire de ce concept à travers la littérature afin de comprendre ce qu'on lui reprochait.

Jean-Baptiste Siméon CHARDIN (1699-1779), *Le singe peintre*, XVIIIe siècle, huile sur toile, 0,73 x 0,6 m (Musée du Louvre, Paris).

En mars 1998, j'ai été accusée de « singerie » par Marie N'Diaye pour mon second roman, *Naissance des fantômes*.

À la rentrée 2007, j'ai été accusée de « plagiat psychique » par Camille Laurens, pour mon huitième roman, *Tom est mort*.

De 1996 à 1998 j'ai aussi été poursuivie par un auteur non publié qui me réclamait, lettre après lettre, « les royalties de *Truismes* » dont je lui avais mystérieusement dérobé le manuscrit.

[...] Et pour *Zoo*, un recueil de nouvelles, j'ai eu vent que « Connaissance des singes » a été interprété comme une sorte d'aveu : singe j'écris, singe je suis.

« Et si c'était vrai ? » se demande l'accusé, qui n'ose plus prononcer la moindre phrase de peur de citer quelqu'un. La *plagiomnie* est une infection, un poison. Ces jeux avec les références, auxquels je me livre *puisque j'écris [...] Demain dès l'aube* cité *in extenso* mais non ponctué pour le donner à lire à neuf, si tous ces jeux étaient criminels ? Dans *Naissance des fantômes*, après avoir cité en exergue une phrase de Lewis Carroll, je l'ai réintroduite dans le texte en clin d'œil au lecteur ! Je vous jure, monsieur l'agent, j'ignorais que c'était interdit ! Dans *White* est cachée une phrase de Nietzsche sur le désert qui croît ! Et dans *Tom est mort* un vers de Nerval crie ! J'ignorais que les membres de l'Oulipo étaient promis à l'enfer !

Mais je suis désormais désignée comme « cœur de cible » d'un nouveau marché : le rendez-à-César (à Marie, à Camille et aux autres) de la justice langagière pour tous, la rétribution équitable de l'épargne littéraire, le rendement des mots, rendez-moi-mes-idées.

Marie DARRIEUSSECQ, *Rapport de police*, © POL, 2010.

LECTURE DU TEXTE

1. Cherchez un résumé de *Philippe* (1995, POL) de C. Laurens et de *Tom est mort* de M. Darrieussecq. D'où provient la polémique ?
2. Expliquez le sens du mot « plagiomnie ». De quels termes est-il composé ? Montrez que l'auteur répond à une accusation par une attaque.
3. Explicitez la métaphore « singerie » et « singe j'écris, singe je suis ». Quelle définition du plagiat dessine-t-elle ?
4. RECHERCHE Recherchez qui sont « les membres de l'Oulipo » ? Pourquoi seraient-ils « promis à l'enfer » ?

VERS LE BAC

Dissertation

« Ces jeux avec les références, auxquels je me livre puisque j'écris [...], si tous ces jeux étaient criminels ? » Telle Marie Darrieussecq dans *Rapport de police*, vous vous interrogerez sur les frontières entre réécriture et plagiat en vous fondant sur les textes présentés dans la séquence.

➜ **Fiches 53 à 55 Vers la dissertation**

Histoire littéraire
Les réécritures

Définition

Réécrire, c'est donner une **version nouvelle** d'un texte déjà écrit. La réécriture suppose donc une **reprise et** une **variation** à partir d'un **texte source**.

Brève histoire des réécritures

L'imitation dans l'Antiquité

La notion d'originalité étant étrangère aux auteurs antiques, l'acte d'écrire trouve sa valeur dans l'**hommage aux maîtres anciens**. Convaincus *« qu'il n'y a rien de nouveau sous le soleil »* (*L'Ecclésiaste*), ils veulent briller dans l'art de la reprise et de la variation.

L'imitation à la Renaissance

Imiter et diffuser la culture antique pour mieux s'en nourrir est l'idée neuve de la Renaissance. Ainsi, les humanistes, comme Érasme, retraduisent les textes originaux. Ils s'en inspirent aussi.

Ex. : *Les poètes de La Pléiade s'inscrivent dans la tradition de Pétrarque. Ils imitent son sonnet par contradictions et cherchent à le surpasser en exprimant une sensibilité personnelle* (>p. 403-404).

L'imitation, loin d'être plagiaire, est un acte de création.

Le XVIIe siècle

Montrer son érudition et sa capacité à rivaliser avec les anciens confère aux auteurs légitimité et considération. Cependant, si l'imitation est la règle, les auteurs classiques entendent renouveler la littérature.

Ex. : *Corneille ou Racine s'inspirent des œuvres antiques pour mieux imposer le renouveau de la tragédie.*

Dans ce contexte, éclate à la fin du XVIIe siècle, la **querelle des Anciens et des Modernes**.

Les Anciens, sous l'égide de Boileau, constatent que *« tout est dit et l'on vient trop tard »* (La Bruyère) : exister en temps qu'écrivain, c'est montrer que l'on connaît les modèles antiques, indépassables, et s'y référer en maîtrisant l'art de la **variation**. Les Modernes, menés par Perrault, définissent la création littéraire comme une **invention** détachée des références anciennes. Il s'agit de forger une littérature originale, en accord avec les progrès et les aspirations nouvelles de la société. La querelle est la manifestation de ce débat.

Ex. : *La Fontaine s'inspire du* Satiricon *de Pétrone pour écrire l'anecdote de la jeune veuve* (>p. 434).

Lucas CRANACH L'ANCIEN (1472-1553), *Salomé et la tête de saint Jean-Baptiste*, XVIe siècle (Musée des Beaux-Arts, Budapest).

Les Romantiques ou l'aspiration à l'originalité

Les Romantiques, au XIXe siècle, confèrent à l'originalité ses lettres de noblesse. Mais le « moi » qui s'exprime n'est pas la voix d'un individu replié sur lui-même. Profondément singulière, la voix du poète est aussi le chant d'un prophète, parlant au nom de tous.

Ex. : *Hugo, dans la nuit du deuil, dit « je » pour exprimer une douleur qui dépasse son chagrin personnel. Dans sa voix se fondent toutes celles des opprimés, dont il se veut le prophète.*

À la fin du XIXe siècle, Salomé, figure biblique de la femme fatale, fascine Flaubert (>p. 417), éblouit Huysmans (>p. 418) et amuse Laforgue (>p. 420).

Est-on condamné à réécrire ?

- Le XXe siècle ne cesse de mettre en questionnement la problématique de la réécriture. Est-on condamné à sans cesse convoquer notre héritage culturel et le citer, sans jamais pouvoir le dépasser, l'assimiler pour faire œuvre nouvelle ? Les écrivains ont conscience qu'ils écrivent dans une bibliothèque et l'**intertextualité** est au cœur des débats : est-elle une source d'inspiration créatrice ou le masque d'une impuissance ?

Ex. : *Posy Simmonds revisite le bovarysme dans son roman graphique et fait de l'héroïne de Flaubert une Anglaise qui s'ennuie dans son cottage normand* (>p. 415).

- Peut-on, comme Cocteau, donner une version des mythes tellement nouvelle qu'ils semblent surgir à nouveau pour ce qu'ils sont : ***une parole vive***.

Ex. : *A. Baricco donne la parole aux femmes de l'*Iliade *et met en valeur la modernité du texte* (>p. 411).

Histoire des arts
Arts et littérature

22 Les Vampires
Entre fascination et répulsion

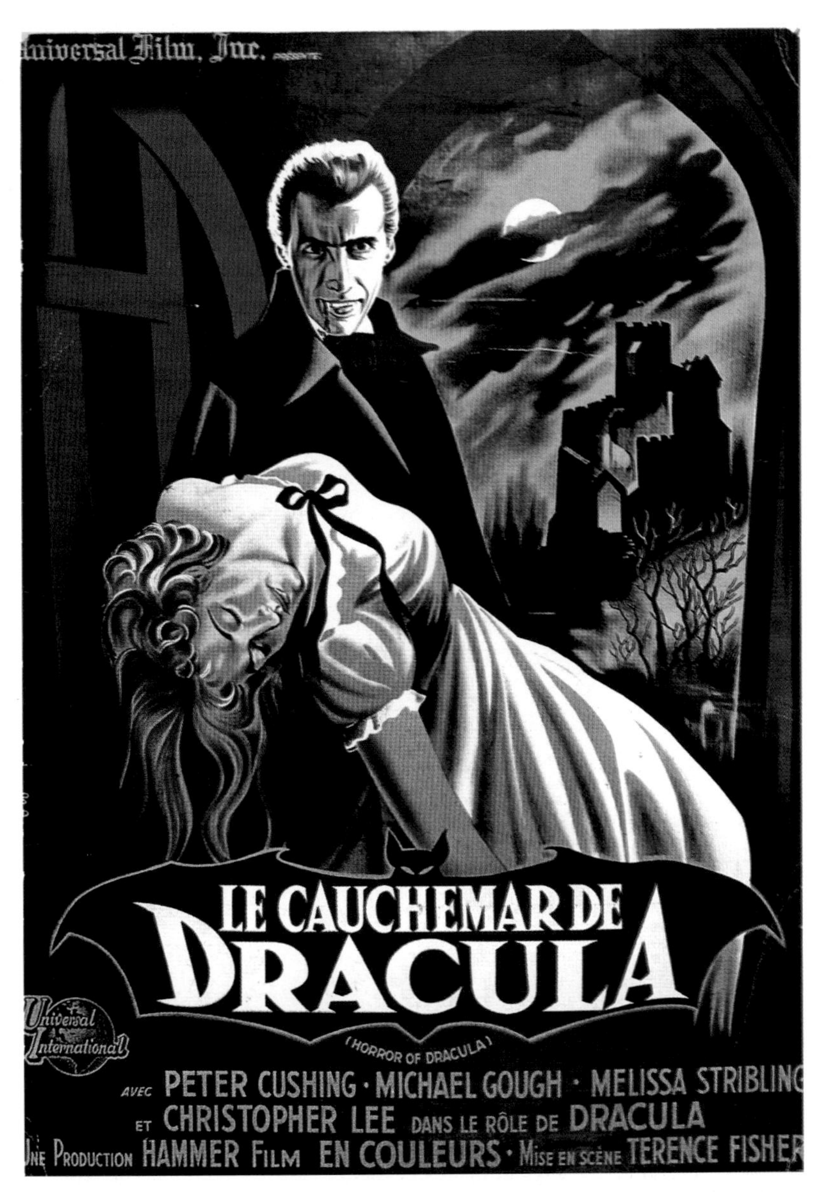

Affiche du film *Dracula* de Terence Fisher.

Le vampire, être imaginaire fantastique et satanique, né des contes balkaniques, a l'apparence de l'homme. Mais sa voix grave, ses canines acérées et son teint pâle font de lui un être inquiétant, une créature de l'ombre. Le jour, ce monstre sans âge dort dans un cercueil. La nuit, son baiser s'achève en morsure.

Selon la légende, lui enfoncer un pieu dans le cœur permettrait de le tuer. Toutefois, parce qu'elle mêle l'amour et la mort – Éros et Thanatos –, la figure du vampire fascine, renaît et semble éternelle.

Objectifs

- Découvrir un mythe et ses réécritures, de la littérature au cinéma
- Analyser et comparer les variations de la figure vampirique

MÉTHODES p. 439

Objets d'étude de la filière littéraire Fiche 35
Lire et analyser Fiches 42, 43

Histoire littéraire p. 422

1 Visages d'un mythe

Inspiré de créatures mythologiques, né du folklore et des superstitions populaires, le mythe du vampire s'épanouit au XIXe siècle et devient universel.

1. Le portrait fondateur

Parti à la rencontre du Comte Dracula au cœur de la Transylvanie, Jonathan Harker dresse le portrait de son hôte.

Son nez aquilin lui donnait véritablement un profil d'aigle ; il avait le front haut, bombé [...] ; les sourcils broussailleux se rejoignaient presque au-dessus du nez, et leurs poils, tant ils étaient longs et touffus, donnaient l'impression de boucler. La bouche, ou du moins ce que j'en voyais sous l'énorme moustache, avait une expression cruelle, et les dents, éclatantes de blancheur, étaient particulièrement pointues ; elles avançaient au-dessus des lèvres dont le rouge vif annonçait une vitalité extraordinaire chez un homme de cet âge. Mais les oreilles étaient pâles, et vers le haut se terminaient en pointe ; le menton, large, annonçait, lui aussi, de la force, et les joues, quoique creuses, étaient fermes. Une pâleur étonnante, voilà l'impression que laissait ce visage.

Bram STOKER, *Dracula*, 1897,
trad. de Lucienne MOLITOR, J'ai lu, 1997.

2. Le vampire selon Murnau

Max SCHRECK dans le film muet *Nosferatu le Vampire* de Friedrich-Wilhem MURNAU, 1922.

3. Le vampire incarné par Bela Lugosi

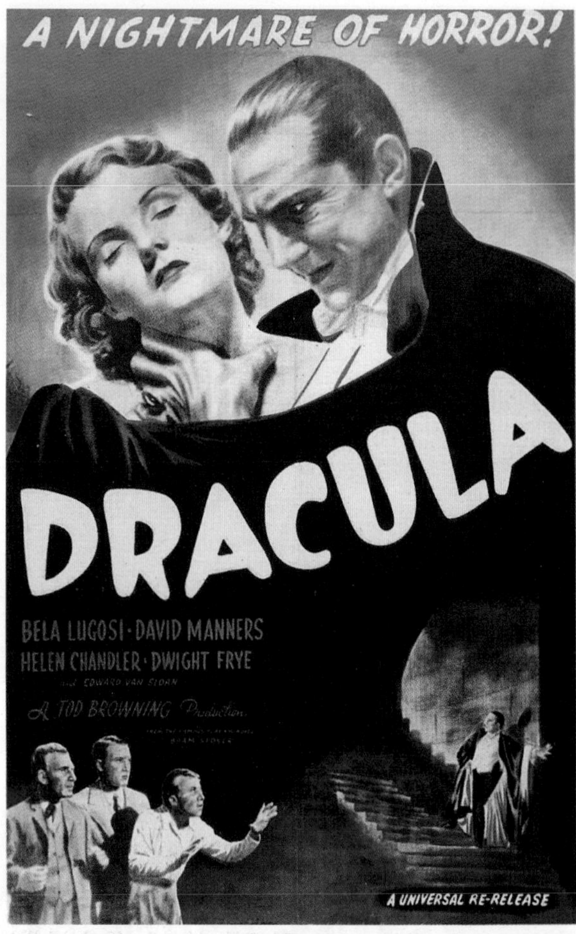

Affiche du film *Dracula* de Tod BROWNING, 1931.

Étude de portraits de vampires

1. Quel angle de prise de vue les deux images privilégient-elles ? Quelle impression cherchent-elles à traduire ?

Fiche 42 **Lecture de l'image fixe**
Fiche 43 **Lecture de l'image mobile**

2. Quels clichés vampiriques l'affiche du *Dracula* de Tod Browning propose-t-elle ?

3. Quelle incarnation vous semble la plus fidèle à la description de Bram Stoker ? Justifiez.

4. Comment le portrait de Bram Stoker exprime-t-il la confusion entre la vie et la mort ? Quelle peur ancestrale la figure du vampire exprime-t-elle ?

4. Un paysage fantastique

Jonathan Harker se rend chez le comte Dracula au fin fond de la Transylvanie.

La nuit s'annonçait froide, et l'obscurité semblait plonger dans une brume épaisse chênes, hêtres et sapins tandis que, dans la vallée au-dessous de nous qui maintenant montions vers le col de Borgo, les sapins noirs se détachaient sur un fond de neige récemment tombée. Parfois, quand la route traversait une sapinière qui semblait se refermer sur nous, de gros paquets de brouillard nous cachaient même les arbres, et c'était pour l'imagination quelque chose d'effrayant. [...] Cependant la route se fit bientôt plus régulière, et j'eus alors l'impression que nous volions bel et bien. Elle devenait aussi plus étroite, les montagnes, d'un côté et de l'autre, se rapprochaient et semblaient, à vrai dire, nous menacer.

Bram STOKER, *Dracula*, 1897,
trad. de Lucienne MOLITOR, J'ai lu, 1997.

5. Un château gothique

Le narrateur contemple un château soit-disant hanté par une « nonne sanglante ».

Le château, que j'avais en pleine perspective, offrait un aspect imposant et pittoresque. Ses murs épais, que la lune teignait de sa lueur mystérieuse ; ses vieilles tours à demi ruinées, qui s'élevaient dans les nues et semblaient menacer les plaines d'alentour ; ses créneaux élevés, tapissés de lierres, et ses portes ouvertes en l'honneur de l'hôte surnaturel, me pénétraient d'une triste et respectueuse horreur.

Matthew LEWIS, *Le Moine*, 1793,
traduit par Léon DE WAILLY,
Actes Sud, 2000.

Repères esthétiques

Naissance du mythe

Aux origines, le vampire est une créature féminine : les striges mythologiques (démons mi-femmes mi-oiseaux), les goules des *Mille et une nuits* séduisent les hommes pour mieux se nourrir de leur force vitale. Elles annoncent la « vamp », femme fatale des films américains des années 1940.

Du Moyen Âge au XVIIIe siècle, les vampires hantent le folklore comme des créatures mauvaises. En revanche, à l'époque romantique, la perversité et la dangerosité de la créature renforcent son pouvoir de séduction. Clarimonde (Théophile Gautier, *La Morte amoureuse*, 1836), Carmilla (Sheridan Le Fanu, 1872), Dracula (Bram Stoker, 1897) sont des vampires de papier qui se nourrissent de notre sang d'encre : les peurs et fantasmes qu'ils suscitent. Le comte Dracula concentre à lui seul tout l'imaginaire des vampires, leur mode de vie, leurs habitudes et la menace qu'ils représentent. Le personnage de Stoker, précisément décrit, localisé et attesté par des témoignages historiques, prend alors la consistance d'un monstre terrifiant.

Victor HUGO (1802-1885), *Le Burg dans l'orage*, plume et lavis d'encre brune, 1857 (Maison de Victor Hugo, Paris).

L'UNIVERS DU VAMPIRE

1. Comment les textes font-ils comprendre le rapport particulier du vampire avec le monde extérieur ?
2. Pourquoi l'encre de Victor Hugo pourrait illustrer le texte de Matthew Lewis ? L'atmosphère est-elle réaliste ou fantastique ? Expliquez.
3. Observez l'affiche du *Cauchemar de Dracula*, p. 423 du manuel : montrez qu'elle concentre tous les éléments mythiques étudiés précédemment.

2 La sensualité du vampire

Le vampire exprime le plaisir lié à la transgression. Se nourrir de l'autre ou lui sacrifier sa vie place la relation amoureuse sous le signe de la passion absolue.

1. Une monstruosité désirable

***Dracula*, film de Francis Ford COPPOLA, 1992.**

Louis, un jeune vampire, explique au narrateur-journaliste, comment Lestat l'a métamorphosé par sa morsure.

« – Écoutez-moi maintenant, Louis, dit-il en s'allongeant à mon côté sur les marches, en un mouvement si gracieux et si intime qu'il m'évoqua aussitôt le geste d'un amant.

Je m'écartai mais il m'entoura de son bras droit et m'attira contre son sein. Je ne m'étais jamais trouvé aussi près de lui auparavant, et dans la faible clarté de la nuit je vis le rayonnement magnifique de ses yeux et le masque surnaturel de son visage. Comme j'essayais de bouger, il appuya les doigts de sa main droite sur mes lèvres en disant :

– Restez tranquille. Je vais vous boire jusqu'au seuil de la mort, et je veux que vous restiez calme, si calme que vous puissiez presque entendre le flot de votre sang, si calme que vous puissiez entendre couler votre sang à l'intérieur de mes veines. C'est votre conscience, votre volonté qui devront vous maintenir en vie.

Je tentai de lutter, mais ses doigts exerçaient une pression si forte sur moi qu'ils tenaient en échec les efforts de mon corps tout entier ; et, dès que je cessais ma tentative avortée de rébellion, il enfonça ses dents dans mon cou. »

Anne RICE, *Entretien avec un vampire*, 1976,
trad. de Tristan MURAIL, © Pocket, 1990.

Repères esthétiques

Edvard Munch et l'expressionnisme

Edvard Munch est considéré comme l'un des précurseurs de l'**expressionnisme**, mouvement artistique qui cherche à exprimer des émotions fortes et suggère des sentiments souvent angoissants. Ce tableau semble d'abord une scène de tendresse. Le couple s'étreint dans une quiétude amoureuse ou maternelle. Mais le fond noir strié de rouge contrastant avec la pâleur de la jeune femme, les cheveux roux qui coulent comme un filet de sang et emprisonnent l'homme, les doigts serrés comme des griffes, le baiser appuyé dans le cou de l'homme et bien sûr le titre du tableau nous amènent à une seconde lecture de cet enlacement. Il s'agit bien d'un baiser mortifère, d'une morsure vampirique. En cette fin de XIXe siècle, la femme satanique incarne les désirs sexuels inquiétants d'une femme émancipée, que l'on craint autant qu'on la désire.

ÉROS ET THANATOS

1. Par quels procédés le texte parvient-il à faire ressortir la sensualité fatale du vampire ?
2. Analysez les rapports entre les personnages (costumes, attitudes, couleurs, éclairage, composition d'ensemble) : qu'en concluez-vous ?

2. La morte amoureuse

Clarimonde, une femme vampire, exerce sur un jeune prêtre une dangereuse fascination.

Un matin, j'étais assis auprès de son lit, et je déjeunais sur une petite table pour ne la pas quitter d'une minute. En coupant un fruit, je me fis par hasard au doigt une entaille assez profonde. Le sang partit aussitôt en filets pourpres, et quelques gouttes rejaillirent sur Clarimonde. Ses yeux s'éclairèrent, sa physionomie prit une expression de joie féroce et sauvage que je ne lui avais jamais vue. Elle sauta à bas du lit avec une agilité animale, une agilité de singe ou de chat, et se précipita sur ma blessure qu'elle se mit à sucer avec un air d'indicible volupté. Elle avalait le sang par petites gorgées, lentement et précieusement, comme un gourmet qui savoure un vin de Xérès ou de Syracuse ; elle clignait les yeux à demi, et la pupille de ses prunelles vertes était devenue oblongue au lieu de ronde. De temps à autre elle s'interrompait pour me baiser la main, puis elle recommençait à presser de ses lèvres les lèvres de la plaie pour en faire sortir encore quelques gouttes rouges. Quand elle vit que le sang ne venait plus, elle se releva l'œil humide et brillant, plus rose qu'une aurore de mai, la figure pleine, la main tiède et moite, enfin plus belle que jamais et dans un état parfait de santé.

Théophile GAUTIER, *La Morte amoureuse*, 1836.

3. Le vampire d'Edvard Munch

Edvard MUNCH (1863-1944), *Le Vampire*, 1895, lithographie et gravure sur bois, 54,3 x 67 cm (Musée des Beaux Arts de Haugesund, Norvège).

UN ÊTRE FASCINANT

1. Montrez que la frontière entre le baiser et la morsure est brouillée dans l'extrait de *Entretien avec un vampire*.
2. Montrez la fascination exercée par la femme vampire sur le narrateur dans le texte de Théophile Gautier. Appuyez-vous sur le champ lexical des sensations.
3. Dans le texte de Théophile Gautier et le tableau d'Edvard Munch, quels procédés traduisent la fusion entre le plaisir et la blessure ?

3 Un monstre infiltré parmi les humains

Le vampire inspire les créateurs car il interroge les frontières de l'humain. Il concentre les désirs impossibles de l'homme : immortalité, jeunesse éternelle, invincibilité. Mais il catalyse notre peur de l'autre.

1. L'apparence humaine

Gary OLDMAN incarne Dracula dans le film de Francis FORD COPPOLA (1992).

Repères esthétiques

Le dandysme

Le dandysme, né au début du XIXe siècle en Angleterre, se définit comme une attitude existentielle et esthétique, prônant un idéal aristocratique. Le dandy se distingue du bourgeois d'affaires en refusant de travailler ou même de participer à la vie sociale. Ce personnage trouve une incarnation parfaite en la personne de George Bryan Brummel (1778-1840), qui enchante la société anglaise par son souci de l'élégance et de l'anticonformisme. En France, le phénomène du dandysme se diffuse au long du XIXe siècle. Baudelaire célèbre sa capacité à faire de sa vie un chef-d'œuvre de raffinement glacial. « C'est le plaisir d'étonner et la satisfaction orgueilleuse de ne jamais être étonné. » (*Le Peintre de la vie moderne*)

2. Des hommes et des monstres

Robert Neville est le dernier survivant de la race humaine. Entouré d'humains qu'une pandémie transforme en vampires, il tente de survivre dans cet univers hostile. Dans ce dialogue, il écoute un plaidoyer pour les vampires.

« ...Résumons la question : à une certaine époque, au plus sombre du Moyen Âge, la puissance du vampire était grande et il suscitait la terreur. C'est pourquoi on jeta l'anathème sur lui. La Société le hait sans raison ! Ses crimes sont-ils plus grands que ceux des parents qui tuent la personnalité de leurs enfants ? Le vampire fait battre les cœurs plus vite et se dresser les cheveux. Mais est-il plus monstrueux qu'un père qui donne la vie à un gosse névrosé et en fait un homme politique ? Qu'un industriel qui fait le bien avec l'argent qu'il a amassé en vendant des armes et des bombes aux gens de guerre ? Qu'un fabricant d'alcool ?... [...] Mais est-il plus monstrueux, après tout, que le directeur de journal qui abreuve ses lecteurs de saletés et de crimes ? Franchement, faites votre examen de conscience, mes mignons : est-ce que le vampire est tellement condamnable ? Tout ce qu'il fait, c'est boire du sang. Pourquoi, dès lors, cet injuste préjugé à son égard ? Pourquoi le vampire ne vivrait-il pas où il lui plaît ? Pourquoi le contraindre à se cacher ? Pourquoi vouloir le détruire ? Vous avez transformé ce pauvre innocent en un animal traqué. Il n'a pas de moyen d'existence, pas la possibilité de s'instruire, il n'a même pas le droit de voter. Et vous vous étonnez qu'il se voie forcé de mener une existence nocturne, en marge de la légalité ?... »

Robert Neville ricana amèrement.

« Ouais, grogna-t-il, ouais... Mais ça vous plairait, de voir votre sœur en épouser un ?... »

Richard MATHESON, *Je suis une légende*,
trad. de Claude ELSEN, Denoël, 1955.

De l'image au texte

1. Décrivez l'acteur Gary Oldman. En quoi son apparence révèle-t-elle le danger que présente le vampire ?
2. Exprimez la thèse défendue par l'interlocuteur de Robert Neville : quels sont ses arguments ?
3. Montrez que le vampire, créature d'une inquiétante familiarité, angoisse car il est à la fois proche de l'homme et fondamentalement autre.

3. *Le vampire : entre humanité et animalité*

Albert PÉNOT (1862-1930), *La Chauve-souris*, 1880.

Tom CRUISE incarne le personnage inventé par Anne RICE dans *Entretien avec un vampire*, de Neil JORDAN (1994).

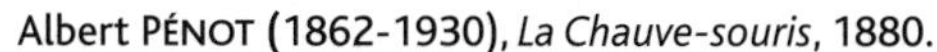

4. *L'incarnation du mal*

Les Métamorphoses du Vampire

Quand elle eut de mes os sucé toute la moelle,
Et que languissamment je me tournai vers elle
Pour lui rendre un baiser d'amour, je ne vis plus
Qu'une outre aux flancs gluants, toute pleine de pus !
Je fermai les deux yeux, dans ma froide épouvante,
Et quand je les rouvris à la clarté vivante,
À mes côtés, au lieu du mannequin puissant
Qui semblait avoir fait provision de sang,
Tremblaient confusément des débris de squelette,
Qui d'eux-mêmes rendaient le cri d'une girouette
Ou d'une enseigne, au bout d'une tringle de fer,
Que balance le vent pendant les nuits d'hiver.

Charles BAUDELAIRE, « Les Métamorphoses du Vampire » (extrait), *Les Épaves*, 1866.

LES MÉTAMORPHOSES DU VAMPIRE

1. Par quels moyens le titre du poème résonne-t-il dans la strophe ?
2. Ce poème a été censuré en 1857 lors du procès des *Fleurs du mal*. Comment expliquer cette décision ?
3. Indiquez ce qui motive l'analogie entre le vampire et la chauve-souris ?
4. Montrez que le personnage joué par Tom Cruise adopte une posture animale. Rapprochez ce portrait cinématographique d'une métaphore utilisée par Théophile Gautier dans *La Morte amoureuse* (p. 427).

4 La fin d'un mythe ?

Mythe d'une grande richesse symbolique, le vampire fascine et séduit. Chacun s'en empare. Ces réécritures dénaturent-elles le mythe ou invitent-elles à se moquer de nos peurs ?

1. Les affiches des Dracula de Coppola (1992) et de Mel Brooks (1995)

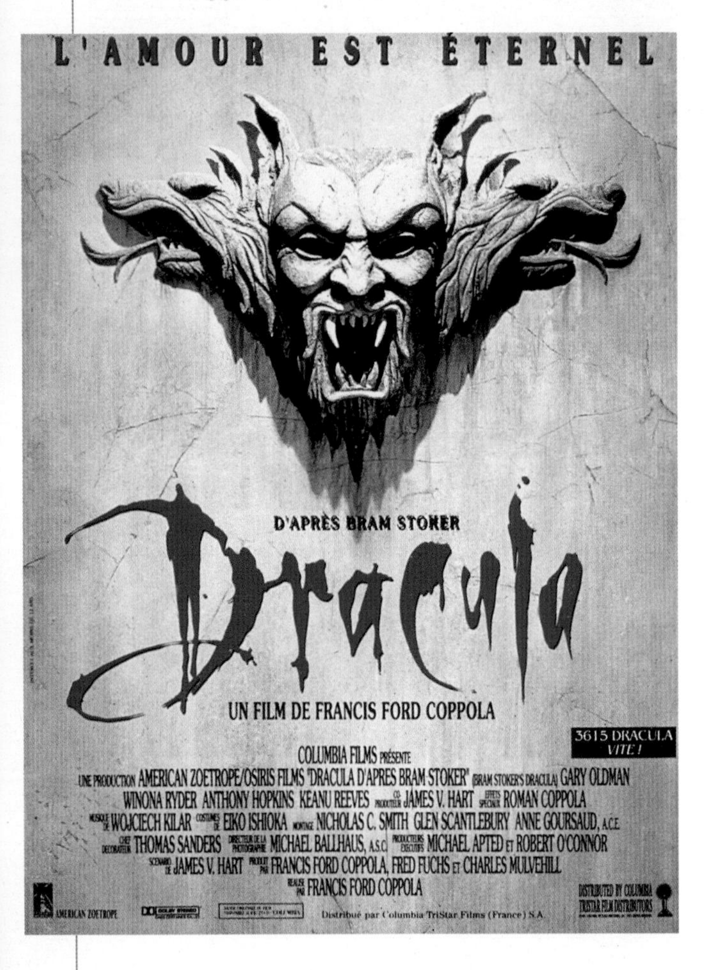

2. Le vampire tourné en dérision

Le Bal des vampires, film de Roman POLANSKI, 1967.

Étude d'images

1. Montrez précisément comment la seconde affiche réécrit la première. Fondez-vous sur une observation précise des motifs, du texte et de sa police, des couleurs.

Fiche 35 **L'intertextualité**

2. Dans cette photo du *Bal des vampires*, expliquez ce qui ridiculise les personnages.

3. Comment ces parodies désacralisent-elles le mythe et ses clichés ? Pourquoi l'invitation à rire de ce qui fait peur est-elle salutaire ?

3. Le vampire : une figure contemporaine

L'image du vampire en littérature reflète les bouleversements [de la société] et l'on assiste à une réhabilitation progressive du personnage. Les vampires d'Anne Rice ne sont plus des monstres qu'il faut éliminer mais des êtres différents de nous que nous devons essayer de comprendre. Loin d'être, comme Dracula, des sortes d'épouvantails, ils fascinent en particulier les jeunes lecteurs car ils sont des êtres d'élite. Ce ne sont pas des démons mais des anges de la mort. Dans certaines séries contemporaines, comme *Twilight* de Stephenie Meyer, les héros vampires sont même devenus totalement fréquentables puisqu'ils n'ont plus besoin de tuer des humains pour survivre.

La littérature de ces dernières années reflète, bien sûr, les problèmes qui préoccupent nos contemporains comme le sida, la drogue et la violence urbaine. Les vampires y prennent toute leur part, ce qui montre qu'ils sont maintenant fermement ancrés dans le tissu social.

Jean MARIGNY, *La Fascination des vampires*, Les Belles Lettres, Paris, 2009.

4. De la monstruosité au glamour

Un vampire aseptisé ?

Il est loin le temps où des morts vivants au faciès terreux se dandinaient d'un pied sur l'autre, semblant jouer à « *1,2,3, soleil !* », où les vampires exhalaient la naphtaline et se cloîtraient dans des châteaux en Transylvanie. [...] La saga *Twilight* a rendu sa saveur romantique et la charge érotique propre au XIXe siècle au mythe vampirique en le fondant dans la société d'aujourd'hui avec bal de fin d'année et match de base-ball en famille. Apologie de la chasteté adolescente et de la force du désir inassouvi. [...] Le fantasme sexuel semble fécondé par le sang. N'oublions pas que « vamp », synonyme de la femme fatale, est le diminutif de « vampire ». [...] Dépourvus de leur folklore gothique, zombies ou vampires, par leur statut ambigu et l'entre-deux où ils évoluent, posent la question de l'altérité. Crise des valeurs, crise économique sur fond de flux mondialisés, les paradigmes[1] sont réunis pour que prospère le filon. La veine n'est pas prête de se tarir. Une dizaine de longs métrages mettant en scène des morts-vivants sont en préparation.

Macha SÉRY, *Le Monde*, article du 1er mars 2010.

1. Conditions parfaites.

LE MYTHE REVISITÉ

1. Selon vous, le personnage d'Edward Cullen dénature-t-il le mythe du vampire ?
2. Le mythe du vampire, né au siècle des Lumières, n'a eu aucun succès alors, tandis qu'aujourd'hui il fascine grandement : comment expliquer cette évolution ? Appuyez-vous sur la séquence pour répondre.
3. À partir des textes de Jean Marigny et de Macha Séry, montrez que le mythe du vampire est aujourd'hui à la fois réhabilité et dénaturé.
4. (@ RECHERCHE) Jean Marigny écrit, dans *La Fascination des vampires* : « Les vampires sont partout, dans la littérature, au cinéma, à la télévision, dans les jeux de rôle et même dans la publicité. » Illustrez cette affirmation par des exemples personnels.

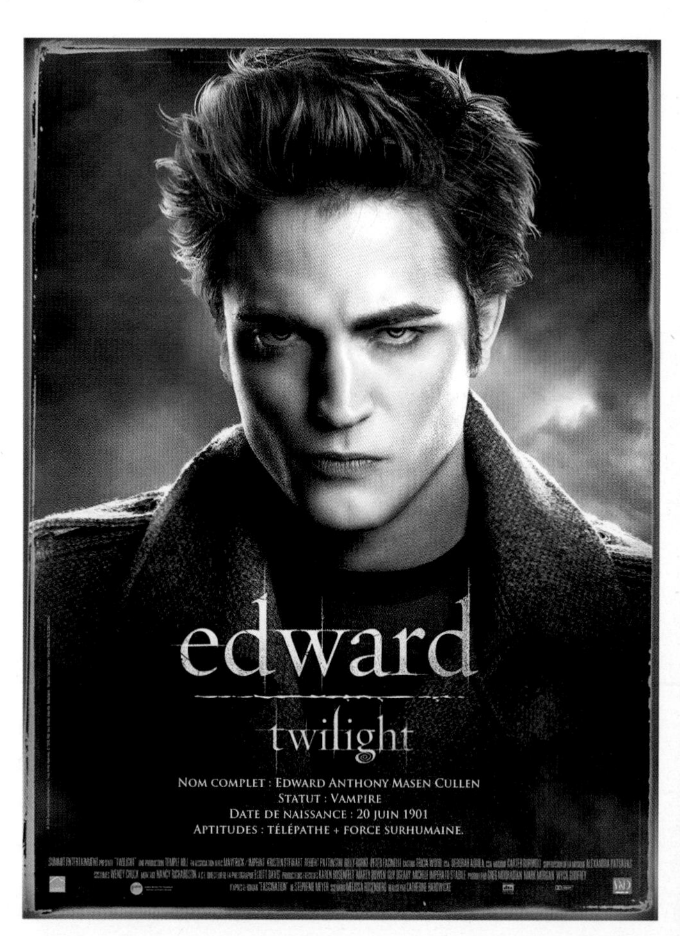

Edward CULLEN (Robert Pattinson) dans *Twilight Fascination*, de Catherine HARDWICKE (2008).

Atelier d'écriture

Écrire une « note d'intention » en vue d'une adaptation de Dracula

Vous décidez de réaliser une nouvelle adaptation cinématographique de *Dracula*. Soucieux d'attirer l'attention d'un producteur, vous lui adressez une « note d'intention » dans le but de le convaincre de l'intérêt majeur de votre projet.

1. Choisir un modèle de vampire

Avant de soumettre votre projet, vous devez réfléchir à la caractérisation du personnage principal. Établissez la carte d'identité du personnage en suivant la consigne suivante :

– Construisez un tableau présentant les caractéristiques physiques et morales de votre Dracula. Distinguez au sein de ce portrait les aspects qui renouvellent le mythe.

– Proposez un **schéma actantiel** en identifiant le rôle des personnages gravitant autour de Dracula.

– À la lumière de ces indications, quel acteur français ou étranger vous semble le mieux à même de tenir le rôle ? Argumentez.

2. Identifier le cadre de l'action

- Ce tableau vous paraît-il réaliste ou fantastique ? Justifiez votre réponse en analysant la représentation que donne Friedrich de la nature.
- Quelle atmosphère se dégage de ce tableau ?
- Dans quelle mesure l'abbaye est-elle un lieu symbolique dans un récit de vampires ?
- En vous appuyant sur d'autres tableaux de Friedrich, montrez que cet artiste peut inspirer le réalisateur d'une adaptation de *Dracula*.

Caspar David FRIEDRICH (1774-1840), *Abbaye dans une forêt de chênes*, 1810, huile sur toile (Nationalgalerie, Berlin).

3. Sélectionner des arguments pertinents

Une « note d'intention » est un discours argumentatif : le réalisateur doit convaincre un producteur en mettant en avant l'intérêt de son projet. Organisez vos arguments en vous aidant des problématiques suivantes :

– Pourquoi le vampire fascine-t-il encore le public aujourd'hui ?

– Quel est l'intérêt de proposer une énième version de *Dracula* au cinéma ?

– Comment peut-on renouveler l'approche du vampire dans un film ? Mettez en avant des choix esthétiques et techniques (utilisation d'effets spéciaux, choix du décor, types de plans).

4. Rédiger la « note d'intention »

Rédigez votre note d'intention en suivant la progression ci-dessous :

– Exposez dans un premier temps les raisons qui vous ont déterminé à adapter *Dracula*. Vous ferez alors référence au mythe ainsi qu'aux adaptations littéraires et cinématographiques qui ont éveillé votre curiosité.

– Résumez ensuite votre projet de scénario en mettant en valeur vos choix de mise en scène : jeu d'acteur, décor, cadrage, mouvement de l'image, angles de vue…

– N'oubliez pas qu'une note d'intention doit faire sentir la motivation, la sincérité et la détermination du réalisateur.

Corpus : « L'anecdote de la jeune veuve »

1 **PÉTRONE,** « La matrone d'Éphèse », *Satiricon,* CXI – CXII, Ier siècle ap. J.-C.
2 **J. DE LA FONTAINE,** « La Jeune Veuve », V, 21, *Les Fables,* 1668
3 **VOLTAIRE,** *Zadig,* 1747
4 **Gustave DORÉ,** illustration pour « La Jeune Veuve » de La Fontaine, 1868

1 PÉTRONE, « La matrone d'Éphèse », *Satiricon,* Ier siècle ap. J.-C.

Homme de lettres et poète latin, Pétrone est considéré « comme le premier romancier européen » pour son célèbre Satiricon. *Cette œuvre qui nous est parvenue morcelée témoigne de la société romaine sous Néron et manifeste un art du récit remarquable. L'anecdote de la veuve joyeuse prend ici un tour très plaisant.*

Une dame d'Éphèse s'était acquis une telle réputation de chasteté que, des pays voisins, les femmes venaient la voir comme une curiosité. Cette dame donc, ayant perdu son mari, ne se contenta pas, comme tout le monde, de suivre l'enterrement, les cheveux épars, ou de frapper, devant la foule assemblée, sa poitrine nue, elle voulut accompagner le défunt jusque dans la tombe, garder son corps dans le caveau où, suivant la coutume grecque, on l'avait déposé, et y passer ses jours et ses nuits à le pleurer. Son affliction[1] était telle qu'elle était résolue à se laisser mourir de faim. [...]

La nuit suivante, le soldat qui gardait les croix[2], vit une lumière qui, au milieu de ces sombres monuments, semblait briller d'un éclat plus vif, et entendit des gémissements de deuil. Cédant à la curiosité qui tourmente tout homme au monde, il voulut savoir qui était l'auteur ou quelle était la cause de ces phénomènes. Il descend donc dans le caveau et, tombant sur une femme de toute beauté, tout d'abord il s'arrête, l'esprit troublé d'histoires de fantômes, comme en présence d'une apparition surnaturelle ; mais bientôt, remarquant un cadavre étendu, les larmes de la femme, les marques de ses ongles sur son visage, il pensa qu'il avait affaire à une veuve incapable de se consoler de la perte de son époux. [...]

Il lui tint tous les discours propres à guérir un cœur ulcéré[3]. Mais elle, choquée qu'un étranger osât la consoler, se déchire le sein de plus belle, s'arrache les cheveux et les jette à poignées sur le corps de celui qu'elle pleure. Le soldat, sans se décourager, insiste de nouveau pour qu'elle prenne au moins quelque nourriture, tant et si bien que la servante, tentée sans doute par l'odeur du vin, et cédant à une instance si obligeante[4], tendit la première vers le souper sa main vaincue. Aussitôt restaurée, elle se mit à son tour en devoir de battre en brèche l'opiniâtreté[5] de sa maîtresse : « À quoi vous sert-il, dit-elle, de vous laisser mourir de faim, de vous ensevelir toute vive, et, avant la date fixée par les destins, de livrer à l'Achéron[6] une âme qu'il ne réclame pas encore ? Croyez-vous que, dans leur sépulture, cendres ou mânes[7], les morts se soucient encore de nos pleurs ? Ne voulez-vous pas revenir à la vie ? [...] »

On n'écoute pas impunément une voix amie qui vous exhorte à prendre de la nourriture et à vivre ; la veuve, exténuée par un jeûne de plusieurs jours, laisse enfin vaincre son opiniâtreté ; avec non moins d'avidité que sa servante, elle se garnit l'estomac. Mais elle avait cédé la dernière. [...]

1. Peine profonde.
2. Qui surveillait le cimetière.
3. Blessé, meurtri.
4. Demande pressante et aimable.
5. Entamer la détermination, décourager.
6. Fleuve des Enfers. Les morts le traversaient sur la barque de Charon pour entrer au royaume d'Hadès.
7. Esprits des morts.

35 Du reste, la servante plaidait la cause du soldat et ne se lassait pas de dire :
« Pourquoi lutter contre l'amour,
Et ne voyez-vous pas en quels lieux se consume votre beauté ?
À quoi bon vous faire languir ? »

Il y eut une autre partie de sa personne que la pauvre femme ne sut pas 40 mieux défendre que son estomac, et le soldat triomphant put enregistrer un second succès. Donc ils couchèrent ensemble, et non seulement cette nuit même, qui fut celle de leurs noces, mais le lendemain et encore le jour suivant, non sans avoir eu soin de fermer la porte du caveau, de sorte que, si quelque parent ou ami était venu au tombeau, il eût certainement pensé que 45 la trop fidèle épouse avait fini par expirer sur le cadavre de son mari.

PÉTRONE, « La matrone d'Éphèse », *Satiricon*, CXI – CXII,
Ier siècle ap. J.-C., trad. de Louis de Langle, Bibliothèque des curieux, 1923.

2 Jean DE LA FONTAINE, « La Jeune Veuve », *Les Fables*, 1668

Pour ses Fables, *publiées en 1668, La Fontaine s'inspire des fabulistes de l'Antiquité comme Ésope ou Pétrone. Il met en scène des anecdotes vivantes, souvent animalières mais parfois exclusivement humaines comme l'est « La Jeune Veuve » qui réécrit le récit satirique et plaisant tiré du* Satiricon.

La Jeune Veuve

1 La perte d'un époux ne va point sans soupirs.
On fait beaucoup de bruit, et puis on se console.
Sur les ailes du Temps la tristesse s'envole,
Le Temps ramène les plaisirs.
5 Entre la veuve d'une année,
Et la veuve d'une journée,
La différence est grande : on ne croirait jamais
Que ce fût la même personne.
L'une fait fuir les gens, et l'autre a mille attraits.
10 Aux soupirs vrais ou faux celle-là s'abandonne ;
C'est toujours même note et pareil entretien :
On dit qu'on est inconsolable ;
On le dit, mais il n'en est rien ;
Comme on verra par cette fable,
15 Ou plutôt par la vérité.
L'époux d'une jeune beauté
Partait pour l'autre monde. À ses côtés, sa femme
Lui criait : « Attends-moi, je te suis ; et mon âme,
Aussi bien que la tienne, est prête à s'envoler. »
20 Le mari fait seul le voyage.
La belle avait un père, homme prudent et sage :
Il laissa le torrent[1] couler.
À la fin, pour la consoler :
« Ma fille, lui dit-il, c'est trop verser de larmes :
25 Qu'a besoin le défunt que vous noyiez vos charmes ?

1. Les larmes.

Puisqu'il est des vivants, ne songez plus aux morts.
Je ne dis pas que tout à l'heure[2]
Une condition meilleure
Change en des noces ces transports[3] ;
30 Mais, après certain temps, souffrez qu'on vous propose
Un époux beau, bien fait, jeune, et tout autre chose
Que le défunt. – Ah! dit-elle aussitôt,
Un cloître est l'époux qu'il me faut. »
Le père lui laissa digérer sa disgrâce[4].
35 Un mois de la sorte se passe.
L'autre mois, on l'emploie à changer tous les jours
Quelque chose à l'habit, au linge, à la coiffure.
Le deuil enfin sert de parure,
En attendant d'autres atours.
40 Toute la bande des Amours
Revient au colombier[5] ; les jeux, les ris[6], la danse,
Ont aussi leur tour à la fin.
On se plonge soir et matin
Dans la fontaine de Jouvence[7].
45 Le père ne craint plus ce défunt tant chéri ;
Mais comme il ne parlait de rien à notre belle :
« Où donc est le jeune mari
Que vous m'avez promis ? » dit-elle.

Jean DE LA FONTAINE, « La Jeune Veuve », *Les Fables*, V, 21, 1668.

2. Tout de suite.
3. Émotions, manifestations de douleur.
4. Son malheur.
5. Pigeonnier : La Fontaine joue du caractère ailé des angelots.
6. Rires.
7. La légendaire fontaine de Jouvence ou *fontaine de vie* est source d'un perpétuel rajeunissement.

3 VOLTAIRE, *Zadig*, 1747

Zadig est un conte philosophique orientalisant publié en 1747. Voltaire met en scène les mésaventures de Zadig, à la recherche du bonheur. Cet extrait se situe au début du conte. Son épouse Azora s'indigne de l'inconstance d'une jeune veuve.

1 Un jour, Azora revint d'une promenade, tout en colère et faisant de grandes exclamations.

« Qu'avez-vous, lui dit-il, ma chère épouse ? Qui vous peut mettre ainsi hors de vous-même ?

5 – Hélas ! dit-elle, vous seriez indigné comme moi, si vous aviez vu le spectacle dont je viens d'être témoin. J'ai été consoler la jeune veuve Cosrou, qui vient d'élever depuis deux jours un tombeau à son jeune époux auprès du ruisseau qui borde cette prairie. Elle a promis aux dieux, dans sa douleur, de demeurer auprès de ce tombeau tant que l'eau de ce ruisseau coulerait auprès.

10 – Eh bien ! affirma Zadig, voilà une femme estimable qui aimait véritablement son mari !

– Ah! reprit Azora, si vous saviez à quoi elle s'occupait quand je lui ai rendu visite !

– À quoi donc, belle Azora ?

15 – Elle faisait détourner le ruisseau. »

VOLTAIRE, *Zadig*, « Le nez », 1747.

4 Gustave Doré, illustration pour « La Jeune Veuve » de La Fontaine, 1868

Gustave Doré (1832-1883), illustration pour « La Jeune Veuve » de J. de La Fontaine, gravure, 1868.

Questions sur un corpus

Comment La Fontaine et Voltaire s'inspirent-ils d'Ésope tout en le renouvelant ?
Quels vers pourraient illustrer parfaitement la gravure de Gustave Doré ?

Travaux d'écriture

Commentaire

Vous rédigerez le commentaire de la fable de La Fontaine en analysant l'alliance de l'agrément et de la valeur moralisatrice.

Fiches 49 à 51 **Vers le commentaire**

Dissertation

La démarche de réécriture permet-elle l'expression personnelle et authentique ?

Fiches 53 à 55 **Vers la dissertation**

Écriture d'invention

Vous êtes dramaturge et vous souhaitez réécrire l'anecdote de la jeune veuve.
Proposez une réécriture théâtrale de cette fable. Vous ajouterez des didascalies.

Fiches 47 et 48 **Vers l'écriture d'invention**

À lire

Lire l'*incipit*

1. Pascal FIORETTO,
***Et si c'était niais ? Pastiches contemporains*, 2009**

Pascal Fioretto écrit des parodies sur fond de roman policier. Fred Wargas, Mélanie Notlong ou Anna Gavaulda amusent le lecteur, qui reconnaît la plume de ses auteurs favoris brocardée par l'ironie de l'auteur. Dans cet extrait, les clichés narratifs et stylistiques chers à Marc Lévy – devenu Marc Levis – dans *Et si c'était vrai...* sont parodiés ainsi que le goût de l'écrivain pour les aphorismes existentiels tels que : « Tous les rêves ont un prix » ou « Le pire mensonge est de se mentir à soi-même ».

1 La jolie hôtesse du vol AF009 s'approcha d'Adam Seberg et lui dit en souriant :

– Nous allons bientôt atterrir, Monsieur.

– Dommage, répondit-il avec humour, je commençais à
5 m'assoupir.

– On peut rêver sa vie dans les airs ou choisir de la vivre sur la terre ferme, fit remarquer doucement la jeune fille.

Elle avait de grands yeux violets, d'une douceur irréelle.

– Vous avez raison, dit-il en soupirant. Quand le passé nous
10 tourne le dos, il est parfois difficile de le regarder en face.

Après un clignement des yeux qui signifiait qu'elle avait compris au-delà des mots, l'hôtesse lui dit délicatement :

– Il est temps de boucler votre ceinture, Monsieur.

– Ah, si tout était aussi simple à boucler qu'une ceinture... mur-
15 mura-t-il pour lui seul, tandis que l'Airbus A340 quadriréacteur d'une longueur de 208 pieds et 18 pouces amorçait un virage au-dessus de la baie de San Francisco. Le soleil couchant empourprait de feu les eaux profondes du Pacifique, allumant des lueurs d'incendie sur les buildings de verre et d'acier du *financial district*.

20 Comme un grand oiseau blanc aux ailes d'acier, l'avion volait vers sa destination. Le fuselage de l'appareil pénétra en douceur dans l'air tiède qui baignait la baie. [...]

L'avion d'Adam s'était immobilisé à son point de stationnement et les passagers de la première classe commencèrent à sortir de l'ap-
25 pareil. Adam connaissait bien le San Francisco International Airport. Combien de fois déjà avait-il débarqué ici. Du temps où elle et lui étaient encore...

La voix mélodieuse de la jolie hôtesse le tira de sa rêverie :

– Au revoir, Monsieur. Bon séjour en Californie !

30 – Au revoir, Mademoiselle. Voler avec vous, ce n'est pas du vol, trouva-t-il la force de plaisanter malgré l'émotion qui lui serrait la gorge.

Pascal FIORETTO, *Et si c'était niais ?*, Éd. Magnard, 2009.

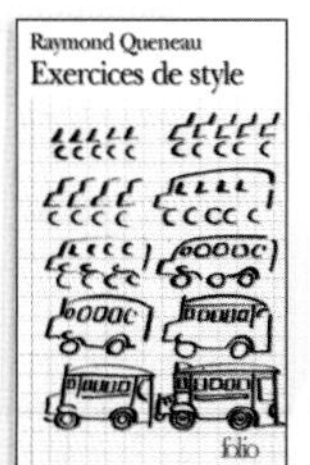

2. Raymond QUENEAU,
***Exercices de style*, 1943**

Une dispute dans un autobus bondé. Une conversation sur un bouton manquant. Autour de cette banale anecdote, Queneau crée 99 variations : en alexandrins, en javanais, ampoulé, vulgaire, médical ou gastronomique ! Un truculent classique des réécritures.

3. Daniel DEFOE, *Robinson Crusoé*, 1719

4. Michel TOURNIER, *Vendredi ou les limbes du Pacifique*, 1967

Un naufragé, une île déserte, des découvertes et des aventures. La lecture croisée de ces romans qui se font écho et variations sur un même thème nourrit notre réflexion sur l'Homme.

Pistes de lecture Les réécritures, du XVIIe siècle à nos jours

À lire

5. Franz KAFKA,
***La Métamorphose,* 1915**

6. Marie DARRIEUSSECQ,
***Truismes,* 1996**

Un jeune homme se transforme en insecte, une jeune femme en truie : ces récits étranges, mêlant tragique et humour, posent la question de la différence, du rapport aux autres et au monde. *Truismes* propose une réécriture actualisée du classique de Kafka.

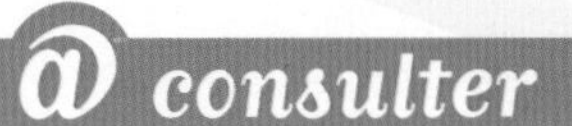

- **www.bnf.fr** : des traces d'Ulysse aux brouillons d'écrivains, les dossiers de la BNF sont une mine de ressources pour travailler les réécritures.
- **www.mediterranees.net/mythes** : textes et tableaux autour des mythes et des héros fondateurs.
- **http://www.youtube.com/watch?v=erbd9cZpxps** : un clip très artistique du groupe *Hold your horses !*

À écouter

France Culture rediffuse sur son site cette émission qui propose aux invités des jeux littéraires fondés sur les transpositions, les changements de registres, les réécritures en tout genre.

5. *Seul au monde,*
film de Robert Zemeckis, 2001

6. *Into the wild,*
film de Sean Penn, 2008

Pour compléter la lecture des romans de Defoe et de Tournier. Ces films présentent l'homme immergé dans une nature tantôt bienveillante, tantôt hostile, plongé dans une solitude qui interroge ses limites et son humanité.

À voir

1. *Un jour sans fin,*
film de Harold Ramis, 1993

2. *Smoking*
3. *No smoking,*
films d'Alain Resnais, 1993

4. *Pile ou Face,*
film de Peter Howit, 1998

Quatre films qui explorent les possibles de l'existence, en proposant plusieurs versions des événements selon les choix de chaque instant. Autant de variations filmées dans ces réécritures de nos vies.

Méthodes

1 Éducation aux médias 440

2 Travailler en autonomie 454

3 Le personnage de roman, du XVIIe siècle à nos jours 462

4 Le texte théâtral et sa représentation, du XVIIe siècle à nos jours 482

5 Écriture poétique et quête du sens, du Moyen Âge à nos jours 494

6 La question de l'Homme dans les genres de l'argumentation, du XVIe siècle à nos jours 508

7 Objets d'étude de la filière littéraire 520

8 Lire et analyser 528

9 Préparer le baccalauréat 556

10 Étude de la langue 600

Dans les fiches de la partie Méthodes, les astérisques signalent les mots définis dans le glossaire, p. 632.

Le dessin de presse

Sergueï, *US ARCHE*, 2002

1 L'image dans la presse écrite

➽ **Un journal est vu avant d'être lu** : pour lui donner une identité visuelle, les maquettistes créent une charte graphique qui définit le logo, la typographie, la disposition des colonnes et des images.

➽ Les éléments iconographiques peuvent occuper jusqu'au tiers de la surface imprimée.

Ex : *Toutes éditions confondues, on trouve dans le quotidien régional* Ouest-France *1 200 à 1 300 photos par jour.*
L'iconographie peut remplir différentes fonctions : explicative (tableaux, graphiques, etc.), argumentative (dessins de presse), informative (photographie de presse).

2 Les dessins dans la presse

Les dessins sont nombreux dans la presse écrite. Ils sont de différentes natures et remplissent différentes fonctions :

➽ **Les dessins d'illustration :** le dessinateur n'exprime pas un point de vue personnel sur un sujet mais il accompagne un article. Les images d'illustration ont pour fonction d'attirer le lecteur et de situer le sujet.

➽ **Les dessins d'actualité** représentent un événement précis et informent sans commenter (par exemple les croquis d'audience).

➽ **Les dessins humoristiques** traitent des attitudes humaines permanentes : on oppose l'intemporalité du dessin d'humour au côté périssable du dessin d'actualité.

Ex : *Les dessins de Sempé n'évoquent pas l'actualité mais les comportements.*

➽ **La caricature** est un dessin polémique visant les personnes. Ses trois fonctions sont : exagérer, défigurer, accuser. Elle révèle ce qu'on ne voit pas mais aussi le déforme, voire le dégrade. Sa présence dans les journaux témoigne de la liberté de la presse dans les pays démocratiques.

➽ **Les dessins éditoriaux** ont une fonction argumentative et proposent un commentaire davantage qu'une information. Les « dessinateurs-journalistes » font preuve d'un regard personnel sur l'actualité, qu'ils commentent ou jugent avec humour.

Ex : *Le dessin de Sergueï a pour fonction de faire réfléchir et réagir plus que d'amuser. On peut donc le qualifier de dessin éditorial.*

Ils utilisent la dérision comme une arme : le rire dénonce et rabaisse les puissants.

Ex : *Dans le dessin de Sergueï, la politique énergétique des États-Unis est dénoncée comme favorisant les pays riches.*

3 Comprendre un dessin de presse

➽ Souvent, le **dessin de presse** n'est compréhensible qu'**en lien avec les événements de l'actualité**. Pour le comprendre, le lecteur doit connaître ce contexte.

➽ Le dessin illustre souvent un article. Le titre de l'article ainsi que les chapeaux et les intertitres précisent le sens du dessin en fournissant des indications de lieu ou de temps que le dessin ne peut exprimer et ils orientent sa lecture et son interprétation.

➽ Le dessin de presse a une telle **force argumentative** qu'il peut concurrencer l'écrit. Il emprunte volontiers à la rhétorique ses figures de style et les transpose de manière visuelle. On peut ainsi repérer dans un dessin de presse des allégories, métonymies, métaphores ou symboles.

Ex : *Dans le dessin de Sergueï, on peut reconnaître :*
- Une allégorie (la représentation d'un élément abstrait par une figure concrète) : l'oncle Sam représente les États-Unis.
- Une métonymie (la représentation d'un tout par un élément qui le constitue) : les couples aisés montant dans l'arche figurent l'Occident.
- Une métaphore (le remplacement d'un terme par un autre afin de stimuler l'imagination du lecteur) : le nuage de pollution devient un nuage d'orage qui représente le dérèglement climatique.
- Un symbole : le sceptre avec le signe du dollar rappelle la toute-puissance financière des États-Unis.

Pour transmettre rapidement et efficacement leurs messages, les dessinateurs utilisent souvent des stéréotypes.

Ex : *Ici, on peut reconnaître le stéréotype du capitaliste simplement avec les cigares et les colliers de perles.*

Exercices

1 Comparer les iconographies d'un journal

1. Comparez le journal de votre région avec un quotidien national comme *Le Monde* : observez la maquette, les dessins, les photos, etc., du journal de votre choix et déduisez quelle identité visuelle ces éléments définissent. Comment imaginez-vous le lecteur type, qui se reconnaît dans ce journal ?
2. Quelles sont les différentes fonctions de ces iconographies ? Justifiez votre réponse en observant la place et la relation de ces éléments avec les articles qu'ils accompagnent.
3. Quels sont les choix faits par le journal ou le magazine ? Que pouvez-vous en déduire de son regard sur l'actualité et sur ses lecteurs ?

2 Identifier les différentes iconographies de la presse écrite

1. Choisissez un événement récent largement couvert par la presse écrite.
2. Présentez ce même événement à travers les différents types d'iconographies auxquelles les journalistes ont eu recours. Précisez pour chacun de ces éléments sa nature (tableau, graphique, carte, dessin, photographie) ainsi que ses fonctions (explicative, argumentative, informative, illustratrice).
3. Selon vous, qu'apporte au lecteur chaque élément iconographique utilisé ? Justifiez vos réponses.

3 Sélectionner des caricatures

Vous participez à une semaine de la littérature organisée dans votre établissement.

1. Cherchez sur Internet des caricatures de Balzac, Baudelaire ou Flaubert et réalisez un diaporama qui sera publié sur le site du lycée. Ces caricatures doivent retracer les principales étapes de la biographie de chaque auteur, leurs œuvres et illustrer les critiques qui ont été faites à leur sujet.
2. Justifiez vos choix : quel est le sujet de la polémique ? Quelles caractéristiques du personnage sont exagérées ou déformées ?

4 Repérer des figures de style

Connectez-vous sur :
http://www.dessindepresse.com/

1. Sélectionnez un dessin de presse qui, selon vous, illustre chacune des figures de style suivantes : l'allégorie, la métaphore, le symbole ou la métonymie.
2. Exposez à votre classe vos choix et justifiez-les.

5 Lire l'image et son texte :

1. Imaginez le court texte qui pourrait encadrer ce dessin.
2. Précisez quels seraient notamment son titre, les chapeaux et intertitres auxquels vous auriez recours pour préciser le sens de ce dessin.

6 Repérer une argumentation

1. Pourquoi peut-on associer le dessin à l'argumentation ? Justifiez votre réponse.
2. Quelle(s) figure(s) de style particulière(s) l'auteur a-t-il utilisée(s) ?

7 Interpeller grâce au dessin de presse

Les réseaux sociaux prennent une place de plus en plus importante dans notre société.

1. Faites une recherche des dessins de presse qui illustrent ce phénomène. Présentez-les à votre classe.
2. Les dessins ainsi sélectionnés traduisent-ils des avis différents concernant les réseaux sociaux ? Justifiez votre réponse.

Fiche 2

Le billet d'humeur

1 Un genre journalistique

➽ Un article de commentaire

Le billet quotidien est une tradition journalistique dans la presse écrite mais aussi à la radio.

Le billet d'humeur appartient au genre journalistique du **commentaire**. C'est un **article court** dans lequel un journaliste exprime une opinion et peut s'indigner ou critiquer. On trouve donc à la fois un jugement et des traits d'esprit.

Ex : *« Les ouvriers meurent bien souvent dès qu'ils sont à la retraite. C'est pourquoi le gouvernement, avec mansuétude, a décidé de repousser l'âge de la retraite. C'est fou qu'il faille toujours tout expliquer... » (Hervé Le Tellier,* Le Monde, *27/05/2003)*

Avec un certain humour noir et en utilisant la technique de l'antiphrase, Hervé Le Tellier se fait le porte-parole d'un gouvernement exaspéré par l'incompréhension des citoyens. Il dénonce grâce à l'ironie.

➽ Un article à part

Le journaliste exprime **un point de vue critique** et non conformiste sur un fait d'actualité qu'il recueille dans les dépêches d'agence ou dans la sélection de photos parues dans la presse.

Il exprime son indignation, ou son exaspération en s'affranchissant de la neutralité ou des convenances qui s'appliquent au reste du journal.

Ex : *« [...] Nomades ou sédentaires ? Nous ne quittons plus notre fauteuil. Au moindre ennui, nous zappons. Les producteurs d'images ne savent plus comment épicer leurs mets pour nous retenir. La télécommande, c'est le papillonnage, l'impatience, l'infidélité. C'est la consommation effrénée, la goinfrerie sans limites. Illusion du voyage, et du pouvoir. La télécommande, c'est la télé qui commande. » (Robert Solé,* Le Monde, *19/02/2007)*

Robert Solé ne ménage pas ses lecteurs et dénonce le comportement de ses concitoyens.

2 Un genre littéraire

➽ L'état d'esprit

Pour écrire un billet, il faut avoir l'esprit de contradiction, ne pas hésiter à faire preuve d'agressivité, de mauvaise foi, ne pas craindre d'outrepasser les règles habituelles de recoupement des informations, d'impartialité et de modération, d'employer un langage familier.

Ex : *« **À l'insu de son plein gré.** 4 millions et demi d'euros, ça ne se trouve pas sous le sabot d'un cheval. Sauf si le canasson est un pur-sang speedé, se montre rapide comme un ou une Jaguar, et qu'il triomphe crinière au vent dans le Prix d'Amérique. Mais on apprend qu'[il] était chargé à l'insu de son plein gré. Sa ration de vitamine C a été contaminée par une substance prohibée, l'acide tolfénamique. Officiellement, le laboratoire fournisseur parle d'un accident. » (Éric Fottorino,* Le Monde, *11/03/06)*

Il faut cependant veiller à ce que l'impertinence reste dans les limites de la loi, au risque d'être accusé d'injure ou de diffamation.

➽ Le style

L'écriture d'un billet d'humeur est **une affaire de style et de ton** : les auteurs ont recours aux registres polémique et satirique, l'humour et l'ironie règnent en maître.

Les détournements de formules, les références qui font un clin d'œil aux lecteurs, les digressions inattendues et les jeux de mots ponctuent ces exercices de style.

Ex : *« Sans-papiers, sans droit, sans-emploi, sans domicile fixe, sans terre. Partout, l'injustice du monde s'écrit avec des larmes de sans. » (Hervé Le Tellier,* Le Monde, *30 août 2002)*

Hervé le Tellier joue sur la répétition de « sans », qui marque l'absence de droits et la souffrance, d'où le jeu de mots sans/sang.

➽ La chute

La chute est essentielle et inattendue. Il convient de rédiger d'abord la chute, puis de composer le billet en fonction d'elle : **le processus d'écriture est donc inversé**. La chute constitue en quelque sorte la morale de l'histoire.

Ex : *« La Moselle déborde, inonde pavillons, bungalows, bicoques, hôtels, roulottes, salons, séjours, patios, toilettes, couloirs, voitures, sous-sols. Tout est gorgé d'o. » (Hervé Le Tellier,* Le Monde, *octobre 2006)*

Hervé le Tellier joue sur la répétition du son [o], produisant un effet d'assonance qui correspond au sujet de son billet : l'inondation. La chute porte autant sur l' « o » que sur l'eau.

Exercices

1 Comparer un billet écrit ou audio

Texte A :

Un monstre éléphantesque

1 C'est à barrir de rire. Le paléontologue écossais N... C... est arrivé à des conclusions qui ne trompent pas : le monstre du Loch Ness, dont la légende trouble les eaux à whisky depuis le XVIe siècle, était, mesdames mes-
5 sieurs, un éléphant. Si le bon sens vous amène à rétorquer qu'il n'existe pas de pachydermes outre-Manche, sauf pour qui a bu force scotches des Highlands (et dans ce cas ils sont roses), la réponse est enfantine : il s'agissait d'un éléphant échappé d'un cirque stationné
10 au bord du lac, surpris en train de nager.

Éric Fottorino, *Le Monde*, 07/03/06

Texte B :

Absurdité

1 UN AUTOMOBILISTE de 79 ans, contrôlé par des gendarmes, n'a pas pu leur présenter son permis de conduire. Et pour cause : il n'en a jamais eu. Le contrevenant s'était bien inscrit à une auto-école en
5 1952, mais n'avait pas passé l'examen. « Il a conduit cinquante-huit ans sans commettre d'infraction ! », a constaté un gendarme, assez admiratif.

Un bon avocat – de ceux qui vous démontrent que tout PV est illégal – épargnerait au conducteur une
10 sanction. Il ferait valoir son habileté, sa persévérance, sa discrétion... Mais ces avocats pleins de ressources ne sont pas eux-mêmes à l'abri de la loi. Deux d'entre eux viennent d'être condamnés par la Cour constitutionnelle allemande à des peines de 300 et 1 100 eu-
15 ros d'amende pour avoir déposé d'innombrables recours contre des contraventions routières : « Ils ont nui au travail de la magistrature en la surchargeant de plaintes absurdes. »

Cette condamnation pour absurdité ouvre d'intéres-
20 santes perspectives. On pourrait sanctionner aussi la vulgarité, la versatilité, la superficialité... Sans oublier la flagornerie, l'hypocrisie, la vantardise, l'égocentrisme... Arrêtons là. Ne soyons pas absurde.

Robert Solé, *Le Monde*, 04/09/10

1. Lisez le texte A : quels sont les procédés stylistiques utilisés par l'auteur ? Quel type de raisonnement l'auteur utilise-t-il ? Prend-il position ? Justifiez.
2. Comparez-le au texte B : quelles sont les intentions de l'auteur ? Quelles sont les différences et les similitudes ? Justifiez votre réponse par le relevé des procédés.
3. Écoutez le billet d'humeur de François Morel : http://sites.radiofrance.fr/franceinter/chro/billet-francois-morel/
Quel est selon vous l'objectif du journaliste ? Est-il neutre ou peut-on deviner ses idées ? Quelles différences et quelles similitudes pouvez-vous établir avec un billet d'humeur de la presse écrite ?

2 Rédiger un billet d'humeur

Cliquez sur le lien suivant : http://www.culture-et-formation.fr/tutoriaux/culture-et-formation-arnaques

1. Peut-on dire qu'un billet d'humeur écrit par un anonyme aura le même impact sur le lecteur ? Quelles sont les caractéristiques de l'écriture utilisées dans cet exemple ?
2. Vous répondrez à ce billet d'humeur par votre propre billet d'humeur que vous publierez dans ce blog.
3. Vous expliquerez à votre classe comment vous avez construit votre réponse. Justifiez les formes auxquelles vous avez eu recours (encadré, italique...). Quel processus d'écriture avez-vous utilisé ?

3 Travailler à partir d'une dépêche d'agence

La course à la popularité, nouvelle télé-réalité de TF1 à partir du 18 mars

1 Après « Qui veut épouser mon fils », TF1 lance à partir du 18 mars sa nouvelle télé-réalité, « Carré Vip »: une course à la popularité entre huit ex-héros de la télé-réalité confrontés à huit candidats anonymes, que
5 les téléspectateurs devront départager.

Dix ans après l'apparition des premières émissions du genre (Loft Story, Koh-Lanta..), les candidats les plus emblématiques « nés médiatiquement avec la télé-réalité » vont vivre pendant plusieurs semaines avec
10 huit autres, qui souhaitent eux aussi « être connus et passer à la télévision, en général par envie d'être regardés et aimés », selon la directrice de la télé-réalité de TF1, citée jeudi dans un communiqué.

Objectif de cette aventure pour ces prétendants à la
15 célébrité : faire le plus de buzz, obtenir la plus grande couverture médiatique et la Une de la presse, rassembler le plus de fans.

Pour tester et faire grimper leur popularité, les 16 candidats pourront quitter leur « Carré Vip », un es-
20 pace de 700 m^2 construit sur mesure (avec sauna, salle de massage...) pour aller à la rencontre de leur public le temps d'une journée ou d'une soirée.

C'est en cliquant sur les pages de leurs candidats favoris, via le site de TF1, que les téléspectateurs pour-
25 ront faire monter la cote des uns et des autres. Avec au bout de la course pour le gagnant, un chèque de 150 000 euros. [...]

AFP, 24/02/11

1. Un groupe de votre classe rédigera un billet d'humeur dans sa version écrite.
2. Un groupe rédigera un billet d'humeur puis l'enregistrera sous forme audio.

Fiche 3 L'information par l'image

La photographie dans la presse peut avoir différentes fonctions. Elle peut chercher à attirer le lecteur dans le cas des couvertures, elle peut informer en attestant un événement ou bien avoir une fonction de documentation. Elle peut aussi avoir une fonction argumentative et transmettre un message.

1 La photographie de presse et la réalité

➽ La photographie ressemble au réel.

C'est d'autant plus vrai pour la photo de presse qu'elle doit attester l'authenticité de l'événement : par sa photo, le journaliste témoigne de sa présence sur place au moment des faits.

La perspective frontale (le photographe se positionne en face de ce qu'il regarde), qui restitue la ligne d'horizon, des lignes de force et un point de fuite, permet au lecteur de voir la scène comme s'il y assistait à la place du photographe.

Ex : *Cette photographie de* Ground Zero *informe immédiatement le lecteur. Elle intègre dans le cadre (en haut à droite) un drapeau américain et une bannière-logo de New York qui permettent de situer géographiquement la scène.*

Le spectateur, mis ainsi à la place de témoin de la scène, distingue au premier plan le sol recouvert de décombres et sur la droite des poutres ayant écrasé des voitures.

Doug Kanter, 11 septembre 2001, New York, États-Unis

➽ La photographie exprime le point de vue du photographe.

- En choisissant un cadrage (gros plan, plan large, panorama…) il sélectionne ce que le spectateur verra de la scène et rejette des éléments dans le hors-champ.

Ex : *Sur la photo de* Ground Zero, *en choisissant un cadre qui ne montre qu'une seule personne, le photographe accentue l'idée de désolation. L'arrière-plan, parfaitement visible grâce à l'utilisation de la profondeur de champ, est fermé par les immeubles détruits, et l'obscurité due à la fumée empêche toute échappée du regard.*

- Le photographe choisit aussi un angle de prise de vue (de face, en plongée ou en contre-plongée) et peut jouer sur les effets de lumière (en laissant un élément dans l'ombre ou bien en jouant sur le contraste entre l'ombre et la lumière).

Ex : *Sur la photo de* Ground Zero, *la lumière qui vient du haut à gauche met particulièrement en valeur les ruines des bâtiments. L'œil est guidé par la diagonale qui relie l'extincteur rouge et le drapeau américain.*

2 Les figures de style

➽ Une photographie de presse peut **faire référence à des images connues** et installer l'actualité dans une forme « déjà vue » par le lecteur. Ainsi le journaliste traite l'actualité récente en rappelant à la mémoire du lecteur un fait ancien, et donne à l'actualité une perspective historique qui peut influencer la compréhension de l'événement.

Ex : *La photo des pompiers plantant un drapeau sur* Ground Zero *évoque une célèbre photo des soldats américains victorieux à la bataille d'Iwo Jima (1945). En établissant cette comparaison, le photographe cultive le patriotisme des Américains.*

➽ La photographie utilise des figures de style :

La métaphore (remplacement d'un terme par un autre afin de stimuler l'imagination du lecteur par le rapprochement de ces deux réalités).

L'allégorie (représentation par une image concrète d'une réalité abstraite).

L'hyperbole (l'augmentation ou la diminution de la vérité des choses pour produire plus d'impression).

L'antithèse (la réunion dans une même image de deux éléments opposés).

Ex : *La photographie de l'étudiant désarmé face aux chars sur la place Tian'anmen.*

Le symbole

Ex : *La jeune fille à la fleur prise par Marc Riboud le 21 octobre 1967 lors d'une manifestation contre la guerre du Vietnam est devenue un symbole pacifiste.*

➽ La photographie est publiée avec une légende, du texte ou d'autres photos. Cet ensemble modifie ou renforce le sens initial de la photo. Une fois intégrée au journal, sa lecture est aussi influencée par l'article ou la légende qui l'accompagne.

Exercices

1 Repérer la part photographique d'un journal d'information

1. Établissez un classement des photos du journal d'information de votre choix :
- par sujets (actualité politique, locale, sportive, culturelle...) ;
- par genres (le portrait, la photographie de mode, la photographie publicitaire, la photographie scientifique...) sans oublier les pages publicitaires.

2. Présentez dans un tableau l'importance que chaque type de photographie prend dans ce journal. Quelle(s) conclusion(s) en tirez-vous ?
3. Choisissez une de ces photos et présentez-la à vos camarades. En ont-ils la même lecture que vous ?

2 Analyser la composition d'une photo de presse

1. Choisissez une photo de presse. Quel cadrage le photographe a-t-il choisi ?
2. Quels sont les autres procédés techniques auxquels il a eu recours (format/traitement de la lumière/profondeur de champ/angle de prise de vue...) ?

3 Décrypter les figures de style d'une photo de presse

Luca Catalano Gonzaga, *Yadhu, 4 ans*, Népal, 2008

1. Quelle est la figure de style utilisée par le photographe ?
2. Le choix du photographe est-il judicieux ? À votre avis, votre interprétation de la photo est-elle guidée par les choix des figures de style ? Justifiez votre réponse.

4 Analyser une photo de presse

Roberto Schmidt,
Le marché en fer de Port-au-Prince, le 29 janvier 2010

1. Décrivez les choix du photographe : cadrage, format, lumière, composition, profondeur de champ, angle de prise de vue.
2. Quelles figures de style peuvent être identifiées dans cette photo ?
3. Quelle était selon vous l'intention du photographe ?
4. Peut-on dire que cette photographie est une *« bonne photo »* ? Justifiez votre réponse.

5 Associer photographie de presse et réalité

Bruno Domingos, *Teresopolis*, 2011

1. Quelles sont les figures de style utilisées (cadrage, composition...) ?
2. Recherchez une autre photo de presse représentant un autre président en plein discours mais que vous interpréteriez différemment en tant que lecteur.
3. Vous présenterez les deux photos au vidéoprojecteur et vous expliquerez à vos camarades pourquoi les techniques utilisées par chaque photographe donnent lieu à deux visions différentes d'une même réalité.

Fiche 4

Le JT nous informe-t-il vraiment ?

1 Un incontournable

➽ Le journal télévisé est un genre inventé par la télévision voici plus de 60 ans. Il a une durée identique tous les jours quelle que soit l'actualité. **Il promet aux spectateurs de tout dire de l'actualité du jour**, de l'amener dans tous les endroits du monde où il se passe quelque chose d'important.

Ex : *Les JT de 20 heures en France sont regardés par un grand nombre de téléspectateurs (environ 15 millions), ils sont un rendez-vous national et la seule source d'information pour une grande partie de la population. Le présentateur vedette est un visage familier pour les téléspectateurs.*

2 L'illusion du réel

➽ Les images de télévision ont l'avantage d'être animées et diffusées **en direct**, créant, encore plus que l'instantané photographique, l'illusion de vivre l'action en direct et d'y participer en temps réel.

➽ L'impression de réalité qui se dégage de l'image animée fait oublier aux téléspectateurs que les journalistes sélectionnent les faits traités et construisent l'information.

Ce que l'on voit n'est pas la réalité mais un discours adapté au média télévision.

La comparaison de deux reportages sur deux chaînes différentes permet de se rendre compte des choix effectués par les journalistes (choix des images, commentaire audio).

Ex : *Un reportage sur une manifestation ne donnera pas la même image de l'événement selon qu'il montre des images du cortège clairsemé ou dense. Le journaliste peut également choisir de montrer une ambiance festive ou bien les dérapages de la fin de journée.*

3 Quelle est la valeur informative du JT ?

➽ **La vocation du JT** est de porter à notre connaissance l'actualité, c'est-à-dire ce qui se passe, au moment même où nous regardons la télévision. Mais les journalistes ne disposent pas d'images pour tous les éléments et ils ont recours à des images d'archives ou des images réalisées par des amateurs.

Ex : *Lors du tsunami en 2004, la télévision a utilisé beaucoup d'images tournées par des témoins. Malgré leur mauvaise qualité, elles témoignaient de l'ampleur du drame et provoquaient l'émotion du spectateur.*

➽ Les médias fonctionnent selon **une logique commerciale** qui peut entrer en contradiction avec la logique d'information : il faut capter le plus grand nombre de téléspectateurs pour survivre à la concurrence.

Cela a des conséquences sur le choix des informations, sur leur place dans le conducteur (l'ordre des sujets).

Ex : *Les chaînes ne finançant plus de bureaux à l'étranger, les sujets sur les faits divers ou le sport prennent de plus en plus de place au détriment des informations sur l'actualité internationale.*

L'importance accordée à certains sujets peut être l'objet d'une surenchère : certains seront raccourcis, d'autres **dramatisés pour susciter l'émotion**, au risque parfois de tomber dans un certain voyeurisme.

Ex : *Les sujets sur l'insécurité ont connu une forte progression avant l'élection présidentielle de 2002, puis sont revenus à leur niveau habituel après celle-ci.*

Pour éviter que les spectateurs ne zappent sur une autre chaîne, on annonce des sujets chocs en début de journal. Les vedettes sont de plus en plus invitées sur les plateaux, au détriment des journalistes spécialistes d'un sujet.

4 Lire le JT

➽ Pour comprendre les choix effectués, il faut être attentif à **la part donnée aux différents éléments** et rubriques qui composent le journal : longueur du générique, place accordée aux reportages, présence d'invités sur le plateau, transitions entre les sujets.

➽ Il faut également observer le **traitement des sujets** : les interviews donnent-elles la parole aux spécialistes ou bien aux anonymes lors de micros-trottoirs, chaque information est-elle accompagnée d'images (reportage, schéma, tableau, carte...) ?

➽ Les choix dans la composition du **sommaire** sont significatifs : quelle est la répartition entre l'information nationale et internationale ? Quelle est la proportion entre les informations déterminantes (dossiers de fond) et les faits divers ?

Le sommaire d'un JT va **du plus important au plus anecdotique** : l'ordre des sujets témoigne de l'importance accordée aux événements par la rédaction.

Exercices

1 Comprendre la constitution d'un JT national

Connectez-vous au lien suivant :
http://videos.tf1.fr/jt-13h/coulisses-heures-4381668.html

Relevez grâce à ce reportage « *Les coulisses du 13 heures* ».

1. Quelles sont les différentes étapes de préparation du journal (sources de l'information et des images, différentes conférences qui permettent de préparer un journal) ?
2. Quel est le déroulement du journal ce jour-là ? (particularités du générique, plateau, différents plans de la caméra, informations développées...)
3. Reconstituez sous forme de tableau le sommaire. Quels sont les différents types de reportages utilisés ?
4. Quels sont les différents métiers qui interviennent dans la conception du JT ? Vous réaliserez une fiche descriptive pour chaque métier présenté. Quels sont les rôles du présentateur ? Les métiers présentés sont-ils les mêmes que ceux de la presse écrite ? Justifiez votre réponse.

2 Comprendre la constitution d'un journal régional

Connectez-vous sur le lien et visionnez une édition.
http://info.francetelevisions.fr/video-info/index-fr.php?id-categorie=JOURNAUX_LES_EDITIONS_REGIONALES_PICARDIE_1213

1. Notez les récurrences ou différences entre le générique d'une édition régionale et nationale.
2. Comparez le générique du 19/20 de France 3 et celui du 20 heures de France 2. En quoi diffèrent-ils de ceux de 13 heures ? Quel rôle est attribué au générique ?
3. Reconstituez le sommaire de cette édition. En quoi diffère-t-il de celui de TF1 ?
4. Quels sont les différents genres présents dans cette édition (reportages, interviews d'actualité, dossiers de fond...) ? Quel rythme cela donne-t-il au journal ?

3 Présenter un reportage à la manière d'un présentateur du JT

Choisissez une des éditions du 20 heures de France 2. Prenez connaissance uniquement du simple lancement du premier reportage par le présentateur.

1. Imaginez et rédigez la trame de ce reportage et décrivez-la : quelles sont les personnes interviewées ? Quelles scènes sont filmées ? Quels schémas ou cartes sont incrustés ?
2. Constituez une équipe et réalisez votre propre reportage à partir de la trame écrite précédemment. Présentez ce reportage à votre classe.
3. Comparez votre propre reportage et la version originale.

4 Analyser un reportage

« *Les Femmes savantes* éclairées à la bougie ».
TF1 20 heures du 25 novembre 2010 (2 m17).
http://videos.tf1.fr/jt-20h/les-femmes-savantes-se-jouent-a-la-bougie-6174847.html

Étudiez séparément la bande-image et la bande-son avant de les réunir pour juger des effets de sens obtenus. Quels rapports entretiennent les images et les sons (redondance, complémentarité, adéquation...) ?

1. **La bande-image :**
- Repérez les types de plans, angles de prises de vue, mouvement de caméra, durée du plan...
- Identifiez les différents types d'images : images-prétextes, mises en scène, plans centrés sur le décor, plans centrés sur les personnages...
- Identifiez la source des images : images de reportage, images provenant d'autres chaînes...
- Interprétez les plans et leurs enchaînements.

2. **La bande-son :**
- Repérez les trois composantes de l'expression sonore : musiques, bruits, parole. Quel rôle joue chaque élément ?
- Étudiez le texte préalablement noté par écrit : formes de discours, marques énonciatives, registres, champs lexicaux, apports de la voix (ton, accent, insistances, idiolectes...).
- Soyez attentif aux effets de sens dus au statut du son : *in*, hors-cadre, *off*...

5 Avoir un « œil critique » sur le JT

1. Comparez deux éditions nationales d'un journal télévisé du même jour mais provenant de différentes chaînes (générique, rubrique, importance et sujets des interviews, interventions de journalistes ou d'invités spécialisés ?...).
Quelles observations faites-vous ? Justifiez vos réponses.
2. Comparez deux reportages sur le même sujet pris dans des JT de chaînes différentes.
Les images choisies lors du montage sont-elles identiques ? Le commentaire audio interprète-t-il les images de la même manière ? Quelles conclusions pouvez-vous en tirer ?

Fiche 5

De la Une papier à la page d'accueil

1 *Une mutation importante*

➡ Les premiers journaux avaient le format, la typographie (choix des caractères d'imprimerie : type de police, taille, épaisseur, couleur…) et la mise en page des livres. Il n'existait pas de colonnes, les titres et les illustrations étaient extrêmement rares, les articles n'étaient pas distribués en rubriques.

➡ À la fin du XIXe siècle, avec les progrès des techniques d'impression et l'alphabétisation de la population, les articles et les illustrations apparaissent. **La mise en page hiérarchise les informations** et la Une se transforme progressivement en une sorte d'affiche qui doit séduire le lecteur pour qu'il achète le journal.

➡ La presse écrite traverse actuellement une période de mutation en raison du développement de la **numérisation** et d'Internet.
Pour survivre, les journaux quotidiens ont développé des sites Internet sur lesquels ils diffusent leurs écrits journalistiques. On parle alors de **presse en ligne**.

2 *Les fonctions de la Une*

➡ **La Une est la vitrine du journal.**
Elle doit attirer le regard, séduire et éveiller l'intérêt. La manchette (partie supérieure d'un journal) met en valeur le titre du quotidien et donne à celui-ci une personnalité qui aide le lecteur à l'identifier.

Ex : *Les lettres gothiques du* Monde *et le losange rouge de* Libération.

➡ La Une doit **annoncer, hiérarchiser et mettre en valeur** les informations essentielles pour faire apparaître les choix du journal (sa ligne éditoriale). Les titres accrochent le regard, donnent envie de lire et hiérarchisent les nouvelles par leur grosseur et leur place. Ils jouent un rôle essentiel.

➡ On distingue traditionnellement :
- Les **titres informatifs** qui résument le contenu de l'article.

Ex : *« Une information judiciaire ouverte pour meurtre sur la joggeuse disparue » : ce titre donne une information sobre sans commentaire.*

- Et les **titres incitatifs** qui accrochent le lecteur par l'humour, la surprise, la dramatisation.

Ex : *« Le cerveau des nouvelles générations ne fonctionne plus comme par le passé » : ce titre accroche le lecteur en opposant les générations et le provoque en réduisant les jeunes à un cerveau dysfonctionnant.*

➡ Les photographies, les infographies ou les dessins de presse sont sélectionnés avec soin pour informer et séduire le lecteur.

3 *La page d'accueil*

➡ **La page d'accueil du site d'un journal est également la vitrine et la porte d'entrée dans le journal.** Elle affirme aussi son identité visuelle et rédactionnelle.
Sa présentation est souvent proche de celle du papier : logo, annonce de rubriques ou sommaire… mais la page d'accueil utilise des techniques d'accroche propres au web (bandeaux défilant, fenêtres *pop-up*).

Ex : *Les sites des grands quotidiens réservent un encart à droite de l'écran pour valoriser les dernières nouvelles : l'internaute peut donc voir s'écrire l'information en temps réel.*

➡ N'étant pas limitée physiquement comme la Une papier, **la page d'accueil peut se dérouler à l'infini.** Les titres sont actifs et s'ouvrent d'un seul clic sur les articles grâce aux hyperliens.

➡ Cette grande richesse peut rendre la navigation difficile et **la profusion peut perdre l'internaute** qui choisit lui-même les pages à afficher. Avant de consulter un journal en ligne, il convient donc de savoir ce que l'on cherche : une information brute, une analyse ou une opinion. La page d'accueil propose généralement trois classements :
- thématique (international, politique, société, sport…) ;
- chronologique (du plus récent au plus ancien) ;
- un classement par type d'article : actualité, débat, commentaire, enquête de fond…

➡ La hiérarchisation des informations est moins stricte que dans un journal papier et revient donc davantage au lecteur.
On peut se repérer dans le site et trouver rapidement l'information recherchée en ayant recours au bandeau de rubrique.

➡ Souvent, la page d'accueil renvoie à des blogs de journalistes. Ils disposent dans ce cadre d'une plus grande liberté de ton et de plus d'espace pour traiter les sujets de leur choix.

➡ La photographie joue un rôle important mais les sites offrent aussi des diaporamas, des vidéos, des enregistrements sonores.

Exercices

1 Constater la mutation de la Une d'un quotidien régional

- Observez, décrivez et analysez la Une du *Courrier picard* telle qu'elle est depuis le 12 janvier 2011 (manchette, titres, mise en espace des articles, illustrations...).
- Connectez-vous sur le site du quotidien régional : http://www.courrier-picard.fr/courrier/Actualites/Nos-Unes/

1. En quoi cette Une est-elle différente de celles précédant le 12 janvier 2011 ? **Justifiez** votre réponse en décrivant les changements opérés.
2. Selon vous, pourquoi la direction du journal a-t-elle fait le choix d'une nouvelle présentation de la Une mais également de l'ensemble de son quotidien ?
3. **Retrouvez-vous la même présentation pour la Une du journal et pour son site web ?** Justifiez votre réponse. http://www.courrier-picard.fr/
4. **Comparez la Une ci-dessous** avec celle **d'un quotidien national dont le choix vous paraît judicieux.** Justifiez votre réponse.

Le forcené d'Etouvie écope de huit ans de prison PAGE 4

Courrier picard

Cinéma
Franck Dubosc dans la peau du « Marquis »
PAGE 47

Mercredi 9 mars 2011 0,95 € N° 21083 AMIENS www.courrier-picard.fr

FOOTBALL
L'Amiens SC s'impose à Gap
PAGE 32

AMIÉNOIS
Enquête sur le conseiller général, élu méconnu
PAGE 7

HOCKEY SUR GLACE
Les Gothiques perdent la première manche à Briançon
PAGE 34

ÉCONOMIE
Plus de contrôles sur les prix aux stations-service
PAGE 45

Le Pen : on n'a pas fini d'en entendre sonder

POLITIQUE Les sondeurs reviennent sur le devant de la scène un an avant la Présidentielle. L'extrême-droite avec. PAGE 41

Le cycliste se mesure au cheval

Jimmy Casper, le Picard qui a gagné une étape du Tour de France, court cet après-midi à Amiens contre un trotteur. (Photo-montage) PAGES 3 et 38

GUNE100.

2 Comparer la presse papier et sa version en ligne

1. Une première moitié de la classe consultera le site de presse en ligne du journal *Libération* : http://www.liberation.fr/
Ce groupe analysera et présentera la navigation qui peut y être faite au vidéoprojecteur aux élèves de l'autre groupe (le vocabulaire spécifique de cette presse numérique, ses principales caractéristiques : forme, fond, sources...).
La deuxième moitié de la classe lira et analysera la version papier de *Libération* du même jour.
2. Quelles conclusions tirez-vous des deux présentations qui ont été faites ? En tant que lecteur et citoyen, quelle version préférez-vous et pourquoi (pistes d'argumentation possibles : actualité, information, déontologie, lectorat...) ?

3 Comprendre l'enjeu d'une mutation

Connectez-vous au site :
http://europetodayonline.com/

1. De quel type de média s'agit-il ? Y a-t-il une Une ?
2. Quels types de titres y trouve-t-on ? Quelle est la part de l'information visuelle ?
3. Quels sont les caractéristiques et les avantages que présente la page d'accueil ? Y a-t-il une hiérarchisation de l'information ?
4. Le choix de la langue est-il un problème pour le citoyen européen d'aujourd'hui ?

4 Moderniser la Une du journal de votre lycée

1. En quoi une nouvelle Une pourrait-elle être différente de l'ancienne version (manchettes, titres, mises en espace des articles, illustrations, hiérarchisation des informations...) ?
2. Pourquoi avez-vous opéré ces changements ? Quelles conséquences ces changements ont-ils pour les lecteurs de votre journal ?
3. Pour quelles raisons peut-on décider de moderniser la Une d'un journal scolaire ?

5 Créer la page d'accueil du site Internet du journal de votre lycée

Vous décidez de faire partie du **comité de rédaction**. Pour la première réunion de ce comité :

1. Vous préparerez une version web de la page d'accueil du prochain numéro (pour ce faire, vous aurez recours au logiciel spécialisé de votre choix) : quelle identité visuelle (logo, typographie, mise en page...) et quelles techniques d'accroches (bandeaux défilant, hyperliens, *pop-up*) allez-vous utiliser ?
2. Pour vous rendre compte des **réactions des futurs lecteurs**, vous présenterez cette nouvelle version à vos camarades.
En fonction de leurs commentaires (ont-ils trouvé l'information qu'ils cherchaient ? Ont-ils trouvé la mise en page attractive ?), vous conforterez vos choix ou au contraire vous réfléchirez à d'éventuels changements.

Fiche 6

La recherche d'informations sur Internet

Internet offre une multitude de ressources et permet, par le jeu des liens vers d'autres sites, une navigation infinie.
Pour s'informer et se documenter, il faut apprendre à se repérer dans la multiplicité des ressources offertes sur Internet, à trier et hiérarchiser des informations, à adopter une attitude critique vis-à-vis d'elles.

1 *Préparer la recherche*

➽ **Analyser le sujet de la recherche** suppose de bien comprendre les consignes, de repérer les mots-clés du sujet et de chercher dans un dictionnaire les termes difficiles.

Ex : *Pour une recherche sur la bataille d'*Hernani, *il faut commencer par se documenter sur la pièce de Victor Hugo.*

➽ **Identifier le besoin d'information :** Quel type d'information doit-on se procurer ? Il est toujours pertinent d'utiliser la technique QQQOCP (qui ? quoi ? quand ? où ? comment ? pourquoi ?).

Ex : *Dans le cas d'un exposé sur la bataille d'*Hernani, *on doit chercher des informations sur les acteurs de la querelle (qui ?), son objet (quoi ?), sa date (quand ?), ses manifestations (comment ?) et ses causes (pourquoi ?).*

2 *Rechercher efficacement*

➽ **Utiliser le bon outil :** pour trouver l'information, il ne faut **pas se contenter des moteurs de recherche** (Google, Yahoo, Alta Vista...) mais utiliser également les bases de données qui permettent d'accéder à des informations que le moteur de recherche ignore (les catalogues en ligne des bibliothèques par exemple).

Ex : *Pour une recherche bibliographique, un moteur de recherche risque de générer beaucoup de résultats inutiles et mieux vaut utiliser le catalogue en ligne du CDI.*

➽ **Affiner :** on utilise plusieurs **mots-clés sur un moteur de recherche :** plus la requête est précise, plus les résultats le seront.

Ex : *« bataille » + « Hernani » renvoie à des explications générales. « témoignages » + « bataille » + « Hernani » permettent de trouver de longues citations des contemporains de Hugo.*

Placer une séquence de mots entre guillemets indique au moteur de recherche qu'il s'agit d'un bloc unique. Cela resserre le champ de recherche.

➽ **Vérifier : il ne faut pas se limiter à la première page de résultats obtenus,** ni privilégier les ressources participatives que tout internaute peut alimenter.
Il faut **vérifier** la crédibilité des sources en regardant la date de mise à jour, la nature du site (personnel comme les blogs, institutionnel comme celui de la Bibliothèque nationale de France, pédagogique, commercial), l'identité de l'auteur, son rapport au sujet traité.

Ex : *Le blog d'un comédien qui a joué* Hernani *n'est pas une source d'information suffisamment fiable.*

➽ **Confronter les opinions :** il est plus prudent de collecter les informations de diverses sources et de les comparer.

3 *Exploiter l'information*

➽ **Respecter la consigne :** une recherche donne souvent des résultats plus importants que le sujet à traiter. Il faut **rédiger une synthèse claire et précise** des diverses informations ou idées retenues et les organiser en respectant les contraintes de la production demandée.

Ex : *Les recherches sur la bataille d'*Hernani *renvoient à la définition du drame romantique ou donnent des détails sur les faits : ces différents types d'information doivent s'inscrire dans un plan.*

➽ **Reformuler :** pour éviter les citations trop longues, mieux vaut reformuler l'information avec ses propres mots. Cela permet de prendre en compte son destinataire et d'accorder son propos aux consignes.

Ex : *« Le public se partageait donc entre les partisans de Victor Hugo, ses adversaires, et les curieux venus assister à cette première qui partout était annoncée comme étant la dernière d'une pièce dont on avait tant parlé. »* (Wikipédia) → *« Le public était divisé entre les partisans de Hugo, ses adversaires et les simples curieux. »*

➽ **Respecter le droit d'auteur :** lorsque l'on utilise le résultat de ses recherches, à l'écrit comme à l'oral, les sources doivent être mentionnées, les auteurs nommés et les propos que l'on reprend sans les reformuler doivent être indiqués : en utilisant des guillemets à l'écrit, en précisant « je cite » à l'oral.

Exercices

1 Définir son besoin d'informations

Vous devez réaliser un exposé sur le sujet suivant :
« La scène à l'italienne : la cage, le gril et les cintres ».
Vous rendrez compte de vos recherches à l'ensemble de la classe.

1. Cherchez les mots « cage », « gril » et « cintres » sur un moteur de recherche : vers quels genres de site êtes-vous dirigé ? Trouvez-vous dans la première page de résultats des informations pertinentes pour commencer votre travail ?
2. Cherchez ensuite ces mots dans un dictionnaire (en ligne ou non) : cette recherche vous apporte-t-elle de nouveaux éléments de définitions ? Lesquels ?
3. À partir des informations trouvées dans le dictionnaire, appliquez la technique QQQOCP (qui ? quoi ? quand ? où ? comment ? pourquoi ?) aux différents termes du sujet : quelles informations devez-vous trouver ?
4. Pour chacun des mots, vous déduirez de cette démarche une liste de mots-clés pour lancer une nouvelle requête sur le moteur de recherche. Quelles différences constatez-vous avec la première recherche (question 1) ?

2 Utiliser une encyclopédie numérique

Sur le site de l'*Encyclopédie*, consultez l'article « capuchon » :
http://portail.atilf.fr/encyclopedie/Formulaire-de-recherche.htm

1. Précisez quel système de renvoi les encyclopédistes utilisaient. Pourquoi permettait-il de déjouer la censure ? Comment aidait-il le lecteur à faire le lien entre différentes notions et visait-il « l'enchaînement des connaissances » cher aux philosophes des Lumières ?
2. Pour quelles raisons ne lit-on pas une page sur papier et une page sur écran de la même manière ? Quel risque court un internaute ?
3. Cherchez l'étymologie du mot « page ». Pourquoi cette définition n'est-elle plus valable pour une « page » Internet, renvoyant à des milliers d'autres pages par le biais des liens hypertextuels ?

3 Hiérarchiser les sources

Vous devez vous documenter sur l'histoire et les genres de la presse du XIXe au XXIe siècle. Choisissez un genre de presse écrite de votre choix.
Vous utiliserez les différents outils proposés par Internet.

1. Effectuez vos premières recherches sur Wikipédia. Notez vos sources et précisez la construction des articles consultés. Rédigez une synthèse des informations collectées.
2. Poursuivez vos recherches en consultant Gallica. Quelles différences et similitudes (modes de classement, fiabilité...) constatez-vous entre le Wiki et cette bibliothèque numérique institutionnelle ?
3. Présentez vos recherches sous forme de tableau et faites une comparaison des informations trouvées à l'aide des deux outils que vous avez utilisés. Quelles conclusions en tirez-vous sur les compétences indispensables à la bonne utilisation de ces outils ?

4 Vérifier l'origine de ses sources

1. Connectez-vous aux sites suivants et analysez-en les pages d'accueil :
- http://www.rtbf.be/info/media/wikileaks?gclid=CKvPr6fT1aYCFYMTfAod81fvMw
- http://twitter.com

Comment ces pages sont-elles présentées et structurées ? Selon vous, lesquelles sont mises en valeur efficacement ? Quel impact ces choix graphiques ont-ils sur l'internaute ?

2. Comparez les deux pages d'Internet suivantes :
- http://www.facebook.com/LExpress
- http://www.lexpress.fr

Quelles similitudes et ressemblances constatez-vous au fil des pages ?
L'opinion de l'internaute est-elle façonnée par ces choix ? Pourquoi les médias utilisent-ils les réseaux sociaux alors qu'ils ont leurs propres sites Internet ?

5 Sélectionner et reformuler

Vous réaliserez en groupe une recherche sur l'importance des guerres de Religion dans l'œuvre d'Agrippa d'Aubigné.

1. Comparez les résultats en fonction de la nature du site (institutionnel, associatif, personnel, commercial, etc.).
2. Choisissez la page qui vous paraît la plus pertinente et rédigez-en une synthèse.
3. Comparez vos résultats. Avez-vous retenu comme pertinentes les mêmes informations que votre voisin ?

6 Respecter le droit d'auteur

Interrogez plusieurs moteurs de recherche sur le mot « plagiat ». Comparez les informations ainsi obtenues.

1. Quelles lois encadrent l'utilisation des informations mises à disposition via Internet ? Connaissez-vous les droits liés à la diffusion des documents sur Internet ?
2. Le plagiat est-il selon vous un risque majeur ? Comment peut-on se retrouver accusé de plagiat ? Justifiez votre réponse.

Fiche 7

La publicité

Au XVIe siècle, avec les grands voyages, le commerce se développe. Dans ce contexte, pouvoir annoncer ce qu'on vend serait très utile comme le souligne Montaigne. « Ce moyen de nous entr'advertir apporterait une grande commodité au commerce public » (*Essais*). C'est le début de la publicité ! Depuis, cet art d'exercer une action psychologique sur le public à des fins marchandes s'est massivement développé. Aujourd'hui, chaque Français reçoit 500 à 800 messages publicitaires par jour.

1 Les composantes d'un visuel publicitaire

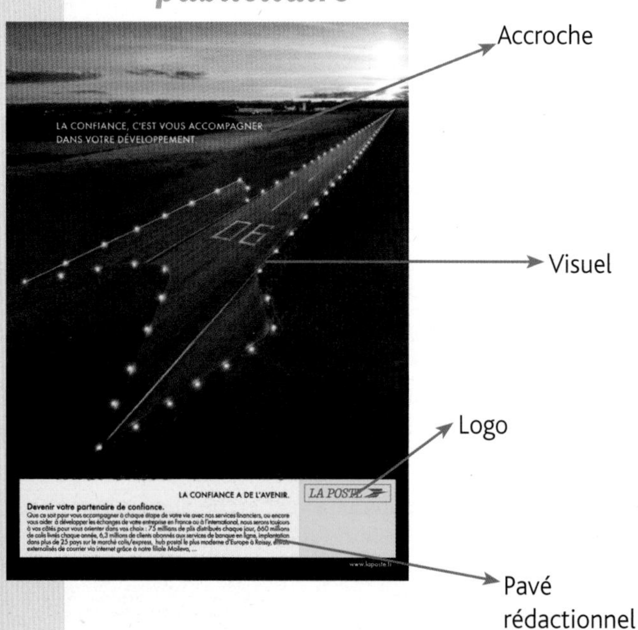

Pour qu'une publicité sorte du lot, le plus grand soin est apporté à ses composantes.

➽ **Le visuel :** il peut s'agir d'un film d'une trentaine de secondes (spot TV, pop-up Internet), d'une photographie ou, plus rarement, d'un dessin (affiche, annonce presse, bannière Internet).

➽ **Les signes graphiques :** mise en page, typographie, signature et logo sont adaptés à la marque et aux consommateurs. Ils sont aussi en conformité avec les choix graphiques antérieurs, consignés dans un document nommé charte graphique.

➽ **Le logo :** en grec, le mot « logos » signifie « **discours** ». L'étymologie indique que c'est autour du logo que s'organise le discours d'une entreprise, d'une collectivité locale ou d'un service public.
Pour devenir sa **carte d'identité visuelle**, quatre qualités sont indispensables : **lisibilité, compréhension, mémorisation, attribution**. Pour cela, on combine :
- **Des signes textuels** : le nom ou les initiales de la marque.
- **Des signes graphiques codés** : le choix de la typographie et l'utilisation de l'espace sont spécifiques.
- **Un système de couleurs** : définies très précisément, les couleurs deviennent celles de l'entreprise.

Ce logo est un concentré de significations puisqu'il incarne l'entreprise, son histoire, ses activités et ses idées. Décrypté rapidement, il fonctionne comme une allégorie moderne.

➽ **Du texte avec :**
- **L'accroche** : cette formule forte est destinée à attirer l'attention. Dans une annonce presse, elle sert souvent de titre : elle est située au-dessus du texte.
- **Le pavé rédactionnel** : texte explicatif de longueur variable. Il est assez long pour des produits très techniques (voitures, ordinateurs...). Il peut être inexistant pour les produits qui visent à suggérer une atmosphère.
- **Le slogan** : phrase courte, rythmée, porteuse d'un message simple. Jeux de mots, rimes, assonances... sont les procédés d'écriture qui en facilitent la mémorisation.

➽ **Le sens de lecture** est le trajet que suit l'œil du lecteur. Il découvre tour à tour les éléments essentiels de l'image.

2 La stratégie

➽ Les choix de positionnement

L'annonceur peut fonder sa publicité sur un effet de reconnaissance. Le produit, présenté dans son contexte habituel, est tout de suite reconnu et identifié. On peut aussi créer la surprise en le montrant dans un contexte nouveau, ou étrange. Il est alors reçu comme un produit « outsider », rebelle, original.

➽ La cible

Pour être persuasive, la publicité vise une **cible** précise, c'est-à-dire l'ensemble des individus qu'elle souhaite toucher. Il peut s'agir de l'utilisateur, de l'acheteur ou de la personne poussant à l'achat.

➽ Les supports publicitaires

Le publicitaire pense aussi au(x) **support(s)** de son message. Ce mot évoque les cinq grands médias : la presse, l'affichage, la télévision, la radio et le cinéma. Internet, depuis peu, vient s'ajouter à cette liste, surtout lorsque la cible est jeune.
On peut aussi communiquer : par le mécénat, le parrainage, des jeux sur Internet ou le marketing direct.

Exercices

1 Analysez les composantes d'un visuel publicitaire

Observez la publicité pour La Poste représentée dans la leçon.

1. Quels éléments du visuel évoquent l'envol ? Pourquoi ce choix ?
2. Que peut représenter la route s'enfonçant dans le lointain ?
3. Repérez les éléments jalonnant votre parcours de lecture et analysez sa pertinence.
4. Où est le logo ? Est-ce un bon choix ?

2 Comprendre l'ancrage mythologique d'une publicité

Lisez cet extrait de *Terre des Hommes*. Saint-Exupéry rend hommage à son ami Mermoz, disparu en 1936.

> 1 Mermoz s'en fut explorer la nuit.
> L'éclairage de nos escales n'était pas encore réalisé, et sur les terrains d'arrivée, par nuit noire, on alignait en face de Mermoz la maigre illumination de trois feux
> 5 d'essence.
> Il s'en tira et ouvrit la route. Lorsque la nuit fut bien apprivoisée, Mermoz essaya l'océan. Et le courrier, dès 1931, fut transporté, pour la première fois, en quatre jours, de Toulouse à Buenos Aires. Au retour, Mermoz
> 10 subit une panne d'huile au centre de l'Atlantique Sud et sur une mer démontée. Un navire le sauva, lui, son courrier et son équipage.
> Ainsi, Mermoz avait défriché les sables, la montagne, la nuit et la mer. Il avait sombré plus d'une
> 15 fois dans les sables, la montagne, la nuit et la mer. Et quand il était revenu, ç'avait toujours été pour repartir.
>
> Antoine de Saint-Exupéry, *Terre des Hommes*, 1939, © Éd. Gallimard 1999

➜ Comment l'*image publicitaire* de La Poste (voir leçon p. 452) ressuscite-t-elle l'épopée de la conquête du ciel ? Pour quelles raisons ?

3 Écrire un pavé rédactionnel : une histoire de bleu

Le bleu, couleur préférée des Français, est très employé en publicité. Il fut pourtant longtemps détesté, suggérant la violence et la luxure. Un renversement se produit en l'an Mille quand il devient la couleur du roi, celle du pouvoir. C'est la plus chaude des couleurs. Puis, au XIXe, il est associé à la Vierge Marie et devient une couleur froide, symbole de pureté.

1. Pourquoi les couleurs choisies par La Poste sont-elles évocatrices ?
2. Sur le site du Centre Pompidou, cherchez ce qu'est « l'International Blue Klein ». Que connote cette couleur pour vous ?
3. Inspirez-vous de vos connotations et du texte de Marguerite Duras pour écrire le pavé rédactionnel d'un produit X de votre choix. L'accroche sera : « X, les couleurs de la vie ».

> 1 Tout est devenu bleu.
> C'est bleu.
> C'est à crier tellement c'est bleu.
> C'est d'un bleu venu des origines de la terre, d'un
> 5 cobalt inconnu.
>
> Marguerite Duras, *La mer écrite*, 1996

4 Comprendre l'évolution des mentalités grâce à une publicité populaire

Publicité de 1915

Le personnage aujourd'hui

1. Qui furent les tirailleurs sénégalais pendant la Première Guerre mondiale ? Pour quelle raison ont-ils pu être récupérés par la publicité et inspirer un personnage de marque ?
2. Décrivez rapidement les deux images. Quelles évolutions constatez-vous ? Que dit ce changement sur l'évolution des mentalités ?
3. Pensez-vous que nos publicités reflètent l'air du temps ? Illustrez votre propos.

Fiche 8

Utiliser ses notes de cours pour préparer le bac

Il est nécessaire de savoir **prendre des notes** et de savoir **organiser** et **exploiter** ses notes de cours afin de préparer **efficacement** les épreuves écrites et orales de français.

1 Prendre des notes de manière efficace pendant les cours

Prendre des notes consiste à **écrire vite** pour ne pas perdre le fil des informations reçues. Il ne s'agit pas de tout écrire mais d'**écouter** et de **trier** afin de **dégager l'essentiel**.

➠ Une **prise de notes efficace** permet de :
- garder et mémoriser les informations essentielles ;
- vérifier que l'on a compris les informations reçues ;
- revoir d'un premier coup d'œil le contenu d'un cours.

Pour pouvoir **exploiter efficacement** ses notes, certaines règles doivent être respectées :

➠ **Au moment de la prise de notes :**
- utiliser des **abréviations**, personnelles ou en usage, et garder toujours les mêmes ;

Les principales abréviations

• Sur les **mots-outils** (adverbes, prépositions).

Ex : *souvent = svt ; quand = qd ; cependant = cpdt ; toujours = tjs ; jamais = js ; beaucoup = bcp ; tout = tt ; tous = ts ; surtout = surtt ; avant = avt ; après = ap. ; rien = Ø*

• Sur les **mots les plus courants** de la langue française.
– « introduction » = intro
– « il existe, il y a » = ∃ (symbole mathématique)
– Pour les mots en « -tion », mettre un «°» à la place du « -tion » et ne garder que le radical : consommation = consom°, intervention = interv°
– Pour les mots en « -ment », mettre un $^{-t}$ après le radical : « événement » = évén^{t}
– Pour les mots en « -isme », mettre le radical plus $^{-isme}$: optimisme = « opt^{isme} »
– « Se reporter à, voir » = cf.
– « À peu près, identique, proche de » = ≈
– « différent de, contraire, opposé » = ≠
– « mort » = †

• Sur les **noms propres ou les mots** qui reviennent **régulièrement** dans le sujet traité.

Ex : *Victor Hugo = VH ; Les Misérables = LM.*

- reproduire le **plan** de ce que l'on entend ou lit, en mettant en relief les **titres** et **les sous-titres** (utiliser des couleurs, souligner ou surligner) ;
- conserver la même **articulation** que celle du cours et faire des paragraphes aérés en fonction des **différentes informations** ;
- bien **distinguer** les exemples, citations et illustrations du cours proprement dit.

➠ **Après la prise de notes**, il est nécessaire de **faire une relecture** (de préférence le **jour même**) afin de :
- **compléter** les blancs laissés pendant un cours ;
- **clarifier** les enchaînements d'idées, les différentes étapes du cours ;
- **souligner** les informations essentielles ;
- **encadrer** les mots-clés.

➠ **Conseils pratiques**

Afin de **hiérarchiser** et de **mémoriser** les informations essentielles, il est nécessaire d'utiliser **différentes couleurs**. Par exemple, dans le cas des lectures analytiques, on peut choisir deux couleurs pour distinguer le **repérage des indices** des **interprétations**. Lors de **la relecture** de ses notes de cours, il est possible d'**ajouter des compléments** aux indications données par le professeur : définitions, recherches sur un auteur, sur un courant littéraire, lecture d'un texte complémentaire, etc. En vue des révisions, il est possible d'utiliser un **code personnel** : *à définir, à revoir, à préciser, à lire*, etc.

2 Créer des fiches-synthèse

➠ **En vue de l'épreuve orale :** il est utile de se constituer des **fiches-synthèse personnelles** pour les lectures analytiques et les études de documents (pour les lectures cursives, voir la fiche 37).

Ces fiches-synthèse permettent d'**anticiper** sur les **révisions** pour **l'oral**. Elles doivent se présenter sous la forme de **prise de notes.** À l'issue d'un cours, il est donc nécessaire de reprendre ses notes afin de **sélectionner** et de **hiérarchiser** les principales **informations**. On peut organiser cette fiche autour des **entrées** suivantes.

• **Pour la lecture analytique :**
- les informations utiles pour l'**introduction** ;
- les problématiques possibles pour l'étude du texte (ou du document iconographique) ;
- la lecture du texte ou l'analyse du document iconographique ;

- les principales **étapes** du **développement** : références au texte, analyses, interprétations ;
- les informations utiles pour la **conclusion**.

• **Pour l'entretien :**
- les connaissances culturelles et artistiques en lien avec le texte ou le document ;
- les questions qu'un examinateur pourrait poser sur ce texte ;
- les thèmes possibles pour l'entretien ;
- les relations de ce texte avec les autres textes de la séquence et les autres objets d'étude.

➽ **En vue de l'épreuve écrite :** les séances consacrées à la préparation de **l'épreuve écrite** sont orientées autour de l'apprentissage des **différents sujets :** l'écriture d'invention, le commentaire et la dissertation. Il peut s'agir de **travaux d'écriture variés**.

À la fin d'un cours, il est donc nécessaire de relire ses notes afin de **sélectionner** et de **hiérarchiser** les principales **compétences** et **connaissances** utiles pour les épreuves écrites. En particulier, on peut **porter son attention** sur les éléments suivants :
- la **problématique** qui a orienté la construction d'un plan ;
- les principaux **conseils méthodologiques** pour tel ou tel sujet ;
- les principales **connaissances** acquises lors de l'étude d'un sujet ;
- Les activités visant à consolider et à structurer **l'expression écrite**.

3 *Créer un dossier récapitulant une séquence*

➽ Au terme d'une séquence, il est nécessaire d'avoir **synthétisé** les principales connaissances et compétences acquises lors de l'étude d'un groupement de textes ou d'une œuvre complète. Il est également utile d'avoir identifié les **compétences communes** à l'épreuve orale et écrite. Enfin, il faut être capable de retrouver **la logique** d'une séquence en s'interrogeant sur :
- la problématique générale ;
- l'objectif de chaque séance ;
- les rapports entre les différents textes et les lectures cursives ;
- les productions et les recherches effectuées.

➽ Dès lors, il est possible de se créer **un dossier** récapitulant **les informations essentielles** pour l'examen. Ce dossier doit être précédé d'un **sommaire** reconstituant le **déroulement** de la séquence.

Exercices

1 Utiliser ses notes de cours pour préparer le commentaire

1. Au cours du premier trimestre, notez sur une feuille séparée de vos notes de cours les différents éléments de méthodologie et conseils donnés par le professeur en cours pour le commentaire.
2. À l'issue des trois premiers commentaires rédigés en cours ou avec votre professeur, ajoutez sur la feuille les conseils prodigués, mais aussi les points faibles à travailler.
3. Créez une autre feuille d'« exemples » (introductions, insertion des citations, analyses, conclusion etc.) réussis pris dans votre copie ou mis en commun avec des camarades.
4. Effectuez la même démarche pour les autres exercices écrits (questions sur un corpus, dissertation, écriture d'invention). Relisez régulièrement ces documents de synthèse.

2 Préparer l'épreuve orale (lecture analytique)

1. Séance après séance, notez soigneusement le plan du cours de votre professeur sur une feuille intitulée « sommaire de la séquence », séparée de vos notes de cours.
2. À la fin de la séquence, sur une feuille de synthèse, notez les traits caractéristiques de chaque texte de façon à faire apparaître leurs points communs et leurs différences au regard de la problématique choisie pour la séquence.
3. À l'issue de chaque séance de lecture analytique, synthétisez sur une fiche les points les plus importants (cf. leçon).

3 Préparer l'épreuve orale (entretien)

1. À l'issue de chaque séance, relisez vos notes et repérez les notions et connaissances à approfondir en vous aidant du manuel.
2. En regard de chaque texte susceptible d'être analysé à l'oral, préparer une liste de notions et de connaissances à connaître et à convoquer pendant l'entretien.
3. Pour chaque notion ou chaque élément de connaissance, notez une définition et/ou les principales caractéristiques.
4. Mémorisez ces éléments.

Fiche 9

Les outils de l'autonomie

Les épreuves anticipées de français évaluent diverses **compétences** et **connaissances** :
- Maîtrise de la langue et de l'expression
- Aptitude à lire, à analyser et à interpréter des textes
- Aptitude à tisser des liens entre différents textes pour dégager une problématique
- Aptitude à mobiliser une culture littéraire
- Aptitude à construire un jugement argumenté

Pour acquérir l'ensemble de ces compétences et de ces connaissances, il est nécessaire de fournir un **travail personnel** en dehors des heures de cours notamment en matière de recherche d'**information** et de **documentation**.

1 S'organiser

Il faut tout d'abord savoir **s'organiser** et **gérer le temps** durant l'année scolaire. Il est donc possible de se constituer, dès le début de l'année, un **planning de travail personnel** qui fixera des temps d'**apprentissage** et de **révisions**.

➽ **Des moments pour relire ses notes de cours :**
Au quotidien, il est conseillé d'**anticiper** sur la période des révisions en **relisant**, **organisant** et **complétant** ses cours.

➽ **Des moments pour réviser :**
Il est également nécessaire d'élaborer **un planning personnel de révisions** en vue de la **préparation de l'examen**. On peut faire un **tableau récapitulant** les différents moments de révisions pour chaque jour de la semaine. Ces révisions doivent commencer dès le mois de **février** et s'intensifier à partir du mois d'avril ou de mai.

Exemple

Révisions :
Oraux blancs en février.

Que faire ?
Réviser les lectures analytiques des premières séquences.

Quand ?
De lundi à vendredi – 17 heures à 18 heures.

2 Approfondir ses connaissances

Il faut également savoir **approfondir** ses **connaissances** par un travail de **recherches** et de **lectures personnelles**. Il est donc nécessaire d'**utiliser** différentes **sources** et de **se fabriquer** des **outils pratiques** qui permettent de se **constituer une culture solide.**

Utiliser différentes sources :
- Le manuel de français : il contient l'essentiel des savoirs et des savoir-faire concernant le programme.
- Une grammaire du français.
- Un dictionnaire général de type *Petit Robert des noms propres* et *des noms communs*.
- Des dictionnaires spécialisés : dictionnaire des œuvres, des auteurs, des personnages, des mythes, des symboles, des synonymes.
- Des études : Collection « Repères Hachette »...
- Des *Annales* contenant les sujets des années passées mais aussi des conseils de méthode.

Ces outils sont présents au **CDI** de votre établissement. Mais une **documentation personnelle** minimale est nécessaire : un dictionnaire contenant à la fois les noms propres et les noms communs, une grammaire et un dictionnaire de verbes conjugués. Certains sites internet peuvent être consultés : encyclopédies et dictionnaires en ligne (Trésor de la langue française informatisé, Littré), accès à des ressources numériques (Gallica, site de la Bibliothèque nationale de France), sites personnels d'auteurs ou d'éditeurs.

3 Se fabriquer des fiches de connaissances essentielles

Il est recommandé de se fabriquer des **fiches de connaissances.** Elles doivent permettre d'**approfondir** ses connaissances pour l'épreuve écrite et orale. Elles doivent être rédigées sous forme **de prise de notes.**

➽ **Des axes chronologiques par siècle ou par moment :** ils doivent permettre de situer dans le temps un auteur, une œuvre, un courant littéraire. Ces fiches doivent être construites par **siècle** et en rapport avec les **objets d'étude.**

➽ **Des fiches biographiques :** elles doivent contenir un **minimum d'informations** sur les principaux auteurs des textes et des œuvres étudiés dans les séquences. Pour aller à l'essentiel, il est possible de se fixer un maximum de 10 lignes pour chaque notice biographique. On peut l'organiser à partir des **entrées** suivantes :
- Nom, prénom (pseudonyme)
- Date de naissance et de décès
- Rattachement de l'auteur à un mouvement, un courant, une école.

- Brève bibliographie : ses principales œuvres
- Brève biographie : quelques grands repères

➽ **Des fiches sur les genres littéraires.**

Ex : ***Le roman :*** *définition générale : récit long en prose, œuvre de fiction.*
Bref récapitulatif historique : forme qui apparaît dès le Moyen Âge et qui s'impose à partir du XIX*e siècle.*
Citer quelques noms et des œuvres par siècle.
Différents genres : roman de mœurs, historique, d'aventures, philosophique.
Les principaux courants qui s'y rattachent : romantisme, réalisme, naturalisme, idéalisme.

4 Un répertoire des termes littéraires

Il peut contenir les définitions de quelques termes :

➽ **Des figures de style**

Ex : *Anaphore, chiasme, hyperbole, métaphore, oxymore, litote, etc. (voir fiche 41)*

➽ **Des registres littéraires**

Ex : *Le registre épique, lyrique, pathétique, didactique, etc. (voir fiche 40)*

➽ **Des mots de vocabulaire**

Ex : *Dénotation et connotation, synonyme et antonyme, sens propre et sens figuré, épilogue, dilemme, monologue, champ sémantique, etc.*

5 Un journal de bord des lectures personnelles

Il rassemble des informations et des commentaires personnels sur les lectures cursives réalisées dans le cadre d'une séquence.

Ex : ***Objet d'étude :*** *Le texte théâtral et sa représentation, du* XVII*e siècle à nos jours*
Séquence n° 3. *La représentation du tragique dans le théâtre du* XX*e siècle*
Lectures cursives complémentaires :
Œuvres : *Albert Camus,* Les Justes *ou* Caligula.
Études *: Des extraits de : Anne Ubersfeld,* Les Termes clés de l'analyse du théâtre, *Seuil, 1996. Michel Viegnes,* Le Théâtre : les problématiques essentielles, *Hatier, 1995.*

Exercices

1 Construire une frise chronologique

Construisez un axe chronologique pour chacun des sujets suivants. Vous recenserez les informations essentielles dans votre cours et dans le manuel.

1. Le roman : évolutions marquantes du personnage du XVIIe siècle à nos jours
2. Le théâtre de l'absurde
3. Vers un espace culturel européen : Renaissance et humanisme

2 Réaliser une fiche biographique

Entraînez-vous à la réalisation d'une fiche biographique.

1. Sur un auteur dont on dispose de beaucoup d'informations : Victor Hugo. Sélectionnez les informations principales et veillez à leur organisation.
2. Sur un auteur sur lequel les informations sont plus limitées : Lautréamont. Quels renseignements allez-vous donner ?

3 Réaliser une fiche sur un genre littéraire

Construisez une fiche qui apporte les informations essentielles (définition et caractéristiques, bref récapitulatif historique, noms d'auteurs et œuvres par siècle, genres et thèmes) sur un genre littéraire en veillant à la concision et à une présentation synthétique.

1. La poésie
2. Le théâtre

4 Tenir un journal de bord

Vous rédigez votre journal de bord.

1. À partir d'une référence de lecture cursive, rédigez un bref commentaire personnel où vous formulerez une impression de lecture, une réaction, votre intérêt pour une idée, un passage du texte. Vous pourrez assortir la référence d'une image (photographie, peinture...).
2. Ajoutez dans votre journal de bord des informations sur un spectacle de théâtre ou un film vu, sur une sortie scolaire dans le cadre du français.
3. À la fin du trimestre, parcourez votre journal de bord en vue de mémoriser les références littéraires et culturelles sélectionnées.
4. Partagez vos lectures avec vos camarades en vous appuyant sur ce journal de bord.

Fiche 10

Préparer un exposé

Les exposés peuvent être de nature variée :
- présentation d'un auteur ;
- présentation d'un mouvement littéraire et culturel ;
- compte rendu : d'une lecture cursive, d'un film, d'une pièce de théâtre, etc. ;
- synthèse : questions précises sur une œuvre, un genre, un registre, etc. ;
- exposé final rendant compte du travail personnel encadré (TPE), évalué au baccalauréat. Ce travail comprend, outre **l'exposé oral**, **un carnet de bord** et **un rapport écrit.**

Il a la particularité d'être **interdisciplinaire** et donc d'inciter à croiser les regards sur une **problématique commune**.

1 Comprendre et analyser un sujet d'exposé ou de TPE

➽ On doit dans un premier temps s'attacher à **comprendre le sens** du sujet et des **termes** choisis. Il faut donc **s'interroger** sur :
- **Le thème**, les **contenus** visés. On peut se poser des **questions** du type : qui, quoi, où, quand, comment, pourquoi ?
- **Le rapport** avec les objets d'étude ou les thèmes des TPE.

➽ Il est important de commencer par **bien cerner son sujet**. Cela permet à la fois d'éviter le hors-sujet, et donc de répondre au mieux, mais aussi de préparer les « mots-clés » utiles lors de la recherche documentaire.

2 Rechercher des informations

Un **remue-méninges** permettra de faire des **associations d'idées** à partir des termes du sujet.

On commencera les **premières recherches** en utilisant différents supports : dictionnaires des œuvres, des auteurs, encyclopédies, sites internet, etc.

Il faut consulter les documents **du plus général au plus précis**, en ayant toujours à l'esprit le sujet de l'exposé. On prendra des **notes construites** à partir des documents et des supports retenus.

Exemple : **TPE Napoléon, le personnage dans l'histoire, la littérature, les arts**

Le sujet porte sur un thème des TPE 2010-2011 : « Formes et figures du pouvoir »

Mots-clés : Napoléon/figure historique et politique majeure/ses représentations/imaginaire collectif

Analyse du sujet :« Napoléon »

Thème et contenus : Le personnage dans l'histoire, la littérature, les arts

Visée : Délibérer : on s'interroge sur la représentation du personnage.

Il faut garder à l'esprit **l'interdisciplinarité** du sujet : la recherche sera donc à la fois historique, littéraire et iconographique. On **s'interrogera** sur :
- le personnage et son traitement historique ;
- l'image de Napoléon à travers la littérature, les arts et les motivations des auteurs ;
- la construction d'un mythe.

3 Construire un plan

On construira le **plan** à partir d'une **ligne directrice** qui aura été définie à partir du temps de recherches et de questionnements. Pour les **TPE**, la soutenance ayant une **visée** essentiellement **démonstrative**, il est nécessaire de définir une **problématique pertinente**.

➽ En fonction du sujet, il existe différents **types de plan :**
- Plan **thématique** : développement progressif d'arguments regroupés par thèmes
- Plan **dialectique** : thèse, antithèse, synthèse
- Plan **analytique** : constat, causes, conséquences

➽ Un exposé doit être **structuré** de la manière suivante :

L'introduction : Elle présente le sujet, l'objectif, la problématique, le plan. Une entrée originale permettra de capter l'attention de l'auditoire.

Le développement : Il ne doit pas s'éloigner de **la problématique**. Il doit être illustré par des **exemples,** des **citations** et des **supports** variés et pertinents : interview, compte-rendu de visite, extrait de film, etc. Dans le cas des TPE, on mettra en valeur les arguments et la **progression de la démonstration**.

La conclusion : Elle rappelle l'idée directrice, résume rapidement le développement et peut se terminer sur une chute qui laisse une **bonne impression** sur l'auditoire.

Exemple : **Problématique :**

Napoléon, légende noire et légende dorée ?

Exemple de plan analytique :

Introduction : Constat de l'apparition d'un mythe à double face. Annoncer **le plan** :

I. Le personnage historique à travers deux siècles d'histoire

II. Napoléon dans la littérature et l'art : inscription du mythe dans la pensée collective

III. Contribution de Napoléon à sa propre image

Conclusion : Un cas unique dans l'Histoire. Phénomène orchestré en grande partie par Napoléon lui-même. Images actuelles de Napoléon : persistance du double mythe.

4 *Conseils pratiques pour la présentation d'un exposé ou d'un TPE*

➽ **Préparer ses notes :** une **introduction rédigée** permet de bien commencer et de se mettre en confiance.

Le développement se présentera sous forme de **prise de notes**, en indiquant clairement par différentes couleurs les titres, les sous-titres, les idées principales, les exemples, les citations.

La conclusion sera également **rédigée.**

Bien que rédigées, l'introduction et la conclusion **ne doivent pas être lues** pour autant.

Les notes ne sont écrites que **d'un côté de la feuille** et **numérotées.**

➽ **Préparer le matériel de l'exposé :**

On vérifiera **la salle** et le **matériel utilisé** : le vidéo-projecteur, le rétro-projecteur, l'écran, l'ordinateur, l'accès internet, etc. En cas de panne le jour « J » : il faut prévoir **un support papier.**

➽ **Gérer le temps :** on répétera l'exposé auparavant et on indiquera sur ses notes **le temps** que prend chaque page dans la **restitution orale**.

➽ **Adopter une attitude pertinente :** il est essentiel de montrer de **l'intérêt** voire de **l'enthousiasme** pour le sujet.

Il faudra parler d'une **voix claire**, avec un **volume bien adapté** aux lieux. Le **ton** et **le rythme** seront **variés**. Il est important de **regarder** l'auditoire, **d'établir le contact**.

➽ **Des variations de formes possibles pour les TPE :** Les élèves sont invités à faire preuve de **créativité** et **d'imagination**. L'exposé peut être présenté sous forme de débat, de pièce de théâtre, d'émission de radio, etc. Mais il est impératif que la forme d'exposé choisie soit en **parfaite adéquation** avec le sujet traité.

➽ La présentation d'un exposé en groupe demande une **bonne organisation** et un travail **d'écoute réciproque.** Chaque élève doit savoir quoi faire et à **quel moment intervenir**.

Pour bien gérer le temps, il faut **répéter l'exposé ensemble** auparavant.

➽ Si l'auditoire **pose des questions**, il faut apprendre à répondre **collectivement** aux diverses questions : qui parle en premier ? qui apporte une précision ? qui répond à telle question ? etc.

Exercices

1 Comprendre et analyser un sujet d'exposé

a. Objet d'étude : Le texte théâtral et sa représentation, du XVIIe siècle à nos jours.

Sujet : Vous réaliserez un exposé d'une durée de 10 minutes sur le théâtre de l'absurde. Vous vous appuierez notamment sur quelques textes significatifs, pris dans votre manuel.

b. Objet d'étude : Le personnage de roman, du XVIIe siècle à nos jours.

Sujet : Vous rendrez compte de votre lecture cursive de *Manon Lescaut* de l'abbé Prévost. Vous vous efforcerez de replacer l'œuvre dans son contexte littéraire en définissant notamment le roman-mémoires au XVIIIe siècle. Vous mettrez au jour les relations qui unissent les personnages tout au long du roman.

1. Pour chacun des exercices ci-dessus, proposez des mots-clés pertinents pour une recherche sur la base documentaire du CDI et sur Internet.

2. À la lecture des seuls énoncés, à quelles ressources documentaires et à quels supports pensez-vous pouvoir faire appel efficacement ?

2 Rechercher des informations

a. Objet d'étude : Écriture poétique et quête du sens, du Moyen Âge à nos jours

Sujet : La modernité de l'œuvre poétique de G. Apollinaire.

b. Objet d'étude : La question de l'Homme dans les genres de l'argumentation du XVIe siècle à nos jours

Sujet : Le mythe du « bon sauvage » au XVIIIe siècle.

→ Pour chacun des sujets suivants, vous chercherez trois documents pertinents dans le manuel ou sur la base documentaire de votre CDI

3 Construire un plan

a. Objet d'étude : Écriture poétique et quête du sens, du Moyen Âge à nos jours

Sujet : Vous réaliserez un exposé portant sur les poètes de La Pléiade. Vous pourrez porter votre attention sur Ronsard et Du Bellay.

b. Objet d'étude : Le texte théâtral et sa représentation, du XVIIe siècle à nos jours

Sujet : Vous réaliserez un exposé sur la comédie au XVIIIe siècle et son rôle de critique sociale. Vous pourrez emprunter des exemples aux pièces de Beaumarchais.

→ Vous proposerez un plan pour chacun de ces exposés.

Fiche 11

Améliorer son expression

1 Utiliser le mot juste

➽ Connaître l'orthographe d'usage du vocabulaire d'analyse littéraire

Ex : ***Noms*** *: absence, ambiguïté, digression ;* ***adjectifs*** *: ambiguë (au féminin), cohérent, erroné, exigeant, indissociable, intéressant, rationnel ;* ***verbes*** *: acquérir (il acquiert), aggraver, convaincre (il convainc), résoudre (il résout).*

➽ Ne pas confondre les paronymes (mots proches sur le plan sonore)

Ex : ***censé*** *(supposé, réputé) et* ***sensé*** *(qui a du bon sens),* ***compréhensible*** *(qui peut être compris) et* ***compréhensif*** *(qui peut comprendre),* ***davantage*** *(adverbe, marquant une quantité supérieure) et* ***d'avantage*** *(de + substantif).*

➽ Préciser sa pensée à l'aide des synonymes

Ex : ***Première version*** *: « L'auteur cherche à nous faire changer d'avis. »*
Version améliorée *: « L'auteur argumente. »*

Ex : ***Première version*** *: « L'auteur avance une idée : l'Homme est fondamentalement bon. »*
Version améliorée *: « L'auteur prétend que l'Homme est fondamentalement bon. »*

➽ Varier le vocabulaire

Ex : ***Première version*** *: « Kant écrit que l'Homme doit accéder à la Raison. »*
Version améliorée *: « Kant considère que l'Homme doit accéder à la Raison. »*

Dictionnaire de référence en ligne :
http://atilf.atilf.fr/tlf.htm

➽ La grammaire et la conjugaison

« En ligne » : Une grammaire française interactive :
Reverso : http://grammaire.reverso.net/

➽ La phrase : l'ordre des mots, c'est-à-dire la syntaxe, doit respecter les codes de l'écrit, qui ne sont pas ceux de l'oral. Ainsi, il faut éviter tout relâchement ou toute familiarité.

Ex : ***Formulation relâchée*** *: « L'auteur, j'ai lu sa pièce de théâtre. C'est Victor Hugo. »*
Formulation correcte *: « L'auteur dont j'ai lu la pièce est Victor Hugo. »*

Ex : *Formuler une problématique syntaxiquement correcte :*
Formulation fautive *: « On se demandera comment l'auteur utilise-t-il la métaphore ? »*
Formulation correcte *: « On se demandera comment l'auteur utilise la métaphore. »*

➽ Les réseaux pronominaux

Les pronoms sont utiles pour éviter les répétitions. Cependant, ils sont aussi source de confusion. Il faut respecter le genre et le nombre tout au long de la chaîne pronominale.

Ex : ***Formulation fautive*** *: « Tout le monde ne peut être d'accord sur ce point. Mais ils peuvent y réfléchir ensemble. »*
Formulation correcte *: « Tout le monde ne peut être d'accord sur ce point. Mais on peut y réfléchir ensemble. »*

Ex : ***Formulation fautive*** *: « Toutes les personnes évoquées peuvent le dire. Ils y étaient. »*
Formulation correcte *: « Toutes les personnes évoquées peuvent le dire. Elles y étaient. »*

S'entraîner en autonomie :
Exercices de révision pour le lycée
http://www.ccdmd.qc.ca/fr/exercices_interactifs/

2 Structurer son discours

➽ Utiliser des paragraphes

Ex. : *Dans les écrits argumentatifs, le paragraphe doit comprendre une idée directrice, son analyse et les exemples qui l'expliquent. Le paragraphe est matérialisé par un alinéa net.*

➽ Utiliser des liens logiques : les liens logiques permettent de structurer le discours en soulignant les articulations de la démonstration. Il faut aussi éviter les pléonasmes.

Ex : ***Formulation fautive*** *: « Enfin pour conclure, ce texte propose une argumentation étonnante. »*
Formulation correcte *: « Pour conclure, ce texte propose une argumentation étonnante. »*

Ex : ***Formulation fautive*** *: « Le texte propose une vision originale, voire même déroutante. »*
Formulation correcte *: « Le texte propose une vision originale, même déroutante. »*

➽ Utiliser correctement la ponctuation

3 Soigner la présentation

➽ Présenter une copie propre.
➽ Tout rédiger, s'interdire toute abréviation.
➽ Souligner les titres des œuvres.
➽ Marquer les alinéas.

➽ Insérer correctement les citations : entre guillemets.

Exercices

1 Utiliser le mot juste

a. Le roman : « début de roman », « dernière page du roman », « récit bref et concis en prose », « instance chargée de raconter l'histoire », « être imaginaire ou inspiré de la réalité ».
b. La poésie : « auteur de poèmes », « strophe de quatre vers », « poème de quatorze vers composé de deux quatrains et de deux tercets », « poème court faisant l'éloge d'une personne », « compter pour deux syllabes deux voyelles voisines qui comptent ordinairement pour une seule ».
c. Le théâtre : « auteur de pièce de théâtre », « première scène », « longue intervention d'un personnage face à un autre », « intervention d'un personnage seul en scène », « échange rapide de personnages, vers à vers », « pièce qui traite d'un sujet noble dont les personnages sont socialement élevés », « genre théâtral qui refuse les contraintes, mélange les genres et les registres », « indications du texte destinées à la mise en scène ».
d. L'argumentation : « récit instructif à visée morale », « genre qui se nourrit d'une réflexion personnelle fondée sur la vie de l'auteur », « genre polémique, qui attaque une personne ou une situation »
➜ Remplacez chacune des expressions par un terme d'analyse littéraire précis.

2 Utiliser le mot juste

a. Avec *La Princesse de Clèves*, Madame de La Fayette fait des personnages qui vivent une relation sentimentale tourmentée.
b. *Les Contemplations* de Victor Hugo disent le désespoir du poète.
c. Sur scène, les acteurs bougent selon les indications du metteur en scène.
d. Pour qu'une argumentation soit convaincante, il faut s'appuyer sur des idées et des éléments souvent pris dans la vie courante.
➜ Remplacez chacune des expressions soulignées par des termes plus précis.

3 Utiliser le mot juste

a. Les textes surréalistes ne sont pas toujours immédiatement compréhensifs/compréhensibles.
b. La parole des personnages, chez Ionesco, n'est pas toujours sensée/censée.
c. Le lyrisme est d'avantage/davantage tourné vers l'expression des sentiments personnels.
d. Ce poème personnalise/personnifie la mer.
e. Dans le roman de Maupassant, le personnage est près/prêt à utiliser tous les moyens pour réussir.
➜ Ces phrases présentent des paronymes : des mots qui ont une ressemblance phonologique sans avoir le même sens. Choisissez le bon terme.

4 Varier le vocabulaire

a. Dans sa pièce, Beckett pense que le langage n'a pas de sens.
b. Voltaire montre que les préjugés empêchent l'homme d'accéder à la Raison.
c. Zola reprend le projet romanesque de Balzac et l'enrichit.
➜ Remplacez les verbes d'analyse soulignés par des synonymes.

5 Adopter une syntaxe appropriée

a. Moi, j'ai lu les œuvres au programme.
b. Hugo, il a écrit *Les Misérables*.
c. En lisant *Le Rouge et le Noir*, on peut se poser la question : qu'est-ce que Stendhal a voulu dire à travers ses personnages ?
d. Les pièces de Molière, elles sont agréables à lire.
e. Avec *La Comédie humaine*, copier l'état civil, tel était le but de Balzac.
➜ Dans ces phrases, supprimez les tours qui relèvent de l'expression orale et reformulez.

6 Remplacer les abréviations et introduire les exemples

a. Les écrivains romantiques ont bousculé les codes classiques.
Ex : *Hugo avec le drame* Hernani.
b. Dans « Demain dès l'aube », Hugo évoque le décès de sa fille.
Ex : *Utilisation de « tu » ; avant-dernier vers : « tombe ».*
c. Dans les *Essais*, Montaigne s'appuie sur son expérience personnelle.
Ex : *Amitié avec La Boétie, un ami alors décédé depuis peu.*
➜ Reformulez en les développant ces phrases de façon à supprimer les abréviations et à introduire les exemples.

7 Structurer son discours

a. dans son théâtre marivaux met volontiers en scène des couples qui jouent avec les codes amoureux et le travestissement par exemple il crée des situations dans lesquelles les personnages échangent leurs rôles pour mieux mettre à l'épreuve leurs sentiments
b. la poésie fonctionne comme un genre à part forme souvent courte elle est souvent l'occasion pour les auteurs de tester et d'affiner leur langage les images y sont nombreuses pour dire avec d'autres mots de quoi le monde est fait
c. le roman est aujourd'hui le genre le plus populaire cela montre que l'homme comme l'enfant reste subjugué lorsqu'on lui raconte des histoires dans lesquelles il peut se reconnaître
➜ Replacez les majuscules et la ponctuation.

Fiche 12

Les genres du roman

Le roman est un genre littéraire qui a connu de multiples formes du XVIIe siècle à nos jours. Alors que la tragédie ou l'épopée se sont imposées dès l'Antiquité, le roman ne s'est véritablement développé qu'à partir du XVIIe siècle. L'absence de définition théorique rigide a permis l'éclosion de sous-genres multiples.

1 Le roman et la représentation de la société

Les romanciers interrogent le rapport entretenu entre un héros et une société donnée, qu'elle soit imaginaire (idéalisée ou non) ou la plus vraisemblable possible.

Le roman pastoral

Inspiré par les œuvres antiques de Virgile, le roman pastoral raconte l'histoire de bergers amoureux fuyant la ville – symbole de corruption – pour vivre un amour idéal dans un cadre bucolique. Ce genre de roman permet au lecteur de **s'extraire de la société de son temps** et d'imaginer un lieu imaginaire et féerique.

Ex : L'Astrée *(1607-1627) d'Honoré d'Urfé est un roman-fleuve racontant les amours d'Astrée et de Céladon. Les deux amants se déclarent leur flamme dans un cadre merveilleux.*

Le roman social

Au XVIIIe siècle, les romanciers mettent la fiction au service d'une argumentation. Le roman permet de **dénoncer les pouvoirs politiques** et les vices du siècle. En déléguant la parole à un personnage, le roman se révèle une arme de choix contre les censeurs.

Ex : *Les* Lettres persanes *de Montesquieu (1721) sont un roman épistolaire (par lettres) dans lequel deux Persans racontent leur voyage en France. Rica et Uzbek dénoncent le pouvoir royal et d'autres institutions de la France du XVIIIe siècle.*

Le roman réaliste

Ce n'est qu'au XIXe siècle que le genre romanesque triomphe. Le réalisme devient alors une esthétique dominante. Dans cette perspective, le roman réaliste correspond au **reflet exact de la société**, « l'illusion du vrai » comme le dira Maupassant dans la préface de *Pierre et Jean*.

Toutes les composantes de la société doivent être représentées au sein du roman : ouvriers, paysans, bourgeois, aristocrates... Les romans **réalistes** – et **naturalistes** – proposent ainsi une représentation **objective** de la réalité.

Cependant, ce souci de « faire vrai » se double d'une intention **critique** : les romanciers prennent ainsi pour cible les mœurs bourgeoises ou les notables de province.

Ex : *Dans* La Curée *(1872), Zola dénonce l'opportunisme de toute une catégorie de personnes attirées par l'argent. Ce vice du siècle s'incarne dans la figure d'Aristide Saccard, héros peu fréquentable du roman.*

Le roman existentiel

Au XXe siècle, le « roman existentiel » interroge la relation entre un protagoniste et une société qu'il juge absurde. Le romancier propose alors des **œuvres engagées** pour dénoncer la condition de l'homme moderne.

L'étiquette de « roman existentiel » est accolée aux récits de Malraux, de Sartre ou de Camus qui mêlent la matière romanesque à un questionnement philosophique. Ils transposent leur pensée dans le roman et emploient ainsi un **discours philosophique**.

Ex : *Dans* La Nausée *de Sartre (1938), le narrateur-personnage, Roquentin, découvre la vanité de toute action. Cette révélation l'amène à s'interroger sur sa propre situation : « Je me tais, je souris d'un air contraint. La bonne pose devant moi une assiette avec un bout de camembert crayeux. Je parcours la salle du regard et un violent dégoût m'envahit. Que fais-je ici ? Qu'ai-je été me mêler de discourir sur l'humanisme ? Pourquoi ces gens sont-ils là ? Pourquoi mangent-ils ? »*

2 Le roman à la première personne

Depuis le XVIIe siècle, le roman a revêtu les apparences du genre autobiographique. En introduisant un narrateur-personnage, les romanciers ont donné un gage d'authenticité à leurs œuvres.

Le roman-mémoire

Au XVIIIe siècle, le roman à la première personne connaît un grand succès. Ce genre de roman, couramment nommé **« roman-mémoire »**, fait entendre les **confessions d'un narrateur**. L'auteur renforce ainsi l'illusion d'un discours authentique prononcé par une personne réelle.

Il arrive même que le romancier fasse précéder son récit d'un avis au lecteur pour donner plus de crédit au témoignage.

Ex : *Marivaux fait précéder* La Vie de Marianne *(1742) d'un « avertissement » censé donner plus de vraisemblance au récit : « Comme on pourrait soupçonner cette histoire-ci d'avoir été faite exprès pour amuser le public, je crois devoir avertir que je la tiens moi-même d'un ami qui l'a réellement trouvée, comme il le dit ci-après, et que je n'y ai point d'autre part que d'en avoir retouché quelques endroits trop confus et trop négligés. »*

Le roman-mémoire raconte le plus souvent les aventures d'un personnage aux prises avec une société hostile à son bonheur. Il reprend le **modèle** (voir Fiche 16 « La construction du récit ») du **roman picaresque***.

Ex : *Dans* Gil Blas de Santillane *(1735), Lesage raconte l'histoire de Gil Blas en débutant par sa naissance. Le narrateur-personnage relate ses différentes aventures au sein de la société espagnole. Chaque chapitre a pour titre un épisode de la vie du héros.*

➠ Le roman romantique

Dans la première moitié du XIXe siècle, le mouvement romantique influence des romanciers tels que Chateaubriand, Lamartine ou Constant. Ceux-ci écrivent des romans à la première personne dans lesquels un personnage confie **ses tourments et ses états d'âme**.

Ces récits accordent une large place à l'**introspection** et à la plainte d'un narrateur subissant **« le mal du siècle »**.

Ex : *« [La société] pèse tellement sur nous, son influence sourde est tellement puissante, qu'elle ne tarde pas à nous façonner d'après le moule universel. » (B. Constant,* Adolphe, *1816)*

➠ Vers l'autofiction

Le XXe siècle voit émerger de nouvelles formes romanesques. Le roman se confond de plus en plus avec le **genre autobiographique** : le narrateur-personnage s'identifie alors plus ou moins à l'auteur en fonction des circonstances évoquées par le récit. Le terme d'« autofiction » inventé par Serge Doubrovsky répond à ce désir des écrivains contemporains de transposer leurs **fantasmes** à l'intérieur de la fiction.

Ex : *Dans* Le livre brisé *(1989), Serge Doubrovsky constate l'échec de toute entreprise autobiographique et, partant, la nécessité de l'autofiction : « JE ME MANQUE TOUT AU LONG... De MOI, je ne peux rien apercevoir. À MA PLACE NÉANT... un moi en toc, un trompe-l'œil... Si j'essaie de me remémorer, je m'invente... JE SUIS UN ÊTRE FICTIF... Moi, suis orphelin de MOI-MÊME. »*

3 Le genre romanesque en question

Le roman est le lieu même d'une interrogation sur ses propres fins et ses limites. Les écrivains mettent alors à nu les procédés d'écriture et jouent avec les codes du genre.

➠ Le roman burlesque

Le roman burlesque est un genre de roman **parodique** du XVIIe siècle : il peut se lire comme un détournement des romans nobles de l'époque (héroïque, pastoral). Dans ces récits, les personnages évoluent dans un **univers prosaïque**, loin du cadre idyllique du roman pastoral.

Ex : *L'incipit* du Roman comique *(1651-1657) de Scarron est une réécriture burlesque du mythe d'Apollon : « Le soleil avait achevé plus de la moitié de sa course et son char, ayant attrapé le penchant du monde, roulait plus vite qu'il ne voulait. Si ses chevaux eussent voulu profiter de la pente du chemin, ils eussent achevé ce qui restait du jour en moins d'un demi-quart d'heure ; mais, au lieu de tirer de toute leur force, ils ne s'amusaient qu'à faire des courbettes. »*

➠ Le roman réflexif

Au XVIIIe siècle, le roman demeure un genre problématique. Diderot s'en amuse en publiant *Jacques le fataliste et son maître* (1792), roman qui met en valeur les pouvoirs du narrateur, sa capacité à construire un univers factice. Le narrateur exhibe ses pouvoirs et le romancier met ainsi en valeur le **caractère artificiel** de son récit.

Ex : *« Comment s'étaient-ils rencontrés ? Par hasard, comme tout le monde. Comment s'appelaient-ils ? Que vous importe ? D'où venaient-ils ? Du lieu le plus prochain. Où allaient-ils ? Est-ce que l'on sait où l'on va ? » (Diderot,* Jacques le fataliste et son maître, *Incipit)*

➠ Le Nouveau Roman

Autour des années 1950, plusieurs romanciers, parmi lesquels Alain Robbe-Grillet, Michel Butor et Nathalie Sarraute, réfléchissent à un « nouveau roman » en **rupture avec le roman traditionnel** du XIXe siècle. L'intrigue se trouve déconstruite et le personnage s'apparente à un figurant anonyme sans aucune profondeur psychologique.

Ex : Tropismes *de Nathalie Sarraute (1939) juxtapose des saynètes où des personnages anonymes livrent leurs états d'âme : un vieil homme rêvant en promenant son enfant, une jeune femme réfléchissant à un moyen de fuir la compagnie des autres...*

Exercices

Objet d'étude :
Le personnage de roman, du XVIIe siècle à nos jours

1 Dates et repères littéraires

Classez dans l'ordre chronologique les titres suivants en les attribuant à un auteur :

Les Choses – La Vie de Marianne – Eugénie Grandet – Le Roman comique – L'Espoir – Bouvard et Pécuchet

2 Identifier un genre de roman

Classez ces titres de roman en fonction de leur genre : roman social, roman réaliste, roman naturaliste, roman existentiel, Nouveau Roman.

Émile Zola, *Nana* – Gustave Flaubert, *Madame Bovary* – Montesquieu, *Les Lettres persanes* – Stendhal, *Le Rouge et le Noir* – Michel Butor, *La Modification*

3 Analyser un manifeste réaliste

1 Dans le roman tel que le comprenaient nos aînés, on recherchait les exceptions, les fantaisies de l'existence, les aventures rares et compliquées. On créait avec cela une sorte de monde nullement humain, mais
5 agréable à l'imagination. Cette manière de procéder a été baptisée : « Méthode ou Art idéaliste. »

Du roman, tel qu'on le comprend aujourd'hui, on cherche à bannir les exceptions. On veut faire, pour ainsi dire, une moyenne des événements humains et
10 en déduire une philosophie générale, ou plutôt dégager les idées générales des faits, des habitudes, des mœurs, des aventures qui se reproduisent le plus généralement.

De là cette nécessité d'observer avec impartialité et
15 indépendance.

La vie a des écarts que le romancier doit éviter de choisir, étant donné sa méthode actuelle. [...]

Ainsi les accidents sont fréquents. Les chemins de fer broient des voyageurs, la mer en engloutit, les che-
20 minées écrasent les passants pendant les coups de vent. Or, quel romancier de la nouvelle école oserait, au milieu d'un récit, supprimer par un de ces accidents imprévus un de ses personnages principaux ?

Guy de Maupassant, « Les Bas fonds »,
Le Gaulois, 28 juillet 1882

1. Le romancier réaliste doit-il se contenter de copier la réalité selon Maupassant ?
2. Quelle différence l'auteur établit-il entre les faits réels et les faits racontés dans le roman ?

4 Analyser la préface d'un roman engagé

1 Tant qu'il existera, par le fait des lois et des mœurs, une damnation sociale créant artificiellement, en pleine civilisation, des enfers, et compliquant d'une fatalité humaine la destinée qui est divine ; tant que les
5 trois problèmes du siècle, la dégradation de l'homme par le prolétariat, la déchéance de la femme par la faim, l'atrophie de l'enfant par la nuit, ne seront pas résolus ; tant que, dans de certaines régions, l'asphyxie sociale sera possible ; en d'autres termes, et à un point
10 de vue plus étendu encore, tant qu'il y aura sur la terre ignorance et misère, des livres de la nature de celui-ci pourront ne pas être inutiles.

Victor Hugo, *Les Misérables*, 1862

1. Expliquez les trois problèmes du siècle exposés par l'auteur.
2. Dans quelle mesure cette préface annonce-t-elle un roman engagé ?

5 Étudier le genre du roman existentiel

Kyo, militant communiste de Shanghai, vient d'être arrêté par les forces armées chinoises.

1 Allongé sur le dos, les bras ramenés sur la poitrine, Kyo ferma les yeux : c'était précisément la position des morts. Il s'imagina, allongé, immobile, les yeux fermés, le visage apaisé par la sérénité que dispense
5 la mort pendant un jour à presque tous les cadavres, comme si devait être exprimée la dignité même des plus misérables. Il avait beaucoup vu mourir, et, aidé par son éducation japonaise, il avait toujours pensé qu'il est beau de mourir de sa mort, d'une mort qui
10 ressemble à sa vie. Et mourir est passivité, mais se tuer est acte. Dès qu'on viendrait chercher le premier des leurs, il se tuerait en pleine conscience.

André Malraux, *La Condition humaine*, © Éd. Gallimard 1933

➜ Dans quelle mesure ce passage illustre-t-il le titre donné à l'ouvrage ? Justifiez votre réponse en relevant des procédés donnant une dimension philosophique à l'extrait.

6 Analyser la première page d'un roman-mémoire

Texte A :

1 Le titre que je donne à mes Mémoires annonce ma naissance ; je ne l'ai jamais dissimulée à qui me l'a demandée, et il semble qu'en tout temps Dieu ait récompensé ma franchise là-dessus ; car je n'ai pas remar-
5 qué qu'en aucune occasion on en ait eu moins d'égard et moins d'estime pour moi.

J'ai pourtant vu nombre de sots qui n'avaient et ne connaissaient point d'autre mérite dans le monde, que celui d'être né noble, ou dans un rang distingué. Je
10 les entendais mépriser beaucoup de gens qui valaient mieux qu'eux, et cela seulement parce qu'ils n'étaient pas gentilshommes ; mais c'est que ces gens qu'ils méprisaient, respectables d'ailleurs par mille bonnes qualités, avaient la faiblesse de rougir eux-mêmes de
15 leur naissance, de la cacher, et de tâcher de s'en donner une qui embrouillât la véritable, et qui les mît à couvert du dédain du monde.

Or, cet artifice-là ne réussit presque jamais ; on a beau déguiser la vérité là-dessus, elle se venge tôt ou
20 tard des mensonges dont on a voulu la couvrir ; et l'on est toujours trahi par une infinité d'événements qu'on ne saurait ni parer, ni prévoir.

Marivaux, *Le Paysan parvenu*, 1735

Texte B :

1 Ne me rendrai-je point suspect par l'aveu qui va faire mon exorde ? Je suis l'amant de la belle Grecque dont j'entreprends l'histoire. Qui me croira sincère dans le récit de mes plaisirs ou de mes peines ? Qui ne
5 se défiera point de mes descriptions et de mes éloges ? Une passion violente ne fera-t-elle point changer de nature à tout ce qui va passer par mes yeux ou par mes mains ? En un mot, quelle fidélité attendra-t-on d'une plume conduite par l'amour ? Voilà les raisons qui doi-
10 vent tenir un lecteur en garde. Mais s'il est éclairé, il jugera tout d'un coup qu'en les déclarant avec cette franchise, j'étais sûr d'en effacer bientôt l'impression par un autre aveu. J'ai longtemps aimé, je le confesse encore, et peut-être ne suis-pas aussi libre de ce fatal
15 poison que j'ai réussi à me le persuader.

Abbé Prévost, *L'Histoire d'une Grecque moderne*, 1740

1. Identifiez le champ lexical de la confession dans chacun de ces deux incipit. Que cherchent à prouver les deux narrateurs au seuil de leur roman ?
2. En quoi l'idéal de transparence revendiqué par les deux narrateurs vous semble-t-il suspect ? Justifiez en identifiant des procédés rhétoriques.

7 Étudier le genre du roman romantique

Imenström, 28 juin, neuvième année

1 Je n'attendrai plus des jours meilleurs. Les mois changent, les années se succèdent : tout se renouvelle en vain ; je reste le même. Au milieu de ce que j'ai désiré, tout me manque ; je n'ai rien obtenu, je ne possède
5 rien : l'ennui consume ma durée dans un long silence. Soit que les vaines sollicitudes de la vie me fassent oublier les choses naturelles, soit que l'inutile besoin de jouir me ramène à leur ombre, le vide m'environne tous les jours, et chaque saison semble l'étendre davantage
10 autour de moi. Nulle intimité n'a consolé mes ennuis dans les longues brumes de l'hiver. Le printemps vint pour la nature, il ne vint pas pour moi. Les jours de vie réveillèrent tous les êtres : leur feu indomptable me fatigua sans me ranimer ; je devins étranger dans
15 le monde heureux. Et maintenant les fleurs sont tombées, le lis a passé lui-même ; la chaleur augmente, les jours sont plus longs, les nuits sont plus belles. Saison heureuse ! Les beaux jours me sont inutiles, les douces nuits me sont amères. Paix des ombrages ! brisement
20 des vagues ! silence ! lune ! oiseaux qui chantiez dans la nuit ! sentiments des jeunes années, qu'êtes-vous devenus ?

Étienne Pivert de Senancour, *Oberman*, 1804, Lettre LXXV

1. Relevez les passages mettant en avant l'expression d'un moi souffrant. Identifiez le sentiment qui fait souffrir le narrateur.
2. Montrez que cet extrait développe la thèse romantique du « mal du siècle ».

8 Comprendre les enjeux du Nouveau Roman

1 L'erreur est de croire que le « vrai roman » s'est figé une fois pour toutes, à l'époque balzacienne, en des règles strictes et définitives. Non seulement l'évolution a été considérable depuis le milieu du XIXe siècle, mais
5 elle a commencé tout de suite, à l'époque de Balzac lui-même. [...] Et, depuis, l'évolution n'a cessé de s'accentuer : Flaubert, Dostoïevski, Proust, Kafka, Joyce, Faulkner, Beckett... Loin de faire table rase du passé, c'est sur les noms de nos prédécesseurs que nous nous
10 sommes le plus aisément mis d'accord ; et notre ambition est seulement de les continuer. Non pas de faire mieux, ce qui n'a aucun sens, mais de nous placer à leur suite, maintenant à notre heure.

Alain Robbe-Grillet, *Pour un Nouveau Roman*,
© Les Éditions de Minuit 1963

1. Quelle est la thèse défendue par l'auteur ?
2. Sur quoi se fonde l'opposition entre le roman « traditionnel » et le « Nouveau Roman » ?

9 Étudier le genre de l'autofiction

Après avoir décrit à la première personne une rencontre amoureuse, l'auteur en vient à s'interroger sur le statut même de son œuvre.

1 Ce serait un livre sur les hommes, sur l'amour des hommes : objets aimés, sujets aimants, ils formeraient l'objet et le sujet du livre. Ce serait un livre sur tous les hommes d'une femme, du premier au dernier – père,
5 grand-père, fils, frère, ami, amant, mari, patron, collègue..., dans l'ordre ou le désordre de leur apparition dans sa vie, dans ce mouvement mystérieux de présence et d'oubli qui les fait changer à ses yeux, s'en aller, revenir, demeurer, devenir. [...]
10 Je ne serais pas la femme du livre. Ce serait un roman, ce serait un personnage, qui ne se dessinerait justement qu'à la lumière des hommes rencontrés ; ses contours se préciseraient peu à peu de la même façon que sur une diapositive, dont l'image n'apparaît que
15 levée vers le jour. [...]
Je donnerais au personnage ce trait précis de mon caractère (je le tiens de ma mère...) : ne s'être, pendant toutes ces années, intéressée – n'avoir pu s'intéresser – qu'aux hommes.

Camille Laurens, *Dans ces bras-là*, © P.O.L 2000

1. Comment l'auteur maintient-il une tension entre autobiographie et roman tout au long de l'extrait ?
2. Cet extrait remet-il en cause les codes du genre romanesque ?

Fiche 13

Auteur, narrateur

1 L'auteur et le narrateur

➽ **L'auteur d'un roman ne doit pas être confondu avec le narrateur** qui raconte l'histoire. Tandis que l'auteur est un être réel, le narrateur est la voix qui raconte l'histoire. Ce dernier peut être extérieur à l'histoire (**narrateur externe**) ou personnage de l'histoire (**narrateur interne**).

➽ La plupart du temps, l'identité de l'auteur est évidente dans la mesure où elle correspond à l'état civil de la personne qui a écrit l'œuvre. Cependant, il arrive que certains romanciers s'amusent à usurper une identité fictive.

Ex : *Les romans du* XVIIIe *siècle apparaissent à cet égard ambigus : Marivaux, l'Abbé Prévost ou encore Laclos font précéder leurs récits d'un avertissement précisant que l'œuvre a été rédigée par un autre.*

2 Les fonctions du narrateur

Le narrateur est susceptible d'assumer un certain nombre de fonctions au sein du récit. Il peut :

➽ Raconter l'histoire

La fonction première du narrateur est de raconter une histoire et d'organiser le récit. Pour ce faire, il choisit **l'ordre des actions et le rythme du récit**. Sa présence est signalée de manière explicite dans les romans critiques (voir Fiche 12 « Les genres du roman »).

Ex : *Dans* Jacques le fataliste et son maître *de Diderot (1792), le narrateur intervient souvent au terme du dialogue pour commenter son récit. Ainsi conclut-il une conversation sur l'amour entre Jacques et son maître : « Vous concevez, lecteur, jusqu'où je pourrais pousser cette conversation sur un sujet dont on a tant parlé, tant écrit depuis deux mille ans, sans en être d'un pas plus avancé. »*

➽ Informer le lecteur

Il arrive que le narrateur explique certains points qu'il juge nécessaires à la compréhension de l'histoire. Le narrateur remplit avant tout cette fonction dans les romans réalistes et naturalistes du XIXe siècle.

Balzac ou Hugo ponctuent leurs récits de développements historiques visant à donner une dimension **didactique** à leurs romans. Dans le roman naturaliste, le narrateur donne des informations au lecteur sur le milieu professionnel dans lequel évolue le héros.

Ex : *Les mines dans* Germinal *(Zola, 1885), le fonctionnement d'une locomotive dans* La Bête humaine *(Zola, 1890).*

➽ Communiquer avec le lecteur

La communication avec le lecteur est un procédé récurrent dans les romans réflexifs. Diderot ne cesse de l'interpeller dans *Jacques le fataliste* par le biais de l'**apostrophe** au « lecteur ». Les romanciers du XIXe siècle utilisent plus couramment le mode impératif pour prendre à partie le lecteur.

Ex : *« Figurez-vous un petit vieillard sec et maigre, vêtu d'une robe en velours noir, serrée autour de ses reins par un gros cordon de soie », Balzac,* La Peau de chagrin, *1831.*

Les romanciers du XXe siècle s'amusent à utiliser le procédé à des fins parodiques.

Ex : *Dans* Si par une nuit d'hiver un voyageur *(Calvino, 1979), le lecteur est sollicité dès le début du récit : « Tu vas commencer le nouveau roman d'Italo Calvino,* Si par une nuit d'hiver un voyageur. *Détends-toi. Concentre-toi. »*

➽ Émettre un jugement

Le narrateur interrompt parfois son récit pour porter un jugement moral sur la société. Cette digression varie en longueur : d'une simple phrase à une page entière. Le narrateur emploie alors le présent de vérité générale pour **adresser au lecteur ce point de vue**. Les romanciers du XIXe et du XXe siècle ont souvent recours à ce mode d'intervention au sein de leur récit.

Ex : *« Un des spectacles où se rencontre le plus d'épouvantement est certes l'aspect général de la population parisienne, peuple horrible à voir, hâve, jaune, tanné. » (Balzac,* La Fille aux yeux d'or, *1835).*

Il arrive que le narrateur émette un jugement sur son récit en critiquant, par exemple, l'attitude d'un de ses personnages. Si Diderot apparaît comme le précurseur de cette pratique, ce procédé se généralise au XXe siècle.

Ex : *Au beau milieu des* Faux Monnayeurs *de Gide (1925), le narrateur avoue son incapacité à savoir ce que vont devenir ses personnages : « Je crains qu'en confiant le petit Boris aux Azaïs, Édouard ne commette une imprudence. Comment l'en empêcher ? Chaque être agit selon sa loi, et celle d'Édouard le porte à expérimenter sans cesse. »*

Exercices

Objet d'étude :
Le personnage de roman, du XVIIe siècle à nos jours

1 Analyser la stratégie d'un auteur

Laclos place au seuil de son roman épistolaire une préface censée expliquer l'origine et l'enjeu de la publication des lettres qui composent l'ouvrage.

Cet ouvrage, ou plutôt ce recueil, que le public trouvera peut-être encore trop volumineux, ne contient pourtant que le plus petit nombre des lettres qui composaient la totalité de la correspondance dont il est extrait. Chargé de la mettre en ordre par les personnes à qui elle était parvenue, et que je savais dans l'intention de la publier, je n'ai demandé, pour prix de mes soins, que la permission d'élaguer tout ce qui me paraîtrait inutile ; et j'ai tâché de ne conserver en effet que les lettres qui m'ont paru nécessaires, soit à l'intelligence des événements, soit au développement des caractères. Si l'on ajoute à ce léger travail, celui de replacer par ordre les lettres que j'ai laissé subsister, ordre pour lequel j'ai même presque toujours suivi celui des dates, et enfin quelques notes courtes et rares, et qui, pour la plupart, n'ont d'autre objet que d'indiquer la source de quelques citations [...] on saura toute la part que j'ai eue à cet ouvrage.

Choderlos de Laclos, *Les Liaisons dangereuses*, « Préface du rédacteur », 1782

1. Quelle mission se donne le « rédacteur » dans cet avant-propos ? Pourquoi avoir choisi l'étiquette de « rédacteur » et non celle d'« auteur » ?
2. À quels indices perçoit-on la mauvaise foi de ce rédacteur ?

2 Identifier une fonction du narrateur

Ce passage suit le récit des aventures du capitaine de Jacques

Vous allez prendre l'histoire du capitaine de Jacques pour un conte, et vous aurez tort. Je vous proteste que telle qu'il l'a racontée à son maître, tel fut le récit que j'en avais entendu faire aux Invalides, je ne sais en quelle année, le jour de Saint-Louis, à table chez un M. de Saint-Étienne, major de l'hôtel ; et l'historien qui parlait en présence de plusieurs autres officiers de la maison, qui avaient connaissance du fait, était un personnage grave qui n'avait point du tout l'air d'un badin. Je vous le répète donc pour ce moment et pour la suite : soyez circonspect si vous ne voulez pas prendre dans cet entretien de Jacques et de son maître le vrai pour le faux, le faux pour le vrai. Vous voilà bien averti, et je m'en lave les mains.

Denis Diderot, *Jacques le fataliste et son maître*, 1792

1. Quelle relation le narrateur établit-il avec le lecteur ? Identifiez un procédé donnant lieu à une communication entre le narrateur et le lecteur.
2. Quel serait alors le lecteur idéal selon le narrateur ?

3 Identifier une fonction du narrateur

La petite ville de Verrières peut passer pour l'une des plus jolies de la Franche-Comté. Ses maisons blanches avec leurs toits pointus de tuiles rouges s'étendent sur la pente d'une colline, dont des touffes de vigoureux châtaigniers marquent les moindres sinuosités. [...]

À peine entre-t-on dans la ville que l'on est étourdi par le fracas d'une machine bruyante et terrible en apparence. Vingt marteaux pesants, et retombant avec un bruit qui fait trembler le pavé, sont élevés par une roue que l'eau du torrent fait mouvoir.

Stendhal, *Le Rouge et le Noir*, 1830, *Incipit*

→ Quelle est la fonction du narrateur dans cet extrait ? Appuyez-vous sur des relevés précis.

4 Interpréter un commentaire du narrateur

Ce passage clôt une scène de ménage entre César Birotteau, marchand parfumeur, et sa femme.

Un coup d'œil rapidement jeté sur la vie antérieure de ce ménage confirmera les idées que doit suggérer l'amicale altercation des deux principaux personnages de cette scène. En peignant les mœurs des détaillants[1], cette esquisse expliquera d'ailleurs par quels singuliers hasards César Birotteau se trouvait adjoint et parfumeur, ancien officier de la garde nationale et chevalier de la Légion d'Honneur. En éclairant la profondeur de son caractère et les ressorts de sa grandeur, on pourra comprendre comment les accidents commerciaux que surmontent les têtes fortes deviennent d'irréparables catastrophes pour de petits esprits.

Honoré de Balzac, *César Birotteau*, 1837, I, 1

1 Commerçants au détail.

1. Quelle est la fonction du narrateur dans ce passage ?
2. Quelle est la valeur du présent dans la dernière phrase ? Justifiez son emploi dans cet extrait.

5 Insérer un commentaire de narrateur

Ce passage se situe au moment où Bardamu, le narrateur personnage, découvre le cœur de New York.

Comme si j'avais su où j'allais, j'ai eu l'air de choisir encore et j'ai changé de route, j'ai pris sur ma droite une autre rue, mieux éclairée, « Broadway » qu'elle s'appelait. Le nom je l'ai lu sur une plaque. Bien au-dessus des derniers étages, en haut, restait du jour avec des mouettes et des morceaux du ciel. Nous on avançait dans la lueur d'en bas, malade comme celle de la forêt et si grise que la rue en était pleine comme un gros mélange de coton sale.

Louis-Ferdinand Céline, *Voyage au bout de la nuit*, © Éd. Gallimard 1932

→ Écrivez la suite de ce texte en intégrant un commentaire du narrateur-personnage.

Fiche 14

Le personnage de roman

1 La fabrique du personnage

➽ L'invention d'un personnage

Le propre du romancier est d'inventer des personnages susceptibles d'évoluer dans un univers de fiction. Ces personnages peuvent être inspirés de personnes réelles : du XVIIe siècle au XIXe siècle, les romans intègrent des **personnages historiques** (rois, noblesse de sang au XVIIe siècle, Napoléon dans les romans de Stendhal au XIXe siècle).

Ex : *Dans* La Princesse de Clèves *(1678), Madame de La Fayette raconte l'histoire d'un amour impossible entre le Duc de Nemours et la Princesse de Clèves. En parallèle de cette intrigue, le narrateur décrit Henri II et sa cour. Les cinquante premières pages du roman sont constituées de portraits de « la magnificence et de la galanterie » de cette cour.*

Un personnage n'est pas nécessairement l'équivalent d'une personne réelle. La plupart des romans ont pour protagoniste un **personnage inventé**. Le narrateur établit dès les premières pages son **portrait physique et moral**.

➽ Le personnage-type

Le héros peut s'identifier à un **type** de personnage : le *picaro* dans les romans du XVIIIe siècle, le jeune homme opportuniste dans les romans du XIXe siècle, l'antihéros dans les romans du XXe siècle... Le **portrait** permet alors de rappeler au lecteur que le héros est l'incarnation d'un type.

Ex : *Dans les romans de Balzac, l'expression « un de ces » signale un personnage-type : « Eugène de Rastignac, ainsi se nommait-il, était un de ces jeunes gens façonnés au travail par le malheur »* (Le Père Goriot, *1834).*

➽ L'itinéraire du personnage

Traditionnellement, le héros d'un roman est toujours en quête d'un objet (amour, gloire, fortune, justice...). Si les épreuves qu'il subit l'amènent à évoluer moralement, on parlera d'un **roman de formation**. Ce modèle de roman triomphe au XIXe siècle : les héros des romans de Stendhal et de Balzac s'initient au monde par une série d'apprentissages. La vie parisienne offre alors au personnage le moyen de s'épanouir ou de perdre ses « illusions » comme le suggère le titre d'un des romans de Balzac (*Illusions perdues*).

Ex : L'Éducation sentimentale *de Flaubert (1869) ouvre la voie à un nouveau modèle de personnage :* ***l'antihéros****. Le protagoniste ne parvient plus à gravir les échelons de la société et devient le spectateur de ses propres échecs. Les romans de Sartre et de Camus explorent cette thématique en imaginant des personnages impuissants face au monde dans lequel ils évoluent.*

➽ Les sentiments du lecteur

En prenant part à l'action romanesque, le personnage inspire des sentiments au lecteur :

- La **connivence** : dans les romans à la première personne une complicité naît entre le narrateur et le lecteur. Celui-ci tend en effet à s'identifier à celui qui raconte son histoire. Il arrive que le narrateur éprouve une telle connivence pour son personnage, à la manière de Stendhal employant la périphrase « notre héros » pour désigner Fabrice Del Dongo dans *La Chartreuse de Parme* (1839). Ce procédé amène le lecteur à ressentir une même affection.

- La **distance**/la **répulsion** : lorsque le personnage accomplit un geste condamnable, le lecteur prend du recul par rapport au protagoniste. Le narrateur crée lui-même cette distance lorsqu'il décrit la scène au point de vue externe : dans *L'Étranger* de Camus (1942), le lecteur ne peut s'identifier à Meursault qui tue un Arabe sur une plage à Alger.

- La **pitié** : le personnage peut éveiller la compassion du lecteur. Dans *Les Misérables* de Victor Hugo, le lecteur est attendri par le discours tenu par Jean Valjean à l'évêque Monseigneur Myriel au début du roman.

Ex : *« Personne n'a voulu de moi. J'ai été à la prison, le guichetier n'a pas ouvert. J'ai été dans la niche d'un chien. Ce chien m'a mordu et m'a chassé, comme s'il avait été un homme. On aurait dit qu'il savait qui j'étais. » (Hugo,* Les Misérables, *1862)*

2 Le personnage en situation

➽ Le schéma actantiel

Au sein du récit, chaque personnage joue un rôle précis dans le déroulement de l'intrigue. Cette répartition des fonctions correspond au **schéma actantiel :** un héros (**sujet de la quête**) poursuit un objectif (**objet de la quête**) et reçoit l'aide de personnages secondaires qui l'aident (**adjuvants**) ou lui font obstacle (**opposants**).

Ex : *L'intrigue des* Trois Mousquetaires *d'Alexandre Dumas (1844) peut être lue à la lumière de ce schéma : D'Artagnan (sujet) cherche à devenir mousquetaire (objet) et bénéficie du soutien d'Athos, Porthos et Aramis (adjuvants) tandis qu'il doit se protéger de Milady, Richelieu et Rochefort (opposants).*

➠ Le personnage face à la société

Les romans interrogent souvent le rapport entre un personnage et une société donnée. Cette relation est souvent fondée sur le **conflit**.

Le roman du XVIIIe siècle fait entendre la voix de personnages incompris par la société, voire opprimés : le chevalier des Grieux dans *Manon Lescaut* de l'Abbé Prévost, Suzanne Simonin dans *La Religieuse* de Diderot ou encore Roxane dans les *Lettres persanes* de Montesquieu.

Ex : *La dernière lettre des* Lettres persanes *est un discours de Roxane à l'attention d'Usbek qui l'a enfermée dans son sérail. Elle écrit ces derniers mots avant de se donner la mort : « Non : j'ai pu vivre dans la servitude, mais j'ai toujours été libre : j'ai réformé tes lois sur celles de la nature, et mon esprit s'est toujours tenu dans l'indépendance. »*

• Au XIXe siècle, **le héros subvertit les codes de la société** en faisant preuve de ruse et d'opportunisme.

Ex : *Julien Sorel dans* Le Rouge et le Noir *(1830) ; Rastignac dans les romans de* La Comédie humaine *de Balzac.*

• Au XXe siècle, le personnage tente de **trouver des repères au sein d'une société** qui lui apparaît étrangère et absurde. Il fait alors preuve de **cynisme** pour témoigner son refus de cautionner un système (la guerre, la vie en société…).

➠ Le personnage dans l'Histoire

Au XXe siècle, les événements historiques sont d'une telle violence que les romanciers s'en emparent et en font la matière de leurs récits. Le personnage se retrouve au cœur de l'action, contraint de **s'engager** ou de déserter.

Ex : *Dans les romans de Malraux* (L'Espoir, 1937, La Condition humaine, 1933), *le personnage se révèle au contact de la guerre : celle-ci l'amène à faire preuve de courage et d'abnégation. Dans les romans de Céline, le personnage assume son statut de « lâche », incapable de se comporter en héros. Dans* Voyage au bout de la nuit (1932), *Bardamu pose un regard satirique sur le cours des événements historiques.*

3 Le personnage en crise

Plusieurs romanciers du XXe siècle remettent en cause le statut du personnage. De Gide aux théoriciens du Nouveau Roman, nombreux sont ceux qui militent pour un personnage débarrassé de toute envergure.

➠ Un personnage « sans qualité »

Les personnages des romans du XXe siècle n'ont plus le même pouvoir d'action que ceux du XIXe siècle. Les romanciers substituent au héros plein d'entrain de Stendhal un **personnage faible** et incapable de donner un sens à son action.

Des romanciers tels que Gide ou Camus privent leurs personnages de toute **intention** : ceux-ci accomplissent des actions qui ne sont pas préméditées, ni même pensées.

Ex : *Dans* L'Étranger *de Camus (1942), Meursault tue un « Arabe » sur la plage sans raison particulière. Il se contente de déclarer : « J'ai compris que j'avais détruit l'équilibre du jour, le silence exceptionnel d'une plage où j'avais été heureux. »*

Ces situations fondent le **tragique** du roman du XXe siècle. Les personnages comprennent l'absurdité de leur condition : ils n'obéissent pas à leur propre volonté mais semblent guidés par une force qui les dépasse.

➠ L'effacement du personnage

Au XXe siècle, le narrateur ne décrit plus un personnage vraisemblable : son identité même est remise en cause. Prenant exemple sur les techniques picturales de l'abstraction, les romanciers brouillent la représentation du personnage.

• Les **romans surréalistes** donnent une **représentation poétique** des personnages. Dans *L'Amour fou* d'André Breton, le narrateur part à la poursuite d'une femme dont les traits finissent par se confondre avec le paysage.

• Les personnages du **Nouveau Roman** ont tendance à se déréaliser, plus précisément à **se mêler aux objets du monde**.

Ex : *Dans le prologue des* Gommes *d'Alain Robbe-Grillet (1953), le narrateur décrit un patron de café qui finit par disparaître : « De l'autre côté, derrière la vitre, le patron encore qui se dissout lentement dans le petit jour de la rue. C'est cette silhouette sans doute qui vient de mettre la salle en ordre. »*

Exercices

Objet d'étude :
Le personnage de roman, du XVIIe siècle à nos jours

1 Distinguer personnage inventé et personnage historique

➜ Parmi les noms suivants, identifiez les personnages inventés et les personnages historiques :
- Le duc de Guise dans *La Princesse de Montpensier* de Madame de La Fayette
- Le cardinal de Richelieu dans *Les Trois Mousquetaires* d'Alexandre Dumas
- Lucien de Rubempré dans *Illusions perdues* de Balzac
- Hamilcar Barca dans *Salammbô* de Flaubert
- Bardamu dans *Voyage au bout de la nuit* de Céline
- Meursault dans *L'Étranger* de Camus

2 Étudier le portrait d'un personnage

Le narrateur fait le portrait d'Élisabeth de France, fille d'Henri II et de Catherine de Médicis.

1 La cour d'Espagne, qui avait écouté les merveilles qu'on disait de la beauté de la reine comme les exagérations ordinaires en faveur des princes, fut étonnée de voir que tout ce qu'on en disait était au-dessous de 5 la vérité. Elle était née toute belle et elle se trouvait alors dans le plus grand éclat qu'une extrême jeunesse puisse donner à une beauté parfaite. Toutes les belles personnes ne touchent pas toute sorte de cœurs, mais la reine fut également adorée du peuple et de la cour. 10 Autant de fois qu'elle sortait en public, c'étaient autant de triomphes pour elle. Il était si difficile de la voir sans l'aimer qu'il n'y avait point d'homme sage qui osât la considérer en face. Enfin, s'il est vrai que la beauté soit une espèce de royauté naturelle, on peut 15 dire que jamais reine ne fut plus reine qu'elle.

Saint-Réal, *Dom Carlos*, 1672

1. Analysez les différentes étapes de la construction du portrait.
2. Comment le narrateur prouve-t-il les qualités de la princesse ? Identifiez des procédés propres à l'éloge.

3 Reconnaître un personnage-type : l'opportuniste

Texte A :

Le 2 décembre 1851, Louis-Napoléon Bonaparte, alors président de la République, s'empare de la totalité du pouvoir. Il devient empereur l'année suivante.

1 Aristide Rougon s'abattit sur Paris, au lendemain du 2 décembre, avec ce flair des oiseaux de proie qui sentent de loin les champs de bataille. Il arrivait de Plassans, une sous-préfecture du Midi, où son père ve- 5 nait enfin de pêcher dans l'eau trouble des événements une recette particulière longtemps convoitée. Lui, jeune encore, après s'être compromis comme un sot, sans gloire ni profit, avait dû s'estimer heureux de se tirer sain et sauf de la bagarre. Il accourait, enrageant 10 d'avoir fait fausse route, maudissant la province, parlant de Paris avec des appétits de loup, jurant « qu'il ne serait plus si bête » ; et le sourire aigu dont il accompagnait ces mots prenait une terrible signification sur ses lèvres minces.

Émile Zola, *La Curée*, 1872

Texte B :

1 Puis, peu à peu, une espèce de calme se fit en son esprit, et se raidissant contre sa souffrance, il pensa : « Toutes les femmes sont des filles, il faut s'en servir et ne rien leur donner de soi. » Duroy [...] entendait une rumeur confuse, immense, continue, faite de bruits in- 5 nombrables et différents, une rumeur sourde, proche, lointaine, une vague et énorme palpitation de vie, le souffle de Paris respirant, dans cette nuit d'été, comme un colosse épuisé de fatigue.

Georges songeait : « Je serais bien bête de me faire de 10 la bile. Chacun pour soi. La victoire est aux audacieux. Tout n'est que de l'égoïsme. L'égoïsme pour l'ambition et la fortune vaut mieux que l'égoïsme pour la femme et pour l'amour. »

Guy de Maupassant, *Bel-Ami*, 1885,II, 2

1. Comparez le caractère de chacun des deux personnages. Quelle relation ce type de héros entretient-il avec la société ?
2. Aristide Rougon apparaît-il inquiétant ou ridicule au travers de ce portrait ? Appuyez-vous sur un relevé de figures de style.
3. Dans quelle mesure le paysage vu par Georges Duroy est-il le reflet de son caractère ? Analysez une figure de style qui traduit cette fusion entre le personnage et la ville.

4 Étudier les sentiments d'un personnage

Ce roman se présente sous la forme de lettres écrites par une religieuse à l'attention d'un amant dédaigneux.

1 Considère, mon amour, jusqu'à quel excès tu as manqué de prévoyance. Ah ! malheureux ! tu as été trahi, et tu m'as trahie par des espérances trompeuses. Une passion sur laquelle tu avais fait tant de projets 5 de plaisirs, ne te cause présentement qu'un mortel désespoir, qui ne peut être comparé qu'à la cruauté de l'absence qui le cause. Quoi ? cette absence, à laquelle ma douleur, toute ingénieuse qu'elle est, ne peut donner un nom assez funeste, me privera donc pour 10 toujours de regarder ces yeux dans lesquels je voyais tant d'amour, et qui me faisaient connaître des mouvements qui me comblaient de joie, qui me tenaient lieu de toutes choses, et qui enfin me suffisaient ?

Hélas ! les miens sont privés de la seule lumière qui
15 les animait, il ne leur reste que des larmes, et je ne les ai employés à aucun usage qu'à pleurer sans cesse, depuis que j'appris que vous étiez enfin résolu à un éloignement qui m'est si insupportable, qu'il me fera mourir en peu de temps.

Gabriel de Guilleragues, *Lettres de la religieuse portugaise*, 1669, Lettre I

1. Quels sentiments animent la religieuse portugaise ? Justifiez votre propos en analysant l'expressivité de sa parole.
2. Quel sentiment la narratrice vous inspire-t-elle ? Relevez un ou deux passages à l'appui de votre développement.

5 Identifier la relation entretenue par le narrateur et son personnage

1 Aurélien était venu ce soir-là de Lille à Paris, avec les autres... Tout avait sombré dans l'émeute, les coups de feu, les autobus brûlés. Incompréhensible. Et encore le lendemain avec l'étonnement des morts, l'impression
5 d'avoir soulevé le pays, Aurélien croyait que ça irait encore plus loin, qu'il en sortirait quelque chose. Plus rien. Mais alors rien. Une espèce d'étouffement. Plus tard... Il ne croyait plus à cette action des groupes patentés, des porte-parole officiels, de ceux de la guerre.

Louis Aragon, *Aurélien*, Épilogue, II, © Éd. Gallimard, 1944

1. Quels aspects de la personnalité du personnage apparaissent dans cet extrait ? Justifiez.
2. À quels indices le lecteur comprend-il que le narrateur ne partage pas le point de vue de son personnage. Justifiez votre propos en relevant notamment un modalisateur.

6 Identifier les caractéristiques d'un antihéros

Texte A :

1 - Mais c'est impossible de refuser la guerre, Ferdinand ! Il n'y a que les fous et les lâches qui refusent la guerre quand leur Patrie est en danger...
- Alors vivent les fous et les lâches ! Ou plutôt sur-
5 vivent les fous et les lâches ! Vous souvenez-vous d'un seul nom par exemple, Lola, d'un de ces soldats tués pendant la guerre de Cent Ans ?... Avez-vous jamais cherché à en connaître un seul de ces noms ?... Non, n'est-ce pas ?... Vous n'avez jamais cherché ? Ils vous
10 sont aussi anonymes, indifférents et plus inconnus que le dernier atome de ce presse-papier devant nous, que votre crotte du matin... Voyez donc bien qu'ils sont morts pour rien, Lola ! Pour absolument rien du tout, ces crétins ! Je vous l'affirme ! La preuve est faite !

Louis-Ferdinand Céline, *Voyage au bout de la nuit*, © Éd. Gallimard, 1932

Texte B :

1 Le 13 août 1931, sur la fin de l'après-midi, un homme pouvant avoir une cinquantaine d'années montait l'avenue du Maine. Il était vêtu d'un costume foncé et coiffé d'un feutre d'un gris clair passé. Il portait quelques
5 provisions pour son dîner, soigneusement enveloppées et ficelées dans un papier marron. Personne ne le remarquait tant son aspect était quelconque. Sa moustache noire, son binocle, sa chemise à grosses rayures, ses chaussures de chevreau craquelé comme un vieux
10 vase, n'attiraient en effet pas l'attention.

Emmanuel Bove, *Le Pressentiment, Incipit*, © Éditions La Table Ronde 1935

Texte C :

1 Combien de lecteurs se rappellent le nom du narrateur dans *La Nausée* ou dans *L'Étranger*[1] ? Y a-t-il là des types humains ? Ne serait-ce pas au contraire la pire absurdité que de considérer ces livres comme des
5 études de caractère ? Et le *Voyage au bout de la nuit*, décrit-il un personnage ? [...]
On pourrait multiplier les exemples. En fait, les créateurs de personnages, au sens traditionnel, ne réussissent plus à nous proposer que des fantoches auxquels
10 eux-mêmes ont cessé de croire. Le roman des personnages appartient bel et bien au passé.

1. Romans de Jean-Paul Sartre et d'Albert Camus.

Alain Robbe-Grillet, *Pour un nouveau roman*, © Éditions de Minuit 1963

1. À quels genres littéraires appartiennent ces différents extraits ?
2. Comparez les personnages des textes 1 et 2. Montrez qu'ils correspondent à deux types d'antihéros.
3. Êtes-vous d'accord avec le constat d'Alain Robbe-Grillet ? Justifiez votre réponse en vous appuyant sur les trois extraits.

7 Observer le rapport entre un romancier et ses personnages

1 Les héros des grands romanciers, même quand l'auteur ne prétend rien prouver ni démontrer, détiennent une vérité qui peut n'être pas la même pour chacun de nous, mais qu'il appartient à chacun de nous de décou-
5 vrir et de s'appliquer. Et c'est sans doute notre raison d'être, c'est ce qui légitime notre absurde et étrange métier que cette création d'un monde idéal grâce auquel les hommes vivants voient plus clair dans leur propre cœur et peuvent se témoigner les uns aux
10 autres plus de compréhension et de pitié.

François Mauriac, « Le Romancier et ses personnages », 1933, © Éditions Buchet Chastel, Pierre Zech Éditeurs, 1994.

1. Exagération.

1. Quelle différence Mauriac établit-il entre une personne et un personnage ?
2. Quelle relation le lecteur entretient-il avec les personnages créés par un romancier ?

Fiche 15

Le point de vue

Dans un roman, le narrateur présente les événements et les personnages selon un certain angle, appelé **point de vue**. Celui-ci varie en fonction des informations que le narrateur veut communiquer au lecteur. Un romancier peut avoir recours à plusieurs points de vue dans un même roman pour produire différents effets.
Trois types de points de vue peuvent être distingués :

1 Le point de vue omniscient

➠ **Le narrateur connaît tout sur les personnages et la situation :** il possède un savoir supérieur à celui de ses personnages. Ce point de vue est utilisé par les romanciers pour **apporter des informations au lecteur** sur les intentions des personnages, le cadre spatio-temporel…
Du XVIIe au XIXe siècle, les romanciers utilisent souvent ce point de vue pour donner l'illusion d'un récit narré par un historien.

Ex : *« La Grande Nanon, ainsi nommée à cause de sa taille haute de cinq pieds huit pouces, appartenait à Grandet depuis trente-cinq ans. Quoiqu'elle n'eût que soixante livres de gages, elle passait pour une des plus riches servantes de Saumur. Ces soixante livres, accumulées depuis trente-cinq ans, lui avaient permis de placer récemment quatre mille livres en viager chez maître Cruchot. » (Balzac,* Eugénie Grandet, *1833)*

Dans ce portrait de la servante de Monsieur Grandet, le narrateur donne des informations précises sur le personnage : il explique l'origine de son surnom, fait référence à son passé (« soixante livres accumulées depuis trente-cinq ans ») et à la situation présente.

2 Le point de vue externe

➠ **L'action semble perçue par un témoin extérieur** et le narrateur ne donne aucune information sur l'intériorité des personnages, leurs intentions ou les éléments d'une intrigue à venir. Le récit se limite à une saisie des apparences et **le narrateur en dit moins que n'en savent les personnages**.
Le point de vue externe se reconnaît à la présence de verbes de mouvement et de termes **modalisateurs*** qui signalent une tentative d'interprétation de la part du narrateur (verbes *sembler, paraître*, adverbes *peut-être, sans doute*, emploi modal du conditionnel…).

➠ Ce point de vue est très souvent utilisé dans les romans américains (Steinbeck, Faulkner) et dans le Nouveau Roman au XXe siècle. Robbe-Grillet dénonce en effet l'omniscience d'un narrateur qui saurait tout sur ses personnages.

Ex : *Dans* Des souris et des hommes *(1937), Steinbeck ne donne aucune information sur la psychologie des personnages. Le récit est constitué essentiellement de dialogues.*

Le point de vue externe est cependant rarement utilisé tout le long d'un récit : les romanciers choisissent souvent de débuter leur roman ainsi pour créer un **effet de suspense**.

3 Le point de vue interne

➠ **Le narrateur ne dévoile que ce qu'un personnage voit d'une scène.** Même si le récit est à la troisième personne, la scène est perçue par celui-ci. Le narrateur limite les informations à ce que ce personnage comprend et connaît. Présent dès le XVIIe siècle dans les récits de Madame de La Fayette, le point de vue interne devient dominant au XIXe siècle dans ce qu'il est courant de nommer le « **roman subjectif** » (romans de Flaubert notamment).

Ex : *Dans* L'Éducation sentimentale *de Flaubert (1869) le narrateur choisit souvent de ne montrer que ce que le héros, Frédéric Moreau, voit : « [Frédéric Moreau] ne rencontra personne dans l'escalier. Au premier étage, il avança la tête dans une pièce vide ; c'était le salon. Il appela très haut. On ne répondit pas ; sans doute, la cuisinière était sortie ; enfin, parvenu au second étage, il poussa une porte. Madame Arnoux était seule, devant une armoire à glace. La ceinture de sa robe de chambre entr'ouverte pendait le long de ses hanches. »*

Dans cet extrait, le lecteur découvre la scène en même temps que le personnage. Les lieux sont nommés au moment où le personnage les découvre. Le lecteur accède également aux réflexions que le personnage se fait à lui-même par le biais du **discours indirect libre** (voir Fiche 17 « La parole du personnage ») : « *sans doute, la cuisinière était sortie* ». Enfin, la dernière phrase montre que le personnage organise la vision de la scène (le lecteur comprend son attirance pour les hanches de Madame Arnoux).

Exercices

Objet d'étude : Le personnage de roman, du XVIIe siècle à nos jours

1 Reconnaître un point de vue

Mademoiselle de Strozzi, fille du maréchal, et proche parente de Catherine de Médicis, épousa, la première année de la régence de cette reine, le comte de Tende, de la maison de Savoie, riche, bien fait, le seigneur de la cour qui vivait avec le plus d'éclat, et plus propre à se faire estimer qu'à plaire. Sa femme, néanmoins, l'aima d'abord avec passion. Elle était fort jeune ; il ne la regarda que comme un enfant, et il fut bientôt amoureux d'une autre. La comtesse de Tende, vive, et d'une race italienne, devint jalouse ; elle ne se donnait point de repos ; elle n'en laissait point à son mari ; il évita sa présence, et ne vécut plus avec elle comme l'on vit avec sa femme.

La beauté de la comtesse augmenta ; elle fit paraître beaucoup d'esprit ; le monde la regarda avec admiration ; elle fut occupée d'elle-même, et guérit insensiblement de sa jalousie et de sa passion.

Madame de La Fayette, *Histoire de la comtesse de Tende*, 1664

1. Quel est le point de vue adopté dans cet incipit ?
2. Quels renseignements le narrateur livre-t-il sur Mlle de Strozzi ? Montrez qu'il s'agit d'une héroïne galante.

2 Reconnaître un point de vue

Dans les premiers jours du mois d'octobre 1815, une heure environ avant le coucher du soleil, un homme qui voyageait à pied entrait dans la petite ville de Digne. Les rares habitants qui se trouvaient en ce moment à leurs fenêtres ou sur le seuil de leurs maisons regardaient ce voyageur avec une sorte d'inquiétude. Il était difficile de rencontrer un passant d'un aspect plus misérable. C'était un homme de moyenne taille, trapu et robuste, dans la force de l'âge. Il pouvait avoir quarante-six ou quarante-huit ans. Une casquette à visière de cuir rabattue cachait en partie son visage brûlé par le soleil et le hâle et ruisselant de sueur.

Victor Hugo, *Les Misérables*, 1862, I, 2, 1

1. Quel point de vue le narrateur choisit-il pour raconter l'arrivée de Jean Valjean dans la ville de Digne ?
2. Transposez l'extrait suivant en adoptant un point de vue omniscient.

3 Analyser les pensées d'un personnage

Amoureux d'Armance, Octave se sent méprisé par l'élue de son cœur.

Octave resta immobile, les yeux remplis de larmes, et ne sachant s'il devait se réjouir ou s'affliger. Après une si longue attente, il avait donc pu livrer enfin cette bataille tant désirée, mais l'avait-il perdue ou gagnée ? Si elle est perdue, se dit-il, tout est fini pour moi. Armance me croit tellement coupable qu'elle feint de se payer de la première excuse que je présente, et ne daigne pas entrer en explication avec un homme si peu digne de son amitié. Que veulent dire ces paroles si brèves : *Vous avez toute mon estime* ? Peut-on rien voir de plus froid ? Est-ce un retour parfait à l'ancienne intimité ? Est-ce une manière polie de couper court à une explication désagréable ? Le départ d'Armance, si brusque, lui semblait surtout de bien mauvais augure.

Stendhal, *Armance*, 1827, chapitre VII

1. Quel est le point de vue adopté dans cet extrait ? Justifiez votre réponse par un relevé précis d'indices.
2. Identifiez les différents discours rapportés.

4 Analyser la variation des points de vue

Le soleil sans vent commence à brûler. La voiture blanche est garée légèrement en contrebas de la route, à l'entrée d'un chemin creux bordé d'arbustes et de buissons de fougères. À l'intérieur de la voiture, un homme aux cheveux hérissés paraît dormir les yeux ouverts, la tempe appuyée contre la vitre. Il a la peau mate, les yeux sombres avec de longs cils très fins pareils à des cils d'enfant.

L'homme s'appelle Blériot, il a quarante et un ans depuis peu, et porte ce jour-là – jour de l'Ascension – une petite cravate en cuir noir et des Converse rouges aux pieds.

Patrick Lapeyre, *La Vie est brève et le désir sans fin*, © P.O.L 2010

1. Quels points de vue successifs le narrateur adopte-t-il pour décrire la scène ? Justifiez votre réponse par un relevé d'indices précis.
2. Pourquoi l'auteur a-t-il décidé de débuter ainsi son roman ?

5 Manipuler les points de vue

Le jeune Danceny a l'impression de ne plus être aimé par Cécile de Volanges. Il s'en plaint auprès du Vicomte de Valmont.

Je suis désespéré, Monsieur. J'ai tout perdu. Je n'ose confier au papier le secret de mes peines : mais j'ai besoin de les répandre dans le sein d'un ami sûr et sensible. À quelle heure pourrai-je vous voir, et aller chercher auprès de vous des consolations et des conseils ? J'étais si heureux le jour où je vous ouvris mon âme ! À présent, quelle différence ! tout est changé pour moi. Ce que je souffre pour mon compte n'est encore que la moindre partie de mes tourments ; mon inquiétude sur un objet bien plus cher, voilà ce que je ne puis supporter.

Choderlos de Laclos, *Les Liaisons dangereuses*, Lettre LX

➜ Transposez ce discours de Danceny de manière à produire un récit à la troisième personne du singulier au point de vue interne. Vous recourrez au discours indirect libre pour faire entendre l'émotion du personnage.

Fiche 16

La construction du récit

L'enchaînement des épisodes ne constitue pas le seul élément signifiant du roman. L'auteur structure son récit par un travail sur les temps et les rythmes de la narration qui influence la perception des événements par le lecteur.

1 La narration d'une histoire

Les temps du récit

Le narrateur utilise les temps du passé pour construire son récit.

• Le **passé simple**

Il est utilisé par le narrateur pour narrer des actions qui se succèdent, bornées dans le temps. Il permet de représenter les événements de **premier plan**.

• **L'imparfait**

Il sert le plus souvent à décrire le décor, **l'arrière-plan** sur lequel se détachent les actions racontées au passé simple. Il est néanmoins utilisé dans certains cas pour caractériser une action étendue dans le temps (**aspect duratif**) ou qui se répète (**aspect itératif**).

Le moment du récit

Le récit met en relation une **histoire** (faits racontés) et une **narration** (action de raconter). Plusieurs types de narration sont envisageables :

• La narration est **ultérieure**

Elle se situe après l'histoire. Le récit est donc rétrospectif.

Ex : *Les romans réalistes du XIXe siècle obéissent tous à ce modèle narratif.*

• La narration est **simultanée**

Le temps de la narration correspond au temps du récit. Le narrateur relate des faits qui se déroulent au même moment. Ce type de narration se rencontre notamment dans les monologues intérieurs (voir Fiche 17).

• La narration est **antérieure**

Le récit précède alors les faits. Ce type de narration n'est possible que ponctuellement au sein du récit.

• La narration est **intercalée**

Le récit rétrospectif alterne avec le commentaire au présent d'énonciation.

Ex : *Les romans mémoires du XVIIIe siècle sont construits sur ce modèle : le narrateur ne cesse de commenter les épisodes de sa vie passée qu'il narre.*

Le rythme du récit

Plusieurs procédés permettent de varier le rapport entre le temps de la narration et le temps du récit.

• **La scène**

Le temps de la narration et le temps du récit sont équivalents. Le lecteur croit suivre les événements en temps réel. Les moments de **dialogue** sont des scènes à part entière.

Ex : *Dans* La Princesse de Clèves *(Madame de La Fayette, 1678), le lecteur assiste à l'intégralité des entrevues entre le duc de Nemours et la princesse de Clèves. Leurs paroles sont alors rapportées au discours direct.*

• **La pause**

Le temps de l'histoire est suspendu pour permettre au narrateur de décrire un lieu ou de proposer une réflexion générale. La **description** est un exemple canonique de pause. Balzac est l'un des maîtres de la pause : ses récits sont souvent ponctués de commentaires détachés du récit, de longs développements qui ne font pas progresser l'histoire mais apportent un éclairage culturel.

Ex : *Dans* Illusions perdues, *le narrateur interrompt ainsi l'histoire de Lucien pour décrire la ville d'Angoulême : « Angoulême est une vieille ville, bâtie au sommet d'une roche en pain de sucre qui domine les prairies où se roule la Charente.... » (Balzac,* Illusions perdues, *I)*

• **Le ralenti**

Le narrateur développe longuement un moment bref du récit. Ce procédé narratif est souvent utilisé dans les scènes dramatiques (meurtre, révélation d'un secret...).

• **Le sommaire**

Le narrateur condense en quelques lignes des actions étendues dans le temps. Ce procédé permet d'accélérer le récit et de passer sous silence certains événements de moindre importance.

Ex : *« Au début, elle était encore toute marquée par le soleil brûlant du désert, et ses cheveux longs, noirs et bouclés, étaient tout pleins d'étincelles de soleil. [...] Mais maintenant les mois ont passé, et Lalla s'est transformée. Elle a coupé ses cheveux court, ils sont ternes, presque gris » (J.-M.G. Le Clézio,* Désert, *1980).*

• **L'ellipse**

Le narrateur ne raconte pas un fait de l'histoire et opère ainsi un saut dans le temps. Ce procédé entraîne ainsi une accélération maximale. Le lecteur doit alors comprendre que le narrateur a passé sous silence plusieurs années.

❷ *L'ordre du récit*

➡ Le récit linéaire

Le narrateur peut choisir de raconter les événements dans **l'ordre chronologique**. Dans ce cas, le récit est construit sur un **schéma narratif** simple : situation initiale – élément déclencheur – péripéties – éléments de résolution – situation finale.
Dans cette perspective, deux moments clefs structurent le récit :

• L'***incipit*** correspond au moment où le récit se met en place : le narrateur donne des informations sur le personnage principal et l'intrigue à venir. Le début de roman peut être **statique** (description du cadre, analyse d'un fait de société) ou en mouvement lorsque le lecteur saisit le personnage au cœur d'une action (**début *in medias res***). Les romanciers existentiels du XXe siècle (voir Fiche 11) ouvrent parfois leur récit en faisant entendre l'univers intérieur du personnage principal.

Ex : *« Tchen tenterait-il de lever la moustiquaire ? Frapperait-il au travers ? L'angoisse lui tordait l'estomac ; il connaissait sa propre fermeté, mais n'était capable en cet instant que d'y songer avec hébétude. »*
(André Malraux, La Condition humaine, *1933)*

• L'***excipit*** (dernière page) clôt le roman en mettant un terme aux aventures du héros. Dans les romans-mémoires, l'*excipit* correspond au moment où le temps de l'histoire rejoint le temps de la narration.

Ex : La Religieuse *de Diderot (1780) se termine par un post-scriptum où la narratrice commente le récit au présent d'énonciation : « Ces mémoires que j'écrivais à la hâte je viens de les relire à tête reposée, et je me suis aperçue que sans en avoir eu le moindre projet, je m'étais montrée à chaque ligne aussi malheureuse à la vérité que je l'étais, mais beaucoup plus aimable que je ne le suis ».*

➡ Les ruptures dans l'ordre chronologique

Le narrateur ne présente pas toujours les événements dans l'ordre où ils se sont produits.

• **L'analepse** est un procédé consistant à raconter après coup un événement antérieur. Cette rupture dans l'ordre du récit donne des informations sur le passé d'un personnage, son origine sociale ou géographique. Dans certains romans, l'analepse donne un sens au récit entier.

Ex : *Dans* L'Éducation sentimentale *(Flaubert, 1869), Frédéric Moreau et Deslauriers racontent un épisode de leur jeunesse : la visite d'une maison close (« La Turque »). Cet épisode ne se situe pas dans le récit mais correspond, selon leurs dires, à « ce qu'[ils ont] eu de meilleur ».*

• **La prolepse** consiste à raconter à l'avance un événement ultérieur. Ce procédé permet d'éveiller la curiosité du lecteur. En annonçant un événement à venir (disparition, mariage, aventures diverses...), le narrateur tient en haleine un lecteur curieux de savoir comment cet épisode a pu avoir lieu.

➡ La technique du montage

La structure du récit est fortement bouleversée au XXe siècle. Reniant le schéma narratif traditionnel, certains romanciers ont tenté de contester les normes de mise en intrigue en prônant d'autres montages.

Trois manières de « déconstruire » l'intrigue classique apparaissent au XXe siècle :

• **Le détournement de l'intrigue classique** : le récit reprend le schéma traditionnel en le vidant de tout contenu événementiel et de toute progression dramatique.

Ex : *Dans* Moderato Cantabile *(Duras, 1958) deux personnages sont témoins par hasard d'un crime passionnel. Le roman est constitué de leur conversation autour de ce fait divers. L'insignifiance de leurs paroles les amène à décider d'un commun accord de ne plus se voir.*

• **Le brouillage** de l'intrigue : l'ordre du récit est rendu confus par l'absence d'indications spatio-temporelles. Le récit progresse alors par plans successifs sans véritable lien entre eux. La progression du **roman surréaliste** obéit ainsi aux **« hasards »** de circonstances mystérieuses et l'ordre du récit se trouve alors fortement remis en cause.

• **Le roman composite :** certains romanciers refusent de suivre une progression linéaire au profit de **structures complexes** (narrations emboîtées, montage parallèle, technique d'alternance...).

Ex : *Dans* W ou le souvenir d'enfance *(1975), Georges Perec mêle deux histoires : le récit autobiographique de son enfance alterne avec une description de l'île de W, lieu mystérieux où s'entraînent des sportifs de haut niveau. Le lecteur doit faire l'effort de trouver un lien entre ces deux narrations.*

Exercices

Objet d'étude :
Le personnage de roman, du XVIIe siècle à nos jours

1 Identifier le moment du récit

Texte A :

Quatre jours plus tard arriva la berline qui devait les emporter à Marseille.

Après l'angoisse du premier soir, Jeanne s'était habituée déjà au contact de Julien, à ses baisers, à ses caresses tendres, bien que sa répugnance n'eût pas diminué pour leurs rapports plus intimes.

Elle le trouvait beau, elle l'aimait ; elle se sentait de nouveau heureuse et gaie.

Guy de Maupassant, *Une vie*, chapitre 5, 1883

Texte B :

Est-ce un jeune homme ou une jeune femme, se demande Tobie en arrivant au bord de la mare. L'autre a des cheveux mi-longs, d'un châtain blond à reflets dorés, noués en queue de cheval. Il porte une chemise de toile blanche, sans col, et un jean gris délavé.

Sylvie Germain, *Tobie des marais*, © Éd. Gallimard, 1998

Texte C

Le narrateur, ancien ambassadeur de France à Constantinople, achète la liberté d'une jeune Grecque du nom de Théophé. La jeune femme remercie chaleureusement le narrateur de l'avoir délivrée.

Je me dois ce témoignage, que malgré les charmes de sa figure, et ce désordre touchant où je l'avais vue à mes pieds et dans mes bras, il ne s'était encore élevé dans mon cœur aucun sentiment qui fût différent de la compassion. Ma délicatesse naturelle m'avait empêché de sentir rien de plus tendre pour une jeune personne qui sortait des bras d'un Turc [...] On jugera si la suite de cette aventure me rend plus excusable.

Abbé Prévost, *Histoire d'une Grecque moderne*, 1740

1. Identifiez le type de narration choisi dans chacun de ces extraits : ultérieure, simultanée, antérieure ou intercalée. Justifiez votre propos.
2. Quels avantages présente chacune de ces constructions ? Appuyez-vous sur les extraits proposés pour justifier votre thèse.

2 Comparer différents rythmes de narration

Texte A :

Cependant le temps du postulat se passa, celui de prendre l'habit arriva et je le pris. Je fis mon noviciat sans dégoût : je passe rapidement sur ces deux années, parce qu'elles n'eurent rien de triste pour moi que le sentiment secret que je m'avançais pas à pas vers l'entrée d'un état pour lequel je n'étais pas faite.

Denis Diderot, *La Religieuse*, 1780

Texte B :

Revenons à la véritable grand' salle du véritable vieux Palais.

Les deux extrémités de ce gigantesque parallélogramme étaient occupées, l'une par la fameuse table de marbre, si longue, si large et si épaisse que jamais on ne vit, disent les vieux papiers terriers, dans un style qui eût donné appétit à Gargantua, pareille tranche de marbre au monde ; l'autre, par la chapelle où Louis XI s'était fait sculpter à genoux devant la Vierge, et où il avait fait transporter, sans se soucier de laisser deux niches vides dans la file des statues royales, les statues de Charlemagne et de saint Louis, deux saints qu'il supposait fort en crédit au ciel comme rois de France.

Victor Hugo, *Notre-Dame de Paris*, 1831, I, 1

Texte C :

- Veux-tu lire ce qu'il y a d'écrit au-dessus de ta partition ?

- Moderato cantabile, dit l'enfant.

La dame ponctua cette réponse d'un coup de crayon sur le clavier. L'enfant resta immobile, la tête tournée vers sa partition.

- Et qu'est-ce que ça veut dire, moderato cantabile ?

- Je ne sais pas.

Une femme, assise à trois mètres de là, soupira.

- Tu es sûr de ne pas savoir ce que ça veut dire, moderato cantabile ? reprit la dame.

L'enfant ne répondit pas. La dame poussa un cri d'impuissance étouffé, tout en frappant de nouveau le clavier de son crayon. Pas un cil de l'enfant ne bougea.

Marguerite Duras, *Moderato Cantabile, Incipit*,
© Éditions de Minuit, 1958

1. Identifiez le rythme de la narration dans chacun de ces extraits. Justifiez.
2. Le début du roman de Marguerite Duras vous surprend-il ? Justifiez en vous appuyant sur le rythme.

3 Analyser le rythme de la narration

Au terme du roman, la princesse de Clèves vit recluse, loin du duc de Nemours qui éprouve toujours des sentiments pour elle. Une « personne de mérite » lui annonce un jour que Mme de Clèves ne souhaite plus jamais le revoir.

M. de Nemours pensa expirer de douleur en présence de celle qui lui parlait. Il la pria vingt fois de retourner à Mme de Clèves, afin de faire en sorte qu'il la vît, mais cette personne lui dit que Mme de Clèves lui avait non seulement défendu de lui aller redire aucune chose de sa part, mais même de lui rendre compte de leur conversation. Il fallut enfin que ce prince repartît, aussi accablé de douleur que le pouvait être un homme qui perdait toutes sortes d'espérances de revoir jamais une personne qu'il aimait d'une passion la plus violente, la plus naturelle et la mieux fondée qui ait jamais été. Néanmoins il ne se rebuta point encore, et il fit tout ce qu'il put imaginer de capable de la faire changer de dessein. Enfin, des années entières s'étant passées, le temps et l'absence ralentirent sa douleur et éteignirent sa passion. Mme de Clèves vécut d'une sorte qui ne laissa pas d'apparence qu'elle pût jamais revenir. Elle passait une partie de l'année dans cette maison religieuse et l'autre chez elle, mais dans une retraite et dans des occupations plus saintes que celles des couvents les plus austères, et sa vie, qui fut assez courte, laissa des exemples de vertu inimitables.

Madame de La Fayette, *La Princesse de Clèves*, 1678, *Excipit*

1. Comment le narrateur parvient-il à faire sentir le passage du temps ? Identifiez les différents rythmes du récit.
2. Quelle est la valeur du verbe à l'imparfait dans la dernière phrase ? Quelle incidence cela a-t-il sur le rythme du récit ?

4 Étudier le début d'un roman contemporain

Texte A :

J'entrepris d'écrire, à l'intention de ma mère adoptive, une lettre de suicide, que j'enverrais peu avant de me donner la mort, dans trois jours, une semaine, un mois, je ne savais, mais enfin ce serait chose faite, je veux dire écrire cette lettre.

Explications, remerciements, pardon sollicité, je t'embrasse et je t'aime, Michel.

René Belletto, *L'Enfer*, © Éd. Gallimard, 1986

Texte B :

Le 6 juillet 2004, Monsieur T. a poignardé sa femme de cinq coups de couteau. Il a ensuite quitté le domicile conjugal et s'est réfugié dans le jardin des voisins. C'est là qu'il a été découvert par la police. Quand, lors de son interrogatoire, on a demandé à Monsieur T. pourquoi il avait agi de la sorte, il a été incapable de répondre. Il ne semblait pas comprendre les faits qui lui étaient reprochés et ne se souvenait pas d'avoir tenté d'assassiner sa femme.

Comment vous appelez-vous ?
Pas moi.
Quel est votre prénom ?
Il ne m'appartient pas.
Et votre nom de famille ?

Olivia Rosenthal, *On n'est pas là pour disparaître*, © Éd. Gallimard, 2007

1. Sur quoi repose l'originalité de ces deux débuts de roman ?
2. Ces deux incipit donnent-ils des informations au lecteur ? Identifiez précisément la nature de ces informations.

5 Repérer une rupture dans l'ordre chronologique

Le chevalier des Grieux ressent une vive passion pour Manon Lescaut. Tiberge, son meilleur ami, vient de tenter de le dissuader de vivre une aventure avec une telle femme.

[Le] discours [de Tiberge] ne laissa pas de faire quelque impression sur moi. Je remarque ainsi les diverses occasions où mon cœur sentit un retour vers le bien, parce que c'est à ce souvenir que j'ai dû ensuite une partie de ma force dans les plus malheureuses circonstances de ma vie. Les caresses de Manon dissipèrent, en un moment, le chagrin que cette scène m'avait causé. Nous continuâmes de mener une vie toute composée de plaisir et d'amour. L'augmentation de nos richesses redoubla notre affection ; Vénus et la Fortune n'avaient point d'esclaves plus heureux et plus tendres.

Dieux ! pourquoi nommer le monde un lieu de misères, puisqu'on y peut goûter de si charmantes délices ? Mais, hélas ! leur faible est de passer trop vite. Quelle autre félicité voudrait-on se proposer si elles étaient de nature à durer toujours ? Les nôtres eurent le sort commun, c'est-à-dire de durer peu, et d'être suivies par des regrets amers.

Abbé Prévost, *Manon Lescaut*, 1731, Première partie

1. Identifiez le passage où le narrateur rompt avec une narration rétrospective. Comment se nomme cet effet de rupture temporelle ?
2. Pourquoi le narrateur fait-il référence à un temps ultérieur ?

6 Analyser l'ordre d'un récit contemporain

Je suis dans la chambre de ma mère. C'est moi qui y vis maintenant. Je ne sais pas comment j'y suis arrivé. Dans une ambulance peut-être, un véhicule quelconque certainement. On m'a aidé. Seul je ne serais pas arrivé. Cet homme qui vient chaque semaine, c'est grâce à lui peut-être que je suis ici. Il dit que non. Il me donne un peu d'argent et enlève les feuilles. Tant de feuilles, tant d'argent. Oui, je travaille maintenant, un peu comme autrefois, seulement je ne sais plus travailler. Cela n'a pas d'importance, paraît-il. Moi je voudrais maintenant parler des choses qui me restent, faire mes adieux, finir de mourir. Ils ne veulent pas. Oui, ils sont plusieurs, paraît-il. Mais c'est toujours le même qui vient. Vous ferez ça plus tard, dit-il. Bon. Je n'ai plus beaucoup de volonté, voyez-vous.

Samuel Beckett, *Molloy*, © Éditions de Minuit, 1951

1. Montrez que ce récit est composé en suivant les mouvements de la pensée du narrateur-personnage.
2. Quels sont les éléments qui brouillent la situation d'énonciation traditionnelle ? Quel est l'effet produit par ce brouillage ?

Fiche 17

La parole du personnage

Le dialogue et le monologue constituent les deux formes de discours qui peuvent être empruntées par le héros dans le roman.

1 Les discours rapportés

Le narrateur peut rapporter les paroles des personnages par le biais de trois discours rapportés : **direct**, **indirect**, **indirect libre**, auxquels il est possible d'ajouter le **discours narrativisé**.

➠ Le discours direct

Le narrateur rapporte fidèlement les paroles du personnage. Il peut préciser dans l'incise* le ton employé par le personnage ou un geste qui accompagnerait la parole. La plupart du temps **le discours direct est introduit par des guillemets ou des tirets**.

Attention, dans les romans-mémoires du XVIIIe siècle, le narrateur-personnage ne distingue pas toujours clairement la présence du discours direct (absence de tirets ou de guillemets).

➠ Le discours indirect

Le narrateur introduit les paroles au moyen d'un verbe de parole ou de pensée (dire, penser). Le discours du personnage n'est donc pas reproduit textuellement : **le narrateur traduit le discours** et le lecteur n'entend pas les intonations de la parole. Le choix du verbe de parole peut cependant donner des indications de ton.

➠ Le discours indirect libre

Au discours indirect libre, les paroles et les pensées du personnage sont rapportées indirectement mais **le narrateur fait entendre la voix du personnage**, ses sentiments sur la situation à travers une **ponctuation expressive** ou un **vocabulaire** propre au personnage. Ce type de discours est le plus souvent associé au **point de vue interne** (voir Fiche 15 « Le point de vue ») étant donné que le lecteur voit ainsi la scène par l'intermédiaire du personnage.

Ex : *« [Gervaise] perdait la boule, parce qu'il y avait des siècles qu'elle ne s'était rien mis de chaud dans le ventre. Ah ! quelle semaine infernale ! un ratissage complet, deux pains de quatre livres le mardi qui avaient duré jusqu'au jeudi, puis une croûte sèche retrouvée la veille, et pas une miette depuis trente-six heures, une vraie danse devant le buffet ! » Émile Zola,* L'Assommoir, *chapitre 12, 1877.*

Dans cet extrait, le discours indirect libre est identifiable du fait de la présence des **points d'exclamation** qui traduisent le dépit de Gervaise. De plus, les expressions populaires : « perdait la boule » et « une vraie danse devant le buffet » sont des mots empruntés au personnage lui-même.

➠ Le discours narrativisé

Ce discours traduit en récit les paroles des personnages. **Le narrateur transforme le discours du personnage en action.** Cette manière de rapporter le discours induit une intervention du narrateur.

Ex : *« Alors je ne sais pas pourquoi, il y a quelque chose qui a crevé en moi. Je me suis mis à crier à plein gosier et je l'ai insulté et je lui ai dit de ne pas prier. Je l'avais pris par le collet de sa soutane. Je déversais sur lui tout le fond de mon cœur avec des bondissements mêlés de joie et de colère. » (Albert Camus,* L'Étranger, *1942, II, 5)*

2 Le monologue du personnage

➠ Le personnage dialogue parfois avec lui-même. Le lecteur accède alors à ses réflexions. Ses paroles peuvent être rapportées au discours direct et par le biais du discours indirect libre. Ces deux discours se trouvent souvent combinés comme dans l'extrait suivant :

Ex : *« Non certes il n'aurait pas peur puisqu'il était résolu à aller jusqu'au bout [...]. Mais il se sentait si profondément ému qu'il se demanda : « Peut-on avoir peur malgré soi ? » Et ce doute l'envahit, cette inquiétude, cette épouvante ! Si une force plus puissante que sa volonté, dominatrice, irrésistible, le domptait, qu'arriverait-il ? Oui, que pouvait-il arriver ? » (Maupassant,* Bel-Ami, *1885, I, 7)*

➠ Le monologue intérieur

Certains romans du XXe siècle ne sont constitués que d'un long monologue intérieur où **le narrateur-personnage confie le déroulement ininterrompu de sa pensée**. Claude Simon reprend en France le principe d'écriture du romancier James Joyce en livrant une vision éclatée du flux de sa conscience.

Ex : *Il tenait une lettre à la main, il leva les yeux me regarda puis de nouveau la lettre puis de nouveau moi, derrière lui je pouvais voir aller et venir passer les taches rouges acajou ocre des chevaux qu'on menait à l'abreuvoir, la boue était si profonde qu'on enfonçait dedans jusqu'aux chevilles mais je me rappelle que pendant la nuit il avait brusquement gelé et Wack entra dans la chambre en portant le café disant Les chiens ont mangé la boue [...] (Claude Simon,* La Route des Flandres, *Incipit)*

Exercices

Objet d'étude :
Le personnage de roman, du XVIIe siècle à nos jours

1 Étudier les discours rapportés

1 [Manon] s'assit. Je demeurai debout, le corps à demi tourné, n'osant l'envisager directement[1]. Je commençai plusieurs fois une réponse, que je n'eus pas la force d'achever. Enfin, je fis un effort pour m'écrier doulou-5 reusement : Perfide Manon ! Ah ! perfide ! perfide ! Elle me répéta, en pleurant à chaudes larmes, qu'elle ne prétendait point justifier sa perfidie. Que prétendez-vous donc ? m'écriai-je encore. Je prétends mourir répondit-elle, si vous ne me rendez votre cœur, sans 10 lequel il est impossible que je vive. Demande donc ma vie, infidèle ! repris-je en versant moi-même des pleurs, que je m'efforçai en vain de retenir.

Abbé Prévost, *Manon Lescaut*, 1731

1 En face.

1. Identifiez les différents discours rapportés utilisés dans cet extrait. Pourquoi le narrateur a-t-il choisi de varier les manières de rapporter la parole ?
2. Montrez que le discours rapporté évolue en fonction de la situation des deux amants. Mettez en valeur la progression du dialogue.

2 Repérer le discours indirect libre

Texte A :

Emma Bovary retrouve Léon avec qui elle vit une liaison adultère.

1 Il savourait pour la première fois l'inexprimable délicatesse des élégances féminines. Jamais il n'avait rencontré cette grâce de langage, cette réserve du vêtement, ces poses de colombe assoupie. Il admirait 5 l'exaltation de son âme et les dentelles de sa jupe. D'ailleurs, n'était-ce pas *une femme du monde*, et une femme mariée ! une vraie maîtresse enfin ?

Gustave Flaubert, *Madame Bovary*, 1957

Texte B :

1 C'est le moment de croire que j'entends des pas dans le corridor, se dit Bernard. Il releva la tête et prêta l'oreille. Mais non : son père et son frère étaient retenus au Palais ; sa mère en visite ; sa mère à un 5 concert ; et quant au puîné[1], le petit Caloub, une pension le bouclait au sortir du lycée chaque jour.

1 qui est né après un frère ou une sœur.

André Gide, *Les Faux-Monnayeurs*, © Éd. Gallimard 1925

1. Repérez les passages au discours indirect libre. Justifiez votre réponse en vous appuyant sur un relevé de procédés ou par une étude du lexique.
2. La description des sentiments de Léon vous semble-t-elle celle du narrateur ou celle du personnage lui-même ? Justifiez.

3 Interpréter le choix d'un discours rapporté

Texte A :

1 Sitôt qu'ils furent dans le bateau, le duc d'Anjou demanda [à la Princesse de Montpensier] à quoi ils devaient une si agréable rencontre, et ce qu'elle faisait au milieu de la rivière. Elle lui répondit, qu'étant par-5 tie de Champigny avec le prince son mari, dans le dessein de le suivre à la chasse, s'étant trouvée trop lasse, elle était venue sur le bord de la rivière où la curiosité d'aller voir prendre un saumon qui avait donné dans un filet l'avait fait entrer dans ce bateau.

Madame de La Fayette, *La Princesse de Montpensier*, 1662

Texte B :

1 Le soir, Marie est venue me chercher et m'a demandé si je voulais me marier avec elle. J'ai dit que cela m'était égal et que nous pourrions le faire si elle voulait. Elle a voulu savoir alors si je l'aimais. J'ai ré-5 pondu comme je l'avais déjà fait une fois, que cela ne signifiait rien mais que sans doute je ne l'aimais pas. « Pourquoi m'épouser alors ? » a-t-elle dit. Je lui ai expliqué que cela n'avait aucune importance et que si elle le désirait, nous pouvions nous marier.

Albert Camus, *L'Étranger*, © Éd. Gallimard 1942

1. Quel type de discours rapporté apparaît dans les deux extraits ? Comment s'expliquent ces choix ?
2. Transposez le texte A en changeant de discours rapporté. En quoi l'impression produite change-t-elle ?

4 Étudier le monologue d'un personnage

1 Il y avait aux volets une petite ouverture en forme de cœur, que Julien connaissait bien. À son grand chagrin, cette petite ouverture n'était pas éclairée par la lumière intérieure d'une veilleuse.

5 Grand Dieu ! se dit-il ; cette nuit, cette chambre n'est pas occupée par Mme de Rênal ! Où sera-t-elle couchée ? La famille est à Verrières, puisque j'ai trouvé les chiens ; mais je puis rencontrer dans cette chambre, sans veilleuse, M. de Rênal lui-même ou un étranger, 10 et alors quel esclandre !

Le plus prudent était de se retirer ; mais ce parti fit horreur à Julien. Si c'est un étranger, je me sauverai à toutes jambes, abandonnant mon échelle ; mais si c'est elle, quelle réception m'attend ?

Stendhal, *Le Rouge et le Noir*, 1830, I, 30

1. Relevez les passages au discours direct. En quoi se distinguent-ils du récit ? Appuyez-vous sur des indices précis.
2. Montrez que le monologue du personnage est construit sous la forme d'un discours délibératif. Dans quelle mesure a-t-il une incidence sur l'action ?

Fiche 18

La description

La description situe le lieu dans lequel se déroule l'action romanesque. À la différence du **portrait** qui saisit un personnage (voir Fiche 14 « Le personnage de roman »), elle est alors la représentation d'un paysage ou d'un objet.

1 L'insertion de la description

➽ Une pause dans le récit

Le discours descriptif se distingue du discours narratif dans la mesure où **il introduit une pause dans le récit**. La description ne permet pas à l'intrigue de progresser mais fournit un cadre spatial aux actions des personnages. Il arrive que le narrateur intervienne au sein du récit pour signaler un passage descriptif.

Ex : *Dans* Splendeurs et misères des courtisanes *de Balzac, le narrateur intervient explicitement dans le récit pour motiver la description de la Conciergerie : « Quoique la plupart des livres soient écrits uniquement pour les Parisiens, les Étrangers seront sans doute satisfaits de trouver ici la description de ce formidable appareil de notre justice criminelle. »*

➽ Description et point de vue

- Au **point de vue omniscient**, la description apparaît objective et complète. Le narrateur la détache alors du récit.
- Au **point de vue interne**, le narrateur donne à voir l'espace tel qu'il est perçu par un personnage. Ce procédé permet de fondre le discours descriptif au sein du récit. L'espace décrit prend alors une dimension **symbolique** et devient le reflet de l'état d'âme du personnage.

2 La construction de la description

➽ Le lexique de la perception

Les verbes de perception signalent le passage de la narration à la description. Le lexique des cinq sens (vue, ouïe, goût, toucher, odorat) permet au narrateur d'insister sur **les sensations éprouvées** par un personnage ou un spectateur anonyme devant un paysage. L'utilisation d'un pronom (« on », « il », « je ») indique alors le foyer de la perception.

Ex : *Les romans-mémoires du XVIIIe siècle et les romans romantiques du XIXe siècle prennent parfois pour cadre un paysage naturel dans lequel le narrateur donne libre cours à ses méditations. La description se trouve alors orientée par le regard du personnage qui met en avant les sensations qu'il éprouve devant le spectacle de la nature.*

➽ Structure de la description

Les romanciers organisent souvent leur description comme un **tableau**. L'espace représenté est ainsi composé : l'arrière-plan se distingue du premier plan, différents adverbes de lieu ou groupes prépositionnels structurent le plan d'ensemble (« à gauche », « à droite »).

Au XXe siècle, certains auteurs refusent de donner une telle structure à leurs descriptions préférant présenter une vision discontinue de l'espace.

3 Les fonctions de la description

➽ Fonction informative

La description possède une visée documentaire. Le narrateur cherche à dispenser un savoir sur un espace géographique peu connu du lecteur, une institution hautement symbolique ou un objet. Au XIXe siècle, **la visée didactique** du roman est indéniable. Des romanciers tels Balzac ou Jules Verne ponctuent ainsi leurs récits de descriptions visant à informer le lecteur sur un régionalisme ou sur le fonctionnement d'une machine.

➽ Fonction symbolique

La description n'est pas toujours une représentation fidèle de la réalité. Elle devient symbolique lorsque le narrateur met en valeur une vision poétique qui domine. Les **comparaisons*** et les **métaphores*** permettent alors de donner une vision symbolique du lieu ou de l'objet décrit.

Ex : *Dans* Germinal *de Zola (1885), la fosse que voit Étienne à son arrivée n'est pas un simple élément de décor. Elle devient un endroit menaçant, « une bête goulue, accroupie là pour manger le monde ».*

➽ Fonction narrative

Dans les romans du XXe siècle, la description se substitue à la narration. Elle devient **le moteur d'une action**. Le roman surréaliste (Aragon, *Le Paysan de Paris*, 1926) et le Nouveau Roman sont ainsi construits autour de descriptions qui donnent à voir l'itinéraire du personnage.

Exercices

Objet d'étude :
Le personnage de roman, du XVIIe siècle à nos jours

1 Étudier une description subjective

Dans ce passage, Saint-Preux relate son voyage à travers les Alpes à Julie, sa bien-aimée.

1 Je voulais rêver, et j'en étais toujours détourné par quelque spectacle inattendu. Tantôt d'immenses roches pendaient en ruines au-dessus de ma tête. Tantôt de hautes et bruyantes cascades m'inondaient de
5 leur épais brouillard. Tantôt un torrent éternel ouvrait à mes côtés un abîme dont les yeux n'osaient sonder la profondeur. Quelquefois, je me perdais dans l'obscurité d'un bois touffu. Quelquefois, en sortant d'un gouffre, une agréable prairie réjouissait tout à coup
10 mes regards. [...]
Ajoutez à tout cela les illusions de l'optique [...] ; vous aurez quelque idée des scènes continuelles qui ne cessèrent d'attirer mon admiration, et qui semblaient m'être offertes en un vrai théâtre.

Jean-Jacques Rousseau, *La Nouvelle Héloïse*, 1761, I, 23

1. Montrez que la description est structurée en fonction du regard du narrateur-personnage.
2. Quels sont les indices permettant de comprendre que Saint-Preux s'adresse ici à Julie ?

2 Associer un point de vue à une description

1 [Christine] jeta un cri, un nouvel éclair l'avait aveuglée ; et, cette fois, elle venait de revoir la ville tragique dans un éclaboussement de sang. C'était une trouée immense, les deux bouts de la rivière s'enfonçant à
5 perte de vue, au milieu des braises rouges d'un incendie. Les plus minces détails apparurent, on distingua les petites persiennes fermées du quai des Ormes, les deux fentes des rues de la Masure et du Paon-Blanc, coupant la ligne des façades ; près du pont Marie, on
10 aurait compté les feuilles des grands platanes, qui mettent là un bouquet de superbe verdure.

Émile Zola, *L'Œuvre*, 1886

1. Quel point de vue le narrateur adopte-t-il pour décrire la ville de Paris ? Justifiez.
2. En quoi peut-on parler d'une description subjective ? Justifiez votre propos en relevant des figures de style.

3 Repérer la structure d'une description

1 Entre la barrière d'Italie et celle de la Santé, sur le boulevard intérieur qui mène au Jardin des Plantes, il existe une perspective digne de ravir l'artiste ou le voyageur le plus blasé sur les jouissances de la vue. [...]
5 La magnifique coupole du Panthéon, le dôme terne et mélancolique du Val-de-Grâce dominent orgueilleusement toute une ville en amphithéâtre dont les gradins sont bizarrement dessinés par des rues tortueuses. [...]
À gauche, l'observatoire, à travers les fenêtres et les
10 galeries duquel le jour passe en produisant d'inexplicables fantaisies, apparaît comme un spectre noir et décharné. Puis, dans le lointain, l'élégante lanterne des Invalides flamboie entre les masses bleuâtres du Luxembourg et les tours grises de Saint-Sulpice.

Honoré de Balzac, *La Femme de trente ans*, 1832, IV

1. Montrez que cette vision de Paris se déploie comme un tableau. Appuyez-vous sur les indicateurs spatiaux.
2. Comment le narrateur incite-t-il le lecteur à contempler ce paysage. Identifiez deux procédés littéraires.

4 Repérer la structure d'une description

Le narrateur décrit le château de Sigmaringen.

1 Quel pittoresque séjour !... vous vous diriez en opérette... le décor parfait... vous attendez les sopranos, les ténors légers... pour les échos, toute la forêt !... dix, vingt montagnes d'arbres !... Forêt Noire, déboulonnée
5 de sapins, cataractes... votre plateau, la scène, la ville, si jolie, fignolée, rose, verte, un peu bonbon, demi-pistache, cabarets, hôtels, boutiques, biscornus pour « metteurs en scène »... tout style « baroque boche » et « cheval blanc »... vous entendez déjà l'orchestre !...
10 le plus bluffant le Château !... la pièce comme montée de la ville... stuc et carton-pâte !... pourtant... pourtant vous amèneriez le tout : Château, bourg, Danube, place Pigalle ! quel monde vous auriez ! [...]

Louis-Ferdinand Céline, *D'un château l'autre*,
© Éd. Gallimard 1957

1. Comment le narrateur construit-il sa description ? Justifiez votre réponse.
2. Quel jugement de valeur porte le narrateur dans sa description ? Appuyez-vous sur un examen du texte.

5 Reconnaître la fonction d'une description

Le jeune Aldo décide un jour de visiter les ruines d'une ville morte : Sagra.

1 Cependant le soleil déclinait déjà. J'avais marché de longues heures, et rien encore sur ces plaines découvertes n'annonçait l'approche des ruines dont je cherchais à deviner de loin la silhouette brisée sur l'horizon
5 plat. [...] Pendant que je me perdais en conjectures sur ce qui avait pu attirer Marino ou ses lieutenants vers ce bois perdu, je perçus de manière distincte, à peu de distance, le murmure surprenant d'un ruisseau ; les joncs firent place à des arbustes entremêlés, puis
10 au couvert d'un épais fourré d'arbres, et je me trouvai tout à coup dans les rues mêmes de Sagra.

Julien Gracq, *Le Rivage des Syrtes*, © José Corti 1951

1. Montrez que l'auteur propose une description en mouvement. Identifiez la fonction de la description.
2. S'agit-il d'une description objective ou subjective ? Appuyez-vous sur un relevé lexical précis.

Les genres du théâtre

1 Les sous-genres de la comédie

La comédie classique

La comédie du XVIIe siècle, incarnée par **Molière**, propose une représentation de la société de son temps. Elle est centrée autour d'un personnage qui présente un défaut ou une manie : l'avarice d'Harpagon dans *L'Avare* ou la misanthropie d'Alceste dans *Le Misanthrope*. En ce sens, la comédie classique s'apparente à une **satire morale**. Pour parvenir à ses fins, le dramaturge met à profit différents ressorts comiques tels que les comiques de langage, de geste, de situation ou de caractère.

La comédie sociale

Au XVIIIe siècle, la comédie se renouvelle en donnant plus d'importance à la **thématique amoureuse**. Dans la première moitié du siècle, **Marivaux** explore les jeux de feintes et d'esquives qui permettent de retarder le moment de la révélation du sentiment amoureux. De son côté, **Beaumarchais** réfléchit sur **les rapports entre l'individu et la société** : Figaro est un héros luttant contre les préjugés de son temps et incarnant une nouvelle forme de liberté (*Le Mariage de Figaro*).

Ex : *« FIGARO : Parce que vous êtes un grand seigneur, vous vous croyez un grand génie ! ... noblesse, fortune, un rang, des places, tout cela rend si fier ! Qu'avez-vous fait pour tant de biens ? Vous vous êtes donné la peine de naître, et rien de plus. » (*Le Mariage de Figaro*, 1778, V, 3).*

La comédie légère

Au XIXe siècle, la comédie ne connaît pas de profonds changements. Elle se donne surtout pour mission de **divertir** le spectateur.

Le vaudeville fonde ses intrigues sur des **quiproquos*** et des rebondissements de situation. Il met en scène des bourgeois et exploite les situations comiques générées par l'adultère (Feydeau, Courteline).Les jeux de mots et les calembours sont très présents dans ce type de pièce construit pour faire rire le spectateur.

La comédie romantique

Au XIXe siècle, Alfred de Musset compose plusieurs comédies sur des intrigues amoureuses. Elles mettent en scène les déboires sentimentaux de jeunes gens en passant de la légèreté à la gravité.

Ex : Les Caprices de Marianne *(1833) mettent en scène les amours de jeunes gens et s'achèvent sur la mort de l'un d'eux.*

2 La tragédie et le drame

La tragédie classique

Dans la tragédie classique, le héros est confronté à une puissance qui le dépasse. Le dramaturge révèle l'impasse dans laquelle se trouvent les personnages en veillant à respecter un certain nombre de **codes** : **la règle des trois unités**, **la bienséance** et **la vraisemblance**. Le héros inspire le plus souvent terreur et pitié au spectateur en confiant ses tourments intérieurs.

Ex : *Les tragédies classiques abordent des questions qui restent toujours d'actualité de nos jours.* Cinna *de Corneille (1639) pose le problème de la légitimité du pouvoir et de la révolte.* Bérénice *de Racine (1670) s'interroge sur l'opposition entre la raison d'État et les intérêts privés.*

Le drame romantique

Au XIXe siècle, les frontières entre les genres dramatiques tendent à s'effacer. Les dramaturges romantiques, à l'image de Victor Hugo, entendent mêler les registres en alternant **les moments sublimes** (noblesse des sentiments, grandeur des situations) et **les passages grotesques** (situations comiques). Cette revendication de liberté passe par une remise en cause des contraintes formelles : la règle de bienséance est contestée, les unités de temps et de lieu sont abandonnées. Enfin, le vers est disloqué.

Les « pièces » modernes

Au XXe siècle, la notion de genre s'estompe davantage encore. Les dramaturges se contentent de l'intituler « **pièce** » en donnant parfois un qualificatif éclairant le ton dominant : Jean Anouilh classe ainsi ses œuvres en pièces « roses », « noires » ou « grinçantes ».

- Le **drame existentiel** autour de Sartre et de Camus invite le spectateur à réfléchir sur des questions existentielles : les personnages défendent des postures à adopter face au monde, s'interrogent sur leur condition humaine. Le théâtre devient alors une **tribune philosophique**.
- Le **théâtre de l'absurde** autour de Samuel Beckett et d'Eugène Ionesco représente les difficultés de l'homme à trouver un sens à l'existence. Les personnages de ces pièces ne parviennent plus à construire un dialogue cohérent et significatif.

Exercices

Objet d'étude : Le texte théâtral et sa représentation, du XVIIe siècle à nos jours

1 Identifier un genre théâtral

Classez ces pièces en fonction de leur genre : Samuel Beckett, *Oh les beaux jours* – Albert Camus, *Caligula* – Jean Racine, *Andromaque* – Victor Hugo, *Hernani.*

2 Analyser la préface d'une comédie

1 Sire,
Le devoir de la comédie étant de corriger les hommes en les divertissant, j'ai cru que, dans l'emploi où je me trouve, je n'avais rien de mieux à faire que d'attaquer
5 par des peintures ridicules les vices de mon siècle ; et, comme l'hypocrisie, sans doute, en est un des plus en usage, des plus incommodes et des plus dangereux, j'avais eu, Sire, la pensée que je ne rendrais pas un petit service à tous les honnêtes gens de votre royaume,
10 si je faisais une comédie qui décriât les hypocrites.

Molière, « Premier placet présenté au Roi sur la comédie du Tartuffe », 1664

→ Quelle mission Molière donne-t-il à la comédie ? Justifiez votre réponse par un relevé lexical précis.

3 Étudier une scène de comédie légère

Boubouroche survient alors qu'Adèle se trouve avec André, son amant.

Scène 2

1 Adèle, Boubouroche, André (caché).
Boubouroche entre comme un fou, descend en scène, se rend à la porte de droite, qu'il ouvre, plonge anxieusement ses regards dans l'obscurité de la pièce
5 *à laquelle elle donne accès ; va, de là, à la fenêtre de gauche, dont il écarte violemment les rideaux.*
ADÈLE, *qui l'a suivi des yeux avec une stupéfaction croissante :* Regarde-moi donc un peu.
Boubouroche, les poings fermés, marche sur elle.
10 ADÈLE, *qui, elle, vient sur lui avec une grande tranquillité :* En voilà une figure !... Que se passe-t-il ? Qu'est-ce qu'il y a ?
BOUBOUROCHE : Il y a que tu me trompes.
ADÈLE : Je te trompe !... Comment, je te trompe ?...
15 Qu'est-ce que tu veux dire par là ?
BOUBOUROCHE : Je veux dire que tu te moques de moi ; que tu es la dernière des coquines et qu'il y a quelqu'un ici.
ADÈLE : Quelqu'un !
20 BOUBOUROCHE : Oui, quelqu'un.
ADÈLE : Qui ?
BOUBOUROCHE : Quelqu'un !

Georges Courteline, *Boubouroche*, 1893, II, 2

1. Montrez que cette scène est typique de la comédie légère. Justifiez votre réponse en analysant la situation et le rythme des échanges.
2. Sur quoi se fonde le comique de situation ?

4 Étudier le genre du drame romantique

Alfred de Vigny écrit une lettre à un Lord à la suite de la représentation d'une de ses pièces, Le More de Venise.

1 Considérez d'abord que, dans le système qui vient de s'éteindre, toute tragédie était une catastrophe et un dénouement d'une action déjà mûre au lever du rideau, qui ne tenait plus qu'à un fil et n'avait plus qu'à
5 tomber. De là est venu ce défaut qui vous frappe, ainsi que tous les étrangers, dans les tragédies françaises : cette parcimonie de scènes et de développements, ces faux retardements, et puis tout à coup cette hâte d'en finir, mêlée à cette crainte que l'on sent presque par-
10 tout de manquer d'étoffe pour remplir le cadre de cinq actes. [...] Ce ne sera pas ainsi qu'à l'avenir procédera le poète dramatique. D'abord il prendra dans sa large main beaucoup de temps et y fera mouvoir des existences entières ; [...] il laissera ses créatures vivre de
15 leur propre vie, et jettera seulement dans leur cœur ces germes de passions par où se préparent les grands événements.

Alfred de Vigny, *Lettre à Lord*** sur la soirée du 24 octobre 1829*

1. Quels aspects de la tragédie classique Alfred de Vigny critique-t-il ?
2. Quelles sont les particularités du drame romantique appelé des vœux de Vigny ? Argumentez en réfléchissant sur la nouvelle définition du personnage donnée par l'auteur.

5 Analyser une scène de drame existentiel

Kaliayef et Stepan font partie d'un groupe de terroristes anarchistes. Dans cet extrait, ils réfléchissent sur la nécessité ou non de tuer le grand-duc.

1 KALIAYEF : Stepan, j'ai honte de moi et pourtant je ne te laisserai pas continuer. J'ai accepté de tuer pour renverser le despotisme. Mais derrière ce que tu dis, je vois s'annoncer un despotisme qui, s'il s'installe
5 jamais, fera de moi un assassin alors que j'essaie d'être un justicier.
STEPAN : Qu'importe que tu ne sois pas un justicier, si justice est faite, même par des assassins. Toi et moi ne sommes rien.
10 KALIAYEF : Nous sommes quelque chose et tu le sais bien puisque c'est au nom de ton orgueil que tu parles encore aujourd'hui.
STEPAN : Mon orgueil ne regarde que moi. Mais l'orgueil des hommes, leur révolte, l'injustice où ils vi-
15 vent, cela, c'est l'affaire de tous.

Albert Camus, *Les Justes*, 1949, Acte II, © Éd. Gallimard, 1962

1. Quelles sont les idées défendues par chacun des personnages ? Vous veillerez à mettre en valeur la dimension polémique de cet échange.
2. En quoi cet extrait ressort-il du drame existentiel ?

Fiche 20

L'action

1 Les étapes de l'action

La structure classique

Du XVIIe au XIXe siècle, les pièces sont toujours structurées autour d'une action unique. Plusieurs temps rythment alors la progression de l'intrigue :

- **La scène d'exposition** : la première scène fournit des informations sur l'action à venir et les personnages. L'exposition est dynamique lorsque les informations sont transmises dans le feu de l'action.
- **Le nœud dramatique** : une fois que les relations entre les personnages sont connues, la situation dramatique peut se nouer. Le personnage principal doit alors affronter un obstacle.
- **Les péripéties** : différents événements se produisent qui permettent de modifier le cours de l'action : coups de théâtre, retournements de situation.
- **Le dénouement** : la scène finale constitue à la fois un bilan et un moment de tension dramatique : la **mort** d'un personnage dans la tragédie ou le drame, le **mariage** dans la comédie du XVIIe siècle.

L'impossible action :

La structure linéaire est fortement remise en cause dans les pièces de théâtre du XXe siècle. L'œuvre n'est plus nécessairement divisée en **actes**, ni même en **scènes. La progression dramatique est quasiment nulle** : dans le théâtre de l'absurde, il arrive même que l'action se réduise à la seule présence des personnages.

Ex : *Dans* En attendant Godot *de Samuel Beckett (1948), Vladimir et Estragon demeurent au même endroit tout au long de la pièce : ils réitèrent leur espoir de voir un jour arriver Godot.*

2 L'espace dramatique

Le lieu unique

Dans les pièces classiques, l'action se déroule dans un seul et même espace en vertu de **l'unité de lieu.** L'espace représenté diffère d'un genre dramatique à un autre :

- **Dans la tragédie,** les personnages évoluent le plus souvent dans un **palais royal** antique : le palais de Titus dans *Bérénice* (Racine) ou celui de Pyrrhus dans *Andromaque* (Racine).
- **Dans la comédie,** l'action a lieu dans un **cadre domestique** (la maison d'Orgon dans *Tartuffe* de Molière) ou dans un **espace public** (la rue dans certaines comédies de Corneille, telles que *La Place royale*).

L'espace symbolique

Dans le drame romantique, les **didascalies** concernant le décor sont plus nombreuses que dans le théâtre classique. Ces indications scéniques placées en début d'acte donnent des informations sur les lieux représentés successivement.

Ex : *Dans ses pièces, Victor Hugo construit des espaces symboliques : « le salon de Danaé » dans lequel entre Don Salluste au premier acte de* Ruy Blas *est un lieu de pouvoir comme le signale la longue didascalie qui ouvre la pièce : « Ameublement magnifique dans le goût demi-flamand du temps de Philippe IV ».*

Le non-lieu

Dans le théâtre du XXe siècle, la scène ne représente plus nécessairement un lieu précis. Refusant de représenter un espace réaliste, les dramaturges donnent volontairement des indications scéniques très vagues. Les personnages évoquent parfois **un espace rêvé**, celui de l'enfance ou de l'avenir, tout en demeurant sur place.

Ex : *Dans ses pièces, Samuel Beckett imagine des espaces aux décors minimalistes. Dans* Fin de partie, *la didascalie d'ouverture précise simplement : « Intérieur sans meuble. Lumière grisâtre. Aux murs de droite et de gauche, vers le fond, deux petites fenêtres haut perchées, rideaux fermés ».*

3 Le temps de l'action

La contrainte des vingt-quatre heures

Dans les pièces du XVIIe siècle, l'action doit se dérouler en une journée (**unité de temps**). Par souci de vraisemblance, le théâtre classique impose une **liaison des scènes :** le temps de la représentation semble ainsi se confondre avec le temps de la fiction. Les différents langages dramatiques (dialogue, monologue, récit...) permettent par ailleurs de produire des effets d'accélération ou de ralentissement de l'action.

Au XIXe siècle, les dramaturges remettent en cause cette règle en multipliant les lieux de l'action.

Le temps déréglé

Au XXe siècle, l'absence de contrainte temporelle conduit les dramaturges à entretenir la confusion sur le temps dramatique. Parfois des séquences sont juxtaposées sans souci de la chronologie. Cette **absence de repères** peut devenir la source d'une **angoisse** comme dans les pièces d'Eugène Ionesco (*Le Roi se meurt*) ou de Jean-Paul Sartre (*Huis clos*).

Exercices

Objet d'étude : Le texte théâtral et sa représentation, du XVIIe siècle à nos jours

1 Analyser une scène d'exposition

1 SILVIA : Mais encore une fois, de quoi vous mêlez-vous, pourquoi répondre de mes sentiments ?
LISETTE : C'est que j'ai cru que dans cette occasion-ci, vos sentiments ressembleraient à ceux de tout
5 le monde ; Monsieur votre père me demande si vous êtes bien aise qu'il vous marie, si vous en avez quelque joie ; moi je lui réponds qu'oui ; cela va tout de suite ; et il n'y a peut-être que vous de fille au monde, pour qui ce *oui*-là ne soit pas vrai, le *non*
10 n'est pas naturel.
SILVIA : Le non n'est pas naturel ; quelle sotte naïveté ! Le mariage aurait donc de grands charmes pour vous ?
LISETTE : Eh bien, c'est encore oui, par exemple.

Marivaux, *Le Jeu de l'amour et du hasard*, 1730, I, 1

1. Cette scène d'exposition est-elle dynamique ?
2. Quelles informations cette scène nous donne-t-elle sur les relations entre maître et valet ?

2 Analyser un dénouement

1 *Tous, au comble de la furie, hurlent les uns aux oreilles des autres. La lumière s'est éteinte. Dans l'obscurité on entend sur un rythme de plus en plus rapide.*

TOUS ENSEMBLE : C'est pas par là, c'est par ici, c'est
5 pas par là, c'est par ici, c'est pas par là, c'est par ici, c'est pas par là, c'est par ici, c'est pas par là, c'est par ici, c'est pas par là, c'est par ici !
Les paroles cessent brusquement. De nouveau, lumière. M. et Mme Martin sont assis comme les Smith au
10 *début de la pièce. La pièce recommence avec les Martin, qui disent exactement les répliques des Smith dans la première scène, tandis que le rideau se ferme doucement.*

Eugène Ionesco, *La Cantatrice chauve*, scène XI,

➜ Quels sont les éléments qui permettent de comprendre qu'il s'agit du dénouement. Argumentez en réfléchissant au lien entre texte et représentation.

3 Analyser la progression dramatique

Une vieille dame tente de se souvenir de son passé. Chaque soir, sa fille vient lui rendre visite pour l'aider à retrouver un moment en particulier.

1 JEUNE FEMME : Vous ne vous souvenez pas ?
MADELEINE : Non.
JEUNE FEMME (temps) : Vous avez toujours parlé d'un jour sans soleil, très long. Des gens qui avaient ap-
5 pris la nouvelle, qui étaient venus, qui entouraient la maison. (*Temps. Geste de Madeleine : non*). Vous avez toujours parlé de cet homme qui ne comprenait pas la mort, qui appelait une morte vers la Magra. (*Temps. Geste de Madeleine : non*). Vous ne vous sou-
10 venez pas ?
MADELEINE : Non.

Marguerite Duras, *Savannah Bay*,1983,

➜ Quels sont les obstacles à la progression dramatique ? Justifiez.

4 Identifier le cadre de l'action

Texte A :

1 *Le salon de Danaé dans le palais du roi, à Madrid. Ameublement magnifique dans le goût demi-flamand du temps de Philippe IV. [...] Don Salluste entre par la petite porte de gauche, suivi de Ruy Blas et de Gudiel [...]*
5 *Don Salluste est vêtu de velours noir, costume de cour du temps de Charles II. La toison d'or au cou. [...]Ruy Blas est en livrée. Haut-de-chausses et justaucorps bruns. Surtout galonné, rouge et or. Tête nue. Sans épée.*

Victor Hugo, *Ruy Blas*, 1838, acte I

Texte B :

1 *Route à la campagne, avec arbre.*
Soir.
Estragon, assis sur une pierre, essaie d'enlever sa chaussure. Il s'y acharne des deux mains, en ahanant.
5 *Il s'arrête, à bout de forces, se repose en haletant, recommence. Même jeu.*

Samuel Beckett, *En attendant Godot*, 1952,

➜ Quels types d'informations ces didascalies donnent-elles ?

5 Étudier la liaison d'un acte à l'autre

Adèle a fui Antony qui l'aime éperdument. L'acte III se déroule dans une auberge.

1 ADÈLE, *sortant du cabinet* : Du bruit... Un homme !... Ah !...
ANTONY : Silence !... (*La prenant dans ses bras et lui mettant un mouchoir sur la bouche.*) C'est moi !..,
5 moi, Antony...
Il l'entraîne dans le cabinet.
ACTE QUATRIÈME : *Un boudoir chez la vicomtesse de Lacy ; au fond, une porte ouverte donnant sur un salon élégant préparé pour un bal ; à gauche, une porte*
10 *dans un coin.*
SCÈNE PREMIÈRE : *La vicomtesse de Lacy, puis Eugène*
LA VICOMTESSE, *à plusieurs domestiques* : Allez, et n'oubliez rien de ce que j'ai dit... L'ennuyeuse chose qu'une soirée pour une maîtresse de maison qui est
15 seule ! [...]

Alexandre Dumas, *Antony*, 1831, III, 6 et IV, 1

➜ Montrez l'effet de rupture provoqué par le passage d'un acte à l'autre. Appuyez-vous sur les didascalies et les paroles des personnages.

Fiche 21

La parole

1 L'énonciation théâtrale

Le texte théâtral repose sur une énonciation complexe : les paroles des personnages sont entrecoupées d'indications scéniques nommées didascalies.

La parole du personnage

• Dans la tragédie classique, le personnage révèle son identité sociale par la parole. Le jeu de parole est ainsi codifié : les personnages de rang noble ont le pouvoir de la parole tandis que les personnages de rang inférieur ne sont là que pour donner un écho à ce discours.
• De la comédie classique au drame romantique, les valets s'émancipent de leur condition grâce au pouvoir de la parole. Ils parviennent à déstabiliser les ordres établis par leur discours.

Les didascalies

• Au XVIIe siècle, les didascalies sont rares : elles ne précisent que les déplacements des personnages.
• Dès le XVIIIe siècle, les indications scéniques se font plus nombreuses.
• Dans le drame romantique, les didascalies informent le lecteur sur l'intériorité du personnage : ses pensées, ses illusions ou ses rêves.
• Dans le théâtre contemporain, les didascalies prennent parfois le pas sur la parole du personnage. Le dramaturge insiste sur l'expression d'un malaise physique qui entrave le discours.

2 La parole et l'action

Le monologue délibératif

• Dans le théâtre classique, le monologue délibératif est un **moment dramatique essentiel**. Le personnage examine une situation, dévoile son dilemme* et finit par délibérer. Ce discours prend parfois la forme de stances* lyriques.
• Dans le drame romantique, le monologue délibératif apparaît moins construit et plus à même de traduire les mouvements de pensée du personnage.

Ex : *Ruy Blas exprime sa crainte de ne plus voir la Reine au début de l'acte IV :*
« RUY BLAS, à part, et se parlant à lui-même :
Que faire ? – Elle d'abord ! elle avant tout ! – rien qu'elle !
[...] Il faut que je la sauve ! – oui ! mais y réussir ?
Comment faire ? »

Le dialogue miroir de l'action

La progression dramatique est établie au moyen de plusieurs modalités :

• **L'échange de répliques courtes**, notamment la stichomythie, correspond à un moment de tension comique ou tragique.
• Le **débat argumenté** introduit un moment de pause dans l'action. Les personnages analysent leur comportement. Dans le drame romantique, ce genre de dialogue permet aux protagonistes de faire entendre leur intériorité.
• Le **récit** permet l'évocation d'un événement extérieur à la scène. Les dramaturges classiques recourent à ce type de discours par souci de bienséance. Certains auteurs du XXe siècle continuent d'utiliser le récit pour faire entendre la voix des acteurs de l'histoire (Camus, Sartre).

3 L'impossible communication

Le théâtre du XXe siècle met à mal l'efficacité même de la parole théâtrale.

Le dérèglement de la parole

Certains dramaturges jouent sur la **transposition parodique** de scènes traditionnelles :
Dans le théâtre de l'absurde, Ionesco subvertit les lieux communs de la conversation bourgeoise en créant des dialogues sans lien logique.
Dans les pièces de Jean Tardieu ou de Roland Dubillard, les personnages reprennent un schéma de scène conventionnel mais déforment la syntaxe et le vocabulaire.

Ex : *LA BONNE,* annonçant : *Madame la comtesse de Perleminouze !*
MADAME, fermant le piano et allant au devant de son amie : *Chère, très chère peluche ! Depuis combien de trous, depuis combien de galets n'avais-pas eu le mitron de vous sucrer !*
(*Jean Tardieu,* Un mot pour un autre, *1951*)

Une parole hantée par le silence

Soucieux de faire entendre le flux de conscience d'un personnage, les dramaturges du XXe siècle entrecoupent les paroles des personnages de **silences**, marqués par des points de suspension dans certains cas. Le discours ne constitue plus un ensemble cohérent mais **une suite de pensées décousues**.

Ex : *Dans* Pas moi *(1973), Beckett met en scène deux personnages, Bouche et Auditeur :*
« BOUCHE : – monde... mis au monde... ce monde... petit bout de rien... avant l'heure... loin de –... quoi ?... femelle ?... oui... petit bout de femelle ?... oui... petit bout de femelle... au monde... avant l'heure [...] »

Exercices

Objet d'étude : Le texte théâtral et sa représentation, du XVIIe siècle à nos jours

1 Observer l'énonciation théâtrale

Texte 1 :

En arrivant sur l'île des esclaves, Arlequin et Iphicrate échangent leurs rôles. Le valet devient le maître.

1 ARLEQUIN, *prenant sa bouteille pour boire :* Ah ! je vous plains de tout mon cœur, cela est juste.
IPHICRATE : Suis-moi donc.
ARLEQUIN *siffle :* Hu, hu, hu.
5 IPHICRATE : Comment donc ! que veux-tu dire ?
ARLEQUIN, *distrait, chante :* Tala ta lara.
IPHICRATE : Parle donc, as-tu perdu l'esprit ? à quoi penses-tu ?
ARLEQUIN, *riant :* Ah, ah, ah, Monsieur Iphicrate, la
10 drôle d'aventure ! je vous plains, par ma foi, mais je ne saurais m'empêcher d'en rire.
IPHICRATE, *à part* : (Le coquin abuse de ma situation ; j'ai mal fait de lui dire où nous sommes.)

Marivaux, *L'Île des esclaves*, 1725, I, 1,

Texte 2 :

Ruy Blas, déguisé en Comte de Garofa, a pour mission de séduire la Reine. L'entreprise est d'autant plus délicate qu'il l'aime secrètement. Au terme de la scène 3 de l'acte II, Ruy Blas s'évanouit.

1 LA REINE, *Aux pages, au fond du théâtre :*
Vous savez que le roi ne vient pas cette nuit.
Il passe la saison tout entière à la chasse.
Elle rentre avec sa suite dans ses appartements.
[...]
5 RUY BLAS, *resté seul :*
Il semble écouter encore quelque temps avec une joie profonde les dernières paroles de la reine. Il paraît comme en proie à un rêve. Le morceau de dentelle, que la reine a laissé tomber dans son trouble, est resté à terre
10 *sur le tapis. Il le ramasse, le regarde avec amour, et le couvre de baisers. Puis il lève les yeux au ciel.*
Ô dieu ! Grâce !

Victor Hugo, *Ruy Blas*, 1838, II, 3

1. Quelles informations apportent les didascalies dans ces deux extraits ?
2. Montrez qu'Arlequin « abuse de la situation » grâce au pouvoir de la parole.

2 Étudier un monologue délibératif

Après avoir tué le père de sa promise, Chimène, Rodrigue se livre à un examen de conscience au sein d'un long monologue. L'extrait suivant constitue le terme du discours.

1 Oui, mon esprit s'était déçu.
Je dois tout à mon père avant qu'à ma maîtresse :
Que je meure au combat, ou meure de tristesse,
Je rendrai mon sang pur comme je l'ai reçu.
5 Je m'accuse déjà de trop de négligence ;
Courons à la vengeance ;
Et tout honteux d'avoir tant balancé[1],
Ne soyons plus en peine,
Puisqu'aujourd'hui mon père est l'offensé
10 Si l'offenseur est père de Chimène.

Pierre Corneille, *Le Cid*, 1636, I, 6

1. Balancer : hésiter.

1. Pourquoi peut-on parler d'un monologue délibératif ? Identifiez des procédés à l'appui de votre réponse.
2. À quel moment Rodrigue fait-il référence au dilemme qui a précédé la délibération ?

3 Étudier une tirade romantique

1 PERDICAN : Tu as dix-huit ans, et tu ne crois pas à l'amour ?
CAMILLE : Y croyez-vous, vous qui parlez ? Vous voilà courbé près de moi avec des genoux qui se sont usés
5 sur les tapis de vos maîtresses, et vous n'en savez plus le nom. Vous avez pleuré des larmes de joie et des larmes de désespoir ; mais vous saviez que l'eau des sources est plus constante que vos larmes, et qu'elle serait toujours là pour laver vos paupières
10 gonflées. Vous faites votre métier de jeune homme, et vous souriez quand on vous parle de femmes désolées ; vous ne croyez pas qu'on puisse mourir d'amour, vous qui vivez et qui avez aimé.

Alfred de Musset, *On ne badine pas avec l'amour*, 1834, II, 5

➜ Comment Camille parvient-elle à heurter la conscience de Perdican ? Analysez les images et la construction de sa tirade.

4 Étudier un récit

Kaliayev avait pour mission de tuer le grand-duc Serge mais il a échoué. Il revient à « l'appartement des terroristes ».

1 KALIAYEV, *égaré :* Je ne pouvais pas prévoir... Des enfants, des enfants surtout. As-tu regardé des enfants ? Ce regard grave qu'ils ont parfois... Je n'ai jamais pu soutenir ce regard... Une seconde aupa-
5 ravant, pourtant, dans l'ombre, au coin de la petite place, j'étais heureux. Quand les lanternes de la calèche ont commencé à briller au loin, mon cœur s'est mis à battre de joie, je te le jure. Il battait de plus en plus fort à mesure que le roulement de la
10 calèche grandissait. Il faisait tant de bruit en moi. J'avais envie de bondir. Je crois que je riais. Et je disais « oui, oui »...

Albert Camus, *Les Justes*, 1949, II, © Éd. Gallimard 1962

1. Ce récit donne-t-il une vision objective ou subjective de la scène ? Justifiez.
2. Par quels moyens le dramaturge parvient-il à faire entendre le bouleversement du personnage ?

Fiche 22

Le personnage et son évolution

1 L'identité du personnage

➡ Le nom des personnages

Le personnage porte un nom qui lui confère une première identité.

• **Dans le théâtre classique,** les noms renvoient à une tradition : les héros tragiques sont empruntés à l'histoire antique ou à la mythologie et leur nom est l'indicateur du rang qu'ils occupent.

• **Dans la comédie classique,** le nom du personnage apporte souvent une information sur le type d'individu représenté : un personnage comme Géronte incarne nécessairement un père âgé (Géronte : du grec « gerôn » signifiant vieux).

• **Dans les pièces contemporaines,** de nombreux personnages ne portent pas de nom : cet anonymat signale un refus de toute illusion réaliste. Le personnage ne représente plus forcément une personne.

➡ Les caractéristiques du héros

Le personnage principal de l'histoire attire l'attention du spectateur dans la mesure où sa parole domine celle des autres.

• **Dans la tragédie classique,** le héros présente des caractéristiques hors du commun : son discours suscite la pitié et l'effroi du spectateur, sentiments propres au registre tragique.

Ex : *Dans* Phèdre *de Racine (1677), l'héroïne avoue sa passion pour son beau-fils Hippolyte. Cet aveu amène le personnage à se laisser aller à une sorte de démence incontrôlée.*

• **Dans le drame romantique,** le héros cherche à s'émanciper de sa condition en dénonçant les codes de la société. Souvent idéaliste, le personnage romantique affiche un orgueil démesuré.

Ex : *Dans* Lorenzaccio *de Musset (1834), Lorenzo avoue que son désir de tuer Alexandre de Médicis n'est pas seulement un acte politique mais un geste pour la postérité : « Qu'ils m'appellent comme ils voudront, Brutus ou Érostrate, il ne me plaît pas qu'ils m'oublient » (III, 3).*

2 Les relations entre les personnages

➡ Le couple du maître et du valet

Le couple du maître et du valet domine le paysage théâtral du XVIIe au XIXe siècle. La domination sociale exercée par le maître se trouve contrebalancée par le pouvoir verbal dont use le valet. Au fil du temps, le valet acquiert davantage de liberté : son discours remet en cause les ordres établis et ce sous le regard interdit du maître.

Ex : *Dans* Le Mariage de Figaro, *le héros pourfend une société fondée sur l'inégalité sociale et les privilèges. Son monologue à l'acte V scène 3 constitue le plus long discours de valet de la comédie d'Ancien Régime.*

Dans le théâtre contemporain, les avatars de ce couple-type sont fréquents. Les pièces de Beckett sont ainsi souvent construites autour d'un couple : Vladimir et Estragon dans *En attendant Godot*, Hamm et Clov dans *Fin de partie* ou encore Winnie et Willie dans *Oh les beaux jours*.

➡ L'aliénation des personnages

Dans le théâtre contemporain, les personnages apparaissent néanmoins seuls, abandonnés. Ils tentent de communiquer et de rétablir les liens du passé mais **leur parole n'a aucune efficacité**. Dans le drame existentiel ou le théâtre de l'absurde, les personnages dépendent les uns des autres sans pour autant pouvoir communiquer.

Ex : *Dans* Huis clos *de Sartre (1943), Garcin, Inès et Estelle se trouvent enfermés dans un « salon ». Garcin analyse ainsi les relations entre eux trois : « Aucun de nous ne peut se trouver seul : il faut que nous nous perdions ensemble ou que nous nous tirions d'affaire ensemble. » (scène 5)*

3 La déconstruction du personnage

Le théâtre contemporain remet en question la notion même de personnage.

➡ Le personnage comme champ de force

Constatant l'impossibilité d'agir, le héros du drame existentiel ne cesse de fléchir et d'analyser son manque de détermination. Ses hésitations et son malaise à l'idée d'agir constituent l'essentiel de la pièce.

Ex : *Les pièces de Camus montrent la difficulté des personnages à assumer les conséquences de leur acte. Dans* Le Malentendu, *(1958), Martha et sa mère Maria projettent de tuer un homme. Le premier acte montre les doutes de la mère qui ne croit plus totalement en cette solution.*

➡ Le personnage comme voix

Dans certaines pièces, il ne reste du personnage qu'une voix. Le corps exprime une souffrance dans un discours qui perd toute unité et toute cohérence.

Exercices

Objet d'étude : Le texte théâtral et sa représentation, du XVIIe siècle à nos jours

1 Reconnaître un personnage comique

1 ORGON : Tout s'est-il, ces deux jours, passé de bonne sorte ?
Qu'est-ce qu'on fait céans[1] ? comme est-ce qu'on s'y porte ?
5 DORINE : Madame eut avant-hier la fièvre jusqu'au soir,
Avec un mal de tête étrange à concevoir.
ORGON : Et Tartuffe ?
DORINE : Tartuffe ? Il se porte à merveille.
10 Gros et gras, le teint frais, et la bouche vermeille.
ORGON : Le pauvre homme !
DORINE ! Le soir, elle eut un grand dégoût
Et ne put au souper toucher à rien du tout,
Tant sa douleur de tête était encor cruelle !
15 ORGON : Et Tartuffe ?
DORINE : Il soupa, lui tout seul, devant elle,
Et fort dévotement il mangea deux perdrix,
Avec une moitié de gigot en hachis.
ORGON : Le pauvre homme !

1. Céans : Ici.

Molière, *Tartuffe*, 1664, I, 4

1. Pourquoi Orgon amuse-t-il le spectateur ? Argumentez en prenant appui sur un procédé comique.
2. Dorine se comporte-t-elle comme une suivante ?

2 Reconnaître un héros romantique

1 ANTONY, *seul* : Ah ! me voilà seul enfin !... Examinons... Ces deux chambres communiquent entre elles... Oui, mais de chaque côté la porte se ferme en dedans... Enfer !... Ce cabinet ?... Aucune issue !
5 Si je démontais ce verrou ?... On pourrait le voir... Cette croisée ?... Ah ! le balcon sert pour les deux fenêtres... Une véritable terrasse. *(Il rit.)* Ah ! C'est bien... Je suis écrasé. *(Il s'assied.)* Oh ! comme elle m'a trompé ! je ne la croyais pas si fausse... [...]
10 Pauvre sot, qui ne sais pas lire dans un sourire, qui ne sais rien deviner dans une voix, et qui, la tenant dans tes bras, ne l'as pas étouffée, afin qu'elle ne fût pas à un autre... *(Il se lève.)* Et si elle allait arriver avant que Louis, qu'elle connaît, fût parti
15 avec les chevaux... Malheur !... Non, l'on n'aperçoit pas encore la voiture. *(Il s'assied.)* Elle vient, s'applaudissant de m'avoir trompé, et, dans les bras de son mari, elle lui racontera tout ;... elle lui dira que j'étais à ses pieds... oubliant mon nom d'homme et
20 rampant ; elle lui dira qu'elle m'a repoussé ; puis, entre deux baisers, ils riront de l'insensé Antony, d'Antony le bâtard !... Eux, rire !... mille démons ! *(Il frappe la table de son poignard, et le fer y disparaît presque entièrement. Riant.)* Elle est bonne, la lame
25 de ce poignard ! *(Se levant et courant à la fenêtre.)*

Alexandre Dumas, *Antony*, 1831, III, 3

1. Quelles sont les fonctions de ce monologue ?
2. Quelle image le spectateur se fait-il d'Antony à la lumière de ce monologue ? Observez son discours et les didascalies.

3 Analyser la posture d'un personnage

1 Parce que vous êtes un grand seigneur, vous vous croyez un grand génie ![1]... Noblesse, fortune, un rang, des places, tout cela rend si fier ! Qu'avez-vous fait pour tant de biens ? Vous vous êtes donné la peine de naître, et
5 rien de plus. Du reste, homme assez ordinaire ; tandis que moi, morbleu ! perdu dans la foule obscure, il m'a fallu déployer plus de science et de calculs pour subsister seulement, qu'on n'en a mis depuis cent ans à gouverner toutes les Espagnes : et vous voulez jouter... On vient...
10 c'est elle... ce n'est personne. – La nuit est noire en diable, et me voilà faisant le sot métier de mari quoique je ne le sois qu'à moitié ! *(Il s'assied sur un banc.)*

Beaumarchais, *Le Mariage de Figaro*, 1778, V, 3

1. Figaro, pourtant seul, adresse cette phrase au Comte Almaviva.

1. Quelles différences existent entre Figaro et le Comte ? Justifiez votre propos en commentant la construction de ce discours.
2. Comment le dramaturge parvient-il à suggérer l'agitation du personnage ? Relevez des indices précis.

4 Analyser les relations entre un maître et son valet

Sganarelle se sent d'humeur à philosopher. Il demande alors à son maître : « Qu'est-ce donc que vous croyez ? »

1 DOM JUAN : Je crois que deux et deux sont quatre, Sganarelle, et que quatre et quatre sont huit.
SGANARELLE : La belle croyance et les beaux articles de foi que voici ! Votre religion, à ce que je vois,
5 est donc l'arithmétique ? Il faut avouer qu'il se met d'étranges folies dans la tête des hommes, et que, pour avoir bien étudié, on en est bien moins sage le plus souvent. Pour moi, Monsieur, je n'ai point étudié comme vous, Dieu merci, et personne ne saurait
10 se vanter de m'avoir jamais rien appris ; mais, avec mon petit sens, mon petit jugement, je vois les choses mieux que tous les livres, et je comprends fort bien que ce monde que nous voyons n'est pas un champignon qui soit venu tout seul en une nuit.
15 [...] Oh ! dame, interrompez-moi donc, si vous voulez. Je ne saurais disputer, si l'on ne m'interrompt. Vous vous taisez exprès, et me laissez parler par belle malice.
DOM JUAN : J'attends que ton raisonnement soit fini.

Molière, *Dom Juan*, 1665, III, 1

1. À quels signes comprend-on que Sganarelle est un valet ?
2. Pourquoi Dom Juan ne répond-il pas à Sganarelle ? Mettez en valeur l'ambiguïté de l'attitude de Dom Juan.

5 Étudier un couple dans le théâtre de l'absurde

1 CLOV : Je te quitte, j'ai à faire.
HAMM : Tu te souviens de ton arrivée ici ?
CLOV : Non. Trop petit, tu m'as dit.
HAMM : Tu te souviens de ton père ?
5 CLOV (*avec lassitude*) Même réplique. (*Un temps*) Tu m'as posé ces questions des millions de fois.
HAMM : J'aime les vieilles questions. (*Avec élan*) Ah les vieilles questions, les vieilles réponses, il n'y a que ça ! (*Un temps*) C'est moi qui t'ai servi de père.
10 CLOV : Oui (*Il le regarde fixement*) C'est toi qui m'as servi de cela.
HAMM : Ma maison qui t'a servi de home.
CLOV : Oui (*Long regard circulaire*) Ceci m'a servi de cela.
15 HAMM (*fièrement*) Sans moi (*geste vers soi*), pas de père. Sans Hamm (*geste circulaire*) pas de home.

Samuel Beckett, *Fin de partie*, © Éditions de Minuit 1957

→ Hamm a-t-il un pouvoir sur Clov ? Justifiez votre réponse en étudiant l'enchaînement des répliques.

6 Observer des personnages dans une scène de conflit

Cet extrait constitue la première scène

1 H.1 : Écoute, je voulais te demander... C'est un peu pour ça que je suis venu... Je voudrais savoir... que s'est-il passé ? Qu'est-ce que tu as contre moi ?
H.2 : Mais rien... Pourquoi ?
5 H.1 : Oh, je ne sais pas... Il me semble que tu t'éloignes... tu ne fais plus jamais signe... Il faut toujours que ce soit moi...
H.2 : Tu sais bien : je prends rarement l'initiative, j'ai peur de déranger.
10 H.1 : Mais pas avec moi ? Tu sais que je te le dirais... Nous n'en sommes tout de même pas là... Non, je sens qu'il y a quelque chose...
H.2. : Mais que veux-tu qu'il y ait ?
H.1. : C'est justement ce que je me demande. J'ai beau
15 chercher... jamais... depuis tant d'années... Il n'y a jamais rien eu entre nous... rien dont je me souvienne...

Nathalie Sarraute, *Pour un oui ou pour un non*, © Éd. Gallimard 1982

1. Cette scène d'affrontement vous paraît-elle originale ? Justifiez votre réponse en réfléchissant à la progression dramatique.
2. Pourquoi Nathalie Sarraute a-t-elle donné ces noms à ces personnages ?

7 Étudier un personnage dans un drame existentiel

Texte A :

1 INÈS : Ha ! (Un temps) Attendez ! J'ai compris, je sais pourquoi ils nous ont mis ensemble.
GARCIN : Prenez garde à ce que vous allez dire
INÈS : Vous allez voir comme c'est bête. Bête comme
5 chou ! Il n'y a pas de torture physique, n'est-ce pas ? Et cependant, nous sommes en enfer. Et personne ne doit venir. Personne. Nous resterons jusqu'au bout seuls ensemble. C'est bien ça ? En somme, il y a quelqu'un qui manque ici : c'est le bourreau.
[...]
10 ESTELLE : Qu'est-ce que vous voulez dire ?
INÈS : Le bourreau, c'est chacun de nous pour les deux autres.

Sartre, *Huis clos*, scène 5, © Éd. Gallimard 1947

Texte B :

Maria vient de tuer sans le savoir son frère. La révélation de ce « malentendu » conduit le personnage à implorer l'aide de Dieu.

1 MARIA : *dans un cri* : Oh ! Mon Dieu ! Je ne puis vivre dans ce désert ! C'est à vous que je parlerai et je saurai trouver mes mots. (*Elle tombe à genoux.*) Oui, c'est à vous que je m'en remets. Ayez pitié de moi,
5 tournez-vous vers moi ! Entendez-moi, donnez-moi votre main ! Ayez pitié, Seigneur, de ceux qui s'aiment et qui sont séparés ! *La porte s'ouvre et le vieux domestique paraît.*
SCÈNE QUATRIÈME.
10 LE VIEUX DOMESTIQUE, *d'une voix nette et ferme* : Vous m'avez appelé ?
MARIA : *se tournant vers lui* : Oh ! Je ne sais pas ! Mais aidez-moi, car j'ai besoin qu'on m'aide. Ayez pitié et consentez à m'aider !
15 LE VIEUX DOMESTIQUE : *de la même voix* : Non !

Albert Camus, *Le Malentendu*, III, 4-5, © Éd. Gallimard 1944

1. Dans quelle mesure les personnages d'Inès et de Maria incarnent-ils des héroïnes tragiques ?
2. Sur quoi se fonde le caractère absurde de ces situations ? Appuyez-vous sur la définition que Camus donne du sentiment de l'absurde : « L'absurde naît de cette confrontation entre l'appel humain et le silence déraisonnable du monde. » (*Le Mythe de Sisyphe*, 1942)

Fiche 23

Texte et représentation

1 Du texte à la scène

Le texte comme partition

Le texte de théâtre doit être lu comme une « partition » pour le metteur en scène et les comédiens. Hormis quelques pièces, tels les « spectacles dans un fauteuil » d'Alfred de Musset, rares sont les œuvres théâtrales qui ne se destinent pas à la représentation.

La contrainte du texte

En créant une pièce de théâtre, le dramaturge ne se contente pas d'écrire un dialogue : il indique au lecteur, par le biais des didascalies, une série d'informations qui l'amènent à visualiser la scène. Deux types de didascalies se distinguent :

• Les **didascalies externes**

Elles apparaissent en italique dans le texte et précisent la situation d'énonciation et les mouvements des personnages.

• Les **didascalies internes**

Elles figurent dans les discours des personnages et donnent des informations indirectes sur les mouvements et la gestuelle des personnages.

2 Les conditions de la représentation

Le lieu de la représentation

Depuis le XVIIe siècle, les représentations ont le plus souvent lieu dans des bâtiment construits spécialement à cet effet. Les metteurs en scène contemporains investissent parfois des lieux atypiques pour manifester un refus de ce cadre traditionnel : usines désaffectées, espaces ouverts au public comme les gares.

La scénographie

La scénographie est l'art de disposer un espace théâtral, aussi bien le décor que le rapport au public ou les lumières. L'aménagement de l'espace théâtral oriente l'interprétation du texte théâtral. Plusieurs types de décor peuvent être choisis :

• **Un décor réaliste :** le metteur en scène cherche à recréer un lieu historique avec minutie. Ce parti pris est celui des metteurs en scène du début du XXe siècle.

• **Un décor symbolique :** la scène ne reproduit pas un lieu vraisemblable mais figure un univers imaginaire en étroite relation avec une thématique de l'œuvre.

3 L'art de la mise en scène

L'essor de la pratique dramatique dès la fin du XIXe siècle encourage l'avènement de la mise en scène.

Le jeu des comédiens

• **L'acteur et son personnage**

Le jeu de l'acteur est loin d'être une pratique naturelle et spontanée. Deux conceptions s'affrontent à ce sujet : certains pensent qu'il faut s'identifier au rôle que l'on joue pour pouvoir incarner un personnage ; d'autres suivent la théorie du « paradoxe du comédien » chère à Diderot et insistent sur la nécessité de se mettre à distance du personnage :

Ex : *« Tout le talent [du comédien] consiste non pas à sentir, comme vous le supposez, mais à rendre si scrupuleusement les signes extérieurs du sentiment, que vous vous y trompiez » (Diderot,* Le Paradoxe du comédien*).*

• **La maîtrise du langage dramatique**

L'acteur ne se contente pas de déclamer un texte comme au XIXe siècle. Son jeu oriente la compréhension du texte.

L'interprétation du texte

Le metteur en scène interprète le texte du dramaturge en adaptant l'œuvre d'origine.

• **La fidélité au texte**

Certains metteurs en scène limitent la représentation au minimum pour faire entendre le texte littéraire. La scénographie est dans ce cas le plus souvent minimale, l'enjeu étant de ne pas créer d'obstacle entre le spectateur et l'œuvre.

• **La création d'une nouvelle œuvre**

Les metteurs en scène contemporains se libèrent parfois du texte pour proposer des **performances** où se mêlent arts visuels et théâtre. L'attention du spectateur se trouve alors mobilisée à plusieurs endroits.

Ex : *Le metteur en scène allemand Frank Castorf a coutume de filmer ses acteurs durant la représentation. Leur image apparaît en arrière-plan, comme pour suggérer un jeu de dédoublement.*
Romeo Castellucci monte des spectacles sans texte reposant sur l'acteur, la lumière, le son, les objets.

Exercices

Objet d'étude : Le texte théâtral et sa représentation, du XVIIe siècle à nos jours

1 Étudier les didascalies

Texte 1 :

Une forêt après la pluie. Foule de fleurs et de plantes. Au premier plan, lilas, acacias et faux ébéniers en fleur. Un ruisseau. Un étang. Un âne attaché à un arbre. Flaques d'eau dans l'herbe. Un rayon de soleil dans les feuilles. On voit écrit sur un poteau : IL Y A ICI DES PIÈGES À LOUP.

Victor Hugo, *La Forêt mouillée* (*Le Théâtre en liberté*, 1886)

Texte 2 :

Une rue solitaire. Plus de murs que de maisons. Au coin d'une borne est assis un philosophe ; il est en haillons, pieds nus, avec une sébile de mendiant devant lui. Il s'appelle Mouffetard. C'est lui probablement qui plus tard a donné son nom à la rue.

Victor Hugo, *Les Gueux* (*Le Théâtre en liberté*, 1886)

1. Quelles informations apportent ces didascalies sur la pièce à venir ?
2. Quelles difficultés peut éprouver un metteur en scène pour rester fidèle à ces didascalies ? Appuyez-vous sur des passages précis de ces didascalies.

2 Insérer des didascalies dans un dialogue

Lisette joue un tour à Sganarelle : elle lui fait croire que sa fille est malade en recourant l'aide de médecins malhonnêtes.

SGANARELLE : Hé bien, Messieurs.
M. TOMÈS : Nous avons vu suffisamment la malade, et sans doute qu'il y a beaucoup d'impuretés en elle.
SGANARELLE : Ma fille est impure ?
M. TOMÈS : Je veux dire qu'il y a beaucoup d'impuretés dans son corps, quantité d'humeurs corrompues.
SGANARELLE : Ah, je vous entends.
M. TOMÈS : Mais... Nous allons consulter ensemble.
SGANARELLE : Allons, faites donner des sièges.
LISETTE : Ah, Monsieur, vous en êtes ?
SGANARELLE : De quoi donc connaissez-vous Monsieur ?
LISETTE : De l'avoir vu l'autre jour chez la bonne amie de madame votre nièce.
M. TOMÈS : Comment se porte son cocher ?
LISETTE : Fort bien, il est mort.
M. TOMÈS : Mort !
LISETTE : Oui.

Molière, *L'Amour médecin*, 1665, II, 2

1. Ajoutez des didascalies à ce dialogue en caractérisant le ton, l'attitude et les déplacements des personnages.

3 Étudier la fonction d'une didascalie

Étendue d'herbe brûlée s'enflant au centre en petit mamelon. Pentes douces à gauche et à droite et côté avant-scène. Derrière, une chute plus abrupte au niveau de la scène. Maximum de simplicité et de symétrie.

Lumière aveuglante.

Une toile de fond en trompe-l'œil très pompier représente la fuite et la rencontre au loin d'un ciel sans nuages et d'une plaine dénudée.

Enterrée jusqu'au dessus de la taille dans le mamelon, au centre précis de celui-ci, Winnie.

Beckett, *Oh les beaux jours*, © Éditions de Minuit 1963

1. Ces didascalies vous semblent-elles précises ?
2. Le décor est-il réaliste ou symbolique ? Justifiez votre réponse
3. Le metteur en scène Bob Wilson a-t-il été fidèle à ces indications scéniques ? (image) Justifiez.

Oh les beaux jours, mise en scène de Bob Wilson, Théâtre de l'Athénée (2010), Luciano Romano

4 Réfléchir à la mise en scène d'un dénouement à partir d'une didascalie

L'extrait suivant constitue la didascalie finale de la pièce.

Disparition soudaine de la reine Marguerite par la droite.

Le Roi est assis sur son trône. On aura vu, pendant cette dernière scène, disparaître progressivement les portes, les fenêtres, les murs de la salle du trône. Ce jeu de décor est très important.

Maintenant, il n'y a plus rien sur le plateau sauf le Roi sur son trône dans une lumière grise. Puis le Roi et son trône disparaissent également.

Enfin, il n'y a plus que cette lumière grise.

La disparition des fenêtres, portes, murs, Roi et trône doit se faire lentement, progressivement, très nettement. Le Roi assis sur son trône doit rester visible quelque temps avant de sombrer dans une sorte de brume.

Ionesco, *Le Roi se meurt*, 1962, © Éditions Gallimard 1963

1. Pourquoi le dramaturge a-t-il choisi de terminer sa pièce par une longue didascalie ?
2. Dans quelle mesure ce dénouement illustre-t-il le titre de la pièce ?

5 Analyser un choix de mise en scène

1 Je possède une pièce, comme un joueur d'échecs son damier, j'ai présentes à l'esprit les positions successives que les pions (ce sont mes personnages) y ont occupées. En d'autres termes, je me rends compte de 5 leurs évolutions simultanées et successives. Elles se ramènent à un certain nombre de mouvements. Et vous n'ignorez pas que le mouvement est la condition essentielle du théâtre et par suite (je puis le dire sans immodestie après tant de maîtres qui l'ont proclamé) 10 le principal don du dramaturge.

Quel défi en effet, ce théâtre à la fois si singulier et si parfait ! Oui, ce qui est renversant dans l'écriture de Feydeau, c'est son exactitude. Sur un acte entier de quiproquos, syncopes, aléas et atermoiements aussi 15 affolants qu'imparables, les dialogues comme les situations, jusque dans leurs aspects concrets, nous paraissent toujours ordonnés à la perfection.

Georges Feydeau cité dans le dossier de presse du *Dindon*, mise en scène de Philippe Adrien (2010)

Georges Feydeau, *Le Dindon*, mise en scène de Philippe Adrien au théâtre de la Tempête, 2010.

1. En quel sens peut-on affirmer avec Feydeau que « le mouvement est la condition essentielle du théâtre » ?
2. Pensez-vous que la mise en scène de Philippe Adrien soit fidèle à la conception du théâtre défendue par Feydeau ? Appuyez-vous sur une étude précise du texte et de l'image.

6 Comprendre le parti pris d'un metteur en scène

1 À condition qu'on ne l'ensevelisse pas sous la mise en scène, l'écriture constitue un élément dramatique en soi, c'est-à-dire qu'elle transmet des sensations et crée des images. Lorsqu'on entend un texte, l'esprit 5 génère des flux d'images. La mise en scène doit rester minimaliste pour ne pas formater la vision des spectateurs, et empêcher le libre développement de leur imaginaire à partir de ce qu'ils entendent et voient.

Claude Régy, *Théâtres*, n° 5, octobre-novembre 2002

➜ Quelle est la thèse défendue par Claude Régy ? Partagez-vous son point de vue ? Argumentez.

7 Analyser le discours d'un dramaturge

Dans ce préambule, Jean Genet consigne une série d'impératifs à l'attention des metteurs en scène qui souhaiteraient adapter son texte.

1 Le plateau tournant – Paris – était une sottise : je veux que les tableaux se succèdent, que les décors se déplacent de gauche à droite, comme s'ils allaient s'emboîter les uns dans les autres, sous les yeux du 5 spectateur. Mon intention est pourtant claire.

[...] Contrairement à ce qui a été fait à Paris, les Trois Figures (Évêque, Juge, Général) seront revêtues des uniformes, ou habits en usage dans le pays où se joue la pièce. En France, il fallait un juge rappelant ceux 10 de nos Cours d'assises et non un juge emperruqué ; il fallait un Général au képi étoilé ou cerclé de feuilles de chênes et pas une espèce de Lord Amiral. Que les costumes soient expressifs mais non méconnaissables.

Jean Genet, « Comment jouer "Le Balcon" », © Éd. Gallimard 1968

1. Que reproche Jean Genet aux metteurs en scène qui ont représenté sa pièce ?
2. Trouvez-vous que ses arguments sont valables ? Argumentez.

8 Étudier le travail de l'acteur

1 J'ai plutôt l'impression que jouer un rôle ressemble à une traversée linéaire, purement quantitative, de l'œuvre, comme on visite, en touriste, un château ou un musée. La répétition, au contraire, me donne la 5 satisfaction d'une plongée dans l'œuvre : par l'idée même de répétition ; par le travail poussé jusqu'à l'ingratitude ; par les conversations, les commentaires, les idées folles qui traversent les esprits ; les silences, l'hébétude, l'incertitude qui s'ensuivent, le vide absolu 10 dans lequel nous tombons souvent, où nous recommençons l'ampleur de notre tâche ; par les sursauts furieux qui donnent la clef, au moment où nous ne l'attendions plus. Malgré ce temps de recherche passionnée, la représentation ne garde plus trace de ces émois 15 intellectuels. Ceux-là sont peut-être si profondément incorporés qu'ils n'affleurent plus à la conscience. Il faut entrer, agir, sortir. Cela va si vite. Les pensées, les idées, sont devenues des effets.

Denis Podalydès, *Scène de la vie d'acteur*, © Seuil/Archimbaud 2006

1. En quoi consiste le travail de l'acteur pour Denis Podalydès ? Justifiez votre réponse par une étude lexicale précise.
2. Dégagez les étapes nécessaires à l'acquisition d'un rôle selon Denis Podalydès.

Fiche 24

La versification du XVIe siècle à nos jours

1 Poésie et vers

Le langage poétique se caractérise par sa volonté d'expressivité, il cherche à créer une relation entre le son et le sens.

➡ **Les poèmes en vers s'identifient à première vue par leur disposition graphique.** Les poèmes en prose n'ont pas recours à la forme versifiée, mais sollicitent la langue de la même manière que les poèmes versifiés.

➡ Le vers est également employé par les auteurs de théâtre de l'époque classique et de l'époque romantique. Certains des éléments présents dans cette fiche peuvent s'appliquer à l'étude de textes théâtraux.

➡ **Une strophe est une unité de sens** qui regroupe plusieurs vers, souvent liés par des rimes. Les strophes sont séparées par un espace sur la page. Un sizain comporte 6 vers, un quatrain 4, un tercet 3, un distique 2.

➡ Des pauses appelées **coupes** donnent leur **rythme** au vers. Leur but est de mettre en valeur un mot ou un son, de produire des effets de rythme et de provoquer une émotion chez le lecteur. La césure* est la coupe la plus forte du vers, elle sépare le vers de douze syllabes appelé alexandrin en deux hémistiches* distincts.

Ex :
« J'aime la fleur de mars, j'aime la belle rose » (Ronsard)
« Avant donc que d'écrire, apprenez à penser » (Boileau)
{ 6 } { 6 }

Dans le décasyllabe, la césure se trouve, le plus souvent, après la quatrième syllabe.

Ex :
« Ô beaux yeux bruns, ô regards détournés » (L. Labé)
{ 4 } { 6 }

2 Variété et diversité du vers

➡ Le vers français se mesure en syllabes. **Le mètre*** d'un vers est le nombre de syllabes prononcées dans celui-ci.

Les vers les plus fréquemment utilisés sont l'alexandrin (12 syllabes), le décasyllabe (10), l'octosyllabe (8). Les vers impairs moins fréquents sont appelés hendécasyllabe (11 syllabes), et heptasyllabe (7).

➡ **Le « e muet »** ne se prononce pas en fin de vers. À l'intérieur du vers, il peut être prononcé lorsqu'il est suivi d'une consonne.

Ex :
« La fem[me est] au logis, cousant les vieilles toiles » (Hugo)
1 2 3 4 5 6 7 8 9 10 11 12

➡ **La diérèse*** consiste à séparer une syllabe comportant deux sons vocaliques en deux syllabes distinctes. Elle crée une insistance sur le mot ainsi allongé. L'inverse de la diérèse est appelé **synérèse** et correspond le plus souvent à la prononciation habituelle du mot.

Ex : *« C'était l'heure tranquille où les li-ons vont boire. »* (Hugo)
La diérèse permet de mettre un mot en relief et de souligner un effet de sens.

➡ **Le poème en prose** peut comporter des effets métriques : on reconnaît alors, au sein d'une phrase ou d'une partie de phrase, un rythme traditionnellement associé au vers.

Ex : *« Un soir, j'ai assis la Beauté sur mes genoux. – Et je l'ai trouvée amère. – Et je l'ai injuriée. »* (Rimbaud)

3 Musicalité du vers

➡ À l'origine, la poésie est destinée à être chantée, elle se caractérise donc par une attention particulière donnée **au rythme et au son**.

➡ Les sons et leur répétition forment un élément essentiel de la musicalité d'un poème. Ces sons répétés en fin de vers constituent la rime.

- Les rimes **féminines** se terminent par un « e » muet, les rimes **masculines** constituent toutes les autres rimes.
- Une rime est dite **riche** lorsqu'elle comporte trois ou plus de trois sons communs ; **suffisante** pour deux sons communs ; **pauvre**, lorsque les deux mots n'ont qu'un son commun.

Ex : *venir/souvenir (riche) ; flamme/femme (suffisante) ; sourit/finit (pauvre)*

- La musicalité du poème est produite par la répétition de sons internes au vers ou au poème. On parle alors d'assonances (pour les sons vocaliques) ou d'allitérations (pour les sons consonantiques).

Ex : *« - Qu'il était bleu, le ciel, et grand l'espoir !*
- L'espoir a fui vaincu vers le ciel noir. » (Verlaine)

Exercices

Objet d'étude : Écriture poétique et quête du sens, du Moyen Âge à nos jours

1 Identifier un mètre et ses effets

Texte A :

1 Déjà la nuit en son parc amassait
Un grand troupeau d'étoiles vagabondes,
Et pour entrer aux cavernes profondes,
Fuyant le jour, ses noirs chevaux chassaient,

Joachim du Bellay, *Sonnets*, 1549-1550, « L'olive »

Texte B :

1 Les lions dans la fosse étaient sans nourriture.
Captifs ils rugissaient vers la grande nature
Qui prend soin de la brute au fond des antres sourds.
Les lions n'avaient pas mangé depuis trois jours.

Victor Hugo, *La Légende des siècles*,1859, « Les lions »

1. Identifiez les divers types de strophe et de vers pour chacun de ces extraits de poème.
2. En quoi le changement de mètre entre-t-il en résonance avec ce qui est décrit ?

2 Identifier l'effet du mètre et des sonorités.

Texte A :

1 Mignonne, allons voir si la rose
Qui ce matin avait déclose
Sa robe de pourpre au soleil,
A point perdu cette vesprée
5 Les plis de sa robe pourprée,
Et son teint au vôtre pareil

Pierre de Ronsard, *Sonnets pour Hélène*, 1578

Texte B :

1 Oh ! Que j'aime la solitude !
Que ces lieux sacrés à la nuit,
Éloignés du monde et du bruit,
Plaisent à mon inquiétude !
5 Mon Dieu ! que mes yeux sont contents
De voir ses bois qui se trouvèrent
À la nativité du temps,
Et que tous les siècles révèrent,
Être encore aussi beaux et verts,
10 Qu'aux premiers jours de l'univers !

Saint-Amant, « La Solitude », 1624

Pour chacun des deux extraits, vous répondrez aux questions suivantes :
1. Comment appelle-t-on ce type de strophe ? Quel en est le mètre ?
2. Quelles sonorités dominent cette strophe ? Quelles sont les rimes ? Quels mots vous paraissent en conséquence importants ?

3 Décrire en poésie : comparer deux extraits de poème

Texte A :

« Mes deux filles »

1 Dans le frais clair-obscur du soir charmant qui tombe,
L'une pareille au cygne et l'autre à la colombe,
Belles, et toutes deux joyeuses, ô douceur !
Voyez la grande sœur et la petite sœur
5 Sont assises au seuil du jardin, et sur elles
Un bouquet d'œillets blancs aux longues tiges frêles,
Dans une urne de marbre agitée par le vent,
Se penche, et les regarde, immobile et vivant,
Et frissonne dans l'ombre, et semble, au bord du vase,
10 Un vol de papillons arrêtés dans l'extase

Victor Hugo, *Les Contemplations*, 1856, « Mes deux filles »

Texte B :

« L'île »

1 Sur l'étang du château
reste une île
où se tiennent les vieux cygnes
elle n'est utile qu'à leur repos
5 nulle femme ne s'y cache plus
ni par amour ni par calcul
la pâquerette y sort de terre
et la lenteur s'y résume.

Jean Follain, *Exister*, « L'île », © Éd. Gallimard 1947

1. Quels sont les éléments qui vous permettent d'identifier ces deux textes comme des poèmes ? Qu'ont-ils de commun ? Quels sont ceux qui les opposent ?
2. Quelle est l'impression qui domine à la lecture de chacun de ces textes ?
3. Après avoir lu ces deux poèmes à haute voix, vous identifierez celui qui vous paraît le plus aisé à lire et expliquerez pourquoi.

4 Analyser la musicalité d'un poème

1 En m'ébattant je fais rondeaux en rime,
Et en rimant bien souvent je m'enrime :
Bref, c'est pitié d'entre vous Rimailleurs,
Car vous trouvez assez de rimes ailleurs,
5 Et quand vous plaît, mieux que moi, rimassez,
Des biens avez, et de la rime assez.
Mais moi à tout ma rime, et ma rimaille
Je ne soutiens, dont je suis marri, m'aille.

Clément Marot, *L'Adolescence clémentine*, 1532, « Petite Épître au roi »

1. Quelles remarques pouvez-vous faire au sujet de ce poème : mètre, rime, répétition de vers et de sons ?
2. Quels éléments donnent sa musicalité au poème ?
3. Comment reliez-vous la forme et son sujet ?

Fiche 25

Les formes poétiques du XVIe siècle à nos jours

1 Le sonnet : une forme poétique héritée du XVIe siècle

➠ Au XVIe siècle, **le sonnet**, dont la forme a été inventée par l'Italien Pétrarque, se développe et devient la forme reine chez les poètes de la Pléiade tels que Ronsard ou Du Bellay. Il se compose de deux quatrains suivis d'un sizain souvent visuellement divisé en deux tercets. Les rimes se distribuent suivant une organisation fixe. **Le sonnet régulier** est formé de deux quatrains à rimes embrassées suivis de tercets composés de 2 rimes plates puis de 4 rimes embrassées, c'est-à-dire : abba/abba/ccd/eed/ ou bien e/d/e pour le dernier tercet.

➠ Le sonnet permet grâce à son organisation particulière le développement d'une idée ou d'une description.

Ex :

Tant que mes yeux pourront larmes épandre a
À l'heur passé avec toi regretter, b
Et qu'aux sanglots et soupirs résister b
Pourra ma voix, et un peu faire entendre ; a

Tant que ma main pourra les cordes tendre a
Du mignard luth, pour tes grâces chanter ; b
Tant que l'esprit se voudra contenter b
De ne vouloir rien fors que toi comprendre, a

Je ne souhaite encore point mourir. c
Mais, quand mes yeux je sentirai tarir, c
Ma voix cassée, et ma main impuissante d

Et mon esprit en ce mortel séjour e
Ne pouvant plus montrer signe d'amante, d
Prierai la mort noircir mon plus clair jour. e

Louise Labé, *Sonnets*, 1555

Dans ce sonnet, les premiers quatrains ont une unité sémantique : la relation amoureuse maintenue vivace par le sentiment et ses manifestations. Les deux tercets qui suivent, développent les mêmes motifs mais dans une perspective opposée, celle de la mort.

➠ Le sonnet permet de traiter une multitude de thèmes sur des registres extrêmement variés : lyrique, élégiaque, satirique. Il se termine par une chute appelée **pointe***.

➠ Au XVIIe et au XVIIIe siècle, le sonnet devient une forme mineure, puis il réapparaît au XIXe siècle chez Baudelaire notamment, dans son recueil *Les Fleurs du mal*.

2 Variété des formes fixes

Des formes poétiques fixes héritées du Moyen Âge se retrouvent à travers les siècles du XVIe siècle jusqu'à l'époque contemporaine.

On peut ainsi distinguer :

➠ **Des poèmes à forme fixe identifiés par leur structure prosodique**

Ces formes ont pour caractéristique de contenir un refrain, c'est-à-dire la répétition d'un même vers ou d'un même groupe de vers. La musicalité du poème se trouve renforcée par sa structure.

• **La ballade*** se compose d'une série de strophes terminées par un vers identique qui constitue le refrain.
• **La chanson*** contient une série de vers identiques qui se place soit à la fin des strophes, soit de manière séparée.
• **Le rondeau*** se caractérise également par la présence d'un refrain repris d'une strophe à l'autre.
• **Le pantoum*** est un poème fait de quatre quatrains. Le 2e et le 4e vers sont repris par le 1er et le 3e vers de la strophe suivante.

Ex : *« Voici venir les temps où vibrant sur sa tige*
Chaque fleur s'évapore ainsi qu'un encensoir ;
Les sons et les parfums tournent dans l'air du soir ;
Valse mélancolique et langoureux vertige !

Chaque fleur s'évapore ainsi qu'un encensoir ;
Le violon frémit comme un cœur qu'on afflige ;
Valse mélancolique et langoureux vertige !
Le ciel est triste et beau comme un grand reposoir. »
(Charles Baudelaire, Les Fleurs du mal, *1857,*
« Harmonie du soir »)

La réapparition des mêmes vers, caractéristique du pantoum, ajoute à la musicalité du poème. Se crée alors un effet de refrain. Plus encore, le déplacement de la répétition à chaque strophe conduit à l'effet de « vertige » décrit par le poème. Forme et sens sont liés.

➠ **Les poèmes à forme fixe identifiés par leur thème ou leur registre**

• **L'épopée***, forme dont l'origine est antique, a pour thème les exploits d'un héros dont elle relate les actions glorieuses. Elle permet fréquemment de définir les valeurs sur lesquelles une société se construit : bravoure, respect de la patrie, valeurs familiales, croyances religieuses.

• **L'épigramme*** est une forme très courte et se caractérise par **son registre satirique**.
• **Le madrigal*** est un poème également très court à **registre lyrique** destiné à complimenter une personne.
• **L'ode*** se définit moins par sa forme même que par son sujet : il s'agit de célébrer une personne, une idée, identifiée comme sacrée ou héroïque.

> Ex : *« Ta pensée a franchi l'espace,*
> *Tes calculs précèdent les temps,*
> *La foudre cède à ton audace,*
> *Les cieux roulent tes chars flottants ; [...] »*
> *(Alphonse de Lamartine, « Ode »)*

Le XVIIe siècle voit l'avènement du poète au service d'un mécène, et notamment du roi. L'ode, forme qui permet de célébrer son sujet, est une forme reprise par nombre d'écrivains tels que Malherbe. Au XIXe siècle, en référence cette fois aux modèles antiques, ce type de poème se retrouve chez un poète comme Victor Hugo dans le recueil *Odes et ballades*.
• **Le blason**, de la même façon, se définit davantage par son contenu que par sa forme : il loue ou dénigre la femme aimée, le plus souvent en prenant pour sujet des parties de son corps.
• **La fable** est un récit bref qui débute ou se conclut par une morale. Les personnages des fables sont fréquemment des animaux, ce qui permet une critique détournée des contemporains visés.
La poésie du XVIIe siècle s'illustre en particulier dans les *Fables choisies et mises en vers* de La Fontaine. Celui-ci emprunte fréquemment son sujet aux poètes antiques tels que Phèdre ou Ésope et se livre à un travail de moraliste.

➽ **Les formes jouant avec la matérialité des mots**
• **L'acrostiche*** est un poème où chaque première lettre de chaque vers compose un mot qui peut être un prénom, celui de la femme aimée, ou le thème même du poème.
• **Le calligramme** est un poème dont la représentation graphique sur la page reproduit un objet ou une image, sujet du poème lui-même.
Si Apollinaire demeure la figure emblématique de cette forme de poésie, elle ne date pas du XXe siècle. On la trouve en effet chez des auteurs du XVIe siècle tels que Charles-François Panard.

➽ **À toutes les époques coexistent néanmoins de nombreuses formes poétiques fixes.** Le choix de la forme au fil des siècles tisse un réseau de références intertextuelles dont les poètes sont conscients et avec lesquelles ils jouent. Ainsi, certaines formes sont revisitées et réinterprétées par le jeu de l'intertextualité.
Les poètes romantiques tels que Vigny, Lamartine ou Musset choisissent fréquemment des formes longues qui s'accordent avec le registre lyrique* voire élégiaque* de leurs œuvres.

3 Vers une forme poétique libre

➽ Au XIXe siècle, les formes poétiques fixes sont de plus en plus **ressenties comme un carcan** dont les poètes souhaitent se libérer.
La strophe n'apparaît plus de manière systématique.
L'absence de métrique régulière ne permet plus d'identifier des formes de vers fixes.
La rime est parfois absente du poème.

➽ Le poème peut également se construire en écart par rapport à la norme que représente le sonnet.

> Ex : *« L'espace ?*
> *- Mon cœur*
> *Y meurt*
> *Sans trace... » (Jules Laforgue, 1888)*

Dans ce début de poème, la forme en quatrain ainsi que l'alternance de rimes typiques du sonnet sont conservées. En revanche, la brièveté des vers montre une distance ironique vis-à-vis de la forme canonique.

➽ Le poème en prose se construit sur le refus des contraintes imposées par la forme fixe. Néanmoins, le travail sur le rythme, les sonorités, la relation entre le son et le sens continue de caractériser l'œuvre poétique.

> Ex : *« Sur le petit lac immobile, noir de son immense profondeur, passait quelquefois l'ombre d'un nuage, comme le reflet du manteau d'un géant aérien volant à travers le ciel. Et je me souviens que cette sensation solennelle et rare, causée par un grand mouvement parfaitement silencieux, me remplissait d'une joie mêlée de peur. » (Baudelaire, « Le gâteau »)*

Le travail poétique est sensible dans la phrase où les groupes rythmiques s'allongent alors que se développe l'image inquiétante. Le jeu sur les sons, présent avec les allitérations en **[m]** et **[n]** crée un système d'écho. Enfin, on note la présence d'une comparaison et de l'expression d'une sensation qui renvoient toutes deux au monde imaginaire enfantin, objet du poème.

Exercices

Objet d'étude : Écriture poétique et quête du sens, du Moyen Âge à nos jours

1 Identifier les caractéristiques d'un sonnet

1 J'ai longtemps habité sous de vastes portiques
Que les soleils marins teignaient de mille feux,
Et que leurs grands piliers, droits et majestueux,
Rendaient pareils, le soir, aux grottes basaltiques.

5 Les houles, en roulant les images des cieux,
Mêlaient d'une façon solennelle et mystique
Les tout-puissants accords de leur riche musique
Aux couleurs du couchant reflété par mes yeux.

C'est là que j'ai vécu dans les voluptés calmes,
10 Au milieu de l'azur, des vagues, des splendeurs
Et des esclaves nus, tout imprégnés d'odeurs,

Qui me rafraîchissaient le front avec des palmes
Et dont l'unique soin était d'approfondir
Le secret douloureux qui me faisait languir.

Charles Baudelaire, *Les Fleurs du mal*, 1857, « La vie antérieure»

1. Quel est le thème traité dans ce sonnet ?
2. Comment le poème est-il organisé ? Quelle relation y a-t-il entre la description développée dans les quatrains et celle poursuivie dans les tercets ?
3. Identifiez les caractéristiques prosodiques de ce sonnet : strophes, type de vers, rimes. Comment la prosodie sert-elle le sens du poème ?
4. Quelle est la chute dans ce sonnet ? En quoi cette fin éclaire-t-elle le sens du poème ?

2 Comprendre le choix d'une forme fixe

1 Dedans Paris, ville jolie,
Un jour, passant mélancolie,
Je pris alliance nouvelle
À la plus gaie demoiselle
5 Qui soit d'ici en Italie.

D'honnêteté elle est saisie,
Et crois (selon ma fantaisie)
Qu'il n'en est guère de plus belle
Dedans Paris.

10 Je ne la vous nommerai mie,
Sinon que c'est ma grande amie ;
Car l'alliance se fit telle
Par un doux baiser que j'eus d'elle,
Sans penser aucune infamie,
15 Dedans Paris.

Clément Marot, *L'Adolescence clémentine*, 1532.

1. Que remarquez-vous à la lecture de ce poème : répétitions, type de vers, rythme ? Quelle en est la conséquence sur le registre du poème ?
2. À quelle forme poétique correspond-il ? Justifiez votre réponse.
3. En quoi la forme choisie s'accorde-t-elle au sujet développé dans ces vers ?

3 Repérer les caractéristiques d'une forme fixe

1 Bouche vermeille au doux sourire,
Bouche au parler délicieux.
Bouche qu'on ne saurait décrire,
Bouche d'un tour si gracieux.

5 Bouche que tout le monde admire,
Bouche qui n'est que pour les Dieux,
Bouche qui dit ce qu'il faut dire,
Bouche qui dit moins que les yeux.

Bouche d'une si douce haleine,
10 Bouche de perles toute pleine.
Bouche enfin sans tant biaiser,

Bouche la merveille des bouches,
Bouche à donner de l'âme aux souches,
Bouche, le dirai-je, à baiser.

Isaac de Benserade (1613-1691), « Éloge de la bouche »

1. Justifiez le titre du poème.
2. Déterminez les caractéristiques formelles et thématiques de ce poème. À quelle forme fixe correspond-il ?
3. Quel est l'effet produit par le dernier vers ?

4 Identifier une forme poétique fixe et ses effets

Texte A : *Alfred de Musset à George Sand*

1 Quand je mets à vos pieds un éternel hommage,
Voulez-vous qu'un instant je change de visage ?
Vous avez capturé les sentiments d'un cœur
Que pour vous adorer forma le créateur
5 Je vous chéris, amour, et ma plume en délire
Couche sur le papier ce que je n'ose dire.
Avec soin de mes vers lisez les premiers mots,
Vous saurez quel remède apporter à mes maux.

Texte B : *George Sand : réponse à Alfred de Musset*

Cette insigne faveur que votre cœur réclame
Nuit à ma renommée et répugne mon âme

1. Lisez attentivement le premier texte : dans quel vers Musset donne-t-il la clé pour comprendre le poème qu'il adresse à George Sand ?
2. À quel type de forme fixe associez-vous donc ces deux textes ?
3. Quel est apparemment le registre des deux poèmes ? Comment qualifieriez-vous le message « caché » de Musset, de George Sand ?
4. Quel est l'effet ainsi produit ?

5 Repérer le registre dans une forme fixe

1 Trois petits pâtés, ma chemise brûle.
Monsieur le Curé n'aime pas les os.
Ma cousine est blonde, elle a nom Ursule,
Que n'émigrons-nous vers les Palaiseaux !

5 Ma cousine est blonde, elle a nom Ursule,
On dirait d'un cher glaïeul sur les eaux.
Vivent le muguet et la campanule !
Dodo, l'enfant do, chantez, doux fuseaux.

Que n'émigrons-nous vers les Palaiseaux !
10 Trois petits pâtés, un point et virgule ;
On dirait d'un cher glaïeul sur les eaux.
Vivent le muguet et la campanule !

Trois petits pâtés, un point et virgule ;
Dodo, l'enfant do, chantez, doux fuseaux.
15 La libellule erre parmi les roseaux.
Monsieur le Curé, ma chemise brûle !

Paul Verlaine, *Jadis et naguère,* 1881, « Pantoum négligé »

1. Identifiez les caractéristiques de ce pantoum. Quel est l'effet produit ?
2. Quel est le registre du texte ? Relevez des expressions et des vers à l'appui de votre réponse.
3. À votre avis, pourquoi Verlaine l'a-t-il intitulé « Pantoum négligé » ?

6 Identifier une forme fixe

1 Le temps a laissé son manteau
De vent, de froidure et de pluie,
Et s'est vêtu de broderie,
De soleil luisant, clair et beau.

5 Il n'y a bête ni oiseau
Qu'en son jargon ne chante ou crie :
Le temps a laissé son manteau
De vent, de froidure et de pluie.

Charles d'Orléans, *Ballades*, 1465

1. Où se situent les répétitions (vers, mots, sons) dans ces deux strophes ?
2. Comment son et sens sont-ils liés dans cet extrait ? Quel est le registre de ce poème ?

7 Comparer deux madrigaux

Texte A :

1 Ce ruisseau sous tes pas cache au sein de la terre
Son cours silencieux et ses flots oubliés :
Que ma vie inconnue, obscure et solitaire
Ainsi passe à tes pieds :
5 Aux portes du couchant le ciel se décolore,
Le jour n'éclaire plus notre aimable entretien ;
Mais est-il un sourire aux lèvres de l'Aurore
Plus charmant que le tien ?

François René de Chateaubriand, *Poésies diverses*, 1797, extrait de « Clarisse »

Texte B :

1 Que m'importe que tu sois sage ?
Sois belle ! et sois triste ! Les pleurs
Ajoutent un charme au visage,
Comme le fleuve au paysage ;
5 L'orage rajeunit les fleurs.

Je t'aime surtout quand la joie
S'enfuit de ton front terrassé ;
Quand ton cœur dans l'horreur se noie ;
Quand sur ton présent se déploie
10 Le nuage affreux du passé.

Charles Baudelaire, *Les Fleurs du Mal,* 1857, extrait de « Madrigal triste »

1. Quels sont les points communs entre ces deux poèmes ?
2. Quelles différences remarquez-vous dans le traitement du thème ?
3. Comment peut-on justifier le titre de « Madrigal triste » ? À quelle figure de style associez-vous ce titre ?

8 Analyser une forme poétique

1 [...] Un soir je descendis dans une auberge triste
Auprès du Luxembourg
Dans le fond de la salle s'envolait un Christ
Quelqu'un avait un furet
5 Un autre un hérisson
L'on jouait aux cartes
Et toi tu m'avais oublié [...]

Guillaume Apollinaire, *Alcools*, 1913, « Le voyageur »,

1. Quel est le sujet du poème ? Quel en est le registre ?
2. Quels éléments de prosodie traditionnelle n'apparaissent plus dans ce poème ?
3. Quels sont les indices qui permettent d'identifier qu'il s'agit cependant d'une forme poétique ?

9 Identifier les effets du jeu avec les mots

1 Y en a qui maigricent sulla terre
Du vente du coq-six ou des jnous
Y en a qui maigricent le caractère
Y en a qui maigricent pas du tout
5 Oui mais
Moi jmégris du bout des douas
Oui du bout des douas Oui du bout des douas
Moi jmégris du bout des douas
Seskilya dplus distinglé

Raymond Queneau, *L'Instant fatal,*, « Maigrir I »

1. Comment ce poème joue-t-il avec le thème annoncé dans le titre ?
2. Quels jeux sur les mots pouvez-vous observer ?
3. Quel est le registre de ce poème ?

Fiche 26

Poèmes en prose et prose poétique

1 Le poème en prose

➽ **L'origine** du poème en prose est fréquemment associée au nom d'Aloysius Bertrand avec son recueil *Gaspard de la Nuit* publié en 1842. Baudelaire est cependant celui qui développe cette forme dans *Le Spleen de Paris*, il y voit une forme « assez souple et assez heurtée pour s'adapter aux mouvements lyriques de l'âme, aux ondulations de la rêverie, aux soubresauts de la conscience » (Préface du *Spleen de Paris, 1869*).
Ce nouvel art poétique se fonde d'abord sur **un refus de la contrainte** imposée par le vers et les formes de poésie fixes qui lui sont associées (voir fiche précédente). La frontière entre prose et poésie se trouve alors remise en question. Mallarmé, Claudel, Ponge sont des figures emblématiques de cette nouvelle poétique.

➽ **Forme**

Le poème en prose est une **forme close**, il se suffit à lui-même. Il peut être de longueur diverse mais sa caractéristique essentielle est de se présenter comme un texte ayant une cohérence interne. Comme dans tout poème, le jeu sur les sonorités, le rythme, les images y sont prépondérants.

➽ **Visée**

La fonction de la poésie (questionner le langage, comprendre la relation entre les mots et les choses, expérimenter d'autres modes de représentation) demeure fondamentale dans le poème en prose aussi bien que dans les autres formes poétiques.

> Ex : *« Le soleil accable la ville de sa lumière droite et terrible ; le sable est éblouissant et la mer miroite. Le monde stupéfié s'affaisse lâchement et fait la sieste, une sieste qui est une espèce de mort savoureuse, où le dormeur, à demi-éveillé, goûte les voluptés de son anéantissement. » (Baudelaire,* Le Spleen de Paris, *1869, « La Belle Dorothée »)*

Cet extrait de poème s'élabore autour d'une personnification des éléments naturels : le soleil « accable », le monde est « stupéfié », et « s'affaisse lâchement ». L'espace, grâce à ces **images**, semble donc animé. Le travail sur le **rythme** se fait sentir avec la phrase « le sable est éblouissant et la mer miroite ». Enfin les **échos sonores** entre « affaisse » et « fait », les **allitérations** et **assonances** qui lient les mots « mort », « savoureuse » et « dormeur » rendent compte d'un travail spécifiquement poétique sur le matériau sonore.

2 La prose poétique

➽ **La prose poétique ne correspond pas à une époque littéraire particulière.** Elle existe à tous les siècles, du XVIe à l'époque contemporaine. La prose poétique n'est donc pas liée à un genre particulier comme l'est le poème en prose.

➽ **Forme**

Elle s'identifie au sein d'œuvres aussi diverses que des romans, des pièces de théâtre ou des œuvres plus philosophiques. Elle est perceptible à certains moments particuliers d'un texte où l'attention de l'auteur au langage est sensible mais s'intègre à un ensemble plus vaste.
Un passage de prose poétique s'identifie néanmoins grâce aux **mêmes procédés stylistiques qu'un poème en prose :** images, comparaisons, jeu sur le rythme de la phrase, échos sonores.

➽ **Visée**

Ce sont souvent des descriptions ou l'expression de sentiments liés à un registre lyrique du passage qui donnent lieu à des moments de « prose poétique ». Il s'agit fréquemment d'émouvoir le lecteur, ou de traduire un élan lyrique qui concerne aussi bien un paysage, qu'une émotion ou une idée.

> Ex : *« Et l'atelier d'Elstir m'apparut comme le laboratoire d'une sorte de nouvelle création du monde, où, du chaos que sont toutes choses que nous voyons, il avait tiré, en les peignant sur divers rectangles de toile qui étaient posés dans tous les sens, ici une vague de la mer écrasant avec colère sur le sable son écume lilas, là un jeune homme en coutil blanc accoudé sur le pont d'un bateau. Le veston du jeune homme et la vague éclaboussante avaient repris une dignité nouvelle du fait qu'ils continuaient à être, encore que dépourvus de ce en quoi ils passaient pour consister, la vague ne pouvant plus mouiller, ni le veston habiller personne. »*
> *(Proust,* À la Recherche du temps perdu, *1913-1927)*

La vision de l'atelier d'Elstir, peintre, donne lieu à une description particulièrement évocatrice où se combinent personnifications et images inattendues (« la vague écrasant avec colère son écume lilas »). Ce passage permet également au narrateur une réflexion sur la peinture et les effets de la représentation.

Exercices

Objet d'étude : Écriture poétique et quête du sens, du Moyen Âge à nos jours

1 Identifier un poème en prose

1 Et pendant que ruisselle la pluie, les petits charbonniers de la Forêt-Noire entendent, de leur lit de fougère parfumée, hurler au dehors la bise comme un loup.

Ils plaignent la biche fugitive que relancent les fan-
5 fares de l'orage, et l'écureuil tapi au creux d'un chêne, qui s'épouvante de l'éclair comme de la lampe du chasseur des mines.

Ils plaignent la famille des oiseaux, la bergeronnette qui n'a que son aile pour abriter sa couvée, et le rouge-
10 gorge dont la rose, ses amours, s'effeuille au vent.

Ils plaignent jusqu'au ver luisant qu'une goutte de pluie précipite dans des océans d'un rameau de mousse.

Ils plaignent le pèlerin attardé qui rencontre le roi
15 Pialus et la reine Wilberta, car c'est l'heure où le roi mène boire son palefroi de vapeurs au Rhin.

Mais ils plaignent surtout les enfants fourvoyés qui se seraient engagés dans l'étroit sentier frayé par une troupe de voleurs, ou qui se dirigeraient vers la lu-
20 mière lointaine de l'ogresse. Et le lendemain, au point du jour, les petits charbonniers trouvèrent leur cabane de ramée, d'où ils pipaient les grives, couchée sur le gazon et leurs gluaux noyés dans la fontaine.

Aloysius Bertrand, *Gaspard de la nuit*, 1842, « La pluie »

1. Qui sont les personnages mis en scène dans ce poème ?
2. Quels indices vous permettent d'identifier ce texte comme un poème : mise en page, figures de répétitions ?
3. En quoi la dernière phrase apparaît-elle comme une clôture ?

2 Comprendre l'importance des images et de la syntaxe dans le travail poétique.

1 Volet plein qui bat le mur, c'est un drôle d'oiseau qu'un volet. Qui ne s'envole mie. Et se désarticule-t-il ? Non. Il s'articule. Et crie. Par les gonds de son aile unique rectangulaire. Et s'assomme comme un battoir
5 sur le mur.

Un drôle d'oiseau cloué. Cloué par son profil, ce qui est plus cruel ou qui sait ? Car il peut battre de l'aile. Et s'assommer à sa guise contre le mur. Faisant retentir l'air de ses cris et de ses coups de battoir.

10 Vlan, deux fois.

Mais quand il nous a assez fatigués, on le cloue alors grand ouvert ou tout à fait fermé. Alors s'établit le silence, et la bataille est finie : je ne vois plus rien à en dire. [...]

Francis Ponge, *Pièces*, « Le volet suivi de sa scholie », © Éd. Gallimard 1962.

1. Sur quelle image poétique se développe ce poème ? S'agit-il d'une métaphore ou d'une comparaison ? Expliquez votre réponse.
2. Quelles sont les qualités de l'objet qui motivent la description ? Quelles sont les sensations convoquées par le poète ? Justifiez vos réponses par des relevés précis.
3. Comment comprenez-vous la phrase « Et crie » ?
4. En quoi la dernière phrase du poème peut-elle être identifiée comme une « chute » ?

3 Repérer le jeu sur le langage dans le texte poétique

1 Je peindrai ici l'image du Porc.

C'est une bête solide et tout d'une pièce ; sans jointure et sans cou, ça fonce en avant comme un soc. Cahotant sur ses quatre jambons trapus, c'est une trompe
5 en marche qui quête, et toute odeur qu'il sent, y appliquant son corps de pompe, il l'ingurgite. Que s'il a trouvé le trou qu'il faut, il s'y vautre avec énormité. Ce n'est point le frétillement du canard qui entre à l'eau, ce n'est point l'allégresse sociable du chien ; c'est une
10 jouissance profonde, solitaire, consciente, intégrale. Il renifle, il sirote, il déguste, et l'on ne sait s'il boit ou s'il mange ; tout rond, avec un petit tressaillement, il s'avance et s'enfonce au gras sein de la boue fraîche ; il grogne, il jouit jusque dans le recès de sa triperie,
15 il cligne de l'œil. Amateur profond, bien que l'appareil toujours en action de son odorat ne laisse rien perdre, ses goûts ne vont point aux parfums passagers des fleurs ou de fruits frivoles ; en tout il cherche la nourriture : il l'aime riche, puissante, mûrie, et son
20 instinct l'attache à ces deux choses, fondamental : la terre, l'ordure.

Paul Claudel, *Connaissance de l'Est*, © Mercure de France, 1900, 1907, 1960

1. Quelles sont les caractéristiques de l'animal qui nourrissent la description ?
2. Quelle est la figure de style qui domine dans cet extrait ? Quel est l'effet sur le lecteur ?
3. Pourquoi cette figure paraît-elle particulièrement adaptée au thème du poème ?
4. Peut-on parler de texte poétique ? Justifiez votre réponse.

4 Comprendre la portée symbolique d'une description poétique

1 C'est un autre.

Un marin bègue l'avait donné à une vieille femme qui l'a vendu. Il est sur le palier près de la lucarne, là où s'emmêle au noir la brume sale du jour couleur de
5 venelles.

D'un double cri, la nuit, il te salue, Crusoé, quand remontant des fosses de la cour, tu pousses la porte du couloir et élèves devant toi l'astre précaire de ta lampe. Il tourne sa tête pour tourner son regard. Homme à la
10 lampe que lui veux-tu ? ... Tu regardes l'œil rond sous le pollen gâté de la paupière ; tu regardes le deuxième cercle comme un anneau de sève morte. Et la plume malade trempe dans l'eau de fiente.

Ô Misère ! Souffle ta lampe. L'oiseau pousse son cri.

Saint-John Perse, *Images à Crusoé*, 1911, « Le Perroquet »

1. Quelle est la caractéristique du perroquet ? À quel moment le poème y fait-il référence ?
2. Dans quel cadre l'animal est-il décrit ? Relevez des mots et des expressions à l'appui de votre réponse. Que symbolise-t-il donc ?
3. Relevez les images frappantes qui permettent d'illustrer le propos ?

5 Comprendre l'insertion d'un fragment de prose poétique dans un récit.

Ce pays est au pied du Liban, dont le sommet fend les nues et va toucher les astres. Une glace éternelle couvre son front ; des fleuves pleins de neige tombent, comme des torrents, des pointes des rochers qui environnent sa tête. Au-dessous on voit une vaste forêt de cèdres antiques, qui paraissent aussi vieux que la terre où ils sont plantés et qui portent leurs branches épaisses jusque vers les nues. Cette forêt a sous ses pieds de gras pâturages dans la pente de la montagne. C'est là qu'on voit errer les taureaux qui mugissent, les brebis qui bêlent, avec leurs tendres agneaux qui bondissent sur l'herbe fraîche: là coulent mille divers ruisseaux d'une eau claire, qui distribuent l'eau partout. Enfin on voit au-dessous de ces pâturages le pied de la montagne qui est comme un jardin.

C'est auprès de cette belle côte que s'élève dans la mer l'île où est bâtie la ville de Tyr. Cette grande ville semble nager au-dessus des eaux et être la reine de toute la mer. Les marchands y abordent de toutes les parties du monde, et ses habitants sont eux-mêmes les plus fameux marchands qu'il y ait dans l'univers.

Fénelon, *Les Aventures de Télémaque*, 1699

1. Comment cette description est-elle organisée ?
2. Repérez les figures de style. Quelle est la visée du texte ? Justifiez votre réponse par des relevés précis.
3. Cet extrait fait-il partie d'un poème en prose ou d'un récit ? Expliquez votre réponse.

6 Repérer les indices de poéticité dans une description

Les choses sombres du monde ignoré deviennent voisines de l'homme, soit qu'il y ait communication véritable, soit que les lointains de l'abîme aient un grossissement visionnaire ; il semble que les vivants indistincts de l'espace viennent nous regarder et qu'ils aient une curiosité de nous, les vivants terrestres ; une création fantôme monte ou descend vers nous et nous côtoie dans un crépuscule ; devant notre contemplation spectrale, une vie autre que la nôtre s'agrège et se désagrège, composée de nous-mêmes et d'autre chose ; et le dormeur, pas tout à fait voyant, pas tout à fait inconscient, entrevoit ces animalités étranges, ces végétations extraordinaires, ces lividités terribles ou souriantes, ces larves, ces masques, ces figures, ces hydres, ces confusions, ce clair de lune sans lune, ces obscures décompositions du prodige, ces croissances et ces décroissances dans une épaisseur trouble, ces flottaisons de formes dans les ténèbres, tout ce mystère que nous appelons le songe et qui n'est autre chose que l'approche d'une réalité invisible. Le rêve est l'aquarium de la nuit.

Ainsi songeait Gilliat.

Victor Hugo, *Les Travailleurs de la mer*, 1866

1. Quelle comparaison nourrit cette description ? Quelle est la phrase qui permet de le comprendre clairement ?
2. Quelle image du rêve nous est donnée ? Faites un relevé précis de termes, d'expressions. Que remarquez-vous concernant la construction de la phrase ?
3. Quel est le temps majoritairement utilisé ? À la lumière de la phrase finale, quel est pour vous le sens de cette description dans le récit ?

7 Identifier une description poétique et repérer les images

Je restais maintenant volontiers à table pendant qu'on desservait, et si ce n'était pas un moment où les jeunes filles de la petite bande pouvaient passer, ce n'était plus uniquement du côté de la mer que je regardais. Depuis que j'en avais vu dans des aquarelles d'Elstir[1], je cherchais à retrouver dans la réalité, j'aimais comme quelque chose de poétique, le geste interrompu des couteaux encore de travers, la rondeur bombée d'une serviette défaite où le soleil intercale un morceau de velours jaune, le verre à demi vidé qui montre mieux ainsi le noble évasement de ses formes, et au fond de son vitrage translucide et pareil à une condensation du jour, un reste de vin sombre, mais scintillant de lumières, le déplacement des volumes, la transmutation des liquides par l'éclairage, l'altération des prunes qui passent du vert au bleu et du bleu à l'or dans le compotier déjà à demi dépouillé, la promenade des chaises vieillottes qui deux fois par jour viennent s'installer autour de la nappe dressée sur la table ainsi que sur un autel où sont célébrées les fêtes de la gourmandise, et sur laquelle au fond des huîtres quelques gouttes d'eau lustrale restent comme dans de petits bénitiers de pierre ; j'essayais de trouver la beauté là où je ne m'étais jamais figuré qu'elle fût, dans les choses les plus usuelles, dans la vie profonde des « natures mortes ».

Marcel Proust, *À la recherche du temps perdu*, 1918.

1 Peintre à la mode admiré du narrateur.

1. En lisant à haute voix le texte, évaluez comment la longueur et le rythme de la deuxième phrase participent d'une écriture poétique.
2. Quelle est la figure de style qui domine dans cette deuxième phrase ? Observez la progression du texte. Quels éléments contribuent à un registre lyrique ?
3. Repérez l'image qui se met en place. Comment est-elle mise en place ? Comment est-elle développée ?

Fiche 27

Le langage poétique

Rythmes et images, effets sonores

Créer des images, établir des liens entre les mots et les choses est une des fonctions de la poésie. Il s'agit alors de modifier et de **renouveler notre perception du réel**.

Les figures d'analogie permettent d'associer des éléments de la réalité parfois très éloignés. Le lecteur se réapproprie ces rapprochements et construit, à la lecture, sa propre image.

1 Rythmes

La musicalité d'un poème tient en partie au rythme imprimé à la phrase. Divers éléments permettent de l'apprécier :

➡ **Les accents** à l'intérieur des vers se distribuent de manière diverse suivant la taille du vers. Ils sont fréquemment liés à une pause syntaxique mais ils peuvent aussi se trouver sur un mot de manière inattendue et créer ainsi un effet de surprise.

Ex : *« Icare est chu ici, le jeune audacieux »* (Desportes)
/ 4 //2// 2 // 4 /

Dans ce vers, les syllabes accentuées mettent en valeur « chu » et « ici », faisant du poème le lieu de la chute. De plus, la diérèse « c-i-eux » permet de créer un écho sonore avec le mot « ici » accentué précédemment. L'exemple montre comment accentuation du vers et sonorités contribuent ensemble à créer des effets de sens.

➡ L'organisation du vers entre en concurrence avec la longueur de la phrase. Ainsi, lorsque des mots syntaxiquement liés sont séparés en fin de vers, on parle d'**enjambement, de rejet ou de contre-rejet**.

- L'enjambement consiste à développer une phrase sur plusieurs vers.

Ex : ***« Des crépuscules blancs tiédissent sur mon crâne***
Qu'un cercle de fer serre ainsi qu'un vieux tombeau
Et triste, j'erre après un rêve vague et beau, »
(*Mallarmé*, Poésies, 1887)

« sur mon crâne/Qu'un cercle de fer serre ainsi qu'un vieux tombeau » forme un groupe syntaxique distribué sur deux vers, il y a donc enjambement.

➡ **Le rejet et le contre-rejet** ont tous deux pour effet de mettre en valeur le mot ainsi isolé ou de créer un effet (de lenteur, d'attente, de surprise).

• **Le rejet** consiste à placer un mot appartenant à un groupe syntaxique d'un vers donné au début du vers suivant.

Ex : *« Lors sire Rat va commencer à mordre*
Ce gros lien *: »* (*Marot*, L'Adolescence clémentine, 1532)

• **Le contre-rejet** isole à l'inverse un mot à la fin du premier vers, le groupe syntaxique se développe alors sur le vers suivant.

Ex : *« La pâle nuit revient, ils combattent ;* ***l'aurore***
Reparaît dans les cieux*, ils combattent encore. »*
(*Hugo*, La Légende des siècles, 1859)

Le contre-rejet met en valeur le mot « aurore » qui annonce au sein du poème le début du vers suivant.

2 La comparaison et la métaphore

➡ **La comparaison** est une figure qui fait apparaître de manière explicite les relations entre les termes formant l'image. L'analogie est indiquée par des outils de comparaison qui peuvent être :
- des prépositions et locutions : comme, tel, pareil à...
- des verbes : sembler, ressembler, simuler, être...

Dans une comparaison, on distingue « le comparé », l'outil de comparaison et le « comparant » : ce à quoi l'objet est comparé.

Ex : *« Son regard* (comparé) *est pareil* (outil de comparaison) *au regard des statues »* (comparant)

Le regard de la femme, comparé à une statue, annonce la chute du sonnet : la femme aimée a disparu.

➡ **La métaphore** est une figure dans laquelle on emploie un terme à la place d'un autre afin de créer une image. On ne retrouve plus les structures de la comparaison : ni l'outil de comparaison, ni le comparé. Le lecteur doit alors interpréter cette image dans le contexte du poème.

Ex : *« Le Papillon*
Ce billet doux plié en deux cherche une adresse de fleur » (*Jules Renard*, Histoires naturelles, *1896*)

➡ **Une métaphore ou une comparaison filée** est une analogie qui se poursuit sur plusieurs vers ou phrases :

Ex : *« Voilà la girouette où tournent nos désirs,*
Le sable où nous jetons l'ancre de nos plaisirs,
L'onde où nos bâtissons nos folles espérances,
L'air où nos écrivons l'orgueil de nos puissances. »
(Jean Auvray, 1622)

L'ensemble du poème se construit sur une métaphore qui met en parallèle la vie de l'homme et les éléments.

3 L' allégorie et la personnification

➠ **L'allégorie** est une analogie (comparaison ou métaphore) qui évoque une idée, une notion, un sentiment (concepts abstraits) de manière concrète, c'est-à-dire en l'assimilant à un objet, un animal, une personne. Elle est présente dans la littérature mais se trouve fréquemment dans les arts visuels.

Ex : *« Mon beau navire ô ma mémoire » (Apollinaire)*

➠ **La personnification** consiste à attribuer des caractéristiques humaines à un thème qui n'est pas humain (végétal, animal, objet...). Elle est très souvent utilisée dans le cadre de l'allégorie : on parlera alors de personnification allégorique.

Ex : *« Qui donc a fait pleurer les saules riverains ? » (Apollinaire)*
La personnification est ici une façon de remotiver le terme de « saule pleureur ».

4 La métonymie et la synecdoque

➠ **La métonymie** est la figure par laquelle un mot en remplace un autre auquel il est lié par une relation logique (contenant mis pour le contenu, cause mise pour l'effet).

Ex : *« Babylone, Seigneur, à son Prince fidèle,*
Voyait sans s'étonner notre armée autour d'elle » (Racine)
Babylone est mis à la place de « peuple de Babylone » : il s'agit d'une métonymie, à laquelle se combine de ce fait une personnification (« Babylone voyait »).

➠ **La synecdoque** est un cas particulier de métonymie. L'élément est remplacé par un de ses composants (une partie de l'objet ou la matière dont est constitué l'objet mis pour l'objet lui-même).

Ex : *« Je ne regarderai ni l'or du soir qui tombe*
*Ni les **voiles** au loin descendant vers Harfleur » (Hugo)*
« voile » est ici mis à la place de « bateau ».

5 Nature de l'analogie : du cliché à la surprise

➠ Lorsque l'analogie entre deux termes est banale, on parle de **cliché** ou de **lieu commun**.

Ex : *Des cheveux d'or, un teint de lait.*

➠ Le travail poétique consiste parfois à déplacer le cliché. La force de l'image vient de l'identification préalable qu'elle implique et de la manière dont le cliché est retravaillé, et produit alors un effet de surprise.

➠ **Les figures d'analogie** permettent de remotiver le langage c'est-à-dire de recréer un lien entre les mots et les choses qui nécessite un travail d'imagination de la part du lecteur.

Ex : *« La terre est bleue comme une orange » (Éluard)*
L'image « la terre est bleue » est remotivée par une comparaison qui relie les deux couleurs alors que c'est la forme de la terre qui motive la comparaison avec l'orange.

6 Effets sonores

➠ La rime est un des éléments d'organisation sonore du poème. On distingue trois types de disposition pour les rimes :

• **Les rimes plates** ou suivies qui se succèdent sur des vers consécutifs.

Ex : *« Ah ! Fallait-il croire une amante insensée ?* a
Ne devais-je pas lire au fond de ma pensée ? » a
(Racine, Andromaque*)*

• **Les rimes croisées** qui alternent d'un vers sur l'autre

Ex : *Ses purs ongles très haut dédiant leur onyx* a
L'Angoisse, ce minuit, soutient, lampadophore, b
Maint rêve vespéral brûlé par le Phénix a
Que ne recueille pas de cinéraire amphore b
(Mallarmé, Poésies*)*

• **Les rimes embrassées** où deux rimes identiques sont encadrées par deux autres rimes.

Ex : *« Je suis la plaie et le couteau !* a
Je suis le soufflet et la joue ! b
Je suis les membres et la roue, b
Et la victime et le bourreau ! » a
(Baudelaire, Les Fleurs du mal*)*

➠ La rime en fin de vers trouve des échos dans les sonorités à l'intérieur des vers eux-mêmes ou de la strophe. On parle alors de rime intérieure.

Exercices

Objet d'étude : Écriture poétique et quête du sens, du Moyen Âge à nos jours

1 Identifier et interpréter

a. « Chaque fleur s'évapore ainsi qu'un encensoir » (Baudelaire)
b. « L'or des cheveux, l'azur des yeux, la fleur des chairs. » (Verlaine)
c. « Je suis ivre d'avoir bu tout l'univers » (Apollinaire)
d. « J'entends cette nuit le chœur ininterrompu des rainettes, pareil à une élocution puérile, à une plaintive récitation de petites filles, à une ébullition de voyelles » (Claudel)
e. « Il avait le cœur sur la main et la cervelle dans la lune » (Desnos)
f. « Je ne peux plus rien voir au fond du ciel qu'un énorme chien blanc qui mord la lune » (Reverdy)
g. « L'imperfection est la cime » (Bonnefoy)
h. « La crevette est ce monstre de circonspection » (Ponge)

1. Identifiez et interprétez les comparaisons et les métaphores dans les phrases ci-dessus.
2. Pour les comparaisons, dites quels sont le comparant, le comparé et l'outil de comparaison.

2 Comprendre les métaphores dans un poème

1 Dans le nuage des mères.....En abscisse, la rancune. En ordonnée, le chiendent. Et dessous, les casses de caractère..... Et la neige sur l'échiquier.....
Vacillantes. Sûres de moi. Elles. Et leurs sautes d'in-
5 tensité. Les voltes carpées du Fou. La crémation de la Reine. Le Naufrage de la Tour. Et l'engouffrement de ma voix.
Moi, l'esclave, moi le pion.

Jacques Dupin, *Les Mères*, © P.O.L 2001

1. Quelles sont les deux métaphores qui organisent le poème ?
2. Identifiez le type de phrase. En quoi les figures utilisées dans ce poème sont-elles mises en valeur par la syntaxe ?
3. Comment comprenez-vous la dernière phrase ? Quelle image de la mère est donnée ici ?

3 Identifier métaphores filées et allégories

Texte A :

1 Las ! Où est maintenant ce mépris de Fortune ?
Où est ce cœur vainqueur de toute adversité,
Cet honnête désir de l'immortalité,
Et cette honnête flamme au peuple non commune ?

5 Où sont ces doux plaisirs qu'au soir sous la nuit brune
Les Muses me donnaient, alors qu'en liberté
Dessus le vert tapis d'un rivage écarté
Je les menais danser aux rayons de la Lune ?

Joachim du Bellay, *Les Regrets*, 1558

Texte B :

1 Que l'hydre de la France en révoltes féconde,
Par vous soit du tout morte, ou n'ait plus de poison,
Certes c'est un bonheur dont la juste raison
Promet à votre front la couronne du monde

5 Mais qu'en de si beaux faits vous m'ayez pour témoin,
Connaissez-le mon roi, c'est le comble du soin
Que de vous obliger ont eu les destinées.

Malherbe, « Au roi », 1630

Pour chacun de ces extraits, vous répondrez aux questions suivantes :
1. Quel est le thème dominant dans cet extrait ? Relevez des mots à l'appui de votre réponse.
2. S'agit-il d'une métaphore filée, d'une allégorie ou d'une combinaison de ces deux éléments ? Justifiez votre réponse.

4 Identifier les figures d'analogie dans un poème

1 Réserve-le pour des rebelles;
Ou, si ton peuple t'est soumis,
Fais-en voler les étincelles
Chez tes superbes ennemis.
5 Déjà Vienne est irrité
De ta gloire aux astres montée :
Ses monarques en sont jaloux ;
Et Rome t'ouvre une carrière
Où ton cœur trouvera matière
10 D'exercer ce noble courroux.

Jean de La Fontaine, « Ode au roi », 1663

1. Relevez les diverses figures d'analogie et expliquez leur sens.
2. Après avoir repéré la date d'écriture de ce poème, recherchez à quoi fait allusion La Fontaine dans cet extrait.

5 Identifier les figures d'analogie dans un poème

1 Le jour que je fus né, Apollon qui préside
Aux Muses, me servit en ce monde de guide,
M'anima d'un esprit subtil et vigoureux,
Et me fit de science et d'honneur amoureux.

5 En lieu des grands trésors et des richesses vaines,
Qui aveuglent les yeux des personnes humaines,
Me donna pour partage une fureur d'esprit,
Et l'art de bien coucher ma verve par écrit.

Il me haussa le cœur, haussa la fantaisie,
10 M'inspirant dedans l'âme un don de poésie,
Que Dieu n'a concédé qu'à l'esprit agité
Des poignants aiguillons de sa Divinité.

Pierre de Ronsard, « Hymne de l'automne », 1563

1. Recherchez ce que symbolisent Apollon et les Muses.

2. Relevez et expliquez les figures d'analogie dans cet extrait.

6 Identifier le jeu des métaphores et de la mise en page dans un poème

1 Une   que
odeur   pour sentir
                   il faut
                   fermer
5   les yeu
                   x

1 N
        ous
        fermons les yeux
        et la Rose dit
        C'est
5   moi

Paul Claudel, *Cent phrases pour éventails*, © Éd. Gallimard, 1942

1. Comment ces deux phrases se répondent-elles ?
2. Où se trouvent les métaphores ? Quels sont les sens convoqués par ces images ? Pourquoi ?
3. Quel sens accordez-vous à l'utilisation graphique de l'espace ?

7 Identifier et analyser la musicalité d'un poème

1 Il pleure dans mon cœur
Comme il pleut sur la ville ;
Quelle est cette langueur
Qui pénètre mon cœur ?

5 Ô bruit doux de la pluie
Par terre et sur les toits !
Pour un cœur qui s'ennuie
Ô le chant de la pluie !

Il pleure sans raison
10 Dans ce cœur qui s'écœure.
Quoi ! nulle trahison ?
Ce deuil est sans raison.

C'est bien la pire peine
De ne savoir pourquoi
15 Sans amour et sans haine
Mon cœur a tant de peine !

Paul Verlaine, *Romances sans paroles*, 1874, « Il pleut doucement sur la ville »

1. Quelles remarques pouvez-vous faire sur la musicalité de ce poème : mètre, rime, répétition de vers et de sons ?
2. Comment reliez-vous la forme et son sujet ?

8 Comprendre la musicalité du poème

1 Pleurer ou voir pleurer gênent un peu pour voir : entre pleurer et voir s'insèrent trop de charmes... Mais de voir à pleurer il est trop de rapports, qu'entre pleurer et voir nous ne scrutions les larmes.

5 *(Il prend la tête de la femme dans ses mains)*

Chère tête au fond que se passe-t-il ?

Accolée au rocher crânien, la petite pieuvre la plus sympathique du monde y reste coite, – faisant pour chaque battement de cils fonction strictement de bu-10 rette –, si quelque accès soudain de houle sentimentale, un brusque saisissement parfois (regrettable ou béni) ne la pressait (plus fort) de s'exprimer (mieux).

(Il se penche)

[...]

Francis Ponge, *Pièces*, « L'eau des larmes », © Éd. Gallimard 1961

1. Identifiez le rythme des phrases dans le premier paragraphe : de quel type de vers peut-on les rapprocher ?
2. Identifiez les sonorités qui organisent le poème dans le premier paragraphe puis dans le second : quels mots se trouvent ainsi entrer en résonance ?
3. À quel autre genre littéraire ce poème peut-il faire penser ? Justifiez votre réponse.

9 Identifier le jeu sur le langage et les sonorités

1 Je je suis suis le le roi roi
des montagnes
j'ai de de beaux beaux bobos beaux beaux yeux yeux
il fait une chaleur chaleur
5 J'ai nez
J'ai doigt doigt doigt doigt doigt doigt à à
Chaque main main
J'ai dent dent dent dent dent dent dent
dent dent dent dent dent dent dent
10 dent dent dent dent dent dent dent
dent dent dent dent dent dent dent
dent dent dent dent
Tu tu me me fais fais souffrir
Mais peu m'importe m'importe
15 la la porte porte.

Robert Desnos, *Langage cuit*, in *Corps et biens*, « Le Bonbon », © Éd. Gallimard, 1923

1. Que décrit ce poème ? Relevez deux métaphores qui permettent d'en éclairer le sens.
2. Qui est « je » ? Sur quelle figure se développe le poème ? En quoi peut-on parler d'image ?

10 Comprendre l'usage des images dans la poésie contemporaine

1 Tu me dis nous ne nous comprenons pas. Non je te dis. Tu me dis nous ne nous aimons pas. Non je te dis. Tu me dis nous ne nous connaissons pas. Non je te dis. Tu me dis est-ce que tu me dis non ou oui. Je te dis je 5 dis oui à ton oui et non à ton non. Alors tu dis c'est fini. Oui je dis c'est fini. Pour cette page tu dis. Je dis oui. Tu dis à bientôt. Je dis oui nous sommes toujours ensemble et nous nous retrouverons. Tu dis sûrement. Je dis peut-être. Tu dis tu dis sûrement peut-être. Je dis 10 oui peut-être sûrement. Tu dis oui.

Marc Cholodenko, *Un rêve ou un rêve*, © P.O.L 1999

1. À quelle autre forme littéraire peut faire penser cet extrait de poème ? Justifiez votre réponse.
2. Quel est l'effet produit par les diverses répétitions de mots ? Quel est celui qui clôt le poème ? Pourquoi à votre avis ?
3. Y a-t-il des images poétiques dans cet extrait ? Conservez-vous une image mentale après sa lecture ? Expliquez votre réponse.

11 Identifier et analyser un poème en prose

1 « Un rêve »

J'ai rêvé tant et plus, mais je n'y entends note. Pantagruel, *Livre III.*

Il était nuit. Ce furent d'abord, – ainsi j'ai vu, ainsi 5 je raconte, – une abbaye aux murailles lézardées par la lune, – une forêt percée de sentiers tortueux, – et le Morimont grouillant de capes et de chapeaux.

Ce furent ensuite, – ainsi j'ai entendu, ainsi je raconte, – le glas funèbre d'une cloche auquel répon- 10 daient les sanglots funèbres d'une cellule, – des cris plaintifs et des rires féroces dont frissonnait chaque feuille le long d'une ramée, – et les prières bourdonnantes des pénitents noirs qui accompagnent un criminel au supplice.

15 Ce furent enfin, – ainsi s'acheva le rêve, ainsi je raconte, – un moine qui expirait couché dans la cendre des agonisants, – une jeune fille qui se débattait pendue aux branches d'un chêne, – et moi que le bourreau liait échevelé sur les rayons de la roue.

20 Dom Augustin, le prieur défunt, aura, en habit de cordelier, les honneurs de la chapelle ardente ; et Marguerite, que son amant a tuée, sera ensevelie dans sa blanche robe d'innocence, entre quatre cierges de cire.

Mais moi, la barre du bourreau s'était, au premier 25 coup, brisée comme un verre, les torches des pénitents noirs s'étaient éteintes sous des torrents de pluie, la foule s'était écoulée avec les ruisseaux débordés et rapides, – et je poursuivais d'autres songes vers le réveil.

Aloysius Bertrand, *Gaspard de la Nuit*, 1842, « Un rêve »

1. Quelles anaphores et allitérations propagent le bruit du frisson tout au long du poème ?
2. Identifiez les images dans le dernier paragraphe. Commentez-les.
3. Comparez le début et la fin de ce poème en prose. Que constatez-vous ? Pourquoi peut-on parler d'un texte clos sur lui-même ?
4. Relevez les images de blessure et de mutilation.

12 Identifier et analyser un poème en prose

1 La vieillerie poétique avait une bonne part dans mon alchimie du verbe.

Je m'habituai à l'hallucination simple : je voyais très franchement une mosquée à la place d'une usine, une 5 école de tambour faite par des anges, des calèches sur les routes du ciel, un salon au fond d'un lac ; les montres, les mystères ; un titre de vaudeville dressait des épouvantes devant moi.

Puis j'expliquai mes sophismes magiques avec l'hal- 10 lucination des mots !

Je finis par trouver sacré le désordre de mon esprit. J'étais oisif, en proie à une lourde fièvre : j'enviais la félicité des bêtes, – les chenilles qui représentent l'innocence des limbes, les taupes, le sommeil de la vir- 15 ginité !

Mon caractère s'aigrissait. Je disais adieu au monde dans d'espèces de romances.

Arthur Rimbaud, *Une saison en enfer*, 1886, « Alchimie du verbe »

1. Quel est le sujet de ce poème ?
2. Est-ce un récit ou une description ? Expliquez votre réponse.
3. Quels sont les divers indices qui vous permettent d'identifier ce texte comme un poème ?

13 Identifier les effets sonores et stylistiques dans la prose poétique

1 Le nom de Parme, une des villes où je désirais le plus aller depuis que j'avais lu *La Chartreuse*, m'apparaissant compact, lisse, mauve et doux, si on me parlait d'une maison quelconque de Parme dans laquelle 5 je serais reçu, on me causait le plaisir de penser que j'habiterais une demeure lisse, compacte, mauve et douce, qui n'avait de rapport avec les demeures d'aucune ville d'Italie, puisque je l'imaginais seulement avec cette syllabe lourde du nom de Parme, où ne cir- 10 cule aucun air, et de tout ce que je lui avais fait absorber de douceur stendhalienne et de reflet de violettes.

Marcel Proust, *Du côté de chez Swann*, 1913

1. Pourquoi le nom de « Parme » est-il propice à la rêverie du narrateur ? Recherchez ce à quoi Proust fait référence avec les termes *La Chartreuse* et « douceur stendhalienne ».
2. Repérez les répétitions de mots dans cette phrase. Quel est l'effet produit ?

Stratégies argumentatives et modes de raisonnement

Dans l'Antiquité, la rhétorique*, art de convaincre un auditoire, est soumise à des règles d'élaboration du discours.
L'« *inventio* » est la recherche d'idées,
la « *dispositio* », la phase d'organisation,
l'« *elocutio* », le travail sur la formulation.
La « *memoria* » et l'« *actio* » sont les moments de mémorisation puis de présentation du discours devant un auditoire.
Les trois premières phases correspondent à celles à mettre en œuvre pour l'écriture d'un devoir.

➽ Le travail argumentatif implique donc la **recherche d'idées, leur organisation et leur formulation. Ce travail s'effectue en** visant un **destinataire**, que l'on cherche à convaincre ou persuader grâce à des **stratégies** particulières.

➽ Diverses stratégies argumentatives sont mises en œuvre, parfois simultanément :
La délibération est un mode particulier d'argumentation : le débat oppose deux points de vue qui peuvent être incarnés par deux personnages différents ou bien coexister chez le même locuteur (voir fiche 29 « L'essai »).
Le locuteur peut poursuivre un raisonnement objectif (démontrer), faire davantage appel au sentiment de l'auditoire (persuader). Les critères de différenciation essentiels sont le caractère plus ou moins objectif et vérifiable des arguments, et le degré d'implication du locuteur dans son discours.

➽ On distingue quatre stratégies argumentatives : démontrer, convaincre, persuader et délibérer.

1 Démontrer : un mode d'argumentation qui a recours à l'objectivité

➽ Définition et visée

Démontrer implique un raisonnement basé sur des faits vérifiables ou des données objectives. Les arguments sont irréfutables car ils sont liés à des données réelles de type scientifique. Par exemple, le réquisitoire, lié à une situation judiciaire, est une forme de démonstration.
Les arguments sont présentés de manière logique, la rigueur de la démonstration est essentielle et implique la mise en ordre des divers arguments. Les connecteurs* logiques permettent de suivre la démonstration.

➽ Modes de raisonnement

- La forme de raisonnement privilégiée par la démonstration est l**e raisonnement par déduction**. Les arguments se suivent logiquement, et vont du général au particulier.
- À l'inverse, le **raisonnement inductif** part de l'exemple pour aboutir à des conclusions de portée générale.
- **Le raisonnement par l'absurde** consiste à développer un argument afin d'aboutir à une conclusion identifiée comme fausse. En retour l'argument posé à l'origine apparaît erroné.

➽ Procédés pour démontrer

- Peu ou pas de marques de subjectivité (pronoms, modalisateurs*) : celui qui parle s'efface au profit de faits.
- Nombreux connecteurs logiques : ils permettent de suivre aisément le raisonnement.
- Verbes au présent : la démonstration prend un caractère de vérité générale*.

Ex : *« Il n'y a point de liberté si la puissance de juger n'est pas séparée de la puissance législative et de l'exécutrice. Si elle était jointe à la puissance législative, le pouvoir sur la vie et la liberté des citoyens serait arbitraire : car le juge serait législateur. » (Montesquieu,* De l'esprit des lois, *1748)*

Montesquieu s'efface dans cet extrait au profit d'un discours de portée générale, il n'y a aucune marque de subjectivité. Le mode de raisonnement est déductif, l'hypothèse introduite par « si » est invalidée par l'examen des conséquences qui suit. Les connecteurs nombreux étayent le caractère logique de la démonstration.

2 Convaincre

➽ Définition et visée

Convaincre consiste à obtenir l'adhésion du destinataire par la voie de la raison. Le développement d'une démarche intellectuelle, des connaissances partagées entre celui qui parle et celui qu'il cherche à convaincre sont nécessaires. Des éléments objectifs permettent un échange de points de vue.

➽ Modes de raisonnement

- **Le raisonnement par analogie** consiste à mettre en relation des situations différentes par leur contexte mais similaires dans leur déroulement. La conclusion naît de cette mise en parallèle.

• **Le raisonnement par concession** consiste à admettre une partie de l'argument de l'adversaire. La thèse contraire se développe en réfutant l'autre partie de l'argument. Il s'agit alors de favoriser le dialogue.

➽ **Procédés pour convaincre**

• **Connecteurs logiques***, modalisateurs qui permettent de nuancer le propos.
• **Figures d'opposition** qui favorisent la confrontation de points de vue divergents.
• **Parallélismes*** de construction dans les phrases.

Ex : *« Il ne faut point mener les hommes par les voies extrêmes ; on doit être ménager[1] des moyens que la nature nous donne pour les conduire. Qu'on examine la cause de tous les relâchements, on verra qu'elle vient de l'impunité des crimes, et non pas de la modération des peines. » (Montesquieu,* De l'esprit des lois, *1748)*

1. Économe

La thèse défendue est tout d'abord énoncée de manière objective « Il ne faut point », « on doit ». Le raisonnement qui suit est d'ordre analogique et déductif (appelé aussi hypothético-déductif). La démonstration consiste à prendre l'hypothèse inverse de celle défendue par Montesquieu afin de montrer qu'elle est irrecevable. L'affirmation première est ainsi démontrée.

3 Persuader : une stratégie qui sollicite la sensibilité du destinataire

➽ **Définition et visée**

Persuader consiste à obtenir l'adhésion du destinataire par la voie des sentiments. La stratégie argumentative choisie cherche à produire des émotions chez le destinataire de manière à obtenir qu'il partage la même pensée que le locuteur.

➽ Persuader implique souvent un mode d'argumentation indirecte* : charmer ou au contraire faire peur relève de modes de persuasion.

➽ **Procédés pour persuader**

• **Arguments *ad hominem**** et interpellation du destinataire.
• **Figures d'insistance***.
• **Présence forte du locuteur :** pronoms et modalisateurs.
• Lexique du sentiment, appréciatif ou dépréciatif.

Ex : *« Au rebours, nous nous sommes servis de leur[1] ignorance et inexpérience à les plier plus facilement vers la trahison, luxure, cupidité et vers toute sorte d'inhumanité et de cruauté, à l'exemple et sur le modèle de nos mœurs ! » (Montaigne,* Essais *III)*

1. « leur » désigne les habitants du Nouveau Monde.

La présence du locuteur est marquée par un « nous » généralisant. Le lexique est fortement dépréciatif et condamne l'attitude des pays dits civilisés. La phrase exclamative rend compte d'une indignation c'est-à-dire d'un sentiment qui a force de persuasion.

4 Délibérer : une forme d'argumentation centrée sur le questionnement

➽ **Définition et visée**

Délibérer consiste à poser un problème et examiner les différentes manières d'y répondre. Le débat fait état de divers points de vue représentés alors par plusieurs personnages. Il peut également s'agir d'un débat intérieur, et constituer une expression de la réflexion personnelle. L'essai (voir fiche 29) est une forme littéraire du délibératif, de même que le dialogue qu'il soit de type philosophique ou théâtral.

➽ **Procédés associés**

• Phrases interrogatives ou exclamatives.
• Figures d'opposition qui favorisent la confrontation de points de vue divergents.
• Lexique fortement marqué par des oppositions.
• Modes et temps exprimant l'hypothèse (conditionnel, futur).
• Modalisateurs d'incertitude.

Ex : *« SGANARELLE : […] Et que je trouve fort vilain d'aimer de tous côtés comme vous le faites.*
DOM JUAN : Quoi ? Tu veux qu'on se lie à demeurer au premier objet qui nous prend, qu'on renonce au monde pour lui, et qu'on n'ait plus d'yeux pour personne ? La belle chose que de vouloir se piquer d'un faux honneur d'être fidèle […] » (Molière, Dom Juan, *1665, I, 2)*

Le dialogue théâtral permet la confrontation de thèses opposées concernant la fidélité. Les questions de Dom Juan demeurent néanmoins purement rhétoriques.

Exercices

Objet d'étude : La question de l'homme dans les genres de l'argumentation du XVIe siècle à nos jours

1 Identifier un type d'argumentation et repérer des modes de raisonnement

1 Je ne crois donc pas, mon ami, qu'il soit impossible d'expliquer par des conséquences de notre nature le principe immédiat de la conscience, indépendant de la raison même. Et quand cela serait impossible, en-
5 core ne serait-il pas nécessaire : car, puisque ceux qui nient ce principe admis et reconnu par tout le genre humain ne prouvent point qu'il n'existe pas, mais se contentent de l'affirmer ; quand nous affirmons qu'il existe, nous sommes tout aussi bien fondés qu'eux,
10 et nous avons de plus le témoignage intérieur, et la voix de la conscience qui dépose pour elle-même. Si les premières lueurs du jugement nous éblouissent et confondent d'abord les objets à nos regards, attendons que nos faibles yeux se rouvrent, se raffermissent ; et
15 bientôt nous reverrons ces mêmes objets aux lumières de la raison, tels que nous les montrait d'abord la nature : ou plutôt soyons plus simples et moins vains ; bornons-nous aux premiers sentiments que nous trouvons en nous-mêmes, puisque c'est toujours à eux que
20 l'étude nous ramène quand elle ne nous a point égarés.

Jean-Jacques Rousseau, *Émile ou De l'éducation*, 1762

1. Formulez le point de vue de l'auteur. Quels sont les arguments avancés par Rousseau ?
2. À quel endroit du texte la thèse adverse est-elle présentée ? Comment est-elle réfutée ?
3. À quel mode de raisonnement l'auteur a-t-il recours ?
4. De quelle forme d'argumentation s'agit-il ? Justifiez votre réponse par des relevés précis.

2 Identifier un type d'argumentation et repérer le mode de raisonnement

1 Le réaliste, s'il est un artiste, cherchera non pas à nous montrer la photographie banale de la vie, mais à nous en donner la vision plus complète, plus saisissante, plus probante que la réalité elle-même.
5 Raconter tout serait impossible, car il faudrait alors un volume au moins par journée, pour énumérer les multitudes d'incidents insignifiants qui emplissent notre existence.

Guy de Maupassant, *Le Roman*, 1887

1. Quelle est la thèse défendue par Maupassant ?
2. À quel mode de raisonnement l'auteur fait-il appel ?
3. À quelle stratégie argumentative cet extrait correspond-il ? Justifiez votre réponse.

3 Repérer des arguments opposés et identifier des procédés stylistiques

1 TRAITE DES NÈGRES (Commerce d'Afrique) : C'est l'achat des nègres que font les Européens sur les côtes d'Afrique, pour employer ces malheureux dans leurs colonies en qualité d'esclaves. Cet achat de nègres,
5 pour les réduire en esclavage, est un négoce qui viole la religion, la morale, les lois naturelles, et tous les droits de la nature humaine.

Les nègres, dit un Anglais moderne plein de lumières et d'humanité, ne sont point devenus esclaves
10 par le droit de la guerre.[...] Si un commerce de ce genre peut être justifié par un principe de morale, il n'y a point de crime, quelque atroce qu'il soit, qu'on ne puisse légitimer. Les rois, les princes, les magistrats ne sont point les propriétaires de leurs sujets, ils ne
15 sont donc pas en droit de disposer de leur liberté, et de les vendre pour esclaves.

D'un autre côté, aucun homme n'a droit de les acheter ou de s'en rendre le maître ; les hommes et leur liberté ne sont point un objet de commerce ; ils ne peu-
20 vent être ni vendus, ni achetés, ni payés à aucun prix. Il faut conclure de là qu'un homme dont l'esclave prend la fuite, ne doit s'en prendre qu'à lui-même, puisqu'il avait acquis à prix d'argent une marchandise illicite, et dont l'acquisition lui était interdite par toutes les lois
25 de l'humanité et de l'équité.

Il n'y a donc pas un seul de ces infortunés que l'on prétend n'être que des esclaves, qui n'ait droit d'être déclaré libre, puisqu'il n'a jamais perdu la liberté ; qu'il ne pouvait pas la perdre ; et que son prince, son
30 père, et qui que ce soit dans le monde n'avait le pouvoir d'en disposer ; par conséquent la vente qui en a été faite est nulle en elle-même [...] C'est donc une inhumanité manifeste de la part des juges de pays libres où il est transporté, de ne pas l'affranchir à l'instant en
35 le déclarant libre, puisque c'est leur semblable, ayant une âme comme eux.

Chevalier de Jaucourt, *Encyclopédie*, 1766, article « Traite des nègres »

1. À quel moment du texte est annoncée la thèse défendue ?
2. Relevez les deux arguments opposés en présence. Résumez l'idée principale pour chacun de ces arguments.
3. Quels procédés caractéristiques du désir de convaincre identifiez-vous ?
4. Identifiez un raisonnement par analogie.

4 Repérer les procédés de la persuasion

1 MARIANNE : Ne serait-elle point heureuse, Octave, la femme qui t'aimerait ?

OCTAVE : Je ne sais point aimer ; Cœlio seul le savait. La cendre que renferme cette tombe est tout ce que
5 j'ai aimé sur la terre, tout ce que j'aimerai. Lui seul savait verser dans une autre âme toutes les sources de bonheur qui reposaient dans la sienne. Lui seul

était capable d'un dévouement sans bornes ; lui seul eût consacré sa vie entière à la femme qu'il aimait,
10 aussi facilement qu'il aurait bravé la mort pour elle. Je ne suis qu'un débauché sans cœur ; je n'estime point les femmes ; l'amour que j'inspire est comme celui que je ressens, l'ivresse passagère d'un songe. Je ne sais pas les secrets qu'il savait. Ma gaieté est
15 comme le masque d'un histrion, mon cœur est plus vieux qu'elle, mes sens blasés n'en veulent plus. Je ne suis qu'un lâche ; sa mort n'est point vengée.

Alfred de Musset *Les Caprices de Marianne*, 1833, acte II, scène 6

1. Par quels procédés stylistiques se manifeste la présence du locuteur ?
2. Quel portrait Octave dresse-t-il de lui-même ? Faites un relevé du lexique employé et comparez-le à celui qui caractérise Cœlio.
3. Quel est le registre du texte ? En quoi cela participe-t-il aux procédés de persuasion ?

5 Identifier et caractériser un mode de persuasion

1 Arracher les hommes de leur pays, par la trahison et par la violence, pour les exposer en vente dans les marchés publics comme des bêtes de somme ; s'accoutumer à ne mettre aucune différence entre eux et les
5 animaux ; les contraindre au travail à force de coups ; les nourrir non pour qu'ils vivent, mais pour qu'ils rapportent ; les abandonner dans la vieillesse ou dans la maladie, lorsque l'on n'espère plus de regagner par leur travail ce qu'il en coûterait pour les soigner ; ne
10 leur permettre d'être pères que pour donner le jour à des enfants destinés aux mêmes misères, devenus comme eux la propriété de leur maître, qui peut les leur arracher et les vendre ; que pour voir leurs femmes et leurs filles exposées à toutes les insultes de
15 ces hommes sans humanité comme sans pudeur. Voilà comme nous traitons d'autres hommes ! Ce serait une horrible barbarie si ces hommes étaient blancs ; mais ils sont noirs, et cela change toutes nos idées. L'Américain oublie que les nègres sont des hommes ; il n'a
20 avec eux aucune relation morale ; ils ne sont pour lui qu'un objet de profit : s'il les plaint, s'il évite de leur faire souffrir des maux inutiles, son insolente pitié est celle que nous avons pour les animaux qui nous servent.

Condorcet, *Remarques sur les Pensées de Pascal*, 1774

1. Quel est le thème traité ? Quelle est la thèse de l'auteur ?
2. Combien de phrases composent cet extrait ? Quelle est donc la figure d'insistance employée ?
3. Quel est le type de vocabulaire utilisé ? Faites un relevé précis en les regroupant en champs lexicaux.
4. Relevez un argument *ad hominem*.
5. Quelle phrase permet de comprendre le point de vue de l'auteur ? Par quel mot est-elle introduite ?

6 Identifier les procédés de la délibération

1 PERDICAN : Je voudrais bien savoir si je suis amoureux. D'un côté, cette manière d'interroger est tant soit peu cavalière, pour une fille de dix-huit ans ; d'un autre, les idées que ces nonnes lui ont fourrées
5 dans la tête auront de la peine à se corriger. De plus, elle doit partir aujourd'hui. Diable ! je l'aime, cela est sûr. Après tout, qui sait ? peut-être elle répétait une leçon, et d'ailleurs il est clair qu'elle ne se soucie pas de moi. D'une autre part, elle a beau être
10 jolie, cela n'empêche pas qu'elle n'ait des manières beaucoup trop décidées, et un ton trop brusque. Je n'ai qu'à n'y plus penser ; il est clair que je ne l'aime pas. Cela est certain qu'elle est jolie ; mais pourquoi cette conversation d'hier ne veut-elle pas me sortir
15 de la tête ? En vérité, j'ai passé la nuit à radoter. Où vais-je donc ? - Ah ! Je vais au village.

Alfred de Musset, *On ne badine pas avec l'amour*, 1834, acte III, scène 1

1. À quel sujet Perdican délibère-t-il ?
2. Comment s'exprime l'hésitation du personnage ?
3. Repérez les connecteurs logiques. Quels arguments sont mis en opposition ?
4. Le personnage vous paraît-il cohérent dans sa réflexion ? Justifiez votre réponse
5. Quel est à votre avis le sens des trois dernières phrases ? Qu'en concluez-vous concernant le personnage et ses sentiments ?

7 Identifier les procédés de la délibération

1 BÉRÉNICE : Eh bien ! régnez, cruel, contentez votre gloire :
Je ne dispute plus. J'attendais, pour vous croire,
Que cette même bouche, après mille serments
D'un amour qui devait unir tous nos moments,
5 Cette bouche, à mes yeux s'avouant infidèle,
M'ordonnât elle-même une absence éternelle.
Moi-même j'ai voulu vous entendre en ce lieu.
Je n'écoute plus rien, et pour jamais : adieu...
Pour jamais ! Ah, Seigneur ! songez-vous en vous-même
10 Combien ce mot cruel est affreux quand on aime ?
Dans un mois, dans un an, comment souffrirons-nous,
Seigneur, que tant de mers me séparent de vous ?
Que le jour recommence et que le jour finisse,
Sans que jamais Titus puisse voir Bérénice,
15 Sans que de tout le jour je puisse voir Titus ?
Mais quelle est mon erreur, et que de soins perdus !

Jean Racine, *Bérénice*, 1670, acte IV, scène 5

1. Sur quoi Bérénice s'interroge-t-elle ?
2. Identifiez les deux moments de la délibération. Quel mot déclenche le changement de ton?
3. Repérez les types de phrases : de quoi sont-elles respectivement le signe ?
4. Comment le personnage de Titus est-il qualifié ? En quoi est-ce paradoxal ?

Fiche 29

L'essai

1 Définition

➽ Le mot « essai » a pour **étymologie** le mot latin « *exagium* » qui signifie pesage, poids. L'essai consiste donc à évaluer et examiner une idée. Il relève de ce fait de la délibération, mouvement par lequel la pensée se questionne.

➽ L'essai s'inscrit dans une tradition humaniste inspirée d'auteurs antiques tels que Plutarque, selon laquelle il s'agit d'accumuler des réflexions morales et des exemples afin d'illustrer divers sujets.

➽ Le terme d'essai recouvre **plusieurs sens** qui permettent d'éclairer les diverses formes de ce genre :
• L'essai est **une tentative** (un coup d'essai) : il s'apparente en ce sens à l'ébauche, à l'esquisse et ne vise donc pas à être une pensée achevée.
• Faire un essai peut également vouloir dire **mettre à l'épreuve** une idée afin d'en examiner la validité. Les thèses adverses, qu'il s'agit de réfuter, sont alors intégrées à la réflexion. Le dialogue permet de rendre concrète cette forme de discussion.
• Enfin, l'essai peut être conçu comme un e**xercice de réflexion** destiné à faire évoluer la pensée.

2 Une réflexion personnelle

➽ L'essai est ainsi une forme **d'argumentation directe** : l'auteur met en scène une réflexion personnelle écrite en prose. Pour ce faire, il convoque fréquemment des points de vue adverses qui sont exprimés soit explicitement soit sous forme de références ou d'allusions.
L'essai qui engage l'énonciateur dans sa personne, grâce au pronom personnel « je », s'oppose au dialogue philosophique.

➽ Dans l'essai, les différentes voix convoquées sont orchestrées et reprises par l'énonciateur qui les met en dialogue.

Ex : *« Cicéron dit que philosopher ce n'est autre chose que s'apprêter à la mort. C'est d'autant que l'étude et la contemplation retirent aucunement notre âme hors de nous... »*

Pour introduire son essai sur la mort (*Que philosopher c'est apprendre à mourir,* Livre I chapitre 20), Montaigne convoque le point de vue de Cicéron.

➽ Dans le dialogue philosophique, les voix en présence sont distinctes et assumées par des énonciateurs ou des personnages différents.

Ex : *« LE PRÊTRE : Vous ne croyez donc point en Dieu ? LE MORIBOND : Non. Et cela pour une raison bien simple, c'est qu'il est parfaitement impossible de croire ce qu'on ne comprend pas. Entre la compréhension et la foi, il doit exister des rapports immédiats [...]. Je te défie toi-même de croire au dieu que tu me prêches, parce que tu ne saurais me le démontrer. » (Sade,* Dialogue entre un prêtre et un moribond, *1782)*

➽ L'essai, de par sa visée, est **une forme libre**. Le lecteur assiste à l'élaboration de la pensée, peut en suivre les mouvements, les hésitations, les contradictions.

➽ Les domaines traités par l'essai sont extrêmement divers : politique, sciences, arts, histoire, événements contemporains ou historiques.

3 Les diverses formes de l'essai

➽ **Les *Essais* de Montaigne :** il est le premier à employer ce terme comme titre d'un ouvrage et invente en ce sens, au XVIe siècle, le genre même de l'essai. Pour Montaigne, il ne s'agit jamais de réfléchir pour convaincre ou persuader c'est-à-dire conclure, mais plutôt de **délibérer** : le mouvement même de la pensée est le fondement et le but de l'écriture.

Ex : *« Même lorsqu'il s'agit de mes propres écrits, je ne retrouve pas toujours le sens de ma première pensée : je ne sais plus ce que j'ai voulu dire, et je me nuis souvent à vouloir corriger et à ajouter une nouvelle signification, pour avoir perdu la première, qui avait plus d'intérêt. Je ne fais qu'aller et venir ; ma raison ne va pas toujours en avançant ; elle erre, elle divague, «Comme une frêle barque Surprise sur la vaste mer par un vent furieux...» Chacun en dirait à peu près autant de lui-même, s'il s'observait comme je le fais. » (Montaigne,* Essais, *II, 1576)*

➽ **La lettre** est une autre forme de l'essai. Elle peut se présenter comme une correspondance privée envoyée à un destinataire particulier, dans le roman épistolaire par exemple.

Ex : *Il n'est pas vrai que plus les femmes vieillissent plus elles deviennent rêches et sévères. C'est de quarante à cinquante ans que le désespoir de voir leur figure se flétrir, la rage de se sentir obligées d'abandonner des prétentions et des plaisirs auxquels elles tiennent encore rendent presque toutes les femmes bégueules et acariâtres. (Choderlos de Laclos,* Les Liaisons dangereuses, *1782).*

Exercices

Objet d'étude : La question de l'homme dans les genres de l'argumentation du XVIe siècle à nos jours

1 Repérer le caractère délibératif de l'essai

Moi qui m'épie d'aussi près qu'il est possible, qui ai sans cesse les yeux fixés sur moi, en homme qui n'a pas grand-chose à faire ailleurs, [...] j'oserai à peine dire la vanité et la faiblesse que je trouve en moi. J'ai le pied si instable et si peu assuré, je le trouve si prêt à vaciller et si sujet au déséquilibre, et j'ai une vision des choses si irrégulière, que, lorsque je suis à jeun, je me sens tout autre qu'après un repas ; si la santé me sourit, ainsi que la lumière d'une belle journée, me voilà homme de bonne compagnie ; mais si j'ai un cor qui me blesse l'orteil, me voilà renfrogné, peu aimable, et peu accueillant. [...] Maintenant je peux tout faire, et, à un autre moment, je ne suis plus capable de faire quoi que ce soit ; ce qui m'est aujourd'hui un plaisir me sera une autre fois un ennui. Je suis le siège de mille mouvements inconsidérés et contingents. Ou bien je suis sujet à la mélancolie, ou bien d'humeur irascible ; et, avec son autorité particulière, le chagrin en cet instant domine en moi ; ce sera, tout à l'heure, la joie. Si je prends des livres, j'aurai peut-être vu, en tel endroit, des beautés parfaites qui auront frappé mon imagination ; qu'une autre fois je tombe à nouveau sur ces pages, j'aurai beau tourner et virer, j'aurai beau plier et manier mon livre, ce sera à mes yeux un ensemble inconnu et sans beauté.

Même lorsqu'il s'agit de mes propres écrits, je ne retrouve pas toujours le sens de ma première pensée : je ne sais plus ce que j'ai voulu dire, et je me nuis souvent à vouloir corriger et à ajouter une nouvelle signification, pour avoir perdu la première, qui avait plus d'intérêt.

Montaigne, *Essais* II, 1576

1. Relevez les éléments stylistiques qui traduisent une réflexion en mouvement.
2. En quoi cet essai apparaît-il comme une tentative de définition de soi-même ?
3. Que conclut Montaigne concernant l'écriture même de son livre ?

2 Comprendre l'enjeu d'un essai

Voici encore des arbres et je connais leur rugueux, de l'eau et j'éprouve sa saveur. Ces parfums d'herbe et d'étoiles, la nuit, certains soirs où le cœur se détend, comment nierais-je ce monde dont j'éprouve la puissance et les forces ? Pourtant toute la science de cette terre ne me donnera rien qui puisse m'assurer que ce monde est à moi. Vous me le décrivez et vous m'apprenez à le classer. Vous énumérez ses lois et dans ma soif de savoir je consens qu'elles soient vraies. Vous démontez son mécanisme et mon espoir s'accroît. Au terme dernier, vous m'apprenez que cet univers prestigieux et bariolé se réduit à l'atome et que l'atome lui-même se réduit à l'électron. Tout ceci est bon et j'attends que vous continuiez. Mais vous me parlez d'un invisible système planétaire où des électrons gravitent autour d'un noyau. Vous m'expliquez ce monde avec une image. Je reconnais alors que vous en êtes venus à la poésie : je ne connaîtrai jamais. Ai-je le temps de m'en indigner ? Vous avez déjà changé de théorie. Ainsi cette science qui devait tout m'apprendre finit dans l'hypothèse, cette lucidité sombre dans la métaphore, cette incertitude se résout en œuvre d'art. Qu'avais-je besoin de tant d'efforts ? Les lignes douces de ces collines et la main du soir sur ce cœur agité m'en apprennent bien plus.

Albert Camus, *Le mythe de Sisyphe*, © Éd. Gallimard 1942

1. Quelle image l'essayiste donne-t-il de lui-même ? pourquoi ?
2. Comment inscrit-il dans son texte la voix qui s'oppose à la sienne ?
3. Reformulez l'enjeu du débat. Quelle progression identifiez-vous dans le raisonnement ?

3 Comprendre le point de vue développé

La plupart des héroïnes féminines sont d'une espèce baroque : des aventurières, des originales remarquables moins par l'importance de leurs actions que par la singularité de leurs destinées ; ainsi Jeanne d'Arc, Mme Roland, Flora Tristan[1], si on les compare à Richelieu, à Danton, à Lénine, on voit que leur grandeur est surtout subjective : ce sont des figures exemplaires plutôt que des agents historiques. Le grand homme jaillit de la masse et il est porté par les circonstances : la masse des femmes est en marge de l'histoire, et les circonstances sont pour chacune d'elles un obstacle et non un tremplin. Pour changer la face du monde, il faut y être d'abord solidement ancrée ; mais les femmes solidement enracinées dans la société sont celles qui lui sont soumises ; à moins d'être désignées pour l'action par droit divin – et en ce cas elles se sont montrées aussi capables que les hommes – l'ambitieuse, l'héroïne sont des monstres étranges. C'est seulement depuis que les femmes commencent à se sentir chez elles sur cette terre que l'on a vu apparaître une Rosa Luxemburg, une Mme Curie. Elles démontrent avec éclat que ce n'est pas l'infériorité des femmes qui a déterminé leur insignifiance historique ; c'est leur insignifiance historique qui les a vouées à l'infériorité.

Simone de Beauvoir, *Le Deuxième Sexe*, © Éd. Gallimard 1949

1. Mme Roland, conseillère des Girondins, révolutionnaires libéraux, fut exécutée pendant la Terreur ; Flora Tristan lutta pour l'émancipation des femmes et promut le socialisme, dans la première moitié du XIXe siècle.

1. Que cherche à démontrer Simone de Beauvoir ? Établissez le cheminement de son raisonnement.
2. Comment l'essayiste engage-t-elle son point de vue de femme pour construire sa réflexion ?

La littérature morale

Au XVIe siècle et au XVIIe siècle, se développe une réflexion sur les sciences, le rôle des écrivains et des penseurs, la conquête du bonheur par le savoir. Cet humanisme se manifeste dans les œuvres littéraires par un questionnement sur l'homme, la justice, la vérité. Un moraliste est un philosophe ou un écrivain qui observe le comportement de ses semblables. La littérature morale correspond à un nouveau mode de relation à la réalité et au pouvoir.

1 Les formes fragmentaires

➽ **La maxime** est une phrase généralement courte qui énonce une vérité morale, une règle d'action, ou de conduite. Les *Maximes* de La Rochefoucauld constituent l'exemple canonique de cette forme. L'auteur y développe des pensées souvent paradoxales dont le but est d'énoncer des vérités morales dans des phrases aux formules frappantes. La visée de la maxime est d'étonner le lecteur par la forme même de la phrase et ainsi de le faire réfléchir.

Ex : *« Le soleil ni la mort ne se peuvent regarder en face. » (La Rochefoucauld)*

Ses caractéristiques sont :
- Un énoncé fréquemment paradoxal.
- Une chute ou pointe.
- L'usage de la métaphore rendant plus concret et frappant le propos abstrait.

Ex : *« Quelque découverte que l'on ait faite dans le pays de l'amour-propre, il y reste encore bien des terres inconnues. » (La Rochefoucauld,* Maximes*, 1665).*

➽ **Le fragment :** à la différence de la maxime, est une partie d'un tout à venir. L'idée d'inachèvement est donc constitutive de cette forme. Les *Pensées* de Pascal sont l'exemple typique d'une écriture fragmentaire par défaut : le projet initial était un livre continu *L'Apologie de la religion chrétienne*, dont la rédaction fut interrompue par la mort de l'auteur. Comme chez Montaigne dans ses *Essais* (voir fiche 29), le lecteur se trouve confronté à un kaléidoscope de points de vue traité de manière discontinue. Le but est de susciter la réflexion du lecteur en le confrontant à la multiplicité des modes de réflexion.

Ses caractéristiques sont :
- Sa forme (il est une partie d'un ensemble inachevé).
- Son contenu qui est divers (anecdote, réflexion sur soi-même, pensées).

➽ **L'aphorisme :** étymologiquement ce mot vient du grec « *aphorismos* » qui signifie définition. L'aphorisme exprime une vérité générale en une formule concise.

Ses caractéristiques sont :
- Une extrême brièveté.
- Le temps utilisé, le plus souvent le présent à valeur de vérité générale.
- Les formes impersonnelles qui permettent également de généraliser le propos.

2 Les formes continues

➽ **Le sermon** est un discours prononcé dans une église par un prédicateur. Le représentant de ce genre est, au XVIIe siècle, Bossuet, un évêque dont les qualités d'éloquence faisaient l'admiration de la cour. Son mode d'argumentation est fréquemment celui de la persuasion.

Ex. : *« Ha ! Chrétiens, la justice, c'est la véritable vertu des monarques et l'unique appui de la majesté. Car qu'est-ce que la majesté ? Ce n'est pas une certaine prestance qui est sur le visage du prince et sur tout son extérieur ; c'est un éclat plus pénétrant, qui porte dans le fond des cœurs une crainte respectueuse. »*
(Bossuet, Sermon sur le devoir des rois*, 1662)*

Ses caractéristiques sont :
- L'usage de l'apostrophe pour interpeller directement l'auditoire.
- Les questions rhétoriques mettant en scène la contradiction.
- Des figures d'amplification fréquentes (hyperboles, énumération).

➽ **Le discours** est une forme longue qui traite d'un sujet (la justice, la guerre, les sciences, l'exercice du pouvoir) et le développe de manière organisée. Sa visée est de convaincre et d'instruire. Au XVIIIe siècle, le discours est également un moyen d'interroger les fondements de la société dans le but de les faire évoluer.

Ex : *« Cela revient à dire que l'essentiel est ici de voir clair, de penser clair, entendre dangereusement, de répondre clair à l'innocente question initiale : qu'est-ce en son principe que la colonisation ? De convenir de ce qu'elle n'est point ; ni évangélisation, ni entreprise philanthropique, ni volonté de reculer les frontières de l'ignorance, de la maladie, de la tyrannie [...]. »*
(Aimé Césaire, Discours sur le colonialisme*, 1950)*

Exercices

Objet d'étude : La question de l'homme dans les genres de l'argumentation du XVIe siècle à nos jours

1 Identifier les caractéristiques de la maxime

1 **a.** « L'amour-propre est le plus grand de tous les flatteurs. »

b. « La durée de nos passions ne dépend pas plus de nous que la durée de notre vie. »

5 **c.** « La passion fait souvent un fou du plus habile homme, et rend souvent les plus sots habiles. »

d. « Les passions ont une injustice et un propre intérêt qui fait qu'il est dangereux de les suivre, et qu'on s'en doit défier lors même qu'elles paraissent les plus 10 raisonnables. »

e. « Il y a dans le cœur humain une génération perpétuelle de passions, en sorte que la ruine de l'une est presque toujours l'établissement d'une autre. »

François de La Rochefoucauld, *Maximes*, 1678

1. Identifiez les caractéristiques formelles de ces maximes : forme, syntaxe, images.
2. Quelle est celle qui vous paraît la plus vraie ? Pourquoi ?
3. Illustrez une de ces maximes par un exemple concret.

2 Comprendre un fragment

1 L'homme n'est qu'un roseau, le plus faible de la nature, mais c'est un roseau pensant. Il ne faut pas que l'univers s'arme pour l'écraser : une vapeur, une goutte d'eau suffit pour le tuer. Mais quand l'univers 5 l'écraserait, l'homme serait encore plus noble que ce qui le tue puisqu'il sait qu'il meurt et l'avantage que l'univers a sur lui, l'univers n'en sait rien.

Toute notre dignité consiste donc en la pensée. C'est de là qu'il faut nous relever et non de l'espace et de la 10 durée, que nous ne saurions remplir.

Travaillons donc à bien penser : voilà le principe de la morale.

Blaise Pascal, *Pensées*, 1670

1. Quel est le sens de la métaphore initiale ?
2. En quoi ce fragment vous paraît-il lui-même discontinu ? Quel effet sa lecture produit-elle alors ?
3. À la lumière du premier paragraphe, expliquez le paradoxe de la nature humaine.
4. Explicitez le lien entre morale et pensée pour Pascal à travers ce fragment.

3 Repérer l'éloquence dans le sermon

1 Que reste-t-il ? Peuples des extrémités de l'Orient, votre heure est venue. Alexandre, ce conquérant rapide, que Daniel dépeint comme ne touchant pas la terre de ses pieds, lui qui fut si jaloux de subjuguer le 5 monde entier, s'arrêta bien loin au-deçà de vous ; mais la charité va plus loin que l'orgueil. Ni les sables brûlants, ni les déserts, ni les montagnes, ni la distance des lieux, ni les tempêtes, ni les écueils de tant de mers, ni l'intempérie de l'air, ni le milieu fatal de la 10 ligne, où l'on découvre un ciel nouveau, ni les flottes ennemies, ni les côtes barbares, ne peuvent arrêter ceux que Dieu envoie. Qui sont ceux-ci qui volent comme les nuées ? Vents, portez-les sur vos ailes. Que le Midi, que l'Orient, que les îles inconnues les atten- 15 dent, et les regardent en silence venir de loin. Qu'ils sont beaux les pieds de ces hommes qu'on voit venir du haut des montagnes apporter la paix, annoncer les biens éternels, prêcher le salut, et dire : Ô Sion, ton Dieu régnera sur toi ! Les voici ces nouveaux conqué- 20 rants, qui viennent sans armes, excepté la croix du Sauveur. Ils viennent, non pour enlever les richesses et répandre le sang des vaincus, mais pour offrir leur propre sang et communiquer le trésor céleste.

Fénelon, *Sermon pour la fête de l'Épiphanie*, 1685

1. À qui s'adresse Fénelon ? Quel est le sujet développé dans cet extrait ?
2. Repérez les figures de style : en quoi servent-elles le propos ?
3. Comment comprenez-vous la dernière phrase ?

4 Identifier la visée morale d'un discours

1 De quoi s'agit-il donc précisément dans ce Discours ? De marquer dans le progrès des choses le moment où, le droit succédant à la violence, la nature fut soumise à la loi ; d'expliquer par quel enchaînement de prodiges 5 le fort put se résoudre à servir le faible, et le peuple à acheter un repos en idée, au prix d'une félicité réelle.

Les philosophes qui ont examiné les fondements de la société ont tous senti la nécessité de remonter jusqu'à l'état de nature, mais aucun d'eux n'y est ar- 10 rivé. Les uns n'ont point balancé à supposer à l'homme dans cet état la notion du juste et de l'injuste, sans se soucier de montrer qu'il dût avoir cette notion, ni même qu'elle lui fût utile. D'autres ont parlé du droit naturel que chacun a de conserver ce qui lui appar- 15 tient, sans expliquer ce qu'ils entendaient par appartenir ; d'autres donnant d'abord au plus fort l'autorité sur le plus faible, ont aussitôt fait naître le gouvernement, sans songer au temps qui dut s'écouler avant que le sens des mots d'autorité et de gouvernement 20 pût exister parmi les hommes. Enfin tous, parlant sans cesse de besoin, d'avidité, d'oppression, de désirs et d'orgueil, ont transporté à l'état de nature des idées qu'ils avaient prises dans la société. Ils parlaient de l'homme sauvage, et ils peignaient l'homme civil.

Jean-Jacques Rousseau, *Discours sur l'origine et les fondements de l'inégalité parmi les hommes*, 1755

1. Identifiez la thèse et les arguments. Comment cet extrait se développe-t-il ?
2. En quoi ce discours vous paraît-il avoir une visée morale ?
3. Quel est le renversement argumentatif que Rousseau opère avec sa dernière phrase ?

Fiche 31

L'apologue

La fiction au service de l'argumentation

1 L'apologue : un récit à visée argumentative

➠ **Définition** : l'apologue est un texte narratif à visée argumentative.
Le recours à la fiction permet d'exposer des idées, de les rendre plus concrètes en les attribuant à des personnages. Le récit permet également au lecteur de réfléchir de manière plaisante. C'est un mode d'argumentation indirecte car les leçons y sont véhiculées de façon symbolique à travers les personnages et situations qui y sont mis en scène.

➠ **Forme** : la fable, le conte philosophique, la parabole, la nouvelle ou encore des récits plus longs comme les romans de Kafka, sont tous des formes d'apologue.

➠ **Visée** : l'auteur de l'apologue cherche à plaire au lecteur, à l'**amuser** de manière à le faire **réfléchir**, voire à l'**instruire**. Le récit peut contenir une morale, mais celle-ci n'est pas nécessairement formulée de manière explicite. La force de la fiction tient alors à sa capacité à faire penser, sans pour autant exprimer de manière claire la morale qui en découle. Le lecteur doit souvent **se questionner sur le sens à accorder au récit**.

2 Les formes brèves de l'apologue

➠ **La fable** est un récit bref à caractère moral et dont la visée est argumentative. Ses caractéristiques sont les suivantes :
- Une brièveté du récit qui lui confère une efficacité.
- Une structure simple où deux ou trois personnages incarnent chacun un point de vue.
- Un dialogue qui permet d'animer le débat et facilite la démonstration.

Au XVIIe siècle, les fables de La Fontaine avaient pour destinataire officiel un enfant, le Dauphin, qu'il s'agissait d'instruire de manière plaisante.

➠ **Le conte philosophique :** l'expression « conte philosophique » rend compte du caractère hybride du genre.
Comme dans le conte, le personnage principal, souvent naïf, se trouve confronté à des situations invraisemblables voire merveilleuses.
• Les péripéties, nombreuses, permettent d'aborder des **sujets philosophiques** variés.
• Les situations variées donnent un rythme rapide et plaisant au récit.
• Les dialogues de type argumentatif permettent de polariser les points de vue, et de produire des débats sur des sujets nombreux : éducation, guerre, pouvoir, religion, culture, morale.

Le regard sur la société contemporaine est critique :
• la réalité contemporaine, vue à travers le prisme d'un personnage souvent naïf, se révèle souvent dans toute son absurdité. Cela suscite en général l'amusement du lecteur et provoque une réflexion ;
• le détour par le récit permet aux philosophes des Lumières au XVIIIe siècle de se protéger de la censure. Le conte offre un espace d'expression pour de nouvelles idées qui ne peuvent être exprimées de manière directe.

➠ **La parabole** se distingue par sa visée qui est plus explicitement didactique : elle délivre un message à caractère moral ou religieux qui vise une interprétation univoque.

3 Les récits de voyage, les utopies et contre-utopies

D'autres formes de récits permettent de développer un discours argumentatif qui vise à critiquer la société.

➠ **Le récit de voyage** permet de porter un regard différent sur la société. La critique a pour vecteur le point de vue décentré du personnage. Deux cas peuvent se présenter :
- le personnage « étranger » met en lumière les travers et les absurdités de la société contemporaine, comme dans les *Lettres persanes* de Montesquieu (1721). La forme épistolaire* permet alors de motiver la diversité des sujets traités.
- Le personnage, de par ses voyages, porte en retour un regard critique sur la société dont il est issu.

➠ **L'utopie :** ce terme vient du grec avec une racine double (u-topia : le non lieu/ou-topia : le beau lieu) et il désigne un lieu imaginaire et parfait. Il qualifie par extension les récits décrivant une société idéale. Dans le cadre du conte philosophique de Voltaire *Candide ou L'Optimisme* (1759) l'arrivée du personnage dans le pays de l'Eldorado en est l'exemple typique. L'inverse de l'utopie est appelé **dystopie** ou **contre-utopie**.

Exercices

Objet d'étude : La question de l'homme dans les genres de l'argumentation du XVIe siècle à nos jours

1 Identifier les caractéristiques de la fable

1 Le premier qui vit un Chameau
S'enfuit à cet objet nouveau ;
Le second approcha ; le troisième osa faire
Un licou pour le Dromadaire.
5 L'accoutumance ainsi nous rend tout familier.
Ce qui nous paraissait terrible et singulier
S'apprivoise avec notre vue,
Quand ce vient à la continue.
Et puisque nous voici tombés sur ce sujet,
10 On avait mis des gens au guet,
Qui voyant sur les eaux de loin certain objet,
Ne purent s'empêcher de dire
Que c'était un puissant navire.
Quelques moments après, l'objet devient brûlot,
15 Et puis nacelle, et puis ballot,
Enfin bâtons flottants sur l'onde.
J'en sais beaucoup de par le monde
À qui ceci conviendrait bien :
De loin c'est quelque chose, et de près ce n'est rien.

Jean de La Fontaine, *Fables*, 1668,
« Le Chameau et les Bâtons flottants »

1. Quels défauts humains l'auteur critique-t-il ici ?
2. Quels sont les moyens stylistiques utilisés pour donner une tonalité comique à ce récit ?
3. Quelle est la morale de la fable ? À quels moments du texte apparaît-elle ? Dans quel but ?

2 Comprendre et interpréter la mise en scène des points de vue dans l'apologue

1 LA POULARDE : Que la gourmandise a d'affreux préjugés ! J'entendais l'autre jour, dans cette espèce de grange qui est près de notre poulailler, un homme qui parlait seul devant d'autres hommes qui ne
5 parlaient point ; il s'écriait que « Dieu avait fait un pacte avec nous et avec ces autres animaux appelés hommes ; que Dieu leur avait défendu de se nourrir de notre sang et de notre chair » [...] ils désobéissent donc visiblement à Dieu en nous mangeant. De plus,
10 n'est-ce pas un sacrilège de tuer et de dévorer des gens avec qui Dieu a fait un pacte ? Ce serait un étrange traité que celui dont la seule clause serait de nous livrer à la mort. Ou notre créateur n'a point fait de pacte avec nous, ou c'est un crime de nous
15 tuer et de nous faire cuire, il n'y a pas de milieu.
LE CHAPON : Ce n'est pas la seule contradiction qui règne chez ces monstres, nos éternels ennemis.[...] Ils ne font des lois que pour les violer et, ce qu'il y a de pis, c'est qu'ils les violent en conscience. [...]
20 Ils ne se servent de la pensée que pour autoriser leurs injustices, et n'emploient les paroles que pour déguiser leurs pensées.

Voltaire, *Dialogue du Chapon et de la Poularde*, 1765

1. Quels sont les divers défauts des hommes que Voltaire critique dans cet extrait ?
2. Quel est le rôle de la poularde dans ce dialogue ?
3. Relevez tous les éléments qui peuvent amuser le lecteur.

3 Comprendre la visée de l'utopie

1 Les choses me paraissent un peu changées, dis-je à mon guide ; je vois que tout le monde est vêtu d'une manière simple et modeste ; et depuis que nous marchons je n'ai pas encore rencontré sur mon chemin un
5 seul habit doré : je n'ai distingué ni galons, ni manchettes à dentelles. De mon temps un luxe puéril et ruineux avait dérangé toutes les cervelles [...]
- C'est justement ce qui nous a porté à mépriser cette ancienne livrée de l'orgueil. Notre œil ne s'arrête point
10 à la surface. Lorsqu'un homme s'est fait connaître pour avoir excellé dans son art, il n'a pas besoin d'un habit magnifique ni d'un riche ameublement pour faire passer son mérite ; il n'a besoin ni d'admirateurs qui le prônent, ni de protecteurs qui l'étayent : ses actions
15 parlent [...] Le Monarque ne manque point d'inviter à sa cour cet homme cher au peuple. Il converse avec lui pour s'instruire.

Louis Sébastien Mercier, *L'An 2440, rêve s'il n'en fut jamais*, 1770

1. Quelles sont les critiques explicites et implicites concernant les mœurs du temps ?
2. En quoi le monde décrit paraît-il utopique ?

4 Identifier les caractéristiques d'un récit utopique contemporain

1 Il y avait un pays où tout était interdit.
Or seul le jeu du bâtonnet n'était pas interdit, et les sujets qui s'y adonnaient se réunissaient sur certains prés à la lisière du village et y passaient leurs journées
5 en jouant au bâtonnet.[...]
Les années passèrent. Un jour les connétables s'aperçurent qu'il n'y avait plus de raison à ce que tout fût interdit et ils envoyèrent des messagers pour avertir leurs sujets qu'ils pouvaient faire ce qu'ils voulaient.
10 Les messagers s'en allèrent aux endroits où les sujets avaient l'habitude de se réunir.
« Sachez, annoncèrent-ils, que rien n'est plus interdit. »
Les autres continuaient à jouer au bâtonnet. [...]
Ayant vu que leurs tentatives étaient vaines, les
15 messagers revinrent le dire aux connétables.
« Ça va être vite fait, répondirent les connétables. Interdisons le jeu du bâtonnet. »
Ce fut alors que le peuple fit la révolution et les tua tous.
Puis, sans perdre de temps, il recommença à jouer
20 au bâtonnet.

Italo Calvino *La Grande Bonace des Antilles*, © Seuil 1997

1. Quel est le type de société représenté dans ce texte ? Quelle représentation de l'homme nous est donnée ? Est-elle optimiste ou pessimiste ? Justifiez.
2. Quelle est pour vous la morale de ce récit ?

Fiche 32

La variété des registres dans l'argumentation

1 La variété des registres dans l'argumentation

L'argumentation a recours à différents registres. Il convient d'en définir l'emploi et les significations en fonction du contexte (énonciation, sujet traité) et des visées de l'argumentation.

➡ **Le registre pathétique** permet de mobiliser les sentiments du lecteur ou de l'auditoire en suscitant pitié et indignation.

Ex. : *« Aujourd'hui, jeunesse, puisses-tu penser à cet homme comme tu aurais approché tes mains de sa pauvre face informe du dernier jour, de ses lèvres qui n'avaient pas parlé ; ce jour-là, elle était le visage de la France. » André Malraux,* Transfert des cendres de Jean Moulin au Panthéon *(19 décembre 1964).*

➡ **Le registre polémique** sert un combat verbal énergique. Il est particulièrement adapté dans les discours de la controverse, du débat contradictoire et du pamphlet.

Ex. : *« Je parle moins encore de ces libellistes honteux qui n'ont trouvé d'autre moyen de satisfaire leur rage, l'assassinat étant trop dangereux, que de lancer du cintre de nos salles des vers infâmes contre l'auteur, pendant que l'on jouait sa pièce. » (Beaumarchais, préface au* Mariage de Figaro, *1785)*

➡ **Le registre lyrique** a une fonction poétique expressive ou d'embellissement mais il participe à la volonté de mobiliser dans l'action.

Ex. : *« Ami, entends-tu le vol noir des corbeaux sur nos plaines ? Ami, entends-tu ces cris sourds du pays qu'on enchaîne ?... » (Kessel et Druon,* Le chant des partisans, *1943)*

➡ **Le registre didactique** respecte la neutralité du propos, son caractère scientifique et logique, ce qui correspond aussi à une stratégie pour convaincre.

Ex. : *« En France, les pères qui se voient confier la garde de leurs enfants représentent environ 9 % à 11 % des cas. Leur chiffre stagne depuis plusieurs années, notamment à cause de la pesanteur des stéréotypes et de la mentalité des juges. » (Élisabeth Badinter,* L'un et l'autre, *1986)*

2 Le mélange des registres

➡ L'argumentation peut mêler plusieurs registres, soit en les faisant se succéder, soit en les combinant.

Ex. : *« Qui voudra connaître à plein la vanité de l'homme n'a qu'à considérer les causes et les effets de l'amour. La cause en est un je ne sais quoi. Corneille. Et les effets en sont effroyables. Ce Je ne sais quoi, si peu de chose qu'on ne peut le reconnaître, remue toute la terre, les princes, les armées, le monde entier.*
Le nez de Cléopâtre s'il eût été plus court toute la face de la terre aurait changé » (Pascal, Pensées, *Fragment 32, liasse de juin 1658)*

Si l'attaque débute par l'emploi du registre didactique (vanité de l'homme et de ses passions), le ton devient très vite celui de la polémique (pouvoir de l'amour sur les rois). Le fragment s'achève par une pointe ironique (cours de l'Histoire modifiée par la taille d'un nez).

➡ **Attention :** le registre satirique peut prendre des significations différentes. Hugo l'emploie dans une attaque *ad hominem*, sans ouvrir de débat :

Ex : *« Ô Veuillot, face immonde encor plus sinistre*
Laid à faire avorter une femme vraiment !
Quand on te qualifie et qu'on t'appelle "cuistre"
"Istre" est un ornement ! » (Hugo)

Le même Victor Hugo recourt au registre satirique pour instruire un débat politique (la tyrannie de Napoléon III contre le peuple) :

Ex : *« Monsieur Napoléon, c'est son nom authentique,*
Est pauvre et même prince ; il aime les palais ;
Il lui convient d'avoir des chevaux, des valets... » (Hugo, Les Châtiments, *« Souvenir de la nuit du 4 », Jersey, 2 décembre 1852.)*

3 L'ironie et l'argumentation indirecte

L'ironie est un mode d'expression indirecte. L'auteur énonce l'inverse de ce qu'il pense : il fait alors une **antiphrase**. En rendant la thèse qu'il expose sous forme d'antiphrase inacceptable, il **provoque le lecteur**. Celui-ci est alors amené à saisir les défaillances de cette thèse.

Ex : *« Rien n'était si beau, si leste, si brillant, si bien ordonné que les deux armées. Les trompettes, les fifres, les hautbois, les tambours, les canons formaient une harmonie telle qu'il n'y en eut jamais en enfer. » (Voltaire,* Candide, *1759)*

Les qualités prêtées à l'armée (ordre, vitesse, esthétisme) masquent une organisation meurtrière. L'usage des armes associé à la musique en révèle la cruauté insupportable.

Exercices

Objet d'étude : La question de l'homme dans les genres de l'argumentation du XVIe siècle à nos jours

1 Étudier le registre pathétique

[...] chaque fois qu'au gré des funèbres jeudis de la cour de cassation, il arrivait un de ces jours où le cri d'un arrêt de mort se fait dans Paris, chaque fois que l'auteur entendait passer sous ses fenêtres ces hurlements enroués qui ameutent des spectateurs pour la Grève, chaque fois, la douloureuse idée lui revenait, s'emparait de lui, lui emplissait la tête de gendarmes, de bourreaux et de foule, lui expliquait heure par heure les dernières souffrances du misérable agonisant, – en ce moment on le confesse, en ce moment on lui coupe les cheveux, en ce moment on lui lie les mains, – le sommait, lui pauvre poète, de dire tout cela à la société, qui fait ses affaires pendant que cette chose monstrueuse s'accomplit, le pressait, le poussait, le secouait, lui arrachait ses vers de l'esprit, s'il était en train d'en faire, et les tuait à peine ébauchés, barrait tous ses travaux, se mettait en travers de tout, l'investissait, l'obsédait, l'assiégeait. C'était un supplice [...]

Victor Hugo, Préface au *Dernier jour d'un condamné*, 1832

1. Quelles sont les deux situations mises en parallèle dans cet extrait ? Quel effet cela produit-il sur le lecteur ?
2. Relevez les marques du pathétique : lexique de la souffrance, figures d'amplification. En quoi servent-elles l'argumentation ? De quoi Hugo veut-il persuader son lecteur ?

2 Repérer les indices du registre polémique

ALCESTE : Non, je ne puis souffrir cette lâche méthode
Qu'affectent la plupart de vos gens à la mode ;
Et je ne hais rien tant que les contorsions
De tous ces grands faiseurs de protestations,
Ces affables donneurs d'embrassades frivoles,
Ces obligeants diseurs d'inutiles paroles,
Qui de civilités avec tous font combat,
Et traitent du même air l'honnête homme et le fat.
Quel avantage a-t-on qu'un homme vous caresse,
Vous jure amitié, foi, zèle, estime, tendresse,
Et vous fasse de vous un éloge éclatant,
Lorsque au premier faquin il court en faire autant ?
Non, non, il n'est point d'âme un peu bien située
Qui veuille d'une estime ainsi prostituée.

Molière, *Le Misanthrope*, 1667, acte I, scène 1

1. Que critique précisément Alceste dans cet extrait ?
2. Comment s'exprime l'opposition du personnage aux mœurs de son temps ? Relevez des mots et des formes de phrases.
3. Montrez comment la tonalité polémique peut se retourner contre celui qui l'utilise. Qui est donc alors la victime d'un regard ironique ?

3 Comprendre la fonction du registre lyrique dans l'argumentation

L'étendue de l'esprit, la force de l'imagination et l'activité de l'âme, voilà le génie. De la manière dont on reçoit ses idées dépend celle dont on se les rappelle. L'homme jeté dans l'univers reçoit avec des sensations plus ou moins vives les idées de tous les êtres. La plupart des hommes n'éprouvent de sensations vives que par l'impression des objets qui ont un rapport immédiat à leurs besoins, à leur goût, etc. Tout ce qui est étranger à leurs passions, tout ce qui est sans analogie à leur manière d'exister, ou n'est point aperçu par eux, ou n'en est vu qu'un instant sans être senti, et pour être à jamais oublié.

L'homme de génie est celui dont l'âme, plus étendue, frappée par les sensations de tous les êtres, intéressée à tout ce qui est dans la nature, ne reçoit pas une idée qu'elle n'éveille un sentiment ; tout l'anime et tout s'y conserve.

Lorsque l'âme a été affectée par l'objet même, elle l'est encore par le souvenir ; mais, dans l'homme de *génie*, l'imagination va plus loin : il se rappelle des idées avec un sentiment plus vif qu'il ne les a reçues, parce qu'à ces idées mille autres se lient, plus propres à faire naître le sentiment.

Denis Diderot, *Encyclopédie*, 1757, Article « Génie »

1. Quelles sont les qualités principales de l'homme de génie pour Diderot ?
2. Relevez les figures associées au registre lyrique : amplifications, énumérations, forme des phrases. En quoi servent-elles l'argumentation ?

4 Identifier le mélange des registres

« Les embarras de Paris »

Qui frappe l'air, bon dieu ! de ces lugubres cris ?
Est-ce donc pour veiller qu'on se couche à Paris ?
Et quel fâcheux démon durant des nuits entières,
Rassemble ici les chats de toutes les gouttières ?
J'ai beau sauter du lit, plein de trouble et d'effroi,
Je pense qu'avec eux tout l'enfer est chez moi :
L'un miaule en grondant comme un tigre en furie ;
L'autre roule sa voix comme un enfant qui crie.
Ce n'est pas tout encor : les souris et les rats
Semblent, pour m'éveiller, s'entendre avec les chats,
Plus importuns pour moi, durant la nuit obscure,
Que jamais, en plein jour, ne fut l'abbé de Pure [1].

Nicolas Boileau, *Satires*, 1666

1. Ennuyeux célèbre.

1. Quel est l'objet de la critique ? Relevez le champ lexical dominant qui justifie votre réponse.
2. Comment s'exprime l'exagération dans cet extrait ? Quel est l'effet produit ?
3. Quelles sont les diverses victimes du regard ironique de Boileau ? Le poète s'épargne-t-il : relevez les termes qui le caractérisent ?
4. Quels divers registres peuvent être identifiés ?

Renaissance et humanisme

Un espace culturel européen (1)

Contexte historique, esthétique et culturel

L'humanisme est le mouvement intellectuel qui touche l'Europe aux XVe et XVIe siècles. Il recoupe la période que les historiens appellent la Renaissance. L'humanisme met l'homme au cœur des représentations et investit tous les domaines techniques, artistiques ou scientifiques.

1 Les fondements de l'humanisme

La redécouverte des œuvres des Anciens : Les œuvres antiques sont redécouvertes. La culture gréco-latine devient la source des savoirs dans tous les domaines. Les humanistes accèdent aux textes originaux. Les manuscrits sont comparés, traduits, puis édités avant d'être diffusés.

Ex : *Les Européens redécouvrent ainsi les textes de Pythagore ou d'Euclide.*

Les grandes découvertes : depuis 1492 (découverte de l'Amérique), des horizons nouveaux se sont ouverts. Les progrès techniques (gouvernail, astrolabe, boussole...) favorisent l'exploration du monde qui change de dimension. La rencontre avec des peuples inconnus modifie les représentations de l'homme.

Ex : *Mercator publie en 1538 la première carte du monde qui reflète la rotondité de la terre.*

Les progrès de la science : l'esprit scientifique rompt avec les méthodes médiévales et se fonde sur l'observation et l'expérimentation.

Ex : *Copernic (1473-1543) démontre que le Soleil est au centre de l'univers. Vésale révolutionne l'anatomie dont il publie le premier traité moderne en 1543.*

La diffusion du livre : l'imprimerie permet la diffusion des œuvres antiques ou humanistes. Les livres sont moins chers et le savoir plus accessible.

Ex : *Grâce à ses imprimeries et à ses foires aux livres, la Hollande diffuse l'œuvre d'Érasme.*

Un art à la mesure de l'homme : l'anatomie sert de mesure aux arts.

Ex : *« L'homme de Vitruve » dessiné par Vinci en 1492 donne les proportions idéales du corps humain pour sa représentation artistique.*

2 Une révolution européenne

L'Italie, berceau de l'humanisme : l'humanisme s'y affirme dès le *Quattrocento* (le XVe siècle), favorisé par l'essor des villes et des universités, points de ralliement des humanistes. L'Italie fascine par son économie florissante et son art de vivre.

Ex : *Après les guerres d'Italie (1494-1559), François Ier demande à Léonard de Vinci de superviser la construction des châteaux de la Loire.*

L'expansion de l'humanisme : l'humanisme se propage d'abord en Rhénanie, de l'Allemagne à la Hollande, très urbanisée, puis touche le reste de l'Europe (France, Europe de l'Est, Espagne et Angleterre).

Ex : *Des universités trilingues (latin, grec, hébreu) sont ouvertes pour enseigner une lecture authentique des textes anciens (Alcala de Henares en 1499 ou Louvain en 1518).*

Les princes, souverains éclairés, protègent les artistes et les intellectuels.

Ex : *À Florence, les Médicis encouragent la traduction des œuvres de Platon et des platoniciens.*

3 Le temps des crises

Les réformes religieuses : scandalisés par les dérives de l'Église, les humanistes prônent des réformes. L'évangélisme d'Érasme (1460-1536) préconise le retour au texte authentique de la Bible. Martin Luther (1483-1546) fait afficher ses *Quatre-vingt-quinze thèses contre les Indulgences* (le pardon monnayé des péchés). Excommunié, il fonde le luthéranisme. Jean Calvin (1509-1564), chassé de France pour son soutien aux protestants français, radicalise sa doctrine et fonde le calvinisme à Genève.

Ex : *La Bible est traduite et imprimée en langue vulgaire. Les offices religieux protestants ne sont plus dits en latin, le culte est ainsi mis à la portée de tous.*

Les guerres de Religion : des guerres de Religion ont lieu en France, aux Pays-Bas et en Allemagne où la répression catholique est terrible. L'Angleterre aussi est touchée. La Paix d'Augsbourg en 1555 permet à chaque prince de choisir la religion de son peuple.

Ex : *La France connaît huit guerres de Religion en trente-six ans (1562-1598).*

Exercices

Objet d'étude : Vers un espace culturel européen : Renaissance et humanisme

1 Apprécier l'importance de l'Antiquité

1 J'entends et je veux que tu apprennes parfaitement les langues : premièrement le grec, comme le vieux Quintilien ; deuxièmement le latin ; puis l'hébreu pour les saintes Lettres, le chaldéen et l'arabe pour la même
5 raison ; et que tu formes ton style sur celui de Platon pour le grec, sur celui de Cicéron pour le latin. Qu'il n'y ait pas d'étude scientifique que tu ne gardes en ta mémoire et pour cela tu t'aideras de l'universelle encyclopédie des auteurs qui s'en sont occupés.

François Rabelais, *Pantagruel*, 1532

→ Quels savoirs antiques Pantagruel doit-il acquérir ? Dans quel but ?

2 Étudier un thème des grandes découvertes

1 Quand nous fûmes arrivés au premier [village] nommé *Yabouraci* dans la langue du pays [...], je me vis immédiatement entouré de sauvages qui me demandaient : « *marapé-dereré, marapé-dereré* », c'est-à-dire,
5 « Quel est ton nom ? Quel est ton nom ? » (ce qui pour moi alors était du haut allemand). Et du reste, l'un ayant pris mon chapeau qu'il mit sur sa tête, l'autre mon épée et ma ceinture qu'il ceignit sur son corps tout nu, l'autre mon casque qu'il revêtit, eux dis-je
10 m'étourdissant de leurs cris et courant ainsi au milieu de leur village avec mes hardes, non seulement je pensais avoir tout perdu, mais aussi je ne savais plus où j'en étais.

Jean de Léry, *Histoire d'un voyage fait en la terre du Brésil*, 1578

1. Comment voit-on qu'il s'agit là d'une première rencontre ? Justifiez.
2. Quelles réactions suscite-t-elle chez l'Européen ?

3 Analysez le lien entre science et littérature humaniste

Frère Jean, moine de l'abbaye de Seuillé, défend son monastère contre l'attaque de pillards.

1 Aux uns il écrabouillait la cervelle, aux autres il rompait bras et jambes, à d'autres il démettait les vertèbres du cou, à d'autres il disloquait les reins, ravalait le nez, pochait les yeux, fendait les mâchoires, renfon-
5 çait les dents dans la gueule, défonçait les omoplates, brisait les jambes, déboîtait les hanches, émiettait les tibias.

Si quelqu'un voulait se cacher au plus épais des ceps, il lui froissait toute l'épine dorsale et l'érein-
10 tait comme un chien. Si un autre voulait se sauver en fuyant, il lui réduisait la tête en miettes à travers la suture lambdoïde.

François Rabelais, *Gargantua*, 1534

1. Relevez le champ lexical de l'anatomie : quel effet produit-il dans le récit de la bataille ?
2. Attend-on de telles compétences chez un moine ?

4 Mesurer l'influence italienne sur l'humanisme

Texte A :

1 La mer était paisible ; les forêts et les prés découvraient au ciel leurs fastes, fleurs et frondaisons, et déjà la nuit déchirait son voile, et éperonnait ses sombres chevaux ailés.
5 L'aurore faisait tomber de ses cheveux dorés des perles d'un éclat vif et glacé, et déjà le Dieu qui naquit à Délos lançait ses rayons depuis les rives parfumées et précieuses de l'Orient.

Antonio Rinieri, 1535- ?

Texte B :

1 Déjà la nuit en son parc amassait
Un grand troupeau d'étoiles vagabondes,
Et, pour entrer aux cavernes profondes,
Fuyant le jour, ses noirs chevaux chassait ;

5 Déjà le ciel aux Indes rougissait,
Et l'aube encor de ses tresses tant blondes
Faisant grêler mille perlettes rondes,
De ses trésors les prés enrichissait.

Joachim du Bellay, *L'Olive*, 1549, sonnet LXXXIII

1. Quel est le thème commun du début de ces poèmes ?
2. Quelle est l'originalité de traitement du motif chez Du Bellay ?

5 Analyser les arguments de la Réforme

1 Il serait bien d'avoir registres de toutes parts pour savoir quelles reliques on dit qu'il y a en chaque lieu, afin d'en faire comparaison. Et lors on connaîtrait que chacun apôtre aurait plus de quatre corps ; et chacun
5 saint pour le moins deux ou trois. Autant en serait-il de tout le reste. Bref, quand on aurait amassé un tel monceau, il n'y aurait celui qui[1] ne fût étonné, voyant la moquerie tant sotte et lourde, laquelle néanmoins a pu aveugler toute la terre. Je pensais que, puisque il
10 n'y a si petite église cathédrale qui n'ait comme une fourmilière d'ossements et tels autres menus fatras, que serait-ce si on assemblait toute la multitude de deux ou trois mille évêchés, de vingt ou trente mille abbayes, et plus de quarante mille couvents, de tant
15 d'églises paroissiales et de chapelles ?

Jean Calvin, *Traité des reliques*, 1543

1. Il n'y aurait personne qui.

1. Quels sont les points forts de cette argumentation ? Justifiez.
2. Expliquez pourquoi les arguments de Calvin sont graves pour le catholicisme.

Fiche 34

Un espace culturel européen (2)

Contexte littéraire

L'humanisme se veut **universel** et réunit tous les grands esprits européens. Grands voyageurs et épistoliers inépuisables, les humanistes constituent une véritable « république des lettres ».
Érasme (1455-1536), humaniste hollandais, correspond avec l'Italien Bembo, le Français Guillaume Budé, et l'Anglais Thomas More.

1 L'humanisme : de l'imitation à l'innovation

➠ **L'Antiquité, modèle d'inspiration :** au-delà de la simple traduction, les humanistes trouvent dans l'Antiquité une vraie source d'inspiration. La Pléiade réunit ainsi de jeunes poètes qui défendent le principe d'une **imitation intelligente** et personnelle des Anciens.

Ex : Défense et Illustration de la langue française, *publié par Du Bellay en 1549, est le manifeste de cette nouvelle poésie française, qui s'illustre la même année dans le recueil* L'Olive.

➠ **La variété des savoirs :** esprit encyclopédique, l'humaniste est un homme de culture, intéressé par tous les domaines de savoirs qu'il n'hésite pas à expérimenter : sciences, histoire, droit, arts et littérature.

Ex : *Rabelais (1494-1553) appartient à l'ordre monastique des cordeliers, mais il est aussi juriste, médecin, traducteur et écrivain. Ses romans* Pantagruel *(1532) et* Gargantua *(1534) rendent compte de la variété et de la complexité de sa vision du monde.*

2 L'homme au cœur des textes humanistes

➠ **L'homme au centre des études et des écrits :** c'est l'homme qui intéresse avant tout les humanistes, il est donc l'objet de tous les savoirs et de tous les écrits. Mais l'humaniste s'interroge aussi sur lui-même ; il s'étudie pour mieux comprendre les autres.

Ex : *Dans les* Essais, *publiés entre 1580 et 1595, Montaigne (1533-1592) analyse ce qu'il pense et ce qu'il ressent pour mieux découvrir « l'humaine condition ».*

➠ **L'humaniste éducateur de l'homme :** l'auteur humaniste met en avant une nouvelle pédagogie pour transformer l'homme. Il la présente à travers ses textes. Si les modèles antiques sont encore imités, les sciences, les arts et les activités physiques sont enseignés. L'hygiène est apprise et respectée. La mémorisation est enrichie par des exercices de compréhension et de raisonnement.

Ex : *Gargantua, le héros de Rabelais, reçoit une éducation humaniste qui fait alterner activités intellectuelles et sportives : lecture et analyse de la Bible, astronomie, jeux de balle et de paume, mathématiques, sciences expérimentales...*

3 Les thèmes de l'humanisme

➠ **La foi dans l'homme :** l'humaniste croit en l'homme et pense l'amener à se corriger pour construire un monde nouveau. Il présente **une vision optimiste du monde** fondée sur la quête du bonheur. Ouverts et tolérants, les humanistes, loin de rejeter Dieu, sont aussi animés d'une ferveur empreinte de joie.

Ex : *« Le rire est le propre de l'homme » affirme Rabelais dans* Gargantua *(1534) : par l'exploration de toutes les formes du comique, l'auteur peut à la fois amuser, instruire et rassurer son public face à la complexité et aux dangers du monde.*

➠ **Les rêves politiques :** les humanistes rêvent d'une plus grande liberté de penser et de croire, d'**une société plus juste** où les mérites de chacun soient reconnus dans le cadre d'une monarchie tempérée par la sagesse et par la raison. Ils expriment cet idéal dans des utopies ou des univers de fiction.

Ex : *Dans l'*Éloge de la Folie, *Érasme fait en 1511 la satire des différentes catégories socioprofessionnelles, tandis que Thomas More invente toute une société idéale dans* Utopia *en 1516.*

➠ **Les désillusions :** l'optimisme est peu à peu ébranlé par les réalités du monde : guerres de colonisation ou de religion où l'homme se laisse aller à la cruauté. La tonalité même des œuvres s'en ressent.

Ex : Les Tragiques *d'Agrippa d'Aubigné (1552-1630) dépeignent en 1616 une France déchirée et affaiblie par les guerres entre catholiques et protestants.*

Exercices

Objet d'étude : Vers un espace culturel européen : Renaissance et humanisme

1 Décoder l'imitation humaniste

Texte A

1 Ô fontaine de Bandusie, plus limpide que le verre, toi qui mérites un doux vin et des fleurs, tu recevras demain l'offrande d'un chevreau, à qui son front gonflé de cornes naissantes promet Vénus et les combat.

Horace, *Odes*, Ier siècle av. J.-C., (trad. F. Villeneuve)

Texte B

1 Ô fontaine Bellerie,
Belle fontaine chérie
De nos nymphes, quand ton eau
Les cache au creux de ta source
5 Fuyantes le satyreau[1]
Qui les pourchasse à la course,
Jusqu'au bord de ton ruisseau ;
Tu es la nymphe éternelle
De ma terre paternelle ;
10 Pour ce en ce pré verdelet
Vois ton poète qui t'orne
D'un petit chevreau de lait,
À qui l'une et l'autre corne
Sortent du front nouvelet.

Pierre de Ronsard, *Odes*, 1550

1. Petit satyre.

1. Relevez les références antiques des deux textes : quels sont les points communs et les différences entre eux ?
2. Comment Ronsard parvient-il à se dégager du modèle antique pour trouver son originalité ?

2 Comprendre l'encyclopédisme de l'humanisme

L'abbaye de Thélème délivre une éducation humaniste.

1 Ils étaient si noblement instruits qu'il n'y en avait aucun qui ne sût lire, écrire, chanter, jouer d'instruments de musique, parler cinq ou six langues et composer en ces langues autant en vers qu'en prose. 5 Jamais ne furent vus chevaliers si preux, de si belle allure, si adroits à pied et à cheval, si vigoureux, plus alertes et plus aptes à manier toutes sortes d'armes. Jamais ne furent vues dames si élégantes, si mignonnes, moins acariâtres, plus adroites aux travaux manuels, 10 à la broderie, et à toute occupation convenant à une femme honnête et libre.

François Rabelais, *Gargantua*, 1535

1. Repérez les disciplines enseignées dans ce texte et dans les textes 1 et 3 p. 521 : sont-elles équilibrées ?
2. Quelles qualités cette éducation cherche-t-elle à développer chez les femmes ? Est-ce novateur ?

3 Mesurer la place de l'homme au cœur de l'humanisme

Prêtre espagnol, Las Casas dénonce le sort des Indiens colonisés auprès des autorités coloniales.

1 Pour que tous les chrétiens aient encore plus de compassion pour ces nations innocentes, pour qu'ils s'affligent davantage de leur ruine et de leur damnation, pour qu'ils accusent, abominent et détestent 5 encore plus la cupidité, l'ambition et la cruauté des Espagnols, qu'ils tiennent pour vraie la vérité suivante : depuis la découverte des Indes jusqu'à ce jour, les Indiens n'ont fait de mal à un chrétien sans avoir d'abord subi de la part des chrétiens de torts, de vols 10 et de trahisons.

Bartolomé de Las Casas, *Lettre au conseil des Indes*, 1531

1. Qui est ici le sauvage ? Justifiez.
2. Comment l'auteur dénonce-t-il le colonialisme ?

4 Étudier la pédagogie humaniste

1 On ne cesse de criailler à nos oreilles, comme qui verserait dans un entonnoir, et notre charge[1], ce n'est que redire ce qu'on nous a dit. Je voudrais qu'il[2] corrigeât cette partie, et que, de belle arrivée[3], selon la por- 5 tée de l'âme qu'il a en main, il commençât à la mettre sur la montre[4], lui faisant goûter les choses, les choisir, les discerner d'elle-même : quelquefois lui ouvrant le chemin, quelquefois le lui laissant ouvrir. Je ne veux pas qu'il invente et parle seul, je veux qu'il écoute son 10 disciple parler à son tour.

Michel de Montaigne, *Essais*, 1580

1. Notre rôle.
2. Le maître.
3. Dès l'abord.
4. En galop d'essai.

→ Repérez et décrivez la méthode préconisée par Montaigne.

5 Analyser les valeurs de l'humanisme

1 N'est-elle pas inique[1] et ingrate la société qui prodigue tant de biens [...] à des joailliers, à des oisifs, ou à ces artisans de luxe qui ne savent que flatter et asservir des voluptés frivoles quand, d'autre part, elle 5 n'a ni cœur ni souci pour le laboureur, le charbonnier, le manœuvre, le charretier, l'ouvrier, sans lesquels il n'existerait pas de société. Dans son cruel égoïsme, elle abuse de la vigueur de leur jeunesse pour tirer d'eux le plus de travail et de profit ; et dès qu'ils fai- 10 blissent sous le poids de l'âge ou de la maladie [...], elle oublie leurs nombreuses veilles, leurs nombreux et importants services, elle les récompense en les laissant mourir de faim. [...].

Thomas More, *Utopia*, 1518

1. Injuste.

→ Quelle injustice l'auteur dénonce-t-il ? Justifiez.

L'intertextualité

La réécriture concerne les textes qui comportent des ressemblances, l'un s'inspirant de l'autre. Depuis les années 1960, **on appelle « intertextualité » ces échos d'un texte à l'autre** et leur étude. Cette notion pose le problème de l'inspiration et de l'imitation. L'intertextualité s'appuie sur la **complicité entre l'auteur et ses lecteurs**.

1 Les reprises

Chaque écrivain peut être influencé par ses lectures, soit pour s'en inspirer, soit pour réagir contre elles, même inconsciemment, quand il produit ses propres textes.

➠ La citation et l'allusion

• Très visible grâce à ses codes typographiques (italiques ou guillemets, restitution fidèle du texte cité, présentation en décalé), **la citation*** est l'insertion d'un texte dans un autre. Elle peut avoir une valeur argumentative, comme argument d'autorité, ou une fonction ornementale.

Ex : *Une citation de Racine, « Je demeurai longtemps errant dans Césarée... », place d'emblée l'incipit du roman* Aurélien *d'Aragon (1944) où se produit la première rencontre entre les héros, sous le signe de l'échec amoureux.*

• **L'allusion** permet à l'auteur d'évoquer un autre texte par un renvoi à une phrase célèbre, un personnage connu ou une situation précise. Elle fonctionne sur **la complicité entre auteur et lecteur** qui partagent la même culture.

Ex : *Flaubert fait allusion aux lectures romanesques inspirées des romans de chevalerie d'Emma Bovary pour expliquer l'origine de ses frustrations sentimentales, le bovarysme. Mais il ne cite pas ses sources pour mieux les caricaturer : « Ce n'étaient qu'amours, amants, amantes, dames persécutées s'évanouissant dans des pavillons solitaires, postillons qu'on tue à tous les relais, chevaux qu'on crève à toutes les pages, forêts sombres, troubles du cœur, serments, sanglots, larmes et baisers, nacelles au clair de lune, rossignols dans les bosquets, messieurs braves comme des lions, doux comme des agneaux, vertueux comme on ne l'est pas, toujours bien mis, et qui pleurent comme des urnes. »*

➠ Le plagiat est un emprunt à un autre texte sans que ses références soient explicitement indiquées. C'est **une atteinte à la propriété intellectuelle**, mais peut être un mode de création chez certains auteurs.

Ex : *Lautréamont, poète provocateur des* Chants de Maldoror *(1869), revendique le plagiat comme une nécessité poétique : « Le plagiat est nécessaire. Le progrès l'implique. Il serre de près la phrase d'un auteur, se sert de ses expressions, efface une idée fausse, la remplace par l'idée juste. » (Poésies II,* 1870*). Ainsi sa description du vol des étourneaux dans* Les Chants de Maldoror *est-il intégralement recopié d'une Encyclopédie scientifique !*

➠ La variation : les mythes, récits symboliques et universels, sont l'objet de nombreuses reprises, car ils peuvent **s'adapter à des contextes et des publics différents** tout en restant fidèles à leur signification.

Ex : *Don Juan, personnage d'origine espagnole créé par Tirso de Molina (*El Burlador de Sevilla, *1630), est repris par Molière (*Dom Juan ou le festin de pierre, *1665), par Barbey d'Aurevilly (*Le plus bel amour de Don Juan, *1874) et par Eric Emmanuel Schmitt (*La Nuit de Valognes, *1989).*

2 Le détournement

Pastiche et parodie sont des imitations de tradition littéraire.

➠ Le pastiche vise à imiter le style d'un auteur en amplifiant ses procédés. C'est à la fois un hommage au talent d'un auteur et un **jeu de complicité** avec le lecteur.

Ex : *Dans* Pastiches et mélanges, *en 1919, Marcel Proust imite le style d'écrivains célèbres. Dans* Pastiches, *il s'amuse à raconter « à la manière de » Balzac ou de Flaubert une célèbre affaire d'escroquerie contemporaine.*

➠ La parodie reprend une œuvre célèbre pour s'en moquer à travers des modifications de genre, de registre, de niveau de langue.

Ex : *La guerre de Troie et ses conséquences ont été souvent l'objet de parodies :* Virgile travesti *de Scarron en 1652,* Homère travesti *de Marivaux (1717) s'amusent avec le modèle patrimonial en le transférant dans l'époque contemporaine.* Une tragédie chez M. Grassot *d'Eugène Labiche (1848) est truffée de citations classiques, et* La Belle Hélène, *opéra-bouffe de Jacques Offenbach (1864), est une interprétation fantaisiste du mythe grec.*

Exercices

Objet d'étude : Les réécritures, du XVIIe siècle à nos jours

1 Comprendre le principe de l'imitation

Texte A :

1 Fontaine, la saison impitoyable de la canicule embrasée ne saurait t'atteindre, tu offres une aimable fraîcheur aux taureaux fatigués de la charrue et au bétail errant.

Horace, *Odes*, Ier siècle av. J.-C, « Ô fontaine de Bandusie », (trad. F. Villeneuve)

Texte B :

1 L'ardeur de la canicule
Ton vert rivage ne brûle,
Tellement qu'en toutes parts
Ton ombre est épaisse et drue
5 Aux pasteurs venant des parcs,
Aux bœufs las de la charrue,
Et au bestial[1] épars.

Pierre de Ronsard, *Odes*, 1552, « Ô fontaine Bellerie »

1. Bétail.

➜ Quels éléments Ronsard reprend-il à Horace ? Quelle est la part d'inspiration personnelle ?

2 Expliciter les allusions littéraires

Élevée au couvent, Emma se réfugie auprès de la lingère qui lui prête ses romans.

1 Ce n'étaient qu'amours, amants, amantes, dames persécutées s'évanouissant dans des pavillons solitaires, postillons qu'on tue à tous les relais, chevaux qu'on crève à toutes les pages, forêts sombres, troubles 5 du cœur, serments, sanglots, larmes et baisers, nacelles au clair de lune, rossignols dans les bosquets, messieurs braves comme des lions, doux comme des agneaux, vertueux comme on ne l'est pas, toujours bien mis, et qui pleurent comme des urnes. Pendant 10 six mois, à quinze ans, Emma se graissa donc les mains à cette poussière des vieux cabinets de lecture.

Gustave Flaubert, *Madame Bovary*, 1857

1. Relevez le champ lexical du romanesque : à quelles œuvres fait-il allusion ?
2. En quoi ces lectures présentent-elles un danger pour Emma ?

3 Analysez les emprunts à une source littéraire

Texte A :

1 Ô vous mes nuits, ô noires attendues
Ô pays fier, ô secrets obstinés
Ô longs regards, ô foudroyantes nues
Ô vol permis outre les cieux fermés.

5 Ô grand désir, ô surprise épandue
Ô beau parcours de l'esprit enchanté
Ô pire mal, ô grâce descendue
Ô porte ouverte où nul n'avait passé

Catherine Pozzi, *Très haut amour*, 1934

Texte B :

1 Ô beaux yeux bruns, ô regards détournés
Ô chauds soupirs, ô larmes épandues,
Ô noires nuits vainement attendues
Ô jours luisants vainement retournés !

5 Ô tristes plaints, ô désirs obstinés,
Ô temps perdu, ô peines dépendues,
Ô mille morts en mille rets tendues,
Ô pires maux contre moi destinés !

Louise Labé, *Sonnets*, 1555

1. Quelles reprises Catherine Pozzi fait-elle du sonnet de son modèle ?
2. Comment s'approprie-t-elle le poème source ?

4 S'exercer à l'emprunt littéraire

1 Je vis, je meurs ; je me brûle et me noie ;
J'ai chaud extrême en endurant froidure :
La vie m'est et trop molle et trop dure.
J'ai grands ennuis entremêlés de joie.

5 Tout à un coup je ris et je larmoie,
Et en plaisir maint grief tourment j'endure ;
Mon bien s'en va, et à jamais il dure ;
Tout en un coup je sèche et je verdoie.

Louise Labé, *Sonnets*, 1555

1. Quel est le procédé utilisé par le poète ?
2. À votre tour, écrivez un poème sur le même modèle.

5 Comparer les variations d'un mythe

1 C'était la vraie beauté, - la beauté insolente, joyeuse, impériale, juanesque enfin ; le mot dit tout et dispense de la description ; et - avait-il fait un pacte avec le diable ? - il l'avait toujours... Seulement, Dieu retrou-5 vait son compte ; les griffes de tigre de la vie commençaient à lui rayer ce front divin, couronné des roses de tant de lèvres, et sur ses larges tempes impies apparaissaient les premiers cheveux blancs qui annoncent l'invasion prochaine des Barbares et la fin 10 de l'Empire... Il les portait, du reste, avec l'impassibilité de l'orgueil surexcité par la puissance ; mais les femmes qui l'avaient aimé les regardaient parfois avec mélancolie.

Jules Barbey d'Aurevilly, *Le plus bel amour de Don Juan*, 1874

1. En quoi ce portrait correspond-il bien au mythe de Don Juan ?
2. Quels indices laissent cependant prévoir une faille ?

Fiche 36

L'art du détournement

Variantes et transpositions

Tout texte peut donner lieu à une réécriture. Lorsqu'elle en propose une adaptation nouvelle, on parle de transposition littéraire. Mais elle peut aussi imiter ou déformer le texte initial, pour en donner une variante.

1 La transposition

La transposition permet de changer un élément constitutif du texte.

➽ **La forme :** c'est le passage par exemple de la prose en vers ou l'inverse.

Ex : *Baudelaire récrit quelques poèmes des* Fleurs du Mal *en 1857 pour les publier dans* Petits poèmes en prose *en 1869.*

➽ **Le genre :** ainsi, on peut récrire un roman sous une forme théâtrale.

Ex : *Après le succès de son roman* Thérèse Raquin *en 1867, Émile Zola décide de l'adapter au théâtre en 1873.*

➽ **Le point de vue :** la narration omnisciente peut laisser place à celle à la première personne.

➽ **Le registre de langue :** on peut récrire en variant le registre de langue ou le style.

Ex : *Le changement de registre est une des contraintes que s'impose Queneau dans ses* Exercices de style *exécutée en 1947, comme dans « Vulgaire ».*

➽ **L'époque :** le contexte historique du texte peut être modifié et le texte récrit dans l'univers contemporain.

Ex : *Jean Anouilh a décidé de placer au XXe siècle son* Antigone *écrite en 1944. À la première représentation, les gardes sont revêtus d'imperméables.*

➽ **La visée :** on peut enfin changer la visée du texte, adopter la thèse adverse, en changer la dimension affective ou la parodier.

Ex : *Le* Don Quichotte *de Cervantès est en 1605 une parodie des romans de chevalerie.*

2 L'insertion

La variation peut jouer aussi sur des ajouts au texte.

➽ **L'amplification :** il est possible de développer un passage restreint d'un texte comme une description ou une ellipse narrative.

Ex : *Cette amplification est menée implicitement par le spectateur d'une pièce classique qui doit déduire ce qui se passe entre les actes. Ainsi chaque acte de* Dom Juan *de Molière développe-t-il un aspect du libertinage du héros dont il doit reconstituer le parcours et l'évolution dans le mal.*

Ex : *Les morales isolées des* Fables *de La Fontaine peuvent inspirer d'autres productions textuelles pour les illustrer.* Le Petit Perret des Fables *en 1990 reste fidèle aux morales de leur modèle qui sont transposées en argot* « - Vous chantiez gratos, pauvre niaise/Eh bien guinchez maintenant ! » *(*La Cigale et la Fourmi, *Pierre Perret)*

➽ **Le remplacement du texte :** un passage du texte peut être remplacé.

Ex : *La fin de* Jacques le Fataliste *nous invite à remplacer le premier dénouement par deux autres possibilités.*

➽ **L'ajout :** il est possible d'ajouter un passage non existant (dialogue, description, message...).

Ex : *La commedia dell'arte était fondée sur les ajouts improvisés qui venaient enrichir un canevas convenu.*

➽ **La diminution :** on peut réduire un texte ou effectuer des coupes.

Ex : *Le résumé de texte est aussi une réécriture d'un texte, et non la simple suppression de passages secondaires.*

➽ **La suite :** il est possible d'écrire la suite d'un texte quelle que soit sa nature.

Ex : *Les romans à plusieurs mains, sur papier ou support numérique offrent à chaque collaborateur l'occasion d'écrire la suite d'un roman commencé par un ou plusieurs autres auteurs.*

3 La reprise

La réécriture peut jouer du procédé de reprise.

➽ **Les modalités de création :** on peut reprendre les mêmes modalités d'écriture d'un texte.

Ex : *Les morales isolées des* Fables *de La Fontaine peuvent inspirer d'autres productions textuelles pour les illustrer.*

➽ **Les contraintes formelles :** elles peuvent être reprises pour une nouvelle production.

Ex : *Le groupe de l'OULIPO (**ou**vroir de **li**ttérature **po**tentielle) explore les ressources du langage en proposant des procédés de création de nouveaux textes, comme le lipogramme qui supprime une lettre de l'alphabet (*La Disparition *de Perec ne comprend jamais la lettre « e »).*

➽ **« à la manière de... » :** le texte peut être imité dans son style ou dans son genre. Il s'agit alors d'un pastiche.

Exercices

Objet d'étude : Les réécritures, du XVIIe siècle à nos jours

1 Analyser un changement de forme

Texte A :

1 J'irai là-bas où l'arbre et l'homme, pleins de sève,
Se pâment longuement sous l'ardeur des climats ;
Fortes tresses, soyez la houle qui m'enlève !
Tu contiens, mer d'ébène, un éblouissant rêve
5 De voiles, de rameurs, de flammes et de mâts :

Un port retentissant où mon âme peut boire
À grands flots le parfum, le son et la couleur ;
Où les vaisseaux, glissant dans l'or et dans la moire,
Ouvrent leurs vastes bras pour embrasser la gloire
10 D'un ciel pur où frémit l'éternelle chaleur.

Charles Baudelaire, *Les Fleurs du Mal*, 1857

Texte B :

1 Tes cheveux contiennent tout un rêve, plein de voilures et de mâtures ; ils contiennent de grandes mers dont les moussons me portent vers de charmants climats, où l'espace est plus bleu et plus profond, où l'at-
5 mosphère est parfumée par les fruits, par les feuilles et par la peau humaine.

Dans l'océan de ta chevelure, j'entrevois un port fourmillant de chants mélancoliques, d'hommes vigoureux de toutes nations et de navires de toutes formes
10 découpant leurs architectures fines et compliquées sur un ciel immense où se prélasse l'éternelle chaleur.

Charles Baudelaire, *Petits poèmes en prose*, 1869

1. Relevez les reprises entre les deux textes : quel lien unit la chevelure de la femme et le paysage évoqué ?
2. Qu'apporte le choix de la prose ?

2 Pratiquer une transposition du genre et une amplification

[...]
1 Qui te rend si hardi de troubler mon breuvage ?
Dit cet animal plein de rage :
Tu seras châtié de ta témérité.
Sire, répond l'Agneau, que Votre Majesté
5 Ne se mette pas en colère ;
Mais plutôt qu'elle considère
Que je me vais désaltérant
Dans le courant,
Plus de vingt pas au-dessous d'Elle ;
10 Et que par conséquent, en aucune façon,
Je ne puis troubler sa boisson.
Tu la troubles, reprit cette bête cruelle,
[...]

Jean de La Fontaine, *Fables*, 1668, « Le loup et l'agneau » (extrait)

1. Transformez cet extrait en scène de théâtre en développant le dialogue à partir de la matière fournie par la fable de La Fontaine.

3 Transposer de la visée d'un texte

1 Une étrange folie possède les classes ouvrières des nations où règne la civilisation capitaliste. [...] Cette folie est l'amour du travail, la passion furibonde du travail, poussée jusqu'à l'épuisement des forces vitales
5 de l'individu et de sa progéniture. Au lieu de réagir contre cette aberration mentale, les prêtres, les économistes, les moralistes, ont sacro-sanctifié le travail. Hommes aveugles et bornés, ils ont voulu être plus sages que leur Dieu ; hommes faibles et méprisables,
10 ils ont voulu réhabiliter ce que leur Dieu avait maudit.

Paul Lafargue, *Le Droit à la paresse*, 1880

1. Quelle est la visée de ce texte ? Justifiez.
2. Changez-la pour faire l'éloge du travail.

4 Écrire une suite de texte

1 Midi finissait de sonner. La porte de l'école s'ouvrit, et les gamins se précipitèrent en se bousculant pour sortir plus vite. Mais au lieu de se disperser rapidement et de rentrer dîner, comme ils le faisaient chaque
5 jour, ils s'arrêtèrent à quelques pas, se réunirent par groupes et se mirent à chuchoter.

C'est que, ce matin-là, Simon, le fils de la Blanchotte, était venu à la classe pour la première fois.

Tous avaient entendu parler de la Blanchotte dans
10 leurs familles ; et quoiqu'on lui fît bon accueil en public, les mères la traitaient entre elles avec une sorte de compassion un peu méprisante qui avait gagné les enfants sans qu'ils sussent du tout pourquoi.

Guy de Maupassant, *Le papa de Simon*, 1879

➜ Écrivez la suite de cet *incipit*.

5 Suivre une modalité d'écriture

1 Rien ne pèse tant qu'un secret ;
Le porter loin est difficile aux dames ;
Et je sais même sur ce fait
Bon nombre d'hommes qui sont femmes.

Jean de La Fontaine, *Fables*, 1668, « Les Femmes et le secret » (extrait)

➜ Inventez un apologue pour cette morale.

6 Jouer des contraintes formelles

À partir d'un nom ou d'un mot donné, l'**acrostiche** est un poème qui compte autant de vers que ce mot compte de lettres, et dont le premier vers commence par la première lettre du mot, le deuxième par la deuxième, et ainsi de suite.

➜ Choisissez un des mots employés par Baudelaire dans son poème pour écrire un acrostiche.

Fiche 37

Lecture cursive

Préparer sa lecture, lire, rendre compte de sa lecture

Un mode de lecture :

➠ La lecture cursive est une **lecture courante d'un texte ou d'une œuvre**. Elle peut se réaliser de façon silencieuse ou à haute voix. Elle vise à identifier et à comprendre **globalement** les principaux **thèmes** et le **sens** d'un texte.

➠ La lecture cursive se distingue de la **lecture analytique** dans la mesure où elle ne nécessite pas de faire des repérages ou d'accomplir un examen approfondi des moyens expressifs et de l'interprétation à donner.
La lecture cursive est proche de la **lecture découverte** fondée sur le plaisir de lire, la curiosité et l'intérêt pour un sujet.

➠ La lecture cursive entre donc au service de **recherches documentaires**, de **lectures complémentaires** sur un thème ou un problème littéraire traité dans **un objet d'étude.**

1 La lecture cursive au baccalauréat

Les lectures cursives faites dans l'année interviennent à deux moments dans **les épreuves du baccalauréat**.

➠ **À l'écrit :**
Les informations mobilisées lors des lectures cursives peuvent être exploitées dans le cadre du **commentaire littéraire**.
• Elles peuvent aider à formuler des **hypothèses de lecture** face à un texte qui appartient à la même esthétique, au même mouvement littéraire, ou qui s'en écarte.
• On peut également s'appuyer sur les lectures cursives pour rédiger la conclusion d'un commentaire afin d'établir des **rapports** entre le texte commenté et d'autres textes.
• Le sujet de **dissertation** indique toujours de faire référence aux textes du corpus ainsi qu'aux lectures faites dans l'année pour traiter la question posée. Au moment de traiter le sujet, le candidat doit donc intégrer dans sa démonstration des **exemples précis** tirés des lectures cursives.

➠ **À l'oral :**
Lors de **l'entretien**, l'examinateur vérifie que le candidat a bien réalisé des lectures cursives dont il a pu choisir les titres, soit à partir d'une liste donnée par son professeur, soit librement.
Le candidat doit faire la preuve de ses **connaissances** et de sa **culture** de façon pertinente dans le cadre du **dialogue** avec l'examinateur.
Les lectures cursives permettent ainsi d'apprendre à **confronter** des textes entre eux afin de voir les jeux de **continuité** et de **rupture.**

2 Conserver la trace de ses lectures

La lecture cursive construit des connaissances que l'élève doit savoir mobiliser. Pour conserver la trace de ses lectures et se les approprier, il est nécessaire de :

➠ **Prendre quelques notes** sur une fiche qu'on organise à partir d'entrées précises :
- auteur,
- titre de l'œuvre,
- date de publication,
- genre,
- courant littéraire,
- principaux thèmes abordés,
- visée de l'œuvre.

➠ **Sélectionner quelques citations** illustrant les principaux thèmes abordés dans l'œuvre pour les utiliser comme **exemples** ou **arguments d'autorité*** dans un devoir ;

➠ S'exercer à **présenter ces informations** brièvement **à l'oral** dans le cadre d'un **exposé,** d'un **réseau de lecteurs** (Goncourt des lycéens, etc.) ou de l'entraînement au **baccalauréat** (l'épreuve de **l'entretien**) ;

➠ **Lire un passage de façon expressive** pour faire partager le plaisir de la lecture et manifester sa compréhension du texte ;

➠ **Établir des relations** entre cette lecture cursive et les autres textes du corpus.

➠ **Tenir un journal de bord** dans lequel on note ses impressions de lecture pouvant porter sur l'ensemble de l'œuvre ou sur un aspect plus précis. Il est possible de noter les diverses questions suscitées par cette lecture.

Exercices

Objet d'étude : La question de l'Homme dans les genres de l'argumentation du XVIe siècle à nos jours

Sire, Madame, Altesses Royales, Mesdames, Messieurs,

En recevant la distinction dont votre libre Académie a bien voulu m'honorer, ma gratitude était d'autant plus profonde que je mesurais à quel point cette récompense dépassait mes mérites personnels. Tout homme et, à plus forte raison, tout artiste, désire être reconnu. Je le désire aussi. Mais il ne m'a pas été possible d'apprendre votre décision sans comparer son retentissement à ce que je suis réellement. Comment un homme presque jeune, riche de ses seuls doutes et d'une œuvre encore en chantier, habitué à vivre dans la solitude du travail ou dans les retraites de l'amitié, n'aurait-il pas appris avec une sorte de panique un arrêt qui le portait d'un coup, seul et réduit à lui-même, au centre d'une lumière crue ! De quel cœur aussi pouvait-il recevoir cet honneur à l'heure où, en Europe, d'autres écrivains, parmi les plus grands, sont réduits au silence, et dans le temps même où sa terre natale connaît un malheur incessant !

J'ai connu ce désarroi et ce trouble intérieur. Pour retrouver la paix, il m'a fallu, en somme, me mettre en règle avec un sort trop généreux. Et, puisque je ne pouvais m'égaler à lui en m'appuyant sur mes seuls mérites, je n'ai rien trouvé d'autre pour m'aider que ce qui m'a soutenu tout au long de ma vie, et dans les circonstances les plus contraires : l'idée que je me fais de mon art et du rôle de l'écrivain. Permettez seulement que, dans un sentiment de reconnaissance et d'amitié, je vous dise, aussi simplement que je le pourrai, quelle est cette idée.

Je ne puis vivre personnellement sans mon art. Mais je n'ai jamais placé cet art au-dessus de tout. S'il m'est nécessaire au contraire, c'est qu'il ne se sépare de personne et me permet de vivre, tel que je suis, au niveau de tous. L'art n'est pas à mes yeux une réjouissance solitaire. Il est un moyen d'émouvoir le plus grand nombre d'hommes en leur offrant une image privilégiée des souffrances et des joies communes. Il oblige donc l'artiste à ne pas se séparer ; il le soumet à la vérité la plus humble et la plus universelle. Et celui qui, souvent, a choisi son destin d'artiste parce qu'il se sentait différent apprend bien vite qu'il ne nourrira son art, et sa différence, qu'en avouant sa ressemblance avec tous. L'artiste se forge dans cet aller-retour perpétuel de lui aux autres, à mi-chemin de la beauté dont il ne peut se passer et de la communauté à laquelle il ne peut s'arracher. C'est pourquoi les vrais artistes ne méprisent rien ; ils s'obligent à comprendre au lieu de juger. Et s'ils ont un parti à prendre en ce monde ce ne peut être que celui d'une société où, selon le grand mot de Nietzsche, ne régnera plus le juge, mais le créateur, qu'il soit travailleur ou intellectuel.

Le rôle de l'écrivain, du même coup, ne se sépare pas de devoirs difficiles. Par définition, il ne peut se mettre aujourd'hui au service de ceux qui font l'histoire : il est au service de ceux qui la subissent. Ou sinon, le voici seul et privé de son art. Toutes les armées de la tyrannie avec leurs millions d'hommes ne l'enlèveront pas à la solitude, même et surtout s'il consent à prendre leur pas. Mais le silence d'un prisonnier inconnu, abandonné aux humiliations à l'autre bout du monde, suffit à retirer l'écrivain de l'exil chaque fois, du moins, qu'il parvient, au milieu des privilèges de la liberté, à ne pas oublier ce silence, et à le relayer pour le faire retentir par les moyens de l'art.

Aucun de nous n'est assez grand pour une pareille vocation. Mais dans toutes les circonstances de sa vie, obscur ou provisoirement célèbre, jeté dans les fers de la tyrannie ou libre pour un temps de s'exprimer, l'écrivain peut retrouver le sentiment d'une communauté vivante qui le justifiera, à la seule condition qu'il accepte, autant qu'il peut, les deux charges qui font la grandeur de son métier : le service de la vérité et celui de la liberté. Puisque sa vocation est de réunir le plus grand nombre d'hommes possible, elle ne peut s'accommoder du mensonge et de la servitude qui, là où ils règnent, font proliférer les solitudes. Quelles que soient nos infirmités personnelles, la noblesse de notre métier s'enracinera toujours dans deux engagements difficiles à maintenir : le refus de mentir sur ce que l'on sait et la résistance à l'oppression.

Pendant plus de vingt ans d'une histoire démentielle, perdu sans secours, comme tous les hommes de mon âge, dans les convulsions du temps, j'ai été soutenu ainsi : par le sentiment obscur qu'écrire était aujourd'hui un honneur, parce que cet acte obligeait, et obligeait à ne pas écrire seulement. Il m'obligeait particulièrement à porter, tel que j'étais et selon mes forces, avec tous ceux qui vivaient la même histoire, le malheur et l'espérance que nous partagions.

Albert Camus, *Discours de réception à Stockholm lors de la remise du prix Nobel de littérature*, le 10 décembre 1957, © Éd. Gallimard

1 Rendre compte d'une lecture cursive à l'écrit

1. Faites une fiche qui restitue les principales idées qu'Albert Camus développe dans ce discours.
2. Sélectionnez une citation pour éclairer le sens d'un des extraits de *La Peste*, p. 301. Justifiez votre choix.

2 Exploiter une lecture cursive dans une dissertation

1. Développez un paragraphe qui ferait appel au discours de Stockholm dans le cadre du sujet suivant : Dans quelle mesure la littérature peut-elle redonner l'espérance dans l'humanité ?

3 Exploiter une lecture cursive lors de l'entretien du baccalauréat

1. Lisez de façon cursive le texte et présentez-le : auteur, titre, date, circonstances d'écriture, problématique, principales idées.
2. Imaginez les questions qu'un examinateur pourrait vous poser pour vérifier votre compréhension du texte et son rapport avec la problématique de l'engagement par la fiction.

Lecture analytique (1)

Formuler des hypothèses à la première lecture

La lecture analytique consiste à construire et à formuler une **interprétation du texte**.
Avant d'entrer dans une lecture détaillée du texte, on peut commencer par formuler des **premières hypothèses**.

1 Trouver des indices dans le paratexte

➨ Pour formuler des **hypothèses de sens** avant la lecture, on peut s'appuyer sur des **informations périphériques** :
- le titre du texte, de l'œuvre
- le nom de l'auteur
- la date de publication
- le chapeau qui présente le texte et situe le passage
- la forme et la mise en page du texte
- les notes de bas de page éventuelles
- la préface, la couverture (dans le cas d'une œuvre complète)

On ne peut pas toujours formuler des hypothèses à partir d'un **seul élément**. Il faut bien souvent **croiser plusieurs informations.** Certains indices peuvent paraître inutiles dans un premier temps. Mais ils pourront **prendre du sens** lors de l'étude approfondie du texte.

➨ Exemple 1 : **Paratexte :** Albert Camus, *L'Étranger*, 1942.
- **L'auteur** : ses idées peuvent-elles m'aider à formuler des hypothèses ?
- **Le titre** : quelles sont les différentes significations de ce titre ?
- **La date de publication** : les circonstances d'écriture sont-elles importantes ? Pourquoi ?

➨ Exemple 2 : **Paratexte :** Gustave Flaubert, *Madame Bovary*, 1re partie, chapitre IX, 1857.
*Emma Rouault, qui a épousé le médecin Charles Bovary, s'ennuie dans le village de Tostes, et rêve d'une vie mondaine et urbaine que ne lui apporte pas son époux. Elle se souvient aussi du grand bal au château de la Vaubyessard qui l'a éblouie mais a aussi enflammé sa déception et son insatisfaction. (*Annales, *Bac 2009, Hachette)*
La présentation du passage contient des informations qui permettent d'orienter la lecture du texte : **l'opposition entre les aspirations du personnage et sa vie quotidienne.**

Attention : les éléments du paratexte ne sont pas toujours significatifs.

2 Faire des hypothèses à partir d'une première lecture

➨ La **lecture « balayage »** (le regard balaie le texte) n'est pas une lecture intégrale. Elle consiste à **parcourir** le texte pour **prélever des indices** sur certains **aspects** qui pourront être l'objet de premières impressions de lecture. On peut observer en particulier :
- le type de texte (genre* et forme)
- la situation d'énonciation* (qui parle/écrit ? à qui ? de quoi ? pourquoi ?)
- le(s) thème(s)
- le registre* et le ton dominant
- la visée globale du texte
- la forme et la mise en page du texte

Il s'agit alors de formuler des premières hypothèses sous forme de **questions ou d'énoncés** (à l'oral ou à l'écrit). Ces hypothèses de sens débattues au sein de la classe seront ensuite **acceptées, rejetées** ou **ajustées** lors de la lecture du texte. Cette **confrontation** entre les premières hypothèses et la lecture du texte doit ainsi conduire vers l'élaboration d'un **projet de lecture.**

➨ Une **lecture à haute voix** peut mettre en valeur :
- la dimension sonore et musicale d'un texte ;
- les impressions ressenties par le lecteur ou celui qui écoute.

Exemple : Arthur Rimbaud, *Poésies*, « Sensation », mars 1870.

> Sensation
> Par les soirs bleus d'été, j'irai dans les sentiers,
> Picoté par les blés, fouler l'herbe menue :
> Rêveur, j'en sentirai la fraîcheur à mes pieds.
> Je laisserai le vent baigner ma tête nue.

• Une lecture « balayage » permet de repérer les thèmes de **la nature** et du **bien-être**. On peut donc orienter la lecture du texte autour d'une première question : **cette poésie exprime-t-elle la « sensation » de bonheur éprouvée par le poète dans la « Nature » ?**

• La lecture à haute voix du poème met en valeur le rythme et le mot « rêveur ».

Exercices

1 Trouver des indices dans le paratexte

A. André Breton, *L'Amour fou*, 1937
B. Michel Déon, *Les Trompeuses espérances*, 1956
C. J.-M. G. Le Clézio, *Ritournelle de la faim*, 2008
D. Boris Vian, *L'Écume des jours*, 1947
E. Delphine de Vigan, *Les Heures souterraines*, 2009

➜ Formulez des hypothèses de lecture à partir de chacun de ces titres : quelles attentes suscitent-ils ?

2 Trouver des indices dans le paratexte

Objet d'étude : Écriture poétique et quête du sens du Moyen Âge à nos jours

« Le dormeur du val »

1 C'est un trou de verdure où chante une rivière
Accrochant follement aux herbes des haillons
D'argent ; où le soleil, de la montagne fière,
Luit : c'est un petit val qui mousse de rayons.

5 Un soldat jeune, bouche ouverte, tête nue,
Et la nuque baignant dans le frais cresson bleu,
Dort ; il est étendu dans l'herbe, sous la nue,
Pâle dans son lit vert où la lumière pleut.

Les pieds dans les glaïeuls, il dort. Souriant comme
10 Sourirait un enfant malade, il fait un somme :
Nature, berce-le chaudement : il a froid.

Les parfums ne font plus frissonner sa narine ;
Il dort dans le soleil, la main sur sa poitrine
Tranquille. Il a deux trous rouges au côté droit.

Arthur Rimbaud, « Le dormeur du val », octobre 1870.

1. Formulez des hypothèses de lecture à partir du paratexte.
2. Vérifiez la validité de ces hypothèses par une analyse précise de l'extrait.

3 Faire des hypothèses à partir d'une lecture « balayage »

Objet d'étude : La question de l'Homme dans les genres de l'argumentation du XVIe siècle à nos jours

1 La leçon première de la génétique est que les individus, tous différents, ne peuvent être classés, évalués, ordonnés : la définition de « races », utile pour certaines recherches, ne peut être qu'arbitraire et 5 imprécise ; l'interrogation sur le « moins bon » et le « meilleur » est sans réponse ; la qualité spécifique de l'Homme, l'intelligence, dont il est si fier, échappe pour l'essentiel à nos techniques d'analyse ; les tentatives passées d'« amélioration » biologique de l'Homme ont 10 été parfois simplement ridicules, le plus souvent criminelles à l'égard des individus, dévastatrices pour le groupe.

Albert Jacquard, *Éloge de la différence*, © Seuil 1978

1. Quelle est la visée de ce texte ?
2. Justifiez votre réponse en relevant des indices pertinents.

4 Faire des hypothèses à partir d'une lecture « balayage »

Objet d'étude : Le texte théâtral et sa représentation du XVIIe siècle à nos jours

1 HERNANI : Doña Sol, prends le duc, prends l'enfer, prends le roi !
C'est bien. Tout ce qui n'est pas moi vaut mieux que moi !
5 Je n'ai plus un ami qui de moi se souvienne,
Tout me quitte, il est temps qu'à la fin ton tour vienne,
Car je dois être seul. Fuis ma contagion.
Ne te fais pas d'aimer une religion !
Oh ! par pitié pour toi, fuis ! – Tu me crois peut-être
10 Un homme comme sont tous les autres, un être
Intelligent, qui court droit au but qu'il rêva.
Détrompe-toi. Je suis une force qui va !

Victor Hugo, *Hernani*, 1830, acte III, scène 4

1. Comment Hernani se présente-t-il dans ce passage ?
2. Justifiez votre réponse en relevant et en analysant des indices pertinents.

5 Faire des hypothèses à partir d'une lecture « balayage »

Objet d'étude : Écriture poétique et quête du sens du Moyen Âge à nos jours

1 Derrière, c'était les grands pins mélancoliques, de ceux dont l'orientation des branches ne laisse guère filtrer que les rayons horizontaux du soleil à cette heure du couchant où les routes sont belles, pures, livrées à 5 la chanson des fontaines. On entendait dans le fond du port des marteaux sur les coques, infinis, inlassables comme une chanson de toile au-dessus d'un bâti naïf de tapisserie balayé de deux tresses blondes, circonvenu d'un lacis incessant de soucis domestiques, avec au 10 milieu ces deux yeux doux, fatigués sous les boucles, la sœur même des fontaines intarissables.

Julien Gracq, « Les Nuits blanches », *Liberté Grande*, © Éd. José Corti 1946.

1. Comment l'imaginaire s'impose-t-il à travers cette description ?
2. Justifiez votre réponse en relevant et en analysant des indices pertinents.

Fiche 39

Lecture analytique (2)

Repérer, interpréter et analyser

La **lecture analytique** se distingue de la lecture cursive dans la mesure où elle nécessite de faire des repérages et d'accomplir un **examen approfondi** des procédés d'écriture et de l'interprétation.

1 Repérer des indices en fonction des hypothèses

➽ Une **lecture plus attentive** doit confirmer ou ajuster les hypothèses de la lecture « balayage ». La relecture du texte vise donc à **repérer des indices** en fonction des hypothèses.

Ce travail de repérage permet de **construire le sens** du texte. Il est possible de choisir quelques **entrées** précises parmi les suivantes :

- les champs lexicaux*
- les champs sémantiques*
- les figures de style (voir fiche 41)
- les registres (voir fiche 40)
- les temps verbaux
- les pronoms, les déterminants
- les répétitions et les reprises
- la structure du texte

➽ Exemple :

Objet d'étude : Écriture poétique et quête du sens du Moyen Âge à nos jours

Son oncle, le cardinal Jean, emmène Du Bellay à Rome en tant qu'intendant. Il y séjournera de 1553 à 1557. Le poète rédige un recueil de sonnets : Les Regrets.

XXXI

Heureux qui, comme Ulysse, a fait un beau voyage,
Ou comme cestuy-là qui conquit la toison,
Et puis est retourné, plein d'usage et raison,
Vivre entre ses parents le reste de son âge !

Quand reverrai-je, hélas, de mon petit village
Fumer la cheminée, et en quelle saison,
Reverrai-je le clos de ma pauvre maison,
Qui m'est une province, et beaucoup davantage !

Plus me plaît le séjour qu'ont bâti **mes** ayeux,
Que des palais Romains le front audacieux,
Plus que le marbre dur **me plaît** l'ardoise fine :

Plus mon Loir gaulois, **que** le Tibre Latin,
Plus mon petit Liré[1], **que** le mont Palatin,
Et **plus que** l'air marin la douceur Angevine.

Joachim Du Bellay, *Les Regrets*, 1558.

1. Liré est un village du Maine-et-Loire, mais aussi le nom de la colline sur laquelle il est bâti.

• **Première hypothèse : le poète exprime l'impatience de revoir son « petit village ».**

L'observation de quelques **indices** permet de confirmer et d'ajuster cette hypothèse :

- Le premier quatrain évoque la joie du voyage suivi d'un retour réussi à travers l'exclamation « Heureux qui... »
- Le deuxième quatrain exprime l'incertitude et l'impatience de ce retour à travers des interrogations « quand reverrai-je... ; en quelle saison... ! »
- Les deux tercets expriment **l'attachement du poète à son village natal** à travers une série de comparaisons : « Plus que... me plaît... ».

• Le poème contient évidemment d'**autres indices** qu'il faudra repérer et analyser afin de construire le sens du texte de manière **plus approfondie**. Mais, dans un premier temps, il est nécessaire de définir un **projet de lecture** afin de construire progressivement les différentes significations du texte.

2 Analyser et interpréter dans un projet de lecture

➽ **Le projet de lecture** s'élabore à partir de **la confrontation** entre les premières hypothèses et le repérage de quelques indices. Il doit conduire vers la formulation d'une ou plusieurs **problématiques**.

➽ Ces **questions** vont orienter le travail d'analyse sur **le fond** comme sur **la forme** et faire émerger une **interprétation** particulière du texte.

Il est donc nécessaire d'**ancrer** le travail d'analyse et d'interprétation d'un texte **à l'intérieur d'un projet de lecture**. Il oriente la lecture du texte, permet de vérifier ou d'ajuster des hypothèses.

➽ La lecture analytique a donc une **visée argumentative** puisqu'elle vise à construire le sens d'un texte par rapport à un projet de lecture **préalablement défini**. Mais, la formulation d'un projet de lecture peut aussi se préciser **après une série de repérages**.

Exemple 1 - **Projet de lecture : comment s'exprime l'impatience du retour ?**		
Repérage des indices	**Identification/Analyses**	**Interprétations**
« Quand reverrai-je [...] cheminée ! »	Interrogation qui fait contraste avec le tableau du premier quatrain.	Après l'évocation du voyage idéal, le poète exprime son désir de retrouver son village.
« Hélas » *« je ; mon ; ma »*	Interjection interrompant le déroulement de la question et intrusion des pronoms de 1re personne.	Dimension pathétique : expression de la plainte de l'exilé.
« et en quelle saison,/ Reverrai-je »	Prolongement de la question et répétition du verbe composé « revoir » placé à l'enjambement.	Insistance sur l'impatience du retour et évocation de la nostalgie du village natal.
« le clos de ma pauvre maison »	Présence d' un hypallage.	Par transfert, la maison souffre comme le poète.
« et beaucoup davantage »	Imprécision et simplicité de cette expression.	Elle suggère la valeur affective des biens et la difficulté de traduire le sentiment intérieur du poète.

Exemple 2 - **Projet de lecture : comment s'exprime l'attachement du poète à son village natal ?**		
Repérage des indices	**Identification/Analyses**	**Interprétations**
*« **mon** petit village ; **ma** pauvre maison ; **mes** ayeux »*	Emploi d'adjectifs possessifs.	Insistance sur l'attachement du poète à son village natal.
« fumer la cheminée »	Emploi du singulier et d'une synecdoque*.	L'unique cheminée symbolise l'unité du village et la chaleur du foyer.
« Plus me plaît [...] Que... »	Série de comparaisons qui se développent sur six vers.	Elles montrent tout ce qui sépare les deux pays et insistent sur la supériorité de son village sur Rome.
« Plus... »	Anaphore de « plus », répété cinq fois en début de vers.	Insistance sur la préférence pour son village natal.
« le séjour qu'ont bâti mes ayeux/palais Romains » *« marbre dur/ardoise fine »* *« l'air marin/la douceur Angevine »*	Série d'oppositions : construction antithétique du sonnet.	Évocation des racines du poète, des éléments de la civilisation et du paysage. Expression d'un véritable hymne au pays natal face à la grandeur de Rome.
*« **petit** village ; **pauvre** maison ; ardoise **fine**, **petit** Liré ; **douceur** angevine »*	Importance des adjectifs qui caractérisent la province aimée.	Expression de valeurs faites d'humilité, de simplicité et de douceur.

3 Organiser et présenter une lecture analytique

La présentation d'une lecture analytique à l'oral doit s'organiser autour de **quatre temps** :

➠ **1 - Une introduction** qui comprend :

- **Une entrée en matière** qui vise à situer le texte dans un contexte : l'époque, le courant, le genre, l'œuvre dont il est extrait.

Ex : *Les Regrets* ont été écrits pendant les deux dernières années du séjour à Rome de l'auteur.

- **Une présentation** du texte : ses circonstances d'écriture, son idée générale, sa structure, ses caractéristiques.

Ex : Ce recueil traduit de multiples aspirations et déceptions du poète. Dans ce sonnet, après avoir exalté la séduction du voyage, le poète exprime le désir de retrouver son village.

- **Une annonce et une justification** du projet de lecture.

Ex : C'est autour de l'expression de cette nostalgie que s'orientera notre projet de lecture. Notre analyse montrera comment ce sonnet traduit l'impatience du retour avant d'étudier l'attachement au village natal.

➠ **2 - Une lecture expressive** du texte.

➠ **3 - Un développement** à visée **argumentative** qui s'efforce de :

- construire le sens du texte en fonction d'un projet de lecture pertinent.
- justifier des interprétations par un travail de repérage et d'analyse rigoureux.

➠ **4 - Une conclusion** qui comprend :

- **Un bilan** qui montre l'intérêt du texte.

Ex : Le poète a su exprimer son attachement à son village natal et le désir de retrouver ses racines. Il s'est fait ainsi le chantre de la nostalgie.

- **Un élargissement** qui montre les rapports du texte étudié avec d'autres textes du corpus (ou de l'œuvre) ou avec d'autres textes à d'autres époques.

Ex : Du Bellay vient ainsi s'inscrire dans la lignée des auteurs qui ont dépeint l'état d'âme des exilés. En lisant le premier vers de ce sonnet, on pense à la tristesse d'Ulysse qui « allait s'asseoir sur les pierres des grèves et pleurait en regardant la mer sans moissons ».

Exercices

1 Repérer des indices en fonction des hypothèses

Objet d'étude :
Le personnage de roman, du XVIIe siècle à nos jours

1 Aujourd'hui, maman est morte. Ou peut-être hier, je ne sais pas. J'ai reçu un télégramme de l'asile : « Mère décédée. Enterrement demain. Sentiments distingués. » Cela ne veut rien dire. C'était peut-être hier.
5 L'asile de vieillards est à Marengo, à quatre-vingts kilomètres d'Alger. Je prendrai l'autobus à deux heures et j'arriverai dans l'après-midi. Ainsi, je pourrai veiller et je rentrerai demain soir. J'ai demandé deux jours de congé à mon patron et il ne pouvait pas me les re-
10 fuser avec une excuse pareille. Mais il n'avait pas l'air content. Je lui ai même dit : « Ce n'est pas de ma faute. » Il n'a pas répondu. J'ai pensé alors que je n'aurais pas dû lui dire cela. En somme, je n'avais pas à m'excuser. C'était plutôt à lui de me présenter ses condoléances.
15 Mais il le fera sans doute après-demain, quand il me verra en deuil. Pour le moment, c'est un peu comme si maman n'était pas morte. Après l'enterrement, au contraire, ce sera une affaire classée et tout aura revêtu une allure plus officielle.

Albert Camus, *L'Étranger*, © Éd. Gallimard 1942

1. Pourquoi l'attitude du narrateur est-elle étonnante ?
2. Justifiez votre réponse en relevant et en analysant des indices pertinents.

2 Repérer des indices en fonction des hypothèses

Objet d'étude : La question de l'Homme dans les genres de l'argumentation du XVIe siècle à nos jours

1 Arrias a tout lu, a tout vu, il veut le persuader ainsi ; c'est un homme universel, et il se donne pour tel : il aime mieux mentir que de se taire ou de paraître ignorer quelque chose. On parle, à la table d'un grand,
5 d'une cour du Nord : il prend la parole, et l'ôte à ceux qui allaient dire ce qu'ils en savent ; il s'oriente dans cette région lointaine comme s'il en était originaire ; il discourt des mœurs de cette cour, des femmes du pays, de ses lois et de ses coutumes : il récite des his-
10 toriettes qui y sont arrivées ; il les trouve plaisantes, et il en rit le premier jusqu'à éclater. Quelqu'un se hasarde de le contredire, et lui prouve nettement qu'il dit des choses qui ne sont pas vraies. Arrias ne se trouble point, prend feu au contraire contre l'interrupteur. « Je
15 n'avance, lui dit-il, je ne raconte rien que je ne sache d'original : je l'ai appris de Sethon, ambassadeur de France dans cette cour, revenu à Paris depuis quelques jours, que je connais familièrement, que j'ai fort interrogé, et qui ne m'a caché aucune circonstance. » Il
20 reprenait le fil de sa narration avec plus de confiance qu'il ne l'avait commencée, lorsque l'un des conviés lui dit : « C'est Sethon à qui vous parlez, lui-même, et qui arrive de son ambassade. »

Jean de La Bruyère, *Les Caractères*, 1688-1694, V, 9

1. Quel défaut est dénoncé à travers ce portrait d'Arrias ?
2. Comment ce défaut est-il dénoncé ?
3. Observez en particulier : l'accumulation des verbes, la construction des phrases et le rôle du discours direct et indirect.

3 Repérer des indices en fonction des hypothèses

Objet d'étude : Le texte théâtral et sa représentation du XVIIe siècle à nos jours

1 CLOV : Pourquoi cette comédie, tous les jours ?
HAMM : La routine. On ne sait jamais. *(Un temps.)* Cette nuit j'ai vu dans ma poitrine. Il y avait un gros bobo.
5 CLOV : Tu as vu ton cœur.
HAMM : Non, c'était vivant. *(Un temps. Avec angoisse.)* Clov !
CLOV : Oui.
HAMM : Qu'est-ce qui se passe ?
10 CLOV : Quelque chose suit son cours.
Un temps.
HAMM : Clov !
CLOV *(agacé)* : Qu'est-ce que c'est ?
HAMM : On n'est pas en train de... de... signifier
15 quelque chose ?
CLOV : Signifier ? Nous, signifier ! *(Rire bref.)* Ah elle est bonne !
HAMM : Je me demande. *(Un temps.)* Une intelligence, revenue sur terre, ne serait-elle pas tentée de se
20 faire des idées, à force de nous observer ?

Samuel Beckett, *Fin de partie*, © Éditions de Minuit 1957.

➜ Comment la représentation théâtrale est-elle tournée en dérision dans ce passage ? Justifiez votre réponse en relevant et en analysant des indices pertinents.

4 Analyser et interpréter dans un projet de lecture

Objet d'étude : Écriture poétique et quête du sens du Moyen Âge à nos jours

1 JE T'AIME
Je t'aime pour toutes les femmes que je n'ai pas connues
Je t'aime pour tous les temps où je n'ai pas vécu
Pour l'odeur du grand large et l'odeur du pain chaud
5 Pour la neige qui fond pour les premières fleurs
Pour les animaux purs que l'homme n'effraie pas
Je t'aime pour aimer
Je t'aime pour toutes les femmes que je n'aime pas

Qui me reflète sinon toi-même je me vois si peu
10 Sans toi je ne vois rien qu'une étendue déserte
Entre autrefois et aujourd'hui
Il y a eu toutes ces morts que j'ai franchies sur de la paille
Je n'ai pas pu percer le mur de mon miroir
Il m'a fallu apprendre mot par mot la vie
15 Comme on oublie [...]

Paul Éluard, « Je t'aime » (fragment),
Derniers poèmes d'amour, © Seghers, 1963

1. Formulez un projet de lecture qui permette d'étudier le thème de la femme.
2. Vérifiez la validité de ce projet en analysant et en interprétant des indices pertinents.

5 Analyser et interpréter dans un projet de lecture

Objet d'étude :
Le personnage de roman du XVIIe siècle à nos jours

1 Jean Valjean pleura longtemps. Il pleura à chaudes larmes, il pleura à sanglots, avec plus de faiblesse qu'une femme, avec plus d'effroi qu'un enfant.
Pendant qu'il pleurait, le jour se faisait de plus en
5 plus dans son cerveau, un jour extraordinaire, un jour ravissant et terrible à la fois. Sa vie passée, sa première faute, sa longue expiation, son abrutissement extérieur, son endurcissement intérieur, sa mise en liberté réjouie par tant de plans de vengeance, ce qui
10 lui était arrivé chez l'évêque, la dernière chose qu'il avait faite, ce vol de quarante sous à un enfant, crime d'autant plus lâche et d'autant plus monstrueux qu'il venait après le pardon de l'évêque, tout cela lui revint et lui apparut, clairement, mais dans une clarté qu'il
15 n'avait jamais vue jusque-là. Il regarda sa vie, et elle lui parut horrible ; son âme, et elle lui parut affreuse. Cependant un jour doux était sur cette vie et sur cette âme. Il lui semblait qu'il voyait Satan à la lumière du paradis.

Victor Hugo, *Les Misérables*, Première partie, Livre Deuxième, Chapitre XIII, 1862.

1. Formulez un projet de lecture qui permette d'étudier la réaction de Jean Valjean.
2. Vérifiez la validité du projet en analysant et en interprétant des indices pertinents.

6 Organiser et présenter une lecture analytique

Objet d'étude : Le texte théâtral et sa représentation du XVIIe siècle à nos jours

1 ÉGISTHE : Merci... D'autre part, président, il est incontestable qu'éclatent parfois dans la vie des humains des interventions dont l'opportunité ou l'amplitude peut laisser croire à un intérêt ou à une justice
5 extra-humaine. Elles ont ceci d'extra-humain, de divin, qu'elles sont un travail en gros, nullement ajusté... La peste éclate bien lorsqu'une ville a péché par impiété ou par folie, mais elle ravage la ville voisine, particulièrement sainte. La guerre se déchaîne quand un peuple
10 dégénère et s'avilit, mais elle dévore les derniers justes, les derniers courageux et sauve les plus lâches. Ou bien, quelle que soit la faute, où qu'elle soit commise, c'est le même pays ou la même famille qui paie, innocente ou coupable. Je connais une mère de sept enfants
15 qui avait l'habitude de fesser toujours le même, c'était une mère divine. Cela correspond bien à ce que nous pensons des dieux, que ce sont des boxeurs aveugles, des fesseurs aveugles, tout satisfaits de retrouver les mêmes joues à gifle et les mêmes fesses.

Jean Giraudoux, *Électre*, acte I, scène 3, © Grasset 1937.

1. Préparez une lecture analytique dont le projet de lecture sera le suivant : quelle vision Égisthe donne-t-il de la justice divine ?
2. Rédigez une introduction et une conclusion.
3. Présentez votre lecture analytique en classe.

7 Organiser et présenter une lecture analytique

Objet d'étude : Écriture poétique et quête du sens du Moyen Âge à nos jours

1 Automne malade et adoré
Tu mourras quand l'ouragan soufflera dans les roseraies
Quand il aura neigé
Dans les vergers

5 Pauvre automne
Meurs en blancheur et en richesse
De neige et de fruits mûrs
Au fond du ciel
Des éperviers planent
10 Sur les nixes[1] nicettes[2] aux cheveux verts et naines
Qui n'ont jamais aimé

Aux lisières lointaines
Les cerfs ont bramé

Et que j'aime ô saison que j'aime tes rumeurs
15 Les fruits tombant sans qu'on les cueille
Le vent et la forêt qui pleurent
Toutes leurs larmes en automne feuille à feuille
Les feuilles
Qu'on foule
20 Un train
Qui roule
La vie s'écoule
S'écoule

Guillaume Apollinaire, *Alcools*, 1913, « Automne malade », © Éd. Gallimard NRF 2010

1. Nymphes des eaux.
2. Simple, ignorant, naïf.

1. Préparez une lecture analytique dont le projet de lecture sera le suivant : qu'exprime la mélancolie automnale dans ce poème ?
2. Rédigez une introduction et une conclusion.
3. Présentez votre lecture analytique en classe.

Fiche 40

Les registres

On définit un **registre littéraire** en fonction de **l'effet** produit sur le lecteur à la réception d'un texte. Cet effet est visé par l'auteur soit par le **contenu**, soit par le **style**. Les principaux **registres littéraires** sont :
- Le comique
- Le tragique
- Le pathétique
- Le lyrique
- Le polémique
- Le didactique
- L'épique

➡ Quelques **genres littéraires** sont davantage orientés vers **certains registres** : la comédie : le comique ; la tragédie : le tragique ; l'épopée : l'épique.

➡ Un registre peut prendre différentes **nuances**. Par exemple, le comique peut prendre la forme de la satire, de l'ironie, de l'humour, du burlesque.

➡ **Attention :** il ne faut pas confondre les registres littéraires avec les **registres de langue*** (soutenu, courant, familier).

1 Le comique

➡ **Le registre comique** suscite **le rire** ou **le sourire**. On distingue le comique de caractère, de situation, de gestes et de mots.

Les **principaux procédés** du comique sont :
- Les effets **de décalage, de surprise.**

Ex : *« KNOCK : Mais on ne ferait pas un gros volume avec le recueil de ses ordonnances !*
MOUSQUET : Vous l'avez dit.
KNOCK : Quand je rapproche tout ce que je sais de lui maintenant, j'en arrive à me demander s'il croyait en la médecine. » (Romains, Knock, *1923, acte II, scène 3)*

- La **répétition de mots**, de **phrases**, de **situations**.

Ex : *« M. SMITH : Touche la mouche, mouche pas la touche.*
Mme MARTIN : La mouche bouge.
Mme SMITH : Mouche ta bouche. » (Ionesco, La Cantatrice chauve, *1950, scène XI)*

- L'**accumulation.**

Ex : *« CYRANO : Descriptif : c'est un roc !... c'est un pic !... c'est un cap !*
Que dis-je, un cap !... C'est une péninsule ! » (Rostand, Cyrano de Bergerac, *1897, acte I, scène 4)*

- Les **quiproquos** et les **jeux de mots**.

Ex : *« CLOV : J'essaie de fabriquer un peu d'ordre.*
HAMM : Laisse tomber.
Clov laisse tomber les objets qu'il vient de ramasser. » (Beckett, Fin de partie, *1957)*

Le comique peut prendre d'**autres nuances :**

➡ **La satire : le registre satirique** consiste à **se moquer** des défauts ou des ridicules d'une personne, d'un groupe, d'un milieu ou d'une époque.

Les **principaux procédés** du registre satirique sont :
- Les termes **dévalorisants.**

Ex : *« FIGARO : Certains avocats, qui, suant à froid, criant à tue-tête, et connaissant tout, hors le fait, s'embarrassent aussi peu de ruiner le plaideur que d'ennuyer l'auditoire. » (Beaumarchais,* Le Mariage de Figaro, *1784, acte III, scène 15)*

- Les figures de l'**exagération** (la caricature*).

Ex : *« SGANARELLE : Voilà de l'urine qui marque grande chaleur, grande inflammation dans les intestins : elle n'est pas tant mauvaise pourtant. » (Molière,* Le Médecin volant, *1659, scène 4)*

- La **fausse naïveté**.

Ex : *« On ne peut se mettre dans l'idée que Dieu, qui est un être très sage ait mis une âme, surtout une âme bonne, dans un corps tout noir. » (Montesquieu,* De l'esprit des lois, *« De l'esclavage des nègres », 1748)*

➡ **L'ironie** : l'ironie consiste à se **moquer** de quelqu'un ou de quelque chose en disant le contraire de ce que l'on veut faire comprendre. L'ironie repose sur la connivence qui s'installe entre l'auteur de l'énoncé et son récepteur.

Les **principaux procédés** de l'ironie sont :
- Les figures d'**opposition** (l'antiphrase).

Ex : *« LE COMTE : Maraud ! si tu dis un mot...*
FIGARO : Oui, je vous reconnais ; voilà les bontés familières dont vous m'avez toujours honoré. » (Beaumarchais, Le Barbier de Séville, *1775, acte I, scène 2)*

- Les figures de l'**atténuation** (l'euphémisme).

Ex : *« Il faut pourtant dire un mot de la torture, autrement nommée question. C'est une étrange manière de questionner les hommes. » (Voltaire,* Dictionnaire philosophique, *1764, article « Torture »)*

- Les procédés de **décalage**, de **distorsion**.

Ex : *« Ceux dont il s'agit sont noirs depuis les pieds jusqu'à la tête ; et ils ont le nez si écrasé qu'il est presque impossible de les plaindre. » (Montesquieu,* De l'esprit des lois, *1748, « De l'esclavage des nègres »)*

➡ **Le burlesque et l'héroï-comique** consistent à opérer un renversement. Le **registre burlesque,** très en vogue au milieu du XVIIe siècle, se caractérise par l'emploi d'**expressions plaisantes** et **ridicules** pour parler de choses **nobles** et **sérieuses.**

Ex : *Énée raconte à la reine Didon l'aventure du cheval de Troie :*
« Aussi fut ce maître dada
Aussi grand que le mont Ida » (Scarron, Le Virgile travesti en vers burlesques, *1668)*

Inversement, le **registre héroï-comique** se caractérise par l'emploi d'**expressions nobles et élevées** pour traiter un **sujet bas** et **trivial.**

Ex : *« Ainsi dit Gilotin ; et ce ministre sage*
Sur table, au même instant, fit servir le potage.
Le prélat voit la soupe, et plein d'un saint respect,
Demeure quelque temps muet à cet aspect. » (Boileau, Le Lutrin, *1683)*

2 Le tragique et le pathétique

➠ **Le registre tragique** suscite une réaction de **pitié** ou de **terreur** devant des situations où les personnages sont victimes de **la fatalité** et condamnés à **un malheur** certain.

Les **principaux procédés** du registre tragique sont :

• Le lexique de la **fatalité**, du **destin**, du **désespoir**.
Ex : *« ORESTE : Puisque après tant d'efforts ma résistance est vaine*
Je me livre en aveugle au transport qui m'entraîne. » (Racine, Andromaque, *1667, acte I, scène 1)*

• Le lexique du **malheur**, de la **douleur**, de la **mort,** du **néant**.
Ex : *« Et les vastes remparts des tremblantes cités*
N'enfermaient que tourments, et que calamités. » (Chapelain, La Pucelle ou la France délivrée, *1656)*

• Les **exclamations**, les **interjections** et les **interpellations**.
« BÉRÉNICE : Pour jamais ! Ah ! Seigneur ! Songez-vous en vous-même
Combien ce mot cruel est affreux quand on aime ! » (Racine, Bérénice, *1670, acte IV, scène 5)*

• Les termes évoquant l'idée d'**accablement** et d'**impuissance**.
Ex : *« ANTIGONE : Ô tombeau ! Ô lit nuptial ! Ô ma demeure souterraine... » (Anouilh,* Antigone, *1946)*

➠ **Le registre pathétique** suscite des sentiments de **pitié** et de **compassion** devant les **malheurs** des personnages : la souffrance, la tristesse, la misère, la maladie, etc.

Les **principaux procédés** du registre pathétique sont :

• Le lexique de la **souffrance**, des **malheurs**.
Ex : *« Oh ! Je fus comme fou dans le premier moment,*
Hélas ! Et je pleurai trois jours amèrement. » (Hugo, Les Contemplations, *1856)*

• Le vocabulaire des **sensations** et des **sentiments**.
Ex : *« Je n'étais jamais gai quand je la sentais triste ;*
J'étais morne au milieu du bal le plus joyeux
Si j'avais, en partant, vu quelque ombre en ses yeux » (Hugo, Les Contemplations, *1856)*

• Les **apostrophes**.
Ex : *« Pères, mères, dont l'âme a souffert ma souffrance,*
Tout ce que j'éprouvais, l'avez-vous éprouvé ! » (Hugo, Les Contemplations, *1856)*

• Les **détails concrets**.
Ex : *« – Tu oublies que des tringles de métal soutiennent tous mes os, ceux des bras, ceux des jambes, mes côtes !... Mes os sont pourris Gilbert, tout effrités ! » (Vincenot,* Le Pape des escargots, *1972)*

3 Le lyrique

➠ **Le registre lyrique** cherche à faire vibrer le cœur du lecteur par l'expression des **émotions** ou de **sentiments personnels** et/ou **universels** : l'amour, la colère, les regrets, la peine, la joie, etc. Il peut prendre le ton de la passion exaltée ou celui de la confidence.

Les **principaux procédés** du registre lyrique sont :

• L'importance de la **première personne**.
Ex : *« Mais je demande en vain quelques moments encore,*
Le temps m'échappe et fuit
Je dis à cette nuit : 'Sois plus lente' » (Lamartine, Les Méditations, *1820, « Le Lac »)*

• L'omniprésence du vocabulaire des **sentiments,** des **émotions.**
Ex : *« C'est ta main qui sèche mes pleurs,*
Quand je vais, triste et solitaire,
Répandre en secret ma prière
Près des autels consolateurs. » (Lamartine, Les Méditations, *1820, « Souvenir »)*

• Les phrases **interrogatives**.
Ex : *« Mais pour où ? Quel pays m'attend ? Quelle nouvelle vie, plus vaste, plus libre que l'ancienne pourrait être la mienne ? » (Le Clézio,* L'Extase matérielle, *1971)*

• Les phrases **exclamatives**.
Ex : *« Ô temps, suspends ton vol ! et vous, heures propices,*
Suspendez votre cours ! » (Lamartine, Les Méditations, *1820, « Le Lac »)*

• Les **hyperboles**.
Ex : *« C'était une musique ineffable et profonde,*
Qui, fluide, oscillait sans cesse autour du monde » (Hugo, Les Feuilles d'automne, *« Ce qu'on entend sur la montagne », 1831)*

4 Le polémique

Le registre polémique suscite l'**indignation** et la **révolte.** Il se rencontre dans des textes ou des débats qui **attaquent** violemment des personnes ou des idées. Il vise à **réfuter** un point de vue opposé et à **discréditer** l'adversaire.

Les **principaux procédés** du registre polémique sont :
- Le lexique de la **colère** et de l'**indignation.**

Ex : *« Donc vous n'avez pas honte et vous choisissez l'heure,*
L'heure sombre où l'Espagne agonisante pleure
Donc vous n'avez ici pas d'autres intérêts
Que remplir votre poche et vous enfuir après ! » (Hugo, Ruy Blas, *1838, acte III, scène 2)*

- Les termes **dévalorisant** ou **calomniant** l'adversaire.

Ex : *« Pauvres gens et misérables, peuples insensés, nations opiniâtres en votre mal » (La Boétie,* Discours sur la servitude volontaire, *1576)*

- Les **invectives** et les **apostrophes** à destination de l'adversaire.

Ex : *« Faites mieux, misérables humains » (Voltaire,* Dictionnaire philosophique, *1764, article « Superstition »)*

- L'**implication** du destinataire.

Ex : *« Soyez résolus à ne plus servir, et vous voilà libres. Je ne vous demande pas de le pousser, de l'ébranler, mais seulement de ne plus le soutenir » (La Boétie,* Discours sur la servitude volontaire, *1576)*

- L'expression des **oppositions** entre des valeurs (bien/mal ; beau/laid ; moral/immoral).

Ex : *« Que deviennent [...] la douceur, la sagesse, la piété, tandis [...] que je meurs à vingt ans dans des tourments inexprimables... » (Voltaire,* Dictionnaire philosophique, *1764, article « Guerre »)*

5 Le registre didactique

Le registre didactique vise à **enseigner**, à **transmettre un savoir** soit théorique, soit pratique. Il se caractérise par des explications, des éclaircissements et des conseils.

Les **principaux procédés** du registre didactique sont :
- La **progression claire** et **logique** des propos.

Ex : *«... après avoir bien contemplé avec lui le soleil levant, après lui avoir fait remarquer du même côté les montagnes et les autres objets voisins, après l'avoir laissé causer là-dessus tout à son aise...» (Rousseau,* Émile ou de l'éducation, *1762)*

- Les marques de la **neutralité** et de l'**objectivité** (tournures impersonnelles).

Ex : *« Il faut que chaque chose y soit mise en son lieu ;*
Que le début, la fin, répondent au milieu » (Boileau, Art poétique, *1674)*

- Les marques de la **deuxième personne**.

Ex : *« Vous voulez apprendre la géographie à cet enfant, et vous lui allez chercher des globes, des sphères, des cartes : que de machines ! » (Rousseau,* Émile ou De l'éducation, *1762)*

- Le recours à des **exemples** :

Ex : *«... et puis vous lui direz : Je songe qu'hier au soir le soleil s'est couché là, et qu'il s'est levé là ce matin, comment cela peut-il se faire ! N'ajoutez rien de plus » (Rousseau,* Émile ou De l'éducation*)*

- Le mode de l'**injonction** (l'impératif).

Ex : *« Ô vous donc qui, brûlant d'une ardeur périlleuse,*
Courez du bel esprit, la carrière épineuse,
N'allez pas sur des vers sans fruit vous consumer » (Boileau, Art poétique, *1674)*

6 L'épique

Le registre épique suscite l'admiration devant les exploits de héros confrontés à des épreuves. Il provoque aussi l'enthousiasme devant de grandes actions collectives. Il confère souvent aux personnages ou aux événements une **dimension exceptionnelle**.

Les **principaux procédés** du registre épique sont :
- Les procédés de **l'amplification** (pluriel, hyperbole).

Ex : *« On arriva à Gaston-Marie, en une masse grossie encore, plus de deux mille cinq cents forcenés, brisant tout, balayant tout, avec la force accrue du torrent qui roule. » (Émile Zola,* Germinal, *1885)*

- L'utilisation de **singuliers collectifs** (le peuple, la foule).

Ex : *« Le peuple, dont la reine avait armé le bras,*
Ouvrit enfin les yeux, et vit ses attentats. » (Voltaire, La Henriade, *1723)*

- Les **anaphores**, **les gradations.**

Ex : *« Il s'agissait d'arrêter cette épouvantable folle.*
Il s'agissait de colleter cet éclair.
Il s'agissait de terrasser cette foudre. » (Hugo, Quatre-vingt-treize, *1874)*

- La **personnification** des **éléments inanimés**.

Ex : *« On voyait dans Paris la Discorde inhumaine*
Excitant aux combats et la Ligue et Mayenne » (Voltaire, La Henriade*)*

- Le lexique du **combat**, de l'**héroïsme**, de l'**exploit**, du **merveilleux.**

Ex : *« La lutte s'engagea. Lutte inouïe. Le fragile se colletant avec l'invulnérable. Le belluaire de chair attaquant la bête d'airain. » (Victor Hugo,* Quatre-vingt-treize*)*

Exercices

1 Identifier

Objet d'étude : La question de l'Homme dans les genres de l'argumentation du XVIe siècle à nos jours

1 Deux Coqs vivaient en paix : une Poule survint,
Et voilà la guerre allumée.
Amour, tu perdis Troie ; et c'est de toi que vint
Cette querelle envenimée
5 Où du sang des Dieux même on vit le Xanthe teint !
Longtemps entre nos coqs le combat se maintint.
Le bruit s'en répandit par tout le voisinage :
La gent qui porte crête au spectacle accourut ;
Plus d'une Hélène au beau plumage
10 Fut le prix du vainqueur. Le vaincu disparut :
Il alla se cacher au fond de sa retraite,
Pleura sa gloire et ses amours,
Ses amours qu'un rival, tout fier de sa défaite,
Possédait à ses yeux. Il voyait tous les jours
15 Cet objet rallumer sa haine et son courage ;
Il aiguisait son bec, battait l'air et ses flancs,
Et, s'exerçant contre les vents,
S'armait d'une jalouse rage.

Jean de La Fontaine, *Fables*, 1678-1679, « Les Deux Coqs »

➜ À quel registre ce texte appartient-il ? Justifiez votre réponse.

2 Identifier

Objet d'étude : Écriture poétique et quête du sens du Moyen Âge à nos jours

1 Depuis le premier jour de la création,
Les pieds lourds et puissants de chaque Destinée
Pesaient sur chaque tête et sur toute action.

Chaque front se courbait et traçait sa journée,
5 Comme le front d'un bœuf creuse un sillon profond
Sans dépasser la pierre où sa ligne est bornée.

Ces froides déités liaient le joug de plomb
Sur le crâne et les yeux des hommes leurs esclaves,
Tous errants, sans étoile, en un désert sans fond ;

10 Levant avec effort leurs pieds chargés d'entraves,
Suivant le doigt d'airain dans le cercle fatal,
Le doigt des Volontés inflexibles et graves.

Alfred de Vigny, *Les Destinées*, 1864.

➜ À quel registre ce texte appartient-il ? Justifiez votre réponse.

3 Identifier

Objet d'étude : Le personnage de roman du XVIIe siècle à nos jours

1 Que mon état est changé dans peu de jours ! Que d'amertumes se mêlent à la douceur de me rapprocher de vous ! Que de tristes réflexions m'assiègent ! Que de traverses mes craintes me font prévoir ! Ô Julie, que
5 c'est un fatal présent du ciel qu'une âme sensible ! Celui qui l'a reçu doit s'attendre à n'avoir que peine et douleur sur la terre. Vil jouet de l'air et des saisons, le soleil ou les brouillards, l'air couvert ou serein, régleront sa destinée, et il sera content ou triste au
10 gré des vents. Victime des préjugés, il trouvera dans d'absurdes maximes un obstacle invincible aux justes vœux de son cœur. Les hommes le puniront d'avoir des sentiments droits de chaque chose, et d'en juger par ce qui est véritable plutôt que par ce qui est de conven-
15 tion. Seul il suffirait pour faire sa propre misère, en se livrant indiscrètement aux attraits divins de l'honnête et du beau, tandis que les pesantes chaînes de la nécessité l'attachent à l'ignominie. Il cherchera la félicité suprême sans se souvenir qu'il est homme :
20 son cœur et sa raison seront incessamment en guerre, et des désirs sans bornes lui prépareront d'éternelles privations.

Jean-Jacques Rousseau, *La Nouvelle Héloïse*, 1761, « À Julie », Lettre XXVI.

➜ À quel registre ce texte appartient-il ? Justifiez votre réponse.

4 Analyser

Objet d'étude : Le texte théâtral et sa représentation du XVIIe siècle à nos jours

Une place.
LE CHŒUR, PERDICAN

1 PERDICAN : Bonjour, amis. Me reconnaissez-vous ?
LE CHŒUR : Seigneur, vous ressemblez à un enfant que nous avons beaucoup aimé.
PERDICAN : N'est-ce pas vous qui m'avez porté sur
5 votre dos pour passer les ruisseaux de vos prairies, vous qui m'avez fait danser sur vos genoux, qui m'avez pris en croupe sur vos chevaux robustes, qui vous êtes serrés quelquefois autour de vos tables pour me faire une place au souper de la ferme ?
10 LE CHŒUR : Nous nous en souvenons, seigneur. Vous étiez bien le plus mauvais garnement et le meilleur garçon de la terre.
PERDICAN : Et pourquoi donc alors ne m'embrassez-vous pas, au lieu de me saluer comme un étranger ?
15 LE CHŒUR : Que Dieu te bénisse, enfant de nos entrailles ! chacun de nous voudrait te prendre dans ses bras ; mais nous sommes vieux, Monseigneur, et vous êtes un homme.
PERDICAN : Oui, il y a dix ans que je ne vous ai vus, et
20 en un jour tout change sous le soleil. Je me suis élevé de quelques pieds vers le ciel, et vous vous êtes courbés de quelques pouces vers le tombeau. Vos têtes ont blanchi, vos pas sont devenus plus lents ; vous ne pouvez plus soulever de terre votre enfant
25 d'autrefois. C'est donc à moi d'être votre père, à vous qui avez été les miens.
LE CHŒUR : Votre retour est un jour plus heureux que votre naissance. Il est plus doux de retrouver ce qu'on aime que d'embrasser un nouveau-né.

30 PERDICAN : Voilà donc ma chère vallée ! mes noyers, mes sentiers verts, ma petite fontaine ! voilà mes jours passés encore tout pleins de vie, voilà le monde mystérieux des rêves de mon enfance ! Ô patrie ! patrie ! mot incompréhensible ! l'homme
35 n'est-il donc né que pour un coin de terre, pour y bâtir son nid et pour y vivre un jour ?

Alfred de Musset, *On ne badine pas avec l'amour*, 1834, acte I, scène 4

1. Identifiez le registre de ce texte.
2. Justifiez votre réponse en repérant et en analysant les procédés qui vous ont permis d'identifier ce registre.

5 Analyser

Objet d'étude :
Le personnage de roman du XVIIe siècle à nos jours

1 Le spectacle était épouvantable et charmant. Gavroche, fusillé, taquinait la fusillade. Il avait l'air de s'amuser beaucoup. C'était le moineau becquetant les chasseurs. Il répondait à chaque décharge par un cou-
5 plet. On le visait sans cesse, on le manquait toujours. Les gardes nationaux et les soldats riaient en l'ajustant. Il se couchait, puis se redressait, s'effaçait dans un coin de porte, puis bondissait, disparaissait, reparaissait, se sauvait, revenait, ripostait à la mitraille par
10 des pieds de nez, et cependant pillait les cartouches, vidait les gibernes et remplissait son panier. Les insurgés, haletants d'anxiété, le suivaient des yeux. La barricade tremblait ; lui, il chantait. Ce n'était pas un enfant, ce n'était pas un homme ; c'était un étrange
15 gamin fée. On eût dit le nain invulnérable de la mêlée. Les balles couraient après lui, il était plus leste qu'elles. Il jouait on ne sait quel effrayant jeu de cache-cache avec la mort ; chaque fois que la face camarde du spectre s'approchait, le gamin lui donnait une pi-
20 chenette.

Une balle pourtant, mieux ajustée ou plus traître que les autres, finit par atteindre l'enfant feu follet. On vit Gavroche chanceler, puis il s'affaissa. Toute la barricade poussa un cri ; mais il y avait de l'Antée dans ce
25 pygmée ; pour le gamin toucher le pavé, c'est comme pour le géant toucher la terre ; Gavroche n'était tombé que pour se redresser ; il resta assis sur son séant, un long filet de sang rayait son visage, il éleva ses deux bras en l'air, regarda du côté d'où était venu le coup, et
30 se mit à chanter :

Je suis tombé par terre,
C'est la faute à Voltaire,
Le nez dans le ruisseau,
C'est la faute à...

35 Il n'acheva point. Une seconde balle du même tireur l'arrêta court. Cette fois il s'abattit la face contre le pavé, et ne remua plus. Cette petite grande âme venait de s'envoler.

Victor Hugo, *Les Misérables*, 1862

1. Identifiez les registres de ce texte.
2. Justifiez votre réponse en repérant et en analysant les procédés qui vous ont permis d'identifier ces registres.

6 Confronter

Objet d'étude : Le personnage de roman du XVIIe siècle à nos jours

Texte A :

1 Gervaise dura ainsi pendant des mois. Elle dégringolait plus bas encore, acceptait les dernières avanies, mourait un peu de faim tous les jours. Dès qu'elle possédait quatre sous, elle buvait et battait les murs. On
5 la chargeait des sales commissions du quartier. Un soir, on avait parié qu'elle ne mangerait pas quelque chose de dégoûtant ; et elle l'avait mangé, pour gagner dix sous. M. Marescot s'était décidé à l'expulser de la chambre du sixième. Mais, comme on venait de trou-
10 ver le père Bru mort dans son trou, sous l'escalier, le propriétaire avait bien voulu lui laisser cette niche. Maintenant, elle habitait la niche du père Bru. C'était là-dedans, sur de la vieille paille, qu'elle claquait du bec, le ventre vide et les os glacés. La terre ne voulait
15 pas d'elle, apparemment. Elle devenait idiote, elle ne songeait seulement pas à se jeter du sixième sur le pavé de la cour, pour en finir. [...] Un matin, comme ça sentait mauvais dans le corridor, on se rappela qu'on ne l'avait pas vue depuis deux jours ; et on la découvrit
20 déjà verte, dans sa niche.

Émile Zola, *L'Assommoir*, chapitre XIII, 1877

Texte B :

1 Nous avions passé tranquillement une partie de la nuit. Je croyais ma chère maîtresse endormie et je n'osais pousser le moindre souffle, dans la crainte de troubler son sommeil. Je m'aperçus dès le point du
5 jour, en touchant ses mains, qu'elle les avait froides et tremblantes. Je les approchai de mon sein, pour les échauffer. Elle sentit ce mouvement ; et faisant un effort pour saisir les miennes, elle me dit, d'une voix faible, qu'elle se croyait à sa dernière heure. Je
10 ne pris d'abord ce discours que pour un langage ordinaire dans l'infortune, et je n'y répondis que par les tendres consolations de l'amour. Mais ses soupirs fréquents, son silence à mes interrogations, le serrement de ses mains, dans lesquelles elle continuait de tenir
15 les miennes, me firent connaître que la fin de ses malheurs approchait. N'exigez point de moi que je vous décrive mes sentiments, ni que je vous rapporte ses dernières expressions. Je la perdis ; je reçus d'elle des marques d'amour, au moment même qu'elle expirait.
20 C'est tout ce que j'ai la force de vous apprendre, de ce fatal et déplorable événement.

Mon âme ne suivit pas la sienne. Le Ciel ne me trouva point sans doute assez rigoureusement puni. Il a voulu que j'aie traîné, depuis, une vie languissante
25 et misérable. Je renonce volontairement à la mener jamais plus heureuse.

Abbé Prévost, *Manon Lescaut*, seconde partie, 1731

➜ Après avoir identifié le thème traité dans ces deux textes, analysez les registres qui permettent à chacun d'eux d'émouvoir le lecteur.

7 Transposer

Objet d'étude : La question de l'homme dans les genres de l'argumentation du XVIe siècle à nos jours

1 **PAIX,** s. f. (Droit nat. politique et moral.) C'est la tranquillité dont une société politique jouit ; soit au-dedans, par le bon ordre qui règne entre ses membres ; soit au-dehors, par la bonne intelligence dans laquelle
5 elle vit avec les autres peuples. [...]

La guerre est un fruit de la dépravation des hommes ; c'est une maladie convulsive et violente du corps politique, il n'est en santé, c'est-à-dire dans son état naturel que lorsqu'il jouit de la paix ; c'est elle qui donne de
10 la vigueur aux empires ; elle maintient l'ordre parmi les citoyens ; elle laisse aux lois la force qui leur est nécessaire ; elle favorise la population, l'agriculture et le commerce ; en un mot elle procure aux peuples le bonheur qui est le but de toute société. La guerre au
15 contraire dépeuple les États ; elle y fait régner le désordre ; les lois sont forcées de se taire à la vue de la licence qu'elle introduit ; elle rend incertaines la liberté et la propriété des citoyens ; elle trouble et fait négliger le commerce ; les terres deviennent incultes et
20 abandonnées. Jamais les triomphes les plus éclatants ne peuvent dédommager une nation de la perte d'une multitude de ses membres que la guerre sacrifie ; ses victoires mêmes lui font des plaies profondes que la paix seule peut guérir.

Damilaville, *Encyclopédie*, 1765, article « Paix »

1. Identifiez le registre de cet article.
2. Relevez les principales idées qui expriment les bienfaits de la paix.
3. Restituez ces idées dans un texte qui traitera de la paix sur un registre lyrique.

8 Vers l'écriture d'invention

Objet d'étude : Le texte théâtral et sa représentation du XVIIe siècle à nos jours

1 LUCIENNE, *entrant comme une bombe et refermant la porte sur elle, mais pas assez vite pour empêcher une canne, passée par un individu qu'on ne voit pas, de se glisser entre le battant et le chambranle de la porte* :
5 Ah ! mon Dieu ! Allez-vous-en, monsieur !... Allez-vous-en !...

PONTAGNAC, *essayant de pousser la porte que chaque fois Lucienne repousse sur lui* : Madame !... Madame !... je vous en prie !...

10 LUCIENNE : Mais jamais de la vie, monsieur !... Qu'est-ce que c'est que ces manières ! *(Appelant tout en luttant contre la porte.)* Jean, Jean ! Augustine !... Ah ! mon Dieu, et personne !...

PONTAGNAC : Madame ! Madame !

15 LUCIENNE : Non ! Non !

PONTAGNAC *qui a fini par entrer* : Je vous en supplie, madame, écoutez-moi !

LUCIENNE : C'est une infamie !... Je vous défends, monsieur !... Sortez !...

20 PONTAGNAC : Ne craignez rien, madame, je ne vous veux aucun mal ! Si mes intentions ne sont pas pures, je vous jure qu'elles ne sont pas hostiles... bien au contraire.

Il va à elle.

25 LUCIENNE, *reculant* : Ah çà ! monsieur, vous êtes fou !

PONTAGNAC, *la poursuivant* : Oui, madame, vous l'avez dit, fou de vous ! Je sais que ma conduite est audacieuse, contraire aux usages, mais je m'en moque !...
30 Je ne sais qu'une chose, c'est que je vous aime et que tous les moyens me sont bons pour arriver jusqu'à vous.

LUCIENNE, *s'arrêtant :* Monsieur, je ne puis en écouter davantage !... Sortez !

Georges Feydeau, *Le Dindon*, 1896, acte I, scène 1

➜ Vous écrirez la suite de cette scène de théâtre. Recommandation : vous prendrez soin de garder le même registre.

9 Vers le commentaire

Objet d'étude : Écriture poétique et quête du sens du Moyen Âge à nos jours

1 Marcher d'un grave pas et d'un grave sourci,
Et d'un grave souris à chacun faire fête,
Balancer tous ses mots, répondre de la tête,
Avec un *Messer non* ou bien un *Messer si* ;

5 Entremêler souvent un petit *È cosi*[1]
Et d'un *son Servitor* contrefaire l'honnête,
Et comme si l'on eût sa part en la conquête,
Discourir sur Florence, et sur Naples aussi ;

Seigneuriser chacun d'un baisement de main,
10 Et suivant la façon du courtisan romain,
Cacher sa pauvreté d'une brave apparence ;

Voilà de cette cour la plus grande vertu,
Dont souvent mal monté, mal sain, et mal vêtu,
Sans barbe et sans argent on s'en retourne en France.

Joachim du Bellay, *Les Regrets*, LXXXVI, 1558

1. C'est comme ça.

1. Identifiez le registre de ce sonnet. Repérez et analysez les procédés qui vous ont permis de l'identifier.
2. Vous rédigerez une introduction ainsi qu'une partie de commentaire consacrée à la satire du courtisan.

Fiche 41

Les figures de style

1 Définition et usage

➡ Au message sur le monde qu'elle délivre, la littérature associe un travail formel. En travaillant la langue commune, l'écrivain acquiert un **style** particulier. Depuis l'Antiquité, des procédés que l'on nomme **figures de style** ont été répertoriés et permettent aux auteurs et aux orateurs de donner plus d'expressivité à leur propos.

➡ **Attention :** on ne peut donc pas se contenter de repérer une figure de style, il faut l'analyser pour indiquer ce qu'elle exprime, sinon son identification reste stérile.

2 Les figures d'insistance

En latin, *insistere* signifie « s'arrêter sur ». Elles permettent, par la répétition, d'**arrêter l'attention** du lecteur sur un point particulier.
Le **martèlement** produit par cette répétition donne du rythme, de l'énergie au propos.

➡ Si la répétition est celle d'une structure syntaxique, on parle de **parallélisme**.

Ex : *« Guerre entre les couvents, guerre entre les provinces » (Hugo,* Ruy Blas, *1838, II, 2)*
Le parallélisme permet d'exprimer l'identité du conflit dans différents milieux, sa généralisation.

➡ Si la répétition porte sur un terme ou une expression en début de vers ou de phrase, on parle d'**anaphore**.

Ex : *« Je sais que dans nos lois, tout dépend de votre volonté et de votre conscience. Je sais que beaucoup d'entre vous [...] ont lutté pour l'abolition. Je sais que le Parlement aurait pu aisément, de sa seule initiative, libérer nos lois de la peine de mort. » (Discours de R. Badinter à l'Assemblée nationale, 17 septembre 1981, discussion du projet de loi portant l'abolition de la peine de mort)*
L'anaphore marque ici l'investissement de l'orateur dans son discours et sa compréhension de la situation.

➡ Si la répétition porte sur un terme ou une expression en fin de vers ou de phrase, on parle d'**épiphore**. Si un même terme est redoublé au début et à la fin d'un passage, on parle d'**antépiphore**.

3 Les figures d'intensité

L'adjectif latin *intensus* signifie « fort, violent ». Grâce à elles, l'auteur crée une **impression forte** sur son lecteur. Ces figures étaient particulièrement appréciées par les auteurs du mouvement baroque qui prônaient une esthétique du sensationnel.

➡ **La gradation** est le procédé qui permet d'accroître l'intensité d'un propos.

Ex : *« Je suis le Ténébreux, – le Veuf, l'Inconsolé,*
Le prince d'Aquitaine à la tour abolie... » (Nerval, Les Chimères, *1854, « El Desdichado »)*
Si le premier attribut exprime le tourment, le second l'accroît par la considération de la mort. Quant au troisième attribut, il finit par conclure au caractère irrémédiable de la douleur du poète.

➡ **L'hyperbole** est la figure dévolue à l'expression de l'exagération, du grossissement de la réalité.

Ex : *« Au seul éclat de nos épées*
Les tempêtes sont dissipées,
Tous nos bruits sont ensevelis :
Mon Prince a fait cesser la guerre [...] » (Viau, Œuvres poétiques, *« Sur la paix de l'année 1620 »)*
L'auteur confère ici à l'éclat des épées un pouvoir surprenant.

4 Les figures d'atténuation

Contrairement aux figures précédentes, elles participent d'une esthétique sobre, qui privilégie la retenue, la maîtrise. Le classicisme respecte ces principes.

➡ **L'euphémisme** présente une réalité brutale en atténuant son expression.

Ex : *Dans* L'Éducation sentimentale *(1869), le personnage de Rosette « se laisse renverser sur [un] divan ».*
Pour éviter qu'on l'accuse d'outrage aux mœurs, Flaubert contourne ainsi l'expression trop crue de l'acte sexuel.

➡ **La litote** est une forme particulière d'euphémisme, elle permet de dire moins pour faire entendre plus.

Ex : *« Va, je ne te hais point. » C'est ainsi que Chimène avoue avec pudeur son amour à Rodrigue dans* Le Cid *(1637, III, 4) » de Corneille.*

5 Les figures d'opposition

Ces figures sont prisées notamment par les représentants du mouvement romantique qui cherchent, contrairement aux auteurs classiques, à exprimer les contrastes plutôt que l'harmonie.

➡ **L'antithèse** désigne le rapprochement de deux mots ou expressions de sens contraires.

Ex : *« Les bons font place aux pires. » (Hugo,* Ruy Blas, *1838, III, 2)*

➽ **L'oxymore** est une forme d'antithèse qui se particularise par le fait que les mots contraires sont juxtaposés, immédiatement soudés. L'oxymore crée une perturbation logique et permet d'imaginer une réalité autre.

Ex : « *Chinois, Hottentots, bohémiens, niais, hyènes, Molochs, vieilles démences, démons sinistres, ils mêlent les tours populaires, maternels, avec les poses et les tendresses bestiales* » (*Rimbaud*, Illuminations, *1872-1875, « Parade »*)

➽ **Le chiasme** (du grec *khiasmos*, croisement) place en ordre inverse les segments de deux groupes de mots syntaxiquement identiques et sert généralement l'expression d'une opposition, mais cette construction en symétrie inversée peut aussi traduire une union.

Ex : « *Ayant le feu pour père, et pour mère la cendre.* »
1 2 2 1
(*Agrippa d'Aubigné*, Les Tragiques, *1616-1630, VII*)

➽ **L'ironie** peut être considérée comme une figure d'opposition puisqu'elle repose sur **l'antiphrase**, c'est-à-dire le fait que les propos prononcés doivent être compris en sens inverse.

Ex : « *Rien n'était si beau, si leste, si brillant, si bien ordonné que les deux armées.* » (*Voltaire*, Candide, *1759*)

6 Les figures d'analogie

➽ **La comparaison** et **la métaphore** permettent de stimuler l'imagination du lecteur par des rapprochements entre deux réalités.

➽ **La comparaison** opère le rapprochement de manière explicite à l'aide d'outils variés : « comme » (préposition), « sembler » (verbe), « pareil à » (adjectif), etc.

Ex : « *La fin de la saison, peu sensible dans la campagne, tombait comme un deuil sur cette bourgade voisine de la mer.* » (*Gracq*, La Presqu'île, *1970*)

➽ **La métaphore** permet un rapprochement plus immédiat, « un court-circuit » selon André Breton. Cette figure est particulièrement utilisée par les surréalistes pour son pouvoir évocateur.

Ex : « *Tu es le feu naissant sur les froides rivières.* »
(*Jaccottet*, Poésies, *1946-1967, « Au petit jour »*)

➽ **La métaphore filée** est une même image développée.

Ex : « *Il n'y a d'autre remède à cette maladie épidémique [le fanatisme religieux] que l'esprit philosophique, qui, répandu de proche en proche, adoucit enfin les mœurs de chacun, et prévient les accès du mal ; car dès que ce mal fait des progrès, il faut fuir, et attendre que l'air soit purifié. Les lois et la religion ne suffisent pas contre la peste des âmes.* » (*Voltaire*, Dictionnaire philosophique, *1764, article « Fanatisme »*)
On observe l'amplification de la métaphore médicale.

➽ **La personnification** confère des caractères humains à ce qui ne l'est pas.

Ex : « *L'heure sombre où l'Espagne agonisante pleure !* » (*Hugo*, Ruy Blas, *1838, II, 2*)

➽ **L'allégorie** est une forme de personnification puisqu'elle donne corps à une idée.

Ex : « *Je vis cette faucheuse. Elle était dans son champ.*
Elle allait à grands pas moissonnant et fauchant,
Noir squelette laissant passer le crépuscule. »
(*Hugo*, Les Contemplations, *1856, « Mors »*)

7 Les figures de substitution

On remplace un mot par un autre.

➽ **La métonymie** désigne un référent par un terme qui entretient avec lui une relation facilement identifiable.

Ex : « *MARC : Serge, tu n'as pas acheté ce tableau deux cent mille francs ?*
SERGE : Mais mon vieux, c'est le prix. C'est un Antrios. »
(*Réza*, Art, *1994*)

➽ **La synecdoque** est une forme de métonymie qui désigne un référent par l'une de ses parties.

Ex : « *Mon bras qu'avec respect toute l'Espagne admire,*
Mon bras, qui tant de fois a sauvé cet empire,
Tant de fois affermi le trône de son roi,
Trahit donc ma querelle, et ne fait rien pour moi ! »
(*Corneille*, Le Cid, *1637, I, 4*)

8 Les détours

➽ **La périphrase***, une expression simple est volontairement complexifiée soit par souci explicatif, soit par le refus d'une expression directe.

Ex : « *CATHOS : Ma chère, il faudrait faire donner des sièges. [...]*
MAGDELON : Vite, voiturez-nous ici les commodités de la conversation. » (*Molière*, Les Précieuses ridicules, *1659*)

Avec cette périphrase imagée, Magdelon confère au simple objet qu'est le fauteuil une valeur intellectuelle.

Remarque : les figures de style peuvent se combiner entre elles. On peut rencontrer un parallélisme qui appuie une antithèse, une métaphore hyperbolique, un euphémisme périphrastique, etc.

Exercices

1 Identifier

a. « L'Espagne est un égout où vient l'impureté de toute nation. » (Hugo)
b. « [Mentor,] semblable à un lion de Numidie que la cruelle faim dévore, et qui entre dans un troupeau de faibles brebis : il déchire, il égorge, il nage dans le sang, et les bergers, loin de secourir le troupeau, fuient tremblants pour se dérober à sa fureur. » (Fénelon)
c. « Il faut manger pour vivre et non pas vivre pour manger. » (Molière)
d. « Un effroi voluptueux. » (Flaubert)
➜ Identifiez les figures de style et leur effet.

2 Repérer

Objet d'étude : La question de l'homme dans les genres de l'argumentation du XVIe siècle à nos jours

1 Le réaliste, s'il est un artiste, cherchera, non pas à nous montrer la photographie banale de la vie, mais à nous en donner la vision la plus complète, plus saisissante, plus probante que la réalité même. Raconter 5 tout serait impossible, car il faudrait alors un volume au moins par journée, pour énumérer les multitudes d'incidents insignifiants qui emplissent notre existence.

Un choix s'impose donc, – ce qui est une première 10 atteinte à la théorie de toute vérité.

La vie, en outre, est composée des choses les plus différentes, les plus imprévues, les plus contraires, les plus disparates ; elle est brutale, sans suite, sans chaîne, pleine de catastrophes inexplicables, illo- 15 giques et contradictoires qui doivent être classées au chapitre faits divers.

Guy de Maupassant, Préface de *Pierre et Jean*, 1888

➜ Repérez le parallélisme principal. Quel intérêt présente-t-il ?

3 Repérer

Objet d'étude : Écriture poétique et quête du sens du Moyen Âge à nos jours

1 Une route bondée de gens qui marchent, de gens qui pleurent, de gens qui souffrent, de gens qui ont soif, de gens qui dorment debout, de gens qui ploient sous la charge, de gens qui trébuchent, de gens qui tom- 5 bent, de gens qu'on pousse sur le talus, de gens qu'on laisse sur le talus, de gens malades qui vomissent sur le talus.

Un enfant en larmes se tenant le ventre à deux mains sur le bord de la route.

10 Une mère folle qui crie un nom au bord de la route.

Maman Guite a peur de ces centaines et de ces centaines de gens qui pourraient nous écraser.

Des hommes qui se battent pour avoir de la place sur la route.

15 Des chaises cassées sur la route.
Un seau hygiénique sur la route.
Un sac de farine éventré sur la route.

Une paire de lunettes cassées sur la route.
Des chaises cassées sur la route.
20 Une valise ouverte qui crache son linge sur la route.
Une jeune fille digne qui tient deux enfants par la main sur la route.
Des pieds en sang sur la route.
Un homme qui mange en marchant sur la route.
25 Un cheval qui saigne du sabot sur la route.
Un matelas roulé sur la route.
Une culotte d'enfant sur la route.

Maman Guite dit qu'on n'arrivera jamais avec tous ces malheureux jetés sur la route.

Louis Calaferte, *C'est la guerre*, © Éditions Gallimard, 1993

➜ Repérez toutes les figures de style et justifiez leur emploi.

4 Vers le commentaire

Objet d'étude : Écriture poétique et quête du sens du Moyen Âge à nos jours

1 Je vis, je meurs ; je me brule et me noye.
J'ay chaut estreme en endurant froidure :
La vie m'est et trop molle et trop dure.
J'ay grans ennuis entremeslez de joye :

5 Tout à un coup je ris et je larmoye,
Et en plaisir maint grief tourment j'endure :
Mon bien s'en va, et à jamais il dure :
Tout en un coup je seiche et je verdoye.

Ainsi Amour inconstamment me meine :
10 Et quand je pense avoir plus de douleur,
Sans y penser je me treuve hors de peine.

Puis quand je croy ma joye estre certeine,
Et estre au haut de mon desiré heur,
Il me remet en mon premier malheur.

Louise Labé, *Sonnet VIII*, 1555

1. Repérez les antithèses et les hyperboles.
2. Quelle vision de l'amour ces figures expriment-elles ?

5 Vers le commentaire

Objet d'étude : Écriture poétique et quête du sens du Moyen Âge à nos jours

Au XVIe siècle, le maniérisme est à la mode et impose une recherche stylistique poussée.

« Dizain »
Si la beauté qui vous rend si aimable,
N'était pareille à mon affection,

Elle serait incertaine et muable,
Et je serais hors de subjection ;
Mais comme seule elle a perfection,
Aussi parfaite est ma vive étincelle.
L'une est céleste, l'autre est éternelle,
L'une est sans feu, l'autre sans cruauté :
10 Telle beauté fait l'amour être belle
Et tel amour aimable la beauté.

Mellin de Saint-Gelais, *Œuvres*, vers 1550

1. Quelle figure encadre le dizain ?
2. Identifiez les autres figures de style pour « démêler » le sens du poème.

6 Vers le commentaire

Objet d'étude : Le texte théâtral et sa représentation du XVIIe siècle à nos jours

Thomas Diafoirus, fils de médecin et médecin lui-même, est le mari que le malade imaginaire Argan a choisi pour sa fille. Il vient pour la première fois se présenter à Angélique.

1 THOMAS DIAFOIRUS : Monsieur, je viens saluer, reconnaître, chérir et révérer en vous un second père, mais un second père auquel j'ose dire que je me trouve plus redevable qu'au premier. Le premier
5 m'a engendré ; mais vous m'avez choisi. [...] Ce que je tiens de lui est un ouvrage de son corps ; mais ce que je tiens de vous est un ouvrage de votre volonté ; et, d'autant plus que les facultés spirituelles sont au-dessus des corporelles, d'autant plus je vous
10 dois, et d'autant plus je tiens précieuse cette future filiation, dont je viens aujourd'hui vous rendre, par avance, les très humbles et très respectueux hommages.
TOINETTE : Vivent les collèges d'où l'on sort si habile
15 homme !
THOMAS DIAFOIRUS : Cela a-t-il bien été, mon père ?
M. DIAFOIRUS : Optime.
ARGAN, *à Angélique* : Allons, saluez Monsieur.
THOMAS DIAFOIRUS : Baiserai-je ?
20 M. DIAFOIRUS : Oui, oui.
THOMAS DIAFOIRUS, *à Angélique* : Madame, c'est avec justice que le Ciel vous a concédé le nom de belle-mère, puisque l'on...
ARGAN : Ce n'est pas ma femme, c'est ma fille à qui
25 vous parlez.
THOMAS DIAFOIRUS : Où donc est-elle ?
ARGAN : Elle va venir.
THOMAS DIAFOIRUS : Attendrai-je, mon père, qu'elle soit venue ?
30 M. DIAFOIRUS : Faites toujours le compliment de Mademoiselle.
THOMAS DIAFOIRUS : Mademoiselle, ne plus ne moins que la statue de Memnon rendait un son harmonieux lorsqu'elle venait à être éclairée des rayons
35 du soleil, tout de même me sens-je animé d'un doux transport à l'apparition du soleil de vos beautés et, comme les naturalistes remarquent que la fleur nommée héliotrope tourne sans cesse vers cet astre du jour, aussi mon cœur dores-en-avant tournera-t-il
40 toujours vers les astres resplendissants de vos yeux adorables, ainsi que vers son pôle unique. Souffrez donc, mademoiselle, que j'apporte aujourd'hui à l'autel de vos charmes l'offrande de ce cœur qui ne respire et n'ambitionne autre gloire que d'être toute
45 sa vie, mademoiselle, votre très humble, très obéissant, et très fidèle serviteur et mari.
TOINETTE, *en le raillant.* : Voilà ce que c'est que d'étudier ! on apprend à dire de belles choses.

Molière, *Le Malade imaginaire*, 1673, acte II, scène 5

1. Quelles figures de style Thomas Diafoirus a-t-il apprises à l'école ? Prouvez-le en citant le texte.
2. En fait-il bon usage ? Pourquoi ?

7 Vers le commentaire

Objet d'étude : La question de l'homme dans les genres de l'argumentation du XVIe siècle à nos jours

1 Démontez-moi cette vieille échelle boiteuse des crimes et des peines, et refaites-la. Refaites votre pénalité, refaites vos codes, refaites vos prisons, refaites vos juges. Remettez les lois au pas des mœurs.
5 Messieurs, il se coupe trop de têtes par an en France. Puisque vous êtes en train de faire des économies, faites-en là-dessus.
Puisque vous êtes en verve de suppressions, supprimez le bourreau. Avec la solde de vos quatre-vingts
10 bourreaux, vous payerez six cents maîtres d'école.
Songez au gros du peuple. Des écoles pour les enfants, des ateliers pour les hommes.
Savez-vous que la France est un des pays de l'Europe où il y a le moins de natifs qui sachent lire ! Quoi ! la
15 Suisse sait lire, la Belgique sait lire, le Danemark sait lire, la Grèce sait lire, l'Irlande sait lire, et la France ne sait pas lire ! c'est une honte.
Allez dans les bagnes. Appelez autour de vous toute la chiourme. Examinez un à un tous ces damnés de la
20 loi humaine. Calculez l'inclinaison de tous ces profils, tâtez tous ces crânes. Chacun de ces hommes tombés a au-dessous de lui son type bestial ; il semble que chacun d'eux soit le point d'intersection de telle ou telle espèce animale avec l'humanité. Voici le loup-cervier, voici le
25 chat, voici le singe, voici le vautour, voici la hyène. Or, de ces pauvres têtes mal conformées, le premier tort est à la nature sans doute, le second à l'éducation.
La nature a mal ébauché, l'éducation a mal retouché l'ébauche. Tournez vos soins de ce côté. Une bonne
30 éducation au peuple. Développez de votre mieux ces malheureuses têtes, afin que l'intelligence qui est dedans puisse grandir.

Victor Hugo, *Claude Gueux*, 1834

→ En observant les figures de style, vous expliquerez comment Hugo rend son plaidoyer dynamique et expressif.

Fiche 42

Lecture de l'image fixe

La peinture, le dessin et la photographie

L'image est un discours visuel. Par rapport au message verbal, son pouvoir tient à sa perception immédiate. Mais cette simplicité n'est qu'apparente, car sa construction est souvent très élaborée.

1 Lire une image

On observe **la composition** qui comprend :

➠ **Le cadrage**, c'est-à-dire la délimitation de l'espace. Il peut présenter :

- un **plan d'ensemble** (qui peut contenir un paysage, un large décor),
- un **plan rapproché** (qui concentre l'attention du spectateur sur la situation d'un personnage dans le décor, sur une action particulière),
- un **gros plan** (qui donne à voir un visage, le détail d'un ensemble).

➠ **Les lignes de construction** (horizontales, verticales, diagonales) qui permettent au spectateur d'orienter son regard, de diriger sa lecture. Des symétries entre ces lignes de construction ou des intersections peuvent exister.
Elles attirent le regard du spectateur et sont généralement fortes de sens.

➠ **Le point de vue** adopté, c'est-à-dire la position de l'observateur. Celui-ci peut se trouver placé en face, derrière, au-dessus, en dessous de ce qu'il regarde. On parle de **plongée** lorsque l'observateur surplombe ce qu'il observe. Ce point de vue est souvent utilisé pour rendre minime, négligeable, vulnérable ce qui est observé. La **contre-plongée** désigne le procédé inverse et produit donc l'effet opposé.

➠ Le **nombre,** la **position** des éléments dans les **plans** de l'image. Les plans désignent ici les parties de l'espace selon qu'elles sont proches de l'observateur.
Ex : *Premier plan, second plan, arrière-plan.*

Les autres éléments à observer :

➠ **L'expression.** On observe la physionomie, c'est-à-dire l'expression traduite par les traits des visages, l'attitude des personnages, les mouvements des corps.

➠ **Le graphisme.** Le contour des formes peut être fin ou épais, marqué ou flou. Il détermine beaucoup le réalisme de l'image.
Ex : *Les peintres cubistes, faisant fi du souci de ressemblance, déforment les formes réelles pour les rendre géométriques.*

On peut aussi étudier :

➠ **Les couleurs,** qui peuvent être **chaudes** ou **froides**, **nuancées** ou **contrastées**. On commente l'**intensité** d'une couleur et on lui attribue parfois une **valeur symbolique**. Ainsi, selon les codes de la civilisation occidentale, le rouge exprime la violence, le noir le deuil, le blanc la pureté, le vert l'espérance, etc.

➠ **La lumière.** On identifie ce qu'elle éclaire et met ainsi en valeur, on est sensible aux effets de **clair-obscur** (c'est-à-dire le jeu de contraste entre lumière et obscurité).

➠ **Le genre.** Il correspond au sujet traité par l'artiste.
Ex : *Représentation historique, paysage, nature morte, portrait, autoportrait, collage, photomontage, etc.*

Nicolas Poussin, *Le Jugement de Salomon*, 1649, musée du Louvre

Exemple d'analyse de la composition : tableau de Poussin

Le tableau de Poussin s'inspire d'un épisode biblique. Deux femmes ont mis au monde un enfant mais comme l'un des deux est mort, elles se disputent le survivant. Salomon ordonne alors de couper cet enfant en deux pour susciter l'horreur de la véritable mère et révéler ainsi son identité.

Poussin opte pour un **plan d'ensemble** qui peut contenir une dizaine de personnages. Il restitue ainsi une scène de justice dans laquelle Salomon est sollicité par la foule.

Les **lignes de construction** sont marquées avec évidence. La gestuelle des trois personnages principaux (Salomon et les deux mères) construit un triangle au centre de l'image et focalise ainsi l'attention du spectateur. La tête de Salomon forme le sommet de ce triangle. En outre, ce repère constitue l'axe sur lequel l'image se construit symétriquement ; des deux côtés de celui-ci se trouvent une femme, un nouveau-né, une colonne, une porte et un groupe de cinq ou six personnages.

La toute-puissance de Salomon est soulignée par le choix d'un **point de vue de face légèrement en contre-plongée** qui place l'observateur droit sous le regard dominant du roi juif.

Exemple d'analyse de l'expression et du graphisme : caricature de Zola

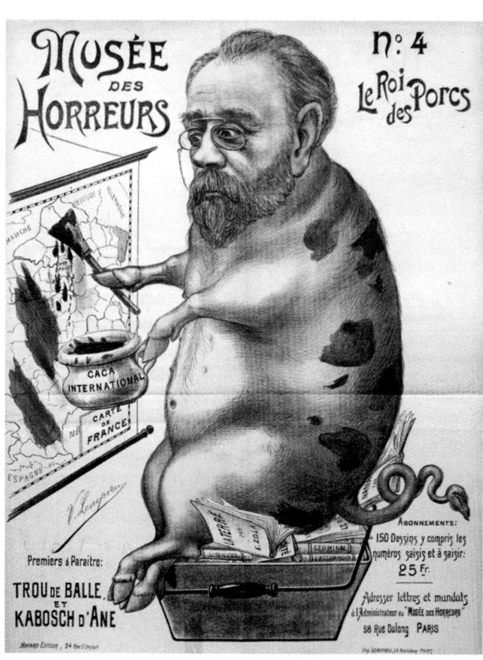

Le Pèlerin du 31 juillet 1898

Cette **caricature** d'Émile Zola paraît en première page d'un journal satirique de son temps. L'auteur est présenté comme le roi des porcs. On lui reproche de donner une désastreuse image de la France dans son *Histoire naturelle et sociale d'une famille sous le Second Empire*. Le graphisme transforme ainsi le corps humain en corps animal pour avilir Zola et la seule couleur véritablement marquée rappelle celle des excréments.

Exemple d'analyse :

Théodore Géricault, *Le Radeau de la méduse*, 1818, musée du Louvre

En juin 1817, la frégate *La Méduse* s'échoue et les opérations de sauvetage se passent mal. Les passagers privilégiés sont embarqués sur des canots ou des chaloupes tandis que les marins et les soldats doivent s'entasser sur un long radeau avec peu de vivres. Le radeau sera abandonné par le capitaine.

Le tableau présente **deux plans opposés**. Le radeau au premier plan, le paysage où vogue un bateau sauveur. Il ne présente **aucune symétrie** ; il est volontairement désordonné pour correspondre au thème. Les hommes forment une structure pyramidale mais celle-ci repose sur une base fluide.

Géricault utilise la technique du **clair-obscur** pour jouer sur les contrastes. Or, si le soleil apparaît en arrière-plan et symbolise l'espoir tout comme le bateau qui vogue à l'horizon, la luminosité du premier plan s'interprète autrement. Le peintre joue véritablement avec la lumière et invente une source lumineuse qui met en valeur l'horreur des corps morts ou malades au premier plan. Cette mise en lumière fait scandale à l'époque.

L'œuvre déroge aux règles classiques des genres picturaux car elle choisit un sujet journalistique très provocateur puisque le pouvoir en place avait voulu étouffer cette affaire ; c'est une illustration de l'injustice sociale.

② Interpréter une image

C'est à partir de l'observation des éléments évoqués plus haut que l'interprétation de l'image se construit méthodiquement. Pour compléter cette analyse on peut aussi se poser les questions suivantes :

➠ Quel est son **rapport au réel** ? Le représente-t-elle avec authenticité, le transforme-t-elle ou l'idéalise-t-elle ?

Ex : *Si la photographie capture la réalité, elle n'empêche pas la mise en scène, la création d'une image virtuelle.*

Henri Cartier-Bresson, *Shanghaï*, 1948

Cette photo, prise dans un quartier populaire de Shanghaï, présente un groupe humain qui forme une chenille. Le cliché est inédit et peut faire sourire. La géométrie de la construction de l'image donne de manière surprenante l'impression que les figurants ont posé.

Cependant, elle met en situation un groupe humain en difficulté sur un pont de fortune et peut susciter des interprétations moins heureuses. Elle peut évoquer la surpopulation car Shangaï est depuis longtemps la ville la plus peuplée de Chine. De plus, en 1948, Shangaï est toujours sous occupation japonaise, l'oppression figurée par la chenille peut donc renvoyer à cette réalité politique.

➠ A-t-elle une **visée argumentative ?** Qui produit l'image et à quelle fin ? S'agit-il d'une image publicitaire, d'une propagande ou d'une simple représentation ?

Ex : *Monet, en peignant des nymphéas, s'attache à la perception d'une beauté naturelle.*
La déconstruction cubiste du tableau de Picasso Guernica *participe de la dénonciation de la guerre.*
La propagande stalinienne enjolive les photos de guerre pour encourager ses troupes.

➠ Est-ce une image attendue (un **cliché**) ou une image déroutante ?

➠ Offre-t-elle une **interprétation unique** ? Par l'équivoque, l'illusion d'optique, une image peut en cacher une autre.

Ex : Marché d'esclaves avec apparition invisible du buste de Voltaire *de Salvador Dali présente une image double car le corps des religieuses fait apparaître le buste de Voltaire.*

L'affiliation de Dali au mouvement surréaliste qui favorise le rêve, la liberté plutôt que la raison et la rigueur, ne l'empêche pas de maîtriser parfaitement les techniques de la perspective et de l'optique qui permettent de faire apparaître, selon la position occupée par l'observateur, le buste de Voltaire.

L'image, visuellement ambiguë, incite l'observateur à reconsidérer la position de Voltaire, le patriarche des Lumières, vis-à-vis de l'esclavage. La jeune esclave dénudée au premier plan semble bien interroger des yeux celui qui, *a priori*, devait la défendre.

Salvador Dali, *Marché d'esclaves avec apparition du buste de Voltaire*, 1940, musée Salvador Dali, Saint-Petersburg, Floride

Fiche 43

Lecture de l'image mobile

Le cinéma, inventé par les frères Lumière en 1895, est un art de l'image mobile. Le mot même, formé sur le grec *kinesis*, signifie « mouvement » : on raconte que la projection en 1896 du film *Entrée en gare de la Ciotat* provoqua un début de panique tant l'impression de voir le train arriver sur le public sembla saisissante.
Cette image en mouvement, d'abord muette, voit ses effets renforcés par l'animation sonore. Dans *Le Chanteur de jazz* (1927), on entend pour la première fois un acteur parler. La longueur des génériques montre que le Septième Art est un travail d'équipe rassemblant producteur, réalisateur, scénariste, directeur de la photographie, ingénieur du son, monteur. Les grands cinéastes savent faire de cet art total une réflexion originale sur le monde.

1 Le cadrage

Pour réaliser les effets souhaités, le réalisateur peut jouer avec :

➽ **Le champ : délimité par le cadre de l'image, il désigne l'espace visible sur l'écran.** Pour analyser ce qui est dans le champ, on observe, comme pour les images fixes, la composition, le décor, la couleur ou la lumière.

➽ **Le hors-champ :** il s'agit de ce qui est extérieur à l'image. Il peut être signalé par un son, envisagé par le regard d'un personnage. Il peut donc être imaginé par le spectateur.

➽ **L'échelle de plan.** Elle se décline en plans d'ensemble (paysage), plans rapprochés (personnage dans le décor), gros plans (visage), très gros plans (détail).

➽ **La prise de vue :** de face, de dos, de profil ou de trois-quarts.

➽ **Les angles de prise de vue,** en **plongée*** ou en **contre-plongée***.

2 Le mouvement

Le cinéma combine le mouvement des éléments filmés avec celui de la caméra.

➽ Si la caméra est immobile, on parle de **plan fixe.**
Ex : *Les films d'Ozu comportent de nombreux plans fixes qui installent l'atmosphère.*

➽ Si la caméra pivote sur un axe fixe, on parle de **panoramique**.

➽ Si la caméra, montée sur des rails, suit le mouvement des éléments filmés, on parle de **travelling**.
Ex : *Le travelling peut être utilisé pour la découverte d'un lieu. Le travelling avant permet de suivre un personnage.*

➽ Le plan peut être réalisé **caméra à l'épaule**. Ce procédé apparaît souvent dans les films documentaires et dans les fictions qui recherchent un effet de vérité.

➽ Cadrage, mouvements de caméra et angles de prise de vue sont décidés avant le tournage. Ils sont consignés sur le **story-board**, sorte de bande dessinée où chaque plan est esquissé et accompagné des indications de temps (ex : « nuit »), de lieu (ex : « extérieur »), de mouvement, etc.

3 Le montage

➽ Le montage consiste à assembler les plans pour construire une histoire cohérente. Comme dans le récit, l'ordre des images peut être chronologique ou effectuer des retours en arrière, des anticipations ou des ellipses.

➽ **Les plans*** désignent les **prises de vue filmées sans coupure**. Leur durée varie. Le plus long est le plan-séquence : il filme toute une scène en continu.

➽ Les plans sont regroupés en **séquences.** La séquence désigne un ensemble de plans qui s'enchaînent pour constituer une unité narrative (avec, souvent, une unité d'action et de lieu).

➽ Pour relier les plans entre eux, on utilise différents types de **raccords***. Ils assurent la **cohérence** spatiale, lumineuse, thématique de l'ensemble.

- Le **raccord cut** fait se suivre deux plans distincts. L'enchaînement se fait grâce au son, le regard, le mouvement de la caméra ou du personnage.
Ex : *Lorsque la caméra montre successivement un personnage qui parle et celui qui lui répond, on parle d'un enchaînement champ/contrechamp.*
- Le raccord **fondu** :

Le **fondu enchaîné** : une image se superpose à la précédente par surimpression et vient la remplacer.
Le **fondu au noir ou au blanc** obscurcit ou éclaircit l'écran avant de laisser place au plan suivant.
Remarque : tout effet qui rompt la fluidité de l'enchaînement peut trouver une justification esthétique.

Exemple d'analyse d'une séquence de film de fiction :

Cette séquence (suite d'images qui présente une unité d'action dans un même lieu) se situe avant même le générique du film *Lacombe Lucien*, une œuvre de Louis Malle très controversée sur la collaboration, dans laquelle il expose le parcours d'un jeune homme qui entre dans la Gestapo. Elle fonctionne comme un premier portrait du personnage principal.

Plan 1a plan 1b plan 2 plan 3a

Dans le premier plan, la caméra suit le mouvement du personnage jusqu'à la fenêtre. Elle concentre notre attention sur ce qui le divertit dans sa tâche, en passant d'un plan d'ensemble de l'hospice (1a) à un nouveau plan d'ensemble (1b) qui donne à voir, cette fois-ci, un extérieur plus lumineux que le lieu de travail. Une opposition semble donc se construire entre ces deux mondes. L'extérieur qui attire Lucien est le monde de la nature, et c'est bien ce que souligne le **gros plan** sur l'oiseau dans l'arbre. Le raccord entre le plan 1b et le plan 2 se fonde sur le regard que porte Lucien sur l'oiseau.

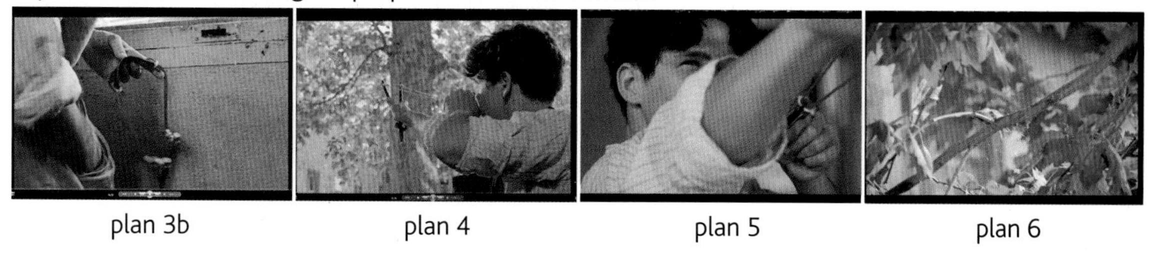

plan 3b plan 4 plan 5 plan 6

Cependant, les plans 3 à 8 nous montrent que la relation que Lucien entretient avec cette nature n'est pas celle d'un contemplatif mais celle d'un prédateur, d'un chasseur. Ces plans sont **très rapprochés** et atteignent parfois le **gros plan** pour montrer l'importance de la violence de l'acte gratuit, suivi dans sa préparation (plans 3b, 4 et 5), sa réalisation (plans 6 et 7) et la réaction (difficile à interpréter) qu'elle provoque chez son exécutant (plan 8).

plan 7 plan 8 plan 9

Louis Malle, *Lacombe Lucien*, photogrammes des premiers plans, Nouvelles Éditions de Films 1974

Dès les premières minutes, le spectateur a donc fait la connaissance d'un personnage dont la cruauté sera bien l'une des problématiques du film.

Du plan 8 au plan 9, on passe d'une prise de vue de trois-quarts à une **plongée**. Celle-ci replace le personnage dans une position d'infériorité et de soumission qui contraste avec les prises de vue précédentes. Qui est véritablement Lacombe Lucien ? Un individu maître de ses actes ou un exécutant soumis ? C'est cette autre question qui se posera pendant tout le film au spectateur.

Fiche 44

Lecture de corpus : textes et images

Les mouvements esthétiques ont généralement associé la littérature à l'art visuel. C'est pourquoi certains des documents complémentaires proposés sur la liste du baccalauréat sont des documents iconographiques, choisis pour leur rapport avec les textes étudiés. À l'épreuve écrite, la question transversale peut porter sur un corpus qui intègre une image.

La confrontation du texte et de l'image permet de vérifier la capacité à établir des rapports entre écriture verbale et écriture visuelle.

1 Mettre en relation l'image et le texte : une lecture comparée

➡ Le texte et l'image présentent-ils un même thème ?

➡ La relation entre le texte et l'image est-elle fondée sur l'opposition ou la ressemblance ?

➡ Tous les éléments évoqués par le texte apparaissent-ils sur l'image ?

➡ Le message visuel étant plus immédiat que le message verbal, l'image peut opérer une sélection par rapport au texte ou intégrer des éléments qu'il ne contient pas.

Exemple d'analyse :

Objet d'étude : Le texte théâtral et sa représentation du XVIIe siècle à nos jours

Le chef grec Agamemnon confie à Arcas qu'au moment où les vaisseaux grecs allaient partir pour Troie le vent est tombé, bloquant la flotte dans le port. Un devin lui a révélé que les dieux attendaient le sacrifice de sa fille pour faire se lever les vents.

1 ARCAS : Votre fille !
AGAMEMNON : Surpris, comme tu peux penser,
Je sentis dans mon corps tout mon sang se glacer.
Je demeurai sans voix, et n'en repris l'usage
5 Que par mille sanglots qui se firent passage.
Je condamnai les Dieux et , sans plus rien ouïr,
Fis vœu sur leurs autels de leur désobéir.
Que n'en croyais-je alors ma tendresse alarmée ?
Je voulais sur-le-champ congédier l'armée.
10 Ulysse, en apparence approuvant mes discours,
De ce premier torrent laissa passer le cours,
Mais bientôt, rappelant sa cruelle industrie,
Il me représenta l'honneur et la patrie [...]
Je me rendis, Arcas ; et vaincu par Ulysse,
15 De ma fille, en pleurant, j'ordonnai le supplice.

Racine, *Iphigénie*, 1674, I, 1

Bertholet Flemalle, *Le Sacrifice d'Iphigénie*, 1646, musée du Louvre

Le texte de Racine et le tableau de Flemalle exposent tous deux un **thème de la littérature antique :** le sacrifice d'Iphigénie.

Un véritable dilemme se pose à Agamemnon. Il est partagé entre amour paternel et amour de la patrie. Le texte exprime cette succession de désirs contraires. Il veut d'abord « désobéir » aux dieux, puis il décide le sacrifice lorsque Ulysse lui rappelle « l'honneur et la patrie ». Sur l'image, l'uniforme militaire porté par le chef grec symbolise l'entrave qui le sépare de l'enfant qu'il tient dans ses bras sans oser la regarder, puisqu'il la dépose sur l'autel, lieu du sacrifice et centre de l'image.

L'image, contrairement au texte, représente des événements ultérieurs au questionnement relaté par Racine et donne une **vision plus synthétique de l'histoire d'Iphigénie**. En effet, la partie gauche intègre la biche qu'Artémis a substituée *in extremis* à Iphigénie et représente celle-ci dans la fonction de prêtresse qu'elle lui a attribuée.

2 *Lire l'image comme la réécriture visuelle d'un texte*

La peinture a trouvé l'**inspiration** de nombre de ses sujets dans l'écriture biblique, mythologique, littéraire.
Elle devient alors une véritable **interprétation du texte**, une réécriture qui dépend des **intentions de l'artiste** qui s'approprie le sujet, et des **codes esthétiques** de son époque.

➠ Le texte et l'image mis en rapport présentent-ils le même registre ?

➠ Le texte et l'image illustrent-ils un même mouvement esthétique ?

➠ Le tableau présente-t-il une adaptation subjective du texte ?

Exemple d'analyse :

Le **registre pathétique** est commun au texte de Racine et au tableau de Flemalle.

➠ Dans le texte, la douleur et l'effroi d'Agamemnon s'expriment par hyperboles : « Je sentis dans mon corps tout mon sang se glacer », « mille sanglots [...] se firent passage ». Sur l'image, c'est l'expression des visages qui traduit ces émotions ainsi que la gestuelle d'Agamemnon, dont le port est affaissé.

➠ Si le tableau du peintre liégeois date de 1646, la pièce de Racine est plus tardive mais les deux œuvres se situent dans une période dominée par **le classicisme**. On peut identifier des caractéristiques de cette esthétique. En effet, dans le texte, l'**harmonie** et la **régularité** caractérisent les alexandrins. Quant au tableau, on observe la rigueur de ses lignes de construction.

➠ Si l'on met désormais en regard ce tableau de Paul Delvaux avec le texte de Racine, il n'est pas évident de comprendre le rapport entre la peinture et la source littéraire, même si le titre donné à son œuvre par le peintre atteste la filiation. Ainsi, Paul Delvaux opère tout d'abord une **transposition temporelle**. Les vêtements portés par les personnages, la frise paysagère représentée à l'arrière-plan, en hauteur, inscrivent la scène au XXe siècle. Dès lors, du fait de l'évolution des civilisations et des mentalités, les rapports entre un père et sa fille ne sont plus ceux qu'entretenaient Agamemnon et Iphigénie. Quel est donc le sens du mythe grec transposé à l'époque moderne ? Le tableau moderne, bien plus

Paul Delvaux, *Le Sacrifice d'Iphigénie*, 1968, collection particulière

que le tableau classique, **délègue la responsabilité de l'interprétation à l'observateur**. Celui-ci peut aisément identifier Iphigénie vêtue de blanc et son père vêtu de noir. Le symbolisme des couleurs exprime une rupture entre le père et la fille. Faut-il y voir celle qui s'opère au moment du mariage de la jeune fille ? Les personnages, comme chez Flemalle, ne se regardent pas mais se tournent le dos.

Cependant, il est plus difficile pour l'observateur de comprendre qui sont les deux autres femmes représentées sur la toile. Si celle qui prie au premier plan peut évoquer la destinée d'Iphigénie sauvée du sacrifice par Artémis pour devenir prêtresse, celle qui est allongée à l'arrière-plan intrigue davantage.

➠ On voit bien comment, par ses influences expressionnistes, le code esthétique de la peinture diffère de celui de la peinture de Flemalle et du texte de Racine ; Delvaux opte pour le dédoublement d'une figure, les traits des personnages sont simplifiés, leur expression, leur attitude se figent au point de devenir inquiétantes. On comprend que le peintre offre une interprétation très personnelle de l'épisode mythologique.

Exercices

1 Comparer texte et image

Objet d'étude : Vers un espace culturel européen : Renaissance et humanisme

Document A :

1 Certain jour, vers le matin, que on le vouloit faire tetter une de ses vaches (car de nourrisses il n'en eut jamais aultrement, comme dict l'hystoire), il se deffit des liens qui le tenoyent au berceau un des bras, et vous
5 prent ladicte vache par dessoubz le jarret, et luy mangea les deux tetins et la moytié du ventre, avecques le foye et les roignons, et l'eust toute devorée, n'eust esté qu'elle cryoit horriblement comme si les loups la tenoient aux jambes, auquel cry le monde arriva, et
10 osterent ladicte vache à Pantagruel ; mais ilz ne sceurent si bien faire que le jarret ne luy en demourast comme il le tenoit, et le mangeoit très bien, comme vous feriez d'une saulcisse ; et quand on luy voulut oster l'os, il l'avalla bien tost comme un cormaran feroit
15 un petit poisson, et après commença à dire : « Bon ! Bon ! Bon ! »

Rabelais, *Pantagruel*, 1532

Document B :

Gustave Doré, *L'enfance de Pantagruel*, 1873, musée de Strasbourg

1. Indiquez pour le texte et pour l'image par quels moyens s'exprime le gigantisme.
2. Quel registre est présent dans le texte ? Est-il transcrit par l'image ? Justifiez votre réponse.

2 Comparer texte et image

Objet d'étude : Écriture poétique et quête de sens du Moyen Âge à nos jours

Document A :

1 « La main »
Ô douce Main, Main belle, Main polie,
Main qui les cœurs fait lier et délie,
Main qui le mien a pris sans y toucher,
5 Main qui embrasse, et semond[1] d'approcher,
Main qui à moi doit ouvrir, ô Main forte,
Qui fors à moi, à tous ferme la porte.

Blason de Claude Chappuys, XVIe siècle

1. Semond : enjoint

Document B :

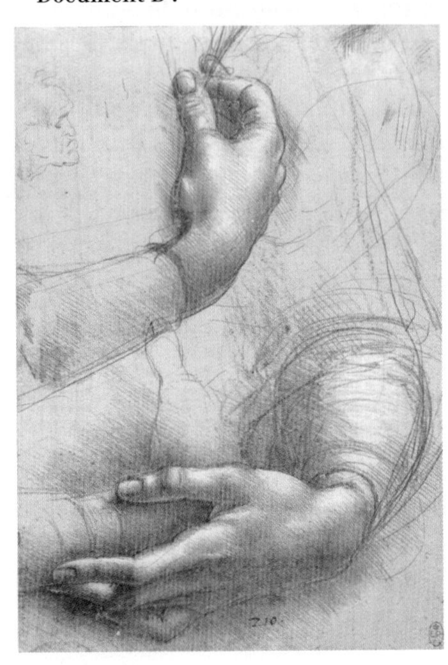

Léonard de Vinci, *Étude de mains*, 1474, bibliothèque royale de Windsor

Document C :

1 Chez un sculpteur, moulée en plâtre,
J'ai vu l'autre jour une main
D'Aspasie ou de Cléopâtre,
Pur fragment d'un chef-d'œuvre humain.

5 Sous le baiser neigeux saisie
Comme un lis par l'aube argenté,
Comme une blanche poésie
S'épanouissait sa beauté ;

Dans l'éclat de sa pâleur mate
10 Elle étalait sur le velours
Son élégance délicate
Et ses doigts fins aux anneaux lourds ;
Une cambrure florentine,
Avec un bel air de fierté,
15 Faisait, en ligne serpentine,
Onduler son pouce écarté.

Théophile Gautier, *Émaux et camées*, 1852, « Étude de mains »

1. Comment nomme-t-on le genre pictural présenté dans le document B ?
2. En quoi trouve-t-il des échos dans les textes qui l'accompagnent ?
3. Pourquoi peut-on parler pour les trois documents d'une mise en valeur de la main ? Par quels moyens ?
4. À quelle fin est cependant destiné le document B ?
5. Pourquoi peut-on dire que la forme du poème s'adapte bien à la considération du détail ?

3 Vers le baccalauréat

Objet d'étude : Le personnage de roman du XVIIe siècle à nos jours

Document 1 :

Eugène Delacroix, *La Liberté guidant le peuple*, 1830, musée du Louvre

Document 2 :

Frédéric Moreau et son ami Hussonnet assistent à la révolution de 1848, qui met fin à la monarchie de Juillet.

1 Tout à coup *la Marseillaise* retentit. Hussonnet et Frédéric se penchèrent sur la rampe. C'était le peuple. Il se précipita dans l'escalier, en secouant à flots vertigineux des têtes nues, des casques, des bonnets rouges,
5 des baïonnettes et des épaules, si impétueusement que des gens disparaissaient dans cette masse grouillante qui montait toujours, comme un fleuve refoulé par une marée d'équinoxe, avec un long mugissement, sous une impulsion irrésistible.

Gustave Flaubert, *L'Éducation sentimentale*, 1869

Document 3 :

La scène se passe à Plassans, au lendemain du 2 décembre 1851.

1 À côté d'elle se tenait debout l'insurgé qui portait le drapeau. Elle toucha la hampe du drapeau et, pour tout remerciement, elle dit d'une voix suppliante :

- Donnez-le-moi, je le porterai.

5 Les ouvriers, simples d'esprit, comprirent le côté naïvement sublime de ce remerciement.

- C'est cela, crièrent-ils, la Chantegreil portera le drapeau.

Un bûcheron fit remarquer qu'elle se fatiguerait
10 vite, qu'elle ne pourrait aller loin.

- Oh ! je suis forte, dit-elle orgueilleusement en retroussant ses manches, et en montrant ses bras ronds, aussi gros déjà que ceux d'une femme faite.

Et comme on lui tendait le drapeau :

15 - Attendez, reprit-elle.

Elle retira vivement sa pelisse, qu'elle remit ensuite, après l'avoir tournée du côté de la doublure rouge. Alors elle apparut, dans la blanche clarté de la lune, drapée d'un large manteau de pourpre qui lui tombait
20 jusqu'aux pieds. Le capuchon, arrêté sur le bord de son chignon, la coiffait d'une sorte de bonnet phrygien. Elle prit le drapeau, en serra la hampe contre sa poitrine et se tint droite, dans les plis de cette bannière sanglante qui flottait derrière elle.

Émile Zola, *La Fortune des Rougon*, 1870.

1. Quels sont les points communs entre les textes et l'image ? À quels événements historiques font-ils référence ?

2. Quel registre est commun aux trois documents ? Comment l'exprime chacun d'eux ?

Les épreuves du baccalauréat

1 La question sur un corpus

➠ La question sur un corpus est la **première partie de l'épreuve écrite du baccalauréat**.
Elle compte pour 4 points sur 20 dans les séries générales, pour 6 points sur 20 dans les séries technologiques.

➠ « Une ou deux **questions portant sur le corpus** et appelant des **réponses rédigées** peuvent être proposées aux candidats. Elles font appel à leurs compétences de lecture et les invitent à établir des relations entre les différents documents et à en proposer des interprétations. »
(B.O. n° 46 du 14 décembre 2006.)

2 L'exercice d'écriture : l'écriture d'invention, le commentaire et la dissertation

➠ L'exercice d'écriture est la **seconde partie de l'écrit du baccalauréat**, après la ou les questions sur un corpus.
Il compte pour 14 points dans les séries technologiques et pour 16 points dans les séries générales. Le candidat doit **choisir** entre le commentaire, l'écriture d'invention et la dissertation.

➠ « **L'écriture d'invention** contribue à **tester l'aptitude à lire et comprendre un texte**, à en saisir les enjeux, à **percevoir** les caractères singuliers de son écriture. [...] » Le candidat « doit **écrire un texte, en liaison avec celui ou ceux du corpus**, et en fonction d'un certain nombre de **consignes** rendues explicites par le libellé du sujet ».
« L'exercice se fonde, comme les deux autres, sur **une lecture intelligente et sensible du corpus**, et exige du candidat qu'il se soit approprié la spécificité des textes dont il dispose (langue, style, pensée), afin d'être capable de les **reproduire**, de les **prolonger**, de s'en **démarquer** ou de les **critiquer**. »
(B.O. n° 46 du 14 décembre 2006.)

➠ Au baccalauréat, « **le commentaire** porte sur un **texte littéraire**. Il peut être également proposé de comparer **deux textes**. En séries générales, le candidat compose un devoir qui présente de manière **organisée** ce qu'il a retenu de sa **lecture**, et justifie son **interprétation** et ses **jugements personnels**. En séries technologiques, le sujet est formulé de manière à guider le candidat dans son travail. »
(B.O. n° 46 du 14 décembre 2006.)

➠ « **La dissertation** consiste à conduire une **réflexion personnelle et argumentée à partir d'une problématique littéraire** issue du programme de français. Pour développer son argumentation, le candidat s'appuie sur les textes dont il dispose, sur les "objets d'étude" de la classe de première, ainsi que sur ses lectures et sa culture personnelle. »
(B.O. n° 46 du 14 décembre 2006.)

3 L'épreuve orale du baccalauréat

➠ L'épreuve orale du baccalauréat fait l'objet d'une convocation individuelle. Elle comprend deux sous-épreuves : un exercice de **lecture analytique**, puis un **entretien**. Le jury est composé d'un professeur.

➠ Les objectifs de l'épreuve sont précisés par le B.O n° 3 du 16 janvier 2003 : « L'examen oral a pour but d'évaluer la capacité du candidat à **mobiliser ses connaissances**. Il doit lui permettre de manifester ses **compétences de lecture**, d'exprimer une **sensibilité et une culture personnelles** et de manifester sa **maîtrise de l'expression orale** ainsi que son aptitude à **dialoguer** avec l'examinateur. »

Fiche 46

Répondre à une question sur un corpus

1 Les objectifs de l'exercice

➽ Répondre à une question à partir d'un corpus mobilise **plusieurs compétences :**
- savoir **lire** et **analyser** individuellement différents documents ;
- les **confronter** et **établir** des liens de ressemblance, d'opposition, de nuance ou encore de complémentarité entre eux ;
- **rédiger** une réponse organisée.

➽ Il ne s'agit pas de juxtaposer des analyses de textes, mais bien de **confronter** des textes à travers une analyse. Il faut donc les lire indépendamment et pouvoir, dans un second temps, **comprendre ce qui les rapproche, les oppose et fait leur singularité**.

Conseil : À l'examen, la question sur un corpus prépare à l'exercice d'écriture (invention, commentaire ou dissertation). Il faut lui consacrer un temps raisonnable, soit 1 heure à 1 h 30 sur les 4 heures de l'épreuve. Par ailleurs, la réponse ne saurait être plus longue que le travail d'écriture.

2 Étape 1 : Comprendre la question posée

➽ Pour **comprendre** la question posée **et éviter le hors-sujet**, il faut :
- **repérer les mots-clés** que l'on définit au brouillon ;
- **délimiter la question** en tenant compte de la formulation : quel est l'adverbe interrogateur ? Quels sont les verbes utilisés ?
- mettre la question en **lien avec l'objet d'étude** indiqué pour cerner au plus près les attentes.

La question sur corpus appelle une réponse **synthétique**.

➽ Chaque question est **spécifique au corpus proposé**. On peut néanmoins dégager quelques questions fréquentes :

- Justifier la constitution du corpus.
Ex : *Qu'est-ce qui fait l'unité du corpus ?*

- S'interroger sur le thème du corpus et/ou ses variations.
Ex : *Quel est le thème commun aux documents du corpus ?*

- Questionner un genre.
Ex : *En quoi ces textes s'inscrivent-ils dans le genre de la poésie ?*

- Analyser le sens des textes.
Ex : *Quelle vision de l'homme les textes proposent-ils ?*

- Questionner un registre.
Ex : *Quels sont les registres employés dans les différents textes du corpus ?*

- Analyser un ou des procédés d'écriture, en particulier les procédés argumentatifs.
Ex : *Identifiez les procédés argumentatifs qui visent à convaincre le lecteur.*

3 Étape 2 : Analyser les textes

➽ Les textes sont analysés rigoureusement **dans l'optique de la question posée**. Attention : une question peut porter sur une partie du corpus seulement.

Ex : *Une question telle « Quelle vision de l'homme les textes proposent-ils ? » suscite* a priori *une réponse montrant une vision commune dans les textes, mais ce ne sera pas forcément le cas à l'analyse du corpus.*

Généralement, les questions impliquent une réponse comparative, c'est-à-dire montrant points communs et différences.

Il faut penser aux deux aspects en analysant les textes, à moins que la question ne parle explicitement de « thème commun », d'« unité » ou à l'inverse de « divergences », de « nuances ».

➽ La mise en relation des textes entre eux peut se faire par le biais d'un tableau, **afin d'organiser les observations, depuis les points les plus généraux (identifiés dès le paratexte) jusqu'aux relevés des procédés d'écriture.**

4 Étape 3 : Rédiger la réponse

➽ La réponse à la question doit être **intégralement** rédigée. Au baccalauréat, on proscrit et on pénalise l'utilisation des listes pour présenter les procédés d'écriture ou les citations.

➽ L'exercice doit rester d'une longueur raisonnable.

➽ La réponse doit être **organisée** :
- un paragraphe d'**introduction** présente le corpus brièvement et rappelle la question,

- le **développement** propose une réponse organisée à la question posée, en s'appuyant sur les textes. Généralement, le sujet appelle une **confrontation des documents** : il convient donc d'organiser le plan de façon à les croiser, et non de les traiter un par un.
- Chaque **paragraphe** est organisé autour d'un argument qui s'appuie sur l'analyse d'un procédé d'écriture, d'une idée, d'un thème.
- La **conclusion** apporte une réponse brève et claire à la question posée.

➠ La réponse **cite les documents** à l'appui de chaque analyse proposée :
- on ne cite que ce qui est utile à la réponse, pas au-delà.
- Les références aux documents se font simplement : « le texte de Balzac », « le poème de Victor Hugo », ou encore « Chanson d'automne ». On évite les formules comme « Le texte A » ou « Le texte 1 », utilisées dans le sujet.

5 Exemple rédigé

Objet d'étude : Écriture poétique et quête du sens du Moyen Âge à nos jours

Corpus :
Texte A : Victor Hugo, *Les Contemplations*, 1856, « Demain, dès l'aube...»
Texte B : Guillaume Apollinaire, *Poèmes à Lou*, 1915, « Si je mourais là-bas...»
Texte C : Pierre de Ronsard, *Derniers Vers*, 1586, « Je n'ai plus que les os...»

Texte A :

« Demain, dès l'aube » évoque la disparition tragique de Léopoldine, fille de Victor Hugo morte noyée dans la Seine avec son mari. Quatre ans après le tragique accident, la douleur est toujours aussi vive.

Demain, dès l'aube, à l'heure où blanchit la campagne,
Je partirai. Vois-tu, je sais que tu m'attends.
J'irai par la forêt, j'irai par la montagne.
Je ne puis demeurer loin de toi plus longtemps.

Je marcherai les yeux fixés sur mes pensées,
Sans rien voir au dehors, sans entendre aucun bruit,
Seul, inconnu, le dos courbé, les mains croisées,
Triste, et le jour pour moi sera comme la nuit.

Je ne regarderai ni l'or du soir qui tombe,
Ni les voiles au loin descendant vers Harfleur[1],
Et quand j'arriverai, je mettrai sur ta tombe
Un bouquet de houx vert et de bruyère en fleur.

3 septembre 1847

Victor Hugo, *Les Contemplations*, 1856,
« Demain, dès l'aube...»

1. Port de Normandie.

Texte B :

Engagé volontaire pendant la Première Guerre mondiale, Apollinaire envoie régulièrement des lettres, des poèmes à la femme qu'il aime. Au front, les écrits du poète mêlent angoisse de la mort et désir amoureux.

Si je mourais là-bas sur le front de l'armée
Tu pleurerais un jour ô Lou ma bien-aimée
Et puis mon souvenir s'éteindrait comme meurt
Un obus éclatant sur le front de l'armée
Un bel obus semblable aux mimosas en fleur

Et puis ce souvenir éclaté dans l'espace
Couvrirait de mon sang le monde tout entier
La mer les monts les vals et l'étoile qui passe
Les soleils merveilleux mûrissant dans l'espace
Comme font les fruits d'or autour de Baratier[1]

Souvenir oublié vivant dans toutes choses
Je rougirais le bout de tes jolis seins roses
Je rougirais ta bouche et tes cheveux sanglants
Tu ne vieillirais point toutes ces belles choses
Rajeuniraient toujours pour leurs destins galants

Le fatal giclement de mon sang sur le monde
Donnerait au soleil plus de vive clarté
Aux fleurs plus de couleur plus de vitesse à l'onde
Un amour inouï descendrait sur le monde
L'amant serait plus fort dans ton corps écarté

Lou si je meurs là-bas souvenir qu'on oublie
– Souviens-t'en quelquefois aux instants de folie
De jeunesse et d'amour et d'éclatante ardeur –
Mon sang c'est la fontaine ardente du bonheur
Et sois la plus heureuse étant la plus jolie

Ô mon unique amour et ma grande folie

Guillaume Apollinaire, *Poèmes à Lou*, 1915,
« Si je mourais là-bas... »

1. Général français mort au combat en 1917.

Texte C :

À la veille de sa mort, Ronsard évoque avec une lucidité violente la décrépitude de son corps.

Je n'ai plus que les os, un squelette je semble,
Décharné, dénervé, démusclé, dépulpé,
Que le trait[1] de la mort sans pardon a frappé,
Je n'ose voir mes bras que de peur je ne tremble.

Apollon et son fils[2], deux grands maîtres ensemble,
Ne me sauraient guérir, leur métier m'a trompé ;
Adieu, plaisant Soleil, mon œil est étoupé[3],

Mon corps s'en va descendre où tout se désassemble.
Quel ami me voyant en ce point dépouillé
Ne remporte au logis un œil triste et mouillé,
Me consolant au lit et me baisant la face,

En essuyant mes yeux par la mort endormis ?
Adieu, chers compagnons, adieu, mes chers amis,
Je m'en vais le premier vous préparer la place.

Pierre de Ronsard, *Derniers Vers*, 1586,
« Je n'ai plus que les os... »

1. La flèche.
2. Il s'agit d'Asclépios, dieu de la médecine.
3. Au sens figuré, « voilé ».

Sujet : Comparez les situations d'énonciation des trois poèmes du corpus : en quoi la mort concerne-t-elle chacun des poètes ?

Plan détaillé :

I. Une implication personnelle de chaque poète
II. Des destinataires inscrits différemment dans le poème
III. Des choix énonciatifs qui traduisent des rapports différents à la mort

Réponse rédigée :

Victor Hugo, Guillaume Apollinaire et Pierre de Ronsard ont choisi la poésie pour évoquer l'angoisse provoquée par la perte. Ils se distinguent par leurs choix énonciatifs, qui marquent trois rapports différents à la mort.

Tous trois utilisent la première personne du singulier. Derrière le « je » de « Demain, dès l'aube... », présent dès le deuxième vers, on devine le poète qui a été confronté à la mort de sa fille. Le « je » du deuxième poème semble aussi être celui du poète : Apollinaire a véritablement fait l'expérience du front pendant la Première Guerre mondiale. Enfin, le poème de Ronsard traite bien de sa propre expérience de la vieillesse et de la proximité de la mort. Les trois poèmes adoptent donc une énonciation personnelle qui relève de l'écriture lyrique.

Les destinataires ne s'inscrivent pas de la même façon dans les trois poèmes. Hugo s'adresse à un « tu » très présent mais qui n'est pas identifié. C'est le contexte biographique qui nous fait analyser ce « tu » comme étant sa fille Léopoldine. Au contraire, Apollinaire s'adresse directement à la femme aimée, « Lou », destinataire de ses poèmes. Ronsard adresse son poème de façon différente : d'abord au « Soleil », v. 7, puis à un « vous » au dernier vers qui désigne ses « compagnons » et ses « amis ».

L'analyse de l'énonciation éclaire donc trois rapports différents à la mort. On peut déjà noter une partition entre Hugo, qui évoque la mort de sa fille, et les deux autres poètes qui évoquent leur propre mort. Ainsi, Hugo s'inscrit dans une souffrance liée à la perte. Il traduit celle-ci par le long chemin qui le mène finalement à la « tombe » (v. 11) et qui lui permet de se décrire peu à peu dans sa tristesse (v. 7 et 8 notamment), mais aussi de s'adresser à sa fille. Apollinaire et Ronsard, au contraire, évoquent la mort à venir. Pour Ronsard, il s'agit de la mort certaine, liée à l'âge. Pour rendre sensible le caractère inéluctable de sa disparition, Ronsard décrit minutieusement un corps souffrant, un « squelette » (v. 1), « Décharné, dénervé, démusclé, dépulpé » (v. 2). Pour Apollinaire, c'est une autre forme de mort à venir, une mort accidentelle sur le champ de bataille. Le lecteur est frappé par les images évoquées qui lient l'explosion du corps avec celle de l'« obus » (v. 5 et suivants) et le regret de la femme aimée, évoquée par des images érotiques. Le poète n'hésite donc pas à relier Éros et Thanatos, l'Amour et la Mort.

Au moment d'évoquer la mort, les trois poètes ont ressenti le besoin de s'exprimer de façon intime par l'emploi d'un « je » très personnel. Hugo et Apollinaire s'adressent à l'être aimé, tandis que Ronsard se rappelle à ses amis. La transcription poétique de la souffrance du poète touche le lecteur au plus profond de lui-même car il peut partager chacune des trois expériences.

Exercices

1 Comprendre une question sur un corpus

Objet d'étude : Le personnage de roman du XVIIe siècle à nos jours

Corpus :

Texte A : Honoré de Balzac, *Une ténébreuse affaire*, chapitre 1, 1841

Texte B : Georges Simenon, *Les Fantômes du chapelier*, chapitre I, 1948

Texte C : Pierre Magnan, *Le Commissaire dans la truffière*, chapitre I, 1978

Sujet : Les trois textes sont des débuts de romans policiers. Analysez comment les auteurs jouent de l'incertitude du lecteur dans la présentation des personnages.

1. Quels sont les mots-clés du sujet ?
2. Quels procédés d'écriture peut-on attendre dans les textes ?
3. En quoi le paratexte (titres des œuvres, dates de publication) peut-il vous aider ?

2 Comprendre une question sur un corpus

Objet d'étude : La question de l'homme dans les genres de l'argumentation du XVIe siècle à nos jours.

Corpus :

Texte A : Jean de La Bruyère, *Caractères*, 1688, « Du Souverain ou de la République »

Texte B : Damilaville, *Encyclopédie*, 1750-1772, article « Paix »

Texte C : Voltaire, *Dictionnaire philosophique*, 1764, « Guerre »

Texte D : Jean Giraudoux : *La guerre de Troie n'aura pas lieu*, 1935

Sujet : Ces quatre textes dénoncent la guerre. Vous analyserez les différents procédés littéraires utilisés à cette fin.

1. Quels sont les mots-clés du sujet ?
2. Quels procédés d'écriture peut-on attendre dans les textes ?
3. En quoi le paratexte (titres des œuvres, dates de publication) peut-il vous aider ?

3 Comprendre une question sur un corpus

Objet d'étude : Écriture poétique et quête du sens, du Moyen Âge à nos jours

Corpus :

Texte A : Marceline Desbordes-Valmore, *Poésies*, 1839, « Pauvres fleurs », « La maison de ma mère »

Texte B : Alphonse de Lamartine, *Poèmes du Cours familier de Littérature*, 1856, « La vigne et la maison »

Texte C : Louis Mercier, *Le Poème de la maison*, 1910, « La maison »

Sujet :

1. Quels effets du temps la description des maisons dans chacun des poèmes traduit-elle ?
2. Le souvenir de la maison natale suscite-t-il le même sentiment dans les trois poèmes ? Justifiez votre réponse.

1. Pour chacune des deux questions, précisez quels sont les mots-clés du sujet.
2. Pour chacune des deux questions, quels éléments doivent être analysés dans les textes ?
3. En quoi les deux questions se complètent-elles ?
4. Quel serait le plan de votre réponse ?

4 Comprendre une question sur un corpus

Objet d'étude : Le texte théâtral et sa représentation du XVIIe siècle à nos jours

Corpus :

Texte A : Paul Claudel, *Le Soulier de satin*, 1929

Texte B : Jean Anouilh, *Antigone*, 1944

Texte A :

PREMIÈRE JOURNÉE

[...]

SCÈNE PREMIÈRE, *L'Annoncier*[1], *le Père Jésuite.*

1 L'ANNONCIER : Fixons, je vous prie, mes frères, les yeux sur ce point de l'Océan Atlantique qui est à quelques degrés au-dessous de la Ligne[2] à égale distance de l'Ancien et du Nouveau Continent. On a par-
5 faitement bien représenté ici l'épave d'un navire démâté qui flotte au gré des courants. Toutes les grandes constellations de l'un et de l'autre hémisphères, la Grande Ourse, la Petite Ourse, Cassiopée, Orion, la Croix du Sud, sont suspendues en bon ordre comme
10 d'énormes girandoles[3] et comme de gigantesques panoplies[4] autour du ciel. Je pourrais les toucher avec ma canne. Autour du ciel. Et ici-bas un peintre qui voudrait représenter l'œuvre des pirates – des Anglais probablement – sur ce pauvre bâtiment espagnol,
15 aurait précisément l'idée de ce mât, avec ses vergues et ses agrès[5], tombé tout au travers du pont, de ces canons culbutés, de ces écoutilles[6] ouvertes, de ces grandes taches de sang et de ces cadavres partout, spécialement de ce groupe de religieuses écroulées l'une
20 sur l'autre. Au tronçon du grand mât est attaché un Père Jésuite, comme vous voyez, extrêmement grand et maigre. La soutane déchirée laisse voir l'épaule nue. Le voici qui parle comme il suit : « Seigneur, je vous remercie de m'avoir ainsi attaché... »Mais c'est lui qui
25 va parler. Écoutez bien, ne toussez pas et essayez de comprendre un peu. C'est ce que vous ne comprendrez pas qui est le plus beau, c'est ce qui est le plus long qui est le plus intéressant et c'est ce que vous ne trouverez pas amusant qui est le plus drôle.
30 (*Sort l'Annoncier.*)

Paul Claudel, *Le Soulier de satin*, 1929, © Éd. Gallimard 1957

1. Annoncier : « devant le rideau baissé », ce personnage, « un papier à la main », a annoncé le titre de la pièce.
2. L'équateur.
3. A ici le sens de guirlandes lumineuses.
4. À l'origine, armure complète d'un chevalier, ici ensemble d'objets de décoration.
5. Les « vergues » servent à porter la voile ; les « agrès »désignent l'ensemble de ce qui concerne la mâture d'un navire.
6. Ouvertures pratiquées dans le pont d'un navire.

Texte B :

Un décor neutre. Trois portes semblables. Au lever du rideau, tous les personnages sont en scène. lis bavardent, tricotent, jouent aux cartes. Le Prologue se détache et s'avance.

1 LE PROLOGUE[1] : Voilà. Ces personnages vont vous jouer l'histoire d'Antigone. Antigone, c'est la petite maigre qui est assise là-bas, et qui ne dit rien. Elle regarde droit devant elle. Elle pense. Elle pense qu'elle
5 va être Antigone tout à l'heure, qu'elle va surgir soudain de la maigre jeune fille noiraude et renfermée que personne ne prenait au sérieux dans la famille et se dresser seule en face du monde, seule en face de Créon, son oncle, qui est le roi. Elle pense qu'elle va
10 mourir, qu'elle est jeune et qu'elle aussi, elle aurait bien aimé vivre. Mais il n'y a rien à faire. Elle s'appelle Antigone et il va falloir qu'elle joue son rôle jusqu'au bout... Et, depuis que ce rideau s'est levé, elle sent qu'elle s'éloigne à une vitesse vertigineuse de sa sœur
15 Ismène, qui bavarde et rit avec un jeune homme, de nous tous, qui sommes là bien tranquilles à la regarder, de nous qui n'avons pas à mourir ce soir.

Jean Anouilh, *Antigone*, 1944, © Éd. de la Table Ronde, 1946

1. Dans la tragédie grecque, le Prologue précédait l'entrée du chœur. Anouilh utilise le mot pour désigner un personnage et la première partie de la pièce.

1. Qu'est-ce qui rapproche ces deux textes ?
2. Qu'est-ce qui les différencie ?
3. Quelles questions pourriez-vous proposer pour ce corpus ? Rédigez le tableau d'analyse correspondant à une de ces questions.

5 Analyser les textes et rédiger

Objet d'étude :
Le personnage de roman, du XVIIe siècle à nos jours
Corpus :
Texte A : Stendhal, *La Chartreuse de Parme*, 1839
Texte B : Proust, *Du Côté de chez Swann*, 1913

Texte A :

Fabrice Del Dongo, jeune noble milanais, admirateur de Napoléon, participe à la grande bataille de Waterloo.

1 Fabrice était tout joyeux. Enfin, je vais me battre réellement, se disait-il, tuer un ennemi ! Ce matin ils nous envoyaient des boulets, et moi je ne faisais rien que m'exposer à être tué ; métier de dupe. Il regar-
5 dait de tous côtés avec une extrême curiosité. Au bout d'un moment, il entendit partir sept à huit coups de fusil tout près de lui. Mais, ne recevant point l'ordre de tirer, il se tenait tranquille derrière son arbre. Il était presque nuit ; il lui semblait être à l'espère[1], à la
10 chasse de l'ours, dans la montagne de la Tramezzina au-dessus de Grianta. Il lui vint une idée de chasseur ; il prit une cartouche dans sa giberne[2] et en détacha la balle : si je le vois, dit-il, il ne faut pas que je le manque et il fit couler cette seconde balle dans le canon de son
15 fusil. Il entendit tirer deux coups de feu tout à côté de son arbre ; en même temps, il vit un cavalier vêtu de bleu qui passait au galop devant lui, se dirigeant de sa droite à sa gauche. Il n'est pas à trois pas, se dit-il, mais à cette distance je suis sûr de mon coup, il suivit
20 bien le cavalier du bout de son fusil et enfin pressa la détente ; le cavalier tomba avec son cheval. Notre héros se croyait à la chasse : il courut tout joyeux sur la pièce qu'il venait d'abattre. Il touchait déjà l'homme qui lui semblait mourant, lorsque, avec une rapidité
25 incroyable, deux cavaliers prussiens arrivèrent sur lui pour le sabrer. Fabrice se sauva à toutes jambes vers le bois ; pour mieux courir il jeta son fusil.

Stendhal, *La Chartreuse de Parme*, 1839

1. À l'affût.
2. Cartouchière des soldats.

Texte B :

1 Les Verdurin n'invitaient pas à dîner : on avait chez eux « son couvert mis ». Pour la soirée, il n'y avait pas de programme. Le jeune pianiste jouait, mais seulement si « ça lui chantait », car on ne forçait personne
5 et comme disait M. Verdurin : « Tout pour les amis, vivent les camarades ! » Si le pianiste voulait jouer la chevauchée de la Walkyrie ou le prélude de Tristan[1], Mme Verdurin protestait, non que cette musique lui déplût, mais au contraire parce qu'elle lui causait trop
10 d'impression. « Alors vous tenez à ce que j'aie ma migraine ? Vous savez bien que c'est la même chose chaque fois qu'il joue ça. Je sais ce qui m'attend ! Demain quand je voudrai me lever, bonsoir, plus personne ! » S'il ne jouait pas, on causait, et l'un des amis,
15 le plus souvent leur peintre favori d'alors, « lâchait », comme disait M. Verdurin, « une grosse faribole[2] qui faisait s'esclaffer tout le monde », Mme Verdurin surtout, à qui, – tant elle avait l'habitude de prendre au propre les expressions figurées des émotions qu'elle
20 éprouvait – le docteur Cottard (un jeune débutant à cette époque) dut un jour remettre sa mâchoire qu'elle avait décrochée pour avoir trop ri.

Marcel Proust, *Du côté de chez Swann*, 1913

1. *La Walkyrie* et *Tristan et Isolde* sont deux opéras de Richard Wagner.
2. lâcher une faribole : dire une bêtise.

Sujet : Montrez que ces textes invitent le lecteur à porter un regard critique sur les personnages.
1. Repérez les mots-clés du sujet et reformulez la question au style direct.
2. Comparez les textes dans un tableau pour mettre au jour les spécificités de chaque texte dans l'optique de la question posée.
3. Faites un plan détaillé et rédigez votre réponse.

Comprendre un sujet d'écriture d'invention

1 Les objectifs de l'exercice

➡ L'écriture d'invention mobilise des **compétences d'écriture**, tout autant que des **compétences de lecture**.

➡ L'exercice suppose que le candidat :
- **a compris les textes du corpus** : c'est la condition première pour écrire le texte de l'écriture d'invention. Il arrive aussi souvent que le sujet d'écriture d'invention porte plus précisément sur un des textes du corpus (auquel il faut répondre, par exemple, ou réécrire),
- **applique la consigne d'écriture dans sa totalité** : elle croise souvent des exigences de contenu, mais aussi d'énonciation, de genre, de registre ou de type de texte. Il y a aussi parfois une part d'implicite à décoder,
- produise **un texte nouveau, cohérent**, élégant et convaincant.

> **Conseil** : Une mise en garde s'impose : l'écriture d'invention ne doit pas être un choix « par défaut ». L'exercice est exigeant : même s'il peut rappeler la rédaction du brevet des collèges, les attentes du correcteur sont nettement différentes.

2 « L'invention » : une écriture sous contraintes

➡ Trop souvent, « l'invention » est le sujet qui est choisi lorsque le candidat ne se sent pas capable de traiter le commentaire et la dissertation, exercices jugés plus techniques et plus difficiles. Or rien n'est plus discutable : l'écriture d'invention, comme les deux autres exercices, demande de la **méthode**.

➡ En effet, il ne s'agit nullement d'« inventer » à partir de rien et sans contraintes. À vrai dire, **la part d'imagination n'est pas aussi importante que l'on pourrait le croire**. Les sujets d'examen imposent de nombreuses contraintes de formes (écrire une lettre, un éditorial, une suite de texte etc.), mais aussi de contenu (le texte défend un point de vue, continue un dialogue, etc.) fortement liées à un ou plusieurs des textes du corpus.

➡ **Le travail au brouillon** est donc important. Il faut tout d'abord cerner les contraintes posées par le sujet avec **précision** avant de commencer à « inventer » ce qui doit l'être.

Autrement dit, l'« invention » est largement guidée par le sujet qui donne un cadre et des appuis pour s'engager dans l'écriture.

3 La typologie des sujets

➡ L'écriture d'invention peut prendre plusieurs formes. Il peut **s'agir d'écrire un texte argumentatif** :
- **article** (éditorial, article polémique, article critique, droit de réponse...) ;
- **lettre** (correspondance avec un destinataire défini dans le libellé du sujet, lettre destinée au courrier des lecteurs, lettre ouverte, lettre fictive d'un des personnages présents dans un des textes du corpus, etc.) ;
- **monologue délibératif** ; **dialogue** (y compris théâtral) ; **discours** devant une assemblée ;
- **récit à visée argumentative** comme la fable.

Le candidat peut être amené à produire un texte narratif non argumentatif. L'écriture d'invention peut alors s'appuyer sur des consignes impliquant les transformations suivantes :
– des **transpositions** : changements de genre, de registre, ou de point de vue ;
– ou des **amplifications** : insertion d'une description ou d'un dialogue dans un récit, poursuite d'un texte, développement d'une ellipse narrative...

➡ La liste des textes possibles est donc précise. Il est possible de s'y préparer en commençant par bien connaître chacun des genres et ses codes, mais aussi les registres et leurs procédés caractéristiques (cf. fiche 40 « Les registres »).

4 Analyser le sujet

> **Conseil** : L'analyse approfondie du sujet est une étape fondamentale de l'exercice. Elle doit permettre d'éviter le hors-sujet.

➡ **Étape 1 : Relier le sujet à son objet d'étude**
Un sujet d'écriture d'invention n'est jamais coupé du corpus qui l'accompagne. Au contraire, il est directement en prise avec le sujet d'examen. L'objet d'étude et les textes du corpus qui construisent le sujet doivent donc être analysés attentivement : cela permet de **délimiter** le sujet.

➠ Étape 2 : Analyser les mots-clés du sujet

L'analyse des mots-clés permet de préciser le thème de l'écriture d'invention. Au brouillon, le premier travail est de recopier le sujet, d'entourer les mots-clés, de les définir et de les reformuler.

Ex : **Objet d'étude :** Le personnage de roman, du XVIIe siècle à nos jours

Corpus :

- Texte A : Flaubert, *L'Éducation sentimentale*, 1869.
- Texte B : Zola, *L'Assommoir,* 1877.
- Texte C : Céline, *Voyage au bout de la nuit*, 1932.
- Texte D : Jean-Marie Gustave Le Clézio, *Désert,* 1980.

Sujet : *« Lantier, attendu par Gervaise, revient d'une nuit de festivités qui le conduit à porter un regard sur la ville tout à fait opposé à celui de sa compagne. Décrivez de son point de vue le spectacle de la ville et du mouvement de la foule au petit matin, en vous efforçant d'en faire ressortir le charme et la poésie. Votre texte sera essentiellement descriptif et mettra en valeur les sensations et les sentiments du personnage, vous conserverez le niveau de langue utilisé par Zola (texte B). »*

Une première lecture du sujet impose deux expressions-clés

- « un regard sur la ville » : il s'agit de produire un texte dont le thème est la ville.
- « Décrivez de son point de vue » : le texte à rédiger est descriptif et le point de vue est imposé, c'est celui de Lantier.

➠ Étape 3 : Cerner les contraintes du sujet

Mais il faut aller plus loin dans l'analyse du sujet. Le candidat qui s'arrêterait à l'étape 2 pourrait produire un texte qui corresponde au thème, mais non plus un texte qui traite pleinement le sujet. Il faut également toujours s'interroger sur :

- **Le genre attendu :** tous les genres sont possibles. Ils peuvent être littéraires (récit, poésie, théâtre) ou encore non littéraires (lettre, article etc.). Il convient alors d'en respecter les codes (présentation particulière du théâtre, respect de la forme épistolaire, vers ou prose pour un poème, etc.) ;
- **Le type de texte :** le texte peut être narratif, descriptif, explicatif ou argumentatif ;
- **Si le texte est argumentatif :** la forme argumentative attendue (démonstration, dialogue, etc.), voire le ton du texte (ironique, polémique, didactique par exemple).
- **Le niveau de langue** : standard ou adapté à la parole d'un personnage ;
- **La longueur du texte** si celle-ci est indiquée ;
- **Les indications de contenu :** le texte doit-il exprimer un point de vue ? Défendre une opinion ? Exprimer des sentiments ? etc.

> **Conseil :** Sauf indication contraire, un texte trop court serait pénalisé. Même s'il s'agit d'exercices très différents, le correcteur doit pouvoir mettre en regard la longueur d'un écrit d'invention avec celle d'une dissertation ou d'un commentaire.

Ex : Pour reprendre l'exemple précédent, le sujet proposé impose des contraintes précises :

- **Genre du texte :** le texte à rédiger s'inscrit comme une amplification du texte de Zola. Il s'agit donc d'écrire un récit. Par ailleurs, le texte doit être descriptif (« décrivez », « descriptif »).
- **Le point de vue :** ce sera celui de Lantier. Il faut donc que la description soit faite par le regard du personnage de Zola.
- **Niveau de langue :** on respectera le niveau de langue du texte de Zola donné dans le corpus.

- Une première indication de **contenu :** Lantier doit décrire la ville et le mouvement de la foule au petit matin. Cette description doit l'amener à s'opposer au point de vue de Gervaise, qu'il faut analyser dans le texte du corpus.

- Plus finement, le texte doit **développer les sensations et les sentiments du personnage.** Cela est d'autant plus simple que le point de vue adopté est interne et qu'il est donc possible de décrire la ville et la foule à travers les pensées de Lantier. Il s'agit de surcroît d'en faire ressortir le « charme et la poésie », c'est-à-dire de proposer une vision quasiment lyrique. On peut dire qu'il y a, implicitement, une contrainte de registre.

➠ En somme, on attend du candidat la production **d'une description poétique de la ville et de la foule au petit matin, vues par Lantier et à la manière de Zola.**

Exercices

1 Relier un sujet à son objet d'étude

A. Dans *Cyrano de Bergerac*, avant le lever du rideau, « Tout le monde s'immobilise. Attente. » Vous allez assister à la représentation d'une pièce que vous connaissez. Les lumières s'éteignent progressivement. Vous découvrez alors l'espace scénique. Faites part de vos réactions, de cette expérience des premiers instants du spectacle. Attention, il ne s'agit ni de raconter la pièce, ni de la résumer.

B. Les textes du corpus livrent la méditation finale d'un personnage sur ce qu'il a vécu. Vous décidez de réécrire la dernière page d'un roman que vous avez apprécié et/ou étudié. Après en avoir rappelé en quelques lignes le titre et l'essentiel du dénouement, vous imaginez la méditation du personnage principal qui revient sur l'ensemble de son itinéraire.

C. Lors d'une rencontre littéraire, deux journalistes littéraires exposent leur conception de la poésie. L'un argumente en faveur d'une poésie célébrant le passé, tandis que l'autre préfère une poésie évoquant le présent. Écrivez leur dialogue.

D. Les œuvres littéraires nous permettent de mieux comprendre les hommes du passé. Imaginez le discours que vous pourriez faire devant votre classe pour convaincre vos camarades de se plonger dans la lecture des œuvres classiques.

1. À quels objets d'étude pourriez-vous rattacher ces sujets ? Justifiez votre réponse par une analyse précise du sujet et de l'intitulé de l'objet d'étude.
2. Quelles sont les contraintes formelles imposées par le sujet ?

2 Analyser les mots-clés d'un sujet

Objet d'étude : Écriture poétique et quête du sens, du Moyen Âge à nos jours

Corpus :

Texte A : Marceline Desbordes-Valmore, ***Poésies***, 1839, « La maison de ma mère »

Texte B : Alphonse de Lamartine, ***Poèmes du Cours familier de Littérature***, 1856, « La vigne et la maison »

Texte C : Louis Mercier, « La maison », ***Le poème de la maison***, 1910

Sujet : Lors d'une rencontre littéraire, deux journalistes littéraires exposent leur conception de la poésie. L'un argumente en faveur d'une poésie célébrant le passé, tandis que l'autre préfère une poésie évoquant le présent. Écrivez leur dialogue.

1. Quels sont les mots-clés du sujet ? Explicitez-les.
2. Quelles contraintes de forme le sujet impose-t-il ? Quels sont les choix possibles ?
3. Quel est le contenu attendu par le sujet ?

3 Analyser les mots-clés d'un sujet

Objet d'étude : Le personnage de roman, du XVIIe siècle à nos jours

Corpus :

Texte A : Honoré de Balzac, *Illusions perdues*, 1843

Texte B : Émile Zola, *L'Œuvre*, 1886

Texte C : Marguerite Duras, *Un barrage contre le Pacifique*, 1950

Texte D : Isabelle Jarry, *Le Jardin Yamata*, 1999

Sujet : « Toute sa personne explique la pension, comme la pension implique sa personne », écrit Balzac à propos de la propriétaire de la pension Vauquer. Vous rédigerez une page de roman dans laquelle les lieux laissent deviner la psychologie d'un personnage.

1. Quels sont les mots-clés du sujet ? Explicitez-les.
2. Quelles contraintes de forme le sujet impose-t-il ?
3. Quel est le contenu attendu par le sujet ?

4 Analyser les mots-clés d'un sujet

Objet d'étude : La question de l'Homme dans les genres de l'argumentation du XVIe siècle à nos jours.

Corpus :

Texte A : Blaise Pascal, *Pensées*, 1670

Texte B : Jean de La Fontaine, *Fables*, 1693, « Le Philosophe scythe »

Texte C : Voltaire, *Le Mondain*, 1736

Texte D : Jean-Jacques Rousseau, *Rêveries du Promeneur solitaire*, 1776-1778, « Cinquième Promenade »

Sujet : Vous composerez un dialogue argumentatif dans lequel deux interlocuteurs défendent leur conception du bonheur. Vous veillerez à ce que chaque interlocuteur prenne en compte tour à tour les arguments de l'autre.

1. Quels sont les mots-clés du sujet ? Explicitez-les.
2. Quelles contraintes de forme le sujet impose-t-il ?
3. Quels sont les arguments que vous pourriez développer ?

5 Cerner les contraintes

Objet d'étude : Le texte théâtral et sa représentation, du XVIIe siècle à nos jours

*Léopold Lajeunesse tient un café dans lequel des élèves viennent réciter maladroitement des vers d'*Andromaque.

1 Tout en marchant, Léopold se laissa distraire de sa colère par le souvenir d'Andromaque. Ces gens qui tournaient autour de la veuve d'Hector, ce n'était pas du monde bien intéressant non plus. Des rancuniers
5 qui ne pensaient qu'à leurs histoires de coucheries. Comme disait la veuve : « Faut-il qu'un si grand cœur montre tant de faiblesse ? » Quand on a affaire à une femme si bien, songeait-il, on ne va pas penser à la bagatelle. Lui, Léopold, il aurait eu honte, surtout que les
10 femmes, quand on a un peu d'argent de côté, ce n'est

pas ce qui manque. Il se plut à imaginer une évasion dont il était le héros désintéressé.

Arrivant un soir au palais de Pyrrhus, il achetait la complicité du portier et, la nuit venue, s'introduisait 15 dans la chambre d'Andromaque. La veuve était justement dans les larmes, à cause de Pyrrhus qui lui avait encore cassé les pieds pour le mariage. Léopold l'assurait de son dévouement respectueux, promettant qu'elle serait bientôt libre sans qu'il lui en coûte seulement 20 un sou et finissant par lui dire : « Passez-moi Astyanax, on va filer en douce. » Ces paroles, il les répéta plusieurs fois et y prit un plaisir étrange, un peu troublant, « Passez-moi Astyanax, on va filer en douce. » Il lui semblait voir poindre comme une lueur à l'horizon 25 de sa pensée. Soudain, il s'arrêta au milieu de la rue, son cœur se mit à battre avec violence, et il récita lentement : *« Passez-moi Astyanax, on va filer en douce. »*

Incontestablement, c'était un vers, un vrai vers de douze pieds. Et quelle cadence. Quel majestueux balancement 30 « Passez-moi Astyanax... » Léopold ébloui, ne se lassait pas de répéter son alexandrin et s'enivrait de sa musique. Cependant, la rue n'avait pas changé d'aspect. Le soleil continuait à briller, les ménagères vaquaient à leur marché et la vie suivait son cours habituel comme 35 s'il ne s'était rien passé. Léopold prenait conscience de la solitude de l'esprit en face de l'agitation mondaine, mais au lieu de s'en attrister, il se sentait fier et joyeux.

Marcel Aymé, *Uranus*, © Ed. Gallimard 1948

Sujet : Vous adaptez pour le théâtre le texte de Marcel Aymé depuis « Arrivant un soir » jusqu'à « Passez-moi Astyanax, on va filer en douce ».
Transposez sous la forme de texte théâtral le scénario imaginé par Léopold. Vous respecterez les caractéristiques du personnage de Léopold. Vous choisirez indifféremment l'écriture en vers ou en prose.

1. Quels sont les mots-clés du sujet ?
2. Quelles contraintes de forme le sujet impose-t-il ?
3. Quelles sont les caractéristiques du personnage de Léopold ?

6 Cerner les contraintes

Objet d'étude : Écriture poétique et quête du sens, du Moyen Âge à nos jours

ODE INACHEVÉE À LA BOUE

1 La boue plaît aux cœurs nobles parce que constamment méprisée.

Notre esprit la honnit[1], nos pieds et nos roues l'écrasent. Elle rend la marche difficile et elle salit : voilà ce 5 qu'on ne lui pardonne pas.

C'est de la boue ! dit-on des gens qu'on abomine, ou d'injures basses et intéressées. Sans souci de la honte qu'on lui inflige, du tort à jamais qu'on lui fait. Cette constante humiliation, qui la mériterait ? Cette atroce 10 persévérance !

Boue si méprisée, je t'aime. Je t'aime à raison du mépris où l'on te tient.

De mon écrit, boue au sens propre, jaillis à la face de tes détracteurs !

15 Tu es si belle, après l'orage qui te fonde, avec tes ailes bleues !

Quand, plus que les lointains, le prochain devient sombre et qu'après un long temps de songerie funèbre, la pluie battant soudain jusqu'à meurtrir le sol fonde 20 bientôt la boue, un regard pur l'adore : c'est celui de l'azur ragenouillé déjà sur ce corps limoneux[2] trop roué de charrettes hostiles, – dans les longs intervalles desquelles, pourtant, d'une sarcelle[3] à son gué opiniâtre la constance et la liberté guident nos pas.

25 Ainsi devient un lieu sauvage le carrefour le plus amène, la sente[4] la mieux poudrée.

La plus fine fleur du sol fait la boue la meilleure, celle qui se défend le mieux des atteintes du pied ; comme aussi de toute intention plasticienne. La plus 30 alerte enfin à gicler au visage de ses contempteurs[5].

Elle interdit elle-même l'approche de son centre, oblige à de longs détours, voire à des échasses.

Ce n'est peut-être pas qu'elle soit inhospitalière ou jalouse ; car, privée d'affection, si vous lui faites la 35 moindre avance, elle s'attache à vous.

Chienne de boue, qui agrippe mes chausses et qui me saute aux yeux d'un élan importun !

Plus elle vieillit, plus elle devient collante et tenace. Si vous empiétez son domaine, elle ne vous lâche plus. 40 Il y a en elle comme des lutteurs cachés, couchés par terre, qui agrippent vos jambes ; comme des pièges élastiques ; comme des lassos.

Ah comme elle tient à vous ! Plus que vous ne le désirez, dites-vous. Non pas moi. Son attachement me 45 touche, je le lui pardonne volontiers. [...]

Francis Ponge, *Pièces*, « Ode inachevée à la boue » (extrait), © Ed. Gallimard 1962

1. Couvrir publiquement de honte
2. Plein de limon, de boue
3. Canard sauvage
4. Sentier
5 Personne qui méprise, dénigre.

Sujet : Dans un texte en prose, vous célébrerez un objet banal, quotidien, de votre choix.
Vous utiliserez des images permettant de le découvrir sous un angle nouveau.
Vous marquerez explicitement votre appréciation élogieuse.
Vous ne signerez pas votre texte.

1. Quels sont les mots-clés du sujet ?
2. Quelles contraintes de forme le sujet impose-t-il ?

Fiche 48

Rédiger un écrit d'invention

Une fois le sujet finement analysé et les contraintes explicites et implicites dégagées (Fiche 47 « Comprendre un sujet d'écriture d'invention »), le plan peut être construit et le texte rédigé.

1 Étape 1 : Préparer un plan au brouillon

➡ L'écriture d'invention, comme les deux autres sujets, ne saurait se passer de l'étape du **plan**. L'analyse du sujet a permis de mettre au jour les contraintes imposées par le sujet. Il reste à déterminer **un plan détaillé** avant de rédiger un premier jet.

➡ **Pour un écrit à visée essentiellement argumentative :** il faut nécessairement passer par la **recherche d'arguments et d'exemples**. En fonction de la consigne d'écriture (confirmer ou infirmer une thèse, construire un dialogue, etc.), on prépare au brouillon un tableau qui favorise la réflexion. Cette recherche aura pour point de départ les textes du corpus, en liaison avec l'objet d'étude,

➡ **Pour un écrit narratif ou descriptif,** on cerne précisément le contenu imposé et on délimite la marge de **liberté** ou **d'imagination** laissée au candidat. Il s'agit alors de trouver des idées, toujours en s'inspirant des textes du corpus et en liaison avec l'objet d'étude.

2 Étape 2 : Mobiliser ses connaissances

➡ Pour que l'écriture d'invention prenne corps, il faut garder à l'esprit qu'il s'agit avant tout d'un exercice qui doit amener le candidat à s'appuyer sur des **connaissances littéraires et culturelles précises**. Celles-ci peuvent se manifester de plusieurs façons :
- Par **une utilisation pertinente du corpus :** les textes proposés par le sujet sont un point d'appui important. Parfois, il s'agit même de répondre à l'un d'entre eux, de le poursuivre. La question sur corpus est toujours un guide vers les exercices d'écriture : il convient aussi de l'observer attentivement.
- Par des **références personnelles et adaptées** : le cours, les lectures analytiques et cursives, permettent au candidat de se construire une culture et des références. Elles peuvent nourrir les exemples, dans le cas d'un texte à produire qui serait argumentatif, ou inspirer un texte narratif, sur la forme comme sur le fond. On sera attentif à éviter tout **anachronisme** : il faut tenir compte de la situation d'énonciation et, si le texte doit se référer à une période du passé, il ne s'agit pas d'y introduire des éléments qui nous sont contemporains.
- Par la **reprise ou l'imitation d'un style :** rédiger un texte « à la manière de » suppose que le candidat a pu, pendant l'année de préparation, observer finement ce qui fait la spécificité d'un style et l'imiter. Il ne s'agit pas seulement de respecter des contraintes d'énonciation ou de registre, il faut aussi pouvoir repérer des images caractéristiques d'un auteur, des **traits particuliers d'une écriture**, comme les tournures syntaxiques ou les choix lexicaux.

3 Étape 3 : Rédiger un premier jet

➡ Une fois le plan détaillé au brouillon, le candidat peut passer au **premier jet**. Il est indispensable de gérer le temps de l'épreuve dans l'optique d'une double écriture (au brouillon, puis au propre sur la copie d'examen).

➡ Le premier jet doit être envisagé comme une première tentative : elle est parfois très fructueuse, mais elle peut aussi être ratée. Il s'agit, une fois le texte rédigé, de **prendre de la distance** pour réussir à en percevoir les réussites et les défaillances. À cet égard, **l'ajout** n'est pas toujours l'opération la plus fructueuse (sauf dans le cas où le texte est exagérément court). Le **remplacement**, **le déplacement** voire la **suppression**, peuvent aussi être des solutions pour améliorer un premier texte peu satisfaisant.

4 Étape 4 : Rédiger au propre

➡ La **réécriture du brouillon** s'opère une fois qu'on a décidé de ce qu'il faudra améliorer. À ce stade, il s'agit également de porter une attention particulière au **style** (respecte-t-on bien celui imposé par le sujet ?), mais aussi à la **correction de la langue**.

➡ La **relecture** est une étape à part entière du travail d'écriture qui permet de pallier les oublis et les négligences.

Conseil : La mise en page doit être particulièrement soignée. La graphie doit être agréable et le texte complètement lisible.

5 Exemple rédigé

Objet d'étude : La question de l'Homme dans les genres de l'argumentation du XVIe siècle à nos jours

Corpus : Victor Hugo, *Choses vues*, 1846.

Hier, 22 février[1], j'allais à la Chambre des Pairs[2]. Il faisait beau et très froid, malgré le soleil de midi. Je vis venir rue de Tournon un homme que deux soldats emmenaient. Cet homme était blond, pâle, maigre, hagard ; trente ans à peu près, un pantalon de grosse toile, les pieds nus et écorchés dans des sabots avec des linges sanglants roulés autour des chevilles pour tenir lieu de bas ; une blouse courte, souillée de boue derrière le dos, ce qui indiquait qu'il couchait habituellement sur le pavé ; la tête nue et hérissée. Il avait sous le bras un pain.

Le peuple disait autour de lui qu'il avait volé ce pain et que c'était à cause de cela qu'on l'emmenait. En passant devant la caserne de gendarmerie, un des soldats y entra, et l'homme resta à la porte, gardé par l'autre soldat.

Une voiture était arrêtée devant la porte de la caserne. C'était une berline armoriée[3] portant aux lanternes une couronne ducale[4], attelée de deux chevaux gris, deux laquais en guêtres derrière. Les glaces étaient levées, mais on distinguait l'intérieur tapissé de damas bouton d'or[5]. Le regard de l'homme fixé sur cette voiture attira le mien. Il y avait dans la voiture une femme en chapeau rose, en robe de velours noir, fraîche, blanche, belle, éblouissante, qui riait et jouait avec un charmant petit enfant de seize mois enfoui sous les rubans, les dentelles et les fourrures. Cette femme ne voyait pas l'homme terrible qui la regardait.

Je demeurai pensif.

Cet homme n'était plus pour moi un homme, c'était le spectre de la misère, c'était l'apparition, difforme, lugubre, en plein jour, en plein soleil, d'une révolution encore plongée dans les ténèbres, mais qui vient. Autrefois, le pauvre coudoyait[6] le riche, ce spectre rencontrait cette gloire : mais on ne se regardait pas. On passait. Cela pouvait durer ainsi longtemps. Du moment où cet homme s'aperçoit que cette femme existe, tandis que cette femme ne s'aperçoit pas que cet homme est là, la catastrophe est inévitable.

1. 22 février 1846 : deux ans avant les émeutes de 1848 et l'abdication du roi Louis-Philippe.
2. Haute Assemblée législative dont Victor Hugo était membre.
3. Voiture à chevaux.
4. Cet emblème signale que la passagère est une duchesse.
5. Étoffe précieuse de couleur jaune.
6. Côtoyer.

Sujet : À son arrivée à la Chambre des Pairs, Hugo, sous le coup de l'émotion, prend la parole à la tribune pour faire part de son indignation et plaider pour plus de justice sociale.
Vous rédigerez ce discours.

Texte possible :

Monsieur le Président,
Messieurs les Pairs de France,

J'allais à pied rejoindre notre haute assemblée hier lorsque le hasard me mit sous les yeux le spectacle terrifiant de la misère du peuple parisien. Un homme, ou ce qu'il en reste, a été acculé au vol pour survivre. Traité comme un animal, il était accusé par le peuple, partageant pourtant la même misère que lui. Voilà où en est le Parisien le plus malheureux : il doit se déshonorer, s'abaisser en dessous de l'animal et pourtant tutoyer la mort.

Nous nous déshonorerions avec lui de la pire manière si nous refusions de le voir, lui qui est face à nous. Et c'est à un spectacle encore plus terrifiant auquel il m'a été donné d'assister et dont je voudrais vous donner une idée. Une femme, belle, riche et insouciante, la femme la plus éloignée de ce crève-la-faim s'est trouvée face à lui alors qu'ils étaient tous deux devant le commissariat. Que croyez-vous qu'il arrivât ? Rien.

Et c'est bien là le drame, Messieurs les Pairs de France. Cette femme n'a pas vu, ses yeux n'ont pas perçu la misère pourtant debout devant elle. Non, ce n'était plus un homme qui lui faisait face, mais toute la misère de Paris, toute la douleur du peuple. Et là, avec son enfant, nourri, soigné, aimé, elle n'a pas vu ce spectacle pourtant terrifiant.

Nous sommes face à la pire des catastrophes : la misère n'est plus visible, comme si elle n'était plus là. Il faut qu'ici, dans cette assemblée nous œuvrions avant que le pire arrive. Il faut qu'ici le peuple redevienne visible aux yeux des plus riches. Il faut que les plus riches reprennent conscience qu'il existe un peuple et qu'il souffre. Il est même de notre devoir de prendre à bras-le-corps cette souffrance pour la soulager. C'est une question d'Humanité, Messieurs, mais aussi un devoir pour l'État qui doit favoriser le progrès de l'Homme vers la Justice.

Victor Hugo, 23 février 1846

Exercices

1 Rédiger un éloge

Objet d'étude : Écriture poétique et quête du sens, du Moyen Âge à nos jours
Corpus : Francis Ponge, *Pièces*, 1962, « Ode inachevée à la boue » (extrait) (Texte fiche 47)
Sujet : Dans un texte en prose, vous célébrerez un objet banal, quotidien, de votre choix.
- Vous utiliserez des images permettant de le découvrir sous un angle nouveau.
- Vous marquerez explicitement votre appréciation élogieuse.
- Vous ne signerez pas votre texte.

2 Rédiger un hymne

Objet d'étude : Écriture poétique et quête du sens, du Moyen Âge à nos jours
Corpus : Vous pouvez vous appuyer sur le corpus 2 du manuel (page 214)
Sujet : « Les plus désespérés sont les chants les plus beaux », déclare la Muse au Poète dans le poème de Musset « La Nuit de Mai ». En désaccord avec Musset, un poète se propose d'écrire un hymne à la joie qui célébrerait le bonheur de vivre. Rédigez en prose le texte de cet autre poète.

3 Rédiger une lettre

Objet d'étude : Le personnage de roman, du XVIIe siècle à nos jours
Corpus : Vous pouvez vous appuyer sur le chapitre consacré au personnage de roman, p. 20-111.
Sujet : Un éditeur remet en question le choix d'écriture d'un jeune auteur qui a décidé de suivre l'École du Nouveau Roman : ses personnages sont volontairement imprécis, sans identité, les descriptions finissent de brouiller les repères du lecteur. Dans une lettre adressée à son éditeur, l'auteur défend ses choix.

4 Amplifier un texte et transposer un registre

Objet d'étude : Le texte théâtral et sa représentation, du XVIIe siècle à nos jours
Texte : Marcel Aymé, *Uranus*, 1948 (Texte fiche 47)
Sujet : Vous adaptez pour le théâtre le texte de Marcel Aymé depuis « Arrivant un soir »jusqu'à « Passez-moi Astyanax, on va filer en douce. »
Transposez sous la forme de texte théâtral le scénario imaginé par Léopold. Vous respecterez les caractéristiques du personnage de Léopold. Vous choisirez l'écriture en prose.

5 Écrire un dialogue théâtral

Objet d'étude : La question de l'Homme dans les genres de l'argumentation du XVIe siècle à nos jours

La scène se passe dans l'Antiquité pendant le siège de la ville de Troie par les Grecs. Andromaque, épouse d'Hector, demande à son beau-père le roi Priam d'éviter la guerre.

1 ANDROMAQUE : Mon père, je vous en supplie. Si vous avez cette amitié pour les femmes, écoutez ce que toutes les femmes du monde vous disent par ma voix. Laissez-nous nos maris comme ils sont. Pour
5 qu'ils gardent leur agilité et leur courage, les dieux ont créé autour d'eux tant d'entraîneurs vivants ou non vivants ! Quand ce ne serait que l'orage ! Quand ce ne serait que les bêtes ! Aussi longtemps qu'il y aura des loups, des éléphants, des onces, l'homme
10 aura mieux que l'homme comme émule et comme adversaire. Tous ces grands oiseaux qui volent autour de nous, ces lièvres dont nous les femmes confondons le poil avec les bruyères, sont de plus sûrs garants de la vue perçante de nos maris que
15 l'autre cible, que le cœur de l'ennemi emprisonné dans sa cuirasse. Chaque fois que j'ai vu tuer un cerf ou un aigle, je l'ai remercié. Je savais qu'il mourait pour Hector. Pourquoi voulez-vous que je doive Hector à la mort d'autres hommes ?
20 PRIAM : Je ne veux pas, ma petite chérie. Mais savez-vous pourquoi vous êtes là, toutes si belles et si vaillantes ? C'est parce que vos maris et vos pères et vos aïeux furent des guerriers. S'ils avaient été paresseux aux armes, s'ils n'avaient pas su que cette
25 occupation terne et stupide qu'est la vie se justifie soudain et s'illumine par le mépris que les hommes ont d'elle, c'est vous qui seriez lâches et réclameriez la guerre. Il n'y a pas deux façons de se rendre immortel ici-bas, c'est d'oublier qu'on est mortel.
30 ANDROMAQUE : Oh ! justement, Père, vous le savez bien ! Ce sont les braves qui meurent à la guerre. Pour ne pas y être tué, il faut un grand hasard ou une grande habileté. Il faut avoir courbé la tête, ou s'être agenouillé au moins une fois devant le danger.
35 Les soldats qui défilent sous les arcs de triomphe sont ceux qui ont déserté la mort. Comment un pays pourrait-il gagner dans son honneur et dans sa force en les perdant tous les deux ?
PRIAM : Ma fille, la première lâcheté est la première
40 ride d'un peuple.

Jean Giraudoux, *La guerre de Troie n'aura pas lieu*, 1935, © Grasset 1971

Sujet : Dans l'extrait de *La guerre de Troie n'aura pas lieu*, Andromaque expose le point de vue des femmes et les raisons pour lesquelles elles condamnent la guerre.
Écrivez un dialogue théâtral dans lequel Hector, l'époux d'Andromaque, expose le point de vue des hommes et les raisons pour lesquelles lui aussi condamne la guerre. Il s'adresse à son père Priam en présence d'Andromaque... [Ces deux personnages interviendront nécessairement dans la scène théâtrale].

6 Transformer un dialogue en monologue

Objet d'étude :

Les réécritures, du XVIIe siècle jusqu'à nos jours

Frédéric Moreau, un bachelier de dix-huit ans, rencontre Mme Arnoux, une femme plus âgée que lui, sur un bateau. Ils s'aimeront sans jamais vivre ensemble. Quelques années plus tard, vers la fin de mars 1867, Mme Arnoux revient voir Frédéric chez lui. Ils font alors une promenade.

1 Quand ils rentrèrent, Mme Arnoux ôta son chapeau. La lampe, posée sur une console[1], éclaira ses cheveux blancs. Ce fut comme un heurt en pleine poitrine.

Pour lui cacher cette déception, il se posa par terre 5 à ses genoux, et, prenant ses mains, se mit à lui dire des tendresses.

– Votre personne, vos moindres mouvements me semblaient avoir dans le monde une importance extra-humaine. Mon cœur, comme de la poussière, se soule-10 vait derrière vos pas. Vous me faisiez l'effet d'un clair de lune par une nuit d'été, quand tout est parfums, ombres douces, blancheurs, infini ; et les délices de la chair et de l'âme étaient contenues pour moi dans votre nom que je me répétais, en tâchant de le baiser 15 sur mes lèvres. Je n'imaginais rien au-delà. C'était Mme Arnoux telle que vous étiez, avec ses deux enfants, tendre, sérieuse, belle à éblouir et si bonne ! Cette image-là effaçait toutes les autres. Est-ce que j'y pensais, seulement ! Puisque j'avais toujours au fond 20 de moi-même la musique de votre voix et la splendeur de vos yeux !

Elle acceptait avec ravissement ces adorations pour la femme qu'elle n'était plus. Frédéric, se grisant par ses paroles, arrivait à croire ce qu'il disait. Mme Ar-25 noux, le dos tourné à la lumière, se penchait vers lui. Il sentait sur son front la caresse de son haleine, à travers ses vêtements le contact indécis de tout son corps. Leurs mains se serrèrent ; la pointe de sa bottine s'avançait un peu sous sa robe, et il lui dit, presque 30 défaillant :

– La vue de votre pied me trouble.

Un mouvement de pudeur la fit se lever. Puis, immobile, et avec l'intonation singulière des somnambules :

– À mon âge ! lui ! Frédéric !... Aucune n'a jamais été 35 aimée comme moi ! Non, non, à quoi sert d'être jeune ? Je m'en moque bien ! Je les méprise, toutes celles qui viennent ici !

– Oh ! il n'en vient guère ! reprit-il complaisamment.

Son visage s'épanouit, et elle voulut savoir s'il se 40 marierait.

Il jura que non.

– Bien sûr ? Pourquoi ?

– À cause de vous, dit Frédéric en la serrant dans ses bras.

45 Elle y restait, la taille en arrière, la bouche entrouverte, les yeux levés. Tout à coup, elle le repoussa avec un air de désespoir ; et, comme il la suppliait de lui répondre, elle dit en baissant la tête :

– J'aurais voulu vous rendre heureux.

50 Frédéric soupçonna Mme Arnoux d'être venue pour s'offrir ; et il était repris par une convoitise plus forte que jamais, furieuse, enragée. Cependant, il sentait quelque chose d'inexprimable, une répulsion, et comme l'effroi d'un inceste. Une autre crainte l'arrêta, 55 celle d'en avoir dégoût plus tard. D'ailleurs, quel embarras ce serait ! – et tout à la fois par prudence et pour ne pas dégrader son idéal, il tourna sur ses talons et se mit à faire une cigarette.

Elle le contemplait, tout émerveillée.

60 – Comme vous êtes délicat ! Il n'y a que vous ! Il n'y a que vous !

Onze heures sonnèrent.

– Déjà ! dit-elle ; au quart, je m'en irai.

Elle se rassit ; mais elle observait la pendule, et il 65 continuait à marcher en fumant. Tous les deux ne trouvaient plus rien à se dire. Il y a un moment dans les séparations, où la personne aimée n'est déjà plus avec nous.

Enfin, l'aiguille ayant dépassé les vingt-cinq mi-70 nutes, elle prit son chapeau par les brides, lentement.

– Adieu, mon ami, mon cher ami. Je ne vous reverrai jamais ! C'était ma dernière démarche de femme. Mon âme ne vous quittera pas. Que toutes les bénédictions du ciel soient sur vous !

75 Et elle le baisa au front, comme une mère.

Mais elle parut chercher quelque chose, et lui demanda des ciseaux.

Elle défit son peigne ; tous ses cheveux blancs tombèrent.

80 Elle s'en coupa, brutalement, à la racine, une longue mèche.

– Gardez-les ! adieu !

Quand elle fut sortie, Frédéric ouvrit sa fenêtre. Mme Arnoux, sur le trottoir, fit signe d'avancer à un 85 fiacre[2] qui passait. Elle monta dedans. La voiture disparut.

Et ce fut tout.

Gustave Flaubert, *L'Éducation sentimentale*, 1869, première partie, chapitre I

1. Petit support, généralement petite table appuyée à un mur.
2. Voiture de louage tirée par un cheval et conduite par un cocher.

Sujet : Réécrivez la dernière rencontre de Frédéric Moreau avec Mme Arnoux, cette fois, sous la forme d'un monologue intérieur de Frédéric qui dévoilera ses sentiments et ses pensées. Vous resterez fidèle au texte de Flaubert en vous gardant, toutefois, d'en recopier des passages.

Comprendre un sujet de commentaire

1 Les objectifs de l'exercice à l'examen

➠ Le **commentaire** conjugue **l'analyse des procédés** choisis par un auteur et l'interprétation des effets produits sur le lecteur. Il ne s'agit donc pas d'un exercice purement technique : certes, il faut **entrer dans la mécanique textuelle**, mais il faut le faire avec **sensibilité** et **recul**.

➠ On attend donc du candidat :
- qu'il construise une véritable **lecture** d'un texte littéraire, c'est-à-dire une **interprétation**. Le commentaire est donc un exercice **argumentatif,**
- qu'il **organise** sa lecture. Cela signifie que le commentaire ne s'organise pas de façon linéaire, du début à la fin du texte, mais autour d'**axes ou centres d'intérêt.**

➠ **On notera une différence entre les séries générales et les séries technologiques :**
- pour les candidats des **séries générales**, aucune indication d'axes de lecture n'est donnée. Le plus souvent, la consigne de l'exercice est réduite à la formule « vous commenterez le texte de… »
- pour les candidats des **séries technologiques**, en revanche, la consigne de l'exercice comporte des axes d'analyse possibles.

Sujet : *« Vous commenterez le monologue de Dubois-Dupont, extrait de* Il y avait foule au manoir *de Jean Tardieu, en vous aidant du parcours de lecture suivant :*
- vous analyserez ce que cette présentation a d'artificiel ;
- vous étudierez les effets produits par ce monologue sur le spectateur. »

L'expression « en vous aidant » souligne que ce parcours n'est pas « obligatoire ». Ce sont des pistes qu'il faut traiter comme telles et utiliser à bon escient pour une interprétation qui doit rester personnelle.

➠ Pour le commentaire comparé, se reporter à la fiche 52.

> **Conseil :** Le candidat qui s'arrêterait au seul relevé d'« indices » ou de procédés d'écriture serait à peine à mi-chemin. Il faut mettre en relation la forme du texte, son contenu et les sentiments éprouvés par le lecteur.

2 Les types des textes

➠ Il n'existe pas de typologie exhaustive des textes qui peuvent donner lieu à un commentaire. Néanmoins, la liste des **objets d'étude** de l'année de première peut aider à envisager les exercices possibles. Pour mémoire, les objets d'étude sont :
- Le personnage de roman, du XVIIe siècle à nos jours
- Le texte théâtral et sa représentation, du XVIIe siècle à nos jours
- Écriture poétique et quête du sens, du Moyen Âge à nos jours
- La question de l'Homme dans les genres de l'argumentation du XVIe siècle à nos jours

Série littéraire :
- La Renaissance et l'Humanisme
- les Réécritures

➠ **Tous les genres sont donc susceptibles d'être commentés** : le roman, le théâtre, la poésie, etc. Mais un extrait d'œuvre appartenant à « la littérature d'idées » peut également fournir un support au commentaire.

➠ Par ailleurs, **tous les types de textes** sont possibles : narratif, descriptif, explicatif, argumentatif. Il existe aussi la possibilité qu'un extrait croise différents types de textes au sein du même extrait.

> **Conseil :** Il n'existe aucune règle d'« alternance » des objets d'étude au baccalauréat. Il serait donc plus que hasardeux de parier telle année sur « la poésie », « le théâtre » ou « la question de l'Homme » parce que « le roman » a été donné à l'examen l'année précédente. Un objet d'étude peut très bien être convoqué plusieurs années de suite.

3 Comprendre le texte

> **Conseil :** Le commentaire de texte se retrouve sous la forme du « commentaire » à l'écrit et de la « lecture analytique » à l'oral. Il faut donc profiter des compétences qui sont travaillées pour les deux épreuves.

Étape 1 : Comprendre le sens littéral

➠ L'approche la plus simple d'un texte doit rester celle qui est naturelle à tous : il convient de le lire en commençant par le début et jusqu'à la fin, sans négliger le paratexte.

➠ Cette première lecture, que l'on pourrait qualifier positivement de **naïve**, est une première approche qui n'est pas inutile. Au contraire, elle permet de prendre connaissance du texte, de vérifier le **sens littéral du texte** et d'éviter les contresens. Souvent, à l'examen, les textes sont annotés. Si néanmoins ils posent des problèmes de sens à cause du lexique ou de la syntaxe, il convient de prendre le temps de **chercher à éclaircir les passages dont le sens est difficile**. L'indication de l'objet d'étude et le paratexte doivent aider à cette première approche.

➠ Au brouillon, sans autre forme de réflexion, le candidat peut noter ses **premières impressions de lecture.** Elles serviront par la suite à construire la problématique et le développement.

Étape 2 : Caractériser le texte

➠ Envisager une nouvelle lecture, **crayon en main**, destinée à **caractériser le texte**. Il est nécessaire de définir avec précision :

- **le genre du texte** (en s'aidant de l'objet d'étude et du paratexte),
- le ou les **type(s) de texte** en jeu,
- le **registre** dominant ou les registres,
- le **thème** et les éventuels sous-thèmes,
- la **mise en forme** du texte (vers ou prose, utilisation des paragraphes, des strophes, du blanc typographique).

➠ À ce stade, les impressions de lecture deviennent des **hypothèses** : toujours au brouillon, le candidat note de premières pistes qui permettront de construire l'analyse.

> **Conseil :** Lors de l'épreuve, de même qu'en classe en cours d'année, les documents sont un outil de travail : on ne doit pas hésiter à les annoter, à encadrer au crayon une expression, un mot particulièrement important, à souligner au fluo un réseau lexical ou sémantique... En créant ses propres techniques de repérage et en s'y habituant par la pratique en cours d'année, on aura construit pour l'épreuve un outil efficace pour saisir rapidement le sens du texte proposé et en visualiser aisément la construction.

Étape 3 : Saisir l'originalité du texte pour problématiser.

➠ Une troisième lecture s'impose enfin : c'est **une lecture de détails**. Elle s'attache :

-**à l'énonciation :** quelle situation d'énonciation est mise en place (Qui parle ? À qui ? Dans quelles circonstances ?),

- **aux mots utilisés :** quels réseaux lexicaux sont mis en place et comment ? Pourquoi et avec quels effets sur le lecteur ?
- aux **phrases** et plus largement à la **syntaxe** : comment sont-elles construites ?
- aux **figures de style :** lesquelles l'auteur utilise-t-il ? Quels effets produisent-elles ?

➠ Il s'agit à ce stade de percevoir la **spécificité d'une écriture** et donc la **singularité du texte**. Pour cela, il faut replacer l'œuvre dans son **contexte littéraire et artistique** et donc de connaître d'autres textes de la même période, du même **mouvement**. Il serait aussi utile de pouvoir comparer le texte à d'autres du même **genre** pour percevoir l'évolution possible de ce point de vue.

➠ La phase de **problématisation** intervient une fois que le texte est compris dans son ensemble et que la singularité de son écriture apparaît clairement au candidat.

➠ La problématique est **la question qui permettra d'organiser le commentaire** et de lui donner une **dynamique**.

La problématique :

– est **une question généralement ouverte** ;

Ex : *« Comment l'auteur parvient-il à rendre sa critique amusante ? »*

Ex : *« Qu'est-ce qui fait de ce texte une déclaration d'amour originale ? »*

– fonctionne comme **un moteur de recherche :** elle permet de tester des pistes, de confirmer ou d'infirmer des hypothèses dans le cours du développement ;

– **organise l'exercice :** chaque axe du plan doit donc lui apporter des éléments de réponse.

➠ Au terme de ces quatre étapes, le commentaire n'est pas encore construit (voir fiche 50 « Construire le plan détaillé d'un commentaire »), mais la compréhension littérale et la problématisation du commentaire sont assurées.

Exercices

1 Comprendre, caractériser et problématiser

Objet d'étude : Écriture poétique et quête de sens, du Moyen Âge à nos jours

1 Quand vous serez bien vieille, au soir, à la chandelle,
Assise auprès du feu, dévidant[1] et filant,
Direz, chantant mes vers, en vous émerveillant[2] :
« Ronsard me célébrait du temps que j'étais belle ! »
5
Lors, vous n'aurez servante[3] oyant[4] telle nouvelle,
Déjà sous le labeur à demi sommeillant,
Qui au bruit de mon nom ne s'aille réveillant,
Bénissant votre nom de[5] louange immortelle.

10 Je serai sous la terre et fantôme sans os :
Par les ombres myrteux[6] je prendrai mon repos :
Vous serez au foyer une vieille accroupie,

Regrettant mon amour et votre fier dédain.
Vivez, si m'en croyez, n'attendez à demain :
15 Cueillez dès aujourd'hui les roses de la vie.

Pierre de Ronsard, « Sonnets pour Hélène », 1578

1. Mettre en pelotes le fil qui est en écheveau ou en bobine.
2. En vous étonnant
3. Vous n'aurez pas.
4. Entendant.
5. Dont la louange est immortelle.
6. À l'ombre des myrtes, c'est-à-dire d'arbustes.

1. Caractérisez le texte : genre, type(s) de texte, registre, thème(s).
2. En quoi le thème de ce poème et le discours du poète peuvent-ils surprendre ?
3. Quels sont les problèmes posés par ce texte ? Quel questionnement pourrait être avancé pour l'analyse ?

2 Comprendre, caractériser et problématiser

Objet d'étude : Écriture poétique et quête du sens, du Moyen Âge à nos jours

« Les fenêtres »

1 Celui qui regarde du dehors à travers une fenêtre ouverte, ne voit jamais autant de choses que celui qui regarde une fenêtre fermée. Il n'est pas d'objet plus profond, plus mystérieux, plus fécond, plus ténébreux, 5 plus éblouissant qu'une fenêtre éclairée d'une chandelle. Ce qu'on peut voir au soleil est toujours moins intéressant que ce qui se passe derrière une vitre. Dans ce trou noir ou lumineux vit la vie, rêve la vie, souffre la vie.

10 Par delà des vagues de toits, j'aperçois une femme mûre, ridée déjà, pauvre, toujours penchée sur quelque chose, et qui ne sort jamais. Avec son visage, avec son vêtement, avec son geste, avec presque rien, j'ai refait l'histoire de cette femme, ou plutôt sa légende, et quel- 15 quefois je me la raconte à moi-même en pleurant.

Si c'eût été un pauvre vieux homme, j'aurais refait la sienne tout aussi aisément.

Et je me couche, fier d'avoir vécu et souffert dans d'autres que moi-même. Peut-être me direz-vous : 20 « Es-tu sûr que cette légende soit la vraie ? » Qu'importe ce que peut être la réalité placée hors de moi, si elle m'a aidé à vivre, à sentir que je suis et ce que je suis ?

Charles Baudelaire, *Petits Poèmes en prose*, édition posthume 1869, « Les fenêtres »

1. Caractérisez le texte : genre, type(s) de texte, registre, thème(s).
2. En quoi la forme de ce poème peut-elle surprendre ?
3. Quels sont les problèmes posés par ce texte ? Quel questionnement pourrait être avancé pour l'analyser ?

3 Comprendre, caractériser et problématiser

Objet d'étude :
Le personnage de roman, du XVIIe siècle à nos jours

Le roman de Giono Regain *se termine sur une note d'optimisme : le village a été abandonné, mais le personnage principal, Panturle, va fonder une nouvelle famille avec sa compagne qui est enceinte.*

1 Maintenant Panturle est seul.

Il a dit :

- Fille, soigne-toi bien, va doucement ; j'irai te chercher l'eau, le soir, maintenant. On a bien du contente- 5 ment ensemble. Ne gâtons pas le fruit. Puis il a commencé à faire ses grands pas de montagnard.

Il marche.

Il est tout embaumé de sa joie.

Il a des chansons qui sont là, entassées dans sa 10 gorge à presser ses dents. Et il serre les lèvres.

C'est une joie dont il veut mâcher toute l'odeur et saliver longtemps le jus comme un mouton qui mange la saladelle[1] du soir sur les collines. Il va, comme ça, jusqu'au moment où le beau silence s'est épaissi en lui 15 et autour de lui comme un pré.

Il est devant ses champs. Il s'est arrêté devant eux. Il se baisse. Il prend une poignée de cette terre grasse, pleine d'air et qui porte la graine. C'est une terre de beaucoup de bonne volonté.

20 Il en tâte, entre ses doigts, toute la bonne volonté.

Alors, tout d'un coup, là, debout, il a appris la grande victoire.

Il lui a passé devant les yeux, l'image de la terre ancienne, renfrognée et poilue avec ses aigres genêts 25 et ses herbes en couteau. Il a connu d'un coup, cette lande terrible qu'il était, lui, large ouvert au grand vent enragé, à toutes ces choses qu'on ne peut pas combattre sans l'aide de la vie.

Il est debout devant ses champs. Il a ses grands pan- 30 talons de velours brun, à côtes ; il semble vêtu avec un morceau de ses labours. Les bras le long du corps, il ne bouge pas. Il a gagné : c'est fini.

Il est solidement enfoncé dans la terre comme une colonne.

Jean Giono, *Regain*, deuxième partie, © Grasset 1930

1. Variété de salade cultivée en Provence.

1. Caractérisez le texte : genre, type(s) de texte, registre, thème(s).
2. En quoi la forme de ce passage de roman peut-elle surprendre ?
3. Quels sont les problèmes posés par ce texte ? Quel questionnement pourrait être avancé pour l'analyser ?

4 Comprendre, caractériser et problématiser

Objets d'étude : Le texte théâtral et sa représentation, du XVIIe siècle à nos jours
La question de l'Homme dans les genres de l'argumentation du XVIe siècle à nos jours

Ferrante, roi vieillissant du Portugal, veut marier le prince Don Pedro à l'Infante d'Espagne. Hélas, le prince aime une autre femme. L'Infante, blessée, s'est plainte au roi, qui demande à son tour des comptes à son fils.

1 FERRANTE : L'infante m'a fait part des propos monstrueux que vous lui avez tenus. Maintenant, écoutez-moi. Je suis las de mon trône, de ma cour, de mon peuple. Mais il y a aussi quelqu'un dont je 5 suis particulièrement las, Pedro, c'est vous. Bébé, je l'avoue, vous ne me reteniez guère. Puis, de cinq à treize ans, je vous ai tendrement aimé. La Reine, votre mère, est morte bien jeune. Votre frère aîné allait tourner à l'hébétude, et rentrer dans les 10 ordres. Vous me restiez seul. Treize ans a été l'année de votre grande gloire ; vous avez eu à treize ans une grâce, une gentillesse, une finesse, une intelligence que vous n'avez jamais retrouvée depuis ; c'était le dernier et merveilleux rayon du soleil 15 qui se couche ; seulement on sait que, dans douze heures, le soleil réapparaîtra, tandis que le génie de l'enfance, quand il s'éteint, c'est à tout jamais. On dit toujours que c'est d'un ver que sort le papillon ; chez l'homme, c'est un papillon qui devient 20 un ver. À quatorze ans vous étiez éteint ; vous étiez devenu médiocre et grossier. Avant, Dieu me pardonne, par moments j'étais presque jaloux de votre gouverneur ; jaloux de vous voir prendre au sérieux ce que vous disait cette vieille bête de don Christoval 25 plus que ce que je vous disais moi-même. Je songeais aussi : « À cause des affaires de l'État, il me faut perdre mon enfant : je n'ai pas le temps de m'occuper de lui. » À partir de quatorze ans, j'ai été bien content que votre gouverneur me débarrassât 30 de vous. Je ne vous ai plus recherché, je vous ai fui. Vous avez aujourd'hui vingt-six ans : il y a treize ans que je n'ai plus rien à vous dire.

PEDRO : Mon père...

FERRANTE : « Mon père » : durant toute ma jeunesse, 35 ces mots me faisaient vibrer. Il me semblait – en dehors de toute idée politique – qu'avoir un fils devait être quelque chose d'immense... Mais regardez-moi donc ! Vos yeux fuient sans cesse pour me cacher tout ce qu'il y a en vous qui ne m'aime pas.

40 PEDRO : Ils fuient pour vous cacher la peine que vous me faites. Vous savez bien que je vous aime. Mais, ce que vous me reprochez, c'est de ne pas avoir votre caractère. Est-ce ma faute si je ne suis pas vous ? Jamais, depuis combien d'années, jamais 45 vous ne vous êtes intéressé à ce qui m'intéresse. Vous ne l'avez même pas feint. Si, une fois... Quand vous aviez votre fièvre tierce, et croyiez que vous alliez mourir ; tandis que je vous disais quelques mots auprès de votre lit, vous m'avez demandé : « Et 50 les loups, en êtes-vous content ? ». Car c'était alors ma passion que la chasse au loup. Oui, une fois seulement, quand vous étiez tout affaibli et désespéré par le mal, vous m'avez parlé de ce que j'aime.

FERRANTE : Vous croyez que ce que je vous reproche 55 est de ne pas être semblable à moi. Ce n'est pas tout à fait cela. Je vous reproche de ne pas respirer à la hauteur où je respire. On peut avoir de l'indulgence pour la médiocrité qu'on pressent chez un enfant. Non pour celle qui s'étale dans un homme.

60 PEDRO : Vous me parliez avec intérêt, avec gravité, avec bonté, à l'âge où je ne pouvais pas vous comprendre. Et à l'âge où je l'aurais pu, vous ne m'avez plus jamais parlé ainsi, – à moi que, dans les actes publics, vous nommez « mon bien-aimé fils » !

65 FERRANTE : Parce qu'à cet âge-là non plus vous ne pouviez pas me comprendre. Mes paroles avaient l'air de passer à travers vous comme à travers un fantôme pour s'évanouir dans je ne sais quel monde : depuis longtemps la partie était perdue. 70 Vous êtes vide de tout, et d'abord de vous-même. Vous êtes petit, et rapetissez tout à votre mesure. Je vous ai toujours vu abaisser le motif de mes entreprises : croire que je faisais par avidité ce que je faisais pour le bien du royaume ; croire que je faisais 75 par ambition personnelle ce que je faisais pour la gloire de Dieu. De temps en temps, vous me jetiez à la tête votre fidélité. Mais je regardais à vos actes, et ils étaient toujours misérables.

PEDRO : Mon père, si j'ai mal agi envers vous, je vous 80 demande de me le pardonner.

Henry de Montherlant, *La Reine morte*, 1942, acte I, tableau I, scène 3, © Éd. Gallimard 1947

1. Caractérisez le texte : genre, type(s) de texte, registre, thème(s).
2. En quoi la forme de cet extrait de pièce de théâtre peut-elle surprendre ?
3. Quels sont les problèmes posés par ce texte ? Quel questionnement pourrait être avancé pour l'analyse ?

Construire le plan détaillé d'un commentaire

Une fois le texte lu de façon globale et la problématique formulée, (fiche 49 « Comprendre un sujet de commentaire »), le plan peut être construit.

1 Étape 1 : Analyser méthodiquement un texte

➡ La première étape de compréhension du texte a permis de **caractériser le texte** et d'aboutir à une **problématique**. Il faut maintenant entrer dans la chair du texte, les mots, et mettre au jour la façon dont l'auteur a écrit ce texte, mais aussi les **effets sur le lecteur**.

➡ Une lecture plus fine doit donc être envisagée. Elle doit :
- **mettre au jour des passages signifiants** par le biais de relevés,
- les **identifier** précisément (leur nature, leur fonction, leur participation à un réseau de sens, une figure de style),
- les **analyser** et les **interpréter**, en particulier dans leurs interactions.

Cela permet alors de construire des axes de lecture, qui seront autant de sous-parties du commentaire.

➡ Pour cela, il est utile de se servir du tableau suivant :

Relevé	Outils d'analyse	Analyse et interprétation	Axe du plan

➡ **Le relevé doit être organisé** à partir de la caractérisation du texte (fiche 49). Ainsi, on n'analyse pas une description comme un texte argumentatif ou un monologue théâtral. Chacun a ses règles, ses spécificités qu'il faut connaître pour apprécier la façon dont l'auteur joue avec les mots. Certains outils d'analyse ne peuvent être utilisés que pour un genre donné (Ex. : les variations de point de vue pour le récit, la versification pour la poésie, etc).

➡ **La dernière colonne** peut n'être remplie qu'à la fin : c'est parfois en regroupant les interprétations convergentes qu'on réussit à formuler les axes.

> **Conseil** : L'analyse ne doit pas être confondue avec la paraphrase. Paraphraser un texte consiste à dire la même chose que le texte avec ses propres mots. Analyser consiste à examiner le **fonctionnement du texte et les effets** qu'il produit sur le lecteur.

2 Étape 2 : Construire le plan détaillé

➡ La formulation des axes ne suffit pas à construire un plan détaillé. Il faut ensuite définir les **parties du développement** et **ordonner les sous-parties mises au jour avec le tableau d'analyse**.

➡ Pour cela, on met en œuvre les principes suivants :
- Chaque partie, chaque sous-partie doit **apporter des éléments de réponse à la problématique**.
- Les parties doivent **s'organiser de façon progressive :** en général du plus évident à l'interprétation la plus complexe.
- Il en va **de même pour les sous-parties :** leur organisation doit être progressive et la dernière doit être la plus riche.
- **Une sous-partie s'organise en un paragraphe** qui réunit une ou des citations, très ciblées, leur analyse et leur interprétation.

3 Exemple de plan détaillé

Objet d'étude : Écriture poétique et quête du sens, du Moyen Âge à nos jours

Texte : Charles Baudelaire, *Petits Poèmes en prose*, édition posthume 1869, « Les fenêtres » (Texte reproduit fiche 49)

Problématique : Comment Baudelaire transforme-t-il un objet du quotidien en moyen de voir le monde ?

1. Un poème d'une apparente simplicité
a) Une énonciation personnelle
b) La fenêtre, objet banal
c) Un éloge de la compassion

2. Un art poétique
a) Un regard paradoxal sur le quotidien
b) L'imagination, clé de la connaissance de l'autre
c) Une allégorie de l'écriture poétique

Exercices

1 Analyser méthodiquement un texte et construire un plan détaillé

Objet d'étude : Écriture poétique et quête de sens, du Moyen Âge à nos jours
Texte : Pierre de Ronsard, « Sonnets pour Hélène », 1578 (texte reproduit fiche 49)

1. Construisez le tableau d'analyse du texte qui vous permettra de faire émerger des axes de lecture. Vous pouvez notamment vous interroger sur les pistes suivantes :
- comment Ronsard s'adresse-t-il à Hélène ? Quel discours lui tient-il ?
- quelle image de lui-même Ronsard construit-il dans ce poème ?
2. Organisez ces axes en parties et sous-parties de façon à proposer un plan de commentaire.

2 Analyser méthodiquement un texte et construire un plan détaillé

Objet d'étude : Écriture poétique et quête du sens, du Moyen Âge à nos jours
Texte : Charles Baudelaire, *Petits Poèmes en prose*, édition posthume 1869, « Les fenêtres »(Texte reproduit fiche 49)

1. Construisez le tableau d'analyse du texte qui vous permettra de faire émerger des axes de lecture. Vous pouvez notamment vous interroger sur les pistes suivantes :
- Le réalisme et le lyrisme du texte
- L'expression du bonheur
2. Organisez ces axes en parties et sous-parties de façon à proposer un plan de commentaire.

3 Analyser méthodiquement un texte et construire un plan détaillé

Objet d'étude :
Le personnage de roman, du XVIIe siècle à nos jours
Texte : Jean Giono, *Regain*, 1930, deuxième partie (Texte reproduit fiche 49)

1. Construisez le tableau d'analyse du texte qui vous permettra de faire émerger des axes de lecture. Vous pouvez notamment vous interroger sur les pistes suivantes :
- Une célébration de la Nature
- Un dénouement tourné vers l'avenir
2. Organisez ces axes en parties et sous-parties de façon à proposer un plan de commentaire.

4 Analyser méthodiquement un texte et construire un plan détaillé

Objet d'étude : Le texte théâtral et sa représentation, du XVIIe siècle à nos jours
La question de l'Homme dans les genres de l'argumentation du XVIe siècle à nos jours
Texte : Henry de Montherlant, *La Reine morte*, 1942, Acte I, tableau I, scène 3 (Texte reproduit fiche 49)

1. Construisez le tableau d'analyse du texte qui vous permettra de faire émerger des axes de lecture.
2. Organisez ces axes en parties et sous-parties de façon à proposer un plan de commentaire.

5 Analyser méthodiquement un texte et construire un plan détaillé

Objet d'étude : La question de l'Homme dans les genres de l'argumentation du XVIe siècle à nos jours

Les Essais *sont pour Montaigne l'occasion d'aborder l'amitié qui l'a lié pendant longtemps à La Boétie (l'orthographe de l'époque a été conservée).*

1 Au demeurant, ce que nous appellons ordinairement amis et amitiez, ce ne sont qu'accoinctances[1] et familiaritez nouées par quelque occasion ou commodité[2], par le moyen de laquelle nos âmes s'entretiennent[3]. En
5 l'amitié dequoy[4] je parle, elles se meslent et confondent l'une en l'autre, d'un melange si universel, qu'elles effacent, et ne retrouvent plus la couture qui les a jointes. Si on me presse de dire pourquoy je l'aymois, je sens que cela ne se peut exprimer, qu'en respon-
10 dant : « Par ce que c'estoit luy; par ce que c'estoit moy. »
Il y a, au delà de tout mon discours[5], et de ce que j'en puis dire particulierement, ne sçay quelle force inexplicable et fatale[6], mediatrice de cette union. Nous nous cherchions avant que de nous estre veus, et par
15 des rapports que nous oyïons[7] l'un de l'autre, qui faisoient en nostre affection plus d'effort que ne porte la raison des rapports, je croy par quelque ordonnance du ciel ; nous nous embrassions par noz noms. [...] Ayant si peu à durer, et ayant si tard commencé, car
20 nous estions tous deux hommes faicts, et luy plus de quelque annee, elle n'avoit point à perdre temps et à se regler au patron[8] des amitiez molles et regulieres, ausquelles il faut tant de precautions de longue et prealable conversation[9]. Cette cy n'a point d'autre
25 idee[10] que d'elle mesme, et ne se peut rapporter qu'à soy. Ce n'est pas une speciale consideration, ny deux, ny trois, ny quatre, ny mille : c'est je ne sçay quelle quinte essence de tout ce meslange, qui, ayant saisi toute ma volonté, l'amena se plonger et se perdre dans
30 la sienne; qui, ayant saisi toute sa volonté, l'amena se plonger et se perdre en la mienne, d'une faim, d'une concurrence[11] pareille. Je dis perdre, à la verité, ne nous reservant rien qui nous fut propre, ny qui fut ou sien, ou mien.

Montaigne, *Essais*, I, 28, 1580

1. Relations. 2. Avantage ou profit. 3. Se tiennent ensemble.
4. De laquelle. 5. Propos. 6. Voulue par le destin. 7. Entendions.
8. Sur le modèle. 9. Fréquentation. 10. Modèle. 11. Émulation.

1. En vous aidant d'un dictionnaire, assurez-vous de la compréhension littérale du texte.
2. Construisez le tableau d'analyse du texte qui vous permettra de faire émerger des axes de lecture.
3. Organisez ces axes en parties et sous-parties de façon à proposer un plan de commentaire.

Fiche 51

Rédiger un commentaire

La phase de rédaction est décisive. Elle est préparée par l'analyse du sujet et la mise au point du plan détaillé (fiches 49 « Comprendre un sujet de commentaire » et 50 « Construire le plan détaillé d'un commentaire »).

1 Le commentaire doit défendre un projet de lecture

➠ Interpréter

Le commentaire est un exercice qui comprend plusieurs enjeux. Certes, il s'agit d'entreprendre une analyse de l'écriture d'un texte. Mais il faut aller plus loin car le commentaire n'est pas sa propre finalité. Il doit **être mis au service d'un projet de lecture**. C'est-à-dire qu'il propose avant tout **une interprétation du texte** qui doit **convaincre** le lecteur-correcteur.

➠ Argumenter

C'est pourquoi le commentaire doit être rédigé comme un **texte argumentatif**. Il doit en avoir la forme et la rigueur. En cela, le commentaire se rapproche de la dissertation, même si son objet est d'abord un texte dans sa singularité là où la dissertation mène une réflexion plus ouverte sur la littérature.

> **Conseil :** La mise en page doit être particulièrement soignée. La graphie doit être agréable et le texte complètement lisible. Les paragraphes doivent être clairement construits.

2 L'introduction

L'introduction comprend trois étapes :

➠ Étape 1 : L'amorce.

L'objectif est d'introduire le texte. On peut évoquer le contexte historique et culturel, voire l'œuvre de l'auteur lorsqu'on le connaît. Il s'agit déjà de **préparer l'interprétation** du texte en ne retenant que ce qui l'éclaire.

➠ Étape 2 : La caractérisation du texte et sa problématisation.

Cette étape est plus longue et fondamentale (voir fiche 49 « Comprendre un sujet de commentaire »). **Une présentation concise du texte va permettre d'amener la problématique**. Les deux éléments sont intimement liés.

➠ Étape 3 : L'annonce du plan.

Le plan suivi doit être annoncé sans donner les titres des sous-parties. On choisira une formulation souple et on utilisera des liens logiques qui mettent déjà en lumière les relations entre les parties (« certes », « mais », « donc », etc.).

Pour plus de visibilité, on peut matérialiser les trois étapes de l'introduction par trois paragraphes. C'est aussi un moyen de ne rien oublier.

Ex : **Objet d'étude :** Genres et formes de l'argumentation : XVIIe et XVIIIe siècles

Texte : Montaigne, *Essais*, I, 28, 1580 (reproduit et questionné fiche 50)

Introduction rédigée :

Michel de Montaigne appartient à la seconde génération des auteurs humanistes. Dans son œuvre, Montaigne s'attache à mieux se connaître, à se mettre à l'épreuve ou à s'« essayer » sur différents sujets.

Dès le premier livre, il évoque la question de l'amitié à travers la relation qu'il a connue avec Étienne de La Boétie. Dans l'extrait choisi, Montaigne tente à la fois de définir la nature des relations qui l'unissaient à son ami avant la mort de celui-ci tout en cherchant à en comprendre les raisons ou les fondements. C'est pourquoi nous analyserons en quoi ce passage présente au lecteur une amitié d'exception.

Après avoir analysé les origines de cette amitié, nous verrons comment Montaigne tente de la comprendre et de la présenter au lecteur.

3 Le développement

➠ Organisation du développement

Chaque partie **rappelle l'idée directrice** dans un premier paragraphe (il n'y a pas de titres dans les commentaires).

➠ Les parties et sous-parties

- **Les parties :** le développement comprend deux ou trois parties, qui sont de longueurs comparables. Chaque partie développe **une idée directrice**, qui est énoncée en tête de paragraphe.
- **Les sous-parties ou axes de lecture :** on compte entre **deux ou trois axes de lecture** par parties. Chacun propose **un argument** qui construit une partie de l'idée directrice et qui s'appuie sur l'analyse d'au moins un exemple textuel cité.

Les exemples

Ils sont **la chair du développement**. Sans eux, il n'y a pas d'argument convaincant. Ils peuvent être de natures variées : phrases, expressions ou réseaux lexicaux, faits de styles, voire figures de style.
On les cite dans chaque paragraphe d'analyse :
- à la suite de l'analyse. Ils sont alors introduits par un lien logique, comme « ainsi », « en effet », « comme le montre », etc.
- avant l'analyse.

Il peut être tentant, et même dangereux, de citer beaucoup, voire beaucoup trop. **Attention, la citation ne remplace pas l'analyse.** Il ne faut présenter que ce qui est utile et cohérent par rapport à l'axe de lecture étudié.
Un paragraphe doit obligatoirement comprendre :
- des extraits du texte,
- l'identification des procédés d'écriture utilisés,
- leur interprétation.

Les transitions entre les parties

Ce sont des bilans d'étape. Ils permettent de souligner en quoi la partie répond à la problématique et font le lien avec ce qui reste à développer.

Les liens logiques

Ils permettent de **souligner l'enchaînement des idées et les liens avec la problématique**. Ils sont utiles entre les arguments, mais aussi à l'intérieur d'un raisonnement. Il est important qu'ils soient variés.

Ex : Première sous-partie du commentaire (cf. sujet plus haut) :
Axe de lecture : Les origines d'une amitié d'exception
Plan détaillé :
I. Les origines d'une amitié d'exception
a) La force du destin
b) La singularité des deux hommes
II. Une relation particulière
a) Une relation difficile à définir
b) Une relation fusionnelle
Rédaction :
Parmi les raisons que Montaigne avance pour analyser la nature de la relation qui l'unissait à La Boétie, il laisse une place importante au Destin. Ainsi, plusieurs expressions marquent son intervention : le terme n'est pas prononcé, mais Montaigne évoque une « force inexplicable et fatale », « quelque ordonnance du ciel ». Les deux expressions renvoient à une forme de transcendance qui tend vers le Destin, mais derrière laquelle il faut bien voir une intervention divine. Pour Montaigne, il n'y a donc qu'un hasard provoqué, combiné pour favoriser la rencontre de deux hommes d'exception. L'emploi de l'adverbe d'intensité « si » marque également à plusieurs reprises l'impossibilité d'une absence de calcul derrière cette relation singulière.

4 *La conclusion*

La réponse à la problématique

La conclusion est un moment fort. Elle doit apporter **une réponse claire à la problématique**. Il est inutile de répéter le plan utilisé, ni de continuer à argumenter ou développer de nouveaux arguments.

L'ouverture

Il est possible d'élargir le problème posé en le plaçant dans un nouveau contexte. Ce qu'on appelle une « ouverture » n'est pas obligatoire : il convient d'éviter toute généralisation excessive (comme dans l'introduction). On peut, par exemple, opérer un rapprochement avec un autre texte sur le même thème.
Ex : Conclusion rédigée (cf. sujet plus haut) :
Montaigne présente donc une amitié d'exception : voulue par le Destin, puis fusionnelle dans son fonctionnement, la relation qui a uni l'auteur à La Boétie est tout à fait originale. Montaigne parvient à synthétiser l'évidence de cette amitié dans une expression qui restera une clé de l'expression de ce sentiment lorsque les mots manquent pour l'analyse : « parce que c'était lui, parce que c'était moi ».
Il faut saluer Montaigne qui, en se prenant lui-même comme champ d'exploration, a été parmi les premiers à tenter de mieux comprendre l'Homme à l'aube des temps modernes.

5 *Exemple rédigé*

Objet d'étude : Écriture poétique et quête du sens, du Moyen Âge à nos jours
Texte : Stéphane Mallarmé, *Poésies*, 1887, « Brise marine »

Homme discret, Stéphane Mallarmé n'en marquera pas moins son temps et le mouvement symboliste. « Brise marine » met en scène à la fois une envie irrépressible de fuir le quotidien, mais aussi l'angoisse du poète face à l'écriture.

1 La chair est triste, hélas ! et j'ai lu tous les livres.
Fuir ! là-bas fuir! Je sens que des oiseaux sont ivres
D'être parmi l'écume inconnue et les cieux !
Rien, ni les vieux jardins reflétés par les yeux
5 Ne retiendra ce cœur qui dans la mer se trempe
Ô nuits ! ni la clarté déserte de ma lampe
Sur le vide papier que la blancheur défend
Et ni la jeune femme allaitant son enfant.
Je partirai ! Steamer[1] balançant ta mâture,
10 Lève l'ancre pour une exotique nature !

Un Ennui, désolé par les cruels espoirs,
Croit encore à l'adieu suprême des mouchoirs !
Et, peut-être, les mâts, invitant les orages
Sont-ils de ceux qu'un vent penche sur les naufrages
15 Perdus, sans mâts, sans mâts, ni fertiles îlots...
Mais, ô mon cœur, entends le chant des matelots !

1. En anglais : navire à vapeur.

Plan détaillé :

I. Partir, pourquoi ?
a) Quitter un quotidien décevant
b) Un appel irrépressible...
c) ... malgré les dangers possibles
II. Où partir ?
a) Un ailleurs exotique esquissé
b) Fuir pour fuir
c) Le voyage et l'écriture

Commentaire rédigé :

Stéphane Mallarmé occupe une place à part dans l'histoire de la poésie du XIXe siècle. Il est connu comme le chef de file de l'École symboliste tout en étant resté un homme discret. Sa quête esthétique se distingue par un travail rigoureux, d'une précision d'orfèvre. On lui a parfois reproché l'hermétisme de ses textes.

« Brise marine » ne fait pas partie de ces poèmes inaccessibles. Au contraire, en seize vers écrits en alexandrins, Mallarmé parvient à exprimer deux pulsions fondamentales de l'être humain : l'envie de partir, de fuir un quotidien déceptif, mais aussi la peur de l'inconnu. Il parvient tout à la fois à dire la beauté du voyage, mais aussi son risque. Mais le poète va plus loin en associant l'écriture au voyage : comme lui, elle laisse entrevoir un ailleurs séduisant et risqué. Nous nous demanderons donc, au fond, de quel voyage il s'agit dans « Brise marine ».

Nous étudierons dans un premier temps les raisons que le poète se donne de partir pour envisager, dans un second temps, quels sont ces « ailleurs » que le texte laisse entrevoir.

*

Dans « Brise marine », le poète nous livre les raisons qui le poussent à fuir.

Le lecteur comprend dès le premier vers que celui qui s'exprime est déçu. L'« Ennui » qui le ronge (v. 11) n'a connu aucun répit, que ce soit dans les plaisirs de la « chair », qu'il qualifie de « triste », ou dans les « livres »(v. 1). La déception, marquée par l'interjection « hélas », et la modalité exclamative renvoient donc dos à dos les plaisirs du corps et ceux de l'intellect. La pulsion qui le pousse à prendre la fuite dépasse les attaches personnelles évoquées dans le poème : les « vieux jardins » (v. 4), comme la « jeune femme » qui allaite v. 8.

L'appel à fuir est plus fort que tout et est renforcé par le poète. La répétition du verbe « fuir » au vers 2, associé à la modalité exclamative, la reprise au vers 9 du même verbe conjugué au futur simple marquent la fermeté de la décision prise. Par deux fois, le poète emploie l'impératif pour provoquer le départ : en s'adressant au bateau, ici un steamer, v. 10 : « lève l'ancre », ou encore à son propre cœur : « entends le chant des matelots » v. 16. Il ajoute aux vers 4-5 que « rien » « ne retiendra ce cœur ». Le lecteur est donc frappé par la puissance de l'appel, au-delà de toute considération matérielle ou affective.

Mais le poète se sent obligé de s'encourager lui-même, cela révèle bien la dangerosité du voyage envisagé. En effet, les vers 13 à 15 envisagent l'échec du voyage : les « orages » (v. 13) qui riment richement avec « naufrages » (v. 14), leurs conséquences. Le départ est donc tout sauf anodin : certes, la fuite permet de quitter un quotidien plein d'ennui, mais l'issue du voyage reste elle-même incertaine.

La pulsion que le poème met au jour est donc impérieuse : le poète doit partir, quel qu'en soit le prix et quelle que soit l'issue du voyage. Mais, au fond, que cherche-t-il ?

Nous analyserons maintenant comment, derrière une envie de fuir évidente, il est possible d'entrevoir un autre voyage.

Le poème laisse entrevoir un « ailleurs » exotique mais assez flou. Il est impossible pour le lecteur de saisir une référence à un lieu précis. Ainsi, la locution adverbiale « là-bas », qui évoque parfois les Enfers, ne renvoie ici à rien. Certes, le lecteur note dès le titre et dans la première strophe des éléments exotiques, notamment ce qui a trait à la mer, le titre « brise marine », puis au vers 2 : les « oiseaux », l'« écume inconnue » et les « cieux » au vers 3, la « mer » vers 5, le « steamer » v. 9, bateau anglais qui accentue l'exotisme, qui « lève l'ancre » vers 10 « pour une exotique nature ». Le poète poursuit la seconde strophe en évoquant le désordre de la nature qu'il pourrait connaître en cas de naufrage. En l'absence de toute description précise, le lecteur conclut à un désir qui n'aurait pour objet que lui-même. Il ne s'agit pas pour le poète de fuir pour un lieu ou un ailleurs identifiables, mais de fuir pour fuir.

D'ailleurs, le voyage pourrait ne reposer que sur une illusion. La pulsion qui étreint le poète ressortit à une intuition, comme le montre l'emploi du verbe « sentir » vers 2. Après l'enthousiasme de la première strophe qui se termine sur la modalité exclamative, le poète utilise deux termes problématiques. Tout d'abord, l'oxymore « cruels espoirs » (v. 11) exprime la souffrance, la passion du poète qui vit dans son corps le bonheur du départ et la souffrance de la déception potentielle. De surcroît, le verbe « croire » et l'adverbe « encore » soulignent une attitude qui relève de l'incertitude. En somme, même s'ils sont peu nombreux, plusieurs indices marquent le doute du poète.

Ce doute, c'est aussi celui du poète face à la page blanche. Dès le vers 6, la thématique de l'écriture apporte un autre éclairage au désir de partir. Les vers 6 et 7 rapportent une des situations quotidiennes du poète : lui, seul dans la nuit face à sa page blanche. Cela, comme les « vieux jardins » ou la femme avec son enfant, ne le retiendra pas. Mais il convient d'être aussi attentif au verbe utilisé : « défendre », qui dévoile un combat entre le poète et cette page. Ainsi, le texte peut être relu comme une métaphore de la lutte du poète contre la page blanche, une mise au jour des difficultés de l'écriture. Le poète doit répondre à l'appel des sirènes qui l'appellent dans un ailleurs qui lui donnera l'inspiration. Le poème souligne alors la prise de risque, l'incertitude du voyage qu'est l'écriture, tout autant que son caractère impérieux.

*

Mallarmé nous donne donc deux voyages à lire. Certes, « Brise marine » évoque une envie de fuir un quotidien ennuyeux, l'Ennui de Baudelaire en quelque sorte. Mais ce voyage, métaphoriquement, est aussi celui du poète qui doit prendre le risque de quitter le quotidien pour accéder à l'inspiration.

En somme, « Brise marine » peut être lu comme un art poétique symboliste. Il cache derrière le voyage tant désiré un second voyage, comme une invitation à voir au-delà des apparences.

Exercices

1 Rédiger une introduction

Objet d'étude : Écriture poétique et quête du sens, du Moyen Âge à nos jours

1 Ma jeunesse ne fut qu'un ténébreux orage,
Traversé çà et là par de brillants soleils ;
Le tonnerre et la pluie ont fait un tel ravage,
Qu'il reste en mon jardin bien peu de fruits vermeils.

5 Voilà que j'ai touché l'automne des idées,
Et qu'il faut employer la pelle et les râteaux
Pour rassembler à neuf les terres inondées,
Où l'eau creuse des trous grands comme des tombeaux.

Et qui sait si les fleurs nouvelles[1] que je rêve
10 Trouveront dans ce sol lavé comme une grève[2]
Le mystique aliment qui ferait leur vigueur ?

– Ô douleur ! ô douleur ! Le Temps mange la vie,
Et l'obscur Ennemi qui nous ronge le cœur
Du sang que nous perdons croît et se fortifie !

Baudelaire, *Les Fleurs du Mal*, 1857, « L'Ennemi »

1. Évocation des poètes. 2. Terrain plat au bord de l'eau.

1. Au brouillon, vous préparez une analyse détaillée du texte de façon à faire émerger une problématique et un plan (cf. fiches 49 et 50)
2. Vous rédigez l'introduction du commentaire. Vous la ferez suivre du plan détaillé.

2 Rédiger un axe de commentaire

Objet d'étude : La question de l'Homme dans les genres de l'argumentation du XVIe siècle à nos jours.

Fénelon est un homme d'Église engagé dans la conversion des Protestants au catholicisme. Remarqué par Louis XIV, il devient le précepteur du Duc de Bourgogne, petit-fils du Roi. Il expose ses conceptions de l'éducation.

1 D'ordinaire ceux qui gouvernent les enfants ne leur pardonnent rien, et se pardonnent tout à eux-mêmes. Cela excite dans les enfants un esprit de critique et de malignité : de façon que, quand ils ont vu faire quelque 5 faute à la personne qui les gouverne, ils en sont ravis et ne cherchent qu'à la mépriser. Évitez cet inconvénient ; ne craignez point de parler des défauts qui sont visibles en vous, et des fautes qui vous auront échappé devant l'enfant : si vous le voyez capable d'entendre 10 raison là-dessus, dites-lui que vous voulez lui donner l'exemple de se corriger de ses défauts en vous corrigeant des vôtres. Par là, vous tirerez de vos imperfections mêmes de quoi instruire et édifier l'enfant, de quoi l'encourager pour sa correction ; vous éviterez 15 même le mépris et le dégoût que vos défauts pourraient lui donner pour votre personne. En même temps il faut chercher tous les moyens de rendre agréables à l'enfant les choses que vous exigez de lui : en avez-vous quelqu'une de fâcheuse[1] à proposer, faites-lui 20 entendre que la peine sera bientôt suivie du plaisir ; montrez-lui toujours l'utilité des choses que vous lui enseignez, faites-lui en voir l'usage par rapport au commerce[2] du monde et aux devoirs des conditions[3]. Sans cela l'étude lui paraît un travail abstrait, stérile et 25 épineux. « À quoi sert, disent-ils en eux-mêmes, d'apprendre toutes ces choses dont on ne parle point dans les conversations, et qui n'ont aucun rapport à tout ce qu'on est obligé de faire ? » Il faut donc leur rendre raison[4] de tout ce qu'on leur enseigne. « C'est, leur 30 direz-vous, pour vous mettre en état de bien faire ce que vous ferez un jour ; c'est pour vous former le jugement ; c'est pour vous accoutumer à bien raisonner sur toutes les affaires de la vie. » Il faut toujours leur montrer un but solide et agréable qui les soutienne dans 35 le travail, et ne prétendre jamais les assujettir par une autorité sèche et absolue.

À mesure que leur raison augmente, il faut aussi de plus en plus raisonner avec eux sur les besoins de leur éducation, non pour suivre toutes leurs pensées, mais 40 pour en profiter lorsqu'ils feront connaître leur état véritable, pour éprouver leur discernement, et pour leur faire goûter les choses qu'on veut qu'ils fassent.

Fénelon, *Traité de l'éducation des filles*, 1687

1. Difficile. 2. Fréquentation. 3. Des conditions sociales. 4. Expliquer.

➜ Vous rédigerez intégralement un axe de commentaire qui analysera quel est l'idéal pédagogique envisagé par le texte.

3 Rédiger un commentaire

Objet d'étude : Le personnage de roman, du XVIIe siècle à nos jours

Le Chiendent *est un roman original de Queneau. Le personnage principal est une création loufoque : évoqué ici à la troisième personne du singulier (« il »), il s'appelle « l'être plat ».*

1 Nouveau regroupement jusqu'à la gare du Nord. Quel train va-t-il[1] avoir, l'omnibus ou le semi-direct ? Celui de 19 h 31 ou celui de 19 h 40 ? Allons, donne[2] un bon coup de coude dans le ventre de cet obstruc- 5 teur ; écrase les escarpins de cette charmante jeune fille, – sans ça tu rates ton semi-direct, et si tu regardes cette femme, tu vas manquer l'omnibus. L'être plat ne rate que le semi-direct ; l'omnibus l'attend encore. L'y voilà. Ici, plus d'habitudes, les figures ne sont plus les 10 mêmes, les voyageurs de 7 heures forment un monde qu'ignorent les voyageurs de 6 heures, et il est de ces derniers. Il ne connaît ni ce petit moustachu dont le chapeau de paille dentelé menace de mordre un voisin de grande taille qui somnole en ouvrant le bec, ni ces 15 deux jeunes filles qu'absorbe la lecture d'un roman-ciné, ni cette maman et son gosse, lequel regarde deux mouches s'accoupler sur un genou écorché, car il a ramassé une fameuse pelle dans l'escalier roulant à Pigalle, encore toute une histoire, ni ce jeune homme 20 blond qui regarde fixement défiler le paysage. Il lui semble avoir vu ce jeune homme dans le métro, tout à l'heure, mais il n'en est pas sûr. Maintenant, il pense

à son chat, dont l'assassinat le désespère. Il s'énumère les preuves d'affection que lui donnait cette bête. Ainsi, tous les soirs, elle l'attendait sur le petit mur, à côté de la porte. Une sale brute l'a tuée. Il s'imagine le cadavre, la dépouille, la peau que tanne la mère Tyran. L'être plat s'indigne, se révolte. Et il se le dit.

Au lieu d'être découpé comme un soldat d'étain, ses contours s'adoucissent. Il se gonfle doucement. Il mûrit. L'observateur le distingue fort bien, mais n'en aperçoit aucune raison extérieure. Il a maintenant en face de lui un être doué de quelque consistance. Il constate avec intérêt que cet être doué de quelque réalité a les traits légèrement convulsés. Que peut-il se passer ? Cette silhouette est un être de choix.

Raymond Queneau, *Le Chiendent*, © Ed. Gallimard 1933

1. L'être plat. 2. Le narrateur s'adresse à l'être plat.

➜ Vous commenterez le texte de Queneau, en vous aidant du parcours de lecture suivant :
- Vous analyserez la complexité des choix narratifs.
- Vous montrerez que le personnage créé par Queneau et les relations qu'il entretient avec le monde sont originaux.

4 Rédiger un commentaire

Objet d'étude : Le texte théâtral et sa représentation, du XVIIe siècle à nos jours

Lorenzo pense à tuer Alexandre de Médicis, un tyran. Il parvient à gagner sa confiance, mais est aussi gagné peu à peu par le doute. Il se confie à Philippe Strozzi, chef des Républicains.

LORENZO : Tu me demandes pourquoi je tue Alexandre ? Veux-tu donc que je m'empoisonne, ou que je saute dans l'Arno ? Veux-tu donc que je sois un spectre, et qu'en frappant sur ce squelette... *(Il se frappe la poitrine.)* il n'en sorte aucun son ? Si je suis l'ombre de moi-même, veux-tu donc que je rompe le seul fil que rattache aujourd'hui mon cœur à quelques fibres de mon cœur d'autrefois ! Songes-tu que ce meurtre, c'est tout ce qui me reste de ma vertu ? Songes-tu que je glisse depuis deux ans sur un rocher taillé à pic, et que ce meurtre est le seul brin d'herbe où j'aie pu cramponner mes ongles ? Crois-tu donc que je n'aie plus d'orgueil, parce que je n'ai plus de honte, et veux-tu que je laisse mourir en silence l'énigme de ma vie ? Oui, cela est certain, si je pouvais revenir à la vertu, si mon apprentissage du vice pouvait s'évanouir, j'épargnerais peut-être ce conducteur de bœufs – mais j'aime le vin, le jeu et les filles, comprends-tu cela ? Si tu honores en moi quelque chose, toi qui me parles, c'est mon meurtre que tu honores, peut-être justement parce que tu ne le ferais pas. Voilà assez longtemps, vois-tu, que les républicains me couvrent de boue et d'infamie ; voilà assez longtemps que les oreilles me tintent, et que l'exécration des hommes empoisonne le pain que je mâche. J'en ai assez de me voir conspué par les lâches sans nom, qui m'accablent d'injures pour se dispenser de m'assommer, comme ils le devraient. J'en ai assez d'entendre brailler en plein vent le bavardage humain ; il faut que le monde sache un peu qui je suis, et qui il est. Dieu merci, c'est peut-être demain que je tue Alexandre ; dans deux jours j'aurai fini.

Ceux qui tournent autour de moi avec des yeux louches, comme autour d'une curiosité monstrueuse apportée d'Amérique, pourront satisfaire leur gosier, et vider leur sac à paroles. Que les hommes me comprennent ou non, qu'ils agissent ou n'agissent pas, j'aurai dit tout ce que j'ai à dire ; je leur ferai tailler leurs plumes, si je ne leur fais pas nettoyer leurs piques, et l'Humanité gardera sur sa joue le soufflet de mon épée marqué en traits de sang.

Alfred de Musset, *Lorenzaccio*, 1834, acte III, scène 3

➜ Vous commenterez la tirade de Lorenzo.

5 Rédiger un commentaire

Objet d'étude : Écriture poétique et quête du sens, du Moyen Âge à nos jours

Saint-John Perse imagine Robinson Crusoé retourné à la civilisation et habitant la ville.

LA VILLE

[...] Tire les rideaux ; n'allume point :

C'est le soir sur ton Île et à l'entour, ici et là, partout où s'arrondit le vase sans défaut de la mer ; c'est le soir couleur de paupières, sur les chemins tissés du ciel et de la mer.

Tout est salé, tout est visqueux et lourd comme la vie des plasmes[1].

L'oiseau se berce dans sa plume, sous un rêve huileux ; le fruit creux, sourd[2] d'insectes, tombe dans l'eau des criques, fouillant son bruit.

L'île s'endort au cirque des eaux vastes, lavée des courants chauds et des laitances grasses, dans la fréquentation des vases somptueuses.

Sous les palétuviers[3] qui la propagent, des poissons lents parmi la boue ont délivré des bulles avec leur tête plate ; et d'autres qui sont lents, tachés comme des reptiles, veillent. – Les vases sont fécondées – Entends claquer les bêtes creuses dans leurs coques – Il y a sur un morceau de ciel vert une fumée hâtive qui est le vol emmêlé des moustiques – Les criquets sous les feuilles s'appellent doucement – Et d'autres bêtes qui sont douces, attentives au soir, chantent un chant plus pur que l'annonce des pluies : c'est la déglutition de deux perles gonflant leur gosier jaune...

Vagissent des eaux tournantes et lumineuses ! [...]

Saint-John Perse, « La Ville », 1909,
recueilli dans *Images à Crusoé*, in *Éloges*

1. Fluides vitaux. 2. Jailli. 3. Arbres exotiques.

➜ Vous commenterez le poème de Saint-John Perse, en vous aidant du parcours de lecture suivant :
- vous analyserez la reprise du mythe de Robinson ;
- vous montrerez comment Saint-John Perse fait l'éloge d'une nature originelle.

Fiche 52

Rédiger un commentaire comparé

1 Les objectifs de l'exercice

➽ Le commentaire comparé est **un exercice rare, mais toujours envisageable** à l'écrit du baccalauréat. Il convient donc de s'y préparer. Par ailleurs, il ne doit pas impressionner le candidat qui connaît la méthodologie de la question sur corpus et celle du commentaire : les compétences demandées sont très proches.

➽ Le commentaire comparé est particulièrement adapté à l'objet d'étude propre à la classe de **1re L** intitulé **« Les réécritures, du XVIIe siècle jusqu'à nos jours »**.

➽ Pour le candidat, il s'agit de **commenter deux textes en même temps**, et non pas un seul. Les textes choisis seront proches thématiquement ou formellement. Par exemple, il peut s'agir de textes du même genre, exploitant une thématique commune de la même façon ou de façons différentes, de textes du même registre, de textes exploitant le même thème dans un registre ou un genre différent, etc.

➽ La production écrite du candidat doit **comparer les deux textes.** Il ne s'agit donc pas de commenter les textes l'un après l'autre mais, au contraire, de saisir leurs points communs et leurs différences pour construire un plan. Pour résumer, l'exercice consiste à **commenter en identifiant les points communs et les différences entre les deux textes.**

Conseil : L'exercice n'est pas à fuir le jour de l'examen sous prétexte qu'il est rare. Une approche méthodique des textes sera, au contraire, particulièrement valorisée.

2 La méthode de lecture des textes

➽ Pour comprendre la méthode de comparaison des textes, le candidat doit d'abord savoir réaliser **une lecture analytique** (fiches 38 et 39) et connaître **la méthode du commentaire** (fiches 49, 50 et 51). Il est aussi utile de savoir rédiger la réponse à une question sur un corpus (fiche 46), qui appelle également une forme de comparaison de textes.

➽ Comme pour la question sur corpus, la mise au jour des axes d'analyse peut se faire par le biais d'un tableau qui reprend les points d'entrée propres au commentaire. Il s'agit alors de juxtaposer deux colonnes, une par texte, de façon à amorcer la comparaison.

	Texte 1	Texte 2	Axes d'analyse
Thème(s)			
Genre(s)			
Forme(s) de discours			
Registre(s) et effets produits sur le lecteur			
Procédés d'écriture repérables propres à la question posée			

➽ La construction du plan détaillé doit se faire en prenant en compte de façon permanente les deux textes, **jamais l'un puis l'autre**. Ce sont donc les **points de comparaison** (ressemblances, divergences, évolutions) qui sont à l'origine des parties et des sous-parties.

3 La rédaction du commentaire comparé

➽ Du point de vue de la rédaction, il n'y a pas de différence fondamentale avec le commentaire tel qu'il est pratiqué en classe couramment. L'introduction, le développement et la conclusion suivent les mêmes chemins (cf. fiches 49, 50 et 51).

➽ **L'introduction :** elle comprend les trois étapes du commentaire (cf. fiche 50). Sa spécificité : le commentaire comparé doit **présenter les deux textes** dans le deuxième paragraphe et proposer **une problématique qui soit adaptée à la rencontre de ces textes, de leurs enjeux communs.**

➽ **Le développement :** il est construit en parties et sous-parties de la même façon que le commentaire (cf. fiche 50). En revanche, **l'analyse et le traitement des textes sont particuliers**. Pour chacune des analyses et donc chacune des sous-parties, il s'agit de convoquer chacun des textes. Ainsi, le lecteur rencontre en permanence des citations des deux textes et donc des comparaisons. Comme pour l'exercice de commentaire, les extraits convoqués doivent être choisis avec soin et les citations doivent être courtes pour chacun des textes.

➽ **La conclusion :** elle fait le **bilan du parcours de lecture** au regard de la problématique choisie. Il s'agit de l'ultime confrontation des textes.

Exercices

1 Comparer deux argumentations

Objets d'étude : La question de l'Homme dans les genres de l'argumentation du XVIe siècle à nos jours
Corpus :
Texte A : Jean de La Fontaine, *Fables*, 1694, « Le Chêne et le Roseau »
Texte B : Jean Anouilh, *Fables*, 1962, « Le Chêne et le roseau »

Texte A :

1 Le Chêne un jour dit au Roseau :
« Vous avez bien sujet d'accuser la Nature ;
Un Roitelet pour vous est un pesant fardeau.
Le moindre vent qui d'aventure
5 Fait rider la face de l'eau,
Vous oblige à baisser la tête :
Cependant que mon front, au Caucase pareil,
Non content d'arrêter les rayons du Soleil,
Brave l'effort de la tempête.
10 Tout vous est Aquilon, tout me semble Zéphir.
Encor si vous naissiez à l'abri du feuillage
Dont je couvre le voisinage,
Vous n'auriez pas tant à souffrir :
Je vous défendrais de l'orage ;
15 Mais vous naissez le plus souvent
Sur les humides bords des Royaumes du vent.
La Nature envers vous me semble bien injuste.
- Votre compassion, lui répondit l'Arbuste,
Part d'un bon naturel ; mais quittez ce souci.
20 Les vents me sont moins qu'à vous redoutables.
Je plie et ne romps pas. [...]

Jean de La Fontaine, *Fables*, 1694, « Le Chêne et le Roseau »

Texte B :

1 Le chêne un jour dit au roseau :
« N'êtes-vous pas lassé d'écouter cette fable ?
La morale en est détestable ;
Les hommes bien légers de l'apprendre aux marmots.
5 Plier, plier toujours, n'est-ce pas déjà trop,
Le pli de l'humaine nature ? »
« Voire, dit le roseau, il ne fait pas trop beau ;
Le vent qui secoue vos ramures
(Si je puis en juger à niveau de roseau)
10 Pourrait vous prouver, d'aventure,
Que nous autres, petites gens,
Si faibles, si chétifs, si humbles, si prudents,
Dont la petite vie est le souci constant,
Résistons pourtant mieux aux tempêtes du monde
15 Que certains orgueilleux qui s'imaginent grands. »
Le vent se lève sur ses mots, l'orage gronde.
Et le souffle profond qui dévaste les bois,
Tout comme la première fois,
Jette le chêne fier qui le narguait par terre.
20 « Hé bien, dit le roseau, le cyclone passé –
Il se tenait courbé par un reste de vent –
Qu'en dites-vous donc mon compère ? [...]

Jean Anouilh, *Fables*, « Le chêne et le roseau »,

1. Construisez le tableau comparatif des deux textes.
2. Construisez un plan détaillé et une problématique.

2 Comparer deux textes du même genre sur un même thème

Objet d'étude : Écriture poétique et quête du sens, du Moyen Âge à nos jours
Corpus :
Texte A : Théophile Gautier, *Espana*, 1840, « Le Pin des Landes »
Texte B : Charles Baudelaire, *Les Fleurs du Mal*, 1861 (2nde édition), « L'Albatros »

Texte A :

1 On ne voit en passant par les Landes désertes,
Vrai Sahara français, poudré de sable blanc,
Surgir de l'herbe sèche et des flaques d'eaux vertes
D'autre arbre que le pin avec sa plaie au flanc,

5 Car, pour lui dérober ses larmes de résine,
L'homme, avare bourreau de la création,
Qui ne vit qu'aux dépens de ceux qu'il assassine,
Dans son tronc douloureux ouvre un large sillon !

Sans regretter son sang qui coule goutte à goutte,
10 Le pin verse son baume et sa sève qui bout,
Et se tient toujours droit sur le bord de la route,
Comme un soldat blessé qui veut mourir debout.

Le poète est ainsi dans les Landes du monde ;
Lorsqu'il est sans blessure, il garde son trésor.
15 Il faut qu'il ait au cœur une entaille profonde
Pour épancher ses vers, divines larmes d'or !

Théophile Gautier, *Espana*, 1840, « Le Pin des Landes »

Texte B :

1 Souvent, pour s'amuser, les hommes d'équipage
Prennent des albatros, vastes oiseaux des mers,
Qui suivent, indolents compagnons de voyage,
Le navire glissant sur les gouffres amers.

5 À peine les ont-ils déposés sur les planches,
Que ces rois de l'azur, maladroits et honteux,
Laissent piteusement leurs grandes ailes blanches
Comme des avirons traîner à côté d'eux.

Ce voyageur ailé, comme il est gauche et veule !
10 Lui, naguère si beau, qu'il est comique et laid !
L'un agace son bec avec un brûle-gueule,
L'autre mime, en boitant, l'infirme qui volait !

Le poète est semblable au prince des nuées
Qui hante la tempête et se rit de l'archer ;
15 Exilé sur le sol au milieu des huées,
Ses ailes de géant l'empêchent de marcher.

Baudelaire, *Les Fleurs du Mal*, 1861 (2nde édition), « L'Albatros »

1. Construisez le tableau comparatif des deux textes,.
2. Construisez un plan détaillé et une problématique.

Comprendre un sujet de dissertation

1 Les objectifs de l'exercice à l'examen

➠ La dissertation pose **un regard généraliste sur la littérature**. Souvent, les sujets invitent à s'interroger sur **les genres**, leur fonctionnement ou leurs effets sur les lecteurs, mais aussi de façon plus globale sur le **pouvoir et les enjeux de la littérature**.

➠ Il s'agit donc d'avoir une **expérience de lecteur**, mais aussi de savoir convaincre son correcteur. Le corpus d'exemples utilisé pour l'exercice ne saurait se limiter aux seuls textes du sujet.

➠ On attend donc du candidat :
- qu'il présente une **réflexion littéraire** construite et pertinente,
- qu'il s'appuie sur des **références littéraires et culturelles** solides et variées.

Conseil : La dissertation exige une analyse littéraire qui s'appuie sur un corpus d'exemples variés. On peut s'y préparer : par exemple, en apprenant par cœur le « descriptif des lectures et activités » de l'oral, le candidat a la garantie d'avoir à l'esprit le jour de l'écrit un nombre important d'œuvres et donc d'exemples.

2 La typologie des sujets

Le sujet de la dissertation peut porter sur des thèmes variés, touchant les quatre objets d'étude au programme de première. On peut distinguer **trois grands types de sujets** :

➠ Les sujets qui portent sur **un genre littéraire**.
Le candidat doit s'interroger sur un élément propre à un genre littéraire.
Ex : *« "On dirait que c'est hors du monde, perdu, mais merveilleusement perdu, préservé." Pensez-vous que cette définition du jardin donnée par Philippe Jaccottet puisse s'appliquer à la poésie ? »*

➠ Les sujets qui portent sur **la création littéraire, le travail de l'écriture**.
Le candidat doit analyser une dimension du travail de l'écriture.
Ex : *« Un roman se limite-t-il à l'invention d'une histoire ? »*

➠ Les sujets qui portent sur **la réception par le destinataire, les effets sur le lecteur.**
Le candidat doit envisager la lecture et ses effets sur le destinataire, la façon dont le lecteur construit le sens.
Ex : *« "Ah, insensé, qui crois que je ne suis pas toi !" a écrit Victor Hugo dans la préface des* Contemplations. *Dans quelle mesure l'expérience des poètes peut-elle concerner le lecteur ? »*

Il est possible qu'un sujet de dissertation croise plusieurs domaines.
Ex : *« Essai, conte, fable sont autant de formes que peut prendre l'argumentation. Laquelle vous paraîtrait la plus appropriée si vous deviez écrire une argumentation ? »*
Le sujet pose à la fois la question de l'écriture argumentative avec les moyens qui permettent de convaincre, mais aussi celle des effets sur le destinataire avec l'efficacité de l'argumentation.

3 Analyser le sujet

Conseil : L'analyse approfondie du sujet est une étape fondamentale de l'exercice. Elle doit permettre d'éviter le hors-sujet.

➠ **Étape 1 : Relier le sujet à son objet d'étude**
L'objet d'étude et le corpus qui construisent le sujet doivent être analysés attentivement : cela permet de **délimiter le sujet** et de se préparer. Chaque objet d'étude renvoie à un genre littéraire : le travail en classe et les lectures personnelles permettent d'en approfondir la connaissance.

➠ **Étape 2 : Analyser les mots-clés du sujet**
L'analyse des mots-clés permet de préciser le thème de la dissertation. Au brouillon, le premier travail est de recopier le sujet de dissertation, d'entourer les mots-clés, de les définir et de les reformuler.

Ex : **Objet d'étude :** Le personnage de roman, du XVIIe siècle à nos jours

Corpus :
Texte A : François Mauriac, *Le Baiser au lépreux*, 1922
Texte B : Marguerite Duras, *Le Ravissement de Lol V. Stein*, 1964
Texte C : Olivier Adam, *Falaises*, 2005

Sujet : « Un roman peut-il intéresser son lecteur à des personnages ordinaires et malheureux ? Vous fonderez votre réflexion sur les textes du corpus, ou les œuvres que vous avez étudiées. »

• **« roman » :** indication générique qui exclut les autres genres de la dissertation. Le champ de la réflexion est confirmé par l'indication de l'objet d'étude,

• **« lecteur » :** le sujet se situe ici dans le champ de la lecture et de la réception du roman par le lecteur. Le verbe « intéresser » renvoie au plaisir intellectuel lié à la lecture et donc à ses effets sur le destinataire,

• **« personnages ordinaires et malheureux » :** la question du personnage renvoie à la construction romanesque dans laquelle il est central, mais aussi à l'effet du personnage sur le lecteur (identification, attraction ou rejet). C'est la question de la médiocrité des personnages, voire du héros et de l'anti-héros.

➠ Étape 3 : Reformuler le sujet

La **reformulation** est une étape clé, qui confirme la **compréhension littérale** du sujet.

Ex : *Pour reprendre l'exemple précédent, le sujet porte ici sur les romans dont les héros ne sont pas idéalisés et dont le pouvoir de séduction peut être débattu. Il s'agit donc de la question souvent posée de l'intérêt romanesque de la vie quotidienne, du réalisme, voire de l'esthétique de la médiocrité ou de la laideur.*

➠ Étape 4 : Identifier l'implicite du sujet

Pour **problématiser** le sujet et éviter le hors-sujet, il est nécessaire de commencer par s'interroger sur l'implicite de la question posée, c'est-à-dire ce qui n'est pas dit directement mais qui est suggéré entre les mots. Ces sous-entendus participent du problème à débattre. On attend donc du candidat qu'il reconnaisse l'implicite.

Ex : *Ici se dégagent* ***deux conceptions du roman*** *: la conception ancienne, héritée du roman de chevalerie, qui fait du genre une forme propre à sublimer la vie ordinaire et à faire rêver le lecteur. Le sujet s'oppose donc implicitement à cette vision et s'interroge sur la capacité de la vie ordinaire à produire le même effet sur le lecteur.*

➠ Étape 5 : Problématiser

Le sujet de la dissertation n'est pas la problématique, qui doit être formulée par le candidat. **La problématique :**

- Est un **questionnement** qui explicite le ou les problème(s) émergeant à partir de l'analyse du sujet et de son implicite,
- Fonctionne comme un **moteur de recherche** : elle permet de tester des pistes, de confirmer ou d'infirmer des hypothèses dans le cours du développement,
- **Organise l'exercice** : chaque axe du plan doit lui apporter des éléments de réponse.

Ex : ***Dans le sujet précédent, la problématique*** *peut donc être formulée ainsi : « Dans quelle mesure les personnages les plus réalistes sont-ils les plus à même de captiver le lecteur de roman ? »*

4 Exemple :

Objet d'étude : La question de l'Homme dans les genres de l'argumentation du XVIe siècle à nos jours

Corpus :

Texte A : Fénelon, *Fables et opuscules pédagogiques*, XX, 1718, « Le Pigeon puni de son inquiétude »
Texte B : Jean de La Fontaine, *Fables*, VIII, 23, 1678, « Le Torrent et la Rivière »
Texte C : Charles Baudelaire, *Le Spleen de Paris*, 1869, « Le joujou du pauvre »

Sujet : « En vous appuyant sur les textes du corpus et sur vos propres lectures, vous vous demanderez en quoi l'apologue est une forme efficace de l'argumentation. »

➠ Étape 1 : Relier le sujet à son objet d'étude

L'objet d'étude amène à s'interroger sur les genres de l'argumentation. Il est important de garder cette perspective à l'esprit car les genres sont divers, de la fable (A et B) au poème en prose (C).

➠ Étape 2 : Analyser les mots-clés du sujet

- « en quoi » : de quelle manière. Il s'agit donc de s'interroger sur le fonctionnement du genre de l'apologue.
- « apologue et argumentation » : l'apologue est un des genres de l'argumentation. Par le récit et la fiction, l'apologue propose une leçon. Son fonctionnement argumentatif repose donc sur la séduction propre au récit et sur sa portée exemplaire.
- « forme efficace » : il s'agit de mesurer les effets de l'apologue sur le destinataire.

➠ Étape 3 : Reformuler le sujet

Il s'agit donc de s'interroger sur la portée d'un genre argumentatif particulier et de se demander de quelle manière il peut agir sur le lecteur ou l'auditoire.

➠ Étape 4 : Identifier l'implicite du sujet

Le sujet présuppose que l'apologue est une forme d'argumentation efficace. L'expression « en quoi » n'est pas équivalente à l'expression « dans quelle mesure » qui aurait amené une discussion sur l'efficacité argumentative du genre.

La question de l'efficacité se pose en général pour l'argumentation, plus encore pour l'apologue qui utilise des moyens détournés pour convaincre.

➠ Étape 5 : Problématiser

La problématique pourrait être formulée ainsi : « De quelle manière l'apologue parvient-il à modifier l'opinion de son destinataire ? »

Exercices

1 Relier le sujet à son objet d'étude

a. Dans quelle mesure le personnage de roman donne-t-il au lecteur un accès privilégié à la connaissance du cœur humain ? Vous répondrez à cette question dans un développement argumenté en vous appuyant sur les textes qui vous sont proposés, ceux que vous avez étudiés en classe et vos lectures personnelles.

b. On emploie parfois l'expression « créer un personnage » au sujet d'un acteur qui endosse le rôle pour la première fois. Selon vous, peut-on dire que c'est l'acteur qui crée le personnage ? Vous répondrez en faisant référence aux textes du corpus, aux œuvres que vous avez vues ou lues, ainsi qu'à celles étudiées en classe.

c. « Rien ne nous rend si grands qu'une grande douleur », déclare la Muse au Poète. Pensez-vous que la douleur soit la seule source d'inspiration pour le poète lyrique ? Vous répondrez dans un développement organisé, en vous appuyant sur le texte proposé, les œuvres étudiées en classe et vos lectures personnelles.

d. Un écrivain peut-il, par ses œuvres, contribuer à l'amélioration de la société ? Vous appuierez votre réflexion sur les textes du corpus, ainsi que sur vos connaissances littéraires et vos lectures personnelles.

1. À quels objets d'étude pourriez-vous rattacher ces sujets ? Justifiez votre réponse par une analyse précise du sujet et de l'intitulé de l'objet d'étude.
2. Pour chaque sujet, proposez trois œuvres complètes ou trois extraits d'œuvres littéraires qui pourraient nourrir votre réflexion.

2 Analyser les mots-clés d'un sujet et reformuler

Objet d'étude : Écriture poétique et quête du sens, du Moyen Âge à nos jours
Corpus :
Texte A : Jean de La Fontaine, *Le Songe de Vaux,* 1671
Texte B : Paul Verlaine, *Poèmes saturniens,* 1866, « Melancholia »
Texte C : Guillaume Apollinaire, *Vitam impendere amori,* 1917
Texte D : Philippe Jaccottet, *La Semaison,* 1984
Texte E : Casimir Prat, *Le Figuier,* 1993
Sujet : « On dirait que c'est hors du monde, perdu, mais merveilleusement perdu, préservé. » Pensez-vous que cette définition du jardin donnée par Philippe Jaccottet puisse s'appliquer à la poésie ? Vous répondrez dans un développement organisé, en vous appuyant sur les textes du corpus, les poèmes étudiés en classe et vos lectures personnelles.

1. Quels sont les mots-clés du sujet ? Explicitez-les.
2. Quelle image du jardin la citation de Jaccottet donne-t-elle ?
3. Reformulez la question posée par le sujet.

3 Identifier l'implicite du sujet

Objet d'étude : Le texte théâtral et sa représentation, du XVIIe siècle à nos jours
Corpus :
Texte A : Molière, *George Dandin,* 1668.
Texte B : Beaumarchais, *Le Mariage de Figaro,* 1784.
Texte C : Alfred de Musset, *On ne badine pas avec l'amour,* 1834.
Texte D : Jean Tardieu, *La Comédie du langage,* 1987.
Sujet : Le monologue, souvent utilisé au théâtre, paraît peu naturel. En prenant appui sur les textes du corpus, sur différentes pièces que vous avez pu lire ou voir et en vous référant à divers éléments propres au théâtre (costumes, décor, éclairages, les gestes, la voix, etc.), vous vous demanderez si le théâtre est seulement un art de l'artifice et de l'illusion. Vous répondrez en faisant référence aux textes du corpus, aux œuvres que vous avez vues ou lues, ainsi qu'à celles étudiées en classe.

1. Définissez le monologue.
2. Quels sont les reproches que l'on pourrait faire au théâtre et qui sont plus ou moins explicites dans le sujet ?
3. En quoi l'adverbe « seulement » permet-il de problématiser le sujet ?

4 Identifier l'implicite du sujet

Objet d'étude : La question de l'Homme dans les genres de l'argumentation du XVIe siècle à nos jours
Corpus :
Texte A : Jean de La Bruyère, *Caractères*, 1688, « De l'homme »
Texte B : Victor Hugo, *Choses vues,* 1846
Texte C : Jacques Prévert, *Paroles*, 1945, « La Grasse Matinée »
Sujet : Dans quelle mesure la forme littéraire peut-elle rendre une argumentation plus efficace ? Vous appuierez votre développement sur les textes du corpus, vos lectures personnelles et les œuvres étudiées en classe.

1. Définissez l'expression « forme littéraire » en vous appuyant sur des exemples précis.
2. Reformulez le sujet afin de mettre au jour l'implicite.
3. Quels sont les problèmes sous-entendus dans le sujet ?
4. Comment comprenez-vous l'expression « dans quelle mesure » ?

5 Reformuler et problématiser

Objet d'étude : Le personnage de roman, du XVIIe siècle à nos jours

Corpus :

Texte A : Victor Hugo, *L'Homme qui rit,* 1869

Texte B : Émile Zola, *L'Assommoir,* 1877

Texte A :

L'Homme qui rit *se passe à la fin du XVIIe siècle en Angleterre. Son héros Gwynplaine est un personnage tragique et fascinant. Enfant, il a été gravement mutilé, ses joues incisées des oreilles jusqu'à la bouche, donnant l'impression de sourire en permanence.*

Quoi qu'il en fût, Gwynplaine était admirablement réussi.

Gwynplaine était un don fait par la providence à la tristesse des hommes. Par quelle providence ? Y a-t-il une providence Démon comme il y a une providence Dieu ? Nous posons la question sans la résoudre.

Gwynplaine était un saltimbanque. Il se faisait voir en public. Pas d'effet comparable au sien. Il guérissait les hypocondries[1] rien qu'en se montrant. [...] C'est en riant que Gwynplaine faisait rire. Et pourtant il ne riait pas. Sa face riait, sa pensée non. L'espèce de visage inouï que le hasard ou une industrie bizarrement spéciale lui avait façonné, riait tout seul. Gwynplaine ne s'en mêlait pas. Le dehors ne dépendait pas du dedans. Ce rire qu'il n'avait point mis sur son front, sur ses joues, sur ses sourcils, sur sa bouche, il ne pouvait l'en ôter. On lui avait à jamais appliqué le rire sur le visage. C'était un rire automatique, et d'autant plus irrésistible qu'il était pétrifié. Personne ne se dérobait à ce rictus. Deux convulsions de la bouche sont communicatives, le rire et le bâillement. Par la vertu de la mystérieuse opération probablement subie par Gwynplaine enfant, toutes les parties de son visage contribuaient à ce rictus, toute sa physionomie y aboutissait, comme une roue se concentre sur le moyeu[2] ; toutes ses émotions, quelles qu'elles fussent, augmentaient cette étrange figure de joie, disons mieux, l'aggravaient. Un étonnement qu'il aurait eu, une souffrance qu'il aurait ressentie, une colère qui lui serait survenue, une pitié qu'il aurait éprouvée, n'eussent fait qu'accroître cette hilarité des muscles ; s'il eût pleuré, il eût ri ; et, quoi que fît Gwynplaine, quoi qu'il voulût, quoi qu'il pensât, dès qu'il levait la tête, la foule, si la foule était là, avait devant les yeux cette apparition, l'éclat de rire foudroyant. Qu'on se figure une tête de Méduse gaie.

Victor Hugo, *L'Homme qui rit,* 1869

1. États dépressifs et mélancoliques.
2. Pièce centrale d'une roue.

Texte B :

L'Assommoir *est un roman du cycle des Rougon-Macquart consacré au milieu ouvrier. Son héroïne, une blanchisseuse du nom de Gervaise, rend visite à Goujet, surnommé Gueule-d'Or.*

C'était le tour de la Gueule-d'Or. Avant de commencer, il jeta à la blanchisseuse un regard plein d'une tendresse confiante. Puis, il ne se pressa pas, il prit sa distance, lança le marteau de haut, à grandes volées régulières. Il avait le jeu classique, correct, balancé et souple. Fifine, dans ses deux mains, ne dansait pas un chahut de bastringue[1], les guibolles[2] emportées par-dessus les jupes ; elle s'enlevait, retombait en cadence, comme une dame noble, l'air sérieux, conduisant quelque menuet[3] ancien. Les talons de Fifine tapaient la mesure, gravement, et ils s'enfonçaient dans le fer rouge, sur la tête du boulon, avec une science réfléchie, d'abord écrasant le métal au milieu, puis le modérant par une série de coups d'une précision rythmée. Bien sûr, ce n'était pas de l'eau-de-vie que la Gueule-d'Or avait dans les veines, c'était du sang, du sang pur, qui battait puissamment jusque dans son marteau, et qui réglait la besogne. Un homme magnifique au travail, ce gaillard-là ! Il recevait en plein la grande flamme de la forge. Ses cheveux courts, frisant sur son front bas, sa belle barbe jaune, aux anneaux tombants, s'allumaient, lui éclairaient toute la figure de leurs fils d'or, une vraie figure d'or, sans mentir. Avec ça, un cou pareil à une colonne, blanc comme un cou d'enfant ; une poitrine vaste, large à y coucher une femme en travers ; des épaules et des bras sculptés qui paraissaient copiés sur ceux d'un géant, dans un musée. Quand il prenait son élan, on voyait ses muscles se gonfler, des montagnes de chair roulant et durcissant sous la peau ; ses épaules, sa poitrine, son cou enflaient ; il faisait de la clarté autour de lui, il devenait beau, tout-puissant, comme un Bon Dieu.

Émile Zola, *L'Assommoir,* 1877

1. Bal populaire.
2. Les jambes.
3. Danse pratiquée surtout aux XVIIe et XVIIIe siècles.

Sujet : En partant des textes du corpus, vous vous demanderez si la tâche du romancier, quand il crée des personnages, ne consiste qu'à imiter le réel. Vous vous appuierez aussi sur vos lectures personnelles et les œuvres étudiées en classe.

1. Quelles sont les différentes attitudes du créateur face au réel sous-entendues par le sujet ?
2. Explicitez le sujet en le reformulant.
3. En vous appuyant sur l'analyse des textes, précisez quels sont les problèmes littéraires soulevés par le sujet.
4. Proposez une problématique.

Fiche 54

Construire le plan détaillé d'une dissertation

Une fois le sujet finement analysé et la problématique dégagée, formulée (fiche 53 « Comprendre un sujet de dissertation »), le plan peut être construit.

1 Étape 1 : Déterminer le mode de raisonnement

Pour construire le plan de la dissertation, il convient d'être attentif à la **formulation de la question** dans le sujet. Sur un même thème, des formulations différentes peuvent conduire à des plans variés. On peut distinguer :

➽ Le raisonnement dialectique

Le sujet appelle un débat qui organise la confrontation de différentes hypothèses. Des expressions comme « selon vous » ou des verbes explicites comme « pensez-vous ? », etc., indiquent qu'on attend un raisonnement de ce type.

Ex : *« Pour le poète, parler du monde est-ce forcément parler de soi ? Vous répondrez à cette question dans un développement construit et illustré d'exemples tirés des textes du corpus, de ceux que vous avez étudiés en classe et de vos lectures personnelles. »*

L'interrogation totale « est-ce » induit **une prise de position** du candidat dans le débat au terme d'un raisonnement dialectique, qui l'amène donc à envisager des hypothèses contradictoires.

➽ Le raisonnement analytique ou thématique

Il s'agit d'analyser une notion à travers des enjeux liés à l'écriture et de façon plus générale à la littérature. L'interrogation comprend des adverbes interrogatifs ou des locutions qui permettent une analyse (comment, pourquoi, dans quelle mesure, à quelle condition, etc.).

Ex : *« Comment le théâtre permet-il de représenter les relations de pouvoir ? Vous répondrez à cette question en vous appuyant sur les textes du corpus ainsi que sur les œuvres théâtrales que vous avez lues ou étudiées. »*

L'adverbe interrogatif « comment » induit **une analyse** des procédés propres au théâtre qui permettent la mise en scène des relations de pouvoir.

La lecture du sujet est une opération qui prend du temps. Il faut être attentif à tous les mots utilisés pour déterminer le mode de raisonnement qui convient et avant de se « lancer » dans le travail de recherche d'idées.

2 Étape 2 : Trouver les arguments et les exemples

Une fois le raisonnement construit, il faut **mobiliser ses connaissances** pour nourrir la dissertation d'exemples. Pour cela, le candidat doit se servir du corpus proposé par le sujet, mais il doit aussi s'appuyer sur les lectures faites en classe et ses lectures personnelles. Il peut organiser un tableau et procéder à ce qu'on appelle un « remue-méninges » : on note alors toutes les idées qui passent par la tête et on opère dans un second temps un tri par rapport à la problématique et aux axes du plan.

Conseil : La préparation du baccalauréat est l'occasion de compléter ses connaissances. La mise en fiche des cours doit permettre de faire le point sur l'acquisition des connaissances. C'est le moment de consulter dictionnaires, encyclopédies et Internet. (cf. fiche 9)

3 Étape 3 : Organiser le plan

➽ Le raisonnement dialectique

Le plan s'organise autour d'oppositions et en deux ou trois temps. Il tend vers la réponse apportée dans la conclusion. Deux formes sont possibles :

- **Une approche classique :** proposer dans un premier temps une thèse dont on cerne dans un deuxième temps les limites, sans forcément aller jusqu'à la contradiction. Une troisième partie de synthèse est possible, mais pas obligatoire.
- ou bien **un plan concessif :** commencer par évoquer la thèse qui ne sera pas retenue (autrement dit, la concession), puis proposer une thèse qui peut éventuellement être dépassée/complétée dans une troisième partie.

➽ Le raisonnement analytique ou thématique

Le plan s'organise toujours du plus simple ou du plus évident, au plus riche ou plus complexe. Chaque partie amène progressivement des éléments de réponses à la problématique, par des analyses portant sur des aspects différents du problème posé.

L'organisation des sous-parties suit la même logique : du plus évident au plus complexe. Chaque sous-partie est constituée d'une idée (ou argument) et d'un ou des exemple(s).

Exercices

1 Déterminer un mode de raisonnement

Sujet A : On associe souvent poésie et lyrisme. La poésie consiste-t-elle seulement pour les poètes à exprimer leurs sentiments personnels ? Vous répondrez à cette question en utilisant les textes du corpus, mais aussi des exemples empruntés aux œuvres étudiées en classe ou lues personnellement.

Sujet B : Comment le théâtre permet-il de représenter les relations de pouvoir ? Vous répondrez à cette question en vous appuyant sur les textes du corpus ainsi que sur les œuvres théâtrales que vous avez vues, lues ou étudiées.

Sujet C : Par quels moyens les textes littéraires peuvent-ils se révéler particulièrement puissants pour défendre une cause ? Vous répondrez en un développement composé en vous fondant sur les textes du corpus et sur les œuvres que vous avez lues et étudiées.

Sujet D : La seule fonction du personnage de roman est-elle de refléter la société dans laquelle il vit ? Vous répondrez en vous appuyant sur les textes du corpus et sur d'autres œuvres que vous avez lues ou étudiées.

→ À quel mode de raisonnement correspond chacun de ces sujets ? Appuyez votre réponse sur une analyse précise de la question posée.

2 Trouver les arguments et les exemples

Objet d'étude :
Le personnage de roman, du XVIIe siècle à nos jours

a. Le héros est un individu parfait
b. Le héros peut avoir des failles
c. La notion même de héros évolue au fil du temps

1. Trouvez des arguments pour valider les thèses suivantes dans le cadre d'un sujet sur le héros de roman.
2. En vous appuyant sur vos lectures personnelles et sur les textes du manuel, constituez une liste de héros permettant de construire la réflexion. Expliquez en quoi ils permettent d'illustrer les arguments.

3 Trouver les arguments et les exemples

Objet d'étude : La question de l'Homme dans les genres de l'argumentation du XVIe siècle à nos jours

a. La littérature nous donne accès à des mondes inconnus
b. La découverte de mondes étrangers peut nous divertir
c. La découverte de mondes étrangers peut nous amener à réfléchir sur nous-mêmes

→ En vous appuyant sur les textes du manuel, trouvez des arguments pour valider les thèses suivantes dans le cadre d'un sujet sur l'altérité.

4 Organiser le plan

Objet d'étude : Le texte théâtral et sa représentation, du XVIIe siècle à nos jours

Sujet : Dans quelle mesure le spectateur est-il partie prenante de la représentation théâtrale ? Vous répondrez en faisant référence aux textes du corpus, aux œuvres étudiées en classe, à celles que vous avez vues ou lues.

1. Quel mode de raisonnement l'expression « dans quelle mesure » induit-elle ?
2. Proposez deux axes d'analyse et au moins deux arguments par axe.

5 Organiser le plan

Objet d'étude : Écriture poétique et quête du sens, du Moyen Âge à nos jours

Sujet : Selon vous, la poésie peut-elle permettre de mieux comprendre le monde ?

1. Proposez trois arguments pour défendre chacune des thèses suivantes :
A. La poésie donne une image sublimée, et donc éloignée du monde
B. La poésie, en ce qu'elle rapporte des expériences universelles, peut nous amener à mieux vivre.
2. Pour chacun des arguments, proposez au moins un exemple.
3. Classez les arguments dans chacune des parties selon une progression que vous expliciterez.

6 Organiser le plan

Objet d'étude : Le texte théâtral et sa représentation, du XVIIe siècle à nos jours

Texte : « Pour moi nul n'a le droit de se dire auteur, c'est-à-dire créateur, que celui à qui revient le maniement direct de la scène », Antonin Artaud, *Le Théâtre et son double*, 1938.

1. Comment comprenez-vous l'expression « maniement de la scène » ?
2. Quelle est la thèse soutenue par l'auteur ?
3. Cherchez trois arguments pour la soutenir.
4. Proposez une thèse contraire, illustrée par trois nouveaux arguments.

7 Organiser le plan

Objet d'étude :
Le personnage de roman, du XVIIe siècle à nos jours

Sujet : Est-ce que le fait de montrer les faiblesses d'un personnage de roman conduit nécessairement le lecteur à le mépriser ? Vous répondrez à cette question dans un développement composé, en vous appuyant sur les textes du corpus ainsi que sur vos lectures personnelles.

1. Après une analyse approfondie du sujet, proposez une problématique pour la dissertation.
2. Quelles lectures personnelles pourraient vous aider à construire votre réflexion ?
3. Proposez un plan détaillé.

Fiche 55

Rédiger une dissertation

La phase de rédaction est décisive. Elle est préparée par l'analyse du sujet et la mise au point du plan détaillé (fiches 53 « Comprendre un sujet de dissertation » et 54 « Construire un plan détaillé de dissertation »).

1 La dissertation doit convaincre

➡ La dissertation est un écrit **argumentatif :** en produisant une réflexion littéraire, le candidat doit donc proposer des hypothèses qui amènent à une **prise de position personnelle**, voire originale, à laquelle **le lecteur-correcteur pourra adhérer**.

➡ Pour autant, il ne s'agit pas d'utiliser une énonciation « personnelle », c'est-à-dire d'utiliser la première personne (« je »), ni une modalisation excessivement subjective, fondée sur l'expression de sentiments trop personnels pour être partagés.
Il faut défendre une position **acceptable** et **argumentée**, **solide** tout en étant **nuancée**.

> **Conseil :** La mise en page doit être particulièrement soignée. La graphie doit être agréable et le texte complètement lisible. Les paragraphes doivent être clairement construits.

2 L'introduction

L'introduction comprend trois étapes :

➡ **Étape 1 : L'amorce**

Brièvement, il s'agit de présenter le thème de la dissertation. Il faut éviter deux écueils : la généralisation qui n'a aucun sens (« de tout temps les hommes... ») et l'entrée précoce dans l'analyse. Le plus efficace est souvent de rappeler le **contexte** littéraire, voire artistique ou sociologique, qui permet déjà d'éclairer le sujet.

➡ **Étape 2 : La présentation du sujet et sa problématisation**

- On rappelle le sujet, intégralement s'il est court, en le reformulant s'il est trop long. On reformule toujours la consigne de travail.

Ex : *Dans le sujet « vous vous demanderez en quoi » devient dans l'introduction « nous nous demanderons donc en quoi... »*

- On problématise le sujet à partir de la mise au jour de l'implicite. La problématique doit être synthétique et se présenter sous la forme d'un questionnement à la forme **directe** ou **indirecte**.

➡ **Étape 3 : L'annonce du plan**

Le plan suivi doit être annoncé sans indiquer les sous-parties. On choisira une formulation souple (éviter les formules trop lourdes comme « dans une première partie..., puis dans une deuxième partie... ») et on utilisera des liens logiques qui mettent déjà en lumière les relations entre les parties (« certes », « mais », « donc », etc.).

> **Conseil :** Pour plus de visibilité, on peut matérialiser les trois étapes de l'introduction par trois paragraphes. C'est aussi un moyen de ne rien oublier.

Exemple :

Objet d'étude : Le personnage de roman, du XVIIe siècle à nos jours

Corpus :

Texte A : Marivaux, *La Vie de Marianne*, 1742

Texte B : Alain Robbe-Grillet, *Les Gommes*, 1953

Texte C : Milan Kundera, *L'Immortalité* (traduction d'Eva Bloch, revue par l'auteur), éditions Gallimard, 1990

Texte D : Philippe Claudel, *Les Âmes grises*, éditions Stock, 2003

Sujet : « Un roman doit-il chercher à faire oublier au lecteur que ses personnages sont fictifs ? Vous fonderez votre réflexion sur les textes du corpus, sur ceux que vous avez étudiés en classe et sur vos lectures personnelles. »

Introduction rédigée :

L'œuvre littéraire est en permanence partagée entre deux pulsions contradictoires : montrer son artificialité ou gommer toute intervention artistique et laisser croire qu'elle est une œuvre de la nature.

Ainsi, le romancier peut très bien proposer une œuvre qui gomme toutes ses interventions et qui semble s'écrire d'elle-même. Il ancre son roman dans un espace-temps que le lecteur peut identifier et qui participe de la vraisemblance du récit. Ainsi, même les personnages prennent des traits qui pourraient être ceux de personnes réelles. Mais on peut se demander si le roman doit nous faire oublier que ses personnages sont fictifs. Cela pose le problème de l'illusion romanesque : le lecteur doit-il croire que les personnages sont des personnes et, partant, être manipulé par le romancier ou faut-il qu'il reste conscient du caractère fictionnel de l'histoire qu'il lit ?

Après avoir montré que le roman a bien les moyens d'entretenir l'illusion réaliste et de jouer avec le lecteur, nous montrerons que la lecture de romans repose finalement sur un pacte bien plus complexe.

3 Le développement

➠ Organisation du développement

Chaque partie **rappelle l'idée directrice** dans un premier paragraphe (il n'y a pas de titres dans les dissertations littéraires).

➠ Les parties et sous-parties

- Les parties : le développement comprend deux ou trois parties, qui sont de longueurs comparables. Chaque partie développe **une idée directrice**,

- Les sous-parties : on compte entre **deux ou trois sous-parties** par parties. Chacune propose **un argument** qui construit une partie de l'idée directrice et qui s'appuie sur un ou des exemple(s) précis.

➠ Les exemples

Ils sont **la chair du développement**. Sans eux, il n'y a pas d'argument convaincant. Ils sont de natures différentes :

- des citations,
- des renvois à un épisode connu ou à un personnage d'une œuvre,
- des références à un mouvement littéraire, une école ou un style.

On en présente à chaque paragraphe d'analyse :

- à la suite de l'analyse. Il est alors introduit par un lien logique, comme « ainsi », « en effet », « comme le montre », etc.,
- avant l'analyse.

> **Conseil :** Chaque sous-partie doit présenter une analyse organisée. En un paragraphe, il s'agit de présenter un argument, de l'analyse et de le justifier par un ou des exemples qui le valident.

➠ Les transitions entre les parties

Ce sont des bilans d'étape. Elles permettent de souligner en quoi la partie répond à la problématique et font le lien avec ce qui reste à développer.

➠ Les liens logiques

Ils permettent de **souligner l'enchaînement des idées et les liens avec la problématique**. Ils sont utiles entre les arguments, mais aussi à l'intérieur d'un raisonnement. Il est important qu'ils soient variés.

Ex : Rédaction de la première sous-partie de la dissertation (cf. sujet sur le roman plus haut).

Plan de la partie :

I. Par quels moyens le romancier peut-il faire croire que les personnages sont réels ?

a) En faisant réapparaître les mêmes personnages dans une fresque romanesque

b) Par le travail sur la focalisation et le point de vue

c) En jouant avec les attentes du lecteur

Rédaction de la première sous-partie :

Les romans du XIXe siècle ont cherché à rendre compte de la société de leur temps. C'est le triomphe du réalisme, puis du naturalisme. Mais c'est aussi une tendance plus forte de la Littérature qui tend à reproduire la réalité : on peut parler de « mimésis », c'est-à-dire de représentation du réel. Ainsi, Balzac veut reproduire l'état civil, tandis que Zola crée une microsociété qu'il pourra étudier et analyser. Dans ces deux projets, les auteurs mettent en scène des personnages récurrents que le lecteur peut suivre, comme Lucien de Rubempré chez Balzac. Le retour du même personnage dans plusieurs romans et à plusieurs étapes de sa vie est un dispositif romanesque qui entretient l'illusion romanesque, c'est-à-dire la croyance chez le lecteur que ce qu'il lit est bel et bien réel, partant les personnages.

4 La conclusion

➠ Elle répond à la problématique

La conclusion est un moment fort qui permet de donner de la **cohésion à la dissertation**. Elle doit apporter **une réponse claire à la problématique posée en introduction.** Il est inutile de répéter le plan utilisé, ni de continuer à argumenter ou développer de nouveaux arguments.

➠ Elle propose une ouverture

Il est possible d'élargir le problème posé en le plaçant dans un nouveau contexte. Ce qu'on appelle une « ouverture » n'est pas obligatoire : il convient d'éviter toute généralisation excessive (comme dans l'introduction) et d'y renoncer si l'on n'a pas d'idée.

Ex : Conclusion rédigée (cf. sujet plus haut) :

Pour que le lecteur soit captivé par un roman, il faut qu'il soit emporté par la lecture. Il peut, pour un temps, oublier qu'il lit une fiction, s'identifier au héros et vivre par procuration ses aventures. Mais cela doit se faire avec tact, faute de quoi l'œuvre est ratée. Pour autant, il est possible de prendre un plaisir infini à la lecture d'une œuvre purement fictionnelle, de science-fiction par exemple. Finalement, savoir s'il faut à tout prix faire croire que les « êtres de papier »créés par l'auteur n'en sont pas n'est pas essentiel. L'important est bel et bien que le lecteur adhère au pacte proposé par l'auteur.

5 Exemple rédigé

Objet d'étude : Écriture poétique et quête du sens, du Moyen Âge à nos jours

Sujet : Dans quelle mesure la poésie permet-elle le dépassement d'une épreuve ?

Plan détaillé :

I. La souffrance personnelle du poète
a. Chanter sa souffrance : un thème poétique
b. qui n'efface pas le réel
c. … mais permet de la sublimer
II. La souffrance et le lecteur
a. Le lecteur partage la souffrance qu'on lui donne à lire
b. Il peut y retrouver sa propre souffrance
c. Le lyrisme, essence de la poésie

Rédaction :

La mythologie grecque associe les origines du genre poétique à la figure d'Orphée. Follement amoureux d'Eurydice, le poète ne parvient pas à se remettre de sa mort le jour de leurs noces. C'est avec la poésie, alors liée à la musique, qu'il parvient à traverser les Enfers et à obtenir le retour de sa bien-aimée. Hélas, il ne parvient pas à respecter le pacte alors imposé : ne pas se retourner avant d'être revenu dans le monde des vivants.

Dès son origine mythologique, la poésie a été associée à l'intime et à la souffrance et elle apparaît comme un remède dans les situations difficiles. Pour Orphée, la poésie a été le moyen de dépasser la mort de l'être aimé et de le retrouver, mais ce fut pour un temps seulement. On peut donc s'interroger sur ce pouvoir de la poésie : est-elle un moyen efficace pour dépasser une épreuve ? En posant cette question, il s'agit d'interroger les rapports délicats qui unissent la poésie et le réel et de comprendre dans quelle mesure elle peut avoir un impact sur celui-ci. Au fond, la poésie, en tant que forme artistique, est-elle coupée du monde et ne vise que le Beau ou, au contraire, est-elle profondément ancrée dans le monde et peut-elle avoir jusqu'à une fonction thérapeutique ?

Nous envisagerons deux aspects complémentaires. Après avoir montré en quoi la poésie pouvait permettre au poète de vivre une situation de crise, nous étudierons la façon dont le lecteur peut s'emparer à son tour de ce témoignage.

*

L'expérience poétique est d'abord, dans l'ordre des choses, celle du poète. La souffrance exprimée, travaillée et sublimée est avant tout la sienne.

Depuis Orphée, la souffrance est un thème privilégié de la poésie. La perte, l'absence et la mort sont les champs privilégiés de l'expérience poétique avec l'amour qui leur reste intimement lié. Le poète italien Pétrarque, au XIVe siècle, a fixé la forme de la plainte liée à la mort de la femme aimée dans son *Canzoniere*. Ce chant de douleur a été repris et amplifié au XVIe siècle par les poètes de la Pléiade, en particulier Ronsard qui chante, comme Pétrarque à la suite de la mort de sa bien-aimée Laure, sa bien-aimée Marie. Dans un autre registre, Victor Hugo exprimera par la poésie la douleur liée à la mort de sa fille Léopoldine, notamment dans le célèbre poème « Demain dès l'aube », extrait des *Contemplations*.

Pour autant, ces transpositions poétiques d'expériences bien réelles pourraient apparaître vaines. En effet, le récit ou le chant de la douleur est sans effet sur les causes de cette douleur. Autrement dit, la poésie n'a pas le pouvoir de faire disparaître les causes de la souffrance. Elle peut sembler coupée de la vie, sans lien avec le réel et uniquement tournée vers la Beauté. Le vers, la musicalité, l'emploi d'images relèvent d'une démarche intellectuelle qui vise à transformer le réel en œuvre d'art. Aussi la démarche de Pétrarque ou celle de Ronsard sont-elles extrêmement codées, respectant des étapes précises, le tout commençant par la rencontre de la belle et s'achevant par sa mort.

Au fond, le « je » lyrique, le choix d'une expérience personnelle, la précision d'un vécu des plus intimes relèvent d'un travail profond et sincère. En cela, le poète entre dans une démarche qui l'amène à regarder au fond des yeux sa douleur. Une fois mise sur le papier, celle-ci prend une autre dimension. Certes, la perte ne s'efface pas, mais elle est sublimée, c'est-à-dire dépassée pour atteindre un stade supérieur. Ainsi, Lamartine, mais aussi les autres poètes romantiques, expriment la mélancolie propre à leur temps, appelée par Chateaubriand le « vague des passions » mais font aussi œuvre poétique. « Le Lac » de Lamartine, par exemple, exprime une nostalgie qui touche tout un chacun par la sincérité du témoignage, mais aussi par les images qui sont engagées.

Grâce à la poésie, la souffrance du poète devient œuvre d'art. Certes, elle n'efface pas l'expérience douloureuse, mais elle lui donne une nouvelle forme, toujours empreinte de souffrance, mais aussi liée à la Beauté. Cette sublimation touche au plus profond le lecteur.

En effet, la poésie n'est pas une expérience individuelle, mais collective. Elle est avant tout un partage. Ainsi, le lecteur est tout aussi concerné que le poète par le dépassement de la souffrance de ce dernier, et cela à un double titre.

Tout d'abord, en tant que spectateur de la douleur du poète, il la partage, au sens propre, et donc le soulage. Il n'est pas besoin d'avoir connu soi-même l'expérience de la mort pour y être sensible. Ainsi, les *Poèmes à Lou* d'Apollinaire ne rendent pas le lecteur insensible alors même que le combat et la guerre peuvent nous être étrangers. On comprend et on partage la peur d'Apollinaire face à la mort qui s'annonce, mais aussi face à la perte quasiment programmée de l'être aimé.

Mais l'expérience du poète peut aussi faire écho à celle du lecteur. Elle peut être partagée. En effet, la poésie aborde des thèmes universels. Ainsi, Ronsard, dans ces *Derniers Vers* exprime la peur de tous face à la mort annoncée par un corps dont les organes cèdent un à un. Il exprime la douleur des amis, des êtres aimés devant l'inéluctable. Les poètes ont ceci de différent du commun des mortels qu'ils savent mettre des mots sur ces peurs partagées par tous. Ce faisant, ils nous aident à les appréhender.

Au fond, le registre lyrique, alors qu'il semble nous donner un accès direct à l'intime, relève d'une construction intellectuelle qui parle à chacun de nous au-delà du référent réel. On peut alors se demander si l'important est dans le témoignage ou dans la construction artistique qui en résulte. En effet, comment séparer le fond de la forme ? Est-on sensible à la douleur exprimée ou à la façon dont elle s'exprime ? Finalement, on peut penser que la poésie est un tout, mais que c'est l'écriture poétique en ce qu'elle a de plus singulier, c'est-à-dire le rythme et la musicalité, qui nous touche. Les vers de Verlaine ou de Rimbaud, intimement liés, nous donnent à lire des cœurs à découvert, sans masque. Finalement, c'est la Beauté même des vers qui nous émeut. Lorsque Verlaine écrit :

Il pleure dans mon cœur
Comme il pleut sur la ville ;
Quelle est cette langueur
Qui pénètre mon cœur ?

Ô bruit doux de la pluie
Par terre et sur les toits !
Pour un cœur qui s'ennuie,
Ô le chant de la pluie !

peu importe la douleur à l'origine de sa souffrance, il ramasse en un vers et en une seule métaphore toutes les douleurs du monde. Il s'agit de celle des parents qui ont perdu un enfant comme celle de l'amoureux qui vient de perdre sa bien-aimée.

*

L'expérience poétique est complexe. Elle est tout à la fois expression de soi, mais aussi travail sur cette vérité qui se trouve transformée, transcendée par cette écriture. Pour autant, la Beauté qui émane de la poésie nous aide à mieux vivre, notamment dans l'épreuve. Les exemples analysés nous montrent qu'il n'est pas besoin de regarder la vérité nue ou la réalité de façon crue pour la comprendre. Les images poétiques, la métaphore notamment, nous donnent à voir la vie autrement. Paradoxalement, c'est sans doute ce regard différent, biaisé, qui nous permet de mieux comprendre le monde.

Exercices

1 Rédiger une introduction

Objet d'étude :
Le personnage de roman, du XVIIe siècle à nos jours
Corpus :
Texte A : François Mauriac, *Le Baiser au lépreux*, 1922
Texte B : Marguerite Duras, *Le Ravissement de Lol V. Stein*, 1964
Texte C : Olivier Adam, *Falaises*, 2005
Sujet : Un roman peut-il intéresser son lecteur à des personnages ordinaires et malheureux ? Vous fonderez votre réflexion sur les textes du corpus, sur les œuvres que vous avez étudiées et sur votre culture personnelle.
1. En vous aidant de l'analyse menée dans la fiche 53 (p. 584), vous préparerez un plan détaillé de dissertation.
2. Rédigez l'introduction de la dissertation.

2 Rédiger une introduction

Objet d'étude : La question de l'Homme dans les genres de l'argumentation du XVIe siècle à nos jours
Corpus :
Texte A : Fénelon, *Fables et opuscules pédagogiques*, XX, 1718, « Le Pigeon puni de son inquiétude »
Texte B : Jean de La Fontaine, *Fables*, VIII, 23, 1678, « Le Torrent et la Rivière »
Texte C : Charles Baudelaire, *Le Spleen de Paris*, 1869, « Le joujou du pauvre »
Sujet : « En vous appuyant sur les textes du corpus et sur vos propres lectures, vous vous demanderez en quoi l'apologue est une forme efficace de l'argumentation. »
1. En vous aidant de l'analyse menée dans la fiche 53 (p. 584), vous préparerez un plan détaillé de dissertation.
2. Rédigez l'introduction de la dissertation.

3 Analyser un sujet et préparer un plan

Objet d'étude : Écriture poétique et quête du sens, du Moyen Âge à nos jours
Corpus :
Texte A : Clément Marot, *Œuvres poétiques*, 1519, « Petite épître au roi »
Texte B : Victor Hugo, *Toute la lyre*, 1873, « Bon conseil aux amants »
Texte C : Charles Cros, *Le Coffret de santal*, 1873, « Le Hareng-saur »
Texte D : Max Jacob, *Le Cornet à dés*, 1917, « Genre biographique »
Texte E : Raymond Queneau, *L'Instant fatal*, 1946, « Pour un art poétique »
Sujet : Selon vous, la poésie qui se prend au sérieux est-elle encore de la poésie ? Vous répondrez à la question en vous appuyant sur les textes du corpus, les textes étudiés en classe et vos lectures personnelles.
1. Après une analyse approfondie du sujet, proposez une problématique pour la dissertation.
2. Quelles lectures personnelles pourraient vous aider à construire votre réflexion ?
3. Proposez un plan détaillé.

4 Rédiger une dissertation

Objet d'étude : Le personnage de roman, du XVIIe siècle à nos jours

Il s'y rencontre çà et là des douleurs que l'agglomération des vices et des vertus rend grandes et solennelles : à leur aspect, les égoïsmes, les intérêts, s'arrêtent et s'apitoient ; mais l'impression qu'ils en (5) reçoivent est comme un fruit savoureux promptement dévoré. Le char de la civilisation, semblable à celui de l'idole de Jaggernat, à peine retardé par un cœur moins facile à broyer que les autres et qui enraie sa roue, l'a brisé bientôt et continue sa marche glorieuse. Ainsi (10) ferez-vous, vous qui tenez ce livre d'une main blanche, vous qui vous enfoncez dans un moelleux fauteuil en vous disant : Peut-être ceci va-t-il m'amuser. Après avoir lu les secrètes infortunes du père Goriot, vous dînerez avec appétit en mettant votre insensibilité sur (15) le compte de l'auteur, en le taxant d'exagération, en l'accusant de poésie. Ah ! sachez-le : ce drame n'est ni une fiction, ni un roman. *All is true*, il est si véritable, que chacun peut en reconnaître les éléments chez soi, dans son cœur peut-être.

Honoré de Balzac, *Le Père Goriot*, préface, 1835

Sujet : Selon vous, peut-on être totalement insensible au destin des personnages de roman ? Vous vous appuierez sur l'analyse de Balzac, mais aussi sur vos lectures personnelles et sur le manuel.

5 Rédiger une dissertation

Objet d'étude : Le texte théâtral et sa représentation, du XVIIe siècle à nos jours
Corpus :
Texte A : Molière, *Le Bourgeois gentilhomme*, 1670, acte II, scène 4
Texte B : Georges Feydeau : *On purge bébé*, 1910 (extrait).

Texte A :

Monsieur Jourdain est un bourgeois enrichi qui rêve d'imiter la noblesse de la cour du roi. Il prend toutes sortes de leçons.

(1) MAÎTRE DE PHILOSOPHIE : Que voulez-vous donc que je vous apprenne ?
M. JOURDAIN : Apprenez-moi l'orthographe.
MAÎTRE DE PHILOSOPHIE : Très volontiers.
(5) M. JOURDAIN : Après, vous m'apprendrez l'almanach, pour savoir quand il y a de la lune et quand il n'y en a point.
MAÎTRE DE PHILOSOPHIE : Soit. Pour bien suivre votre pensée et traiter cette matière en philosophe, (10) il faut commencer selon l'ordre des choses, par une

exacte connaissance de la nature des lettres, et de la différente manière de les prononcer toutes. Et là-dessus j'ai à vous dire que les lettres sont divisées en voyelles, ainsi dites voyelles parce qu'elles expriment les voix ; et en consonnes, ainsi appelées consonnes parce qu'elles sonnent avec les voyelles, et ne font que marquer les différentes articulations des voix. Il y a cinq voyelles ou voix : A, E, I, O, U.

M. JOURDAIN : J'entends tout cela.

20 MAÎTRE DE PHILOSOPHIE : La voix A se forme en ouvrant fort la bouche : A.

M. JOURDAIN : A, A. Oui.

MAÎTRE DE PHILOSOPHIE : La voix E se forme en rapprochant la mâchoire d'en bas de celle d'en haut : A, E.

M. JOURDAIN : A, E, A, E. Ma foi ! oui. Ah ! que cela est beau !

MAÎTRE DE PHILOSOPHIE : Et la voix I en rapprochant encore davantage les mâchoires l'une de l'autre, et écartant les deux coins de la bouche vers les oreilles : A, E, I.

M. JOURDAIN : A, E, I, I, I, I. Cela est vrai. Vive la science !

MAÎTRE DE PHILOSOPHIE : La voix O se forme en rouvrant les mâchoires, et rapprochant les lèvres par les deux coins, le haut et le bas : O.

M. JOURDAIN : O, O. Il n'y a rien de plus juste. A, E, I, O, I, O. Cela est admirable ! I, O, I, O.

MAÎTRE DE PHILOSOPHIE : L'ouverture de la bouche fait justement comme un petit rond qui représente un O.

M. JOURDAIN : O, O, O. Vous avez raison, O. Ah ! la belle chose, que de savoir quelque chose !

MAÎTRE DE PHILOSOPHIE : La voix U se forme en rapprochant les dents sans les joindre entièrement, et allongeant les deux lèvres en dehors, les approchant aussi l'une de l'autre sans les joindre tout à fait : U.

M. JOURDAIN : U, U. Il n'y a rien de plus véritable : U.

MAÎTRE DE PHILOSOPHIE : Vos deux lèvres s'allongent comme si vous faisiez la moue : d'où vient que si vous la voulez faire à quelqu'un, et vous moquer de lui, vous ne sauriez lui dire que : U.

M. JOURDAIN : U, U. Cela est vrai. Ah ! que n'ai-je étudié plus tôt, pour savoir tout cela ?

55 MAÎTRE DE PHILOSOPHIE : Demain, nous verrons les autres lettres, qui sont les consonnes.

Molière, *Le Bourgeois Gentilhomme*, 1670, acte II, scène 4

Texte B :

Rose est femme de ménage chez les Follavoine.

1 FOLLAVOINE : Au fait, dites donc, vous... !

ROSE : Monsieur ?

FOLLAVOINE : Par hasard, les ... les Hébrides[1]... ?

ROSE, *qui ne comprend pas* : Comment ?

5 FOLLAVOINE : Les Hébrides ? ... Vous ne savez pas où c'est ?

ROSE, *ahurie* : Les Hébrides ?

FOLLAVOINE : Oui.

ROSE : Ah ! non ! ... non ! (*Comme pour se justifier*). C'est pas moi qui range ici ! ... C'est Madame.

FOLLAVOINE, *se redressant en fermant son dictionnaire sur son index de façon à ne pas perdre la page* : Quoi ! quoi, « qui range » ! Les Hébrides ! ... des îles ! bougre d'ignare[2] ! ... de la terre entourée d'eau ... vous ne savez pas ce que c'est ?

ROSE, *ouvrant de grands yeux* : De la terre entourée d'eau ?

FOLLAVOINE : Oui ! de la terre entourée d'eau, comment ça s'appelle ?

20 ROSE : De la boue ?

FOLLAVOINE, *haussant les épaules* : Mais non, pas de la boue ! C'est de la boue quand il n'y a pas beaucoup de terre et pas beaucoup d'eau ; mais quand il y a beaucoup de terre et beaucoup d'eau, ça s'appelle des îles !

ROSE, *abrutie* : Ah ?

FOLLAVOINE : Eh ! bien, les Hébrides, c'est ça ! c'est des îles ! par conséquent, c'est pas dans l'appartement.

30 ROSE, *voulant avoir compris* : Ah ! oui ! ... c'est dehors !

FOLLAVOINE : *haussant les épaules* : Naturellement ! ... c'est dehors !

ROSE : Ah ! ben, non ! non, je les ai pas vues.

FOLLAVOINE, *quittant son bureau et poussant familièrement Rose vers la porte.* : Oui, bon, merci, ça va bien !

ROSE, *comme pour se justifier.* : Y a pas longtemps que je suis à Paris, n'est-ce pas ?

FOLLAVOINE : Oui ! ... oui, oui !

40 ROSE : Et je sors si peu !

FOLLAVOINE : Oui ! ça va bien ! Allez ! ... Allez retrouver Madame.

ROSE : Oui, Monsieur ! *(Elle sort)*

FOLLAVOINE : Elle ne sait rien, cette fille ! rien ! qu'est-ce qu'on lui a appris à l'école ? « C'est pas elle qui a rangé les Hébrides » ! Je te crois, parbleu ! (*Se replongeant dans son dictionnaire*). « Z'Hébrides ... Z'Hébrides ... ». C'est extraordinaire ! je trouve zèbre, zébré, zébrure, zébu ! ... Mais les Z'Hébrides, pas plus que dans mon œil ! Si ça y était, ce serait entre zébré et zébrure. On ne trouve rien dans ce dictionnaire !

Georges Feydeau, *On purge bébé*, 1910

1. Les Hébrides sont des îles situées à l'ouest de l'Écosse.
2. Ignorante.

Sujet : Les aspects comiques d'une pièce de théâtre (texte et représentation) ne servent-ils qu'à faire rire ? Vous vous appuierez pour répondre à cette question sur les textes du corpus, sur ceux du manuel ainsi que sur les pièces que vous aurez lues ou dont vous aurez vu une représentation.

➜ Rédigez la dissertation complète.

Fiche 56

Réussir l'épreuve orale du baccalauréat

L'épreuve orale du baccalauréat se déroule en plusieurs temps et dure **environ une heure** pour le candidat :

- **L'accueil** (environ 10 minutes) : le candidat se présente, l'examinateur vérifie son identité, lui fait signer le bordereau de présence, l'installe et lui propose un sujet,
- **La préparation** (30 minutes) : le candidat travaille seul et prépare sa réponse à la question de lecture analytique qui lui a été soumise,
- **La lecture analytique** (10 minutes) : le candidat parle seul, sans être interrompu par l'examinateur et expose son analyse du texte. Celle-ci doit être organisée de manière à répondre explicitement à la question posée,
- **L'entretien** (10 minutes) : Il s'agit d'une phase de dialogue entre le candidat et l'examinateur. Certes, ce dernier pose des questions, mais il ne s'agit en rien d'un interrogatoire. Au contraire, ce doit être l'occasion d'un échange réel.

La première des conditions pour réussir l'oral du baccalauréat est de **suivre consciencieusement les cours de son professeur** et de les retravailler en les mettant sous la forme de fiches (cf. fiche 9), qui aideront à l'appropriation des connaissances.

> **Conseil :** On sera attentif à être ponctuel (toujours arriver en avance au centre d'examen), courtois avec l'examinateur et à se présenter dans une tenue de ville classique.

1 La préparation (30 minutes)

➠ L'examinateur a trois possibilités pour le choix du texte qui sera analysé. Il peut :
- choisir un texte issu d'un groupement de textes,
- choisir un extrait étudié en cours lors de l'étude intégrale d'une œuvre,
- choisir un texte qui n'a pas été étudié en cours, mais extrait d'une œuvre intégrale qui l'a été.

➠ Il convient donc de connaître parfaitement les textes étudiés et l'ensemble des œuvres intégrales.

➠ Pour l'analyse, on reprend la méthode de la lecture analytique, dont nous ne rappelons que les étapes
Voir fiches 38 et 39 sur la lecture analytique
Étape 1 : Analyser la question posée
Étape 2 : Analyser le texte et effectuer les repérages
Étape 3 : Structurer la réponse

➠ Dans la première partie de l'épreuve, « le candidat rend compte de la lecture qu'il fait d'un texte choisi par l'examinateur dans le descriptif des lectures et activités. Cette lecture est **orientée par une question initiale** à laquelle il doit répondre en partant de l'observation précise du texte, en menant une analyse simple et en opérant des choix afin de construire une démonstration. On n'attend donc de lui ni une étude exhaustive du texte ni la simple récitation d'une étude faite en classe ».(B.O n° 3 du 16 janvier 2003.)

2 Première partie de l'épreuve : La lecture analytique (10 minutes)

➠ **L'introduction :** elle comprend plusieurs étapes :
- présentation de l'auteur et du contexte de production (mouvement littéraire par exemple),
- présentation de l'œuvre d'où le texte est extrait,
- caractérisation du texte et reprise de la question posée,
- annonce du plan suivi.

➠ **La lecture du texte :** elle doit être expressive et déjà suggérer l'interprétation.

➠ **Le développement :** il comprend 2 à 3 parties, structurées en sous-parties. Les parties sont organisées de manière à répondre à la question posée par l'examinateur. Toutes appellent des analyses précises de procédés d'écriture. Elles citent le texte avec précision, sans excès ni allusion trop vague.

➠ **La conclusion :** il s'agit d'une réponse claire à la question posée, intimement liée au développement.

> **Conseil :** Le risque est grand de trouver plaquée l'analyse du cours pendant l'exposé. Attention : la prise en compte de la question est essentielle.

3 Seconde partie de l'épreuve : L'entretien (10 minutes)

➠ **L'entretien** est un moment particulier. Il ne s'agit pas d'un « corrigé » de la lecture analytique. Mais ce n'est pas non plus un exercice totalement codifié : l'examinateur va organiser l'épreuve aussi en fonction de ce qu'il a ressenti pendant la première partie.

➠ Cette seconde partie de l'épreuve ne doit apparaître ni comme un moment de relâchement (le candidat a terminé sa lecture analytique et est soulagé, mais il n'est qu'à mi-chemin), ni comme un interrogatoire.

➠ Il faut clairement **que le candidat change de posture :** il doit passer d'un exposé pendant lequel il parle seul à un temps de **dialogue**. Cela suppose qu'il entende vraiment les questions posées, mais aussi qu'il fasse preuve de pertinence en montrant une culture littéraire fine et de l'à-propos dans ses réponses. Il s'agit de montrer que l'on peut **prendre du recul** par rapport aux œuvres étudiées en classe, d'être capable de les comparer.

Conseil : Pas plus que pendant la lecture analytique il ne peut s'agir ici d'une récitation naïve du cours.

➠ Il importe de **connaître parfaitement les textes étudiés et l'ensemble des œuvres intégrales.** Mieux, pour préparer l'entretien, il est judicieux d'apprendre par cœur le descriptif des lectures et activités (dite aussi « liste de bac »). Cela permettra une circulation rapide dans les corpus et entre les œuvres.

➠ Le B.O. (n° 3 du 16 janvier 2003) propose toute une gamme de sujets possibles :
- ouvrir des perspectives ;
- approfondir et élargir la réflexion, en partant du texte qui vient d'être étudié pour aller vers :
. l'œuvre intégrale ou le groupement d'où ce texte a été extrait ;
. une des lectures cursives proposées en relation avec le texte qui vient d'être étudié ;
. l'objet d'étude ou les objets d'étude en relation avec le texte qui vient d'être étudié ;
- évaluer les connaissances du candidat sur l'œuvre ou l'objet d'étude ;
- apprécier l'intérêt du candidat pour les textes qu'il a étudiés ou abordés en lecture cursive ;
- tirer parti des lectures et activités personnelles du candidat.

Conseil : Il faut instaurer rapidement un dialogue vivant avec l'examinateur. Cela signifie que le candidat ne se contente pas de faire de simples réponses, ce qui réduirait l'épreuve à un simple interrogatoire. Grâce aux connaissances acquises tout au long de l'année, il doit pouvoir réagir et deviner ce qui se cache derrière telle ou telle question. Il ne doit pas hésiter à rebondir et à proposer un autre point de vue ou à convoquer un autre texte.

➠ **Critères d'évaluation, Source :** B.O. (n° 3 du 16 janvier 2003)

	Exposé	**Entretien**
Expression et communication	Lecture correcte et expressive Qualité de l'expression et niveau de langue orale Qualités de communication et de conviction	Aptitude au dialogue Qualité de l'expression et niveau de langue orale Qualités de communication et de conviction
Réflexion et analyse	Compréhension littérale du texte Prise en compte de la question Réponse construite, argumentée et pertinente, au service d'une interprétation Références précises au texte	Capacité à réagir avec pertinence aux questions posées pendant l'entretien Qualité de l'argumentation Capacité à mettre en relation et à élargir une réflexion
Connaissances	Savoirs linguistiques et littéraires Connaissances culturelles en lien avec le texte	Savoirs littéraires sur les textes, l'œuvre, l'objet ou les objets d'étude Connaissances sur le contexte culturel

Exercices

1 S'exercer sur le théâtre

Objet d'étude : Le texte théâtral et sa représentation, du XVIIe siècle à nos jours

ACTE I, scène 1
Une rue devant la maison de Claudio

1 MARIANNE, *sort de chez elle, un livre de messe à la main.* CIUTA, *une vieille femme, l'aborde.*
CIUTA : Ma belle dame, puis-je vous dire un mot ?
MARIANNE : Que me voulez-vous ?
5 CIUTA : Un jeune homme de cette ville est éperdument amoureux de vous ; depuis un mois entier, il cherche vainement l'occasion de vous l'apprendre. Son nom est Cœlio ; il est d'une noble famille et d'une figure distinguée.
10 MARIANNE : En voilà assez. Dites à celui qui vous envoie qu'il perd son temps et sa peine, et que, s'il a l'audace de me faire entendre une seconde fois un pareil langage, j'en instruirai mon mari. (*Elle sort.*)
CŒLIO, *entrant :* Eh bien ! Ciuta, qu'a-t-elle dit ?
15 CIUTA : Plus dévote et plus orgueilleuse que jamais. Elle instruira son mari, dit-elle, si on la poursuit plus longtemps.
CŒLIO : Ah ! malheureux que je suis, je n'ai plus qu'à mourir. Ah ! la plus cruelle de toutes les femmes ! Et
20 que me conseilles-tu, Ciuta ? Quelle ressource puis-je encore trouver ?
CIUTA : Je vous conseille d'abord de sortir d'ici, car voici son mari qui la suit. (*Ils sortent. Entrent Claudio et Tibia*)
25 CLAUDIO : Es-tu mon fidèle serviteur ? Mon valet de chambre dévoué ? Apprends que j'ai à me venger d'un outrage.
TIBIA : Vous, Monsieur !
CLAUDIO : Moi-même, puisque ces impudentes gui-
30 tares ne cessent de murmurer sous les fenêtres de ma femme. Mais, patience ! tout n'est pas fini. Écoute un peu de ce côté-ci : voilà du monde qui pourrait nous entendre. Tu m'iras chercher ce soir le spadassin[1] que je t'ai dit.
35 TIBIA : Pour quoi faire ?
CLAUDIO : Je crois que Marianne a des amants[2].
TIBIA : Vous croyez, Monsieur ?
CLAUDIO : Oui ; il y a autour de ma maison une odeur d'amants ; personne ne passe naturellement devant
40 ma porte ; il y pleut des guitares et des entremetteuses.

Alfred de Musset, *Les Caprices de Marianne,* 1833, acte I, scène 1

1. Homme d'épée, assassin à gages. 2. Amoureux.

1. Comment le spectateur prend-il connaissance de l'intrigue ?
2. Lecture analytique : Cette scène d'exposition* remplit-elle ses fonctions ?
3. Lecture analytique : Pourquoi peut-on dire que ce début entre bien dans le genre de la comédie* ?
4. Entretien : Quelles propositions de mise en scène* pourriez-vous faire pour cette scène d'exposition* ?
5. Entretien : En quoi cet extrait joue-t-il sur la double énonciation* caractéristique au théâtre ?

2 S'exercer sur le théâtre

Objet d'étude : Le texte théâtral et sa représentation, du XVIIe siècle à nos jours

La scène est dans un salon bourgeois à la campagne, vers 1830. Au lever du rideau, Zénaïde est seule. Elle rêve tristement en arrangeant un bouquet dans un vase. On frappe à la porte à droite.

1 ZÉNAÏDE, *haut* : Qui est là ? (*À part.*) Pourvu que ce ne soit pas Oswald ! Je n'ai pas mis la robe qu'il préfère ! Et d'ailleurs, à quoi bon ? Après tout ce qui s'est passé !
5 LA VOIX D'OSWALD, *au dehors* : C'est moi, Oswald !
ZÉNAÏDE, *à part.* : Hélas, c'est lui, c'est bien Oswald ! (*Haut*) Entrez, Oswald ! (*À part.*) Voilà bien ma chance ! Que pourrai-je lui dire ? Jamais je n'aurai le courage de lui apprendre la triste vérité !
10 *Entre Oswald. Il reste un moment sur le seuil et contemple Zénaïde avec émotion.*
OSWALD, *haut.* : Vous, vous, Zénaïde ! (*À part.*) Que lui dire de plus ? Elle est si confiante, si insouciante ! Jamais je n'aurai la cruauté de lui avouer la grave déci-
15 sion qui vient d'être prise à son insu !
ZÉNAÏDE, *allant vers lui et lui donnant sa main à baiser ; haut.* : Bonjour, Oswald ! (*À part, tandis qu'Oswald agenouillé lui baise la main avec transport.*) Se peut-il que tout soit fini ! Ah ! tandis qu'il presse ma main sur
20 ses lèvres, mon Dieu, ne prolongez pas mon supplice et faites que cette minute, qui me paraît un siècle, passe plus vite que l'alcyon[1] sur la mer écumante !
OSWALD, *se relevant, tandis que Zénaïde retire gracieusement sa main ; haut, avec profondeur.* : Bonjour,
25 Zénaïde ! (*À part.*) Ah ! ce geste gracieux et spontané, plus éloquent que le plus long discours ! J'ai toujours aimé le silence qu'elle répand autour d'elle : il est comme animé de paroles mystérieuses que l'oreille n'entendrait pas, mais que l'âme comprendrait.
30 ZÉNAÏDE, *haut, avec douceur.* : Asseyez-vous, Oswald ! (*À part.*) Il se tait, le malheureux ! Je crois entendre son cœur battre à coups précipités, sur le même rythme que le mien. Pourtant, il ne sait rien sans doute et croit à notre union !
35 *Elle s'assied.*
OSWALD, *s'asseyant à quelque distance.* : Merci, Zénaïde ! (*À part.*) Cette chaise était sûrement préparée pour moi. La pauvre enfant m'attendait et ne pouvait prévoir le motif de ma visite !
40 *On entend sonner 5 heures au clocher du village.*
ZÉNAÏDE, *haut, avec mélancolie.* : Cinq heures ! (*À part.*) Mais il fait déjà nuit dans mon cœur !
OSWALD, *haut, sur un ton qui veut paraître dégagé.* : Eh oui, 5 heures ! (*À part.*) Pour moi, c'est l'aube des
45 condamnés !
ZÉNAÏDE, *haut.* : Il fait encore jour ! (*À part, d'un air stupide, comme récitant un exemple de grammaire.*) Mais les volubilis ferment leurs corolles, ma grand-mère préfère les pois de senteur et le jardinier a rangé
50 ses outils.

OSWALD, *haut, avec un soupir.* : C'est le printemps, Zénaïde ! (*À part, d'un air sombre et presque délirant.*) Aux Antipodes, c'est l'hiver ! Au Congo, les Lapons s'assemblent sur la banquise ; en Chine, les Bavarois
55 vont boire de la bière dans les tavernes ; au Canada, les Espagnols dansent la séguedille.

ZÉNAÏDE, *haut avec un nouveau soupir.* : Oui, il fait jour ! (*À part, avec égarement.*) Ce silence m'accable ! La canne de mon oncle avait un pommeau d'or, la mar-
60 quise sortit à 5 heures : ma raison s'égare ! Dois-je tout lui dire ? Ou bien jeter mon bonnet par-dessus les moulins[2] ?

OSWALD, *haut, avec tendresse.* : Il fait jour ! Vous l'avez déjà dit, Zénaïde ! (*À part, avec véhémence.*) Me
65 voici brutal, à présent ! Feu et diable, sang et enfer ! Les sorcières vont au sabbat, la lune court dans les ajoncs !... Allons, du calme, du calme ! Je ferais mieux de lui révéler ce secret qui m'étouffe !

ZÉNAÏDE, *à part* : Je n'en puis plus !
70 OSWALD, *à part* : C'est intolérable !
ZÉNAÏDE, *à part* : Je meurs !
OSWALD, *à part* : Je deviens fou !
ZÉNAÏDE et OSWALD, *à part et ensemble, au comble du désespoir* : Hélas ! Ma fa-mille ne veut pas de notre
75 ma-riage[3] !

Un long silence. On entend sonner 6 heures.

1. L'alcyon est un vent. 2. Expression familière signifiant agir sans se soucier de ce qui se fait. 3. C'est l'auteur qui sépare ainsi les mots.

Jean Tardieu, *Oswald et Zénaïde ou les apartés*, 1966
Théâtre de Chambre, © Éd. Gallimard, 1966

1. À quoi les apartés* servent-ils pour les personnages ? Pour le lecteur ou spectateur ?
2. Quel registre* domine dans les apartés* ? Analysez types de phrases et procédés rhétoriques. Quel contraste remarquez-vous avec le dialogue ?
3. Lecture analytique : Étudiez les différents comiques à l'œuvre dans cet extrait.
4. Lecture analytique : En quoi cet extrait met-il au jour le jeu du dramaturge avec le langage ?
5. Entretien : Quels éléments de mise en scène* proposeriez-vous pour ce passage ?
6. Entretien : Êtes-vous sensible à l'écriture dramatique de Tardieu ?

3 S'exercer sur le roman

Objet d'étude : Le personnage de roman, du XVIIe siècle à nos jours

Ce passage est le début du roman.

1 Les curieux événements qui font le sujet de cette chronique se sont produits en 194., à Oran. De l'avis général, ils n'y étaient pas à leur place, sortant un peu de l'ordinaire. À première vue, Oran est, en effet, une
5 ville ordinaire et rien de plus qu'une préfecture française de la côte algérienne.

La cité elle-même, on doit l'avouer, est laide. D'aspect tranquille, il faut quelque temps pour apercevoir ce qui la rend différente de tant d'autres villes commer-
10 çantes, sous toutes les latitudes. Comment faire imaginer, par exemple, une ville sans pigeons, sans arbres et sans jardins, où l'on ne rencontre ni battements d'ailes ni froissements de feuilles, un lieu neutre pour tout dire ? Le changement des saisons ne s'y lit que
15 dans le ciel. Le printemps s'annonce seulement par la qualité de l'air ou par les corbeilles de fleurs que des petits vendeurs ramènent des banlieues ; c'est un printemps qu'on vend sur les marchés. Pendant l'été, le soleil incendie les maisons trop sèches et couvre les
20 murs d'une cendre grise ; on ne peut plus vivre alors que dans l'ombre des volets clos. En automne, c'est, au contraire, un déluge de boue. Les beaux jours viennent seulement en hiver.

Une manière commode de faire la connaissance
25 d'une ville est de chercher comment on y travaille, comment on y aime et comment on y meurt. Dans notre petite ville, est-ce l'effet du climat, tout cela se fait ensemble, du même air frénétique et absent. C'est-à-dire qu'on s'y ennuie et qu'on s'y applique à prendre
30 des habitudes. Nos concitoyens travaillent beaucoup, mais toujours pour s'enrichir. Ils s'intéressent surtout au commerce et ils s'occupent d'abord, selon leur expression, de faire des affaires. Naturellement ils ont du goût aussi pour les joies simples, ils aiment les femmes,
35 le cinéma et les bains de mer. Mais, très raisonnablement, ils réservent ces plaisirs pour le samedi soir et le dimanche, essayant, les autres jours de la semaine, de gagner beaucoup d'argent. Le soir, lorsqu'ils quittent leurs bureaux, ils se réunissent à heure fixe dans
40 les cafés, ils se promènent sur le même boulevard ou bien ils se mettent à leurs balcons. Les désirs des plus jeunes sont violents et brefs, tandis que les vices des plus âgés ne dépassent pas les associations de boulomanes, les banquets des amicales et les cercles où l'on
45 joue gros jeu sur le hasard des cartes.

Albert Camus, *La Peste*, © Éd. Gallimard 1947

1. Quelle peinture de la ville d'Oran cet incipit brosse-t-il ?
2. Qu'apprend-on de ses habitants ?
3. Lecture analytique : En quoi cet incipit remplit-il ses fonctions ?
4. Entretien : Ce début de roman vous donne-t-il envie de connaître la suite ? Pourquoi ?
5. Entretien : Expliquez le titre du roman d'Albert Camus. Pourquoi peut-on dire qu'il est métaphorique ?

Fiche 57

La communication : enjeux et interactions

1 Les situations de communication

➡ **La communication orale :** les interlocuteurs sont présents. Le message est direct. Intonations, gestes, mimiques renforcent le message.

➡ **La communication écrite :** le destinataire est absent, la communication différée. L'émetteur pèse ses mots.

2 Les types de communication

➡ **La communication directe :** émetteur et récepteur se trouvent ensemble : dialogue en direct, téléphone, interphone, « chat » sur Internet.

➡ **La communication différée :** le récepteur connaît le message après l'acte de communication : livre, journal, courrier (postal ou électronique)…

➡ **La communication rapportée :** l'émetteur transmet des paroles échangées dans un autre lieu et à un autre moment.

3 Le schéma de communication

Le linguiste Roman Jakobson analyse ainsi le processus de communication :

Ex : *« ORGON : Tout s'est-il ces deux jours, passé de bonne sorte ?*
Qu'est-ce qu'on fait céans ? Comment est-ce qu'on s'y porte ?
DORINE : Madame eut avant-hier la fièvre jusqu'au soir,
Avec un mal de tête étrange à concevoir. »
(Molière, Tartuffe, *1664, I, 4)*

➡ L'**émetteur** produit un **message** ou énoncé. L'**énonciation** désigne l'acte de prise de parole d'une personne dans un lieu et un temps donnés.
Ex : *Orgon est l'émetteur. Sa question est le message.*

➡ Son destinataire est le **récepteur.** En échangeant, ils deviennent des interlocuteurs.
Ex : *Dorine est le récepteur et devient un interlocuteur par sa réponse.*

➡ Les interlocuteurs échangent sur un sujet précis, le **référent.**
Ex : *Orgon et Dorine parlent de la maisonnée.*

➡ Un **canal** (la voix, le papier à l'écrit) communique l'énoncé au destinataire.
Ex : *Orgon et Dorine s'expriment à l'oral.*

➡ Pour que l'énoncé soit partagé entre le locuteur et le destinataire, il faut qu'ils partagent le même **code**.
Ex : *Orgon et Dorine parlent du même sujet avec la même langue.*

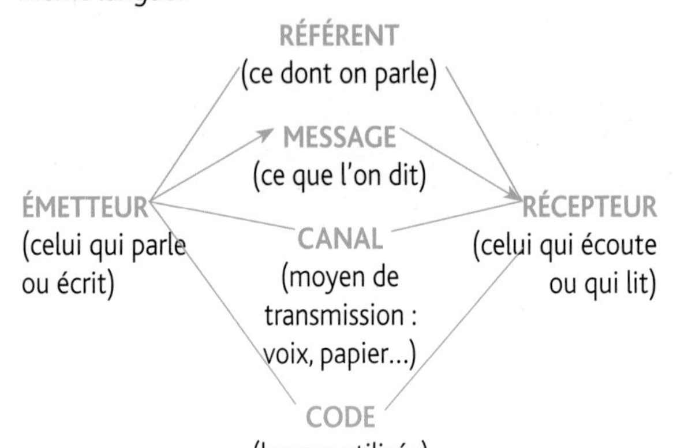

La communication varie selon les caractéristiques personnelles et sociales des interlocuteurs, les intentions de l'émetteur, la relation entre les interlocuteurs, le cadre de la communication et le support choisi.

4 Les fonctions du langage

➡ **La fonction référentielle :** communiquer des informations. Les indices sont les informations spatio-temporelles, les phrases déclaratives, les marques de la 3e personne.
Ex : *« Une des villes où se retrouve le plus correctement la physionomie des siècles féodaux est Guérande. » (Balzac,* Béatrix, *1839)*

➡ **La fonction expressive :** exprimer ses sentiments à travers les marques de la subjectivité, interjections, phrases exclamatives, marques de la 1re personne.

➡ **La fonction injonctive :** provoquer une réaction chez le destinataire par des apostrophes, des verbes à l'impératif, des phrases interrogatives, les marques de la 2e personne.

➡ **La fonction phatique :** s'adresser au destinataire sans contenu informatif (interjections).
Ex : *« Oh dame, interrompez-moi donc si vous voulez » (Molière)*

➡ **La fonction poétique :** par la forme du message (sonorités, rythmes, figures de style, typographie).

Exercices

1 Repérer les marques de l'oral

Objet d'étude : Le personnage de roman, du XVIIe siècle à nos jours

1 C'est vrai, t'as raison en somme, que j'ai convenu, conciliant, mais enfin on est tous assis sur une grande galère, on rame tous à tour de bras, tu peux pas venir me dire le contraire ! ...Assis sur des clous même à
5 tirer tout nous autres ! Et qu'est-ce qu'on en a ? Rien !

Louis-Ferdinand Céline, *Voyage au bout de la nuit*,

→ À quels indices reconnaissez-vous ici un texte oral ?

2 Identifier les types de communication

Texte A :

1 Alors, quelle est votre musique de danse préférée du moment ? Je suis tout à fait comme le remix de Keeping Score par Hannah ILD, très Cascada !
Alors quelle est la vôtre ????
5 Toutes mes excuses si ce sujet a déjà été commencé ailleurs, je ne pouvais pas le voir partout, mais n'hésitez pas à me déplacer si c'est le cas ailleurs.

musicbanter.com

Texte B :

1 Partout, les relations familiales sont jugées précieuses. Au point le plus haut, 98 % des Indiens estiment qu'il est important de passer des moments avec sa famille, contre 79 % des Japonais, ce qui constitue
5 le point le plus bas.

LeMonde.fr, 21.01.2011

Texte C :

1 PERDICAN : Tu as dix-huit ans, et tu ne crois pas à l'amour ?
CAMILLE : Y croyez-vous, vous qui parlez ? Vous voilà courbé près de moi avec des genoux qui se sont usés
5 sur les tapis de vos maîtresses, et vous n'en savez plus le nom.

Alfred de Musset, *On ne badine pas avec l'amour*, 1834, acte I, scène 5

Texte D

Il y a huit jours, ma chère enfant, que nous n'avons pas reçu de vos nouvelles : vous ne sauriez croire combien ce temps est long à passer.

Mme de Sévigné, *Lettre du 15 octobre 1688*

Texte E :

« Bonjour. Vous êtes bien chez Jacques et Alice. Nous ne sommes pas là/ mais laissez-nous un message après le bip sonore, et nous vous rappellerons dès que possible. »

→ Classez ces extraits suivants selon leur type de communication.

3 Analyser un schéma de communication

Objet d'étude : Le texte théâtral et sa représentation du XVIIe siècle à nos jours

Argante, de retour de voyage, vient d'apprendre que son fils s'est marié sans son accord, malgré la surveillance de son serviteur Sylvestre.

1 SCAPIN : Monsieur, je suis ravi de vous voir de retour.
ARGANTE : Bonjour, Scapin. (*À Sylvestre*) Vous avez suivi mes ordres vraiment d'une belle manière ! Et mon fils s'est comporté fort sagement pendant mon
5 absence !
SCAPIN : Vous vous portez bien à ce que je vois.
ARGANTE : Assez bien (*À Sylvestre*) Tu ne dis mot, coquin ! Tu ne dis mot !
SCAPIN : Votre voyage a-t-il été bon ?
10 ARGANTE : Mon Dieu, fort bon ! Laisse-moi un peu quereller en repos.

Molière, *Les Fourberies de Scapin*, 1671, acte I, scène 4

→ Faites le schéma de communication de l'extrait suivant en tenant compte de la nature du texte.

4 Identifiez la ou les fonctions de communication d'un texte

Texte A :

1 Il pleure dans mon cœur
Comme il pleut sur la ville ;
Quelle est cette langueur qui pénètre mon cœur,

Ô bruit doux de la pluie
5 Par terre et sur les toits !
Pour un cœur qui s'ennuie
Ô le chant de la pluie !

Paul Verlaine, *Romances sans paroles*, 1874

Texte B :

1 Vous n'avez rien fait tant que le peuple souffre : Vous n'avez rien fait, tant que ceux qui sont dans la force de l'âge et qui travaillent peuvent être sans pain ! tant que ceux qui sont vieux et qui ne peuvent
5 plus travailler sont sans asile ! tant que l'usure dévore nos campagnes, tant qu'on meurt de faim dans nos villes, tant qu'il n'y a pas de lois fraternelles, de lois évangéliques qui viennent de toutes parts en aide aux pauvres familles honnêtes, aux bons paysans, aux
10 bons ouvriers, aux gens de cœur !

Victor Hugo, *Discours sur la misère à l'Assemblée Nationale*, le 9 juillet 1849

→ Quelle est la ou les fonction(s) de ces extraits ?

Fiche 58

L'implicite du discours

L'acte de communication transmet des informations explicites, c'est-à-dire énoncées réellement et clairement, mais il comporte aussi des informations voilées, non dites, c'est l'**implicite***. Seul le contexte permet de comprendre ces deux niveaux d'informations.

1 Le présupposé

➠ **Définition :** on parle de **présupposé** lorsque l'information est considérée comme évidente par l'émetteur. Il ne s'agit pas pour lui d'une information nouvelle.

➠ **Indices :** On peut le déduire d'un mot présent dans l'énoncé.

- Un **adverbe** (déjà, toujours, encore…) qui fait allusion à une situation antérieure à l'acte de communication.

Ex : *Cet été, mes parents partent encore en randonnée (Comme les autres années).*
Il est déjà venu (ce n'est pas la première fois).

- Un **adjectif** qui implique la possibilité d'une comparaison.

Ex : *C'est mon livre préféré (Il y en a d'autres). Elle est ma meilleure amie (parmi tous ceux que j'ai).*

- Un **verbe** marque l'antériorité.

Ex : *Je suis partie il y a trois heures (j'étais ailleurs). J'ai continué en master de sciences (j'ai fait des études antérieures).*

➠ **Son emploi** : le présupposé ne constitue pas un élément essentiel du message.

2 Le sous-entendu

➠ **Définition :** l'émetteur peut laisser entendre une information dans son message, mais le récepteur doit la construire à l'aide de certains indices. La signification varie selon cette reconstruction.

Ex : *« Je sais ce qu'il te faut, je suis ton père » signifie à la fois « je te connais bien », « tu m'obéiras », « tu ne dois pas discuter davantage ». « Tu ne connais pas la vie. Je suis plus âgé que toi » signifie à la fois « mon expérience est plus grande que la tienne », « tais-toi et laisse parler ceux en savent plus que toi », « je peux te donner des conseils ».*

➠ **Indices :** aucun indice particulier ne permet d'aider à la reconstruction du sens implicite, mais elle est nécessaire pour donner tout son sens au message.

Ex : *Dans la phrase « Je sais ce qu'il te faut, je suis ton père », la deuxième partie du message ne cherche pas à informer sur les liens de parenté, mais insiste sur leurs conséquences naturelles, comme l'intimité ou l'autorité.*

➠ **Son emploi** : c'est le récepteur et lui seul qui assume la reconstruction du message. Il doit trouver seul le sous-entendu et l'interprète selon ses capacités, sa personnalité, ses connaissances de l'autre interlocuteur. Le **sous-entendu** est essentiel pour comprendre toute la portée du message sinon le récepteur court le risque de ne pas reconnaître les visées de l'émetteur. C'est le cas du **quiproquo***. De son côté, l'émetteur peut nier le sous-entendu.

Ex : *Moi ? Mais je ne t'ai jamais dit cela ! Tu m'as déjà vu agir ainsi ?!*

3 Implicite et liens logiques

L'implicite caractérise aussi les liens logiques à travers la juxtaposition marquée particulièrement par l'emploi de la virgule, des deux-points, du point-virgule.

➠ **La relation de cause**

Ex : *Il fait des études d'architecte paysager : il aime la nature.*

Les deux-points marquent ici une relation de cause entre la première et la deuxième proposition. On comprend alors : « il fait des études d'architecte paysager parce qu'il aime la nature ».

➠ **La relation de conséquence**

Ex : *Il aime la nature ; il fait des études d'architecte paysager.*

Le point-virgule doit ici se comprendre comme un lien de conséquence qui relie la deuxième proposition à la première : « comme il aime la nature, il fait des études d'architecte paysager ».

➠ **La relation d'opposition**

Ex : *Tous vont au concert ; lui n'y va pas*

Le point-virgule traduit ici une opposition entre les deux propositions déjà marquée par l'antithèse « tous » et « lui ». Implicitement, on entend donc : « tous vont au concert, mais lui seul n'y va pas. »

➠ **La relation d'addition**

Ex : *La lecture enrichit chacun : elle fait travailler l'imaginaire ; elle permet d'approfondir la réflexion ; elle favorise la créativité.*

L'utilisation du point-virgule permet d'ajouter une qualité de la lecture à l'autre sans les hiérarchiser entre elles, car c'est tout à la fois que la lecture présente ces différents avantages. On pourrait ainsi remplacer la ponctuation par la conjonction « et » dont la répétition est ainsi évitée : « La lecture enrichit chacun : elle fait travailler l'imaginaire et elle permet d'approfondir la réflexion et elle favorise la créativité. »

Exercices

1 Étudier les procédés de l'implicite

Objet d'étude : La question de l'Homme dans les genres de l'argumentation du XVIe siècle à nos jours.

1 L'on voit certains animaux farouches, des mâles et des femelles, répandus par la campagne, noirs, livides, et tout brûlés du soleil, attachés à la terre, qu'ils fouillent et qu'ils remuent avec une opiniâtreté invin-
5 cible ; ils ont comme une voix articulée, et, quand ils se lèvent sur leurs pieds, ils montrent une face humaine ; et en effet, ils sont des hommes. Ils retirent la nuit dans des tanières, où ils vivent de pain noir, d'eau et de racines.

Jean de La Bruyère, *Les Caractères*, 1688

1. Quelle phrase permet le passage dans le texte de l'implicite à l'explicite ?
2. Quel effet cet emploi de l'implicite produit-il chez le lecteur ?

2 Identifier un présupposé

Objet d'étude : La question de l'Homme dans les genres de l'argumentation du XVIe siècle à nos jours.

1 Les colonies sont, pour les pays riches, un placement de capitaux des plus avantageux. Au temps où nous sommes et dans la crise que traversent toutes les industries européennes, la fondation d'une colonie,
5 c'est la création d'un débouché.
Messieurs, il y a un second point [...] c'est le côté humanitaire et civilisateur de la question [...] Il faut dire ouvertement, qu'en effet, les races supérieures ont un droit vis-à-vis des races inférieures parce qu'il a un
10 devoir pour elles.

Jules Ferry, *Discours à la Chambre des députés*, 1885

➜ Sur quels présupposés repose cette argumentation ? Sont-ils acceptables aujourd'hui ?

3 Décrypter un sous-entendu

Objet d'étude : Le texte théâtral et sa représentation du XVIIe siècle à nos jours

Andromaque est prisonnière de Pyrrhus avec son fils. Pyrrhus l'aime, mais elle se refuse à lui car elle veut rester fidèle à son mari mort à la guerre.

1 PYRRHUS : Eh bien ! madame il faut vous obéir :
Il faut vous oublier ou plutôt vous haïr.
Oui, mes vœux ont trop loin poussé leur violence
Pour ne plus s'arrêter que dans l'indifférence ;
5 Songez-y bien : il faut désormais que mon cœur,
S'il n'aime avec transport, haïsse avec fureur.
Je n'épargnerai rien dans ma juste colère :
Le fils me répondra des mépris de la mère ;

Jean Racine, *Andromaque*, 1667, acte I, scène 4

1. Repérez le champ lexical dominant de la tirade.
2. Reconstituez le message sous-entendu de Pyrrhus.

4 Étudier un quiproquo

Objet d'étude : Le texte théâtral et sa représentation du XVIIe siècle à nos jours

Agnès avoue à son tuteur la visite d'Horace qui l'aime

1 ARNOLPHE : Ne vous a-t-il point pris, Agnès, quelque autre chose ?
(la voyant interdite)
Ouf !
5 AGNÈS : Hé ! Il m'a...
ARNOLPHE : Quoi ?
AGNÈS : Pris...
ARNOLPHE : Euh !
AGNÈS : Le...
10 ARNOLPHE : Plaît-il ?
AGNÈS : Je n'ose ;
Et vous vous fâcherez peut-être contre moi
ARNOLPHE : Non.
AGNÈS : Si fait
15 ARNOLPHE : Mon Dieu ! non.
AGNÈS : Jurez donc votre foi.
ARNOLPHE : Ma foi, soit.
AGNÈS : Il m'a pris... Vous serez en colère.
ARNOLPHE : Non.
20 AGNÈS : Si.
ARNOLPHE : Non, non, non, non. Diantre ! que de mystère !
Qu'est-ce qu'il vous a pris ?
AGNÈS : Il...
ARNOLPHE, *(à part)* : Je souffre en damné.
25 AGNÈS : Il m'a pris le ruban que vous m'aviez donné.

Molière, *L'École des femmes*, 1662, acte II, scène 5

➜ Montrez que la scène est construite sur un quiproquo : quel effet produit-il ?

5 Étudier les liens de logique

Objet d'étude : La question de l'Homme dans les genres de l'argumentation du XVIe siècle à nos jours.

Un Tahitien défend son peuple devant un voyageur

1 Nous suivons le pur instinct de la nature ; et tu as tenté d'effacer de nos âmes son caractère. Ici tout est à tous ; et tu nous as prêché je ne sais quelle distinction du tien et du mien. Nos filles et nos femmes nous sont
5 communes ; tu as partagé ce privilège avec nous ; tu es venu allumer en elles des fureurs inconnues. Elles sont devenues folles dans tes bras ; tu es devenu féroce entre les leurs. Elles ont commencé à se haïr ; vous vous êtes égorgés pour elles ; et elles nous sont reve-
10 nues teintes de votre sang.

Denis Diderot, *Supplément au voyage de Bougainville*, 1772

1. Quelle est la valeur des connecteurs soulignés ?
2. Quels liens logiques sous-entendent les points-virgules ?

Fiche 59

L'énonciation

1 Définition

L'énonciation désigne l'acte de **production** d'un énoncé par un **locuteur** dans une **situation** d'énonciation.

➠ Parler est un **acte**. Quand un individu parle, il **produit des énoncés**.
On désigne par **« énoncé » toute production langagière.** Cela ne correspond pas toujours à une phrase verbale.

Ex : *« CRÉON : C'est facile de dire non ! »*
ANTIGONE ; Pas toujours. »
(Anouilh, Antigone, *1946)*

➠ **Pour analyser l'énonciation, il faut savoir :**
- quelle est la situation d'énonciation ?
- quelles sont les traces de l'énonciation dans l'énoncé ?

➠ **Analyser la situation d'énonciation revient donc à se poser quatre questions :**
- qui prend la parole ?
- à qui s'adresse cette parole ?
- quel est le canal de communication ? (oral, écrit, verbal, non verbal, etc.)
- dans quelles circonstances spatio-temporelles l'énoncé s'ancre-t-il ? Où et quand ?

2 Les indices de l'énonciation

Le locuteur peut laisser des traces de sa présence dans son énoncé. Ce sont les **indices de l'énonciation** : déictiques et modalisateurs*.

➠ On appelle **déictiques** les termes qui ne peuvent se comprendre en dehors de la situation d'énonciation. Ce sont les pronoms personnels de première et deuxième personne, les déterminants et pronoms démonstratifs, les indications de lieux et de temps, le temps des verbes.

Ex : *« CLAUDINE : Qui, moi ? »*
GEORGE DANDIN : Oui, vous. Ne faites point tant la sucrée… »
(Molière, George Dandin, *1668, I, 6)*

Dans cet échange, le pronom personnel « moi » ne peut se comprendre que dans la situation d'énonciation.

➠ On appelle **modalisateurs** les marques que laisse le locuteur dans son énoncé. Elles expriment les sentiments et le jugement du locuteur, dans toute sa subjectivité. Cela passe par les adverbes, les verbes, les termes affectifs ou évaluatifs. (cf. fiche 60 « La modalisation »)

Ex : *Dans son célèbre article publié à la suite de la condamnation du capitaine Dreyfus dans* L'Aurore *le 13 janvier 1898, Émile Zola prend fermement position :*

« Puisqu'ils ont osé, j'oserai aussi, moi. La vérité, je la dirai, car j'ai promis de la dire, si la justice, régulièrement saisie, ne la faisait pas, pleine et entière. Mon devoir est de parler, je ne veux pas être complice. Mes nuits seraient hantées par le spectre de l'innocent qui expie là-bas, dans la plus affreuse des tortures, un crime qu'il n'a pas commis.
Et c'est à vous, Monsieur le Président, que je la crierai, cette vérité, de toute la force de ma révolte d'honnête homme. Pour votre honneur, je suis convaincu que vous l'ignorez. Et à qui donc dénoncerai-je la tourbe malfaisante des vrais coupables, si ce n'est à vous, le premier magistrat du pays ? »

Le texte de Zola est marqué par l'omniprésence de la première personne du singulier. Le destinataire, le Président de la République, est aussi très présent, notamment par le biais de la deuxième personne du pluriel. Le choix des verbes et des adjectifs concourt à marquer l'indignation et la détermination de Zola.

➠ **Pour comprendre la place du locuteur dans son énoncé, il faut analyser :**
- les pronoms personnels,
- les indices spatio-temporels,
- la modalisation.

Les réponses apportées doivent permettre de mieux comprendre l'énoncé et d'en analyser les enjeux.

3 Récit et discours

On distingue récit et discours.

➠ **Le récit :**
- est coupé de sa propre situation d'énonciation ;
- donne l'impression au lecteur de présenter une histoire qui s'écrirait d'elle-même ;
- s'écrit à la première ou à la troisième personne en fonction du point de vue narratif adopté ;
- ne présente pas de renvois à sa propre situation d'énonciation (ni pronoms personnels, ni indices spatio-temporels, ni modalisateurs).

Ex : *« Aujourd'hui, maman est morte. Ou peut-être hier, je ne sais pas. J'ai reçu un télégramme de l'asile : "Mère décédée. Enterrement demain. Sentiments distingués." Cela ne veut rien dire. C'était peut-être hier. L'asile de vieillards est à Marengo, à quatre-vingts kilomètres d'Alger. » (Albert Camus,* L'Étranger, *1942)*

Dans cet incipit, le narrateur est le héros du récit qu'il raconte. On ne connaît pas les circonstances de son énonciation, ni même ici qui il est exactement. C'est au lecteur d'en déduire les informations sur le personnage qui peuvent éclairer le titre même du roman.

➠ **Le discours :**

- est ancré dans sa situation d'énonciation ;
- se centre sur la première personne ;
- présente un ancrage clair dans une situation d'énonciation et porte des traces de modalisation.

Ex : *« En écrivant cette préface, mon but n'est pas de rechercher oiseusement si j'ai mis au théâtre une pièce bonne ou mauvaise ; il n'est plus temps pour moi ; mais d'examiner scrupuleusement, et je le dois toujours, si j'ai fait une œuvre blâmable.*
Personne n'étant tenu de faire une comédie qui ressemble aux autres, si je me suis écarté d'un chemin trop battu, pour des raisons qui m'ont paru solides, ira-t-on me juger, comme l'ont fait MM. tels, sur des règles qui ne sont pas les miennes ? Imprimer puérilement que je reporte l'art à son enfance, parce que j'entreprends de frayer un nouveau sentier à cet art dont la loi première, et peut-être la seule, est d'amuser en instruisant ? Mais ce n'est pas de cela qu'il s'agit.
Il y a souvent très loin du mal que l'on dit d'un ouvrage à celui qu'on en pense. Le trait qui nous poursuit, le mot qui importune reste enseveli dans le cœur, pendant que la bouche se venge en blâmant presque tout le reste. De sorte qu'on peut regarder comme un point établi au théâtre, qu'en fait de reproche à l'auteur, ce qui nous affecte le plus est ce dont on parle le moins. »
(Beaumarchais, préface du Mariage de Figaro, *1785)*

Le discours de Beaumarchais situe clairement la préface dans l'acte d'énonciation, après la rédaction même de la pièce qu'elle vient défendre contre les critiques. Elle utilise de nombreux modalisateurs qui mettent en évidence la capacité critique de l'auteur « oiseusement », « scrupuleusement », « puérilement » et introduisent de nombreuses nuances dans le texte « si je me suis écarté d'un chemin trop battu » ou « il y a souvent très loin du mal que l'on dit ».

4 L'énonciation du texte littéraire

Il convient d'envisager de façon particulière l'énonciation d'un texte littéraire. On peut distinguer deux niveaux d'analyse de l'énonciation :

➠ **La situation de l'écrivain à sa table de travail :** Il produit un énoncé qui prend la forme du livre que l'on a entre les mains. Cette situation d'énonciation peut être inscrite dans le texte qu'il écrit, soit par la voix du narrateur, soit directement en tant qu'auteur. Elle peut aussi être totalement gommée du texte.

Ex : *« C'est dans l'hiver de 1830 et à trois cents lieues de Paris que cette nouvelle fut écrite ; ainsi aucune allusion aux choses de 1839.*
Bien des années avant 1830, dans le temps où nos armées parcouraient l'Europe, le hasard me donna un billet de logement pour la maison d'un chanoine : c'était à Padoue, charmante ville d'Italie ; le séjour s'étant prolongé, nous devînmes amis. » (Stendhal, La Chartreuse de Parme, *1839)*

Le texte précise ici les circonstances de l'énonciation : son cadre spatio-temporel et ses limites, « hiver 1830 », « trois cents lieues de Paris », « aucune allusion aux choses de 1839 », qui se distinguent du temps même de l'action « bien des années avant 1830 ».

➠ **Les situations d'énonciation créées par le livre lui-même**, notamment entre les personnages.

Ex : *« Vers la fin de cette première semaine du mois de décembre, Rastignac reçut deux lettres, l'une de sa mère, l'autre de sa sœur aînée. [...] La lettre de sa mère était ainsi conçue.*
« Mon cher enfant, je t'envoie ce que tu m'as demandé. Fais un bon emploi de cet argent, je ne pourrais, quand il s'agirait de te sauver la vie, trouver une seconde fois une somme si considérable sans que ton père en fût instruit, ce qui troublerait l'harmonie de notre ménage.Pour nous la procurer, nous serions obligés de donner des garanties sur notre terre. Il m'est impossible de juger le mérite de projets que je ne connais pas ; mais de quelle nature sont-ils donc pour te faire craindre de me les confier ? Cette explication ne demandait pas des volumes, il ne nous faut qu'un mot à nous autres mères, et ce mot m'aurait évité les angoisses de l'incertitude. Je ne saurais te cacher l'impression douloureuse que ta lettre m'a causée. Mon cher fils, quel est donc le sentiment qui t'a contraint à jeter un tel effroi dans mon cœur ? »
(Honoré de Balzac, Le Père Goriot, *1834).*

À l'intérieur même du récit romanesque dont Rastignac est le héros se produit une autre situation d'énonciation lorsqu'il reçoit la lettre de sa mère que le lecteur semble lire en même temps qu'il la découvre.

Exercices

1 Identifier la situation d'énonciation

Objet d'étude :
Le personnage de roman du XVIIe siècle à nos jours

Lettre à Julie

1 Il faut vous fuir, mademoiselle, je le sens bien : j'aurais dû beaucoup moins attendre ; ou plutôt il fallait ne vous voir jamais. Mais que faire aujourd'hui ? Comment m'y prendre ? Vous m'avez promis de l'amitié ;
5 voyez mes perplexités, et conseillez-moi.

Vous savez que je ne suis entré dans votre maison que sur l'invitation de madame votre mère. Sachant que j'avais cultivé quelques talents agréables, elle a cru qu'ils ne seraient pas inutiles, dans un lieu dé-
10 pourvu de maîtres, à l'éducation d'une fille qu'elle adore. Fier, à mon tour, d'orner de quelques fleurs un si beau naturel, j'osai me charger de ce dangereux soin, sans en prévoir le péril, ou du moins sans le redouter. Je ne vous dirai point que je commence à payer
15 le prix de ma témérité : j'espère que je ne m'oublierai jamais jusqu'à vous tenir des discours qu'il ne vous convient pas d'entendre, et manquer au respect que je dois à vos mœurs encore plus qu'à votre naissance et à vos charmes.

Jean-Jacques Rousseau, *Julie ou la Nouvelle Héloïse*, 1761

1. Déterminez quelle est ici la situation d'énonciation : précisez l'émetteur, le destinataire, les traces d'énonciation.
2. Quels éléments du paratexte vous semblent ici faire défaut ?
3. Que pouvez-vous déduire de cette situation d'énonciation sur les relations entre les deux personnages ?

2 Analyser l'énonciation d'un discours

Objet d'étude : La question de l'Homme dans les genres de l'argumentation du XVIe siècle à nos jours.

MONSEIGNEUR[1],

1 Au moment que j'ouvre la bouche pour célébrer la gloire immortelle de LOUIS DE BOURBON, PRINCE DE CONDÉ, je me sens également confondu, et par la grandeur du sujet, et, s'il m'est permis de l'avouer, par
5 l'inutilité du travail. Quelle partie du monde habitable n'a pas ouï les victoires du prince de Condé, et les merveilles de sa vie ? On les raconte partout : le Français qui les vante n'apprend rien à l'étranger ; et, quoi que je puisse aujourd'hui vous en rapporter, toujours pré-
10 venu par vos pensées j'aurai encore à répondre au secret reproche que vous me ferez d'être demeuré beaucoup au-dessous.

Bossuet, « Oraison funèbre de Louis de Bourbon, prince de Condé », 1687

1. MONSEIGNEUR : il s'agit de Henri-Jules, fils du prince de Condé.

1. Identifiez la situation d'énonciation : qui prononce le discours ? À qui s'adresse-t-il ?
2. Quel contexte permet de comprendre ce discours ?
3. Étudiez la modalisation : quel sentiment l'orateur exprime-t-il ? Justifiez votre réponse.

3 Identifier la singularité d'une situation d'énonciation

Objet d'étude : Le personnage de roman du XVIIe siècle à nos jours

1 Allô, allô, allô..........................Mais non, Madame, nous sommes plusieurs sur la ligne, raccrochez.......... Allô............ Vous êtes avec une abonnée............. Oh !.......... Allô !..................... Mais, Madame, rac-
5 crochez vous-même.............. Allô, Mademoiselle, allô........... Laissez-nous....................... Mais non, ce n'est pas le docteur Schmit........... Zéro huit, pas zéro sept.................... allô !........................... c'est ridicule........................... On me demande ; je ne sais
10 pas. (Elle raccroche, la main sur le récepteur. On sonne.)............ Allô !........... Mais, Madame, que voulez-vous que j'y fasse ?................ Vous êtes très désagréable................. Comment, ma faute.................... pas du tout................ pas du tout................. Allô !................
15 allô, Mademoiselle............. On me sonne et je ne peux pas parler. Il y a du monde sur la ligne. Dites à cette dame de se retirer. (Elle raccroche. On sonne) [...] Ah ! enfin.......... c'est toi............... Oui............... très bien.............. allô !....... oui........... C'était un vrai sup-
20 plice de t'entendre à travers tout ce monde.............

Jean Cocteau, *La Voix humaine*,
© Stock 1930, 1983, 1993, 1994, 1997, 2002

1. Pourquoi la retranscription de ce discours est-elle originale ?
2. À combien d'interlocuteurs le personnage s'adresse-t-il ?

4 Distinguer récit et discours

Objet d'étude : La question de l'Homme dans les genres de l'argumentation du XVIe siècle à nos jours.

« La Grenouille qui veut se faire aussi grosse que le Bœuf »

1 Une Grenouille vit un Bœuf
Qui lui sembla de belle taille.
Elle qui n'était pas grosse en tout comme un œuf,
Envieuse, s'étend, et s'enfle, et se travaille,
5 Pour égaler l'animal en grosseur,
Disant : « Regardez bien, ma sœur,
Est-ce assez ? dites-moi ; n'y suis-je point encore ?
- Nenni. - M'y voici donc ? - Point du tout. - M'y voilà ?
- Vous n'en approchez point. » La chétive pécore
10 S'enfla si bien qu'elle creva.
Le monde est plein de gens qui ne sont pas plus sages :
Tout bourgeois veut bâtir comme les grands Seigneurs,
Tout petit Prince a des Ambassadeurs,
Tout Marquis veut avoir des Pages.

Jean de La Fontaine, *Fables*, 1668

1. En vous appuyant sur des indices précis, repérez les passages de discours et de récit.
2. Indiquez l'identité des interlocuteurs pour le discours.

5 Analyser l'énonciation du texte littéraire

Objet d'étude : La question de l'Homme dans les genres de l'argumentation du XVIe siècle à nos jours.

1 CAPUCHON, *s. m.*, (*Hist. Ecclés.*), espèce de vêtement à l'usage des Bernardins, des Bénédictins, etc. Il y a deux sortes de *capuchons* ; l'un blanc, fort ample, que l'on porte dans les occasions de cérémonie : l'autre 5 noir, qui est une partie de l'habit ordinaire. [...]

Capuchon, se dit plus communément d'une pièce d'étoffe grossière, taillée et cousue en cône, ou arrondie par le bout, dont les Capucins, les Récollets, les Cordeliers, et d'autres religieux mendiants, se cou10 vrent la tête. Le *capuchon* fut autrefois l'occasion d'une grande guerre entre les Cordeliers. L'ordre fut divisé en deux factions, les frères spirituels, et les frères de communauté. Les uns voulaient le *capuchon* étroit, les autres le voulaient large. La dispute dura plus d'un 15 siècle avec beaucoup de chaleur et d'animosité, et fut à peine terminée par les bulles de quatre papes, Nicolas IV, Clément V, Jean XXIII et Benoît XII.

Denis Diderot, *Encyclopédie*, 1751-1772

1. En vous appuyant sur le paratexte, expliquez à quel genre le texte correspond.
2. Caractérisez l'énonciation du texte.

6 Analyser l'énonciation du texte littéraire

Objet d'étude : Le personnage de roman, du XVIIe siècle à nos jours

1 Dans la plaine rase, sous la nuit sans étoiles, d'une obscurité et d'une épaisseur d'encre, un homme suivait seul la grande route de Marchiennes à Montsou, dix kilomètres de pavé coupant tout droit, à travers les 5 champs de betteraves. Devant lui, il ne voyait même pas le sol noir, et il n'avait la sensation de l'immense horizon plat que par les souffles du vent de mars, des rafales larges comme sur une mer, glacées d'avoir balayé des lieues de marais et de terres nues. Aucune 10 ombre d'arbre ne tachait le ciel, le pavé se déroulait avec la rectitude d'une jetée, au milieu de l'embrun aveuglant des ténèbres.

L'homme était parti de Marchiennes vers deux heures. Il marchait d'un pas allongé, grelottant sous le 15 coton aminci de sa veste et de son pantalon de velours. Un petit paquet, noué dans un mouchoir à carreaux, le gênait beaucoup ; et il le serrait contre ses flancs, tantôt d'un coude, tantôt de l'autre, pour glisser au fond de ses poches les deux mains à la fois, des mains gourdes 20 que les lanières du vent d'est faisaient saigner. Une seule idée occupait sa tête vide d'ouvrier sans travail et sans gîte, l'espoir que le froid serait moins vif après le lever du jour.

Émile Zola, *Germinal*, 1885

➜ En vous appuyant sur l'analyse de l'énonciation, montrez qu'il s'agit d'un récit.

7 Analyser la présence du destinataire dans le texte littéraire

Objet d'étude : Le personnage de roman, du XVIIe siècle à nos jours

Cet extrait est le début du roman.

1 Comment s'étaient-ils rencontrés ? Par hasard, comme tout le monde. Comment s'appelaient-ils ? Que vous importe ? D'où venaient-ils ? Du lieu le plus prochain. Où allaient-ils ? Est-ce que l'on sait où l'on 5 va ? Que disaient-ils ? Le maître ne disait rien ; et Jacques disait que son capitaine disait que tout ce qui nous arrive de bien et de mal ici-bas était écrit là-haut.

LE MAÎTRE : C'est un grand mot que cela.

10 JACQUES : Mon capitaine ajoutait que chaque balle qui partait d'un fusil avait son billet.

LE MAÎTRE : Et il avait raison... Après une courte pause, Jacques s'écria : Que le diable emporte le cabaretier et son cabaret !

15 LE MAÎTRE : Pourquoi donner au diable son prochain ? Cela n'est pas chrétien.

JACQUES : C'est que, tandis que je m'enivre de son mauvais vin, j'oublie de mener nos chevaux à l'abreuvoir. Mon père s'en aperçoit ; il se fâche. Je 20 hoche de la tête ; il prend un bâton et m'en frotte un peu durement les épaules.

Denis Diderot, *Jacques le fataliste et son maître*, 1796.

1. Analysez la situation d'énonciation dans le premier paragraphe : qui parle ? À qui ? De qui est-il question ?
2. Analysez la situation d'énonciation mise en place dans le dialogue. En quoi le paratexte permet-il de la comprendre ?

8 Étudier l'énonciation dans un texte littéraire

Objet d'étude : Le personnage de roman, du XVIIe siècle à nos jours

1 Le médecin me dit : « Il a de terribles accès de fureur, c'est un des déments les plus singuliers que j'ai vus. Il est atteint de folie érotique et macabre. C'est une sorte de nécrophile. Il a d'ailleurs écrit son journal qui nous 5 montre le plus clairement du monde la maladie de son esprit. Sa folie y est pour ainsi dire palpable. Si cela vous intéresse vous pouvez parcourir ce document. » Je suivis le docteur dans son cabinet, et il me remit le journal de ce misérable homme. « Lisez, dit-il, et vous 10 me direz votre avis. »

Voici ce que contenait ce cahier :

Guy de Maupassant, *La Chevelure*, 1884

1. Pourquoi peut-on parler ici d'une double situation d'énonciation ? Justifiez votre réponse.
2. Quelles informations cet *incipit* nous donne-t-il pour comprendre la suite ? Comment peut-il influencer le lecteur ?

La modalisation

Les énoncés portent la marque de l'émetteur qui les produit. Il y inscrit toute sa subjectivité, ce qu'il ressent comme ce qu'il pense. **La modalisation*** consiste précisément pour lui à préciser sa propre position à l'intérieur de son énoncé. Il peut le marquer de sa certitude comme de ses doutes, le présenter comme probable ou souhaitable…
On appelle **modalisateurs*** les mots qui expriment la modalisation. Leur nature et leur fonction peuvent être très variables.

1 Le vrai/le probable/ l'hypothèse

La modalisation permet de montrer jusqu'à quel point l'énoncé est considéré comme vrai ou probable.

➠ **Les modalisateurs :** des adjectifs, des verbes, des adverbes ou compléments circonstanciels. Par exemple, certain, possible, faux/savoir, penser, paraître, mentir/vraiment, en fait.
Les modes verbaux donnent aussi des indications

Ex : *« Sais-tu s'il sera là ? Je doute qu'il puisse venir. »*
L'emploi du subjonctif dans la deuxième phrase (il puisse) indique ici que l'énonciateur reste dans les suppositions. La ponctuation avec les guillemets et les italiques est significative.
« Cet homme est un véritable "Père Goriot", toujours dévoué à sa famille. »
Les guillemets signifient que l'homme est comparé au héros de Balzac dont le dévouement pour ses filles le conduit à la misère et à la mort. Seul le lecteur du roman peut comprendre cette modalisation. Cette modalisation de la vérité se retrouve dans les textes argumentatifs pour soutenir ou attaquer une thèse.

2 L'affectif

La modalisation peut être d'ordre affectif.

➠ **Les modalisateurs :** les termes qui expriment une émotion (adjectifs, noms, verbes). Par exemple, pathétique, drôle, haine, émotion, détester, aimer.

Ex : *« Quand je vois cette détresse, le pathétique de la situation me touche brutalement et la haine m'habite contre ceux qui en sont responsables. »*
Cette modalisation de l'affectif se retrouve dans les registres pathétique, polémique, lyrique ou tragique.

3 L'appréciation

L'action peut être appréciée ou évaluée.

➠ **Des jugements de valeur** sont portés sur la qualité, sur la valeur morale ou esthétique. Par exemple, grand/petit, bon, méchant, intelligent, beau, laid.
Ex : *On peut être beau à l'extérieur, mais laid en soi-même.*

➠ **Les modalisateurs :** des adjectifs de mesure, des adjectifs ou noms péjoratifs ou mélioratifs et des adverbes de quantité, des adverbes d'intensité. Par exemple, petit, froid/ lâche, génie/trop, pas assez/ combien, quel.
Ex : *« Combien de temps faudra-t-il supporter cette situation ? N'ai-je pas déjà souffert ? Quel malheur ! »*
Cette modalisation de l'appréciation est particulièrement utilisée dans l'éloge et le blâme.

➠ **Les figures de style**
L'ironie pour prendre ses distances avec l'énoncé
Ex : *C'est malin ! (= c'est idiot !)*

L'hyperbole qui marque l'exagération dans le choix des mots.
Ex : *Il fait un vent à décorner les bœufs ! (= il vente beaucoup)*

La litote à travers une expression qui suggère beaucoup plus que ce qu'elle dit réellement.
Ex : *Je n'ai rien contre une petite promenade (= je veux aller me promener)*

4 La nécessité et la volonté

L'action peut être présentée comme voulue, obligatoire, permise ou nécessaire.

➠ **Les modalisateurs :** des adjectifs, des verbes comme par exemple obligatoire, nécessaire, permis, vouloir, désirer, falloir.

Ex : *« Il est nécessaire de t'y mettre. Il faut travailler régulièrement pour progresser. »*
Les modes impératif et subjonctif expriment aussi cette valeur.
« Puisse-t-il venir ! »

Par la modalisation, le locuteur peut s'engager ou se désengager de son discours, ajuster ses propos et les nuancer. Le destinataire doit être capable de décoder ces indices de la modalisation pour comprendre sans erreur les propos du locuteur.

Exercices

1 Analysez la modalisation d'un texte et ses effets sur le destinataire

Objet d'étude :
Le personnage de roman, du XVIIe siècle à nos jours

Dans les années 1920, le narrateur se trouve sur un bateau avec d'autres Européens en route vers l'Afrique.

1 Ça n'a pas traîné. Dans cette stabilité désespérante de chaleur, tout le contenu humain du navire s'est coagulé dans une massive ivrognerie. On se mouvait mollement entre les ponts, comme des poulpes au fond
5 d'une baignoire d'eau fadasse. C'est depuis ce moment que nous vîmes à fleur de peau venir s'étaler l'angoissante nature des blancs, provoquée, libérée, bien débraillée enfin, leur vraie nature, tout comme à la guerre. Étuve tropicale pour instincts tels crapauds et
10 vipères qui viennent enfin s'épanouir au mois d'août sur les flancs fissurés des prisons.

Louis-Ferdinand Céline, *Voyage au bout de la nuit*,

→ Quel jugement le narrateur porte-t-il ici et sur quel sujet ? À travers quelles marques de modalisation ?

2 Conforter le repérage d'une thèse en s'appuyant sur la modalisation

Objet d'étude : Le texte théâtral et sa représentation du XVIIe siècle à nos jours

1 DOM JUAN : Quoi ! Tu veux qu'on se lie à demeurer au premier objet qui nous prend, qu'on renonce au monde pour lui, et qu'on ait plus d'yeux pour personne ? La belle chose que de vouloir se piquer
5 d'un faux honneur d'être fidèle, de s'ensevelir pour toujours dans une passion, et d'être mort dès sa jeunesse à toutes les autres beautés qui nous peuvent frapper les yeux ! Non, non, la constance n'est bonne que pour les ridicules.

Molière, *Dom Juan*, 1665, acte II, scène 1

→ Quelle est ici la thèse de Dom Juan ? Quels modalisateurs viennent la conforter ?

3 Expliciter le rôle des modalisateurs dans le registre lyrique

Objet d'étude : Écriture poétique et quête de sens, du Moyen Âge à nos jours

1 Ayant poussé la porte qui chancelle,
Je me suis promené dans le petit jardin
Qu'éclairait doucement le soleil du matin,
Pailletant chaque fleur d'une humide étincelle.

5 Rien n'a changé. J'ai tout revu : l'humble tonnelle
De vigne folle avec les chaises de rotin...
Le jet d'eau fait toujours son murmure argentin
Et le vieux tremble[1] sa plainte sempiternelle.

Les roses comme avant palpitent ; comme avant,
10 Les grands lys orgueilleux se balancent au vent.
Chaque alouette qui va et vient m'est connue.

Même j'ai retrouvé debout la Velléda[2]
Dont le plâtre s'écaille au bout de l'avenue,
- Grêle, parmi l'odeur fade du réséda.

Paul Verlaine, *Poèmes saturniens*, 1866

1. Sorte de peuplier.
2. Prêtresse gauloise

→ Quel sentiment ce poème fait-il naître en vous ? Justifiez avec les modalisateurs.

4 Étudier les modalisations de l'appréciation

Objet d'étude : La question de l'Homme dans les genres de l'argumentation du XVIe siècle à nos jours.

1 Ô Racine ! Il y a longtemps que ton éloge était dans mon cœur. C'est une admiration vraie et sentie qui m'amène après tant d'autres, non pas aux pieds de ta statue (car tu n'en as pas encore), mais sur ta tombe
5 où j'ose apporter à tes cendres des hommages qu'une autre main peut-être devrait te les présenter [...] Ô Racine ! Un homme tel que toi ne pouvait être formé que par la nature ; ton excellente organisation fut entièrement son ouvrage, et portait un caractère original,
10 indépendant de toute organisation.

Jean-François de La Harpe, *Éloge de Racine*, 1772

→ Analysez l'image que l'auteur donne du dramaturge : la visée du texte et ses modalisations.

5 Identifier les procédés de l'ironie pour comprendre les effets de distanciation

Objet d'étude : Le personnage de roman, du XVIIe siècle à nos jours

Candide, jeune héros d'un conte philosophique, est né dans un château allemand. Le texte commence par la présentation de ses habitants

1 Monsieur le baron était un des plus puissants seigneurs de Westphalie, car son château avait une porte et des fenêtres. Sa grande salle même était ornée d'une tapisserie. Tous les chiens de ses basses-cours com-
5 posaient une meute dans le besoin ; ses palefreniers étaient ses piqueurs, le vicaire du village était son grand aumônier. Ils l'appelaient tous Monseigneur, et ils riaient quand il faisait des contes.
Madame la baronne, qui pesait environ trois cent
10 cinquante livres, s'attirait par là une très grande considération, et faisait les honneurs de la maison avec une dignité qui la rendait encore plus respectable.

Voltaire, *Candide*, 1759

→ Quelle image le texte donne-t-il de la noblesse ? Appuyez-vous sur les procédés de l'ironie.

Fiche 61

La syntaxe de la phrase

La phrase, constituée d'une succession de mots qui ont du sens, est souvent formée au moins de deux constituants obligatoires : un groupe nominal (GN) et un groupe verbal (GV). Mais il existe aussi des phrases nominales.

1 Proposition et phrase complexe

➡ **La proposition** est constituée uniquement d'un groupe nominal et d'un groupe verbal. Si elle ne dépend d'aucune autre proposition et n'en a aucune sous sa dépendance, on parle de **proposition indépendante.** Si elle dépend d'une autre proposition, elle devient une **proposition subordonnée** d'une proposition principale.

Ex : *Le soleil se lève.* (proposition indépendante) *L'air est si bon* (proposition principale) *que je ne peux m'empêcher de penser aux vacances.* (proposition subordonnée)

➡ **La phrase complexe* :** Si la phrase est constituée de plusieurs propositions, reliées entre elles par juxtaposition, coordination ou subordination, on parle de phrase complexe.

Ex : *Entrez !* (proposition 1) *Eh bien, entrez,* (proposition 2) *si vous le désirez !* (proposition 3)

Trois propositions composent cette phrase complexe dont la dernière ne peut exister seule : « si vous le désirez » ne peut constituer une proposition indépendante.

2 La construction de la phrase complexe

La phrase complexe est constituée de plusieurs propositions. Leur relation varie selon le lien que l'on veut établir entre elles.

➡ **La juxtaposition* :** les propositions peuvent être placées l'une à côté de l'autre et séparées par une simple virgule, c'est la juxtaposition.

Ex : *Le train s'arrête, je me réveille.*

La juxtaposition indique ici la simultanéité du réveil et de l'arrêt du train.

➡ **La coordination* :** les propositions peuvent être reliées entre elles par une conjonction de coordination (mais, ou, et, donc, or, ni, car) ou par des locutions conjonctives (ni... ni..., soit... soit..., d'une part... d'autre part...). La coordination exprime des rapports variés d'addition, de cause, de conséquence...

Ex : *Ou tu te mets au travail, ou tu te condamnes à redoubler.*

L'emploi de la conjonction « ou » répétée en tête de proposition permet de présenter une alternative radicale : la réussite ou l'échec lié aux efforts du destinataire.

➡ **La subordination* :** Lorsqu'une proposition ne peut exister de façon autonome, on dit qu'elle est dépendante.

Ex : *Quand le train s'arrêta, je me réveillai. (Ici la proposition introduite par « quand » ne peut exister seule sous cette forme : elle est dépendante de la proposition « je me réveillai ».)*

La subordination hiérarchise les informations et explicite les relations entre les différentes actions de la phrase.

Ex : *Le train s'arrêta si bien que je me réveillai. (C'est l'action de la première proposition qui entraîne la deuxième dans un rapport de conséquence.)*

3 Les subordonnées

On distingue trois sortes de subordonnées

➡ **La subordonnée relative :** elle est une expansion du nom ou du GN qu'elle complète comme l'adjectif qualificatif. Elle est introduite par un pronom relatif (qui, que, quoi, dont, où, lequel...).

Ex : *L'orateur se lança dans un discours qui passionna chacun. (« qui passionna chacun » est une proposition relative complément du nom « discours ».)*

➡ **La subordonnée complément essentiel :** elle est complément du verbe de la principale. Elle peut être une subordonnée conjonctive introduite par la conjonction « que ».

Ex : *Il affirme que ce roman ne vaut rien. (« que ce roman ne vaut rien » est le COD du verbe « affirma ». On ne peut supprimer cette subordonnée sans perdre le sens de la phrase.)*

La subordonnée complément essentiel peut être aussi une subordonnée interrogative indirecte.

Ex : *Je me demande qui viendra à la fête. (« qui viendra à la fête » est COD du verbe « demande ». Sa suppression est impossible, sinon la phrase n'aurait pas de sens.)*

➡ **La subordonnée complément circonstanciel :** elle exprime les valeurs circonstancielles : le temps, la cause, la conséquence, la concession, la comparaison, la condition, le but.

Ex : *Dès qu'il fut entré dans la pièce, il comprit qu'il avait été trompé. (« Dès qu'il fut entré dans la pièce » est complément circonstanciel de temps. On peut le supprimer sans changer le sens général de la phrase. Ce n'est pas le cas de « qu'il avait été trompé » dont la disparition entraîne la perte de sens de la phrase.)*

Exercices

1 Identifier la phrase complexe

Objet d'étude : Le personnage de roman, du XVIIe siècle à nos jours

Jacques, le héros du texte, se promène la nuit le long d'une voie ferrée

1 Jacques vit d'abord la gueule noire du tunnel s'éclairer, ainsi que la bouche d'un four, où des fagots s'embrasent. Puis, dans le fracas qu'elle apportait, ce fut la machine qui en jaillit, avec l'éblouissement de son
5 gros œil rond, la lanterne d'avant, dont l'incendie troua la campagne, allumant au loin les rails de ligne de flammes. Mais c'était une apparition en coup de foudre ; tout de suite les wagons se succédèrent, les petites vitres carrées des portières, violemment éclai-
10 rées, firent défiler les compartiments pleins de voyageurs, dans un tel vertige de vitesse, que l'œil doutait ensuite des images entrevues.

Émile Zola, *La Bête humaine*, 1890

➜ Repérez et identifiez les phrases complexes dans ce texte.

2 Distinguer coordination et subordination

Objet d'étude : Le personnage de roman, du XVIIe siècle à nos jours

1 L'être que j'appelle moi vint au monde un certain lundi 8 juin 1903, vers huit heures du matin, à Bruxelles, et naissait d'une Française appartenant à une vieille famille du Nord et d'un Belge dont les as-
5 cendants avaient été durant quelques siècles établis à Liège, puis s'étaient fixés dans le Hainaut. La maison, où se passait cet événement, puisque toute naissance en est un pour le père et la mère et quelques autres personnes qui leur tiennent de près, se trouvait située
10 au numéro 193 de l'avenue Louise, et a disparu il y a une quinzaine d'années, dévorée par un building.

Marguerite Yourcenar, *Souvenirs pieux*,

➜ Distinguez les subordonnées coordonnées et les propositions subordonnées : par quel mot sont-elles introduites ?

3 Analyser la valeur de la coordination

a. Le vent souffle et le roseau plie.
b. Viens nous voir demain ou passe au moins après-demain.
c. Il a plié, mais il a résisté.
d. Il pleut et il vente.
e. D'accord, mais je demande à vérifier !
f. Je plie et je ne romps pas.
g. Ou tu travailles ou tu ne réussiras pas ton passage.

➜ Quel est le rapport exprimé par les conjonctions « et », « mais » et « ou » dans ces phrases ?

4 Identifier et étudier la construction des propositions subordonnées

Objet d'étude : Le personnage de roman, du XVIIe siècle à nos jours

1 C'est ainsi que, tous les samedis, comme Françoise allait dans l'après-midi au marché de Rousseausainville-le-Pin, le déjeuner était, pour tout le monde, une heure plus tôt. Et ma tante avait si bien pris l'habitude
5 de cette dérogation hebdomadaire à ses habitudes, qu'elle tenait à cette habitude-là autant qu'aux autres. Elle y était si bien « routinée », comme disait Françoise, que s'il lui avait fallu, un samedi attendre pour déjeuner l'heure habituelle, cela l'eût autant « déran-
10 gée » que si elle avait dû, un autre jour, avancer son déjeuner à l'heure du samedi. Cette avance du déjeuner donnait d'ailleurs au samedi, pour nous tous, une figure particulière, indulgente, et assez sympathique. Au moment où d'habitude on a encore une heure à
15 vivre avant la détente du repas, on savait que, dans quelques secondes, on allait voir arriver des endives précoces, une omelette de faveur, un bifteck immérité.

Marcel Proust, *Du côté de chez Swann*, 1913

➜ Relevez dans ce texte les différentes propositions subordonnées et précisez leur nature et leur rôle dans la phrase.

5 Manipuler la subordination

a. Je te revois demain (but)
b. Je pourrais l'avertir (hypothèse)
c. Je te crois (cause)
d. Je le rencontre tous les jours (temps)
e. Il est parti en courant (comparaison)
f. Tous les matins, il fait son marché (concession)

➜ Complétez ces phrases en employant une proposition subordonnée circonstancielle de sens indiqué.

6 Interpréter le rôle de la subordination dans un texte littéraire

Objet d'étude : La question de l'Homme dans les genres de l'argumentation du XVIe siècle à nos jours.

1 On croit, par la douceur de la flatterie, avoir trouvé le moyen de rendre la vie délicieuse. Un homme simple qui n'a que la vérité à dire est regardé comme le perturbateur du plaisir public. On le fuit, parce qu'il
5 ne plaît point ; on fuit la vérité qu'il annonce, parce qu'elle est amère ; on fuit la sincérité dont il fait profession parce qu'elle ne porte que des fruits sauvages ; on la redoute, parce qu'elle humilie, parce qu'elle révolte l'orgueil, qui est la plus chère des passions, parce
10 qu'elle est un peintre fidèle, qui nous fait voir aussi difformes que nous le sommes.

Montesquieu, *Éloge de la sincérité*, 1717

➜ Relevez les propositions subordonnées du texte et donnez leur nature : que remarquez-vous sur leur emploi ?

Fiche 62

Organisation et cohérence textuelles

Le texte n'est pas seulement une succession de phrases. Chacune participe à son organisation générale pour faire progresser le texte et lui donner sa cohésion. Chaque phrase apporte en effet des éléments nouveaux, tout en s'appuyant sur les éléments précédents. Cet enchaînement obéit à des règles de cohérence.

1 L'organisation non linguistique du texte

Les parties du texte sont marquées par des procédés visuels qui aident à mieux comprendre son organisation générale :

➡ **La mise en page** se fait à l'aide des paragraphes, des espacements, des alignements, des tableaux et des schémas.

➡ **La typographie** : l'emploi de polices différentes (taille, italique), de la mise en relief par les soulignés, les capitales ou le gras, l'intégration de flèches aident à mettre en valeur les éléments les plus importants dans l'organisation du texte.

➡ **La hiérarchisation** : le plan d'un texte peut être signalé et mis en valeur par l'emploi d'une numérotation des parties et des sous-parties.
Ces procédés de structuration sont particulièrement utilisés dans les textes explicatifs.

2 Les connecteurs

Les connecteurs structurent le texte. Ces outils lexicaux (conjonctions ou adverbes) établissent un lien entre les mots, les propositions, les phrases et les paragraphes. Ils indiquent la progression temporelle ou logique du texte.

➡ **Les connecteurs temporels** expriment un rapport de temps : simultanéité, antériorité, postériorité, succession, rupture :
Ex : *En même temps, cependant/alors, jadis/ensuite/premièrement, deuxièmement/soudain, tout à coup.*

➡ **Les connecteurs logiques** expriment un rapport de logique : addition, alternative, cause, conséquence, opposition, concession :
Ex : *En outre, par ailleurs/soit... soit, ou... ou/car, en effet/donc, c'est pourquoi/mais, or, toutefois.*

3 La reprise

Un élément déjà présent peut être repris.

➡ **Les modalités de la reprise :** l'élément peut être repris tel qu'il est déjà présent ou être remplacé par un pronom, ou par un synonyme.
Ex : *Une ville/la ville/cette ville/elle/l'agglomération/capitale.*

Une proposition peut être elle aussi remplacée par un substitut lexical.
Ex : *Il n'avait pas appris sa leçon : cet oubli lui valut une mauvaise note au contrôle.*

➡ **La valeur des reprises :** les reprises peuvent avoir une valeur argumentative pour faire passer un jugement de valeur.
Ex : *« Arrias a tout lu, a tout vu, il veut le persuader ainsi ; c'est un homme universel, et il se donne pour tel : il aime mieux mentir que de se taire ou de paraître ignorer quelque chose. » (La Bruyère,* Les Caractères*)*

Le nom propre Arrias est repris ici par « un homme universel »(celui qui sait tout), mais loin d'être un compliment l'expression est satirique et dénonce la pédanterie du personnage.

Les reprises sont particulièrement significatives, quand elles constituent un réseau lexical du texte.

4 La progression thématique

La progression des phrases se fait à partir de son sujet (le thème) ou des nouveaux éléments qu'elle contient déjà (le propos).

➡ **La reprise du même thème :** souvent centré sur un seul personnage (son portrait par exemple).
Ex : *« Il possédait une de ces figures dont rêvent les femmes et sont désagréables à tous les hommes. Ses cheveux noirs et frisés, son front lisse et uni. » (Maupassant,* Une Vie, *1883)*

➡ **La progression de propos en propos :** chaque phrase apporte de nouvelles informations qui sont elles-mêmes enrichies dans la phrase suivante.
Ex : *« L'esprit philosophique est donc un esprit d'observation et de justesse, qui rapporte tout à ses véritables principes ; mais ce n'est pas l'esprit seul que le philosophe cultive, il porte plus loin son attention et ses soins. » (Dumarsais,* L'Encyclopédie, *« Philosophe »)*

➡ **La rupture de la progression :** le texte change de sujet, le thème n'est donc plus le même.

Exercices

1 Identifier les liens logiques

a. Je m'inquiète pour toi, tu ne donnes aucune nouvelle.
b. Il est tombé dans l'escalier, on a dû le conduire à l'hôpital.
c. Le début est un peu long, ce film est palpitant
d. Mon grand-père est très âgé, il est toujours alerte.
e. J'ai adoré ce roman, j'ai emprunté toutes les autres œuvres de l'auteur.
f. Il a beaucoup plu, la saison touristique n'est pas bonne.

➜ Quel est le lien logique qui unit les phrases suivantes ? Récrivez-les en intégrant un connecteur.

2 Comprendre le rôle des connecteurs dans la cohérence du texte

Objet d'étude : La question de l'Homme dans les genres de l'argumentation du XVIe siècle à nos jours.

1 • ce n'est pas qu'on y désapprouve les spectacles en eux-mêmes
• les représentations théâtrales formeraient le goût des citoyens et leur donneraient la finesse de tact, une
5 délicatesse de sentiment qu'il est très difficile d'acquérir sans ce secours.
• cependant ne serait-il pas possible de remédier à cet inconvénient, par des lois sévères et bien exécutées sur la conduite des comédiens,
10 • on ne souffre point à Genève de comédie.
• par ce moyen, Genève aurait des spectacles et des mœurs et jouirait des avantages des uns et des autres ;
• mais on craint, dit-on, le goût de parure, de dissipation et de libertinage, que les troupes de comédiens
15 répandent parmi la jeunesse.

D'Alembert, *L'Encyclopédie*, 1751-1772, « Genève »

➜ Retrouvez l'ordre de ces phrases de manière à retrouver le paragraphe qu'elles constituaient à l'origine. Aidez-vous des liens logiques.

3 Étudier les effets produits par les liens logiques

Objet d'étude : La question de l'Homme dans les genres de l'argumentation du XVIe siècle à nos jours.

1 Il me paraît presque démontré que les bêtes ne peuvent être de simples machines. Voici ma preuve : Dieu leur a fait précisément les mêmes organes de sentiment que les nôtres ; donc, s'ils ne sentent point,
5 Dieu a fait un ouvrage inutile. Or, Dieu de votre aveu même, ne fait rien en vain ; donc il n'a point fabriqué tant d'organes de sentiment pour qu'il n'y eût point de sentiments ; donc les bêtes ne sont point de pures machines.

Voltaire, *Lettres philosophiques*, 1734.

➜ Repérez les liens logiques de l'extrait et retrouvez l'argumentation de Voltaire ? Êtes-vous convaincu(e) par cette démonstration ?

4 Étudier les reprises dans un texte

Objet d'étude : La question de l'Homme dans les genres de l'argumentation du XVIe siècle à nos jours.

En 1851, l'économiste Blanqui invite les députés à visiter les caves de Lille où les ouvriers vivent et travaillent dans des conditions misérables. Cette visite inspire à Victor Hugo les lignes suivantes :

1 Et au milieu de tout cela le travail sans relâche, le travail acharné, pas assez d'heures de sommeil, le travail de l'homme, le travail de la femme, le travail de l'âge mûr, le travail de la vieillesse, le travail de l'en-
5 fance, le travail de l'infirme, et souvent pas de pain et souvent pas de feu, et cette femme aveugle, entre ses deux enfants dont l'un est mort et l'autre va mourir, et ce filetier phtisique agonisant, et cette mère épileptique qui a trois enfants et qui gagne trois sous par
10 jour !

Victor Hugo, Discours à l'Assemblée, 1851

➜ Vous relèverez et analyserez les reprises du paragraphe : pourquoi l'auteur a-t-il choisi un tel type de reprise ?

5 Analyser la progression thématique dans un portrait

Objet d'étude : Le personnage de roman, du XVIIe siècle à nos jours

1 Bientôt la veuve se montre, attifée de son bonnet de tulle sous lequel pend un tour de faux cheveux mal mis; elle marche en traînassant ses pantoufles grimacées. Sa face vieillotte, grassouillette, du milieu de laquelle
5 sort un nez à bec-de-perroquet ; ses petites mains potelées, sa personne dodue comme un rat d'église, son corsage trop plein et qui flotte, sont en harmonie avec cette salle où suinte le malheur, où s'est blottie la spéculation et dont Madame Vauquer respire l'air chau-
10 dement fétide sans en être écœurée. Sa figure fraîche comme une première gelée d'automne, ses yeux ridés, dont l'expression passe du sourire prescrit aux danseuses à l'amer renfrognement de l'escompteur, enfin toute sa personne explique la pension, comme la pen-
15 sion implique sa personne.

Honoré de Balzac, *Le Père Goriot*, 1835

➜ Vous étudierez la progression du portrait de la veuve Vauquer : quelle impression s'en dégage ?

Repères historiques
Le Moyen Âge et le XVIe siècle

Les seize siècles qui s'échelonnent du Moyen Âge au XVIe siècle voient la France passer de l'Antiquité aux Temps modernes. Cette évolution ne se fait pas sans heurts ni crises.

Le Moyen Âge

Le Moyen Âge couvre dix siècles, du Ve au XVe siècle, de la chute de l'Empire romain d'occident (472) à la Renaissance (1453).

Des Mérovingiens aux Capétiens

Mérovingiens et Carolingiens

Les deux premières dynasties amorcent la construction de l'État, progressivement unifié par l'autorité royale. Sous les **Mérovingiens** (480-751) apparaît l'idée d'unité territoriale, dont les frontières fluctuent au gré des crises dynastiques. Les **Carolingiens** (751-987) sont des rois élus par leurs pairs, dont la souveraineté est renforcée et légitimée par la cérémonie du sacre, leur conférant un pouvoir de droit divin. Toutefois, les « grands » du royaume gardent toute autorité sur leurs terres.

Les Capétiens

Avec les **Capétiens**, la royauté devient héréditaire. L'autorité du souverain se limite au domaine royal, les seigneurs exerçant le pouvoir sur leurs fiefs, dans le cadre de la féodalité.

Du XIe au XIIIe siècle, la France vit une période d'essor : expansion démographique, développement des villes, mutations sociales et économiques. La puissance royale s'étend et s'affermit ce qui favorise l'émergence d'une **culture profane en langue vulgaire**. La féodalité reposant sur des liens de vassalité, au sommet desquels se trouve le roi, organise des relations sociales stables. Les huit croisades, menées pour délivrer la Terre sainte des Infidèles (1096-1270), offrent aux chevaliers une occasion idéale de vivre leur foi et de mener une extraordinaire aventure.

Le règne de **Louis IX** (**Saint Louis**) est un moment privilégié de justice, de paix et de spiritualité chrétienne. La **guerre de Cent Ans** (1337-1453) assombrit la période suivante. Elle naît d'un conflit à la fois territorial et successoral. L'Angleterre, déjà maîtresse de la Guyenne et de la Normandie, revendique la couronne de France. Le conflit, d'abord favorable aux Anglais, voit l'intervention de Jeanne d'Arc faire basculer la victoire dans le camp français. Le royaume est libéré de l'occupation anglaise.

Louis XI (1461-1483) assure définitivement l'**unité du royaume** : un État est né.

Le monde médiéval

- **La société**, organisée en **trois ordres** – ceux qui prient, ceux qui se battent et ceux qui travaillent –, est essentiellement rurale. La vie des paysans est difficile : guerres, pestes et famines se succèdent. Les villes se développent et les bourgeois, réunis en confréries, obtiennent des privilèges économiques et sociaux.

- **Le système féodal** repose sur les liens d'obligation unissant un vassal à son suzerain : le vassal doit obéissance et service, tandis que le suzerain assure protection et moyens d'existence. Chaque suzerain est lui-même vassal d'un seigneur plus puissant jusqu'au roi, au sommet de cet ordre social.

- À partir du XIIe siècle, **la courtoisie** codifie les comportements sociaux et transforme les relations entre hommes et femmes. Elle exalte le sentiment amoureux dont la Dame fait l'objet à travers le *fin'amor* que le troubadour, poète et musicien, décrit et chante avec élégance (Charles d'Orléans >p. 227).

Le rayonnement culturel

- Au XIIIe siècle, apogée du Moyen Âge, l'agriculture connaît des progrès techniques et le commerce prospère grâce aux échanges (foires). Dans cette **société profondément religieuse**, les églises romanes puis les cathédrales gothiques font la gloire des villes où elles s'élèvent et frappent les esprits par leur hauteur et leur riche décoration. Sens (1135), Noyon (1150), Laon (1153) puis Paris (1163) lancent cette série de constructions. Le prestige de la France repose aussi sur son rayonnement culturel.

Ex. : *La tenture de la* Dame à la licorne *reflète cet épanouissement de la culture française* (>p. 226).

- D'abord essentiellement orale et chantée par les troubadours, la littérature est mise par écrit par des moines **copistes** transcrivant à la main les manuscrits, en **latin** puis en **français**.

Ex. : *Christine de Pisan (1364-1430), première femme de lettres française à vivre de sa plume, couche ses poèmes par écrit et connaît ainsi un vif succès* (>p. 204).

Le Mois d'août, enluminure (dessin ou peinture illustrant un manuscrit) peinte par les frères de Limbourg (1413-1416), orne *Les Très Riches Heures du duc de Berry*, livre de prières. Elle schématise la société médiévale : au premier plan chevauchent dames et seigneurs partis à la chasse, tandis que des paysans travaillent

Les frères de LIMBOURG, *Les Très Riches Heures du duc de Berry, Le Mois d'août,* 1413-1416, enluminure, 29 x 21 cm (Musée Condé, Chantilly).

dans les champs. Au loin se dresse le château, symbole du pouvoir féodal.

L'invention de l'imprimerie en 1450 révolutionne la diffusion des textes.

Le XVIe siècle

Des guerres d'Italie aux guerres de religion

● **Louis XII** (1498-1515) et **François Ier** (1515-1547) entreprennent des **guerres de conquêtes en Italie** entre 1498 et 1525. Les Français découvrent un nouvel art de vivre, plus raffiné et policé, qui va changer les mentalités et la manière de vivre. Les châteaux de la Loire, à l'édification desquels veille Léonard de Vinci, sont le symbole de ce nouvel art de vivre.

Ex. : *François Ier fait traduire* Le Courtisan *de Castiglione qui devient le code de conduite des nobles français.*

● Les idées de **Luther** se diffusent en Europe dès 1517 et proposent de réformer la religion catholique. En 1534, les tensions entre catholiques et protestants s'exacerbent lorsque des affiches critiques à l'égard de la messe sont placardées sur les portes des églises (affaire des Placards). En 1562, le massacre de protestants à Wassy ouvre les **guerres de religion** qui déchirent la France et l'Europe.

Ex. : *Ronsard et d'Aubigné rendent compte des guerres civiles et religieuses qui déchirent la France* (>p. 368, 369).

La Renaissance et l'humanisme

● Le mot « **Renaissance** » désigne une période de renouveau dans les arts, la littérature et les sciences. En France, elle s'étend de la fin du Moyen Âge en 1453 et la mort d'Henri IV en 1610.
Plusieurs facteurs président à sa naissance :
- **La culture antique**, réservée à une élite cultivée, s'élargit à un plus grand public quand de nouveaux manuscrits arrivent en Europe après la chute de Constantinople (1453). Elle devient le modèle idéal pour la génération humaniste.

- **La représentation du monde** change. En quête d'un passage par l'ouest pour atteindre les Indes, Colomb découvre un nouveau monde, appelé par la suite Amérique. Les explorations ou Grandes Découvertes enrichissent les connaissances géographiques et cartographiques. Les échanges commerciaux s'intensifient et se diversifient.

Ex. : *La découverte de nouvelles civilisations fait réfléchir Montaigne à la relativité des valeurs européennes* (>p. 312).

- **L'imprimerie** joue un rôle essentiel dans la diffusion des idées. Les livres ne sont plus copiés à la main, mais imprimés grâce aux découvertes de Gutenberg (1450) : les bibliothèques se développent et les connaissances sont rendues accessibles à un plus grand nombre.
L'édition de la Bible en 1455, puis ses traductions en langue vulgaire, mettent ce texte fondamental à la portée de tous et offrent la possibilité d'une **lecture critique**.

Ex. : *Érasme défend la traduction de la Bible en langue vulgaire* (>p. 366).

● **L'humanisme** (>p. 372) est le mouvement intellectuel et littéraire qui traduit en Europe tous ces changements. L'humaniste est un lettré qui maîtrise la culture antique, et est curieux des autres savoirs. Il place l'homme au cœur de sa vision du monde, utilise sa raison et sa foi pour construire une société nouvelle.

Ex. : *Les textes humanistes rêvent d'un homme nouveau, cultivé, mieux éduqué et donc respectueux de l'humanité* (>p. 360, 362).

Jan MASSYS (vers 1509-1575), *Flore*, 1559, huile sur bois, 1,13 x 1,12 m (Hambourg, Kunsthalle).

La *Flore* de Jan Massys (1559) incarne l'idéal de la Renaissance. La déesse latine, protectrice de la nature, est assise à la terrasse d'un élégant château dont le parc, à la française, est orné de statues inspirées de l'Antiquité. En arrière-plan, une ville laisse deviner ses beautés architecturales. La splendeur sculpturale de Flore est mise en valeur par de chatoyants tissus rouge et or, tandis que son buste laisse deviner sa sensualité à travers la transparence de ses voiles.

Repères historiques
Le XVIIe siècle

Marquée par l'apogée du pouvoir royal, la France, au XVIIe siècle, connaît une puissance et un rayonnement dont l'influence se fait sentir partout en Europe.

Le siècle du Roi Soleil

Le « siècle de Louis XIV » connaît en réalité trois règnes qui confèrent au royaume sa stabilité.

Du désordre à la stabilité

- En 1598, **Henri IV** (1589-1610) signe l'**Édit de Nantes**, garantissant la liberté de culte aux protestants et mettant fin à trente-six années de guerres de religion. Il semble ouvrir une ère de tolérance et d'apaisement. Le royaume se reconstruit peu à peu, même si la pacification est longue et difficile. Le conflit religieux peine à s'apaiser. Henri IV meurt assassiné par un catholique extrémiste, Ravaillac.

- Le début du règne de **Louis XIII** (1610-1643) est marqué par l'instabilité : complots et intrigues sous la régence de Marie de Médicis affaiblissent le pouvoir. L'entrée de Richelieu (1585-1642) au Conseil en 1624 vainc les résistances de la noblesse et des protestants, et conforte l'autorité royale.

Ex. : Les Tragiques, *d'Agrippa d'Aubigné* (>p. 369), *témoignent des horreurs commises lors des affrontements entre catholiques et protestants.*

- À la mort de Louis XIII, **Louis XIV** (1643-1715) n'a que cinq ans. La régence de sa mère, Anne d'Autriche, est troublée par la révolte des parlementaires, puis de la noblesse, contre son ministre Mazarin (1602-1661). Ces frondes entraînent une véritable guerre civile de 1648 à 1653. L'ordre se rétablit pourtant progressivement, les finances se redressent, la paix est signée avec l'Espagne, puissance rivale de la France.

Une monarchie absolue

- À la mort de Mazarin, Louis XIV prend en charge les affaires du royaume qu'il dirige directement, sans Premier ministre, mais entouré de secrétaires d'État issus de la bourgeoisie, comme **Colbert** (1619 -1683) aux finances. Le royaume connaît un **essor dans l'industrie et le commerce**. L'armée est réformée pour devenir une **armée d'État**. La création de colonies est stimulée.

Ex. : Le Songe de Vaux (>p. 229) *témoigne de l'état de prospérité de Fouquet, surintendant des finances et premier mécène de La Fontaine.*

- La France **rayonne aussi sur l'Europe** par sa vie culturelle, dont **Versailles** est l'épicentre : le roi y réunit tous les talents, exerce son **mécénat** à travers le faste des fêtes ou l'aménagement du château et de ses jardins. Le goût, l'esprit et le savoir français se diffusent et sont imités.

Ex. : *Molière bénéficie du soutien financier et moral du Roi qui le protège même lors du scandale de* Dom Juan (>p. 119).

Louis XIV, costumé en soleil, 1653 (BnF).

- Le règne s'obscurcit à partir de 1679. La victoire guerrière et diplomatique lors de la guerre de Hollande ranime la persécution des protestants. En 1685, l'**Édit de Nantes** est révoqué. Les ingérences politiques dans les pays voisins provoquent leur coalition et conduisent à des **guerres qui vident les caisses de l'État** et assombrissent définitivement la fin du règne.

Ex. : Les Lettres persanes (>p. 70) *de Montesquieu dressent le tableau d'une monarchie vieillissante et condamnent un système fondé sur l'absolutisme.*

Une société en mutation

L'ordre social connaît lui aussi une évolution reflétant les mutations historiques en cours.

Le déclin relatif de la noblesse

Si la noblesse détient encore de nombreux droits et privilèges, le **renforcement du pouvoir royal** se fait à son détriment. Les nobles se mettent au service du pouvoir central, mais sont écartés des affaires de l'État et cantonnés aux responsabilités militaires ou diplomatiques. La **vie de cour** avec ses intrigues, son étiquette tatillonne, réduit leur condition à une oisiveté dorée, consacrée désormais à l'amour et parfois à l'écriture.

Ex. : *Le héros de* Dom Juan *de Molière* (>p.119) *n'incarne plus l'héroïsme tragique, mais se perd en libertinage.*

La montée de la bourgeoisie

La bourgeoisie, qui assure par son argent et son travail le développement économique de la France, devient la **classe montante** du XVIIe siècle et joue un **rôle politique** plus grand en participant au gouvernement ou à la vie parlementaire. Elle aspire aux mêmes valeurs que la noblesse dont elle imite le mode de vie et qu'elle intègre par mariage, anoblissement en récompense de services rendus ou achat de charges judiciaires ou administratives.

Ex. : *Dom Juan, le personnage éponyme* (>p.119), *représente la noblesse dépensière : il est régulièrement renfloué par le bourgeois M. Dimanche, travailleur et précautionneux.*

Les souffrances du peuple

Dans un pays essentiellement rural, le peuple des campagnes et des villes connaît une grande **misère**, soumis à un travail difficile et mal rémunéré ou exploitant les terres d'autrui, accablé par les rigueurs climatiques, les horreurs de la guerre ou la lourdeur des impôts.

Ex. : *Dans* Amphitryon, *de Molière* (>p. 117), *Sosie, incarnant le peuple, est constamment ridiculisé et maltraité par des maîtres et des dieux.*

Baroque et classicisme

Les troubles du début de siècle créent une situation propice à l'épanouissement du baroque. À l'inverse, la monarchie absolue amène le triomphe du classicisme.

L'art baroque

L'émergence du **baroque**, au début du XVIIe siècle, se produit sur fond de guerres civiles et religieuses. En effet, ce contexte d'instabilité permanente favorise l'éveil d'une nouvelle sensibilité européenne. L'artiste baroque se dégage du modèle des Anciens et revendique une liberté de création qu'il manifeste à travers la **recherche de l'originalité** et le **goût de la complexité**. Le mouvement, l'illusion, le provisoire en sont des motifs récurrents.

Ex. : *« Et la mer et l'amour » de Marbeuf* (>p. 210) *évoque avec virtuosité les métamorphoses de la mer, associées aux inconstances de l'amour.*

Le mouvement touche à sa fin dans les années 1640 au moment où le classicisme rationalise la création artistique.

L'*Allégorie de la mort* ou *Vanité* (1620-1634), par Trophime Bigot, relève du baroque. La jeune femme pointe du doigt un crâne, ultime métamorphose de celui qui le contemple. L'éclairage en clair-obscur contraste avec la chaude couleur du vêtement, accentuant la composition binaire du tableau : à gauche, la beauté et la jeunesse, fragiles vanités, tranchent avec le miroir, symbole des illusions, et la chandelle, figure

Trophime BIGOT (1579-1650), *Allégorie de la mort* ou *Vanité*, 1620-1634 (Musée National, Rome).

de la brièveté de la vie. Le livre et la balance dénoncent la vanité du savoir et de la richesse.

Le classicisme

Le classicisme (1660-1685) exprime le désir d'élaborer les **canons du Beau** en art. Son esthétique se fonde sur le souci de **rationalité** et d'**équilibre** permettant d'égaler les œuvres antiques. L'artiste classique vise à la fois à **plaire** et à **instruire**. Aussi cherche-t-il d'abord la clarté, la simplicité, le naturel.

L'idéal de l'honnête homme cultivé, élégant et sociable, sans tomber dans l'excès, contrebalance les faiblesses humaines.

Ex. : *Dans sa comédie* Amphitryon, *Molière* (>p.117) *reprend et imite le sujet de la pièce latine de Plaute* (>p.116).

Jean NOCRET (1617-1672), *Le roi Louis XIV et sa famille déguisés en figures mythologiques*, 1670, huile sur toile, 3,05 x 4,20 m (Château de Versailles).

Le roi Louis XIV et sa famille déguisés en figures mythologiques, de Jean Nocret, est de facture classique : noblesse du sujet antique, majesté des personnages, composition ordonnée selon l'ordre protocolaire, vraisemblance du décor naturel concourent à magnifier le roi qui fait du classicisme un miroir de son règne.

Repères historiques
Le XVIIIe siècle

Le XVIIIe siècle connaît une profonde évolution des mentalités qui s'accompagne de grands changements politiques. La monarchie absolue disparaît et laisse place à un régime inspiré par les Lumières.

De la Régence à la Révolution

La mort de Louis XIV en 1715 marque le début du XVIIIe siècle.

La Régence (1715-1723)

- À la mort de Louis XIV, son héritier et arrière-petit-fils, Louis XV, n'a que cinq ans. La Régence est confiée à **Philippe d'Orléans**, neveu du roi défunt, qui installe la cour à Paris. Après l'austérité de la fin du règne précédent, la France s'abandonne au **luxe** et au **plaisir**.

Ex. : *Les peintures de Watteau (1684-1721) illustrent l'esprit régence des « fêtes galantes ».*

Jean Antoine WATTEAU (1684-1721),
L'Embarquement pour Cythère, 1717,
huile sur toile, 1,29 x 1,94 m (Musée du Louvre, Paris).

Dans *L'Embarquement pour Cythère* (en 1717), le peintre met en scène des personnages se rendant sur l'île de la déesse de l'amour. Des couples se sont formés déjà. Une jeune femme hésite encore un peu, se laissant entraîner par son compagnon. Invitation au voyage, le tableau est aussi une invitation à l'amour.

- Une certaine tolérance freine aussi les persécutions religieuses. Le pays connaît même une **relance économique** avant que le système ne souffre de contestations parlementaires, et du krach provoqué par l'émission excessive de la monnaie-papier instaurée par **Law**. Le régime se durcit pour empêcher toute révolte.

Louis XV, le « Bien-aimé » (1723-1774)

Sous le règne de Louis XV et du ministère Fleury, la France retrouve **prospérité** et **rayonnement artistique et intellectuel**. La démographie connaît un essor favorisé par la disparition des grandes famines et des épidémies. Le royaume devient alors le pays le plus peuplé d'Europe. Le commerce progresse grâce aux échanges internationaux. Des réformes de l'État sont tentées (impôts, armée, tribunaux) et engagent le pays dans la voie d'un **despotisme éclairé**, qui répand les idées favorables à un gouvernement plus libéral.

Ex. : *Jacob, héros du roman-mémoires* Le Paysan parvenu *de Marivaux* (>p. 26), *témoigne de l'évolution de la société où, fils de paysan sans fortune, il parvient à se frayer un chemin.*

Mais le régime tombe dans le discrédit : revers militaires, perte de l'empire colonial, intrigues de la favorite, Mme de Pompadour. Le roi meurt impopulaire.

Louis XVI (1774-1792)

C'est un roi jeune et mauvais politique qui accède au trône. Ses maladresses aggravent la crise menaçant la monarchie. Des **contestations** se font entendre : les nobles revendiquent une participation à la direction du pays ; les paysans récusent redevances et droits féodaux alors que se succèdent de mauvaises récoltes. Les ministres réformistes, comme **Necker**, se heurtent aux **résistances des privilégiés** et des hommes d'argent. Les finances publiques connaissent en outre un énorme **déficit**, alourdi par la participation à la guerre d'indépendance d'Amérique (1778-1783). Les mécontentements grondent et les intellectuels radicalisent leurs pensées pour réclamer une réforme des institutions. Des états généraux sont convoqués.

Ex. : *Le libertinage des personnages dans* Les Liaisons dangereuses (>p. 82) *de Laclos peut être considéré comme une libération des contraintes imposées par la société.*

La Révolution française (1789-1799)

Les **états généraux**, assemblée représentative de trois ordres – clergé, noblesse et tiers état –, sont convoqués pour mai 1789. Des émeutes urbaines et rurales, dont la prise de la Bastille devient le symbole, causent la **fin de l'Ancien Régime**. La Révolution connaît trois étapes. D'abord **monarchie constitutionnelle** (1789-1792), elle instaure ensuite avec le parti jacobin une **dictature de salut public** jusqu'en 1794, la Terreur. Puis la **Convention** (1792-1795) et le **Directoire** (1795-1799) tentent en vain de garder un juste milieu entre révolte populaire et menées royalistes. C'est la fin de la Révolution. Napoléon Bonaparte s'empare du pouvoir (coup d'État du 18 Brumaire).

La **Révolution** radicalise les aspirations des Lumières et, plus précisément, de Rousseau : suppression des privilèges (nuit du 4 août 1789), **Déclaration des droits de l'homme et du citoyen** (26 août 1789) et abolition de la monarchie (10 août 1792). Elle prépare l'entrée en politique du tiers état.

Ex. : *Dans* Le Mariage de Figaro (>p. 130), *le valet dénonce les privilèges indus de la noblesse. Il faut croire que ces idées sont largement acceptées dans une société d'Ancien Régime prête aux évolutions puisque la reine elle-même joue dans la pièce qui la critique.*

François André VINCENT (1746-1816), *Le Combat des Romains et des Sabins interrompu par les femmes sabines*, 1781, huile sur toile, 3,35 x 4,23 m (Musée des Beaux-Arts, Angers).

En 1781, François André Vincent emprunte à l'histoire le sujet de son tableau. *Le Combat des Romains et des Sabins interrompu par les femmes sabines* a lieu au pied du capitole à gauche et du Palatin à droite. Les femmes s'interposent, mais une impression de tumulte se dégage de la scène. Sa valeur symbole s'en trouve accentuée : malgré les horreurs, les deux peuples se réconcilieront pour n'en former plus qu'un seul.

Le triomphe des Lumières

Les Lumières désignent le **mouvement philosophique et littéraire** qui se fonde sur **la raison**, **l'expérience** et **les sciences** pour remettre en question les valeurs politiques, sociales et religieuses de l'Ancien Régime. Elles influencent les réformateurs et les révolutionnaires en France et en Europe.

L'exaltation de la raison

Dès le début du XVIIIe siècle, les intellectuels s'appuient sur la démarche **scientifique, expérimentale et rationnelle** pour promouvoir l'esprit critique, qui consiste à examiner, tester et réfléchir. Cela entraîne une interrogation, voire une remise en cause de la société. En effet, en ces temps de voyages lointains, la rencontre des civilisations pousse à la **relativité**. Les privilèges reposant sur la naissance sont dénoncés au profit de la reconnaissance des mérites personnels.
Les excès du pouvoir et ses injustices sont condamnés. L'intolérance religieuse est attaquée comme les abus de pouvoir et de richesse du clergé.

Ex. : *Par le regard étranger de ses héros, le roman des* Lettres persanes (>p. 70) *permet de porter un regard critique sur la société européenne dans laquelle ils voyagent.*

Un esprit de réforme

- Au-delà des critiques, les philosophes des Lumières proposent des **réformes** dans tous les domaines. Sur le plan politique, leurs préférences vont à une **monarchie parlementaire à l'anglaise** qui protégerait les droits fondamentaux. On envisage aussi la rationalisation de l'agriculture ou l'amélioration de l'hygiène et de l'éducation. En économie, le commerce et les progrès techniques sont encouragés. Il s'agit donc d'un véritable laboratoire d'idées, agité de vifs débats entre les philosophes. La question religieuse sépare les adeptes d'un déisme des athées résolus. Si les uns, à la suite de Voltaire, rêvent d'un **despotisme éclairé**, d'autres, comme Rousseau, prônent un **contrat social** qui repose sur l'égalité entre les citoyens.

- Les femmes jouent un rôle important dans la diffusion des idées nouvelles grâce aux **salons littéraires** qu'elles ouvrent à l'élite sociale et intellectuelle. Ainsi, ces réformes y trouvent-elles un lieu idéal de débat et de diffusion.

Ex. : *Les encyclopédistes se retrouvent dans les salons de Mme Du Deffand et de Julie de Lespinasse.*

Une esthétique nouvelle

Une **esthétique nouvelle** voit le jour qui met en avant de nouveaux thèmes : goût et vulgarisation des connaissances, quête du bonheur, passion pour la polémique, curiosité pour tout ce qui touche à l'humain...
En littérature se développent de nouveaux genres comme le **conte** ou le **dialogue philosophique**. Les **dictionnaires** se multiplient comme inventaire du savoir et outil de contestation. Le **drame bourgeois** récuse les règles classiques, le **genre autobiographique** voit le jour.

Ex. : *Voltaire renouvelle le genre traditionnel du conte en lui donnant une portée philosophique comme dans* L'Ingénu (>p. 319).

Avec la redécouverte des ruines de Pompéi et d'Herculanum, la peinture, la sculpture et l'architecture préconisent le retour à la vertu et à la simplicité antiques. Les artistes français, admiratifs des valeurs démocratiques grecques et romaines, adhèrent à ce **néoclassicisme**.

Repères historiques
Le XIXe siècle

Période de révolutions et de mutations, le XIXe siècle voit la France se moderniser dans le domaine des sciences et techniques ; les mœurs évoluent. À la fin du siècle, la France devient une puissance coloniale et une république (1871).

Un siècle de turbulences

Le Premier Empire (1799-1815)

Premier consul depuis 1799, **Bonaparte se proclame empereur en 1804**. Le Premier Empire s'appuie sur l'armée et l'administration. Le code civil devient l'un des piliers principaux d'une France que Bonaparte souhaite stabiliser durablement. Dans le sillage des conquêtes révolutionnaires, l'expansion territoriale se poursuit jusqu'au désastre de **Waterloo**, le 18 juin 1815, où l'empereur est vaincu par la coalition des monarchies européennes. La France est alors ramenée à ses frontières de 1790.

Ex. : Le Rouge et le Noir *de Stendhal* (>p. 84) *raconte le destin d'un jeune admirateur de Napoléon.*

La Restauration (1815-1830) et la monarchie de Juillet (1830-1848)

- Après l'Empire, de 1815 à 1848, la monarchie est restaurée. **Louis XVIII**, frère de Louis XVI, est rétabli sur le trône (1815-1824). Il « octroie une charte » garantissant la liberté de la presse et l'organisation d'élections pour désigner les députés. Seuls les Français payant un fort impôt ont le droit de voter (suffrage censitaire). Sur le plan économique, les caisses d'épargne, nées d'une double intention philanthropique et morale, font leur apparition.

- **Charles X**, frère de Louis XVIII, lui succède en 1825. Il désire rétablir une monarchie absolue et le montre en se faisant sacrer à Reims, selon un cérémonial anachronique. Ses lois contre la liberté de la presse achèvent de le rendre impopulaire ; il est renversé par la révolution de juillet 1830, les « Trois Glorieuses ».

- **Louis-Philippe devient alors le premier « roi des Français ».** Il s'appuie sur la bourgeoisie et la noblesse orléaniste (c'est-à-dire libérale). La fin du règne est **chargée de tensions**. Le ministre Thiers mène une politique économiquement audacieuse mais socialement conservatrice (révocation de tous les instituteurs laïcs), alors même que petits paysans endettés et « prolétaires » urbains multiplient les revendications. L'interdiction faite au parti républicain de se réunir entraîne, en février 1848, la première insurrection ouvrière, très violente. Des foyers d'émeute se propagent dans toute l'Europe. C'est le **« printemps des peuples »**.

La révolution de 1848 et la IIe République (1848-1851)

La révolution de 1848 amène la proclamation de la IIe République. Des **mesures sociales** améliorent la condition du peuple. La censure, l'esclavage et la peine de mort sont abolis et le **suffrage universel** instauré.

François Auguste BIARD (1798-1882), *L'Abolition de l'esclavage dans les colonies françaises en 1848*, 1849, huile sur toile, 261 x 391 cm (Musée national du château de Versailles).

Mais les idéaux cèdent sous la pression des notables. **Louis-Napoléon Bonaparte**, élu président en 1849, n'a pas le droit de se représenter. Il se maintient au pouvoir par le coup d'État du 2 décembre 1851 et proclame le Second Empire.

Le Second Empire (1852-1870)

- Soutenu par l'armée, l'Empire est un **régime autoritaire** qui réprime toute forme d'opposition. Jusque dans les années 1860, sa politique économique moderne fait entrer la France dans l'**ère industrielle**, apportant prospérité et développement au pays.
Grâce à la création de la Bourse et ses promesses de profits pharamineux, les Français investissent leur « bas de laine » dans des actions qui financent les usines, les chemins de fer ou les grands travaux de Ferdinand de Lesseps (percement du canal de Suez). Cet **afflux massif de capitaux** fait entrer la France dans la seconde révolution industrielle.

- Les **travaux d'Haussmann** transforment Paris, sur fond de spéculation immobilière et de corruption. L'opposition au régime grandit : industriels inquiets des dérives du libéralisme ou républicains avides de liberté. Les échecs diplomatiques, puis militaires, discréditent définitivement le pouvoir jusqu'à la **défaite de Sedan** contre les Prussiens en 1870.

La Commune (1870-1871) et le début de la IIIe République (1870-1940)

La défaite de Sedan et l'effondrement du régime provoquent un **soulèvement populaire** voulant établir un régime révolutionnaire à Paris. La Commune est sévèrement réprimée. La République doit d'abord s'affirmer contre les menées royalistes, puis résister à de nombreuses crises : menaces nationalistes, scandales provoqués par la corruption. **L'affaire Dreyfus** divise l'opinion publique en deux camps irréductibles.

Un monde qui change

Progrès et mutations

Le monde change sous l'effet des progrès scientifiques et techniques qui transforment les conditions de vie : chemin de fer, photographie, vaccination, électricité... On croit au progrès et on adhère au **positivisme** et au **scientisme** : seul l'esprit rationnel et scientifique peut être pris comme modèle. Seule la science peut résoudre les maux et répondre aux interrogations.

Des inégalités sociales

- Les inégalités perdurent entre classes sociales. La bourgeoisie industrielle et financière qui participe à l'essor économique récolte les fruits de la prospérité. Son **conformisme moral** et son **matérialisme** sont caricaturés par les artistes.

Ex. : *Dans* Bouvard et Pécuchet (>p. 38), *Flaubert dénonce la bêtise de petits bourgeois.*

- Les **ouvriers** connaissent une vie difficile, accablés par des conditions de travail pénibles et sans protection sociale, pendant que les **paysans** quittent les campagnes, attirés par les **mirages de l'industrialisation**, ou s'acharnent à cultiver sans grand rendement des exploitations trop petites.

Romantisme, réalisme et symbolisme

Le romantisme

Le romantisme se caractérise par la **révolte de l'artiste** contre un monde insatisfaisant.

- **Le premier romantisme** (1801) naît de l'effondrement de l'Ancien Régime, entraînant dans sa ruine un monde familier et rassurant. Ainsi, **Chateaubriand**, promis à une carrière dans l'armée royale, se trouve inadapté au monde nouveau. En proie au « vague des passions », c'est en forgeant une écriture nouvelle, entre nostalgie et engagement, qu'il s'invente une identité neuve. **Lamartine**, **Hugo**, **Vigny** assument ainsi de nouvelles fonctions : penseurs, prophètes et hommes politiques, ils entendent guider l'humanité.

Ex. : *Avec* Delphine (>p. 72) *puis* De l'Allemagne, *Mme de Staël importe le Romantisme allemand en France.*

- **Après 1830**, le romantisme évolue. Le conservatisme politique interdit à la jeune génération de trouver sa place dans la société. Le « mal du siècle » travaille cette **génération désenchantée**.

Le réalisme

- Le réalisme naît des transformations politiques et sociales du siècle et reçoit l'influence du **positivisme**. Il revendique dès 1850 la liberté de traiter des sujets de la vie réelle et contemporaine, **sans idéalisation**. L'artiste réaliste s'inspire en effet du quotidien, riche ou pauvre, au scandale de certains lecteurs. L'intrigue et l'analyse psychologique traditionnelle disparaissent et sont remplacées par une **observation du réel** dont la crudité peut choquer.

- Le **naturalisme** prolonge cette démarche. Il s'appuie sur une enquête documentaire permettant l'**étude « scientifique » du milieu** et l'analyse clinique des personnages. Toutefois, le réel observé subit une nécessaire recréation par l'écriture, dont témoigne la recherche stylistique : l'effacement du narrateur et l'impersonnalité.

Gustave CAILLEBOTTE (1848-1894),
Sur le pont de l'Europe, 1876,
1,77 x 1,23 m (Musée du Petit Palais, Genève).

En 1876, Caillebotte peint le pont de l'Europe, surplombant la gare Saint-Lazare. C'est un symbole d'industrialisation et de modernité. L'ouvrier y semble prisonnier d'un univers de poutrelles métalliques.

Le symbolisme

Le symbolisme, entre 1880 et 1890, rompt avec le positivisme scientiste et matérialiste pour réhabiliter une **approche sensible de la réalité**. Dès lors, il veut élucider les mystères du monde à travers un réseau de correspondances, de symboles et d'analogies qui relie le monde sensible à un univers surréel. Le poète symboliste crée un **nouveau langage** fondé sur l'image et la musicalité, engageant son écriture dans la voie de la modernité poétique.

Ex. : *Baudelaire* (>p. 244), *poète des correspondances et des synesthésies, est considéré comme le père du symbolisme.*

Repères historiques

Le XXᵉ et le XXIᵉ siècle

Inaugurés par la Belle Époque, les XXᵉ et XXIᵉ siècles sont marqués par l'horreur des deux guerres mondiales, des guerres de décolonisation et les nombreux bouleversements consécutifs aux crises socio-économiques.

Le XXᵉ siècle

Le temps des crises (1914-1945)

- « La Belle Époque » (1890-1914) correspond à une période de progrès scientifiques, de développement industriel et de goût pour la fête. L'enthousiasme ambiant prend fin avec la **première guerre mondiale** (1914-1918). Marquée par la défaite et la perte de l'Alsace-Lorraine en 1870, la France s'engage unie dans le conflit. Mais alors qu'elle attendait une guerre-éclair, les combats s'enlisent dans une guerre de position. Les **crises de 1917** témoignent de la démoralisation des poilus et des souffrances de leurs familles.

Le pays, en partie occupé, connaît des pertes humaines énormes, aggravées par le déficit des naissances. À l'armistice, le bilan est désastreux : zones ravagées par les combats, endettement, vieillissement de la population.

Ex. : *Du malaise provoqué par le conflit naît la poésie surréaliste* (Éluard >p. 212).

Pierre ROY (1880-1950), *Adrienne pêcheuse*, vers 1919, huile sur toile, 52 x 35 cm (Musée des Beaux-Arts, Nantes).

Dans *Adrienne pêcheuse* (1919), Pierre Roy rejoint le surréalisme pour évoquer son amour disparu.

- **L'entre-deux-guerres** est marqué par une relative prospérité, mais aussi par la montée d'**idéologies extrémistes**. L'antiparlementarisme se développe dans un climat néfaste de corruption et d'instabilité. La crise de 1929 s'ajoute à la crise politique. La Gauche s'unit dans le Front populaire (1936) pour résister à l'extrême-droite. Elle ouvre de nouveaux droits sociaux (congés payés, semaine de quarante heures...).

La France divisée doit affronter l'Allemagne nazie en **1939-1940**. La défaite entraîne l'**effondrement de la IIIᵉ République**. La France connaît l'**Occupation**, tandis qu'en zone libre, un gouvernement de collaboration se rassemble derrière le maréchal Pétain qui prétend accomplir une œuvre de rénovation morale et patriotique, « la révolution nationale ».

Ex. : *Crise de conscience devant les atrocités de la seconde guerre mondiale, la littérature dénonce le non-sens de la condition humaine, comme l'illustre Camus* (>p. 301) *ou le théâtre de l'absurde* (Beckett >p. 166).

- La **Résistance** et la **France libre** incarnent les espoirs d'une partie de la population. L'appel à Londres du général de Gaulle, le 18 juin 1940, encourage et soutient les Forces Françaises Libres. Rejointes par les communistes et les maquisards, elles participent à la libération du territoire avec les forces alliées.

La reconstruction (1945-1958)

- À la Libération, un gouvernement provisoire présidé par le général de Gaulle dirige un pays en ruines et encore occupé. Des mesures sont prises : création de la sécurité sociale, nationalisation de grandes entreprises. Les Français choisissent par référendum de passer à la **IVᵉ République** en 1946. La prospérité revient grâce au plan Marshall et au développement de la **coopération européenne**. Cet essor s'accélère entre 1953 et 1957, quand la production énergétique se développe et que les transports s'améliorent. Ce sont les « Trente glorieuses ».

- Sur le plan international, les **accords de Bretton Woods** signés en 1944, aux États-Unis, garantissent la mise en place d'une organisation monétaire mondiale facilitant la reconstruction et le développement économique des pays touchés par la guerre. Le **Fonds monétaire international** (FMI) et la **Banque mondiale** sont nés. Parallèlement, dès 1946, certains états, comme l'URSS, réitèrent les plans quinquennaux pour planifier leurs objectifs de production. Ils tentent ainsi de dynamiser une économie meurtrie, tout en rivalisant avec les principaux états capitalistes. Cette rivalité idéologique et politique trouve sa traduction, dès 1947, par l'éclosion de la **Guerre froide**, qui cristallise les tensions entre les deux superpuissances américaine et soviétique. Le monde devient bipolaire.

● En France, sans majorité stable, les gouvernements se succèdent. La faiblesse des institutions, les problèmes financiers et l'agitation sociale entraînent une grave crise politique alors que l'**insurrection algérienne**, déclenchée en 1954, menace de devenir une guerre civile. Le **général de Gaulle** est rappelé pour former un gouvernement.

La république gaullienne et ses prolongements (1958-1981)

● Une **nouvelle constitution** est promulguée par le président et adoptée par referendum en 1958. C'est le texte fondateur de la **Ve République** : le président de la République est élu pour sept ans par les représentants du peuple avec de plus larges pouvoirs. Il nomme le Premier ministre et préside le Conseil des ministres. En 1962, une modification de la constitution le fait élire au **suffrage universel**. La même année, les **accords d'Évian** mettent fin à la guerre d'Algérie.

● La France poursuit son essor : Antoine Pinay entre au ministère des finances en 1958, lance un nouvel emprunt national et préside le passage au nouveau franc. Le pays entre dans le **Marché commun** en 1959. L'ère de la **consommation de masse** voit le jour, la télévision bouleverse la vie quotidienne. Parallèlement, les loisirs et le goût pour les vacances tendent à se démocratiser, même s'ils laissent de côté les personnes âgées, les jeunes et certains ouvriers. En **mai 68**, les enfants du *baby-boom* expriment leur refus du consumérisme et veulent « changer le monde ». Les manifestations étudiantes sont ensuite relayées par la contestation des salariés, débouchant sur les accords de Grenelle (larges augmentations de salaire). Les mentalités sont changées, les valeurs transformées.

Ex. : Les Choses *de Perec* (>p. 34) *montrent le triomphe et la vacuité de la société de consommation.*

Raymond SAVIGNAC (1907-2002), affiche publicitaire pour la SNCF, 1961.

● Sur le plan international, la **guerre du Vietnam**, qui oppose depuis 1959 le nord et le sud du pays, soutenus respectivement par le bloc de l'Est et la Chine d'une part, les États-Unis et leurs alliés australiens et coréens d'autre part, ravage les populations et marque les mentalités de manière indélébile.

● Sous **Georges Pompidou (1969-1974)**, un projet de « nouvelle société » est présenté : humanisation des rapports entre les citoyens et l'État, dialogue social, instauration du **SMIC**, partage de l'autorité parentale entre père et mère.
Le **premier choc pétrolier** de 1973 met fin à la croissance et provoque une crise monétaire et politique.

● **Les réformes votées sous Valéry Giscard d'Estaing (1974-1981)** témoignent de l'évolution des mentalités : secrétariat à la condition féminine, majorité civique à dix-huit ans, divorce par consentement mutuel, interruption volontaire de grossesse. La crise se poursuit malgré les plans de relance ou de rigueur, entraînant le chômage de masse.

De l'alternance à la mondialisation (1981-2002)

● Élu en 1981, **François Mitterrand** forme un gouvernement de gauche où siègent quatre ministres communistes. Des réformes sont engagées : abolition de la peine de mort, nationalisations, décentralisation, durée du travail limitée à 39 heures. Le chômage de masse n'est pas résorbé. À partir de 1985 s'ouvre une **période de cohabitation** avec des Premiers ministres de droite (Jacques Chirac, 1986-1988 ; Édouard Balladur, 1993-1995).

Ex. : *Dans* Extension du domaine de la lutte (>p. 35), *le héros évolue dans un monde désenchanté sur fond de chômage et de crise économique.*

● Sous **Jacques Chirac (1995-2002)**, une nouvelle cohabitation a lieu avec Lionel Jospin (1997-2002). Pour bloquer ce processus répété, la durée du mandat présidentiel est ramenée à cinq ans.

Le XXIe siècle : un pays à la recherche de son avenir

● La confiance des Français dans une classe politique peinant à traiter des **problèmes économiques et sociaux mondialisés** s'érode. L'élection présidentielle de 2002 est marquée par un taux record d'abstention et la présence de l'extrême-droite au second tour. Jacques Chirac, réélu, est confronté à des difficultés croissantes : émeutes des banlieues, lutte contre le chômage.

● **Nicolas Sarkozy,** élu en 2007, lance un **nouveau style politique**. Président omniprésent, il privilégie la communication directe sans hésiter à mettre en scène sa vie privée.

Biographies

Olivier ADAM (né en 1974)
Jeune écrivain, il a publié *Je vais bien, ne t'en fais pas*, son premier roman, en 2000. En 2004, il reçoit le prix Goncourt de la nouvelle pour *Passer l'hiver*. Il enchaîne les romans (*Falaises*, 2005 ; *À l'abri de rien*, 2007) dans lesquels il aborde des thèmes sociaux et politiques (la question des sans-papiers) mais aussi des aspects psychologiques et sentimentaux.

Jean ANOUILH (1910-1987)
Dramaturge auteur de pièces qu'il a lui-même classées en pièces roses (*Le Bal des voleurs*, 1938), noires (*Antigone*, 1944), brillantes (*La Répétition ou l'Amour puni*, 1950), costumées (*L'Alouette*, 1952). Son œuvre, pessimiste, dépeint une société cynique qui conduit à des compromis ou des compromissions et le regret de l'enfance innocente.

Robert ANTELME (1917-1990)
Philosophe, il épouse Marguerite Duras. Résistant, il est déporté à Buchenwald, à Gandersheim puis à Dachau, de juin 1944 à la fin de la guerre.
En 1947, il publie *L'Espèce humaine*, dans lequel il montre le besoin de vivre qui anime les déportés, pourtant soumis aux pires cruautés humaines.

Guillaume APOLLINAIRE (1880-1918)
Il est l'une des plus grandes figures de la poésie française du début du XXe siècle. Très lié à des artistes comme Picasso ou Derain, il défend les avant-gardes artistiques. Auteur de poèmes à la forme libre, dans *Alcools* (1913) notamment, il est aussi connu pour ses *Calligrammes* (1918). Blessé à la tempe pendant la première guerre mondiale, il meurt prématurément en 1918 de la grippe espagnole.

ARISTOPHANE (vers 445-vers 385 av. J.-C.)
Poète comique athénien, contemporain d'Euripide et Socrate qu'il met en scène dans *Les Nuées* et *Les Grenouilles*. Ses comédies, inspirées par l'actualité politique de son temps, critiquent les dérives de la démocratie et la soif de conquête d'Athènes (*Les Cavaliers*, 424 av. J.-C.). Dans *Lysistrata* et *L'Assemblée des femmes*, il imagine une cité utopique où les femmes feraient la loi.

Agrippa d'AUBIGNÉ (1552-1630)
Calviniste fidèle à la cause protestante, le poète participe aux guerres de religion par la plume et par l'épée. *Les Tragiques* sont une épopée mordante et violente dénonçant les horreurs de la guerre civile.

Honoré DE BALZAC (1799-1850)
Écrivain à la conquête de la gloire et de l'argent, Balzac débute au théâtre. Après plusieurs échecs, il se tourne en 1829 vers l'écriture romanesque et publie *Les Chouans*. Très vite, son œuvre évolue lorsqu'il entreprend de décrire, roman après roman, un monde qui soit l'exacte réplique de la réalité sociale et historique du XIXe siècle, véritable vision totalisatrice. C'est *La Comédie humaine*, vaste fresque de plus de deux mille personnages, dont fait partie *Le Cabinet des Antiques* (1839). Balzac devient alors célèbre avec ses romans : *Le Père Goriot* (1835), *Le Lys dans la vallée* (1835), *La Cousine Bette* (1846). Désargenté, Balzac meurt à Paris.

Alessandro BARICCO (né en 1958)
Écrivain, metteur en scène, enseignant, critique d'art, Alessandro Baricco est un artiste complet. L'art lyrique et la littérature sont des passions qu'il transmet aux lecteurs de *La Repubblica*, aux téléspectateurs de la RAI ou lors de lectures publiques comme celle de *Homère, Iliade* (publié en 2006). Son premier roman, *Châteaux de la colère*, obtient le prix Médicis en 1995.

Jean-Michel BASQUIAT (1960-1988)
Artiste new-yorkais, d'origine haïtienne et portoricaine, dont l'art exprime la culture de la rue. Créateur du graffiti urbain sous le pseudonyme de SAMO, il mêle écriture et peinture sur des supports variés. Très populaire, Basquiat est considéré comme un artiste d'avant-garde qui bouscule les codes artistiques traditionnels. Il meurt d'une overdose à 28 ans.

Charles BAUDELAIRE (1821-1867)
Aujourd'hui reconnu comme l'un des auteurs les plus importants de la poésie française, Baudelaire est devenu un classique alors qu'il s'est vu reprocher son écriture et le choix de ses sujets. Barbey d'Aurevilly voyait en lui « un Dante d'une époque déchue ». Selon Rimbaud, il est le premier « voyant », c'est-à-dire le premier poète moderne. Au travers de son œuvre, Baudelaire a fait en sorte de créer et de démontrer les liens entre Beau et Laid, Bien et Mal, bonheur et idéal inaccessible entre le poète et son lecteur. En parallèle, il a exprimé la mélancolie et l'envie d'ailleurs. Ses audaces formelles, et en particulier le recours à la prose, font de lui un poète en rupture radicale avec le passé. *Les Fleurs du mal* (1857) et *Le Spleen de Paris* ou *Petits Poèmes en prose* (1869) sont ses œuvres les plus connues.

Pierre-Augustin CARON DE BEAUMARCHAIS (1732-1799)
Horloger, auteur et fondateur de la Société des auteurs dramatiques, inventeur des droits d'auteur, il fut aussi agent secret de Louis XV et Louis XVI. Après le succès du *Barbier de Séville* (1775), *Le Mariage de Figaro* est accepté par la Comédie-Française dès 1781. Mais trop critique vis-à-vis de la noblesse et de la justice, la pièce est interdite jusqu'en 1784.

Samuel BECKETT (1906-1989)
Romancier et dramaturge d'origine irlandaise, il écrit en français à partir de 1945, sans cesser de publier en anglais. *En attendant Godot* (1953) est la pièce qui le fait connaître en déclenchant un véritable scandale né de la subversion des codes théâtraux traditionnels. Beckett invente le théâtre de l'absurde avec des personnages menant une vie dérisoire, sans perspective ni sens (*Fin de partie*, 1957 ; *Oh les beaux jours*, 1963). Il reçoit le prix Nobel de littérature en 1969.

Jean BOCCACE (1313 -1375)

En 1348, Giovanni Boccacio assiste à Florence aux ravages de la peste, qui lui inspire son œuvre majeure : le *Décaméron*. Avec ce recueil de nouvelles, Boccace accomplit pour la prose de langue italienne ce que Dante et Pétrarque, qu'il admire, ont fait pour la poésie : rivaliser avec les modèles antiques et susciter l'admiration de toute l'Europe.

Louis Antoine de BOUGAINVILLE (1729-1811)

Navigateur et explorateur français, il voyage à Tahiti entre 1767 et 1770 et revient en France en diffusant l'image du bon sauvage. Son *Voyage autour du monde* (1771) évoque un « paradis terrestre » qui trouve rapidement un écho parmi les penseurs des Lumières.

Michel BUTOR (né en1926)

Il s'illustre dans le roman, la poésie, l'essai, mais aussi dans des textes expérimentaux sur les arts plastiques. Même s'il n'a écrit que quatre romans, il marque le « Nouveau Roman » des années 1950-1960 en renouvelant singulièrement la narration. Son roman le plus populaire est *La Modification* en 1957, récit à la deuxième personne, qui obtient le prix Renaudot.

Albert CAMUS (1913-1960)

Né en Algérie dans un milieu modeste, il construit sa pensée à travers l'étude de la philosophie, le théâtre et le journalisme. Il montre l'homme face à l'absurdité de son existence dans un essai, *Le Mythe de Sisyphe* (1942), et un roman, *L'Étranger* (1942). Résistant et collaborateur du journal *Combat*, il écrit après la guerre pour le théâtre, *Caligula* (1945), *Les Justes* (1949) et un roman parabole, *La Peste* (1947). Il reçoit le Prix Nobel en 1957. Il meurt dans un accident de voiture.

Blaise CENDRARS (1887-1961)

De son vrai nom Frédéric Sauser, cet écrivain-voyageur parcourt le monde entier. Sa vie itinérante le conduit vers des formes littéraires diverses : du reportage au roman (*L'Or*, 1925) en passant par la poésie. Curieux de toutes les formes artistiques, Blaise Cendrars contribue à l'essor de la modernité poétique en composant des poèmes en vers libres (*La Prose du Transsibérien et de la petite Jehanne de France*, 1913).

Aimé CÉSAIRE (1913-2008)

Député et maire de Fort-de-France, attaché à promouvoir la culture antillaise, Césaire chante son île, son peuple et l'héritage africain dans *Cahier d'un retour au pays natal* (1935). Ami d'André Breton, de Léopold Sédar Senghor, il participe au renouveau des formes poétiques et fonde la notion de « Négritude ».

René CHAR (1907-1988)

D'abord membre du mouvement surréaliste, il signe un recueil avec Breton et Éluard. Puis, il se lance dans l'écriture d'une œuvre placée sous le signe de la solitude et de l'action. Dès 1940, il s'engage dans la Résistance. Les *Feuillets d'Hypnos* (1947) et *Seuls demeurent* (1945) relatent son expérience. Des ouvrages plus hermétiques, aux phrases abruptes, comme *Le Poème pulvérisé* ou *Fureur et mystère*, éveillent à la beauté du monde, saisie dans la fulgurance de l'instant.

Patrick CHAMOISEAU (né en 1953)

Né à Fort-de-France, il a publié du théâtre, des romans et des récits, des essais comme son *Éloge de la créolité* (1989). En 1992, il a reçu le prix Goncourt pour *Texaco*, roman épopée d'un quartier qui raconte l'histoire des Antillais. « Oiseau marqueur de paroles », il fait revivre et parler tout un peuple dans ses livres.

François René de CHATEAUBRIAND (1768-1848)

Issu de la noblesse bretonne, le fondateur du romantisme français connaît une vie tumultueuse. De retour d'Amérique en 1792, la Révolution l'oblige à émigrer en Angleterre. Il rentre en France en 1801 avec l'Empire et publie *Le Génie du christianisme* et *Atala*. *René* (1802) devient l'emblème d'une nouvelle sensibilité et un modèle pour les écrivains romantiques. Nommé alors ambassadeur et pair de France, Chateaubriand rédige ses *Mémoires d'outre-tombe*, publiés en 1848.

Jean COCTEAU (1889-1963)

L'œuvre très moderne de ce dramaturge, romancier, poète, peintre et cinéaste français est nourrie de mythes, de *La Machine infernale* au *Sang d'un poète*. Ainsi, il voit dans le poète moderne le successeur d'Orphée. Le merveilleux traverse ses récits plus contemporains, comme *Les Enfants terribles* (1929).

Albert COHEN (1895-1981)

Né grec, Cohen grandit à Marseille avant de prendre la nationalité suisse à 24 ans. Exilé pendant la guerre, il est bouleversé par la mort de sa mère en 1943. Ce brillant diplomate ne cessera de célébrer la figure maternelle et chérie. Il est aussi l'auteur d'un chef-d'œuvre romanesque qui remporte en 1968 le prix de l'Académie française : *Belle du Seigneur*.

Jean Antoine Nicolas DE CARITAT DE CONDORCET (1743-1794)

Savant et philosophe, il est député à la Convention pendant la Révolution. Condorcet lutte pour les idéaux des Lumières et organise l'Instruction publique. Il défend les droits de l'homme et la cause des minorités (juifs, Noirs, protestants, femmes). Emprisonné en 1793, il meurt en détention après avoir terminé son *Esquisse d'un tableau historique des progrès de l'esprit humain*.

Denis DIDEROT (1713-1784)

Écrivain et philosophe, Diderot est l'une des figures majeures du mouvement des Lumières. Maître d'œuvre de l'*Encyclopédie* (1751-1772) aux côtés de D'Alembert, il affronte tout au long de sa vie la censure et doit s'exiler pour continuer à publier ses œuvres. Auteur prolifique, Diderot s'est essayé à tous les genres littéraires, du roman (*Jacques le Fataliste*, 1778) à la critique d'art (*Salons*) en passant par le dialogue philosophique (*Le Neveu de Rameau*, 1762-73) et le théâtre (*Le Fils naturel*, 1757).

Otto DIX (1891-1969)

Peintre allemand qui s'engage comme volontaire dans la guerre après l'école des arts décoratifs de Dresde. La vue des mutilés lui inspire un cycle de quatre tableaux livrant une vision douloureuse, à peine soutenable, des séquelles du conflit. Ses peintures, expressionnistes taxées « d'art dégénéré » par le régime nazi, sont détruites en nombre.

Joachim DU BELLAY (1522-1560)
Poète français du XVIe siècle, il est connu pour *Les Regrets*, recueil de sonnets d'inspiration élégiaque, écrit lors de son voyage à Rome entre 1553 et 1557. Sa rencontre avec le poète Pierre de Ronsard fut à l'origine de la formation de La Pléiade, mouvement littéraire de poètes. Du Bellay rédigera lui-même le manifeste de ce mouvement, *Défense et illustration de la langue française*.

Friedrich DÜRRENMATT (1921-1990)
Dramaturge d'origine suisse, Dürrenmatt propose un univers macabre peuplé de caricatures. *La Visite de la vieille dame* (1956) connaît un succès international et fait la satire de la lâcheté humaine face à la puissance de l'argent.

Paul ÉLUARD (1895-1952)
En 1919, Paul Éluard s'engage dans la voie de l'expérimentation littéraire et devient un des chefs de file du surréalisme. Poète de l'amour, il célèbre la femme avec un lyrisme réinventé (*Capitale de la douleur*, 1926). Il est aussi un poète communiste, révolutionnaire et engagé aux côtés de la Résistance. La liberté est son idéal, qu'il s'agisse de la liberté du langage comme de la liberté politique.

ÉRASME (1466-1536)
Cet humaniste hollandais, éminent traducteur de la *Bible* et des auteurs grecs et latins, a voyagé en Italie et en Allemagne, ainsi qu'en Angleterre où il s'est lié d'amitié avec Thomas More. Il s'est ainsi imposé comme une figure centrale de l'humanisme européen. Il est l'auteur de *L'Éloge de la Folie* et de traités d'éducation.

ESCHYLE (526-456 av J.-C.)
Il est le plus ancien des auteurs tragiques grecs. On lui attribue l'invention du masque et l'introduction d'un deuxième personnage face au chœur. Sa première pièce connue est *Les Perses* qui raconte la victoire d'Athènes à Salamine. Il obtient un triomphe en 457 avec sa trilogie l'*Orestie*. Ses intrigues sont simples et le chœur y a encore un rôle spectaculaire essentiel.

Georges FEYDEAU (1862-1921)
Ce dramaturge, fils d'écrivain, se tourne très tôt vers le théâtre et connaît le succès dès 1886 avec *Tailleur pour dames*. Il écrit de nombreux vaudevilles aux intrigues toujours plus complexes où les quiproquos s'enchaînent sur un rythme échevelé : *Un fil à la patte*, *L'Hôtel du Libre-échange* (1894), *Le Dindon* (1896), *La Dame de chez Maxim* (1899), *La Puce à l'oreille* (1907).

Gustave FLAUBERT (1821-1880)
Écrivain, ce maître de la prose est un romancier notoire de la seconde moitié du XIXe siècle. Il a marqué la littérature par son regard lucide sur les comportements des individus et de la société. Il devient célèbre par le scandale : *Madame Bovary* (1857), son roman, observation juste et ironique de la vie d'une provinciale, sera condamné pour « immoralité ». Auteur exigeant, il se consacre entièrement à l'écriture et publie des œuvres aujourd'hui célèbres : *Salammbô* (1862), *L'Éducation sentimentale* (1869) ou le recueil de nouvelles *Trois Contes* (1878). Sa correspondance prolifique traduit l'ampleur et la difficulté du travail de l'écrivain.

Serge GAINSBOURG (1928-1991)
De son vrai nom Lucien Ginsburg, ce célèbre chanteur surnommé « l'homme à la tête de chou » s'est créé l'image d'un provocateur dans la lignée des poètes maudits. Son talent s'est fréquemment nourri de l'influence de Baudelaire, de Nerval ou d'Alphonse Allais. « Je suis venu te dire que je m'en vais » est un emprunt et un hommage à la « Chanson d'automne » de Verlaine.

Laurent GAUDÉ (né en 1972)
Après des études de lettres et de théâtre, Laurent Gaudé se tourne d'abord vers l'écriture théâtrale. Sa première pièce *Onysos furieux*, écrite en 1997, sera créée en 2000. Son premier roman, *Cris*, est publié la même année. Il est rapidement reconnu : dès 2002, il obtient le prix Goncourt des lycéens avec *La Mort du roi Tsongor*, avant d'être couronné par le prix Goncourt pour *Le Soleil des Scorta* en 2004. Il continue aujourd'hui à écrire en alternant romans, nouvelles et théâtre.

Paul GAUGUIN (1848-1903)
L'œuvre de ce peintre français, proche de l'école de Pont-Aven, s'inspire du travail des artistes impressionnistes. Sa vie se partage entre la Bretagne, la Nouvelle-Calédonie et la Polynésie où il peint une nature et une humanité pittoresques (*Arearea*, 1892 ; *D'où venons-nous ? Que sommes-nous ? Où allons-nous ?*, 1897-1898). Peu reconnu de son vivant, Gauguin se réfugie au terme de son existence aux îles Marquises pour fuir la civilisation occidentale.

Sylvie GERMAIN (née en 1954)
Figure majeure de la littérature contemporaine, elle pratique des genres aussi variés que le roman (*Le Livre des nuits*, son premier roman en 1984), la biographie, mais aussi le récit de voyage et l'essai, composant peu à peu une œuvre exigeante. Elle touche un public plus large avec *Tobie des Marais* (1998) et *Magnus* (2005) qui lui vaut le prix Goncourt des lycéens.

Jean GIONO (1895-1970)
L'œuvre romanesque de Giono, lyrique et empreinte de spiritualité, propose un regard original sur le monde tourmenté du XXe siècle. La nature, le monde paysan, le rapport au cosmos caractérisent des personnages en marge des sociétés modernes. Giono n'hésite pas à aborder de front les questions morales et philosophiques qui peuvent intéresser l'homme de son temps. Il connaît aussi une importante activité de scénariste.

Eugène GUILLEVIC (1907-1997)
Poète d'un lyrisme concis qui s'applique à « tout rendre concret, palpable », amoureux de sa Bretagne natale dont il exalte l'univers pauvre de rochers et de fougères, il est l'auteur de nombreux recueils dont *Exécutoire* (1947), *Carnac* (1961), *Sphère* (1963), *Ville* (1971), *Inclus* (1973).

Hans HOLBEIN LE JEUNE (1498-1543)
Peintre allemand, il passe une grande partie de sa carrière à la cour du roi d'Angleterre Henri VIII, dont il devient le portraitiste officiel. On lui doit les portraits d'*Érasme écrivant* et une saisissante représentation du « Christ mort ».

HOMÈRE **(fin du VIIIe siècle av. J.-C.)**
Poète grec, probablement originaire d'Ionie (Asie Mineure), on lui attribue les deux grands poèmes épiques *l'Iliade* et *l'Odyssée*, considérés comme fondateurs de la civilisation européenne. Ils racontent des événements remontant aux XVIe-XVIIe siècles av. J.-C. *L'Iliade* traite un épisode de la guerre de Troie, la colère d'Achille. *L'Odyssée* raconte le retour d'Ulysse à Ithaque, sa patrie, après dix ans passés au siège de Troie et dix ans de voyage de retour.

Michel HOUELLEBECQ **(né en 1956)**
Depuis son premier roman *Extension du domaine de la lutte* en 1994, Houellebecq s'attache à décrire la crise de l'individu dans le monde contemporain. Il obtient le prix Goncourt en 2010 pour *La Carte et le territoire*. Il s'intéresse plus particulièrement aux rapports hommes-femmes.

Victor HUGO **(1802-1885)**
Il marque en profondeur la littérature du XIXe siècle. Homme de lettres, il touche et transforme tous les genres. Son théâtre (*Hernani*, 1830 ; *Ruy Blas* 1838), sa poésie (*Les Contemplations*, 1856) et ses romans (*Notre-Dame de Paris*, 1831 ; *Les Misérables*, 1862 ; *Les Travailleurs de la mer*, 1866 ; *L'Homme qui rit*, 1869) ont engagé la révolution romantique. Il prend aussi position dans différents débats de son temps et s'engage en politique. S'opposant à Napoléon III, il décide de s'exiler à Guernesey où il écrit pendant vingt ans la majeure partie de son œuvre. En 1870, il fait un retour triomphal et siège comme sénateur. À sa mort, des obsèques nationales rassemblent plus de deux millions de personnes et témoignent de sa popularité. Il repose au Panthéon.

Joris-Karl HUYSMANS **(1848-1907)**
D'abord membre du Cercle naturaliste de Médan dont Zola est le chef de file, Huysmans, dont le vrai prénom est Charles Marie Georges, pratique un naturalisme pessimiste (*En ménage* ou *À vau-l'eau*) avant de changer de cap littéraire dans son roman *À rebours* (1884) qui exprime une esthétique décadente à la « recherche de la langue étoffée et nerveuse du réalisme ».

Eugène IONESCO **(1909-1994)**
Auteur français d'origine roumaine, il est le fondateur du « théâtre de l'absurde ». Ses pièces, comme *La Cantatrice chauve* (1950), *Les Chaises* (1951), *La Leçon* (1951) mêlent le non-sens, le grotesque et une réflexion critique sur les relations humaines ou le langage. *Le Roi se meurt* (1962) est une œuvre pessimiste où l'auteur dévoile son angoisse de la mort. Il est élu à l'Académie française en 1970.

Alfred JARRY **(1871-1907)**
Auteur original et excentrique, Jarry, encore lycéen, écrit *Ubu Roi* en 1888, pour se moquer d'un professeur de physique très chahuté. Il met en scène lui-même la pièce en 1896 en s'entourant pour les décors de peintres réputés comme Bonnard, Toulouse-Lautrec, Vuillard. Un célèbre comédien, Firmin Gémier, crée le rôle. Mais la pièce déclenche un scandale. Il en propose en 1898 une nouvelle version avec des marionnettes.

Daniel KEENE **(né en 1955)**
Auteur australien, il écrit pour le théâtre, le cinéma et la radio. Il est aussi acteur et metteur en scène. Ses pièces sont créées en français depuis 1999. Il montre le tragique de l'existence à travers la solitude de ses personnages, des êtres ordinaires, sans aucun statut ni pouvoir (*Cinq hommes*, 2002). Mais il croit en la possibilité de moments de grâce pour chacun d'eux.

Bernard-Marie KOLTÈS **(1948-1989)**
Auteur dramatique français, il se fait connaître grâce à Patrice Chéreau qui met en scène ses pièces (*Combat de nègre et de chiens*, 1983 ; *Quai ouest*, 1985 ; *Dans la solitude des champs de coton*, 1986). Il s'inspire de ses nombreux voyages en Amérique latine et en Afrique. Son œuvre rompt avec le théâtre de l'absurde et s'intéresse surtout aux difficultés de communication entre les êtres.

Louise LABÉ **(1524-1566)**
Elle est la plus célèbre des poétesses de la Renaissance lyonnaise et surnommée « la Belle cordière ». Raffinée, parlant latin, jouant du luth, elle illustre la condition féminine et revendique le rôle d'écrivain. Pour elle, la puissance créatrice se nourrit de l'expérience amoureuse.

Pierre-Ambroise Choderlos de LACLOS **(1741-1803)**
Militaire de métier, il connaît le succès avec *Les Liaisons dangereuses* (1782). Ce roman libertin, prônant paradoxalement l'ordre et la vertu, lui permet d'intégrer les cercles politiques réformateurs comme celui des jacobins. Il échappe à la Terreur et devient général de brigade de Bonaparte.

Marie-Madeleine de LA FAYETTE **(1634-1693)**
Madame de La Fayette fréquente les salons parisiens dès 1652. Ses premiers essais d'écriture vont au portrait, puis à la nouvelle historique et galante fort en vogue à cette époque. En 1662, elle publie *La Princesse de Montpensier*. *La Princesse de Clèves* (1678) participe de ce climat.

Jules LAFORGUE **(1860-1887)**
La vie courte et souffrante de cet artiste fin de siècle se reflète dans une poésie raffinée aux accents désespérés, souvent ironique et railleuse. La fantaisie de son écriture dissimule mal une angoisse métaphysique et artistique, celle d'être condamné à réécrire ce que les génies qui l'ont précédé, à l'instar de Flaubert, ont exprimé avec tant de talent.

Jean-Luc LAGARCE **(1957-1995)**
Auteur dramatique et metteur en scène, admirateur de Beckett et Ionesco, il commence par écrire des œuvres marquées par le théâtre de l'absurde, et monte *La Cantatrice chauve* avec un grand succès. Ses pièces traitent des difficultés de communication et des enjeux de pouvoir dans les cercles culturels (*Les Prétendants*, 1989), familiaux (*Juste la fin du monde*, 1990), ou amicaux (*Derniers remords avant l'oubli*, 1987).

Georges de LA TOUR **(1593-1652)**
Influencé par Le Caravage, ce peintre se spécialise dans les scènes de genre (tricheries, bagarres), avec notamment *Le Tricheur à l'as de carreau*. Il se distingue par son travail sur le clair-obscur, qu'il utilise pour des sujets religieux (*La Madeleine à la veilleuse*, 1640-

1645). Célèbre sous Louis XIII, il tombe dans l'oubli avant d'être redécouvert par le public en 1934.

Jean-Marie Gustave LE CLÉZIO (né en 1940)
Écrivain et essayiste, voyageur infatigable, Le Clézio connaît tôt le succès en recevant le prix Renaudot pour son premier roman, *Le Procès-Verbal* (1963). Il s'inscrit dans un premier temps dans le sillage du Nouveau Roman, avant d'emprunter une voie plus personnelle, marquée par ses voyages. Son œuvre construit un univers onirique, proche du mythe (*Désert*, 1980 ; *Le Chercheur d'or*, 1985). La dimension autobiographique est également importante. Le Clézio a reçu le prix Nobel de littérature en 2008.

Fernand LÉGER (1881-1955)
Au croisement du cubisme, du fauvisme et du surréalisme, ce peintre français travaille sur les volumes et les formes géométriques, empruntant au monde de l'industrie de nombreux motifs associés à des personnages stylisés. Il étend son art à l'architecture, à l'ornementation et à la conception de décors de théâtre. Un musée lui est consacré à Biot, sur la Côte d'Azur.

Michel LEIRIS (1901-1990)
Ethnologue et écrivain français, Michel Leiris fait une carrière dans l'anthropologie : il participe à la mission Dakar Djibouti en 1931 et devient directeur de service au Laboratoire d'ethnologie du Muséum d'histoire naturelle en 1938. Il écrit plusieurs œuvres à caractère autobiographique dont *L'Âge d'homme* (1939) ou encore *La Règle du jeu* (1948-1976).

Jeanne-Marie LEPRINCE DE BEAUMONT (1711-1780)
Elle est surtout connue aujourd'hui pour le conte « La Belle et la Bête », plusieurs fois adapté à l'écran au XXe siècle. Après avoir tenté d'entrer à la cour de Lunéville, elle obtient une place de gouvernante en Angleterre et décide d'écrire des contes moraux et des traités sur l'éducation des enfants.

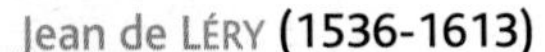

Jean de LÉRY (1536-1613)
Considéré comme un précurseur de l'ethnologie, il exerce d'abord le métier de cordonnier. Il part ensuite au Brésil en vue de participer à la création d'une communauté protestante à l'abri des guerres de religion qui agitent alors la France. Il publie à son retour en France une *Histoire d'un voyage fait en la terre du Brésil* (1578), devenue rapidement un modèle de récit de voyage humaniste.

Alain-René LESAGE (1668-1747)
À l'origine avocat, auteur de romans (*Le Diable boiteux*) et de théâtre, sa pièce *Turcaret* (1709) critique le pouvoir de l'argent dans la société de la Régence. Il écrit de nombreuses courtes œuvres pour le Théâtre de Foire. Son roman picaresque, *L'Histoire de Gil Blas de Santillane* (1715), est son chef-d'œuvre : il dépeint la société et les mœurs à travers les aventures de son héros sur les routes d'Espagne.

Primo LEVI (1919-1987)
Écrivain italien et chimiste, il est arrêté en 1944 pour résistance, et déporté à Auschwitz comme juif. Il raconte sa détention dans *Si c'est un homme*. Ce témoignage, édité en 1947, ne sera enfin lu et connu que dix ans plus tard. Il est l'auteur d'histoires courtes, poèmes et romans (*La Trêve*, 1963).

Claude LÉVI-STRAUSS (1908-2009)
Anthropologue et ethnologue français, il s'est penché sur les sociétés sans écriture, autrement appelées peuples primitifs. Soucieux de donner une dimension scientifique à ses investigations, il a participé au renouveau des sciences humaines au XXe siècle, notamment par sa contribution à la pensée structuraliste. Il se consacre également à l'étude des mythes (*Mythologiques*, 1946 à 1971).

Pierre de MARBEUF (1596-1645)
Élève, comme Descartes, du collège militaire de La Flèche, juriste de formation, cet auteur de sonnets exalte le thème de la fragilité de la vie et de l'amour. Recherchant la perfection formelle, il joue avec les mots et les sonorités dans un style baroque. Son *Recueil des vers* est publié à Rouen en 1628.

Pierre CARLET DE CHAMBLAIN DE MARIVAUX, (1688-1763)
Il domine la création théâtrale de son époque (*Le Jeu de l'amour et du hasard, L'Île des esclaves*). Après la fin morose du règne de Louis XIV, renaît un théâtre où s'expriment le naturel du jeu et la liberté des sentiments amoureux. À l'aube des Lumières, l'auteur compose deux romans majeurs : *La Vie de Marianne* et *Le Paysan parvenu*. Ses activités de journaliste (*Le Spectateur français*) en font un observateur des mœurs et de la société.

Clément MAROT (1496-1544)
Ses premiers rondeaux, épîtres et ballades, fidèles à la tradition médiévale, le font apprécier de François Ier, dont il devient le poète officiel. Mais ses convictions religieuses évangéliques le conduisent en prison, où il compose *L'Enfer*, satire de la Justice, qu'il se garde de publier. Exilé en Italie, il abjure pour rentrer en France et y publie, en 1542, une traduction des *Psaumes* de David.

MOLIÈRE (1622-1673)
Jean-Baptiste Poquelin, dit Molière, d'origine bourgeoise, renonce à la charge de tapissier de son père en 1642, et s'associe à une famille de comédiens, les Béjart. En 1659, la troupe est subventionnée par Monsieur, le frère du roi. Le succès arrive en 1662 avec *L'École des femmes*. Il est accusé d'athéisme en 1665, et deux de ses pièces, *Tartuffe* (1664) et *Dom Juan* (1665), sont interdites. Il revient ensuite à la farce (*Les Fourberies de Scapin*, 1671) et monte des comédies-ballets alliant théâtre, musique et danse (*Le Bourgeois gentilhomme*, 1670 ; *Le Malade imaginaire*, 1673).

Michel de MONTAIGNE (1533-1592)
Cet auteur incarne l'humanisme : diplomate pendant les guerres civiles religieuses et politiques, parlementaire, maire de Bordeaux, proche d'Henri IV, il s'est aussi consacré à la méditation. À cheval ou dans sa bibliothèque d'auteurs antiques et contemporains, il a construit son œuvre (*Les Essais*, 1595) en « essayant » librement sa pensée.

Charles-Louis DE SECONDAT baron de MONTESQUIEU (1689-1755)
Ce moraliste et penseur politique écrit à la fin du règne de Louis XIV. *Les Lettres persanes*, publiées anonymement en 1721, portent un regard critique et satirique sur cette période de mutation tout en s'inspirant des fictions orientales très à la mode. *De l'esprit des lois* (1750) repense les institutions politiques, influençant la pensée des Lumières.

Jorge SEMPRUN (1923-2011)
Né en 1923 en Espagne, Jorge Semprun vient vivre en France avec sa famille, exilée lors de la prise du pouvoir par Franco. Engagé dans la Résistance communiste en 1941, il est déporté à Buchenwald. Après la guerre, il lutte clandestinement contre le régime franquiste. Ministre de la Culture du gouvernement espagnol de 1988 à 1991, il est aussi membre de l'Académie Goncourt. Son œuvre, principalement rédigée en français, rend compte des grands événements de son existence (*Le Grand Voyage*, 1963 ; *L'Écriture ou la vie*, 1994).

Posy SIMMONDS (née en 1945)
Rosemary Elisabeth Simmonds a grandi dans la campagne anglaise. C'est son professeur de français qui lui fait découvrir Flaubert et Hugo et lui donne l'envie de conjuguer sa passion pour le dessin et pour la littérature. Ses romans graphiques connaissent aujourd'hui un large succès et *Tamara Drewe* a été adapté au cinéma par Stephen Frears en 2010.

SOPHOCLE (495-406 av. J.-C.)
Seules sept des cent vingt-trois tragédies du poète grec nous sont parvenues. Proche du pouvoir, il assume en -441 la charge de stratège, c'est-à-dire chef des armées, en récompense d'*Antigone* (442 av. J.-C.). Homme très pieux, ses héros, tels Électre, Ajax ou Œdipe, sont soucieux de leur gloire et ont un sens aigu du devoir.

Germaine de STAËL (1766-1817)
Elle est la fille de Necker, ministre de l'Économie sous Louis XVI. Les événements de la Révolution la conduisent à vivre en Suisse où elle anime un groupe d'intellectuels brillants, curieux des littératures étrangères. Elle mène une carrière de romancière et écrit *Delphine* et *Corinne ou l'Italie* et promeut le romantisme en publiant *De l'Allemagne* en 1813.

STENDHAL (1783-1842)
Admirateur de Napoléon, Henri Beyle, dit Stendhal, commence à dix-sept ans une carrière militaire qui l'amène à participer aux campagnes napoléoniennes. En 1812, il démissionne de ses fonctions, puis se consacre à sa passion pour l'Italie. En 1800, il entre en Italie avec l'Empereur et ce voyage marque son œuvre (*Chroniques italiennes*). Il publie ensuite des essais et des récits de voyages. Il s'engage dans la bataille romantique avec son essai *Racine et Shakespeare* dès 1823. Il écrit également des romans, parmi lesquels *Le Rouge et le noir* (1830) et *La Chartreuse de Parme* (1839). Il meurt en laissant inachevées plusieurs œuvres, notamment *Vie de Henry Brulard* et *Lucien Leuwen*. Il a marqué à la fois le réalisme et le romantisme.

Jules SUPERVIELLE (1884-1960)
Né à Montevideo, il perd ses parents à huit mois. Il apprend la vérité à neuf ans. Grand voyageur, il partage sa vie entre la France et l'Amérique latine. Sa poésie évoque ce qu'il a perdu et ce qu'il veut sauver : la blessure de l'enfance, la beauté du monde, la clarté des mots. Il est l'auteur de *Débarcadères* (1922), *Brumes du passé* (1901), *Gravitations* (1925).

Antoni TÀPIES (né en 1923)
Après s'être formé en copiant les grands maîtres, comme Picasso, il se tourne dans les années 1950 vers l'utilisation de matériaux souvent modestes et pauvres, comme l'argile, le papier déchiré, le chiffon et la corde (*Gris et Vert*, Tate Gallery, Londres, 1957), voire des objets du quotidien. Il entend ainsi rendre la richesse matérielle du monde et sa beauté brute.

Michel TOURNIER (né en 1924)
Romancier nourri de mythes et de philosophie. Dans *Vendredi ou les limbes du Pacifique* (1967), il reprend l'histoire de Robinson Crusoé. Son personnage, qui tente de vivre sur l'île comme en Europe, s'ouvre ensuite à un autre mode de vie après sa rencontre avec Vendredi, un sauvage métis qui lui apprend à vivre autrement.

Paul VERLAINE (1844-1896)
Silhouette familière des cercles et cafés parisiens, il est très influent dans le milieu symboliste. Très lié avec Rimbaud, avec qui il mène un temps une vie vagabonde de poète maudit, il laisse des poèmes empreints de mélancolie et de musicalité. Parmi ses recueils, on peut citer *Fêtes galantes* (1869), *Romances sans paroles* (1874) et *Sagesse* (1881).

Léonard de VINCI (1452-1519)
Peintre, architecte et ingénieur italien, Leonardo di ser Piero da Vinci est invité au Clos Lucé, près d'Amboise, par François Ier. L'artiste brille tant dans l'invention de machines industrielles que dans la conception d'engins d'armement ou d'objets d'anticipation. Ses recherches picturales aboutissent à des chefs-d'œuvre au renom universel tels *La Joconde* ou *La Cène*.

Vincent VOITURE (1597-1648)
Poète à la cour de Gaston d'Orléans, frère du Roi, il fait le tour de l'Europe quand son protecteur est condamné à l'exil. À son retour, son esprit brillant et cultivé le fait nommer académicien. Il compose une poésie moderne et précieuse. Sa célébrité lui vaut d'être impliqué dans les grandes querelles dont les polémiques rythment la vie littéraire du siècle.

VOLTAIRE (1694-1778)
François Marie Arouet, né dans la bourgeoisie aisée, se distingue par des études brillantes chez les jésuites. Emprisonné à la Bastille en 1717 pour avoir écrit contre le Régent, bastonné sur l'ordre d'un aristocrate, Voltaire part pour l'Angleterre. Il y réfléchit sur les institutions et en tire une critique de la société et de l'État français dans ses *Lettres philosophiques* (1734). Adulé pour ses tragédies, nommé historiographe du roi, et en même temps censuré, il vit à l'écart de la cour chez Mme du Châtelet en Lorraine. Son séjour en Prusse chez Frédéric II lui fait relativiser l'espérance qu'il avait placée dans les despotes éclairés. Installé à Ferney en 1755, il mène ses batailles dont l'affaire Calas, lance son *Dictionnaire philosophique* et écrit ses *Contes*. Il revient à Paris peu avant de mourir, en pleine gloire.

Glossaire

Absurde (théâtre de l') (n. m. et adj.) : forme de théâtre contemporain qui cherche à refléter le chaos universel et l'incommunicabilité entre les êtres.
Abyme (mise en abyme) (n. f.) : procédé d'imbrication consistant à placer une œuvre au sein d'une autre.
Académisme (n. m.) : art qui s'attache à l'enseignement classique reçu à l'école, dans une académie.
Accumulation (n. f.) : juxtaposition de mots permettant d'accentuer une idée ou d'insister sur sa force.
Acrostiche (n. m.) : poème ou strophe où les lettres initiales de chaque vers, lues verticalement, composent un nom (auteur, destinataire) ou un mot-clé, voire un énoncé.
Action (n. f.) : ce qui se passe sur scène (théâtre).
Alexandrin (n. m.) : vers de douze syllabes accentuées.
Allégorie (n. f.) : figure d'analogie. Représentation de manière claire et directe d'une idée abstraite par une personne.
Allitération (n. f.) : répétition d'un même son consonantique à des fins stylistiques.
Allusion (n. f.) : figure de style consistant à évoquer, sans les nommer de façon explicite, des personnes, des faits, des événements ou des références supposés connus et partagés culturellement.
Anagramme (n. m.) : mot formé à l'aide des lettres d'un autre mot. Ex. : pour Ronsard, « aimer » est l'anagramme de « Marie ».
Analepse (n. f.) : dans un récit, retour en arrière. Au cinéma, on parle de *flash-back*.
Analogie (n. f.) : ressemblance, similitude suggestive ou élément de comparaison entre deux réalités différentes.
Anaphore (n. f.) : figure d'insistance. Répétition d'un même mot en début de proposition, de phrase ou de vers.
Anciens (n. m. pl.) : groupe d'écrivains du XVIIe siècle, partisans de l'imitation fidèle de l'Antiquité. Ils menèrent une vive querelle contre les Modernes, défenseurs du progrès et de la création originale.
Angle de prise de vue (n. m.) : position de la caméra ou de l'appareil photo par rapport au sujet, pouvant être à hauteur d'homme, en plongée (caméra en hauteur, plongeant vers le sujet) ou en contre-plongée (caméra située plus bas).
Anthologie (n. f.) : recueil proposant une sélection de textes, d'extraits de films, etc. (Voir *Florilège*.)
Anthropologie (n. f.) : science qui étudie l'homme dans sa dimension sociale.
Antihéros (ou anti-héros) (n. m.) : personnage central d'une œuvre de fiction ne présentant aucune des qualités du héros traditionnel. Il peut même incarner des contre-valeurs.
Antithèse (n. f.) : figure d'opposition. Rapprochement de deux idées contraires.
Aparté (n. m.) : dans un dialogue, réplique brève, dite « à part », censée être entendue du seul public.
Apogée (n. m.) : voir *Paroxysme*.
Apologue (n. m.) : bref récit en vers ou en prose dispensant un enseignement moral.
Archétype (n. m.) : personnage incarnant, par ses caractéristiques physiques et/ou morales, une sorte de modèle ou de type.
Argot (n. m.) : langage dont se servaient les voleurs et les vagabonds pour se comprendre entre eux sans l'être des forces de police. Aujourd'hui, langue verte ou très familière.
Argument (n. m.) : raison convaincante employée pour étayer, défendre ou valider une thèse.
Argument *ad hominem* (n. m.) : stratégie qui consiste à attaquer et mettre en contradiction son adversaire, dans sa personne, en lui opposant ses propres paroles et ses propres actes.
Argument d'autorité (n. m.) : fait d'invoquer l'avis d'une personne reconnue comme faisant autorité dans le domaine concerné, plutôt que de produire un raisonnement.
Argumentation directe / indirecte (n. f.) : à un raisonnement exposé de façon directe et explicite (argumentation directe) s'opposent des stratégies de détour (argumentation indirecte). Par exemple, dans la fiction, les leçons sont exprimées de façon symbolique à travers les personnages et situations mis en scène.
Assonance (n. f.) : répétition d'un même son vocalique à des fins stylistiques.
Autobiographie (n. f.) : « récit rétrospectif en prose qu'une personne réelle fait de sa propre existence, lorsqu'elle met l'accent sur sa vie individuelle, en particulier sur l'histoire de sa personnalité » (Philippe Lejeune).
Ballade (n. f.) : poème de forme régulière qui se compose d'une série de strophes terminées par un vers identique (le refrain), et s'achevant par un envoi (couplet final plus court où se trouve une dédicace).
Baroque (n. m. et adj.) : issu du portugais *barroco*, perle de forme irrégulière, cet adjectif est d'abord synonyme d'« extravagant ». Puis, le nom désigne un mouvement littéraire et culturel du XVIIe siècle caractérisé par l'expression du mouvement, du contraste et du débordement. Ses sources d'inspiration sont la mort, la métamorphose et l'inquiétude.
Blâme (n. m.) : discours prononcé pour souligner et dénoncer les travers de quelqu'un ou de quelque chose.
Blason (n. m.) : forme poétique née à la Renaissance, célébrant une partie du corps de l'aimé(e).
Burlesque (n. m. et adj.) : genre littéraire traitant un sujet noble dans un style trivial.
Cadre (n. m.) : ce qui délimite une image.
Calligramme (n. m.) : texte dont les mots forment un dessin. Son invention est attribuée à Apollinaire.
Caractère (n. m.) : ensemble des traits physiques, psychologiques et moraux d'un personnage de théâtre ou de roman.
Caricature (n. f.) : exagération ou amplification de certains traits d'un personnage ou d'une réalité afin d'en souligner les ridicules.
Catharsis (n. f.) : mot grec signifiant « purgation ». Il est utilisé par le philosophe grec Aristote pour désigner l'effet d'une tragédie sur le spectateur : la pitié et la terreur suscitées par le malheur des héros le libèrent de passions néfastes.
Césure (n. f.) : coupe d'un vers à l'hémistiche.
Champ / Contre-champ (n. m.) : procédé de montage cinématographique faisant alterner les plans de chacune des deux personnes en train de dialoguer.
Champ lexical (n. m.) : ensemble de termes ou d'expressions renvoyant à un même thème.
Champ sémantique (n. m.) : ensemble des sens d'un même mot selon le contexte ou l'expression dans lesquels il est employé.
Chanson (n. f.) : texte mis en musique, divisé en couplets et refrain.
Chœur (n. m.) : dans le théâtre grec, groupe de chanteurs et danseurs prenant collectivement la parole pour commenter l'action.
Chronique (n. f.) : article de journal ou de revue, rubrique d'une émission radiophonique ou télévisuelle traitant régulièrement d'un thème particulier.
Chute (n. f.) : dénouement inattendu d'une nouvelle, trait spirituel concluant un poème. (Voir *Pointe*.)
Citation (n. f.) : fait de prélever un fragment de texte pour l'insérer dans son propre texte, dans un but didactique ou illustratif. La citation, placée entre guillemets, s'accompagne de l'indication de l'auteur du texte initial.
Classicisme (n. m.) : mouvement culturel du XVIIe siècle, considérant comme beau ce qui est fondé sur l'alliance de la raison et du sentiment, le respect de la vraisemblance et de la bienséance. Visuellement, les artistes privilégient la ligne droite et la symétrie. Les thèmes sont souvent inspirés de l'Antiquité.
Cliché (n. m.) : lieu commun, banalité.
Comédie (n. f.) : genre théâtral qui vise à faire rire ou sourire le spectateur, par les situations ou par le ridicule des caractères et des mœurs mis en scène.
Commedia dell'arte (n. f.) : comédie italienne, apparue au XVe siècle, où les acteurs, portant des masques, incarnent des personnages types (comme Arlequin). Ils improvisent *lazzi* et saynètes sur des canevas bien connus.
Comparaison (n. f.) : construction qui explicite le rapprochement de deux objets à l'aide du comparé (l'objet que l'on compare), du comparant (l'objet auquel on compare), d'un terme comparatif (comme, tel, semblable...), et d'un point de comparaison.

Concession (n. f.) : mode de raisonnement consistant à accepter une partie de la thèse adverse pour mieux en contrer l'argument principal à l'aide de connecteurs tels que « Certes... mais... ».
Connecteurs logiques / spatiaux / temporels (n. m. pl.) : mots de liaison ou locutions lexicales permettant de lier logiquement, spatialement ou temporellement les différentes étapes d'un récit ou d'un raisonnement entre elles.
Connotation (n. f.) : signification secondaire ou subjective, le plus souvent implicite, venant s'ajouter à la signification première d'un mot ou d'un texte et associée le plus souvent au contexte d'écriture.
Conte (n. m.) : récit bref le plus souvent et relevant de l'apologue. Le conte de fées met en scène des personnages manichéens et des éléments merveilleux pour proposer une moralité. Le conte philosophique détourne ce schéma narratif afin de critiquer la société, la religion ou le pouvoir. Son arme de prédilection est l'ironie.
Contre-plongée (n. f.) : procédé inverse à la plongée, qui consiste à placer la caméra plus bas que le sujet filmé, qui s'en trouve mis en valeur. Le spectateur ressent un effet d'écrasement. (Voir *Plongée*.)
Coordination (n. f.) : construction syntaxique où les propositions sont reliées entre elles par des liens de coordination qui peuvent être des conjonctions (mais, ou, et, donc, or, ni, car) ou des locutions conjonctives (ni... ni..., soit... soit..., d'une part... d'autre part...).
Coryphée (n. m.) : chef du chœur grec qui dialogue avec les personnages principaux.
Cubisme (n. m.) : mouvement artistique novateur né en 1908. Sa principale technique consiste à présenter une même réalité sous plusieurs angles de vue à la fois.
Dénouement (n. m.) : au théâtre, résolution finale de l'intrigue qui met fin à la crise.
Dialogue (types de) (n. m.) : le dialogue **didactique** met en scène un maître et son disciple. Le dialogue **dialectique**, plus équilibré, permet à chacun de construire sa pensée en discutant. Le dialogue **polémique** fait entendre l'affrontement de deux points de vue irréconciliables. Le dialogue **délibératif** consiste à discuter ensemble, à délibérer pour aboutir à une prise de décision collective.
Diatribe (n. f.) : discours formulant une attaque violente, voire injurieuse.
Didascalie (n. f.) : dans un texte de théâtre, indication scénique donnée par l'auteur aux acteurs (noms des personnages, décors, gestes, intonations, déplacements).
Diérèse (n. f.) : procédé qui consiste à prononcer deux voyelles successives en deux syllabes distinctes.
Dilemme (n. m.) : conflit intérieur vécu par un personnage qui doit choisir entre deux intérêts opposés, l'amour et la gloire, la famille ou la cité.
Discours indirect libre (n. m.) : forme de discours rapporté dans lequel les paroles ou pensées sont transposées dans une phrase juxtaposée à la phrase de récit précédente sans verbe introducteur ou marque de la subordination. Les paroles sont ainsi intégrées au récit et la voix du narrateur mêlée à celle du personnage.
Discours rapporté (n. m.) : paroles ou pensées apparaissant dans un récit. Il peut être direct, indirect, indirect libre ou narrativisé.
Distanciation (effet de) (n. f.) : concept inventé par le dramaturge allemand Bertolt Brecht, qui vise à mettre le spectateur dans une attitude critique face au spectacle.
Dizain (n. m.) : poème comportant dix vers.
Double énonciation (n. f.) : nature de l'énonciation théâtrale qui comporte deux destinataires, le ou les personnages sur scène, et le public.
Drame (n. m.) : à l'origine, mot grec signifiant « action ». Genre théâtral représenté par le drame romantique au XIXe siècle.
École (n. f.) : esthétique, techniques et convictions communes à un groupe d'artistes ou d'écrivains.
Éditorial (n. m.) : article argumentatif ou polémique que l'éditorialiste publie à la une d'un journal ou d'une revue pour en définir ou préciser une orientation politique, sociale, littéraire ou économique.
Ekphrasis (n. f.) : description vivante et détaillée, qui entend rivaliser avec la peinture.
Élégie (n. f.) : poésie exprimant le deuil et le chagrin lié à la perte d'un être cher.
Ellipse narrative (n. f.) : acte par lequel le narrateur décide de passer sous silence certains événements du récit. Plusieurs années peuvent ainsi être évoquées en quelques lignes.
Éloge (n. m.) : discours prononcé pour vanter les mérites de quelqu'un ou de quelque chose.
Enjambement (n. m.) : on parle d'enjambement lorsque la fin d'un groupe syntaxique ne coïncide pas avec la fin d'un vers, et que le vers suivant prolonge ce groupe syntaxique.
Énonciation (n. f.) : ensemble des marques permettant d'identifier l'acte de parole au sein d'un discours. Elles vont de la présence du locuteur à celle, explicite ou non, d'un destinataire. Étudier l'énonciation consiste à savoir qui parle, à qui et dans quelles circonstances, en identifiant toutes les marques de la subjectivité dans un énoncé.
Épidictique (adj.) : discours qui fait l'éloge ou le blâme d'une personne, d'une idée, d'un concept, d'une institution.
Épigramme (n. f.) : 1) inscription sur un monument ; 2) bref poème de huit à dix vers s'achevant sur une pointe, inattendue ou amusante.
Épique (adj.) : registre mettant en valeur le courage et la bravoure du héros. Il privilégie les figures de l'exagération, les épithètes homériques et les images obsédantes.
Épistolaire (adj.) : qui se fait par lettres.
Épître (n. f.) : lettre traitant de sujets philosophiques ou politiques.
Épopée (n. f.) : genre littéraire narrant les hauts faits de héros exceptionnels. Ils incarnent les valeurs de tout un peuple
Essai (n. m.) : texte argumentatif où l'auteur expose sa réflexion sur une question.
Ethnologie (n. f.) : science qui étudie le comportement des groupes humains.
Euphémisme (n. m.) : figure de style visant à atténuer le caractère abrupt d'une réalité ou d'une idée.
Exposition (n. f.) : premières scènes d'une œuvre théâtrale qui donnent des informations sur les personnages, les circonstances et l'action.
Fable (n. f.) : genre littéraire relevant de l'apologue. Elle comporte une petite histoire accompagnée d'une moralité.
Fantastique (n. m. et adj.) : genre littéraire et artistique dont les effets sont fondés sur l'intrusion du surnaturel dans la vie quotidienne observée avec réalisme.
Farce (n. f.) : genre théâtral populaire reposant sur un comique trivial, corporel.
Figure d'insistance (n. f.) : procédé de répétition visant à attirer l'attention du lecteur sur un point particulier.
Florilège (n. m.) : voir *Anthologie*.
Fondu (n. m.) : technique pour faire apparaître ou disparaître progressivement une image. Dans le **fondu enchaîné,** une image se superpose à la précédente par surimpression et vient la remplacer. Le **fondu au noir ou au blanc** obscurcit ou éclaircit l'écran avant de laisser place au plan suivant.
Genre littéraire (n. m.) : ensemble d'œuvres ou de sujets littéraires ayant des caractéristiques communes, des procédés d'écriture identifiables.
Gradation (n. f.) : figure d'insistance qui procède par degrés successifs, croissants ou décroissants. On parle aussi de *crescendo* ou *decrescendo*.
Grotesque (adj. et n. f. pl.) : 1) ridicule, extravagant ; 2) dessins étranges et fantastiques ornant les monuments antiques, mis au jour par les fouilles de la Renaissance.
Hémistiche (n. m.) : moitié d'un vers, délimitée par la césure.
Hors champ (adj. inv.) : désigne, au cinéma, tout ce qui n'apparaît pas à l'écran mais que le spectateur devine ou imagine. Il est souvent utilisé pour créer le suspense.
Humanisme (n. m.) : mouvement littéraire et culturel du XVIe siècle qui place l'Homme au centre de toutes les préoccupations. On parle aussi d'humanisme pour les courants littéraires et artistiques du XXe siècle qui placent l'humain au cœur de leur réflexion.
Hyperbole (n. f.) : figure d'amplification ou d'exagération consistant à souligner ou mettre une idée en relief.
Hypocoristique (adj.) : terme qui exprime une intention affectueuse, souvent employé quand on s'adresse à un enfant.
Hypotypose (n. f.) : figure consistant à donner vie à la description afin que le lecteur « voie » la scène.
Implicite (adj.) : qui n'est pas formellement exprimé, mais sous-entendu ou présupposé, et dont le lecteur ou l'auditeur doit induire ou déduire le sens.
In medias res : locution latine signifiant « au milieu des choses ». Technique narrative qui fait commencer le récit au milieu de l'intrigue.
Incise (n. f.) : proposition généralement courte, insérée dans un dialogue ou un discours rapporté, pour indiquer qui parle.
Incipit (n. m. inv.) : première(s) page(s) d'un récit.
Intensité dramatique (n. f.) : ensemble des moyens narratifs employés pour accentuer l'action romanesque et maintenir le lecteur en haleine.
Intertextualité (n. f.) : ensemble des relations qu'un texte entretient avec d'autres œuvres.

Ironie (n. f.) : procédé consistant à dire ou suggérer le contraire de ce que l'on pense pour dévaloriser ou critiquer le parti adverse. L'humour induit par l'ironie crée une distance entre les propos et la pensée réelle.

Jansénisme (n. m.) : courant de pensée religieux né au XVIIe siècle à l'abbaye de Port-Royal. Il pense que le croyant ne peut être sauvé que s'il est prédestiné à l'être, que s'il bénéficie de la grâce divine.

Juxtaposition (n. f.) : construction syntaxique où les propositions sont placées l'une à côté de l'autre et séparées par une simple virgule.

Lexique (n. m.) : ensemble des mots d'une langue qu'un locuteur peut utiliser.

Libertinage (n. m.) : courant de pensée né au XVIe siècle revendiquant l'autonomie morale de l'individu face à la religion et au pouvoir politique. Le libertin s'autorise une grande liberté de mœurs et refuse toute contrainte.

Lieu commun (n. m.) : florilège de formules et d'expressions utilisées pour nourrir un propos dans la tradition antique.

Litote (n. f.) : figure de style consistant à dire moins pour faire entendre plus. C'est une forme particulière d'euphémisme.

Lumières (n. f. pl.) : mouvement culturel, littéraire et philosophique européen du XVIIIe siècle. Il s'appuie sur la raison pour lutter contre toutes les formes d'obscurantisme et favoriser le progrès.

Lyrisme (n. m.) : registre caractérisé par l'expression exacerbée des sentiments personnels.

Madrigal (n. m.) : court poème formulant un compliment ingénieux et s'achevant sur une pointe.

Manifeste (n. m.) : exposé théorique argumentatif présentant les fondements et principes d'un mouvement littéraire ou culturel.

Mémoires (n. f. pl.) : genre littéraire relevant de l'autobiographique. L'auteur-narrateur-personnage fait le récit de sa vie et relate les événements historiques dont il fut le témoin ou l'acteur.

Métaphore (n. f.) : figure de substitution rapprochant deux idées ou deux réalités distinctes sans outil de comparaison.

Métonymie (n. f.) : figure d'analogie consistant à désigner un élément par un autre qui est en relation avec lui. Ainsi, on peut désigner le contenu par le contenant.

Mètre (n. m.) : type de vers déterminé par le nombre de syllabes prononcées et par la coupe.

Métrique (n. f.) : système qui codifie la versification et, en particulier, le rythme des vers.

Mise en scène (n. f.) : interprétation scénique d'un texte de théâtre par les décors, l'éclairage, la musique, les costumes et le jeu des acteurs.

Modalisateurs (n. m. pl.) : ensemble des termes qui marquent le jugement et les sentiments du locuteur (adverbes, verbes, termes affectifs ou évaluatifs...).

Modalisation (n. f.) : procédés permettant au locuteur de préciser son degré de certitude ou d'incertitude, d'adhésion ou de distance par rapport à son énoncé.

Monologue (n. m.) : au théâtre, réplique prononcée par un personnage seul ou se croyant seul sur scène.

Monologue intérieur (n. m.) : procédé consistant à donner l'illusion, dans un récit, de rapporter à l'état brut les pensées d'un personnage.

Moralité (n. f.) : phrase située au début ou à la fin d'un apologue délivrant un enseignement moral.

Mythe (n. m.) : récit fabuleux et symbolique construit autour de figures allégoriques incarnant des forces de la nature ou certains traits caractéristiques de la condition humaine. Par extension, le mythe constitue l'image simplifiée qu'un groupe prête à un individu ou à un fait. Ex. : le mythe de la femme fatale, le mythe du bon sauvage.

Narrateur (n. m.) : dans l'énonciation du récit littéraire, personnage prenant en charge la narration. Ce n'est pas forcément l'auteur.

Naturalisme (n. m.) : mouvement littéraire essentiellement romanesque qui prolonge le mouvement réaliste dans le dernier quart du XIXe siècle. Les écrivains naturalistes, dont Zola est le chef de file, se réclament de la science et se considèrent comme les expérimentateurs de la « matière humaine » en étudiant notamment l'influence de l'hérédité et du milieu sur le personnage.

Nœud (n. m.) : situation centrale de crise ou de conflit dans l'action théâtrale.

Nouveau roman (n. m.) : mouvement romanesque né dans les années 1950, refusant les conventions du récit traditionnel (effet de réel, rôle du narrateur, statut du personnage).

Nouvelle (n. f.) : récit bref dont le cadre spatio-temporel est plus resserré que celui du roman. Le genre de la nouvelle se caractérise par une intrigue unique centrée autour de peu de personnages et orientée vers un dénouement frappant (« la chute »).

Ode (n. f.) : poème lyrique, de forme variable, constitué de strophes symétriques. Il est destiné à être chanté et accompagné de musique, pour célébrer des héros ou de grands événements.

Oxymore (n. m.) : figure d'opposition juxtaposant deux termes antithétiques. Ex. : obscure clarté.

Panoramique (image mobile) (n. m.) : pivotement de la caméra sur son pied fixe.

Pantoum (n. m.) : poème à forme fixe, composé de quatrains à rimes croisées, dans lesquels le deuxième et le quatrième vers sont repris par le premier et le troisième vers de la strophe suivante, le dernier vers du poème reprenant en principe le vers initial.

Parabole (n. f.) : récit, narration à contenu allégorique que le lecteur ou l'auditeur doit décoder.

Paradoxe (n. m.) : opinion contraire à la *doxa*, c'est-à-dire l'opinion commune.

Parallélisme (n. m.) : effet de symétrie obtenu par la succession de groupes de mots ou de propositions présentant la même structure syntaxique.

Paratexte (n. m.) : ensemble des informations données au lecteur sur un texte (nom de l'auteur, titre, date, préface, notes de bas de page, couverture...).

Parodie (n. f.) : dans l'Antiquité, réécriture des récits épiques sur un mode comique. Plus largement, la parodie détourne une œuvre dans une intention comique, voire satirique. Parodier, c'est imiter pour se moquer.

Paronomase (n. f.) : procédé consistant à juxtaposer des paronymes, c'est-à-dire des mots très proches par leur sonorité.

Paroxysme (n. m.) : point culminant du récit ou de l'action romanesque. (Voir *Apogée*.)

Pastiche (n. m.) : imitation du style d'un auteur dans une démarche d'hommage ou de jeu littéraire. Le pastiche est souvent un exercice de style respectueux.

Pathétique (adj.) : registre littéraire qui vise à émouvoir le lecteur par le spectacle de la douleur, physique ou morale.

Pause (n. f.) : dans un récit, suspension des événements et de leur enchaînement, comme si le temps s'arrêtait. La pause peut correspondre, par exemple, à un passage descriptif.

Péripétie (n. f.) : rebondissement.

Périphrase (n. f.) : détour de langage où l'on emploie la définition pour le terme lui-même.

Personnification (n. f.) : métaphore qui assimile un animal, un être inanimé ou une idée abstraite à une personne.

Perspective (n. f.) : terme désignant les procédés qui donnent, sur une surface plane, l'illusion d'une troisième dimension. La taille des objets ou des personnages semble varier en fonction de leur position spatiale ou selon les nuances colorées choisies par l'artiste pour hiérarchiser la composition de son œuvre.

Phrase complexe (n. f.) : structure syntaxique qui contient plusieurs propositions juxtaposées, coordonnées ou subordonnées entre elles.

Phrase nominale (n. f.) : phrase dont le noyau ne comporte aucun verbe.

Picaresque (roman) (adj.) : genre littéraire né en Espagne au XVIe siècle, narrant à la première personne les aventures d'un *picaro*, d'un aventurier marginal.

Plagiat (n. m.) : imitation malhonnête et illégale d'un texte, vol littéraire.

Plaidoyer (n. m.) : discours argumenté, convaincu, en faveur d'une personne, d'une idée, d'une institution.

Plan (n. m.) : terme qui désigne, au cinéma, une prise de vues filmées sans coupure. Le terme renvoie aussi à des choix de cadrage : on distingue le **plan d'ensemble** (large cadre, paysage), le **plan rapproché** (personnage filmé « en buste »), le **gros plan** (visage couvrant tout l'écran), et le **très gros plan** (détail). Le **plan-séquence** est une scène filmée en un seul plan et restituée sans montage.

Plongée (n. f.) : prise de vue où la caméra est placée en surplomb de ce qui est filmé, donnant au spectateur une impression de supériorité. (Voir *Contre-plongée*.)

Poème en prose (n. m.) : texte poétique non versifié. Sa puissance est fondée sur les effets de rythme, de sonorités et la recherche des images. Baudelaire attribue son invention à Aloysius Bertrand.

Point de vue (ou focalisation) (n. m.) : dans un récit, angle selon lequel les faits sont perçus et racontés par le narrateur. On discerne :
1) le point de vue externe : le narrateur observe les personnages de l'extérieur sans connaître leurs sentiments ni leurs pensées.

2) le point de vue interne : la narration est menée autour du point de vue d'un seul personnage dont le lecteur connaît les pensées et états d'âme.

3) le point de vue omniscient (encore nommé « focalisation zéro ») : le narrateur sait tout de ses personnages.

Pointe (n. f.) : voir *Chute*.

Polémique (adj. et n. f.) : qui relève du combat. Un texte polémique attaque des personnes, des idées, etc. Une polémique est une controverse, un débat agité et houleux.

Praticable (n. m.) : élément de décor en trois dimensions sur lequel les acteurs peuvent évoluer.

Prétérition (n. f.) : figure de rhétorique consistant à prétendre qu'on ne parlera pas d'un sujet, alors qu'on le fait.

Profondeur de champ (n. f.) : en photographie, désigne l'espace qui est net lors de la prise de vue.

Prolepse (n. f.) : dans un récit, annonce anticipée d'un événement qui se produit plus loin dans le récit.

Prologue (n. m.) : introduction présentant des faits antérieurs à l'action, dans une pièce de théâtre, un roman, un film, etc.

Prosopopée (n. f.) : figure par laquelle l'orateur fait parler un mort, un animal, un être inanimé.

Quatrain (n. m.) : strophe de quatre vers.

Quatrième mur (n. m.) : mur imaginaire séparant la scène de la salle et enfermant les acteurs dans une boîte.

Quiproquo (n. m.) : terme latin désignant un procédé comique fondé sur une méprise (un personnage pris pour un autre, deux personnages croyant parler d'une même chose).

Raccord (n. m.) : procédé de montage qui permet de relier les plans entre eux. Les raccords assurent la cohérence spatiale, lumineuse, thématique de l'ensemble.

Raisonnement déductif (n. m.) : forme de raisonnement où les arguments se suivent logiquement et vont du général au particulier.

Raisonnement inductif (n. m.) : forme de raisonnement qui part de l'exemple pour aboutir à des conclusions générales.

Réalisme (n. m.) : mouvement artistique et littéraire essentiellement romanesque, de la seconde moitié du XIXe siècle, qui cherche à peindre la réalité dans ses composantes sociales, historiques et psychologiques, et dont les précurseurs sont Balzac et Stendhal. Gustave Flaubert, qui défend le « faire vrai », en est considéré comme le chef de file.

Récit enchâssé/Récit-cadre (n. m.) : le récit-cadre est le récit premier pris en charge par le narrateur principal. Il donne le contexte général. Le récit enchâssé, souvent plus important, raconte l'histoire des personnages principaux.

Réfutation (n. f.) : discours tentant de prouver que la thèse de l'adversaire n'est pas recevable. (Voir *Structure du discours*.)

Registre (n. m.) : ensemble des procédés stylistiques destinés à donner une tonalité particulière à un texte (indignation, joie, tristesse, colère, pitié...) et à éveiller le même sentiment chez le lecteur. On distingue principalement les registres comique, dramatique, épidictique, épique, pathétique, polémique, satirique et tragique.

Registre de langue (ou niveau de langue) (n. m.) : niveau de langue employé par un locuteur ; il peut être familier, courant (ordinaire) ou soutenu, selon le contexte.

Réplique (n. f.) : partie du texte prononcée par chaque personnage dans un dialogue théâtral.

Réquisitoire (n. m.) : discours de reproches et d'accusations à l'encontre d'une personne, d'une institution, etc. Dans le vocabulaire judiciaire, acte par lequel le ministère public expose ses arguments aux magistrats et précise ce qui est reproché à l'accusé.

Rhétorique (n. f.) : éloquence, art de bien parler, en utilisant un certain nombre de techniques et de procédés.

Rime (n. f.) : répétition de deux ou plusieurs sons à la fin de deux vers.

Romantisme (n. m.) : mouvement culturel de la première moitié du XIXe siècle, en rupture avec le classicisme. Fondé sur l'expression des émotions personnelles, il exprime une forme de sensibilité nouvelle à la nature, à l'histoire et à la politique.

Rondeau (n. m.) : poème à forme fixe ne comportant que deux rimes et reposant sur la répétition d'un vers, le refrain.

Satire (n. f.) : écrit humoristique où l'auteur ridiculise pour mieux les dénoncer ou les critiquer une époque, une politique, un fait de société, un personnage important, etc. Poussée à l'extrême, elle vire au **pamphlet**.

Scène (au théâtre) (n. f.) : unité de base du théâtre classique. Elle se définit par l'entrée ou la sortie d'un personnage.

Scénographie (n. f.) : art d'organiser la scène et l'espace théâtral (création du décor, des lumières, rapport entre la scène et la salle).

Schéma narratif (n. m.) : ensemble composé des différentes séquences d'un récit, de la situation initiale à la situation finale. Le schéma résume et planifie les péripéties et les principes (éléments perturbateurs ou éléments de résolution) permettant à l'action de progresser.

Sens propre / Sens figuré (n. m.) : signification qu'un mot peut prendre selon le contexte dans lequel il est employé. Le sens propre évoque l'acception traditionnelle et courante d'un mot, le sens figuré la signification particulière du même mot en fonction des enjeux de la phrase.

Soliloque (n. m.) : discours qu'un personnage se tient à lui-même, même en présence d'autres personnages, et qui montre sa solitude ou ses difficultés à communiquer.

Sonnet (n. m.) : forme fixe en poésie, qui désigne un poème composé de quatorze vers répartis en deux quatrains et deux tercets dont les rimes sont disposées selon un schéma prédéfini (*abba* pour les quatrains et *ccd eed* ou *ccd ede* pour les tercets).

Stance (n. f.) : tirade en vers présentée sous forme de strophes où l'on remarque des dispositions de vers récurrentes.

Stéréotype (n. m.) : voir *Cliché*.

Stichomythie (n. f.) : dans un dialogue théâtral, échange rapide de répliques qui se répondent vers par vers. Joute verbale.

Story-board (n. m.) : sorte de bande dessinée réalisée par le metteur en scène ou le story-boardeur représentant les scènes du film prévues par le découpage technique.

Stratégie argumentative (n. f.) : ensemble des moyens argumentatifs (arguments, modes de raisonnement, marques de la modalisation, etc.) employés par un auteur pour convaincre et persuader.

Strophe (n. f.) : groupe de vers séparé des autres par un espace.

Structure du discours (rhétorique) (n. f.) : le discours habilement construit adopte souvent ce plan : **exorde** pour capter la bienveillance et exposer le sujet, **narration** de l'affaire, **confirmation** des preuves, **réfutation** des arguments adverses, **péroraison**, c'est-à-dire résumé émouvant.

Subordination (n. f.) : construction syntaxique qui présente une ou plusieurs propositions dépendantes de la proposition principale et introduites par un mot subordonnant.

Surréalisme (n. m.) : mouvement artistique et littéraire né après la première guerre mondiale. Il donne libre cours au travail de l'imagination et de l'inconscient dans la création artistique.

Symbole (n. m.) : élément textuel ou iconique représentant concrètement une idée abstraite. Le symbole diffère de l'analogie au sens où son interprétation est ouverte et plurielle.

Synecdoque (n. f.) : figure de style qui, dans la désignation d'un objet, consiste à prendre la partie pour le tout, la matière pour l'objet lui-même, l'espèce pour le genre, le singulier pour le pluriel ou inversement.

Synopsis (n. m.) : récit très bref résumant l'action d'une œuvre littéraire ou cinématographique.

Syntaxe (n. f.) : organisation des mots dans la phrase.

Tercet (n. m.) : strophe de trois vers.

Théoricien (n. m.) : écrivain, penseur, philosophe ou moraliste qui élabore et professe une théorie littéraire.

Thèse (n. f.) : idée maîtresse d'un discours, défendue implicitement ou explicitement grâce à des arguments, étayés par des exemples.

Tirade (n. f.) : longue réplique de théâtre.

Tragique (n. m. et adj.) : registre qui qualifie un texte où l'enchaînement des faits voue le héros à un malheur sans issue et à la mort.

Trajet de lecture (image) (n. m.) : trajet que parcourt l'œil pour balayer une image.

***Travelling* avant, arrière, zoom (image mobile)** (n. m.) : mouvement de la caméra sur un axe.

Tréteau (théâtre de tréteaux) (n. m.) : installation provisoire d'une scène en plein air.

Utopie (n. f.) : étymologiquement, « lieu qui n'existe pas ». Société imaginaire idéale, dénonçant les défauts de la société réelle.

Vanité (n. f.) : œuvre littéraire ou picturale mettant l'accent sur l'imminence de la mort et donc sur l'inutilité des divertissements humains, tels que la poursuite de la gloire ou de la fortune.

Vérité générale (n. f.) : énoncé qui formule une règle ou une loi. Le vocabulaire en est abstrait, la forme parfois codifiée (sentence, maxime, proverbe...).

Vers libre (n. m.) : vers sans rime, de longueur variable et irrégulière. Le retour à la ligne et la disposition dans la page permettent de les identifier et d'en ressentir le rythme.

Volte (n. f.) : vers qui précède et amène la pointe du poème.

Index des auteurs et des œuvres

ADAM, Olivier
À l'abri de rien 46
ALAIN
Propos sur le bonheur 331
ANOUILH, Jean
Antigone 158
ANTELME, Robert
Espèce humaine (L') 294, 298
APOLLINAIRE, Guillaume
Calligrammes
« La Colombe poignardée et le Jet d'eau » 254
« Miroir » 263
Poèmes à Lou
« Reconnais-toi » 220
« Si je mourais là-bas » 220
Alcools
« Crépuscule » 259
« La Loreley » 261
« Nuit rhénane » 260
« Zone » 258
ARAGON, Louis
Yeux d'Elsa (Les), « C » 267
ARISTOPHANE
Cavaliers (Les) 129
ARTAUD, Antonin
Théâtre et son double (Le) 139
AUBIGNÉ, Agrippa (d')
Tragiques (Les) 369

BALZAC, Honoré (de)
Cabinet des Antiques (Le) 28
BARBUSSE, Henri
Feu (Le) 61
BARICCO, Alessandro
Homère, Iliade 411
BARTHES, Roland
Mythologies 341
BAUDELAIRE, Charles
Les Épaves,
« Les métamorphoses du vampire » 429
Fleurs du mal (Les)
« À une passante » 218
« Chant d'automne » 405
« Le voyage » 297
« L'invitation au voyage » 244
Petits Poèmes en prose
« La solitude » 351
« Le désir de peindre » 219
« L'invitation au voyage » 245
BEAUMARCHAIS
Barbier de Séville (Le) 196
Mariage de Figaro (Le) 130
BEAUVOIR, Simone (de)
Deuxième Sexe (Le) 347
BECKETT, Samuel
En attendant Godot 166
Oh les beaux jours 191
BEKRI, Tahar
« Le poème ouvert » 252
Bible (La) 416
BOCCACE
Décaméron (Le) 358
BOUGAINVILLE, Louis-Antoine (de)
Voyage autour du monde 316
BRECHT, Bertolt
Vie de Galilée (La) 371
BUTOR, Michel
Modification (La) 42

CAMUS, Albert
Caligula 165
Discours de Stockholm (Le) 529
Étranger (L') 88
Justes (Les) 286
Peste (La) 301
CASSOU, Jean
Trente trois sonnets composés au secret, « La plaie que, depuis le temps des cerises... » 267
CÉLINE,
Voyage au bout de la nuit 62
CENDRARS, Blaise
Feuilles de route, « Passagers » 325
CÉSAIRE, Aimé
Discours sur la Négritude 288
CHAMOISEAU, Patrick
Esclave vieil homme et le molosse (L') 283
CHAR, René
Lettera amorosa, « Sur le franc-bord » 221
CHATEAUBRIAND, François René (de)
René 74
CLÉMENT, Jean-Baptiste
« Le temps des cerises » 266
COHEN, Albert
Carnets 1978 413
Livre de ma mère (Le) 412
CONDORCET, Nicolas (de)
Réflexions sur l'esclavage des nègres 282

DANTE ALIGHIERI
Divine Comédie (La) 379
DARRIEUSSECQ, Marie
Rapport de police 421
DIDEROT, Denis
Jacques le fataliste et son maître 36
Supplément au voyage de Bougainville 317
DIDEROT et D'ALEMBERT,
Encyclopédie 350
DU BELLAY, Joachim
Défense et illustration de la langue française 367
Divers Jeux rustiques 222
Olive (L'), « Ces cheveux d'or sont les liens, Madame » 403
Regrets (Les)
Sonnet 31 382
Sonnet 32 364
DÜRRENMATT, Friedrich
Visite de la vieille dame (La) 134

ÉLUARD, Paul
Capitale de la douleur
« La courbe de tes yeux... » 212
« Celle de toujours, toute » 213
ÉRASME
Préface à la traduction du *Nouveau Testament* 366
ESCHYLE
Agamemnon 154
Euménides (Les) 185

FEYDEAU, Georges
Dindon (Le) 126
FLAUBERT, Gustave
Bouvard et Pécuchet 38
Madame Bovary 30, 414
Trois Contes 417

GAINSBOURG, Serge
Vu de l'extérieur, « Je suis venu te dire que je m'en vais » 408
GAUDÉ, Laurent
Mort du roi Tsongor (La) 95
GAUTIER, Théophile
Morte amoureuse (La) 427
GERMAIN, Sylvie
Magnus 44
Personnages (Les) 45
Tobie des marais 290
GIONO, Jean
Un roi sans divertissement 78
GRACQ, Julien
Presqu'île (La) 105
GUILLEVIC, Eugène
Gagner, « Art poétique » 240
Terre à bonheur, « Douceur » 241

HOMÈRE,
Iliade 100, 410
HOUELLEBECQ, Michel
Extension du domaine de la lutte 35
HUGO, Victor
Contemplations (Les),
« Ce que dit la Bouche d'Ombre » 236
Homme qui rit (L') 277
Misérables (Les) 76, 109, 265
Ruy Blas 162, 197
Travailleurs de la mer (Les) 103
HUYSMANS, Joris-Karl
À rebours 418

IONESCO, Eugène
Notes et contrenotes 177
Rhinocéros 280
Roi se meurt (Le) 168

JARRY, Alfred
Ubu Roi 132

KEENE, Daniel
Cinq hommes 176
KOLTÈS, Bernard-Marie
Combat de nègre et de chiens 170
Sallinger 192
KUNDERA, Milan
Rideau (Le) 92

LA FAYETTE, Marie-Madeleine (de)
Princesse de Clèves (La) 80
LA FONTAINE, Jean (de)
Fables (Les), « La Jeune Veuve » 434
Songe de Vaux (Le) 229
LABÉ, Louise
Œuvres
Sonnet II 206
« Je vis, je meurs » 206
LACLOS, Pierre Choderlos (de)
Liaisons dangereuses (Les) 82
LAFORGUE, Jules
Moralités légendaires 420
LAGARCE, Jean-Luc
Juste la fin du monde 173
LE CLÉZIO, Jean-Marie Gustave
Désert 90
LEIRIS, Michel
Afrique fantôme (L') 324
LEPRINCE DE BEAUMONT, Jeanne-Marie
Belle et la Bête (La) 276
LÉRY, Jean (de)
Histoire d'un voyage fait en la terre du Brésil 314
LESAGE, Alain-René
Turcaret 122
LEVI, Primo
Si c'est un homme 292
LÉVI-STRAUSS, Claude
Race et histoire 330
Tristes tropiques 328

MACHIAVEL, **Nicolas**
Prince (Le) 393
MARBEUF, **Pierre (de)**
Recueil de vers, sonnet 210
MARIVAUX,
Fausses confidences (Les) 195
Jeu de l'amour et du hasard (Le) 123
Paysan parvenu (Le) 26
MAROT, **Clément**
Épigrammes, « D'Anne qui lui jeta de la neige » 205
MATHESON, **Richard**
Je suis une légende 428
MAURIAC, **François**
Romancier et ses personnages (Le) 47
MERCIER, **Louis-Sébastien**
Tableau de Paris 345
MOLIÈRE,
Amphitryon 117
Dom Juan 119
MONTAIGNE, **Michel (de)**
Essais (Les) 275, 312, 365, 377, 383
MONTESQUIEU,
Lettres persanes (Les) 70
MONTEVERDI, **Claudio**
Madrigaux guerriers et amoureux, « Hor che'l ciel e la terra » 208
MORE, **Thomas**
Utopie (L') 359
MUSSET, **Alfred (de)**
Lorenzaccio 143
On ne badine pas avec l'amour 125

N'DIAYE, **Marie**
Papa doit manger 193
NERVAL, **Gérard (de)**
Odelettes,
« Une allée du Luxembourg » 231
NIZAN, **Paul**
Aden Arabie 324

ORLÉANS, **Charles (d')**
Rondel 227
ORTLIEB, **Gilles**
Poste restante, « 3 h 56 » 251
OVIDE
Métamorphoses (Les) 278

PARÉ, **Ambroise**
Des monstres et prodiges 274
PASCAL,
Pensées 349
PAZ, **Octavio**
Liberté sur parole, « La Jarre cassée » 249
PEREC, **Georges**
Choses (Les) 34
PÉTRARQUE
Canzoniere
Sonnet 57 402
Sonnet 164 208
PÉTRONE
Satiricon 433
PISAN, **Christine (de)**
« Ballade » 227
Rondeaux,
« Je ne sais comment je dure » 204
PLAUTE,
Amphitryon 116
PONGE, **Francis**
Pièces, « La valise » 250
PRÉVERT, **Jacques**
Grand Bal du Printemps,
« Grand Bal du Printemps » 242
Histoires, « Embrasse-moi » 337
Paroles, « Le Jardin » 231
PRÉVOST **(Abbé)**
Manon Lescaut 51
PROUST, **Marcel**
Du côté de chez Swann 32

RABELAIS, **François**
Gargantua 360, 394
Pantagruel 362
RACINE, **Jean**
Phèdre 159
RADIGUET, **Raymond**
Bal du comte d'Orgel (Le) 86
REZA, **Yasmina**
Art 136
RIBES, **Jean-Michel**
Théâtre sans animaux 138
RICE, **Anne**
Entretien avec un vampire 426
RIMBAUD, **Arthur**
Poésies, « Le Bateau ivre » 246
ROBBE-GRILLET, **Alain**
Pour un nouveau roman 43
RONSARD, **Pierre (de)**
Amours (Les), Sonnet 12 404
Discours des misères de ce temps 368
Institution pour l'adolescence de Charles IX 395
Préface de *La Franciade* 222
Second Livre des Amours
« Marie, qui voudrait votre beau nom tourner » 214
« Sur la mort de Marie » 215
Sonnets pour Hélène, Madrigal 208
ROUSSEAU, **Jean-Jacques**
Émile 322

SAINT-EXUPÉRY, **Antoine (de)**
Terre des hommes 326
SAND, **George**
Histoire de ma vie 346
SARTRE, **Jean-Paul**
Mains sales (Les) 284
Mouches (Les) 164
Nausée (La) 40
SCARRON, **Paul**
Roman comique (Le) 24
SEGALEN, **Victor**
Stèles, « Conseils au bon voyageur » 248
SEMPRUN, **Jorge**
Écriture ou la vie (L') 296
SIMMONDS, **Posy**
Gemma Bovery 415
SOPHOCLE
Antigone 156
Œdipe à Colone 184
STAËL, **Germaine (de)**
Delphine 72
STENDHAL
Rouge et le Noir (Le) 84
Chartreuse de Parme (La) 108
STOCKER, **Bram**
Dracula 424, 425
SUPERVIELLE, **Jean**
Gravitations, « Le matin du monde » 238

TOURNIER, **Michel**
Vendredi ou les limbes du Pacifique 104, 320

VERLAINE, **Paul**
Parallèlement,
« À la manière de Paul Verlaine » 217
Poèmes Saturniens
« Mon rêve familier » 216
« Chanson d'automne » 407
VIGNY **(Alfred de)**
Cinq-Mars (préface) 107
VOITURE, **Vincent**
Poésies, « Ma foi, c'est fait de moi... » 211
VOLTAIRE
Ingénu (L') 319
Zadig 435

WIESEL, **Élie**
Nuit (La) 65

Index iconographique

ALBA **(d'), Macrino**
Portrait d'Anne d'Alençon 205
ANONYME,
Dame à la Licorne : le Goût (La) 226
ARCIMBOLDO, **Giuseppe**
Feu (Le) 369
ARISTOPHANE,
Lysistrata, Bianciotto, Rafael 190

BACON, **Francis**
Autoportrait assis 41
BASQUIAT, **Jean-Michel**
Mona Lisa 400
Slaveships (Tobacco) 288
BEAUMARCHAIS,
Mariage de Figaro (Le), Rauck, Christophe 130
BECKETT, **Samuel**
En attendant Godot, Sobel, Bernard 167
Fin de partie, Levy, Bernard 177, 180
Oh les beaux jours
Barrault, Jean-Louis 194
Wilson, Bob 492
BERNARD, **Raymond**
Misérables (Les) (photogramme) 77
BÖCKLIN, **Arnold**
Peste (La) 302
BOLTANSKI, **Christian**
Personnes 64
BOTTICELLI, **Sandro**
Naissance de Vénus (La) 373
Vénus et Mars 379
BOUBAT, **Édouard**
Famille hindoue 340
BRANCUSI, **Constantin**
Baiser (Le) 290
Muse endormie 216
Peste (La) 302
BRASSAÏ,
Couple d'amoureux dans un petit café parisien 336
BRECHT, **Bertolt**
Mère Courage et ses enfants, Sallin, Gisèle 152
BROOKS, **Mel**
Dracula (affiche de film) 430
BROWNING, **Tod**
Dracula (affiche de film) 424

CAMUS, **Albert**
Caligula, Berling, Charles 179
Justes (Les), Nordey, Stanislas 287
CAPA, **Robert**
Mort d'un républicain espagnol 63
CARON, **Antoine**
Massacres du Triumvirat (Les) 374
CÉSAR,
Valise-expansion 250
CHABROL, **Claude**
Madame Bovary (affiche de film) 30
CHAGALL, **Marc**
Scène champêtre 238
Sirène et poisson 264

CHARDIN, Jean-Baptiste Siméon
Singe peintre (Le) 421
CHARDIN, Pierre
Raisins et grenades 26
CHASSÉRIAU, Théodore
Jeune fille mauresque 244
CHIRICO, Giorgio (de)
Joies et les énigmes d'une heure étrange (Les) 308
CIMABUE,
Maestà di Santa Trinita 376
COCTEAU, Jean
Belle et la Bête (La) (photogramme) 272
COPPOLA, Francis Ford
Dracula (affiche de film et photogrammes) 426, 428, 430,
COULOM, Jean-Baptiste
Arrivée des comédiens au Mans 48
CRANACH L'ANCIEN, Lucas
Salomé et la tête de saint Jean-Baptiste 422

DALÍ, Salvador
Marché d'esclaves avec apparition du buste de Voltaire 549
DAUMIER, Honoré
Antoine Maurice Apollinaire, baron d'Argout 38
DAVID, Jacques-Louis
Bonaparte franchissant les Alpes 84
DE LA TOUR, Georges
Madeleine pénitente (La) 22
DELACROIX, Eugène
Autoportrait 74
Liberté guidant le peuple (La) 555
Mort de Sardanapale (La) 70
Portrait de Frédéric Chopin 224
DELAUNAY, Jules Élie
Peste à Rome (La) 307
DELAUNAY, Robert
Champ de Mars. La Tour Rouge 256
DELVAUX, Paul
Sacrifice d'Iphigénie (Le) 553
DELVILLE, Jean
Orphée 223
DIX, Otto
Flandres (Les) 61
Rue de Prague (La) 68
DORÉ, Gustave
Illustration pour *Don Quichotte* 49
Illustration pour « La Jeune Veuve » 436
DÜRER, Albrecht
Allégorie de la Mélancolie 364
Autoportrait en manteau de fourrure 384
DÜRRENMATT, Friedrich
Visite de la vieille dame (La), Porras, Omar 134

ECONOMOPOULOS, Nikos
Nomades 326
EDMOND, Cross-Henri
Nu dans un jardin 225
ESCHYLE,
Agamemnon
Mnouchkine, Ariane 186
Stein, Peter 154
Électre, Vitez, Antoine 187
Euménides (Les), Py, Olivier 185
EURIPIDE,
Suppliantes (Les), Rossi, Vittorio 183

FEYDEAU, Georges
Dindon (Le)
Adrien, Philippe 493
Hemleb, Lukas 127
FISHER, Terence
Cauchemar de Dracula (Le) (affiche de film et photogramme) 423, 428
FLEMALLE, Bertholet
Sacrifice d'Iphigénie (Le) 552
FOLTZ, Philip (von)
Loreley (La) 260
FRAGONARD, Jean-Honoré
Baiser à la dérobée (Le) 57
Escarpolette (L') 52
FRANCESCA, Piero (della)
Flagellation (La) 381
FREARS, Stephen
Liaisons dangereuses (Les) (photogramme) 82
FRIEDRICH, Caspar David
Abbaye dans une forêt de chênes 432
Matin de Pâques 331

GALLONE, Carmine
Scipion l'Africain (photogramme) 96
GAUGUIN, Paul
D'où venons-nous ? Que sommes-nous ? Où allons-nous ? 310
Arearea (Joyeusetés) 316
GÉRICAULT, Théodore
Radeau de la Méduse (Le) 548
GIACOMETTI, Alberto
Three Men Walking (II) 294
GIOTTO,
Scènes de la vie de saint François : Les démons chassés d'Arezzo 381
GIRARDET, Eugène Alexis
Caravanes dans les dunes de Bou-Saada 91
GOYA, Francisco (de)
Temps ou *Les Vieilles (Le)* 29
GRIS, Juan
Femme 257
GROMAIRE, Marcel
Place Blanche 86
GROSZ, Georges
Explosion 60

HAMILTON, William
Marie-Antoinette conduite à son exécution 72
HARDWICKE, Catherine
Twilight Fascination (affiche de film) 431
HOLBEIN LE JEUNE, Hans
Ambassadeurs (Les) 356
HOPPER, Edward
Compartment C, Car 293 251
HUGO, Victor
Burg dans l'orage (Le) 425
Dolmen où m'a parlé la Bouche d'Ombre 237
Ma Destinée 106
Ruy Blas, Jacques-Wajeman, Brigitte 162

IONESCO, Eugène
Cantatrice chauve (La), Lagarce Jean-Luc 114
Rhinocéros, Dermarcy Mota, Emmanuel 281
Roi se meurt (Le), Werler, Georges 168, 169
IZIS,
Bords de Seine 337
Grand Bal du Printemps 242

JARRY, Alfred
Ubu Roi, Sobel, Bernard 133, 142
JORDAN, Neil
Entretien avec un vampire (photogramme) 429

KERTÉSZ, André
Un après-midi aux Tuileries 231
KLEIST (von), Heinrich
Amphitryon, Sobel, Bernard 117
KLIMT, Gustav
Femme au chapeau et boa de plumes 218
KOLLAR, François
Portrait d'un paysan à casquette 335
KOLTÈS, Bernard-Marie
Combat de nègre et de chiens
Chéreau, Patrice 170
Nichet, Jacques 172
Sallinger, Chailloux, Élisabeth 180
KUNDERA, Milan
Jacques et son maître, Briançon, Nicolas 37

LAGARCE, Jean-Luc
Juste la fin du monde
Berreur, François 174
Levy, Bernard 173
LANZMANN, Claude
Shoah (affiche de film) 65
LAURANA, Luciano
Cité idéale (La) 359
LAURENCIN, Marie
Femme au singe (La) 259
Groupe d'artistes 263
LE BERNIN, Bernini Gian
Apollon et Daphné 228
LE CARAVAGE,
Amour vainqueur (L') 402
Décollation de Jean-Baptiste (La) 416
Méduse 279
LE PARMESAN,
Autoportrait dans un miroir convexe 386
LE TITIEN
Une allégorie de la prudence 388
LÉGER, Fernand
Joconde aux clés (La) 400
LETERRIER, François
Un roi sans divertissement (photogramme) 78
LÉVI-STRAUSS, Claude
Indien Bororo 334

MAGRITTE, René
Clairvoyance (La) 47
Mémoire (La) 268
MALLE, Louis
Lacombe Lucien (photogrammes) 551
MANET, Édouard
Musique aux Tuileries (La) 230
MANTEGNA, Andrea
Saint Sébastien 378
MARIVAUX,
Fausses Confidences (Les), Bezace, Didier 198
Jeu de l'amour et du hasard (Le)
Arias, Alfredo 123
Liermier, Jean 124
MARREL, Jacob
Vanité 80
MATISSE, Henri
Musique (La) 209
MCCURRY, Steve
Jeune Fille afghane (La) 342
METSYS, Quentin
Portrait d'Érasme 366
MICHEL-ANGE,
Pietà (La) 375
Sybille d'Érythrée 354
MOLIÈRE,
Amphitryon, Vassiliev, Anatoly 116
Dom Juan,
Foostbarn Travelling Theater 119
Jouvet, Louis 142
Lassalle, Jacques 121
Mesguich, Daniel 120
MOREAU, Gustave
Apparition (L') 418
MUCHA, Alphonse
Automne (L') 407
MUNCH, Edvard
Vampire (Le) 427
MURNAU, Friedrich-Wilhem
Nosferatu le Vampire (photogramme) 424
MUSIC, Zoran
Nous ne sommes pas les derniers 298
MUSSET, Alfred (de)
Lorenzaccio,
Beaunesne, Yves 148
Krejca, Otomar 144
Lavaudant, Georges 146
Moser, Anne-Cécile 150
Stavisky, Claudia 145
Vilar, Jean 147, 149

Vincent, Jean-Pierre 146, 147, 148, 149
Zeffirelli, Franco 144
On ne badine pas avec l'amour, Faure, Philippe 125

PÉNOT, Albert
Chauve-souris (La) 429
PETERSEN, Wolfgang
Troie (photogramme) 410
PICASSO, Pablo
Bouteille de Pernod et verre 257
Portrait de Daniel-Henry Kahnweiler 44
PLAUTE,
Pseudolus, Jacques-Wajeman, Brigitte 190
POLANSKI, Roman
Bal des vampires (Le) (photogramme) 430
POUSSIN, Nicolas
Jugement de Salomon (Le) 546
Renaud et Armide 202

RACINE, Jean
Phèdre,
Chéreau, Patrice 159
Villégier, Jean-Marie, 160
RAOUX, Jean
Jeune fille lisant une lettre 211
RAPHAËL,
Balthazar Castiglione 374
École d'Athènes (L') 362
Portrait de l'artiste avec un ami 391
RENOIR, Pierre Auguste
Portrait du fils du peintre, Jean Renoir, avec sa nourrice Gabrielle Renard 412
REZA, Yasmina
Art, Kerbrat, Patrice 136
RIBES, Jean-Michel
Théâtre sans animaux 138
RIVERA, Diego
Esclaves indiens dans une plantation de canne à sucre 282
Tour Eiffel (La) 258
ROBERT-FLEURY, Joseph Nicolas
Galilée devant le Saint-Office au Vatican 371
ROBERTS, David
Exode des israélites d'Égypte (L') 101
RONIS, Willy
Délégué (Le) 338
Prise de parole aux usines Citroën-Javel 338
Salle de tissage, usine Rhodiaceta 339
ROSENTHAL, Joe
Iwo Jima 63
ROSI, Francesco
Trêve (La) (photogramme) 293
RUBENS, Pierre-Paul
Prométhée enchaîné 403

SARTO, Andréa (del)
Portrait d'un jeune homme 207
SARTRE, Jean-Paul
Mains sales (Les), Couleau, Guy-Pierre 285
Mouches (Les), Dullin, Charles 179
SFAR, Joann
Gainsbourg, une vie héroïque (affiche de film) 408
SHAKESPEARE, William
Henri IV, Mnouchkine, Ariane 139
SOPHOCLE,
Antigone
Nichet, Jacques 156
Kouyaté, Sotigui 157
Électre
Kokkos, Yannis 183
Vitez, Antoine 187
Œdipe, Adrien, Philippe 184
Œdipe à Colone, Vincent, Jean-Pierre 184
SOW, Ousmane
Statue de bronze 319
STAËL, Nicolas (de)
Nu couché bleu 240

TÀPIES, André
A.T. 234
TARDI, Jean
Illustrations pour *Voyage au bout de la nuit* 59, 62, 66
TUBY, Jean-Baptiste
Char d'Apollon (Le) 229

VAN HONTHORST, Gerrit
Joyeux violoniste (Le) 25
VERDOEL, Adriaen
Vanité 299
VERHAEGHE, Jean-Daniel
Controverse de Valladolid (La) (photogramme) 314
VÉRONÈSE, Caliari Paolo
Noces de Cana (Les) 380
VILLEGLÉ, Jacques
Rue des Tourelles 254
VINCI, Léonard (de)
Belle Ferronière (La) 214
Joconde (La) 401
Proportions du corps humain 377
Vierge, l'Enfant Jésus et Sainte Anne (La) 376
VISCONTI, Luchino
Étranger (L') (photogramme) 89
VUILLARD, Édouard
Les nourrices, La conversation et L'ombrelle rouge 32

WARHOL, Andy
Four Colored Campbell's Soup Can I 34
WULZ, Wanda
Io + Gatto 212

Table des crédits iconographiques

Couverture : © Nicolas Piroux ; **Gardes :** © Hachette Livre ; **15m** © papa #29621832- Fotolia.com ; **17b** © olly #21423347- Fotolia.com ; **18** © olly #26063505- Fotolia.com ; **19** © Tom Wang - Fotolia.com ; **20, 3** © AKG ; **22, 4ht** © The Metropolitan Museum of Art, Dist. RMN / image of the MMA ; **24, 630** © Hachette Livre ; **25** © Leemage / Costa ; **26g, 628** © Hachette Livre ; **26d** © RMN / Hervé Lewandowski ; **28, 624** © Hachette Livre ; **29** © Leemage / Josse ; **30ht, 626** © Hachette Livre ; **30b** © Collection Christophel ; **32ht, 630** © Hachette Livre ; **32b** © Photo Josse / Leemage ; **34ht, 629** © DALMAS / SIPA ; **34b** © 2011 Andy Warhol Foundation / ARS, NY / ADAGP Paris, Licensed by Campbell's Soup Co. All rights reserved / AKG ; **35, 627** © VILLARD / SIPA ; **36, 625** © Hachette Livre ; **37** © Ramon SENERA Agence Enguerand-Bernand ; **38g, 626** © Hachette Livre ; **38d** © RMN (Musée d'Orsay) / Herve Lewandowski ; **40, 630** © Hachette Livre ; **41** © The estate of Francis Bacon / All rights reserved / ADAGP, Paris 2011 / AKG ; **42ht, 625** © Hachette Livre ; **42b** © Freudenthal Verhagen / Getty Images ; **43, 630** © BALTEL / SIPA ; **44ht, 626** © LARTIGE CHRISTOPHE / SIPA ; **44b** © Succession Picasso 2011 / AKG ; **46, 624** © BALTEL / SIPA ; **47** © Photothèque R. Magritte - ADAGP, Paris 2011 ; **48** © Selva / Leemage ; **49** © RMN / Agence Bulloz ; **50g** © Coll. Vav / KHARBINE-TAPABOR ; **50d** © Coll. Jonas / KHARBINE-TAPABOR ; **51, 4b** © Hachette Livre ; **52** © Leemage / Photo Josse ; **53** © Apic /Getty Images ; **55** © AFP/ Andreas Rentz ; **57ht** © Leemage / Photo Josse / FineArtImages ; **57b** © BnF ; **58** © BnF ; **59** © Éditions Gallimard / Jacques Tardi, Fonds Futuropolis ; **60** © MOMA NY ; **61** © AKG ; **62** © Éditions Gallimard / Jacques Tardi, Fonds Futuropolis ; **63ht** Robert Capa © International Center of Photography / Magnum Photos ; **63b, 5ht** © Corbis /Joe Rosenthal ; **64** © Raphael GAILLARDE / GAMMA ; **65** © Rue des Archives / RDA ; **66** © Éditions Gallimard / Jacques Tardi, Fonds Futuropolis ; **68** © ADAGP Paris 2011 / Superstock / Leemage ; **69, 625** © Horst Tappe / Fondation Horst Tappe / Roger-Viollet ; **70ht, 628** © Hachette Livre ; **70b** © RMN / Hervé Lewandowski ; **72ht, 631** © Hachette Livre ; **72b, 5m** © RMN / Michèle Bellot ; **74ht** © AKG ; **74b, 625** © Hachette Livre ; **76, 627** © Hachette Livre ; **77** © Prod DB / Pathé-Nathan / DR ; **78ht, 626** © Hachette Livre ; **78b** © Prod DB / Films Jean Giono / DR ; **80g, 627** © Hachette Livre ; **80d** © AKG ; **82ht** © Prod DB / Lorimar-Warner Bros / DR ; **82b, 627** © Hachette Livre ; **84ht, 631** © Hachette Livre ; **84b** © Photo Josse / Leemage ; **86ht, 630** © Albert Harlingue / Roger-Viollet ; **86b** © ADAGP / Paris 2011 / Photo Josse / Leemage ; **88, 625** © Hachette Livre - Photo. « DR » ; **89** © Rue des Archives / BCA ; **90, 628** © LEROUX PHILIPPE / SIPA ; **91** © RMN / Gérard Blot ; **93** © Coll. Vav / KHARBINE-TAPABOR ; **94g** © Costa / Leemage ; **94d** Avec l'aimable accord des Éditions Gallimard ; **95, 5b** © Actes Sud / Photo Isabel Muñoz ; **96** © Prod DB / Enic / DR ; **97** © *Salammbô* de Philippe Druillet et Gustave Flaubert © Éditions Glénat / Drugstore - 2010 ; **101** coll. part. ; **102** © Musée du Quai Branly / RMN / Mathéus ; **106** © RMN / Agence Bulloz ; **110** © Photo Josse / Leemage ; **111htg** © Hachette Livre ; **111htm, m** Avec l'aimable accord des Éditions Gallimard ; **111htd** © Le Livre de Poche ; **111bg-m et d** © Collection Christophel ; **112, 3** © Benjamin RENOUT / CDDS Enguerand ; **114-115** © Brigitte ENGUERAND / CDDS ; **116g, 629** © Hachette Livre ; **116d** © Brigitte ENGUERAND / CDDS ; **117ht, 628** © Hachette Livre ; **117b** © B M PALAZON / CDDS Enguerand ; **119ht, 628** © Hachette Livre ; **119b** © Marc ENGUERAND / CDDS ; **120** © Pierre Grosbois ; **121** © Marc ENGUERAND / CDDS ; **123ht, 628** © Hachette Livre ; **123b** © Marc ENGUERAND / CDDS ; **124** © Marc Van Appelghem, Genève ; **125ht, 629** © Hachette Livre ; **125b** © Bruno AMSELLEM / SIGNATURES ; **126, 626** © Hachette Livre ; **127** © Ramon SENERA / CDDS Enguerand ; **129, 624** © Hachette Livre ; **130g, 624** © Hachette Livre ; **130d** © Max Hureau, Paris ; **132, 627** © Nadar / TopFoto / Roger-Viollet ; **133** © Pascal GELY / CDDS Enguerand ; **134ht, 6ht** © Pascal GELY / CDDS Enguerand ; **134b, 626** © SPPS / Rue des Archives ; **136g, 630** © KROHN / EVENT PRESS HERRMANN / SIPA ; **136d-137** © Brigitte ENGUERAND / CDDS ; **138ht, 630** © BALTEL / SIPA ; **138b** © Victor TONELLI / ArtComArt Paris ; **139** © Michèle Laurent, Paris ; **140g** © BPK, Berlin, Dist. RMN / Johannes Laurentius ; **140d** © Martine Franck / Magnum Photos ; **141g** © RC-C-09115 / Bibliothèque nationale de France ; **141d** © RC-A-56926 / Bibliothèque nationale de France ; **142h** © Studio Lipnitzki / Roger-Viollet ; **142b** © Jean-Paul LOZOUET / CIT'en scène ; **143, 6b** © Hachette Livre ; **144ht** © La Comédie-Française, 1976 ; **144b** © Marc ENGUERAND / CDDS ; **145** © Christian Ganet, Dardilly ; **146ht** © Bernand / CDDS Enguerand ; **146b** © Pascal GELY / CDDS Enguerand ; **147g** © Agnès VARDA / CDDS Enguerand ; **147d** © Pascal GELY / CDDS Enguerand ; **148ht** © Pascal GELY / CDDS Enguerand ; **148b** © Gilles Abegg / Opéra de Dijon ; **149ht** © Pascal Victor / ArtComArt ; **149b** © Agnès VARDA / CDDS Enguerand ; **150** © Nicole Seiler ; **152-153** © I. Daccord / Théâtre des Osses, producteur ; **154ht, 626** © Bridgeman Giraudon ; **154b** © Brigitte ENGUERAND/CDDS ; **156ht** © Brigitte ENGUERAND / CDDS ; **156b, 631** © Hachette Livre ; **157** © Ramon SENERA / CDDS Enguerand ; **158, 624** © Hachette Livre - Photo. « DR » ; **159ht, 630** © Hachette Livre ; **159b** © Marc ENGUERAND / CDDS ; **160** © Marie-Noëlle ROBERT, Paris ; **162ht, 627** © Hachette Livre ; **162b** © Jean-Paul LOZOUET/ CIT'en scène ; **164, 630** © Hachette Livre ; **165ht, 625** © Hachette Livre - Photo. « DR » ; **165b** © B M PALAZON / CDDS Enguerand ; **166, 624** © OZKOK / SIPA ; **167** © Pascal GELY / CDDS Enguerand ; **168ht, 627** © Hachette Livre – Photo. « DR » ; **168b** © Marc ENGUERAND / CDDS ; **169, 7ht** © Pascal GELY / CDDS Enguerand ; **170ht** © Marc ENGUERAND / CDDS ; **170b, 627** © BOCCON-GIBOD / SIPA ; **172** © Marc Ginot, Montpellier ; **173ht, 627** © Brigitte ENGUERAND / CDDS ; **173b** © Brigitte ENGUERAND / CDDS ; **174** © Jean-Pierre Maurin, Grenoble ; **177** © Pascal GELY / CDDS Enguerand ; **178** © Selva / Leemage ; **179ht** © 4-COL-42 (63,4), Photographie de scène Harcourt, avec l'aimable autorisation de la MAP / Bibliothèque nationale de France ; **179b** © Brigitte ENGUERAND / CDDS ; **180ht** © Pascal GELY / CDDS Enguerand ; **180b** © Bellamy / 1d-photo.org ; **181** © Alex Rodopoulos / Mauritius / Photononstop ; **182ht** ©

Nicolas Bresch / IRAA : Institut de Recherche sur l'Architecture Antique ; **182b** © Jean KRAUSSE jean.krausse@free.fr ; **183ht** © Cuboimages / Leemage ; **183b** © Marc ENGUERAND / CDDS ; **184ht** © Marc ENGUERAND / CDDS ; **184b** © Pascal GELY / CDDS Enguerand ; **185** © Pascal GELY / CDDS Enguerand ; **186, 7b** © Marc ENGUERAND / CDDS ; **187ht** © Marc ENGUERAND / CDDS ; **187b** © Luisa Ricciarini / Leemage ; **188g** © Cameraphoto / akg-images ; **188d** © Luisa Ricciarini / Leemage ; **189** © Luisa Ricciarini / Leemage ; **190g** © Jean-Paul LOZOUET / CIT'en scène ; **190d** © Pascal GELY / CDDS Enguerand ; **194** © Bernand / CDDS Enguerand ; **198** © BM PALAZON / CDDS Enguerand ; **199hg** © Éditions Flammarion, coll. « Étonnants Classiques » ; **199htm** Illustration Laurent Parienty / Avec l'aimable accord des Éditions Gallimard ; **199htd** © Éditions Belin / Gallimard, « Classico-lycée », 2009 ; **199m** © Éditions Flammarion, coll. « Étonnants Classiques » ; **199b** © Collection Christophel ; **200, 3** © ADAGP Paris 2011 / akg-images / Erich Lessing ; **202-203** © Bridgeman Art Library ; **203ht, 629** © Hachette Livre ; **204g, 629** © Fototeca / Leemage ; **204d** © Heritage Images / Leemage ; **205g, 628** © Hachette Livre ; **205d** coll. part. ; **206, 627** © Hachette Livre ; **207** © AKG / Eric Lessing ; **208, 629, 630** © Hachette Livre ; **209** © Succession H. Matisse. Photo : AKG ; **210, 628** DR ; **211ht, 631** © Hachette Livre ; **211b, 8ht** © RMN / Jean-Gilles Berizzi ; **212ht, 626** © Journal L'HUMANITÉ / KEYSTONE-France / Gamma Rapho ; **212b** © Archives Alinari / RMN ; **214ht, 630** © Hachette Livre ; **214b** © RMN / Franck Raux ; **216ht, 631** © Hachette Livre ; **216b** © ADAGP Paris 2011/ AKG ; **218g, 624** © Hachette Livre ; **218d** © AKG / Eric Lessing ; **220ht, 624** © COLLECTION YLI / SIPA ; **220bg** © Kharbine Tapabor ; **220bd** © Éditions Gallimard, 1955 ; **221, 625** © OZKOK / SIPA ; **223g** © AKG ; **223d** © AKG-images / Jérôme da Cunha ; **224** © RMN / Jean-Gilles Berizzi ; **225, 8b** © RMN (Musée d'Orsay) / Jean-Pierre Lagiewski ; **226** © RMN / Photo Franck RAUX ; **227** © AKG-images / British Library ; **228** © ALINARI / Réunion des Musées Nationaux ; **229** © Lafarge Jean-Claude ; **230** © National Gallery of London / RMN ; **231** © Ministère de la Culture / RMN / André Kertész ; **232** © The Metropolitan Museum of Art / RMN ; **234ht, 631** © MICHEL EULER / AP / SIPA ; **234b** © Fondation Antoni Tàpies, Barcelone / ADAGP, Paris, 2011 / Galerie Boissière ; **236, 627** © Hachette Livre ; **237** © AKG / Musée Victor Hugo ; **238g, 631** © Hachette Livre ; **238d** © ADAGP, banque d'images, Paris 2011 Chagall ® ; **240ht** © ADAGP Paris 2001 / akg-images / Archives CDA/ Guillo ; **240b, 626** © OZKOK/SIPA ; **242g, 629** © LIDO / SIPA ; **242-243** © Izis ; **244ht, 624** © Hachette Livre ; **244b, 9ht** © coll. part. Courtesy Brame ; **246ht** © AKG ; **246b, 630** © Hachette Livre ; **248ht, 630** © Roger-Viollet ; **248b** © RMN (musée Guimet, Paris) ; **249, 629** © OZKOK / SIPA ; **250g, 629** © OZKOK / SIMON SVEN / SIPA ; **250d** © ADAGP Paris 2011 / Direction des Musées de Dunkerque, LAAC / Ph. Jacques QUECQ D'Henripret ; **251ht, 629** Jacques SASSIER / GALLIMARD / OPALE ; **251b** © Geoffrey Clements / CORBIS ; **253** © ADAGP, Paris 2011 ; **254g** © Éditions Gallimard ; **254d** © Jacques Villeglé ADAGP, Banque d'Images, Paris 2011 ; **255, 9b** Photo X. D.R. / Avec l'aimable accord des Éditions Gallimard ; **256** © L&M Services B.V. The Hague 20110303 ; **257ht** © Succession Picasso 2011 / Bridgeman Art Library ; **257b** © akg-images / Erich Lessing ; **258** © ADAGP 2011 ; **259** coll. part. ; **260** © AKG ; **263g** © The Granger Collection NYC / Rue des Archives ; **263d** © Kharbine Tapabor / © Éditions Gallimard ; **264** © ADAGP, banque d'images, Paris 2011 Chagall ® / AKG ; **268** © Photothèque R. Magritte / ADAGP, Paris, 2011 / AKG ; **269ht-g-m et m** © Le Livre de Poche ; **269htd** © Hachette Livre ; **269bg** © Harmonia Mundi ; **269 bd** © Collection Christophel ; **270, 3** © akg-images / CDA / Guillemot / © ADAGP, Paris 2011 ; **272ht, 625** © Hachette Livre ; **272b** © Jerry Tavin / Rue des Archives / BCA ; **274ht, 629** © ABECASIS / SIPA ; **274b** © Gusman / Leemage ; **275, 628** © Hachette Livre ; **276, 628** © Hachette Livre ; **277ht, 627** © Hachette Livre ; **277b** © Tim Burton ; **278ht** © BnF ; **278b, 629** © Hachette Livre ; **279** © Photo Josse / Leemage ; **280, 627** © Hachette Livre – Photo. « DR » ; **281** © Ramon SENERA Agence Bernand ; **282g, 625** © Hachette Livre ; **282d** © 2011 – Banco de México Diego Rivera Frida Kahlo Museums Trust, Mexico, D.F. / ADAGP, Paris / Aisa, Leemage ; **283, 625** © SOULOY / SIPA ; **284, 630** © Hachette Livre – Photo. « DR » ; **285** © Grégory BRANDEL ; **286, 625** © Hachette Livre. – Photo. « DR » ; **287** © Chantal D PALAZON / CDDS Enguerand ; **288ht, 625** © WITT / SIPA ; **288b** © The Estate of Jean-Michel Basquiat / ADAGP, BI, Paris, 2011 ; **290ht, 626** © LARTIGUE / SIPA ; **290b** © ADAGP 2011 © Collection Centre Pompidou, Dist. RMN / Adam Rzepka ; **292, 628** © Prisma KCA / SUPERSTOCK / SIPA ; **293** © Rue des Archives / RDA ; **294ht, 624** Collection PETIT / DR / OPALE ; **294b** © Succession Giacometti / ADAGP Paris, 2011 / The Metropolitan Museum of Art, Dist. RMN / Malcom Varonn ; **296ht, 631** © SOULOY / SIPA ; **296b** FANNY BROADCAST / Gamma ; **297, 624** © Hachette Livre ; **298** © ADAGP Paris 2011 / Bridgeman ; **299** © RMN ; **300ht, 10ht** © ETHEL / Gamma ; **300b** © Mal Langsdon / Reuters; **301, 10b** Photo Gérard Rondeau / Avec l'aimable accord des Éditions Gallimard ; **302** © akg-images ; **307** © Photo Josse/Leemage ; **308** © akg-images, © ADAGP Paris 2011 ; **310-311, 11ht** © Aisa / Leemage ; **311ht, 626** © Hachette Livre ; **312ht, 628** © Hachette Livre ; **312b** © Bridgeman ; **314** © Christophel ; **316ht, 625** © Hachette Livre ; **316b** © Photo Josse / Leemage ; **317, 625** © Hachette Livre ; **319g, 631** © Hachette Livre ; **319d** © Remi BENALI / GAMMA ; **320ht, 631** © ANDERSEN / SIPA ; **320b** © UNITED ARTISTS / Album / AKG ; **322ht, 630** © Hachette Livre ; **322b** © Scott Haefner / Rue des Archives ; **324ht, 629** © Hachette Livre ; **324b, 628** © OZKOK / SIPA ; **325, 625** © Hachette Livre ; **326ht** © MAGNUM / Nikos Economopoulos ; **326b, 630** © LIDO / SIPA ; **328, 628** © ANDERSEN / SIPA ; **329** © Roger-Viollet ; **330, 628** © ANDERSEN / SIPA ; **331** © Bridgeman ; **332** © Archives / DR ; **333** © The Granger Collection NYC / Rue des Archives ; **334ht** © RMN ; **334b** © Scala / Claude Lévi-Strauss ; **335** © Ministère de la Culture - Médiathèque du Patrimoine, Dist. RMN © François Kollar ; **336** © Collection Centre Pompidou, Dist. RMN / Jacques Faujour © Estate Brassaï - RMN ; **337** Manuel Bidermanas © Izis ; **338ht, b** © Succession Willy RONIS / Diffusion Agence RAPHO / Gamma Rapho ; **339** © Succession Willy RONIS/Diffusion Agence RAPHO / Gamma Rapho ; **340** © Édouard BOUBAT / RAPHO / Gamma Rapho ; **341ht** © UB / Roger-Viollet ; **341b** © Philippe Michel / AGE Fotostock ; **342, 11b** © Steve McCurry/Magnum Photos ; **343** © REUTERS/Sukree Sukplang ; **344g** © Édouard BOUBAT / RAPHO / Gamma Rapho ; **344d** © Succession Willy RONIS / Diffusion Agence RAPHO / Gamma Rapho ; **348** Courtesy Mary Boone Gallery, New York © Barbara Kruger ; **352** Galerie Camera Obscura © Alexey Titarenko ; **353htg** Avec l'aimable accord des Éditions Pocket ; **353htm** Avec l'aimable accord des Éditions Gallimard ; **353htd** Avec l'aimable accord des Éditions Attila ; **353m** © Le Livre de Poche ; **353b** © Collection Christophel ; **354, 3** © Archives Alinari, Florence, Dist. RMN / Georges Tatge ; **356ht, 626** © Kean Collection / Getty Images ; **356b** © The National Gallery, Londres, Dist. RMN / National Gallery Photographic Department ; **358ht, 625** © Hachette Livre ; **358b** © RC-C-1463 / BnF ; **359ht** © Archives Alinari, Florence, Dist. RMN / Fratelli Alinari ; **359b, 629** © Hachette Livre ; **360, 630** © Hachette Livre ; **361** © akg-images ; **362ht, 630** © Hachette Livre ; **362b** © La Collection / Artothek ; **364g, 626** © Hachette Livre ; **364d** ©Luisa Ricciarini/Leemage ; **365, 628** © Hachette Livre ; **366g, 626** © Hachette Livre ; **366d** © Archives Alinari, Florence, Dist. RMN / Fratelli Alinari ; **367, 626** © Hachette Livre ; **368, 630** © Hachette Livre ; **369ht** © La Collection / Imagno ; **369b, 624** © Hachette Livre ; **371, 12ht** © RMN / Hervé Lewandowski ; **372g** © RC-A-66481 / BnF ; **372d** © The National Gallery, Londres, Dist. RMN / National Gallery Photographic Department ; **373** © Photo Josse / Leemage ; **374g** © RMN / Jean-Gilles Berizzi ; **374d** © Photo Josse/Leemage ; **375** © akg-images ; **376g, 12b** © RMN / Franck Raux ; **376d** © Electa / Leemage ; **377** © Immagina / Leemage ; **378** © RMN / René-Gabriel Ojéda ; **379** © MP/Leemage ; **380** © RMN / D.R. ; **381ht** © Archives Alinari, Florence, Dist. RMN / Ghigo Roli - FCP - Franco Cosimo Panini Editore © Management Fratelli Alinari ; **381b** © Raffael / Leemage ; **382** © BPK, Berlin, Dist. RMN / image MHK ; **383, 13ht** Illustration Pierre Skira, *La Chambre bleue* (détail) / Avec l'aimable accord des Éditions Gallimard ; **384** © La Collection / Artothek ; **386** © La Collection / Artothek ; **388** © Heritage Images/Leemage ; **391** © Photo Josse/Leemage ; **396** © RC-C-04830 / BnF ; **397htg** Avec l'aimable accord des éditions Pocket ; **397htm** © Éditions J'ai lu ; **397htd, m** © Hachette Livre ; **397bg** © collection Christophel ; **397bd** © SUNRGIA/ Christophel ; **398, 3** © ADAGP Paris 2011 / François Fontaine / Agence VU ; **400g** © ADAGP Paris 2011 / Photo Josse / Leemage ; **400, 631** Vinci, © Hachette Livre ; **400, 628** Léger © Roger-Viollet ; **400, 624** Basquiat © akg-images / Niklaus Stauss ; **400db** © The estate of Jean-Michel Basquiat / Adagp, Banque d'Images, Paris 2011/ Art Resource, New York ; **401** © RMN / Hervé Lewandowski / Thierry Le Mage ; **402ht, 629** © Hachette Livre ; **402b** © Artothek / La Collection ; **403g, 626** © Hachette Livre ; **403d** © RMN / Hervé Lewandowski ; **404, 630** © Hachette Livre ; **405ht** © AKG images ; **405b, 624** © Hachette Livre ; **407g, 631** © Hachette Livre ; **407d** © AKG-images / Mucha Trust ; **408ht, 626** © UNIVERSAL PHOTO / SIPA ; **408b** © Christophel ; **410ht, 627** © Hachette Livre ; **410b** © SUNRGIA / Christophel ; **411, 624** © LYDIE / SIPA ; **412ht, 625** © UNIVERSAL PHOTO / SIPA ; **412b** © Aisa / Leemage ; **414, 626** © Hachette Livre ; **415ht, 631** © HUSSEIN ZAK / SIPA ; **415b** Éditions Denöel / 2000 ; **416** © ALINARI / RMN Raffaello Bencini ; **417** © Hachette Livre ; **418g, 627** © Hachette Livre ; **418d** © AKG-images / Erich Lessing ; **420, 627** © RC-A-13775 / BnF ; **421, 13b** © Photo Josse / Leemage ; **422** © Alfréd Schiller / ARTOTHEK / La Collection ; **423** © Coll. Perrin / KHARBINE-TAPABOR ; **424ht, 14** Coll. Part. ; **424b** © Rue des Archives / Collection CSFF ; **425** © Maisons de Victor Hugo / Roger-Viollet ; **426** © Rue des Archives / BCA ; **427** © Costa / Leemage ; **428** © Mary Evans / Rue des Archives ; **429g** Coll. part. ; **429d** © Collection Christophel ; **430htg** © Rue des Archives / RDA ; **430d** © Collection Christophel ; **430bg** © Rue des Archives / BCA ; **431** © Rue des Archives / RDA ; **432** © The Gallery Collection / Corbis ; **436** © Coll. Jonas / Kharbine-Tapabor ; **437ht** Magnard ; **437** 2 et 4 © Éditions Gallimard ; **437** 3 © Le Livre de Poche ; **438htg** © Le Livre de Poche ; **438htd** © Éditions Gallimard ; **438mg** © France Culture ; **438** film1 © Rue des Archives / RDA ; film2 © Rue des Archives / RDA ; film4 © SUNRGIA / Christophel ; film5 © SUNRGIA / Christophel ; film6 © Christophel ; **439, 3** © NoahGolan - Fotolia.com ; **440** Sergueï, US ARCHE, 2002 ; © Sergueï ; **441ht** Alex, Le niveau baisse, © Alex ; **441b** Alex, 11 000 euros/mois et ils vivent en HLM, © Alex ; **444** Doug Kanter, 11 septembre 2001, New York, États-Unis © Doug Kanter / Getty / AFP ; **445g** Luca Catalano Gonzaga, Yadhu, 4 ans, Népal, 2008 © Luca Catalano Gonzaga ; **445htd** Roberto Schmidt,Le marché en fer de Port-au-Prince, le 29 janvier 2010, 2010 © Roberto Schmidt / AFP ; **445bd** Bruno Domingos, Teresopolis, 2011 © Bruno Domingos / Reuters ; **449, 15ht** le Courrier picard © Le Courrier picard 2011 ; **452** Publicité La Poste BBDP&Fils / La Poste 2004 © Denys VINSON ; **453ht** Publicité Banania, 1915 © Nutrial 2011 ; **453b** Banania © Nutrial 2011 ; **492** © Luciano Romano/ Change Performing Arts 2008 ; **493** © Patrick Berger/ArtComArt; **547ht** © René-Gabriel Ojéda/RMN ; **547b** © Coll. et Cliché Caricadoc ; **548** © Daniel Arnaudet/RMN ; **549ht** © Henri Cartier-Bresson/Magnum Photos ; **549b** Bridgeman-Giraudon © Salvador Dali, Fondation Gala-Salvador Dali/Adagp, Paris 2011; **551** © Nouvelles Editions de Films 1974 ; **552** © Daniel Arnaudet/RMN; **553** Christie's Images/ Bridgeman-Giraudon © Fondation Paul Delvaux, St Idesbald, Belgique / ADAGP, Paris 2011; **554htd** The Royal Collection/Bridgeman-Giraudon © 2011 Her Majesty Queen Elizabeth II; **554bg** © Angèle Plisson/Musées de Strasbourg; **555** © Hervé Lewandowski/RMN ; **615ht** © RMN (Domaine de Chantilly) / Réunion des Musées Nationaux ; **615b** © La Collection / Artothek ; **616** © Akg-images ; **617ht** © Photo Josse / Leemage ; **617b** © RMN (Château de Versailles) ; **618** © La Collection / Artothek ; **619** © Musée d'Angers ; **620** © RMN (Château de Versailles) / Gérard Blot ; **621d** © La Collection / Artothek ; **622** © RMN / Gérard Blot © ADAGP ; **623** © ADAGP, Paris 2011 / © Rue des Archives / Varma ; **626** Gaudé © LAMACHERE AURÉLIE / BALTEL / SIPA ; **627** Keene © Ramon SENERA / CDDS Enguerand ; **628** Lesage © HACHETTE LIVRE ; **629** Prévost © HACHETTE LIVRE

Malgré nos efforts, il nous a été impossible de joindre certains ayants droits mais nous réservons les droits usuels en notre comptabilité.

Achevé d'imprimer par «La Tipografica Varese Srl»
Dépôt légal : mai 2017 - Collection n° 06 - Édition 06
13/5542/9

XIXe siècle

1800 — 1850 — 1900

1re République Directoire et Consulat 1792-1804
Premier Empire 1804-1814
Restauration 1814-1830
Monarchie de juillet 1830-1848
IIe République 1848-1852
Second Empire 1852-1870
IIIe République 1870-1940

Charles X 1824-1830
Louis XVIII 1814-1824
Louis-Philippe 1830-1848
Napoléon III 1852-1870
Première Guerre

Événements politiques et scientifiques

- **1804** (2 décembre) Sacre de Napoléon Ier /Code civil
- **1805** Victoire d'Austerlitz
- **1812** Campagne de Russie
- **1814** Première locomotive à vapeur
- **1815** Les Cent jours, Napoléon revient au pouvoir / Waterloo
- **1816-1829** Niépce : première photographie
- **1819** Mesures libérales pour la presse
- **1828** Première ligne de chemin de fer
- **1848** Journées révolutionnaires (février et juin) / Suffrage universel masculin / Abolition de l'esclavage
- **1851** Coup d'État de Louis-Napoléon Bonaparte
- **1853-1869** Haussmann : rénovation de Paris
- **1859** Campagne d'Italie Darwin *Origine des espèces*
- **1864** Droit de grève
- **1870** Guerre franco-prussienne, défaite française de Sedan le 2 septembre
- **1871** Commune de Paris
- **1879-1886** Grandes lois sur l'école : gratuité, laïcité...
- **1885** Pasteur, vaccin contre la rage
- **1889** Exposition universelle à Paris (tour Eiffel)
- **1894-1906** Affaire Dreyfus
- **1898** Zola *J'accuse*
- **1905** Einstein, théorie de la rel… Loi de séparatio… de l'Église et de…

Histoire littéraire et artistique

- **1802** Chateaubriand *René*
- **1805** Beethoven *Symphonie n° 3* dite *Symphonie héroïque*
- **1814** Goya *Tres de Mayo*
- **1818** Mary Shelley *Frankenstein*
- **1819** Géricault *Le Radeau de la Méduse*
- **1820** Lamartine *Méditations poétiques*
- **1824** Delacroix *Les Massacres de Scio*
- **1827** Hugo Préface de *Cromwell*
- **1829-1848** Balzac *La Comédie humaine*
- **1830** Stendhal *Le Rouge et le Noir*
- **1832-1835** Chopin *Nocturnes*
- **1834** Musset *On ne badine pas avec l'amour*, *Lorenzaccio*
- **1838** Hugo *Ruy Blas*
- **1849** Hugo *Discours sur la misère*
- **1850** Courbet *Un enterrement à Ornans*
- **1857** Flaubert *Madame Bovary* Procès des *Fleurs du mal* (Baudelaire) Millet *Les Glaneuses*
- **1862** Hugo *Les Misérables*
- **1863** Manet *Le Déjeuner sur l'herbe*
- **1864-1876** *Grand Dictionnaire universel du XIXe siècle* de P. Larousse
- **1866** Verlaine *Poèmes saturniens*
- **1871-1893** Zola *Les Rougon-Macquart*
- **1874** Première exposition des impressionnistes Monet *Impression, soleil levant*
- **1875** Caillebotte *Les Raboteurs de parquet*
- **1885** Maupassant *Bel-Ami*
- **1889** Inauguration de la tour Eiffel pour l'exposition universelle de Paris
- **1894** Cinéma des frères Lumiè…
- **1898** Zola *J'accuse*
- **1900** Début du cubis…
- **1905** Naissan… (Derain, Matiss…
- **1910** de l'abs…
- **1** *du* Ap…

NATURALISME — RÉALISME — LE PARNASSE — SYMBOLISME — ROMANTISME

Auteurs

- **F.-R. de Chateaubriand** 1768-1848
- **Stendhal** 1783-1842
- **A. de Lamartine** 1790-1869
- **A. de Vigny** 1797-1863
- **H. de Balzac** 1799-1850
- **V. Hugo** 1802-1885
- **G. de Nerval** 1808-1855
- **A. de Musset** 1810-1857
- **G. Flaubert** 1821-1880
- **C. Baudelaire** 1821-1867
- **É. Zola** 1840-1902
- **S. Mallarmé** 1842-1898
- **P. Verlaine** 1844-1896
- **J.- K. Huysmans** 1848-1907
- **G. de Maupassant** 1850-1893
- **A. Rimbaud** 1854-1891
- **A. Gide** 1869-
- **J. Laforgue** 1860-1887
- **A. Jarry** 1871-1907
- **M. Proust** 1871-1922
- **V. Segalen** 1878-1919
- **G. Apollinaire** 1880-1918
- **J**
- **A. d**

Victor Hugo — Gustave Flaubert — Charles Baudelaire — Émile Zola — Paul Verlaine

1800 — 1850 — 1900